Le guide du routard

Prove[...]

Directeur de collection et auteur
Philippe GLOAGUEN

Cofondateurs
Philippe GLOAGUEN
et Michel DUVAL

Rédacteur en chef
Pierre JOSSE

Rédacteurs en chef adjoints
Amanda KERAVEL
et Benoît LUCCHINI

Directrice de la coordination
Florence CHARMETANT

Directrice administrative
Bénédicte GLOAGUEN

Direction éditoriale
Catherine JULHE

Rédaction
Olivier PAGE
Véronique de CHARDON
Isabelle AL SUBAIHI
Anne-Caroline DUMAS
Carole BORDES
André PONCELET
Marie BURIN des ROZIERS
Thierry BROUARD
Géraldine LEMAUF-BEAUVOIS
Anne POINSOT
Mathilde de BOISGROLLIER
Alain PALLIER
Gavin's CLEMENTE-RUÏZ
Fiona DEBRABANDER

2012

hachette

Remarque importante aux hôteliers et restaurateurs

Les enquêteurs du *Guide du routard* travaillent dans le plus strict anonymat. Aucune réduction, aucun avantage quelconque, aucune rétribution n'est jamais demandé en contrepartie. Face aux aigrefins, la loi autorise les hôteliers et restaurateurs à porter plainte.

Hors-d'œuvre

Le *Guide du routard,* ce n'est pas comme le bon vin, il vieillit mal. On ne veut pas pousser à la consommation, mais évitez de partir avec une édition ancienne. Les modifications sont souvent importantes.

routard.com

✓ Rejoignez la plus grande communauté francophone de voyageurs : plus de **2 millions** de visiteurs !

✓ Échangez avec les routarnautes : forums, photos, avis d'hôtels.

✓ Retrouvez aussi toutes les informations actualisées pour choisir et préparer vos voyages : plus de 200 fiches pays, une centaine de dossiers pratiques et un magazine en ligne pour découvrir tous les secrets de votre destination.

✓ Enfin, comparez les offres pour organiser et réserver votre voyage au meilleur prix.

✓ ***routard.com,*** le voyage à portée de clics !

Avis aux lecteurs

Les réductions accordées à nos lecteurs ne sont jamais demandées par nos rédacteurs afin de préserver leur indépendance. Les hôteliers et restaurateurs sont sollicités par une société de mailing, totalement indépendante de la rédaction, qui reste donc libre de ses choix. De même pour les autocollants et plaques émaillées.

Mille excuses, on ne peut plus répondre individuellement aux centaines de CV reçus chaque année.

TABLE DES MATIÈRES

Attention, le département des Hautes-Alpes est traité dans le *Guide du routard Alpes*.

LES COUPS DE CŒUR DU ROUTARD 10

COMMENT Y ALLER ?

- PAR LA ROUTE 11
- EN BUS 11
- EN TRAIN 12
- EN AVION 14

PROVENCE UTILE

- ABC DE LA RÉGION PACA 17
- AVANT LE DÉPART 17
- BUDGET 19
- LANGUE RÉGIONALE 21
- LIVRES DE ROUTE 23
- PERSONNES HANDICAPÉES 24
- PLONGÉE SOUS-MARINE 25
- SITES INTERNET 27
- URGENCE MOBILE 28

HOMMES, CULTURE, ENVIRONNEMENT

- ARCHITECTURE 30
- CALANQUES 32
- CAMARGUE 32
- CHEMINS DE SAINT-JACQUES-DE-COMPOSTELLE 33
- ÉCONOMIE 34
- ENVIRONNEMENT 34
- GÉOGRAPHIE 35
- HABITAT 36
- HISTOIRE 37
- JEUX DE CARTES 41
- LAVANDE 41
- MERVEILLES DE GUEULE 42
- MISTRAL 43
- NOËL EN PROVENCE 44
- PERSONNAGES 45
- PÉTANQUE 50
- SANTONS DE PROVENCE 50
- SITES INSCRITS AU PATRIMOINE MONDIAL DE L'UNESCO 51
- TAUROMACHIE 51
- TISSUS : DES INDES À LA PROVENCE 53
- VINS ET ALCOOLS 54

LES BOUCHES-DU-RHÔNE

- **ABC DES BOUCHES-DU-RHÔNE** 56
- **MARSEILLE** 56
  • La Belle-de-Mai : chronique d'un vieux quartier marseillais • Château-Gombert • La Treille et le pays de Marcel Pagnol • Marseille côté plages : vers les plages, du Stade-Vélodrome à la campagne Pastré ; le bord de mer ; les plages ; les îles au large de Marseille ; L'Estaque

LA CÔTE ET L'ARRIÈRE-PAYS MARSEILLAIS

La Côte bleue

• Niolon • Les calanques de la Redonne • Carry-le-Rouet • Sausset-les-Pins • Carro

Les calanques, de Marseille à Cassis

• La Madrague de Montredon • La calanque de Saména • La calanque de l'Escalette • Les Goudes • L'anse de la Maronaise • Le cap Croisette et la baie des Singes • La calanque de Callelongue • L'île Riou • La calanque de Marseilleveyre • La calanque de Sormiou • La calanque de Morgiou • La grotte Cosquer ou le Lascaux sous-marin • La calanque de Sugiton • Les calanques du Devenson et de l'Oule • La calanque d'En-Vau • La calanque de Port-Pin • La calanque de Port-Miou • La presqu'île de Port-Miou

De Cassis à Aubagne en passant par La Ciotat

- **CASSIS** 151
- **LE CAP CANAILLE ET LA ROUTE DES CRÊTES** 157
- **LA CIOTAT** 157
- **AUBAGNE** 161
  • La Maison de celle qui peint à Pont-de-l'Étoile • OK Corral à Cuges-les-Pins
- **DE LA SAINTE-BAUME À LA SAINTE-VICTOIRE** 168
  • La vallée de Saint-Pons • La Sainte-Baume • Le musée des Papillons à Fuveau • Trets

LE PAYS D'AIX

- **LA MONTAGNE SAINTE-VICTOIRE** 169
  • Le pont des Trois-Sautets • La route du Tholonet et le Château noir • Puyloubier • Vauvenargues • Les carrières de Bibémus
- **AIX-EN-PROVENCE** 172
  • Les jardins d'Albertas • L'écomusée de la Forêt méditerranéenne à Gardanne • Le puits Hely d'Oissel à Gréasque • Le mémorial des Milles • L'aqueduc de Roquefavour et Ventabren
- **D'AIX À SALON PAR LA RIVE GAUCHE DE LA DURANCE** 189
  • Le circuit des bastides • Peyrolles-en-Provence • Meyrargues • Rognes • La Roque-d'Anthéron • Lambesc

LE PAYS DE SALON ET L'ÉTANG DE BERRE

- **LE MASSIF DES COSTES** 192
  • La Barben • Vernègues • Pélissanne • Aurons
- **SALON-DE-PROVENCE** 195
  • Grans
- **AUTOUR DE L'ÉTANG DE BERRE** 201
  • Cornillon-Confoux • Saint-Chamas • Istres : le site archéologique de Saint-Blaise et Saint-Mitre-les-Remparts
- **MARTIGUES** 203
  • Carro et la Côte bleue

LA CAMARGUE

- **ARLES** ... 206

Le parc naturel régional de Camargue

- **LE VACCARÈS** ... 223
  • La Capelière • Salin-de-Badon • La digue à la mer
- **SALIN-DE-GIRAUD** ... 225
  • Les salines • Le domaine de la Palissade • La plage de Piémanson • La pointe de Beauduc • Les marais du Vigueirat • Le musée du Riz au Sambuc
- **SUR LA ROUTE DES SAINTES-MARIES-DE-LA-MER** ... 228
  • Le musée de la Camargue au mas du Pont-de-Rousty • Le château d'Avignon • Le parc ornithologique du Pont-de-Gau • Le bac du Sauvage
- **SAINTES-MARIES-DE-LA-MER** ... 229

La plaine de la Crau

- **SAINT-MARTIN-DE-CRAU** ... 234

LES ALPILLES

- **LA VALLÉE DES BAUX** ... 236
  • Mouriès • Maussane-les-Alpilles • Fontvieille : l'aqueduc et le moulin de Barbegal ; l'abbaye de Montmajour
- **LES BAUX-DE-PROVENCE** ... 242
- **LA ROUTE DES VINS DE LA VALLÉE DES BAUX** ... 246
- **SAINT-RÉMY-DE-PROVENCE** ... 246
  • Eygalières • Saint-Étienne-du-Grès
- **TARASCON** ... 257
  • Beaucaire
- **ENTRE RHÔNE ET DURANCE, PAR LES CHEMINS DE LA MONTAGNETTE** ... 261
  • Boulbon • L'abbaye Saint-Michel-de-Frigolet • Barbentane • Maillane • Graveson

LE VAUCLUSE

- **ABC DU VAUCLUSE** ... 267
- **ADRESSES UTILES** ... 270

LA CITÉ DES PAPES

- **AVIGNON** ... 270
- **VILLENEUVE-LEZ-AVIGNON** ... 288

LE LUBERON

Entre Durance et Luberon

- **CAVAILLON** ... 294
  • Caumont-sur-Durance • Cheval-Blanc • Mérindol

Le Sud-Luberon

• Lauris • Cadenet • Vaugines • Cucuron • Ansouis • Pertuis • La Tour-d'Aigues • Grambois

La combe de Lourmarin et le Petit Luberon

• Lourmarin • Bonnieux : l'Enclos des bories ; la forêt de cèdres • Lacoste • Ménerbes • Oppède • Robion : le musée de la Lavande à Coustellet • Les Beaumettes • Goult

Le pays d'Apt et les monts du Vaucluse

- **APT** ... 324
  • Saignon • Sivergues • Buoux • Le plateau des Claparèdes • Viens • Rustrel et le Colorado provençal • Lagarde-d'Apt • Saint-Saturnin-lès-Apt • Lioux
- **ROUSSILLON** ... 336
- **GORDES** ... 338
  • L'abbaye de Sénanque • Les gorges de la Véroncle • Murs

LE PAYS DES SORGUES

• **FONTAINE-DE-VAUCLUSE** 342
• Saumane-de-Vaucluse
• **L'ISLE-SUR-LA-SORGUE** 346
• La grotte de Thouzon

LE COMTAT VENAISSIN

• **PERNES-LES-FONTAINES** 353
• Saint-Didier • Venasque
• **CARPENTRAS** 356
• Monteux • Mazan

AUTOUR DU MONT VENTOUX

• **LE PAYS DE SAULT** 363
• Monieux et les gorges de la Nesque • Sault • Saint-Christol-d'Albion • Saint-Trinit : Ferrassières • Aurel : la vallée du Toulourenc • Brantes
• **LE MONT VENTOUX** 366
• Bedoin • Caromb • Le Barroux • Malaucène

LE HAUT VAUCLUSE

• **LES DENTELLES DE MONTMIRAIL** 370
• Beaumes-de-Venise • Vacqueyras • Gigondas • Sablet • Séguret • Suzette • Lafare
• **VAISON-LA-ROMAINE** 376
• Crestet
• **L'ENCLAVE DES PAPES** 381
• Valréas • Grillon • Richerenches • Visan

LA VALLÉE DU RHÔNE

• **BOLLÈNE** 384
• Mornas
• **ORANGE** 385
• Piolenc • Sérignan-du-Comtat
• **CHÂTEAUNEUF-DU-PAPE** 392
• Courthézon

LES ALPES-DE-HAUTE-PROVENCE

• **ABC DES ALPES-DE-HAUTE-PROVENCE** . 395
• **ADRESSES UTILES** 398

LA HAUTE-PROVENCE

• **DIGNE-LES-BAINS** 398
• La vallée du Bès • La vallée de l'Asse
• **LA VALLÉE DE LA MOYENNE DURANCE** 410
• Malijai • Château-Arnoux-Saint-Auban • Volonne • Montfort : l'église Saint-Donat • Les Mées • Peyruis : le prieuré de Ganagobie • Lurs • Oraison
• **MANOSQUE** 414
• L'écomusée de l'Olivier, le don de la Méditerranée, à Volx
• **FORCALQUIER** 422
• **LE PAYS DE FORCALQUIER ET LA MONTAGNE DE LURE** 427
• Mane • Dauphin : le musée de la Mémoire ouvrière, Mines et Mineurs de Haute-Provence • Saint-Michel-l'Observatoire • Céreste : le prieuré de Carluc • Reillanne • Vachères • Oppedette • Simiane-la-Rotonde : le château médiéval et sa rotonde, l'abbaye de la Rose • Banon • Saumane • Lardiers • Saint-Étienne-les-Orgues : le signal de Lure • Cruis
• **SISTERON** 437
• La vallée du Jabron • La haute vallée du Vançon et la vallée des Duyes • Les Hautes-Terres-de-Provence

LES VALLÉES ALPINES

La vallée de la Blanche

- **SEYNE-LES-ALPES** 445
- **SELONNET** 447
  - • Les gorges de la Blanche
- **MONTCLAR** 448

La vallée de l'Ubaye

- **LA BASSE-UBAYE** 451
  - • Le lac de Serre-Ponçon • Les Demoiselles et le musée du Lauzet coiffées • Le Lauzet-sur-l'Ubaye
- **BARCELONNETTE** 453
- **PRA-LOUP – LES MOLANÈS** 460
- **LE SAUZE** 462
- **JAUSIERS** 464
  - • Le col de Restefond, la Bonette
- **LA HAUTE-UBAYE** 466
  - • Le pont du Châtelet • Fouillouse • Maljasset • Maurin

Le val d'Allos

- **LE PARC NATIONAL DU MERCANTOUR** 469
- **VAL-D'ALLOS (LA FOUX, ALLOS, LE SEIGNUS)** 470
- **COLMARS-LES-ALPES** 472
- **BEAUVEZER** 474
  - • La vallée de l'Issole • La vallée de la Vaïre
- **ANNOT** 476
- **ENTREVAUX** 478
  - • Les gorges de Daluis et du Cians • Le pont de la Reine-Jeanne • Le col de Toutes-Aures

LE VERDON

- **SAINT-ANDRÉ-LES-ALPES ET LE LAC DE CASTILLON** 479
  - • Saint-Julien-du-Verdon • Le barrage de Castillon • Le site du Mont-Chalvet • Réseau miniature à Saint-André-les-Alpes
- **CASTELLANE** 481
  - • La cathédrale de Senez

Les gorges du Verdon

- • Les gorges par la route • Les gorges à pied
- **MOUSTIERS-SAINTE-MARIE** 492

La basse vallée du Verdon

- • Le lac de Sainte-Croix • Quinson • Esparron-de-Verdon • Gréoux-les-Bains

Le plateau de Valensole

- • Saint-Martin-de-Brômes • Allemagne-en-Provence • Valensole • Riez • Saint-Jurs

- **INDEX GÉNÉRAL** 530
- **OÙ TROUVER LES CARTES ET LES PLANS ?** 539

Recommandation à nos lecteurs qui souhaitent profiter des réductions et avantages proposés dans le *Guide du routard* par les hôteliers et les restaurateurs : à l'hôtel, prenez la précaution de les réclamer à **l'arrivée** et au restaurant, **au moment** de la commande (pour les apéritifs) et surtout **avant** l'établissement de l'addition. Poser votre *Guide du routard* sur la table ne suffit pas : le personnel de salle n'est pas toujours au courant et une fois le ticket de caisse imprimé, il est difficile pour votre hôte d'en modifier le contenu. En cas de doute, montrez la notice relative à l'établissement dans le guide et ne manquez pas de nous faire part de toute difficulté rencontrée.

☎ **112 :** voici le numéro d'urgence commun à la France et à tous les pays de l'UE, à composer en cas d'accident, agression ou détresse. Il permet de se faire localiser et aider en français, tout en améliorant les délais d'intervention des services de secours.

Nous tenons à remercier tout particulièrement Loup-Maëlle Besançon, Thierry Bessou, Gérard Bouchu, François Chauvin, Grégory Dalex, Stéphanie Déro, Solenne Deschamps, Fabrice Doumergue, Cédric Fischer, Carole Fouque, Michelle Georget, Claude Hervé-Bazin, Emmanuel Juste, Dimitri Lefèvre, Sacha Lenormand, Fabrice de Lestang, Romain Meynier, Éric Milet, Pierre Mitrano, Jean-Sébastien Petitdemange, Thomas Rivallain, Dominique Roland et Solange Vivier pour leur collaboration régulière.

Et pour cette nouvelle collection, nous remercions aussi :

Maureen Abel
David Alon
Sarah Amoyel
Pauline Augé
Emmanuelle Bauquis
Solene de Bellefon
Gwladys Bonnassie
Jean-Jacques Bordier-Chêne
Michèle Boucher
Alain Chaplais
Stéphanie Condis
Élodie Coué
Agnès Debiage
Jérôme Denoix
Tovi et Ahmet Diler
Clélie Dudon
Sophie Duval
Clara Favini
Alain Fisch
David Giason
Adrien et Clément Gloaguen
Stéphane Gourmelen
Xavier Haudiquet
Bernard Hilaire
Sébastien Jauffret
François et Sylvie Jouffa
Laetitia Le Couédic
Solenne Leclerc
Jacques Lemoine
Valérie Loth
Jacques Muller
Caroline Ollion
Nicolas Pallier
Martine Partrat
Odile Paugam et Didier Jehanno
Delis Pusiol
Amélie Robin
Prakit Saiporn
Jean-Luc et Antigone Schilling
Laura Vanzo

Direction : Nathalie Pujo
Contrôle de gestion : Héloïse Morel d'Arleux et Aurélie Knafo
Secrétariat : Catherine Maîtrepierre
Direction éditoriale : Catherine Julhe
Édition : Matthieu Devaux, Géraldine Péron, Olga Krokhina, Gia-Quy Tran, Julie Dupré, Juliette Genest, Christine de Geyer, Barbara Janssens, Anaïs Petit et Clémence Toublanc
Préparation-lecture : Muriel Lucas
Cartographie : Frédéric Clémençon et Aurélie Huot
Fabrication : Nathalie Lautout et Audrey Detournay
Relations presse France : COM'PROD, Fred Papet. ☎ 01-70-69-04-69. • *info@comprod.fr* •
Illustrations : Anne-Sophie de Précourt
Direction marketing : Muriel Widmaier, Lydie Firmin et Claire Bourdillon
Contacts partenariats : André Magniez (EMD). • *andremagniez@gmail.com* •
Édition des partenariats : Élise Ernest
Informatique éditoriale : Lionel Barth
Couverture : Clément Gloaguen et Seenk
Maquette intérieure : le-bureau-des-affaires-graphiques.com, Thibault Reumaux et npeg.fr
Relations presse : Martine Levens (Belgique) et Maureen Browne (Suisse)
Régie publicitaire : Florence Brunel-Jars

Remerciements

– Isabelle Brémond et Marie Lansonneur, du CDT des Bouches-du-Rhône.
– Marion Fabre et l'équipe de l'OT de Marseille.
– Christine Francia et l'équipe de l'OT de Cassis.
– Maryline Faubet, de l'OT de Tarascon.
– Geneviève Roubaud, dynamique directrice de l'OT d'Aubagne.
– Sophie Bramoulle et Stéphanie Amadée et l'équipe de l'OT d'Aix-en-Provence.
– Marie Gendebien, à l'OT de Saint-Rémy-de-Provence.
– Francine Riou, pour sa disponibilité et sa connaissance de la ville à l'OT d'Arles.
– Claire Novi, à l'OT des Baux-de-Provence.
– Martine Teston, Valérie Biset et Daniela Damiani, du CDT du Vaucluse.
– Les OT d'Avignon, Pertuis, Apt, L'Isle-sur-la-Sorgue, Fontaine-de-Vaucluse, Carpentras, Vaison-la-Romaine, Cavaillon et Orange.
– L'équipe du parc naturel régional du Luberon.
– La maison des Gorges du Verdon.
– L'équipe de la maison de la Victoire.
– Pierre Dabout, Isabelle Desbets et Myriam Auger, de l'ADT des Alpes-de-Haute-Provence.
– Martine Meunier, de l'OT de Digne-les-Bains et du Pays dignois.
– Yves Teyssié, de l'OT de Manosque, et son équipe.
– Alain Esclangon, président de l'OT de Sisteron, et son équipe.
– Thomas Narcy, de la communauté de communes Pays de Forcalquier-Montagne de Lure.
– Samuel Bertrandy, de l'OT de Simiane-la-Rotonde.
– Laurence Delfino, du syndicat d'initiative de Saint-Michel-l'Observatoire.
– Sylvie Le Breton, de l'OT du Val-de-Durance, et Cyprien Fonvielle, directeur du Pôle de développement local à Château-Arnoux-Saint-Auban.
– Les OT du pays de Forcalquier et de la montagne de Lure, Castellane Moustiers-Sainte-Marie, Valensole, Oraison (Valérie), du Caire, d'Estoublon, Annot, Entrevaux, Saint-Étienne-les-Orgues, Gréoux-les-Bains, Riez.
– Marène Economides, du parc naturel régional du Verdon.
– Jean Gautier, pour sa disponibilité.
– Jacques Malafosse, pour ses conseils avisés et sa bonne connaissance du pays de Forcalquier.

Et bien sûr, tous les OT qui, année après année, nous apportent leur aide précieuse. Impossible de tous les citer !

L'arrivée par bateau à Marseille ? Mythique, certes. Par le train, gare Saint-Charles ? Très cinématographique. Mais une arrivée sur le Vieux-Port en tramway, vous verrez, c'est pas mal non plus...

(Re)lire la trilogie d'Izzo, pour découvrir Marseille en noir et blanc ; une ville qui reste, plus qu'un décor, un vrai personnage de polar.

Manger une authentique pizza moit-moit sur le pouce, au retour d'une balade en solitaire ou à deux, loin du monde, dans les calanques de Marseille à la fin de l'hiver...

Toujours à Marseille, faire une balade, sur la corniche cette fois, un jour de tempête, quand la ville prie la Bonne Mère de se montrer clémente.

Prendre une chambre avec vue côté mer, à Cassis, et un apéro sur le port, en terrasse.

Faire un tour de la montagne Sainte-Victoire, en fin de journée, quand le soleil colore la pierre et qu'il n'y a plus personne.

Flâner dans les ruelles du vieil Arles, entre vestiges romains et façades colorées.

S'offrir une balade à cheval en Camargue, hors saison, loin des foules estivales et des moustiques.

Prendre les chemins de traverse, dans les Alpilles, pour arriver au pied des Baux, par une route entourée de vignes, de rochers, où l'on est seul au monde... ou presque !

Prendre les eaux à Digne ou à Gréoux, comme au temps de la belle société du XIXe s, puis se taper la cloche dans l'un des bons restos du coin.

Laisser des empreintes de raquette dans la neige vierge ou découvrir les sensations de glisse en chien de traîneau, quelque part entre le Val d'Allos et la Haute-Ubaye.

S'émerveiller devant les paysages surréalistes qui mènent à Maljasset.

Découvrir les produits du terroir des Alpes-de-Haute-Provence, et notamment ceux qui sont distingués par une AOC : l'huile d'olive, les vins des côteaux de Pierrevert, l'huile essentielle de lavande et le fromage de chèvre de Banon.

Musarder à vélo sur les routes du Luberon entre oliviers, lavande et genêts, à la découverte des « Plus Beaux Villages de France », nombreux dans le coin : Lourmarin, Gordes, Ménerbes... et tant d'autres.

Mordre une part de melon à Cavaillon, juteux, sucré, gorgé de soleil.

S'offrir une place dans l'un des festivals de musique, de danse ou de théâtre du Vaucluse, qui à Avignon, qui à Orange ou à Vaison-la-Romaine, histoire de prolonger une belle journée provençale.

Partir à la découverte des grands crus du Vaucluse : châteauneuf-du-pape, gigondas, beaumes-de-venise, vacqueyras... sans dédaigner pour autant les délicieux vins du Luberon ou du Ventoux.

Découvrir les falaises d'ocre de Roussillon à l'ouverture du site, avant de filer au marché paysan du Coustellet, du Petit-Palais ou d'Apt.

Sillonner la vallée du Jabron, le long de la rivière, et s'arrêter dans l'une des chambres d'hôtes dont regorge le coin.

Arpenter les vieilles ruelles au charme médiéval des villages d'Annot et d'Entrevaux, à l'extrémité est du département, encore préservés du tourisme.

Profiter des eaux turquoise des gorges du Verdon, au printemps, loin de la cohue estivale !

COMMENT Y ALLER ?

PAR LA ROUTE

➢ Par la classique ***nationale 7,*** chère à Charles Trenet. Bouchons en prime lors des grandes migrations estivales.

➢ ***Par l'autoroute :*** le long ruban de l'autoroute du Soleil vous y conduit directement, avec cependant une inévitable petite saignée au portefeuille (surtout si vous venez de Lille).

Si vous n'êtes pas trop pressé, nous vous engageons vivement à quitter l'autoroute pour rejoindre la destination de votre choix par l'un des adorables itinéraires qui constellent le centre de la Provence :

– en sortant à la hauteur de Montélimar, on traverse le Tricastin, région des bons côtes-du-rhône, par Valréas, Nyons, Vaison-la-Romaine, avant de découvrir les monts du Ventoux, le Luberon... ;

– à la sortie d'Avignon ou de Cavaillon, on accède directement au merveilleux Luberon (Gordes, l'abbaye de Sénanque) ;

– superbe itinéraire depuis Grenoble en traversant les Alpes par la *route Napoléon* (la N 85) : Digne, Castellane...

Tarifs autoroutiers : pour connaître le coût de l'usage des principaux tronçons autoroutiers de l'Hexagone, consulter le site • *autoroutes.fr* •

➢ Pour les inconditionnels de l'autostop, sachez qu'en Provence il vaut mieux éviter les grandes villes (Aix, Marseille...). À Avignon, du centre, il faut parfois plusieurs heures pour atteindre la sortie idéale (pour le Sud, on vous conseille le pont de la Durance). Aix est cernée de périphériques (croisement de l'A 7 et de la N 7 ou D 7n selon les tronçons), il n'est donc pas facile d'en repartir. Les pancartes de destination sont alors nécessaires pour arrêter les automobilistes. Un conseil, donc, faites du stop aux gares de péage autoroutières ou dans les petits villages le long de la N 7 ou D 7n (nombreux feux et croisements).

Le covoiturage : le principe est économique, écologique. Il s'agit de mettre en relation un chauffeur et des passagers afin de partager le trajet et les frais, que ce soit de manière régulière ou de manière exceptionnelle (pour les vacances, par exemple). • *covoiturage.fr* •

EN BUS

Rens au ☎ 0821-202-203 (prix appel local) ou • info-ler.fr •

➢ Une ligne express : Aix-Toulon (selon la saison, 3-5 allers-retours/j. en sem, 2 les dim et j. fériés ; 1h15 de trajet ; quotidiennement l'un de ces bus fait un crochet par Bandol et Saint-Cyr) et d'autres lignes vers Brignoles, Draguignan, Saint-Maximin, Nice... Se renseigner avant. Compter 10,80 € l'aller simple Aix-Toulon et 17,30 € l'aller-retour pour un adulte. Il existe des tarifs réduits.

▲ EUROLINES

☎ 08-92-89-90-91 (0,34 €/mn), tlj 8h-21h, dim 10h-17h. • eurolines.fr •

Eurolines propose 10 % de réduction pour les jeunes (12-25 ans) et les seniors. Deux bagages gratuits par personne en Europe. 20 points de réservation en France. Première compagnie *low cost* par bus en Europe, Eurolines dessert désormais 42 villes françaises.

Le principe : sur les trajets internationaux, Eurolines prend et dépose des passagers.

EN TRAIN

Au départ de Paris

Les TGV et les trains de nuit partent de la gare de Lyon. En région parisienne, des TGV directs à destination de Marseille et d'Avignon sont au départ des gares de l'aéroport de Roissy-Charles-de-Gaulle et Marne-la-Vallée-Chessy. Les auto/trains (permettant de transporter votre voiture ou votre moto jusqu'à l'arrivée) à destination d'Avignon et de Marseille sont au départ de la gare de Bercy.

➢ ***Paris-Avignon :*** nombreux TGV directs/j. Trajet le plus court : 2h40.

➢ ***Paris-Arles :*** nombreux TGV/j., directs ou avec changement à Avignon. Trajet le plus court : 3h50.

➢ ***Paris-Marseille :*** nombreux TGV directs/j. Trajet : compter 3h15.

Au départ de la province

Des auto/trains relient aussi la Provence au départ de Bordeaux, Lille, Nantes et Strasbourg.

➢ ***De Lille :*** TGV directs pour Avignon (4h de trajet) et Marseille (4h30 de trajet).

➢ ***De Lyon :*** TGV directs pour Avignon (en 1h) et Marseille (en 1h35).

➢ ***De Bordeaux :*** trains Corail directs pour Marseille (5h50 de trajet), un train de nuit.

➢ ***De Strasbourg :*** train de nuit pour Avignon et Marseille.

Pour préparer votre voyage

– ***Billet à domicile :*** commandez votre billet par téléphone au ☎ *36-35 (0,34 €/mn, hors surcoût éventuel de votre opérateur)* ou sur Internet : la SNCF vous l'envoie gratuitement à domicile sous 48h, en France.

– ***Service bagages à domicile :*** la SNCF prend en charge vos bagages où vous le souhaitez et vous les livre là où vous allez en France métropolitaine, du lundi au samedi 12h. *Résas au* ☎ *36-35 (0,34 € TTC/mn, hors surcoût éventuel de votre opérateur),* sur Internet, en gare, boutiques SNCF et agences de voyages agréées.

Pour voyager au meilleur prix

La SNCF propose des tarifs adaptés à chacun de vos voyages.

➢ ***TGV Prem's, Téoz Prem's et Lunéa Prem's :*** des petits prix disponibles toute l'année. Billets non échangeables et non remboursables (offres soumises à conditions).

– ***Prem's :*** pour des prix mini si vous réservez jusqu'à 90 jours avant votre départ, à partir de 22 € l'aller en 2de classe avec TGV, 17 € en 2de classe avec Téoz et 35 € en 2de classe en couchette avec Lunéa (32 € sur Internet).

– ***Prem's Dernière Minute :*** des offres exclusives à saisir sur Internet. Bénéficiez jusqu'à - 50 % de réduction sur des places encore disponibles quelques jours avant le départ du train.

– ***Prem's Vente Flash :*** des promotions ponctuelles.

– ***TGV Prem's Week-End :*** 25 € ou 45 € garantis en 2de classe pour des départs sur les derniers TGV du vendredi soir et du dimanche soir (une offre exclusive TGV).

➢ ***Les tarifs loisirs***

Une offre pour tous ceux qui programment leurs voyages mais souhaitent avoir la liberté de décider au dernier moment et de changer d'avis (offres soumises à conditions). Billets échangeables et remboursables. Pour bénéficier des meilleures réductions, pensez à réserver vos billets à l'avance (les réservations sont ouvertes jusqu'à 90 jours avant le départ) ou à voyager en période de faible affluence.

➢ ***Les cartes***

Pour ceux qui voyagent régulièrement, profitez de réductions garanties tout le temps avec les cartes *Enfant +, 12-25, Escapades* ou *Senior* (valables 1 an) :

– Vous voyagez avec un enfant de moins 12 ans : pour 70 €, la ***Carte Enfant +*** permet aux accompagnateurs (jusqu'à 4 adultes ou enfants, sans

obligation de lien de parenté) de bénéficier de réductions allant jusqu'à 50 %, et à l'enfant titulaire de la carte, de payer la moitié du prix adulte après réduction (s'il a moins de 4 ans, l'enfant voyage gratuitement).

– Vous avez entre 12 et 25 ans : avec la ***Carte 12-25,*** pour 49 €, vous bénéficiez jusqu'à 60 % de réduction et - 25 % garantis sur tous vos voyages, même au dernier moment.

– Vous avez entre 26 et 59 ans : avec la ***Carte Escapades,*** pour 85 €, vous bénéficiez jusqu'à 40 % de réduction et - 25 % garantis sur tous vos voyages, même au dernier moment. Ces réductions sont valables pour tout aller-retour de plus de 200 km effectué sur la journée du samedi ou du dimanche, ou comprenant la nuit du samedi au dimanche sur place.

– Vous avez plus de 60 ans : avec la ***Carte Senior,*** pour 56 €, vous bénéficiez jusqu'à 50 % de réduction et - 25 % garantis sur tous vos voyages, même au dernier moment.

Pour obtenir plus d'informations sur les conditions pour réserver et acheter vos billets

– ***Internet :*** • *tgv.com* • *corailteoz.com* • *coraillunea.fr* • *voyages-sncf.com* •
– ***Téléphone :*** *☎ 36-35 (0,34 € TTC/mn hors surcoût éventuel de votre opérateur).*
Également dans les gares, les boutiques SNCF et les agences de voyages agréées SNCF.

Voyages-sncf.com

Voyages-sncf.com, acteur majeur du tourisme français qui recense 9 millions de visiteurs par mois, propose d'acheter en ligne des billets de train, d'avion, des chambres d'hôtel, des locations de voitures, de vacances et des séjours clés en main ou Alacarte®, ainsi que des spectacles, des excursions et des visites de musées. Un large choix et des prix avantageux sont offerts toute l'année, pour tous types de voyages dans le monde entier : SNCF, 180 compagnies aériennes, 84 000 hôtels référencés et les principaux loueurs de voitures.
Leur site • *voyages-sncf.com* • permet d'accéder tlj, 24h/24 à plusieurs services : envoi gratuit des billets à domicile, Alerte Résa pour être informé de l'ouverture des résas et profiter du plus grand choix, calendrier des meilleurs prix (TTC), mais aussi des offres de dernière minute, des promotions...
Pratique : • *voyages-sncf.mobi* •, le site mobile pour réserver, s'informer et profiter des bons plans n'importe où et à n'importe quel moment.
Et grâce à l'ÉcoComparateur, en exclusivité sur • *voyages-sncf.com* •, possibilité de comparer le prix, le temps de trajet et l'indice de pollution pour un même trajet en train, en avion ou en voiture.

Comment circuler en Provence ?

LE TER

Avec le TER, la SNCF et la région PACA vous proposent des trains et des cars desservant un grand nombre de points d'arrêt pour vous permettre de découvrir les principaux sites touristiques : villes, plages, ports, calanques...
Côté tarifs, il existe :
– la carte tout public pour voyager avec 50 % (le week-end) ou 25 % de réduction (en semaine), pour le titulaire et un accompagnant ;
– la carte jeune TER (jusqu'à 25 ans) : 50 % de réduction toute l'année, sur toute la région ;
– tarif enfant (moins de 12 ans) : demi-tarif toute l'année ;
– et les tarifs usuels SNCF (Senior, 12-25...).
– ***Internet :*** • *ter-sncf.com/paca* •
– ***Téléphone :*** *☎ 0891-703-000 (0,23 €/mn).*

EN AVION

Les compagnies régulières

▲ **AIR FRANCE**
Rens et résas au ☎ 36-54 (0,34 €/mn ; tlj 6h30-22h), sur le site • airfrance.fr •,

dans les agences Air France (fermées dim) et dans ttes les agences de voyages.

➢ Air France dessert Marseille au départ de Roissy-Charles-de-Gaulle (6 vols/j.) et Orly-Ouest avec la « navette » (15-20 vols/j.). Également des vols au départ de la Corse, Bordeaux, Brest, Clermont-Ferrand, Lille, Lyon, Nantes, Rennes, Toulouse et Strasbourg.

Air France propose à tous des tarifs attractifs toute l'année. Vous avez la possibilité de consulter les meilleurs tarifs du moment sur Internet dans l'onglet « Achats & enregistrement en ligne », rubrique « Promotions ».

Le programme de fidélisation Air France KLM permet de cumuler des *miles* à son rythme et de profiter d'un large choix de primes. Avec votre carte *Flying Blue,* vous êtes immédiatement identifié comme client privilégié lorsque vous voyagez avec tous les partenaires.

Air France propose également des réductions jeunes avec la carte *Flying Blue Jeune,* réservée aux jeunes âgés de 2 à 24 ans résidant en France métropolitaine, dans les départements d'outre-mer, au Maroc ou en Tunisie. Avec plus de 18 000 vols par jour, 800 destinations, et plus de 100 partenaires, *Flying Blue Jeune* offre autant d'occasions de cumuler des *miles* partout dans le monde.

Les compagnies *low-cost*

Ce sont des compagnies dites « à bas prix ». De nombreuses villes de province sont desservies, ainsi que les aéroports limitrophes des grandes villes. Ne pas trop espérer trouver facilement des billets à prix plancher lors des périodes les plus fréquentées (vacances scolaires, week-end...). À bord, c'est service minimal. Afin de réduire les files d'attente dans les aéroports, certaines font même payer l'enregistrement aux comptoirs d'aéroport. Pour éviter cette nouvelle taxe qui ne dit pas son nom, les voyageurs ont intérêt à s'enregistrer directement sur Internet où le service est gratuit. La résa se fait parfois par téléphone (pas d'agence, juste un n° de réservation et un billet à imprimer soi-même) et aucune garantie de remboursement n'existe en cas de difficultés financières de la compagnie. En outre, les pénalités en cas de changement d'horaires sont assez importantes et les taxes d'aéroport rarement incluses. Il faut aussi rappeler que plusieurs compagnies facturent maintenant les bagages en soute. Ne pas oublier non plus d'ajouter le prix du bus pour se rendre à ces aéroports, souvent assez éloignés du centre-ville. Au final, même si les prix de base restent très attractifs, il convient de prendre en compte tous ces frais annexes pour calculer le plus justement son budget.

▲ TWIN JET

Résas au ☎ 0892-707-737 (0,34 €/mn). • twinjet.net •

➢ Pour Marseille, vols au départ de Metz-Nancy, Pau, Bâle-Mulhouse, ainsi qu'au départ de Genève.

▲ CCM AIRLINES

☎ 36-54 (0,34 €/mn). • aircorsica.com •

➢ De 9 à 18 vols/j. entre Ajaccio, Bastia, Calvi, Figari et Marseille.

▲ BRUSSELS AIRLINES

Résas au ☎ 0892-640-030 (0,34 €/mn). • brusselsairlines.com •

➢ Assure 2 vols/j. entre Bruxelles et Marseille.

PROVENCE UTILE

Pour la carte générale de la Provence, se reporter au cahier couleur.

ABC DE LA RÉGION PACA

Les chiffres se rapportent à la région administrative dans son ensemble, et non aux seuls 3 départements traités dans ce guide.

- *Superficie :* 31 400 km^2.
- *Préfecture régionale :* Marseille.
- *Préfectures :* Digne, Gap, Nice, Toulon, Avignon.
- *Population :* 4 701 555 hab.
- *Densité :* 145,1 hab./km^2.
- *Population active :* 1 892 000 hab.
- *Taux de chômage :* 10,5 %.
- *PIB régional :* 95,67 millions d'euros (3e rang national).
- *Industries :* agroalimentaire, chimie, microélectronique, armement.
- *Agriculture :* vins, fruits, légumes, fleurs et plantes.

AVANT LE DÉPART

Adresses utiles

Comité régional de tourisme Provence-Alpes-Côte d'Azur : *Maison de la région, 61, La Canebière, 13231 Marseille Cedex 01. ☎ 04-91-56-47-00. • decouverte-paca.fr •*

Comités départementaux de tourisme : se référer aux chapitres correspondants.

Gîtes de France : *pour commander des brochures, s'adresser au 59, rue Saint-Lazare, 75439 Paris Cedex 09. ☎ 01-49-70-75-75. • gites-de-france.com • Ⓜ Trinité. Lun-ven 11h30-14h30, 16h45-18h30.* Les réservations sont à effectuer auprès des relais départementaux des *Gîtes de France* (indiqués dans ce guide en introduction de chaque département).

Carte internationale d'étudiant (carte ISIC)

Elle prouve le statut d'étudiant dans le monde entier et permet de bénéficier de tous les avantages, services, réductions étudiants du monde concernant les transports, les hébergements, la culture, les loisirs... C'est la clé de la mobilité étudiante !

La carte ISIC donne aussi accès à des avantages exclusifs sur le voyage (billets d'avion, hôtels et auberges de jeunesse, assurances, location de voitures...).

Pour l'obtenir en France

Pour localiser un point de vente proche de vous, • *isic.fr* • ou ☎ *01-42-18-20-20.* Il est possible de l'acheter en ligne. Se présenter au point de vente avec :
– une preuve du statut d'étudiant (carte d'étudiant, certificat de scolarité...) ;
– une photo d'identité ;
– 12 €, ou 13 € par correspondance incluant les frais d'envoi des documents d'information sur la carte.
Émission immédiate.

Pour l'obtenir en Belgique

Elle coûte 12 € (+ 1 € de frais d'envoi) et s'obtient sur présentation de la carte d'identité, de la carte d'étudiant et d'une photo auprès de :

■ ***Connections :*** ☎ *070-23-33-13 ou 479-807-129.* • *isic.be* •

Pour l'obtenir en Suisse

Dans toutes les agences *STA Travel* (☎ *058-450-40-00),* sur présentation de la carte d'étudiant, d'une photo et de 20 Fs. Commande de la carte en ligne : • *isic.ch* • ou • *statravel.ch* •

Pour l'obtenir au Canada

La carte coûte 20 $Ca (+ 1,50 $Ca de frais d'envoi). Elle est disponible dans les agences Travel Cuts/Voyages Campus, mais aussi dans les bureaux d'associations étudiantes. Pour plus d'infos : • *voyagescampus.com* •

Carte FUAJ internationale des auberges de jeunesse

Cette carte, valable dans plus de 90 pays, vous ouvre les portes des 4 000 auberges de jeunesse du réseau *Hostelling International,* réparties dans le monde entier. Les périodes d'ouverture varient selon les pays et les AJ. À noter, la carte est souvent obligatoire pour séjourner en auberge de jeunesse, donc nous vous conseillons de vous la procurer avant votre départ.
– Il n'y a pas de limite d'âge pour séjourner en AJ. Il faut simplement être adhérent.
– La FUAJ offre à ses adhérents la possibilité de réserver en ligne grâce à son système de réservation international • *hihostels.com* • jusqu'à 12 mois à l'avance, dans plus de 1 600 auberges de jeunesse dans le monde. Et si vous prévoyez un séjour itinérant, vous pouvez réserver plusieurs auberges en une seule fois.
Ce système permet d'obtenir toutes les informations utiles sur les auberges reliées au système, de vérifier les disponibilités, de réserver et de payer en ligne.
– La carte donne également droit à des réductions sur les transports, les musées et les attractions touristiques. Liste de ces réductions en France disponible sur • *fuaj.org* •

Vous pouvez adhérer

– En ligne, avec un paiement sécurisé, sur le site • *fuaj.org* •
– Dans toutes les auberges de jeunesse, points d'informations et de réservations en France.
– Auprès de l'antenne nationale : *27, rue Pajol, 75018 Paris.* ☎ *01-44-89-87-27.* • *fuaj.org* • Ⓜ *Marx-Dormoy ou La Chapelle.* Horaires d'ouverture disponibles sur le site internet, rubrique « Nous contacter ».
– Par correspondance en envoyant une photocopie d'une pièce d'identité et un chèque à l'ordre de la FUAJ du montant correspondant à l'adhésion. Ajoutez 2 € de plus pour les frais d'envoi. Vous recevrez votre carte sous 15 jours.

LES TARIFS DE L'ADHÉSION 2011

– Carte internationale FUAJ moins de 26 ans : 11 €.
– Carte internationale FUAJ plus de 26 ans : 16 €.
– Carte internationale FUAJ Famille : 23 €.
Seules les familles ayant un ou plusieurs enfants de moins de 16 ans peuvent bénéficier de la carte « famille » sur présentation du livret de famille. Les enfants de plus de 16 ans devront acquérir une carte individuelle.

En Belgique

La carte d'adhésion est obligatoire. Son prix varie selon l'âge : de 3 à 15 ans, 3 € ; de 16 à 25 ans, 9 € ; après 25 ans, 15 €.

■ ***À Bruxelles :*** *LAJ, rue de la Sablonnière, 28, Bruxelles 1000. ☎ 02-219-56-76. • info@laj.be • laj.be •*

■ ***À Anvers :*** *Vlaamse Jeugdherbergcentrale (VJH), Van Stralenstraat 40, B 2060 Antwerpen. ☎ 03-232-72-18. • info@vjh.be • vjh.be •*

– Votre carte de membre vous permet d'obtenir de 3 à 20 € de réduction sur votre première nuit dans les réseaux LAJ, VJH et CAJL (Luxembourg), ainsi que des réductions auprès de nombreux partenaires en Belgique.

En Suisse (SJH)

Le prix de la carte dépend de l'âge : 22 Fs pour les moins de 18 ans, 33 Fs pour les adultes et 44 Fs pour une famille avec des enfants de moins de 18 ans.

■ ***Schweizer Jugendherbergen (SJH) :*** *service des membres des auberges de jeunesse suisses, Schaffhauserstr. 14, 8042 Zurich. ☎ 44-360-14-14. • contact@youthhostel.ch • youthhostel.ch •*

Au Canada

Elle coûte 35 $Ca pour une durée de 16 à 28 mois et 175 $Ca pour une carte valable à vie. Gratuit pour les enfants de moins de 18 ans qui accompagnent leurs parents.

■ ***Auberges de Jeunesse du Saint-Laurent / St Laurent Youth Hostels :*** *3514, av. Lacombe, Montréal H3T-1M1 (Québec). ☎ (514) 731-10-15. N° gratuit (au Canada) : ☎ 1-800-663-5777.*

■ ***Canadian Hostelling Association :*** *205 Catherine St, bureau 400, Ottawa, (Ontario) K2P-1C3. ☎ (613) 237-78-84. • info@hihostels.ca • hihostels.ca •*

Cartes de paiement

Quelle que soit la carte que vous possédez, chaque banque gère elle-même le processus d'opposition et le numéro de téléphone correspondant ! Avant de partir, notez donc bien le numéro d'opposition propre à votre banque en France (il figure souvent au dos des tickets de retrait, sur votre contrat ou à côté des distributeurs de billets), ainsi que le numéro à 16 chiffres de votre carte. Bien entendu, conservez ces informations en lieu sûr, et séparément de votre carte. Par ailleurs, l'assistance médicale se limite aux 90 premiers jours du voyage et l'assistance véhicule aux cartes haut de gamme (renseignez vous auprès de votre banque).

– ***Carte Bleue Visa Internationale :*** *assistance médicale et véhicule incluse ; numéro d'urgence (Europ Assistance) ☎ (00-33) 1-41-85-85-85. Pour faire opposition, contactez le numéro communiqué par votre banque, à défaut si vous êtes en France faites le ☎ 0892-705-705. • carte-europe.fr •*

– ***Carte MasterCard :*** *numéro d'urgence assistance médicale ☎ (00-33) 1-45-16-65-65. • mastercardfrance.com • En cas de perte ou de vol, composez le numéro communiqué par votre banque pour faire opposition.*

– Pour la ***carte American Express,*** *téléphonez en cas de pépin au ☎ (00-33) 1-47-77-72-00. Numéro accessible tlj 24h/24, PCV accepté en cas de perte ou de vol. • americanexpress.fr •*

– *Pour ttes les cartes émises par* ***La Banque postale,*** *composez le ☎ 0825-809-803 (0,15 €/mn), et pour les DOM ou depuis l'étranger : ☎ (00-33) 5-55-42-51-96.*

– Également un numéro d'appel valable ***quelle que soit votre carte*** de paiement : *☎ 0892-705-705 (serveur vocal à 0,34 €/mn).*

BUDGET

Nous vous indiquons ci-dessous l'échelle des tarifs auxquels nous nous référons pour le classement de nos adresses en France.

Hébergement

D'une manière générale, nous indiquons des fourchettes de prix allant de la chambre double la moins chère en basse saison à celle la plus chère en haute saison. Ce qui implique parfois d'importantes variations de prix, pas toujours en adéquation avec la rubrique dans laquelle l'établissement est cité. Le classement retenu est donc celui du prix de la majorité des chambres et de leur rapport qualité-prix.
À noter que lorsque les lieux d'hébergement sont équipés d'un accès Internet et/ou wifi, nous le mentionnons sans autre précision.
– Les tarifs des ***campings*** sont calculés sur la base d'un emplacement pour deux avec voiture et tente, en haute saison. Ils sont classés en tête de rubrique « Où dormir ? ».
– Les ***auberges de jeunesse*** et ***gîtes d'étape*** pratiquent en règle générale des tarifs « Bon marché » pour une nuitée en dortoir (avec ou sans les draps). Le tarif indiqué est celui du lit en dortoir et/ou parfois de la chambre double, quand il y en a.
– En ***chambres d'hôtes,*** les prix sont donnés sur la base d'une chambre double. Ils incluent le petit déjeuner. Les cartes de paiement sont rarement acceptées. Dans les cas contraires, nous indiquons « petit déj en sus » et « CB acceptées ».
– Concernant les ***hôtels,*** la base reste celle d'une nuit en chambre double (sans petit déjeuner), sauf exception, notamment pour les chambres familiales.
– ***Campings et auberges de jeunesse.***
– ***Bon marché :*** jusqu'à 50 €.
– ***Prix moyens :*** de 50 à 70 €.
– ***Chic :*** de 70 à 100 €.
– ***Plus chic :*** de 100 à 150 €.
– ***Beaucoup plus chic :*** plus de 150 €.

Promotion sur Internet

De plus en plus d'hôtels modulent les tarifs de leurs chambres sur Internet en fonction du taux d'occupation. Il y a donc les prix de base (ceux que nous indiquons) et les promos proposées sur le net. À certaines périodes, le prix des chambres évolue en permanence, ce qui permet d'optimiser le chiffre d'affaires (comme le font les compagnies aériennes).
Ces promotions sont extrêmement variables d'une semaine à l'autre, voire d'un jour à l'autre. Elles sont particulièrement intéressantes pour les hôtels de gamme supérieure (3 étoiles). Exemple, un établissement qui annonce des prix officiels de 90 à 130 €, proposera les mêmes chambres entre 60 et 80 € sur son site, à certaines périodes.
Bref, lorsque vous avez choisi votre hôtel dans votre guide préféré, allez donc faire un tour sur son site pour voir ce qu'il propose. De vraies bonnes affaires en perspective !

Restos

Au restaurant, notre critère de classement est le prix du premier menu servi le soir (hors boissons). Les notions de « Prix moyens » ou « Plus chic » n'engagent donc que les prix. Autrement dit, certains restos chic proposant parfois d'intéressantes formules, notamment au déjeuner, pourront malgré tout être classés dans la rubrique « Plus chic ».
– ***Très bon marché :*** moins de 12 €.
– ***Bon marché :*** de 12 à 20 €.
– ***Prix moyens :*** de 20 à 30 €.
– ***Chic :*** de 30 à 40 €.
– ***Plus chic :*** plus de 40 €.

LANGUE RÉGIONALE

Le provençal

Si le latin est la langue écrite des Romains, les populations locales parlent un latin vulgaire appelé le gallo-romain. Au VIIIe s, deux grands groupes dialectiques apparaissent dans le Nord et dans le Sud de la future France : celui de la langue d'oc dans le Sud et celui de la langue d'oïl dans le Nord, ces deux noms provenant de la façon de dire « oui » dans ces deux langues. Progressivement, la langue d'oc – dite « occitan », terme apparu seulement au XIXe s – va devenir la langue de l'écrit, remplaçant le latin. En même temps, les troubadours diffusent cette langue qu'ils enrichissent. Mais la croisade contre les albigeois (1209-1229) va porter un coup sévère au développement de la langue d'oc : d'une part, elle entraîne le déclin, en termes de splendeur et de richesse, des cours des seigneurs occitans, alors à la fois le centre et le principal moteur du rayonnement de la langue et de la civilisation occitanes ; d'autre part, le rattachement du Languedoc au royaume de France impose *de facto* la langue d'oïl dans la région, du moins parmi la noblesse. En 1539, l'ordonnance de Villers-Cotterêts, dans un souci de centralisation, obligera finalement l'usage du français dans tous les textes officiels. Ainsi, l'occitan disparaît de l'écrit mais reste la langue de la population du sud de la France. Au XIXe s, on le parle moins dans les villes, et l'école obligatoire, où seul le français est accepté et l'usage de l'occitan puni, contribue à son extinction.
Le provençal est une variante de l'occitan, au même titre que le languedocien ou le gascon. Il s'en différencie par certains éléments d'orthographe et de prononciation, et se décline à son tour en quatre dialectes : le provençal rhodanien, celui de Frédéric Mistral, le provençal maritime, de Marseille, le nissart, parlé à Nice et sa région, et le gavot, parlé dans le Luberon et les Alpes-de-Haute-Provence. Au cours du XIXe s, écrivains et historiens se firent les défenseurs du provençal, constituant sous l'impulsion de Mistral une association pour faire revivre la langue locale ; c'est le félibrige (voir plus loin). À partir du début du XXe s, de nombreux intellectuels, comme Félix-Marcel Castan et Robert Lafont, se font les défenseurs du provençal, qui continue à être parlé au quotidien. Après la création de l'Institut d'études occitanes en 1945 et de la confédération des *Calandretas* (écoles bilingues dont le nom signifie « petite alouette » en gascon) en 1979, l'occitan devient, dans les années 1980, une option au baccalauréat et est enseigné à l'université. Néanmoins, l'enseignement de l'occitan est aujourd'hui à nouveau menacé, notamment avec la décision de réduire de manière importante le nombre de postes offerts au CAPES d'occitan (on les compte sur les doigts d'une main) et la suppression d'options et d'autres cours qui en résulte.

Lexique

Bazarette	bavarde
Bestiasse	personne dont on se moque
Biscaïre	(bisquer) éprouver du dépit
Boudiou !	exclamation exprimant la surprise
Cacarinette	coccinelle
Cagadou	toilettes
Caganis	le dernier-né d'une famille
Cagnard	soleil
Capeù	chapeau
Chapacan	personne sans scrupule
Cougourde	courge ; par extension, quelqu'un de bête
Dache, aller à la dache	aller au diable
Dégun	personne (y avait dégun)

Se dépéguer	sortir d'une situation difficile (la pègue, c'est la poix)
Dormiasse	personne qui dort beaucoup
Ensuqué	personne qui est lente à la compréhension
Escagasser	fatiguer, éreinter ; « Tu m'escagasses ! »
Esquicher	écraser
Estranger	un étranger, au sens péjoratif du terme
Fada	fou, mais aussi passionné
Faï tira	laisse tomber
Fatigué	très malade
Feignant, feignasse	fainéant
Filer une rue	suivre une rue
Gallino	poule
Gallinette	terme affectueux employé par les parents pour leur progéniture
Gàrri	rat, également terme affectueux et amical
Il fait des gouttes	il pleut
Jobastre	soit une personne pas très douée intellectuellement, soit une personne qui prend de grands risques
Languir (se)	attendre avec impatience ; également s'ennuyer
Maï	encore (i sian maï : ça recommence)
Mèfi	attention
M'en fouti	je m'en fous
Merlusso	morue
Morfale	affamé qui dévore
Nono	dodo (il fait nono : il dort)
Œil, chaque fois qu'il lui tombe un œil	presque jamais
Oursins, avoir des oursins dans sa poche	être radin
Pacoulin	vient de « pacan », paysan. Équivalent du « péquenot » des Parisiens
Pastis	au sens premier du terme, un grand désordre (qué pastis ! : quel fouillis !)
Patin-couffin	etc.
Pauvre !	ça alors !
Pègue, quel pègue !	quel collant ! (pègue signifiant la poix)
Peine, faire peine	apitoyer
Pénéquet	sieste
Pescadou	pêcheur
Peuchère, pécaïre	en provençal : utilisé pour marquer la pitié ou l'ironie
Pitchoun (pichot en provençal)	diminutif affectueux (existe au féminin)
Préférer mieux	préférer
Rataillon	restes d'un plat
Rencontrer une charrette	Rencontrer une personne très bavarde
Rouste	raclée
Ruiner	blesser, détériorer
Stoquefiche	personne aussi maigre qu'un poisson fumé
Tanquer	se planter
Tian	plat en terre
Tòti	imbécile
Vé	impératif de voir, permet d'insister
Virer	tourner
Wagon	grand nombre, tas

Le félibrige

En 1854, un mouvement régionaliste, le félibrige, se créa pour lutter contre l'avancée du français et promouvoir la culture et la langue provençales. En fait, il s'agissait de lutter contre le mépris dans lequel les « gens du Nord » et les enseignants tenaient le patois (les élèves recevaient des coups de règle sur les doigts s'ils parlaient le provençal).
Le grand poète Frédéric Mistral dirigea le mouvement. Ce dernier gagna au début un certain crédit, notamment lorsque Mistral obtint son prix Nobel en 1904, mais périclita quand il refusa de s'intéresser aux problèmes économiques et aux réalités sociales. Ainsi, en 1907, le félibrige eut le tort de ne pas soutenir le mouvement des vignerons. Cela dit, le félibrige existe toujours ; il est composé de dizaines d'associations couvrant tout le pays de langue d'oc. Chaque année, à la Pentecôte, un grand rassemblement des félibres – la Santo Estello – a lieu en pays d'oc.
Les Provençaux ont même un hymne bien à eux : la Coupo Santo. C'est en 1867 que tout commence, lorsque des hommes politiques et poètes catalans offrent aux félibres provençaux cette coupe en argent, en guise de remerciement pour l'hospitalité donnée au poète catalan exilé Victor Balaguer, et pour sceller l'amitié entre les deux régions. Le membre fondateur de l'association littéraire du Félibrige, Frédéric Mistral, la consacra par la chanson de la Coupo, devenue depuis lors l'hymne de la région et l'un de ses symboles culturels forts.

LIVRES DE ROUTE

– ***Balade en Provence, Marseille, Camargue,*** collectif (Alexandrines, 2012) : Pagnol, Cendrars, Mistral, Sade, Artaud, Edmonde Charles-Roux, J.-C. Izzo, Albert Cohen, Daudet... Riche géographie littéraire d'une région, récit de vie des écrivains, chacun raconté dans sa personnalité et sa vie intime par un(e) spécialiste proche ou ami de l'écrivain en question. Avec souvent un texte de l'auteur (nouvelle, lettre, poème) relatant un fait d'histoire... Qu'ils soient natifs de Provence ou résidant par amour, ces auteurs donnent de la région une image authentique, souvent insolite, loin des clichés habituels.
– ***Dictionnaire amoureux de la Provence,*** de Peter Mayle, Christophe Mercier, Daniel Casanave (Plon, 2006). De A à Z, avec des rubriques de dictionnaire, rédigées dans un style volontairement personnel et non académique, voici la Provence racontée avec humour, commentée avec passion par le plus provençal des Anglais.
– ***Une année en Provence,*** de Peter Mayle (Éd. du Seuil, coll. « Points », 1996). Un ancien publicitaire britannique s'installe en Provence dans une maison qu'il fait restaurer. Il y vit pendant un an et rédige cette savoureuse chronique d'un village provençal qui a connu un grand succès. Dans la même veine, du même auteur et chez le même éditeur : *Provence toujours*.
– ***Gens de Provence,*** ouvrage collectif (Presses de la Cité, coll. « Omnibus », 1999). Recueil de textes écrits par des auteurs inspirés par la Provence. Paul Arène, Frédéric Mistral, Jean Aicard, Joseph d'Arbaud, Jean Giono et Thyde Monnier incarnent avec des bonheurs différents l'esprit de cette région, sa diversité géographique et humaine.
– ***Contes et Histoires de Provence,*** collectif sous la direction de Paul Arène (Pocket, 2000). Un classique sur la Provence coordonné par un des auteurs les plus représentatifs de l'esprit et de la littérature provençaux.
– ***Colline,*** de Jean Giono (Le Livre de Poche, n° 590). Une des œuvres majeures de Giono, enfant du pays de Manosque. Le sort d'un hameau est-il lié à celui d'un sourcier sorcier à l'agonie ? À lire aussi, du même auteur, *Regain, Que ma joie demeure, Le Chant du monde.*
– ***Le Mas Théotime,*** d'Henri Bosco (Gallimard, coll. « Folio », n° 168). La vie paisible d'un mas familial en Provence racontée par Henri Bosco, réputé aussi pour *L'Âne Culotte* et *L'Enfant et la Rivière* (Gallimard).

– ***Les œuvres de Marcel Pagnol :*** *La Gloire de mon père, Le Château de ma mère, Le Temps des secrets,* ainsi que le cycle *L'Eau des collines* : *Jean de Florette* et *Manon des sources* (Éd. de Fallois, coll. poche).
– ***Provence insolite et secrète,*** de Jean-Pierre Cassely (Éd. Jonglez, 2006) : une stèle funéraire, une promenade, d'étonnants ex-voto, un palindrome de 295 caractères, un musée, une batterie militaire... autant de lieux qui jalonnent, photos à l'appui, la Provence intime que l'auteur nous invite à découvrir.

Les romans policiers

– ***Leo Loden,*** d'Arleston et Carrere (Éd. Soleil). Une vingtaine d'albums de B.D. qui vous feront découvrir Marseille et la Provence d'aujourd'hui, sourire aux lèvres, de *Terminus Canebière* à *Calissons et Lumières.* Plus d'infos sur • *leoloden.free.fr* •
– ***La Trilogie Fabio Montale,*** de Jean-Claude Izzo (Gallimard, coll. « Folio Policier », 2006). Trois bouquins pour comprendre et mieux aimer Marseille, aux côtés du flic cher à Izzo, Fabio Montale : *Total Khéops, Chourmo* et *Solea.* Des quartiers nord aux ruelles du Panier, des quais du Vieux-Port aux calanques les plus reculées des bords de mer, Fabio Montale en sait tellement sur Marseille qu'il sent battre en lui les pulsations de la ville.
– ***Le Dernier Secret de Richelieu,*** de Jean d'Aillon (Éd. du Masque, coll. poche, 2005). D'aventures en complots ourdis, toute l'effervescence des romans d'Alexandre Dumas pour raconter la fameuse énigme du Masque de Fer et sa prison, Pignerol, dans une langue riche et fluide.
– ***Le Loup des Maures,*** de Claude Gritti (Le Livre de Poche, 2006). Une histoire d'amour au XIXe s dans le pays des Maures, proche d'un imaginaire à la Giono, sur les traces d'Honoré, l'amoureux éconduit.

PERSONNES HANDICAPÉES

Le label Tourisme et Handicap

Ce label national, créé par le secrétariat d'État à la Consommation et au Tourisme en partenariat avec les professionnels du tourisme et les associations représentant les personnes handicapées, permet d'identifier les lieux de vacances (hôtels, campings, sites naturels, etc.), de loisirs (parcs d'attractions, etc.) ou de culture (musées, monuments, etc.) accessibles aux personnes handicapées. Il apporte aux touristes en situation de handicap une information fiable sur l'accessibilité des lieux. Cette accessibilité, visualisée par un pictogramme correspondant aux quatre types de handicaps (moteur, visuel, auditif et mental), garantit un accueil et une utilisation des services proposés avec un maximum d'autonomie dans un environnement sécurisant.
Pour connaître la liste des sites labellisés : • *franceguide.com* • (rubrique « Tourisme et handicap »).

Par ailleurs, dans notre guide, nous indiquons par le logo ♿ les établissements qui possèdent un accès ou des chambres pouvant accueillir des personnes handicapées. Certaines adresses sont parfaitement équipées selon les critères les plus modernes. D'autres, plus simples, plus anciennes aussi, sans répondre aux normes les plus récentes, favorisent l'accueil des personnes handicapées en facilitant l'accès à leur établissement, tant sur le plan matériel que sur le plan humain. Évidemment, les handicaps étant très divers, des lieux accessibles à certaines personnes ne le seront pas pour d'autres. Appelez donc auparavant pour savoir si l'équipement de l'hôtel ou du resto est compatible avec votre niveau de mobilité. Malgré les combats menés par les nombreuses associations, l'intégration des personnes handicapées à la vie de tous les jours est encore balbutiante en France. Il tient à chacun de nous de faire changer les choses. Une prise de conscience est nécessaire, nous sommes tous concernés.

PLONGÉE SOUS-MARINE

Jetez-vous à l'eau !

Pourquoi ne pas profiter de votre escapade dans ces régions maritimes pour vous initier à la plongée sous-marine ? Quel bonheur de virevolter librement en compagnie des poissons, animaux les plus chatoyants de notre planète, de s'extasier devant les couleurs vives de cette vie insoupçonnée... Pour faire vos premières bulles, pas besoin d'être sportif ni bon nageur. Il suffit d'avoir plus de 8 ans et d'être en bonne santé. Sachez que l'usage des médicaments est incompatible avec la plongée. De même, les femmes enceintes s'abstiendront formellement de toute incursion sous-marine. Enfin, vérifiez l'état de vos dents : il est toujours désagréable de se retrouver avec un plombage qui saute pendant les vacances. Sauf pour le baptême, un certificat médical vous est demandé, et c'est dans votre intérêt. L'initiation des enfants requiert un encadrement qualifié dans un environnement adapté (eaux tempérées, sans courant, matériel adéquat).
Non, la plongée ne fait pas mal aux oreilles ! Il suffit de souffler en se bouchant le nez. Il ne faut pas forcer dans cet étrange « détendeur » que l'on met dans votre bouche, au contraire. Le fait d'avoir une expiration active est décontractant, puisque c'est la base de toute relaxation. Sachez aussi qu'être dans l'eau modifie l'état de conscience, car les paramètres du temps et de l'espace sont changés : on se sent (à juste titre) ailleurs. En contrepartie de cet émerveillement, respectez impérativement les règles de sécurité, expliquées au fur et à mesure par votre moniteur. En vacances, c'est le moment ou jamais de vous jeter à l'eau... de jour comme de nuit !
ATTENTION : pensez à respecter un intervalle de 12 à 24h avant de prendre l'avion, afin de ne pas modifier le déroulement de la désaturation.

Les centres de plongée

En France, la grande majorité des clubs de plongée sont affiliés à la Fédération française d'études et de sports sous-marins (FFESSM). Les autres sont rattachés à l'Association nationale des moniteurs de plongée (ANMP), au Syndicat national des moniteurs de plongée (SNMP) ou encore à la Fédération sportive gymnique du travail (FSGT)... L'encadrement – équivalent quelle que soit la structure – est assuré par des moniteurs brevetés d'État, véritables professionnels de la mer, qui maîtrisent le cadre des plongées et connaissent tous leurs spots sur le bout des palmes.
Un bon centre de plongée est un centre qui respecte toutes les règles de sécurité, sans négliger le plaisir. Méfiez-vous d'un club qui vous embarque sans aucune question préalable sur votre niveau ; non seulement il n'est pas « sympa », mais il est également dangereux. Regardez si le centre est bien entretenu (rouille, propreté...), si le matériel de sécurité – obligatoire – (oxygène, trousse de secours, téléphone portable ou radio...) est à bord. Les diplômes des moniteurs doivent être affichés. N'hésitez pas à vous renseigner, car vous payez pour plonger. En échange, vous devez obtenir les meilleures prestations. Enfin, à vous de voir si vous préférez un club genre « usine bien huilée » ou une petite structure souple, pratiquant la plongée à la carte et en petit comité.

C'est la première fois ?

Alors, l'histoire commence par un baptême : une petite demi-heure pendant laquelle le moniteur s'occupe de tout et vous tient la main. Laissez-vous aller au plaisir ! Même si vous vous sentez harnaché comme un sapin de Noël déraciné hors saison, tout cet équipement s'oublie complètement une fois dans l'eau. Vous ne descendrez pas au-delà de 5 m. Pour votre confort, sachez que la combinaison doit être la plus ajustée possible afin d'éviter les poches d'eau qui vous refroidissent. Puis l'histoire se poursuit par un apprentissage progressif...

Formation et niveaux

Les clubs délivrent des formations graduées par niveaux. Avec le niveau I, vous descendez à 20 m accompagné d'un moniteur. Avec le niveau II, vous êtes autonome dans la zone des 20 m mais encadré jusqu'à la profondeur max de 40 m. Ensuite, en passant le niveau III, vous serez totalement autonome, dans la limite des tables de plongée (65 m). Enfin, le niveau IV prépare les futurs moniteurs à l'encadrement...
Le passage de ces brevets doit être étalé dans le temps, afin de pouvoir acquérir l'expérience indispensable. Demandez conseil à votre moniteur (il y est passé avant vous !). Enfin, tous les clubs délivrent un « carnet de plongée » indiquant l'expérience du plongeur, ainsi qu'un « passeport » mentionnant ses brevets.

Reconnaissance internationale

Indispensable si vous envisagez de plonger à l'étranger. Demandez absolument l'équivalence CMAS (Confédération mondiale des activités subaquatiques) ou CEDIP (European Committee of Professional Diving Instruct) de votre diplôme. Le meilleur plan consiste à choisir un club où les moniteurs diplômés d'État sont aussi instructeurs PADI (Professional Association of Diving Instructors, d'origine américaine), pour obtenir le brevet le plus reconnu du monde ! En France, de plus en plus de clubs ont cette double casquette, profitez-en.
À l'inverse, si vous avez fait vos premières bulles à l'étranger, vos aptitudes à la plongée seront jaugées en France par un moniteur qui, souvent après quelques exercices supplémentaires, vous délivrera un niveau correspondant.

En Provence

Bercée par son climat velouté, la Méditerranée représente une véritable « mer de prédilection » pour la plongée. Ce n'est donc pas un hasard si ses eaux chaudes et limpides furent « l'atelier-laboratoire » privilégié des grands pionniers de l'aventure sous-marine... La *Mare Nostrum* livre des épaves mythiques aux plongeurs et concentre, en certains points, les fabuleuses richesses de sa vie sous-marine. Mais aujourd'hui, cette mer fermée, à l'équilibre si fragile, est continuellement agressée par des activités humaines intenses et souvent irréfléchies... Au dernier acte des dégradations, on trouve la *Caulerpa taxifolia* (heureusement en train de disparaître) et la *Caulerpa racemosa* – algues mutantes venant de régions tempérées d'Australie – introduites accidentellement voici plus d'une vingtaine d'années. Partout où elles se développent, ces algues étouffent les autres espèces et deviennent dominantes. Leur expansion est alarmante, et certains sites de plongée magnifiques des Alpes-Maritimes et du Var sont d'ores et déjà transformés en luxuriants tapis vert fluo... Même la rade de Marseille est petit à petit colonisée par la *Caulerpa racemosa*. Faute de pouvoir enrayer ce fléau, les scientifiques tentent de contrôler et de limiter le développement de ces caulerpes en détruisant systématiquement de petites colonies isolées, en créant des zones sanctuaires (comme à Port-Cros) et en s'impliquant dans des campagnes d'information et de prévention auprès des plaisanciers, des pêcheurs et, bien sûr, des plongeurs. Attention, l'algue peut être transportée involontairement vers des zones encore saines, simplement par les ancres des bateaux, et même par les sacs et équipements de plongée qu'il convient de vérifier avant toute nouvelle immersion. Pour suivre la progression de ces deux algues, toute information est précieuse. Si vous les rencontrez, contactez le *Laboratoire environnement marin littoral* de l'université de Nice-Sophia-Antipolis : ☎ *04-92-07-68-46.* • *unice.fr/LEML* •

– ***La météo :*** le beau temps améliore la qualité de la plongée. Période idéale : entre juin et novembre, avec température très confortable de 18 à 25 °C en surface (au fond, l'eau est plus froide). Attention, les rafales cinglantes de mistral ou vent d'est peuvent remettre en question la plongée ; mais certains coins ont des spots abrités en fonction des différents régimes météo. ***Répondeur de Météo France :*** ☎ *0892-68-02, suivi du numéro du département (0,34 €/mn).*

– ***La profondeur :*** un handicap, car très rapidement importante. Si plonger sur une roche permet, en général, de se maintenir à de petites profondeurs (ce n'est pas une raison pour faire n'importe quoi !), l'exploration des épaves – entre 40 et 60 m de profondeur – est réservée aux seuls plongeurs aguerris aux conditions de la plongée profonde.

– ***La visibilité :*** excellente ! De 20 m en moyenne. Sachez que l'eau est cristalline autour des îles et souvent trouble sur les épaves.

– ***Les courants :*** ils sont bien localisés, mais peuvent être violents et conduire à l'annulation de la plongée. Donc, méfiance !

– ***Vie sous-marine :*** concentrée à certains endroits où elle est très riche. Votre moniteur vous familiarisera avec les beautés et pièges des fonds méditerranéens, tout en dégotant les choses intéressantes à voir. Certaines espèces affichent une présence systématique sur les spots : posidonies, gorgones, anémones, éponges, girelles, congres, murènes, sars, castagnoles, saupes, loups, rascasses, mérous...

– ***Règle d'or :*** respectez cet environnement fragile. Ne nourrissez pas les poissons, même si vous trouvez cela spectaculaire. Outre les raisons écologiques évidentes, certains « bestiaux » – trop habitués – risqueraient de se retourner contre vous (imaginez donc un bisou de murène !). Enfin, ne prélevez rien, et attention où vous mettez vos palmes !

– ***Derniers conseils :*** en plongée, restez absolument en contact visuel avec vos équipiers. Attention aux filets abandonnés sur les roches ou les épaves. Sachez enfin qu'en cas de pépin (il faut bien en parler !), votre bateau de plongée dispose d'oxygène (c'est obligatoire) et qu'il existe des caissons de recompression à Marseille et à Toulon.

Quelques lectures

– ***100 belles plongées à Marseille et dans sa région,*** de François Scorsonelli, Didier Boghossian, Hervé Chauvez et Marie-Laure Ganier. Éd. Gap, 2005.
– ***Plongée plaisir (niveaux I, II ou III),*** d'Alain Forêt et Pablo Torres. Éd. Gap, 2009.
– ***La Plongée expliquée aux enfants,*** de Caroline Hardy. Éd. Amphora, 2004.
– ***Planète mers,*** de Laurent Ballesta et Pierre Descamps. Michel Lafon, 2005.
– En kiosque, le magazine ***Plongeurs international.*** • *plongeursinternational.com* •

SITES INTERNET

• ***routard.com*** • Tout pour préparer votre périple. Des fiches pratiques sur plus de 200 destinations, de nombreuses informations et des services : photos, cartes, météo, dossiers, agenda, itinéraires, billets d'avion, réservation d'hôtels, location de voitures, visas... Et aussi un espace communautaire pour échanger ses bons plans, partager ses photos, définir son passeport routard ou trouver son compagnon de voyage. Sans oublier *routard mag,* ses reportages, ses carnets de route et ses infos pour bien voyager. La boîte à outils indispensable du routard.

• ***degrifprovence.com*** • Ce site, réalisé par le comité départemental de tourisme du Vaucluse, propose des hôtels, des chambres d'hôtes et des locations à petits prix, avec des réductions allant parfois jusqu'à 50 %.
• ***om.net*** • Le site officiel du club favori des Marseillais (et de pas mal d'autres !). Toute l'actualité, les résultats, le calendrier et l'histoire de ce club mythique. On trouve aussi un forum pour discuter de son équipe préférée. Vous pourrez même réserver des places en ligne pour vous rendre au Stade-Vélodrome. « Trop puissant ! »
• ***provence-insolite.org*** • Site réalisé par Jean-Pierre Cassely, coauteur de *The Guide of the Provence,* qui a imaginé des visites insolites dans plusieurs villes de Provence : Marseille, Cassis, La Ciotat, Aubagne et Aix. Anecdotes et humour garantis. Photos, résumés et horaires des circuits.
• ***routedesvinsdeprovence.com*** • Pour les amateurs d'œnologie ; plein de rencontres et de découvertes en perspective.
• ***provenceweb.fr*** • Un site complet et à jour, présenté sous forme de rubriques thématiques ou chronologiques (actualité culturelle). Pour découvrir la région sous tous ses aspects : gastronomie, spectacles, météo...
• ***laprovence.com*** • Le portail du quotidien *La Provence* avec un moteur de recherche, des rubriques variées et des reportages spécifiques.
• ***olivierdeprovence.com*** • Toute l'histoire des célèbres arbres de Provence. Des petits secrets, des astuces de cuisine, des conseils beauté et santé, et une intéressante animation sur la fabrication de l'huile d'olive. On peut même acheter son olivier en ligne !
• ***fernandel.online.fr*** • Une petite visite à celui qui fut l'un des maîtres incontestés du comique français. Pour vous remémorer ses films, les chansons qu'il a interprétées... ou son inoubliable sourire.
• ***marseille-provence2013.fr*** • Marseille sera Capitale européenne de la culture en 2013. Festivals, expos, ateliers... Découvrez le programme !
• ***nouvello.com*** • Le seul magazine entièrement écrit en provençal : *Li Nouvello de Prouvènço.* Pour les curieux qui souhaiteraient avoir un aperçu de cette langue et de ce qu'ils peuvent en comprendre.

URGENCE MOBILE

En cas de perte ou de vol de votre téléphone portable

Suspendre aussitôt sa ligne permet d'éviter de douloureuses surprises au retour du voyage ! Voici les numéros des trois opérateurs français, accessibles depuis la France et l'étranger :
– ***SFR :*** *depuis la France, ☎ 1023 ; depuis l'étranger, ☎ + 33-6-1000-1900.*
– ***Bouygues Télécom :*** *depuis la France comme depuis l'étranger, ☎ 0-800-29-1000 (remplacer le « 0 » initial par « + 33 » depuis l'étranger).*
– ***Orange :*** *depuis la France comme depuis l'étranger, ☎ + 33-6-07-62-64-64.*
Vous pouvez aussi demander la suspension depuis le site internet de votre opérateur.

HOMMES, CULTURE, ENVIRONNEMENT

« Nulle part ailleurs, on peut faire si peu de chose et y prendre autant de plaisir. »

Peter Mayle

« Redevenez cigales le temps d'un été ! » Ce slogan, la Provence aura mis quelques décennies à oser le reprendre. Les années 1990 avaient chassé l'image du farniente, de la douceur de vivre du temps de Marius, de César et des autres, pour mettre en avant ces trois mots d'ordre : « activité », « efficacité », « rentabilité ». Aujourd'hui, la Provence a su regagner son image, et l'on vient de loin pour photographier cette Provence éternelle, celle que Peter Mayle a racontée avec humour, celle que Van Gogh ou Renoir ont « imaginée »... C'est ce pays des chevaux blancs et des taureaux noirs, des olives et du pastis, des falaises ocre du Roussillon et des roches blanches des Alpilles, des vieilles villes aux tuiles rondes et des fontaines moussues, que nous vous invitons à (re)découvrir.

En feuilletant le cahier d'images de la Provence, nous avons trouvé partout la même envie de mettre en avant ce qui fait le charme profond de ce coin de France haut en couleur : des marchés et des fêtes hors du temps, des huiles d'olive et de bons petits vins, de bonnes tables et des hôtes charmants, le tout sur fond de ciel bleu et de chants de cigales.

Partout ? Peut-être pas, mais ne parlons pas de sujets qui fâchent. Ah si ! Il faut tout de même poser un préalable : les amateurs de vin, qui connaissaient surtout la Provence pour ses célèbres « côtes », savent que le chemin des vignes nous entraînerait bien au-delà, vers l'est, jusqu'à Fréjus... Les historiens, de leur côté, nous diront que la Côte d'Azur ne commence vraiment qu'après et que Saint-Tropez est un petit village tout ce qu'il y a de plus provençal (on leur rétorquera qu'ils n'ont pas dû venir l'été !). Le Rhône à l'ouest, la ligne de partage des eaux à l'est et le littoral méditerranéen marquent les contours de la Provence ; ce découpage, pour lequel nous avons opté dans ce guide, laisse les avis partagés aussi bien pour le sud, après Marseille, que pour le nord, au-delà d'Avignon.

Avignon, où il suffit toujours de passer le pont pour se retrouver sur une autre terre, bénie des dieux et des papes, ou simplement aimée des hommes. Marseille, cette porte de l'Orient, devenue « fenêtre » de l'Occident. Et entre les deux, tout un monde, et même plusieurs !

À deux pas de la Provence des foules touristiques, celle du ciel bleu, de la plage, des festivals, de l'accent qui pointe comme à la pétanque, il y a toujours l'autre Provence, celle des artisans, des pêcheurs, des bergers, des travailleurs de l'ombre.

Deux Provence en une, à découvrir selon ses goûts, ses envies du moment, sur les pas de Mistral ou de Cézanne, en suivant la route des oliviers ou celle des santonniers, sur les chemins d'un art de vivre encore préservé.

Une (re)découverte possible en suivant la route des vacances, cette nationale 7 (aujourd'hui départementale 905) qui n'a plus rien à voir avec celle que chantait Trenet, mais qui reste préférable à l'autoroute pour partir, ensuite,

sur les chemins qui sentent bon l'aventure et la lavande, d'Avignon à Marseille en passant par Salon-de-Provence et Aix-en-Provence. Avec deux échappées obligatoires vers les Alpilles et le Luberon, sans oublier la Camargue, à visiter de préférence hors saison, sans moustiques ni touristes. Autre coin enfin à découvrir avec bonheur, les Alpes-de-Haute-Provence, un territoire à traverser entièrement, du pays de Forcalquier au plateau de Valensole, des gorges du Verdon aux vallées alpines. Combien seront surpris d'entendre l'accent marseillais à 3 000 m d'altitude, dans ces paysages chantés par Giono, aussi bien l'été que l'hiver ! D'ailleurs, l'autoroute est le moyen le plus rapide pour permettre à ceux de la Canebière d'aller, comme disait la chanson, au bout de la terre... en l'occurrence, la vallée de l'Ubaye ou celle de la Blanche, pour ne citer que ces deux vallées alpines. Après une balade estivale sous un ciel d'une pureté étonnante ou une descente à skis, ne vous étonnez pas, en regardant les menus, si les pieds et paquets et la daube provençale se mêlent souvent aux raclettes et autres plats montagnards. Simplement, au lieu d'un pastis, prenez un apéritif au génépi, ça leur fera plaisir et ça ne vous fera pas de mal. Au contraire !

ARCHITECTURE

Les témoignages de l'architecture romaine sont nombreux en Provence : amphithéâtre d'Arles, arcs de triomphe à Cavaillon, Saint-Rémy, Orange avec sa décoration de frises et de trophées qui évoque les victoires de la deuxième légion romaine, thermes d'Aix et d'Arles, théâtres antiques de Vaison-la-Romaine et d'Orange – le seul à avoir conservé son mur de scène –, pont Julien à Bonnieux. À Aix-en-Provence, il y a quelques années, on a découvert un édifice de spectacle qui, par les dimensions de ses gradins, pourrait être aussi grand que le théâtre d'Orange. À Arles, s'élève une cathédrale dont certains pensent qu'elle fut la première des Gaules. La Provence n'a pas fini de révéler ses trésors architecturaux... Le site de Vaison est aussi incroyable de richesses : thermes et villas, quartier commerçant, etc.

LES CLOCHERS PROVENÇAUX

Bien souvent, en Provence, les clochers d'église sont surmontés d'une structure en fer forgé qui soutient une cloche. Cette architecture datant du XVIIe s, offre beaucoup moins de prise au mistral. Elle est donc plus résistante que les clochers en pierre... et bien moins chère.

L'architecture romane, elle, s'épanouit au XIIe s et reste très influencée par les chefs-d'œuvre gallo-romains. Sa caractéristique essentielle demeure l'importance donnée aux masses et aux volumes pour parvenir à un équilibre. Les chapelles romanes sont émouvantes par leur simplicité et leur dépouillement intérieur (Saint-Trophime à Arles ou Saint-Quenin à Vaison-la-Romaine). En revanche, sur les portails d'églises ou de chapelles, on constate une grande imagination et un réel raffinement dans l'exécution, comme à Saint-Trophime. Enfin, on ne peut évoquer l'art roman provençal sans citer les abbayes de Sénanque et de Silvacane.

En Provence, l'architecture gothique mettra du temps à s'affirmer. Il existe en effet un réel décalage entre la production artistique en Provence et celle du reste du royaume : l'arrivée du gothique date seulement du transfert des papes à Avignon au XIVe s. La caractéristique de l'art gothique provençal est celle de l'art gothique du Midi : une seule nef, un chœur déambulatoire, des contreforts à l'extérieur. Les plus beaux exemples du gothique provençal se trouvent à Avignon avec l'église Saint-Agricol et, pour n'en citer qu'une autre, l'église Saint-Didier.

Au Moyen Âge, l'architecture se renouvelle aussi dans les constructions militaires : tours défensives sarrasines destinées à repérer les brigands venus de la mer,

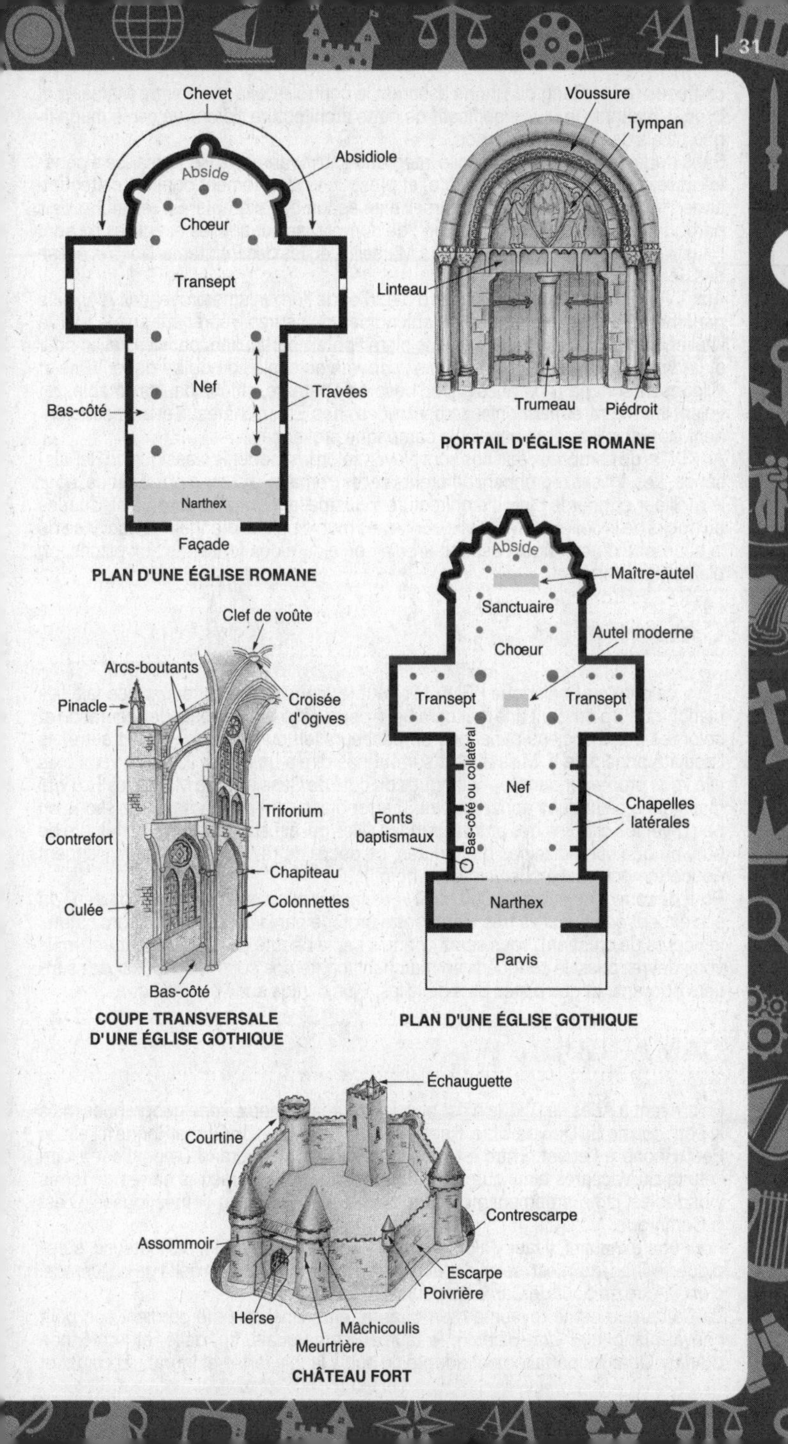
Chevet
Absidiole
Abside
Chœur
Transept
Nef
Travées
Bas-côté
Narthex
Façade
PLAN D'UNE ÉGLISE ROMANE
Voussure
Tympan
Linteau
Trumeau
Piédroit
PORTAIL D'ÉGLISE ROMANE
Clef de voûte
Arcs-boutants
Pinacle
Croisée d'ogives
Triforium
Contrefort
Chapiteau
Culée
Colonnettes
Bas-côté
COUPE TRANSVERSALE D'UNE ÉGLISE GOTHIQUE
Abside
Maître-autel
Sanctuaire
Autel moderne
Chœur
Transept
Transept
Bas-côté ou collatéral
Nef
Chapelles latérales
Fonts baptismaux
Narthex
Parvis
PLAN D'UNE ÉGLISE GOTHIQUE
Échauguette
Courtine
Contrescarpe
Assommoir
Escarpe
Poivrière
Herse
Mâchicoulis
Meurtrière
CHÂTEAU FORT

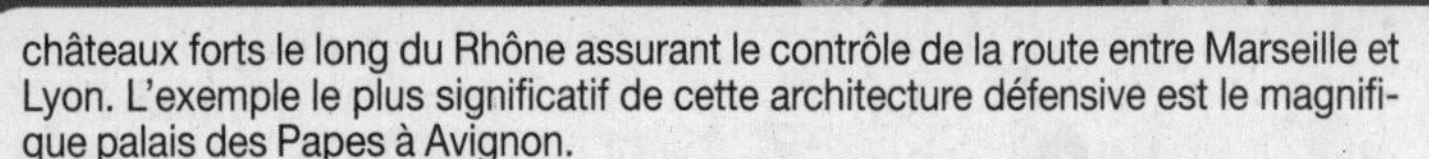

châteaux forts le long du Rhône assurant le contrôle de la route entre Marseille et Lyon. L'exemple le plus significatif de cette architecture défensive est le magnifique palais des Papes à Avignon.
Sans doute en raison de la difficile intégration au royaume, la Renaissance a pénétré assez tardivement en Provence, et presque exclusivement dans l'architecture civile : la maison diamantée à Marseille en est un bel exemple. En revanche, l'art baroque s'épanouira dans la région ; de nombreuses chapelles et églises en sont l'illustration : chapelle de la Charité à Marseille, église des Pénitents-Noirs et église des Jésuites à Avignon.
Aux XVIIe et XVIIIe s, on peut parler d'âge d'or de l'urbanisme provençal. À Aix, les parlementaires font construire de splendides demeures, reprenant soit le plan à l'italienne avec façade sur rue, soit le plan d'hôtels particuliers parisiens avec cour et jardin. Tous les styles sont permis : sobriété ou explosion du baroque. Villes et villages ne sont pas épargnés par ce besoin de paraître, affiché par les notables, et voient leurs centres harmonieusement redessinés. Enfin, châteaux et bastides viennent égayer, s'il en était besoin, la campagne provençale.
Au XIXe s, de nombreux édifices sont élevés selon les modèles classique ou Renaissance. Les églises reprennent différents styles, romano-byzantin ou gothique, pour le meilleur et pour le pire. L'architecture industrielle triomphe (gare Saint-Charles ou docks de la Joliette à Marseille). Enfin, les municipalités prennent conscience de la nécessité d'aménager l'espace urbain : on ajoute des fontaines aux places, on plante des arbres, etc.

CALANQUES

Il y a calanque et calanque ! Bien sûr, tout le monde a dans l'esprit des falaises blanches, surplombant une mer caraïbe, à peine vêtues d'un zeste de végétation et colorées par d'anciens cabanons de pêcheurs (eh oui, la pêche y était autrefois l'activité principale !). Mais n'allez surtout pas dire à un Marseillais que vous êtes allé vous promener dans les calanques du côté de Cassis ou de Martigues ! Le vrai massif des calanques appartient au 8e arrondissement de Marseille. Laissons un peu rêver les citadins des autres grandes villes qui aimeraient pouvoir atteindre en bus, en quelques dizaines de minutes, ce décor de rêve où les vagues viennent doucettement « calancher » (d'où le nom !)...
Pour découvrir ce site de 5 000 ha, il vous faudra circuler à pied ou en bateau. Un site exceptionnel, qui va très bientôt être protégé par la création d'un parc naturel (en cours de création). Vous serez conquis par la beauté de ce décor naturel, mais vous devrez aussi le conquérir, en marchant longtemps sous le soleil, sur des sentiers odorants et des pistes plus difficiles. Plus d'infos sur • *gipcalanques.fr* •

CAMARGUE

En arrivant à Arles, le Rhône n'est plus le « taureau furieux » des géographes mais le petit cousin du Don paisible. Il se sépare en deux bras, le Grand Rhône à l'est, le Petit Rhône à l'ouest. Entre les deux, la *Grand Mar,* la grande mer, c'est-à-dire l'étang du Vaccarès ainsi que quelques centaines de kilomètres carrés de terres inondables, jadis largement marécageuses, aujourd'hui bien domestiquées. C'est la Camargue.
Pour être exhaustif, il faut y ajouter un joli bout de plaine aride, caillouteuse, steppique, la Crau, qui n'est, selon certains, rien d'autre que l'ancien delta de la Durance, c'est-à-dire un bout de Camargue aujourd'hui asséché.
La Camargue est le royaume d'un quatuor emblématique : le gardian, son petit cheval blanc (ah ! *Crin-Blanc* !), le taureau camarguais, fin, délié, et le mérinos d'Arles. Quatuor parfaitement adapté au sol, à la fois fertile et ingrat, au climat et

surtout au mistral, aux moustiques légendaires mais en voie de disparition (personne ne s'en plaindra). Rien, en fait, qui semble devoir attirer les touristes, et pourtant... La beauté rêche et âpre de la Camargue, la luminosité du ciel, la richesse de la faune en font un must pour les amateurs d'images hors du commun.
La Camargue n'est pas une terre sauvage, loin de là, mais une magnifique symbiose entre l'homme et la terre. C'est que la terre est riche, formée de milliers de tonnes d'alluvions apportées par les fleuves. En Crau, le foin parfume si délicieusement la viande des moutons qu'il a mérité une appellation contrôlée. En Camargue humide, le problème majeur fut longtemps les inondations, soudaines, imprévisibles. Quelques siècles de drainage, d'entretien des canaux, la régulation du Rhône et de la Durance ont permis de juguler la montée des eaux. Désormais, on contrôle les niveaux, ce qui permet de cultiver aussi bien le riz que les arbres fruitiers. Les roseaux qui servent à couvrir les petites maisons camarguaises sont plantés de manière à protéger terres et hameaux de la violence du vent. Sur les digues, un lacis de routes conduit aux mas isolés dans des prairies humides, royaume du taureau.
La création du ***parc naturel régional de Camargue*** a permis de protéger ce biotope exceptionnel et d'en tenir éloignés les démons du tourisme de masse.

CHEMINS DE SAINT-JACQUES-DE-COMPOSTELLE

Les différents chemins de Compostelle convergent vers la côte galicienne espagnole et la cathédrale Saint-Jacques où sont conservées les reliques d'un des plus importants apôtres de Jésus, Jacques, mort en martyr vers l'an 35.
C'est en 800 qu'un ermite, guidé en songe par une étoile, retrouve le tombeau du saint. Le nom de Compostelle proviendrait d'ailleurs de *campus stellae,* « champ d'étoiles »... Dès le Xe s, des pèlerins en provenance de toute l'Europe viennent se recueillir sur ses reliques. Aujourd'hui encore, on assiste parfois à une certaine affluence sur les chemins en période de pèlerinages et de vacances scolaires...

SAINT-JACQUES, NETTOYEUR D'ÂMES

Saint-Jacques était, avec Rome, l'un des deux pèlerinages qui effaçaient les péchés mortels. Très vite, le lieu connut un grand succès auprès des rois qui ne voulaient pas se soumettre à l'autorité du pape. En remerciement, l'évêque de Saint-Jacques, et surtout le roi d'Espagne, reçurent des dons qui permirent le financement d'une puissante armée. Voilà comment les Arabes furent chassés d'Espagne.

Au fil des ans, aux pèlerins se joignent amateurs d'art roman et férus de randonnées. Il faut dire que les chemins de Compostelle, cadre de ressourcement spirituel extraordinaire, sont aussi d'une beauté et d'un intérêt historique qui valent le détour : les échanges culturels et religieux et la nécessité d'héberger un grand nombre de pèlerins ont favorisé dès le Moyen Âge le développement des villes et des monuments étapes sur le chemin.
Balisés en 1970 par la Fédération de randonnée pédestre, les quatre sentiers français commencent respectivement à Vézelay, au Puy-en-Velay, à Arles et à Tours (aujourd'hui à Paris). Depuis 1998, le parcours est classé au Patrimoine mondial de l'Unesco. Que vous partiez à pied, à cheval ou à VTT, que vous marchiez tout le long de la route ou sur les derniers kilomètres uniquement, ouvrez grand les yeux pour ne pas rater les beautés croisées sur le chemin : une auberge super accueillante, une église romane perdue dans la campagne, les champs à perte de vue, et souvent de bien belles rencontres...
Pour plus de renseignements sur les chemins en région PACA : • *compostelle-paca-corse.info* •

ÉCONOMIE

Une agriculture diversifiée

Grâce à la maîtrise de l'eau, l'agriculture et ses activités dérivées occupent une bonne place dans l'économie régionale. Quant à la production fruitière et maraîchère bio, la région PACA occupe la 1re place des régions françaises, avec 10,5 % de la surface agricole utile (SAU).

Le Vaucluse est un grand département viticole, des rives du Rhône aux montagnes calcaires, sans oublier les plaines du Comtat venaissin. Les vignobles réputés y sont nombreux (gigondas, châteauneuf-du-pape, cairanne...) et on y développe aussi toutes sortes de cultures maraîchères et fruitières : 30 % de la production agricole de la région PACA (et 11,4 % en bio !) proviennent de ce département. L'agriculture dans le Vaucluse emploie encore quelque 7 % des actifs.

Dans les Bouches-du-Rhône, en revanche, 2 % de la population active seulement sont employés dans l'agriculture. Le département est pourtant le premier producteur français de fruits et légumes. La totalité du riz régional y est cultivée (environ 70 % de la production française).

Dans les Alpes-de-Haute-Provence, paradoxalement, le secteur primaire n'occupe plus que 6 % de la population active. L'arboriculture traditionnelle représente 30 % du produit agricole brut (pommes, poires, pêches et brugnons) du département. L'élevage ovin est pratiqué sur les hauteurs, ainsi que la culture de la lavande.

Un tertiaire envahissant

Dans la région Provence-Alpes-Côte d'Azur, le secteur secondaire est sous-représenté. Ainsi dans les Bouches-du-Rhône, 77 % des actifs travaillent dans le secteur tertiaire.

Pourtant, le port de Marseille représente le premier débouché de l'Europe occidentale sur la Méditerranée (avec le très important complexe de Fos-sur-Mer), et le département concentre presque la moitié des emplois industriels de toute la région (industries chimiques, mécaniques, alimentaires, raffinage, industrie nucléaire, métallurgie, etc.). Le Vaucluse, lui, s'est spécialisé dans l'industrie agroalimentaire, mais de nombreuses autres activités sont présentes : constructions mécaniques, métallurgie, chimie, etc. Quant à l'industrie dans les Alpes-de-Haute-Provence, elle est surtout axée sur les industries légères, telles que l'informatique ou le cosmétique.

C'est l'effet du soleil, de l'Europe et du TGV : le Sud a des allures de Silicon Valley, et le tertiaire y explose littéralement. C'est en particulier le cas pour le tourisme et pour le tertiaire dit « supérieur » – intelligence artificielle, robotique, hautes technologies et ses technopoles : Château-Gombert à Marseille, l'Europole de l'Arbois près d'Aix, Agroparc à Avignon ; les laboratoires de recherche les plus prestigieux se sont installés en Provence. La ligne de TGV qui met Marseille à 3h de Paris ne fait que renforcer l'attrait exercé par la région.

ENVIRONNEMENT

La faune camarguaise

– ***Le cheval camarguais*** est petit et robuste. Le sabot large et plat, il est bien adapté aux terres humides, et sa taille le rend peu sensible au mistral. Intelligent et facile à dresser, il est le parfait compagnon du gardian. Et une cavalcade de camarguais dans les rues d'Arles, ça vaut son pesant d'or ! Ne croyez pas ceux qui vous disent qu'il y a du cheval dans le saucisson d'Arles. C'est faux, on n'y met que de l'âne !

– ***Le taureau camarguais*** est également petit, fin, racé, nanti de cornes en lyre, très proche des taureaux que l'on voit sur les vases crétois. Quitte à décevoir bon nombre de nos lecteurs, précisons que la destination principale du taureau camarguais, ce n'est pas l'arène mais l'abattoir. Seuls 10 % des taureaux sont jugés assez braves pour aller charger les hommes qui les défient. Mais dans ces 10 %, il y a de vraies vedettes, des *toros* de légende dont on parle encore vingt ans après. Quant aux autres, ils sont en général dignes de porter la mention AOC Camargue, car il existe une AOC pour la viande de taureau camarguais, dont la chair doit être rosée, peu persillée et goûteuse. On fait également du saucisson de *toro* en le mélangeant largement au porc pour aider à la conservation, car la viande de taureau camarguais se gâte très vite.
– ***Le mérinos d'Arles*** est un petit mouton à la laine rousse très épaisse, inaccessible aux moustiques. Il y a moins de trente ans, les troupeaux de mérinos quittaient la Camargue en avril pour rejoindre les alpages de Haute-Savoie après une transhumance de près d'un mois. Le mérinos disparaît peu à peu de Camargue, car c'est un mouton « à laine » et non un mouton « à viande ».
– ***Les oiseaux*** sont légion. Les flamants roses du sud du Vaccarès sont les plus connus, mais l'ornithologue amateur se régalera du spectacle permanent de tous les oiseaux d'eau : hérons placides, aigrettes virginales, vanneaux, courlis et chevaliers, ils sont tous là, sans oublier les milliers de canards.
– L'étang de Vaccarès est abondamment peuplé de ***poissons*** dont la pêche est très réglementée. Tous les vrais restos locaux proposent des fritures de petits poissons de l'étang juste passés à la poêle. C'est délicieux, mais le mets royal, ce sont les petites ***crevettes grises*** de l'étang, qui ne se pêchent qu'en hiver.

Incendies et pollution

La forêt provençale, essentiellement constituée de chênes blancs ou verts et de pins, est très importante. Malheureusement, chaque été en Provence, plusieurs milliers d'hectares de forêt, parfois même plusieurs dizaines de milliers, partent en fumée. Si les pyromanes défraient souvent la chronique, ils ne sont pourtant responsables que de 10 à 20 % des feux. La grande majorité des incendies sont provoqués par des imprudences. Alors ***attention :*** *ne faites ni feu ni barbecue, n'utilisez pas de camping-gaz, ne jetez pas de mégot de cigarette*. Des conseils élémentaires, mais toujours utiles, hélas ; il suffit chaque été de lire les journaux...
Pour prévenir les incendies, la préfecture des Bouches-du-Rhône a pris des mesures draconiennes : la circulation, automobile et piétonne, est strictement réglementée dans les massifs boisés du 1er juin au 30 septembre. Si vous êtes dans le coin à ce moment et que vous voulez aller vous balader du côté de la montagne Sainte-Victoire, les calanques ou les Alpilles, surtout n'oubliez pas de vous renseigner *(☎ 0811-20-13-13 ; coût d'un appel local)*, ou de consulter le site • *paca.pref.gouv.fr* •, pour vous assurer de l'accessibilité du coin qui vous intéresse (accessible quelques heures dans la journée, ou parfois complètement interdit d'accès) en temps réel. Dans les autres départements de la région, on est plus cool, puisque seuls certains sentiers sont fermés par périodes. Bien lire les panneaux avant de s'engager sur une piste.

GÉOGRAPHIE

La diversité est sans doute le mot qui caractérise le mieux la géographie des différents « pays » de la Provence. Quatre entités peuvent être dessinées.

La Provence littorale

À l'opposé de la côte du Languedoc, plate et monotone, le littoral provençal alterne caps, calanques et baies souvent très pittoresques lorsqu'ils ne sont pas défigurés par l'urbanisation et l'industrialisation. Ici, les précipitations sont assez rares (75 jours en moyenne par an). Pour ne garder que le meilleur de ce littoral maltraité, (re)lire les magnifiques pages de Jean-Claude Izzo sur les calanques de Marseille dans sa trilogie policière (voir plus haut dans le chapitre « Provence utile », la rubrique « Livres de route »).

La Provence des plaines

Les plaines se succèdent le long du Rhône. Dans la basse vallée de la Durance et la plaine comtadine s'épanouissent vignobles, cultures maraîchères et fruitières dans un paysage quadrillé par les haies destinées à les protéger du vent, particulièrement violent ici. La campagne y est assez peuplée, conséquence de la « rurbanisation » qui entoure les villes comme Carpentras et Cavaillon.
Deux bassins prolongent cette plaine : la Crau, avec un sol couvert de galets et de pierres, et la Camargue, la plus grande plaine de Provence (75 000 ha), couverte d'étangs et de marais. Irrigation pour le premier et drainage pour le second ont permis de venir à bout d'un environnement défavorable à l'agriculture. La densité au kilomètre carré y est très faible. Les exploitations y sont, en revanche, étendues.
Entre les plaines de la vallée du Rhône et la Crau, quelques chaînons montagneux : la Montagnette et les Alpilles, contées par Daudet, bordées d'oliviers et de vignes et au pied desquelles sont venus se poser de bien jolis petites villes et villages : Saint-Rémy, Maillane, Les Baux...

La Provence intérieure occidentale

Elle est constituée de différents « pays » :
– le pays d'Apt, situé entre les monts de Vaucluse et le Luberon ;
– le pays d'Aigues, entre le Luberon et le val durancien, domaine de la vigne ;
– le pays d'Aix, hélas trop touché par l'urbanisation, mais bordé par la montagne Sainte-Victoire, sujet préféré du peintre Cézanne.

La Provence des montagnes

Bassins, collines et plateaux sont dominés par différents chaînons montagneux, tels que les Baronnies, les dentelles de Montmirail, le majestueux mont Ventoux et ses 1 909 m, le Luberon, la montagne de Lure, les contreforts alpins (Préalpes de Digne), la montagne Sainte-Victoire... Plusieurs points communs à tous ces massifs : l'absence de l'olivier, qui n'apprécie guère le gel, la présence de belles forêts de hêtres ou de chênes et une densité de population faible, bien sûr. En revanche, sur le plan géologique, pas d'unité puisqu'il peut s'agir de massifs calcaires, principalement à l'ouest et au sud, comme d'amoncellements de cailloutis (plateau de Valensole).

HABITAT

Qu'est-ce qui différencie un mas d'une bastide ? Si le mas désigne la petite exploitation familiale, la bastide, dans cette région, évoque une habitation secondaire jouxtée par des bâtiments ruraux.
– ***Le mas :*** prononcer le « s » ; lieu de l'exploitation familiale, c'est la demeure de petits propriétaires aisés. En plaine, il comporte en général deux niveaux : le rez-de-chaussée abrite la pièce à vivre, la « salle » et les dépendances agricoles. Au 1er étage se trouvent les chambres et le grenier. En montagne, le mas a le plus souvent trois niveaux, le rez-de-chaussée abrite la bergerie, la cave, l'écurie, etc. Au 1er étage, on trouve la salle de séjour et au 2e étage les chambres. La toiture est en appentis (un seul pan) ou en bâtière (deux pans). Les matériaux utilisés provien-

nent des environs mêmes : pierre, chaux, argile, sable, etc. On est bien éloigné de la mode actuelle des pierres apparentes : autrefois, les murs de pierre étaient vite cachés par un crépi constitué de chaux et de sable coloré. La façade est exposée au sud, et les murs latéraux sont aveugles, permettant facilement l'ajout de nouveaux bâtiments, faisant du mas une demeure qui évolue au gré des besoins.
– ***La bastide :*** vaste demeure à la façade agrémentée de balcons et sculptures, les ouvertures étant réparties symétriquement. Les murs sont en pierre de taille. À côté de la bastide se trouvent les bâtiments d'exploitation. Les bastides sont installées non loin des villes (Aix, Marseille où, au début du XIXe s, on dénombrait quelque 5 000 bastides dans les environs) et constituent en quelque sorte la résidence secondaire de la bourgeoisie aisée des villes. À l'arrivée des premières chaleurs, les familles de riches négociants ou de grands bourgeois quittent leurs hôtels particuliers pour s'installer dans les bastides. Avec armes et bagages : chaque printemps, c'est un véritable cortège de voitures attelées, pleines de malles remplies d'argenterie, de bibelots de famille, de petits meubles, de tableaux, voire de tapisseries !
Au départ, la bastide est surtout l'occasion de revenir, le temps d'un été, à une vie plus tranquille, à l'abri des regards. Une vie saine, faite de joies simples et de fêtes familiales. Pour les uns du moins. Pour qui a besoin de paraître, l'été peut n'être qu'une succession de réceptions. Des moissons aux vendanges, des fêtes de Pâques aux chasses d'automne, la demeure accueille famille et amis, jusqu'aux premiers froids. Au fond d'eux-mêmes, les propriétaires de bastides provençales restent de vrais conservateurs, qui s'enorgueillissent de pouvoir faire goûter à leur table les produits de leurs récoltes. On va manger les légumes du jardin, boire le vin de la propriété. Pas besoin que ce soit de grands crus, pourvu qu'ils soient au goût des familles... De la ferme voisine arrivent les œufs, le lait, les volailles, les fruits et les légumes.
– ***La cabane de gardian :*** aussi emblématique de la Camargue que le flamant rose ! Petite maison trapue aux murs de pisé couverts d'un toit de roseaux, piqué d'une poutre. Ces mêmes roseaux qui servent de cloison entre deux pièces minuscules : la salle à manger et la chambre. Percée d'une seule et unique porte sur l'avant, la cabane s'arrondit sur l'arrière pour résister au vent.
– ***La borie :*** partie intégrante des paysages du Luberon et des monts du Vaucluse, ces discrètes et toutes rondes cabanes de pierre témoignent d'un joli savoir-faire : leurs voûtes en encorbellement tiennent en effet sans aucun liant. Les bories servaient d'écurie, de bergerie ou de remise.
– ***Le cabanon :*** si les cabanons des champs ont disparu avec l'avancée des quartiers périphériques, ceux du bord de mer se sont endurcis, pour affronter le temps. Ces petites constructions de plain-pied, toutes simples et souvent construites dans l'illégalité, se sont progressivement imposées dans le paysage du littoral marseillais, des calanques côté Cassis à celles de la Côte bleue, jusqu'à la mythique plage camarguaise de Beauduc. Parce que la plage est à deux pas du boulot, le bateau à 2 km et qu'il n'y a rien de mieux qu'un apéro ou un aïoli au cabanon, entre amis ou en famille, pour tout oublier, à la sortie de l'hiver ! Ici, on a toujours le parasol, parfois l'électricité mais jamais la TV.

HISTOIRE

C'est vers 600 av. J.-C. que les **Grecs de Phocée fondent *Massalia* (Marseille)** dans une région alors occupée par des populations autochtones, les Ligures, auxquelles il faut ajouter les Celtes, venus d'Europe centrale aux VIIIe et VIIe s av. J.-C. Les Grecs créent des comptoirs le long de la mer Méditerranée et, surtout, introduisent les cultures de la vigne et de l'olivier. Les échanges entre la Grèce et la nouvelle colonie se développent rapidement. Marseille dispose pratiquement du monopole du commerce du vin, que l'on transporte dans les fameuses amphores.

Mais c'est la **colonisation romaine** qui fixa les limites de la Provence ; la région représentait une zone stratégique pour l'impérialisme romain. Dès le IVe s av. J.-C., des liens s'étaient créés entre Marseille et Rome, en particulier lors des guerres puniques ; en 125 av. J.-C., la ville de Marseille demande le soutien des Romains face aux coalitions celto-ligures. Rome intervient très rapidement et efficacement, mais ne quitte plus la région. Peu à peu, le sud de la Gaule devient une nouvelle province romaine, la *Gallia Transalpina,* puis la *Gallia Narbonnensis.*

Les Romains marquèrent la Provence d'une empreinte durable : création de villes (Apt, Arles, Carpentras, Digne, Vaison-la-Romaine, Aix-en-Provence), d'un réseau de routes (via Julia Augusta, de Fréjus à Aix), de *villae* (domaines agricoles). De nos jours, les traces de cette occupation sont bien présentes : aqueducs, arènes, théâtres d'Orange, de Vaison, d'Arles et désormais d'Aix, etc. De fait, la civilisation latine pénétra beaucoup plus les villes que les campagnes.

Lors du déclin de l'Empire romain d'Occident, le christianisme étend son influence autour des évêchés d'Arles et de Marseille.

Puis vient l'époque troublée : occupations successives de la région par les Wisigoths, les Burgondes et les Ostrogoths.

En 535, **les Francs annexent pacifiquement la Provence.** Les évêques acceptent cette occupation car les Francs sont convertis au catholicisme romain.

À la fin du VIIIe s, la **Provence intègre l'Empire carolingien** mais est affaiblie dans son activité économique, la Méditerranée, devenue arabe, étant alors considérée comme dangereuse. L'économie, qui s'était ouverte sur toute la Méditerranée au temps des Romains, se referme sur elle-même pour plusieurs siècles.

Le traité de Verdun, qui partage l'empire de Charlemagne en 843, donne la Provence à Lothaire. À sa mort, son fils Charles hérite du premier royaume de Provence – qui couvre en fait toutes les terres s'étendant de la mer Méditerranée à Lyon.

Au Xe s, ce royaume est incorporé à celui de Bourgogne, qui devient **le royaume de Bourgogne-Provence.** La région est administrée par des comtes et vicomtes qui prennent immédiatement leur indépendance vis-à-vis de la tutelle bourguignonne. Parmi eux, Guillaume le Libérateur : il expulse les Sarrasins qui terrorisent la région et prend le titre de marquis de Provence. C'est la première dynastie des comtes provençaux (fin du Xe s) qui coïncide avec un renouveau économique : les échanges maritimes reprennent peu à peu avec la Méditerranée et l'Europe continentale. Après une période troublée, marquée par des successions et des alliances, un traité établi en 1125 partage la Provence entre les comtes toulousains (qui disposeront des terres situées à l'ouest du Rhône et au nord de la Durance) et les comtes catalans (espaces délimités entre Rhône, Durance et Alpes). Avignon ainsi que quelques autres villes deviennent indépendantes.

Le commerce, grâce au Rhône qui permet le transport des produits du Nord vers l'Orient, et inversement des épices ou soies vers l'Europe continentale, devient florissant. Néanmoins, les rivalités intestines demeurent.

La Provence tombe entre les mains de Charles d'Anjou, fils de Blanche de Castille, qui devient Charles Ier de Provence en 1246 et acquiert parallèlement en Italie du Sud le royaume de Naples. La Provence est alors sous l'influence de la Grande Cour royale de Naples. En 1317, des modifications territoriales qui donneront naissance à l'actuelle **enclave des Papes** apparaissent. L'évêque d'Avignon, Jean XXII, est nommé pape. Or, en raison des guerres d'Italie, la papauté n'y est plus en sécurité ; le nouveau pape s'installe donc dans son ancien palais épiscopal, contrôlant ainsi Avignon et son comtat ; une propriété qui durera presque cent ans.

Mais l'alliance de Naples et de l'Anjou perd de sa puissance et, au milieu du XIVe s, une guerre éclate entre Naples et la France. Malgré la tenue des premiers états de Provence, le territoire reste en proie à de graves troubles.

Il s'en suit une période de **renouveau économique** sous le règne du « bon roi René », qui lègue le comté à son neveu Charles du Maine, lequel ne pourra le conserver : Louis XI réunit la Provence et la France en 1482. Une constitution pro-

vençale instaure les conditions de la réunion au royaume. La Provence garde ses usages et privilèges mais, peu à peu, dès le début du XVIe s, ce ne seront qu'affrontements entre le pouvoir central et les institutions régionales.
Sous François Ier, **l'édit de Joinville amoindrit les attributions des états,** ayant pour objectif d'aligner le système traditionnel provençal sur celui du royaume. Avec l'ordonnance de Villers-Cotterêts, qui instaure l'usage du français dans tous les actes officiels, se poursuit la diminution de l'usage du latin et, par voie de conséquence, du provençal.
Les nobles locaux ne se laissent pas faire devant cette politique d'unification : **l'édit des élus de 1630, qui donne aux délégués royaux la possibilité de percevoir l'impôt,** est le point de départ de la révolte des *cascavéu* (nom du grelot, emblème des parlementaires rebelles). Plus tard, l'édit de Fontainebleau, qui transforme l'organisation du Parlement, est à l'origine de nouveaux troubles.
Louis XIV sera le symbole de la centralisation et de la **mainmise du pouvoir royal.** Ses intendants succèdent aux gouverneurs pour administrer la province, les privilèges accordés aux notables sont amoindris. Marseille essaie de résister pour maintenir ses libertés municipales ; les troupes du roi occupent la ville, et l'ancienne autorité consulaire est abolie. En 1771, la réforme du chancelier Maupeou, visant à supprimer le Parlement pour le remplacer par la Cour des comptes, provoque de violentes réactions. Louis XVI rétablit les parlements. Le retour des parlementaires à Aix est accueilli dans la liesse. Les états de Provence se réunissent une dernière fois de 1787 à 1789. Mais en fait, les parlementaires cherchent plus à maintenir leurs prérogatives qu'à préserver une réelle indépendance de leur comté.
Cette période de domination du pouvoir central s'accompagne d'une certaine prospérité économique, entachée par **des épidémies de peste** dont la plus meurtrière, en 1720, sera à l'origine de la mort de 100 000 personnes. Au XVIIIe s se dessine un formidable mouvement de concentration de population à Marseille : à la fin du XVIIIe s, la ville compte environ 120 000 habitants. Les activités industrielles y sont relativement limitées, mais des industries de corps gras sont déjà implantées et feront la fortune de la ville. Dans l'arrière-pays, la vigne prend son essor ; parallèlement à la culture du blé se développe la culture du mûrier, et l'élevage des ovins augmente.
En 1790, la division de la France en départements conduit bien sûr à **la disparition de l'ancienne Provence,** qui se trouve partagée en trois départements : les Bouches-du-Rhône (avec pour chef-lieu Aix), le Var et les Basses-Alpes. Les États pontificaux constitueront ensuite le département du Vaucluse auquel seront ajoutés les districts d'Apt, Sault et Orange.
Pendant la Révolution, on n'échappe pas au clivage entre mouvements populaires contre les notables (Mirabeau se fera un fervent défenseur des droits du tiers état) et contre-révolutionnaires qui, grâce à l'aide des Anglais et des Espagnols, s'empareront de Toulon.
À son retour de l'île d'Elbe, Napoléon emprunte la fameuse route aujourd'hui dite « Napoléon », passant à Grasse, Digne et Gap. Pendant l'Empire et la Restauration, la droite monarchique reste la tendance dominante. Mais avec la révolution de 1848, la Provence bascule à gauche, laissant le courant traditionnel subsister dans certaines parties : par exemple, la région d'Arles où naît d'ailleurs le félibrige (voir plus haut la rubrique « Langue régionale » dans le chapitre « Provence utile »).
Au XIXe s, agriculture et industrie sont en plein essor. Les surfaces irriguées doublent, permettant d'accroître les cultures maraîchères et fruitières. Quant à l'industrie, elle se concentre entre Rhône et Var. À l'intérieur du pays, on trouve de nombreux secteurs en pleine croissance : métallurgie, extraction de lignite (charbon), matériaux de construction, etc. La croissance de la population de Marseille s'accentue, atteignant les 500 000 habitants en 1900. Puis, de nombreuses vagues d'immigration viennent grossir le nombre d'habitants : Arméniens, Italiens et plus tardivement Maghrébins. Les principales industries sont liées aux produits d'importation agricoles : sucreries, chocolateries, pâtes alimentaires, etc.

En 1956 est instituée la « région de programme » Provence-Corse-Côte d'Azur (devenue PACA en 1970) qui déborde le cadre traditionnel de la Provence. Sont en effet incluses dans cette région redéfinie les Alpes-Maritimes et les Hautes-Alpes. Cette création artificielle posera de nombreux problèmes d'adaptation.
60 % des habitants de la région PACA habitent les Bouches-du-Rhône et le Vaucluse. Après l'explosion démographique des villes (Aix, Marseille, Avignon), les villages proches des centres urbains connaissent à leur tour une forte croissance due à la « rurbanisation » (on travaille en ville mais on habite à la campagne).

Quelques dates

– ***27 000 ans av. J.-C. :*** pendant la Grande Glaciation, des énergumènes couvrent de graffitis une caverne des environs de Cassis. Depuis, la mer a noyé l'entrée de la grotte de Cosquer, inaccessible sauf aux plongeurs.
– ***600 av. J.-C. :*** fondation de *Massalia* (Marseille) par les Phocéens. À son tour, la ville part fonder Nice, Hyères, Antibes et Agde.
– ***124 av. J.-C. :*** venue défendre une nouvelle fois Marseille, Rome trouve plus commode de rester. La *Provincia* (Provence) est née. Elle devient bientôt « une autre Italie » (Pline).
– ***Ier s av. J.-C. :*** les Romains affirment leur présence en Provence, construisant villes, ports et voies routières. Arles détrône Marseille.
– ***413 :*** invasion des Barbares.
– ***535 :*** en passant sous la coupe des Francs, la région perd son statut de star du soleil pour devenir l'appendice lointain d'un empire du Nord.
– ***IXe s :*** création du premier royaume de Provence.
– ***883 :*** les Sarrasins transforment le massif des Maures en base militaire.
– ***XIVe s :*** les papes s'installent à Avignon pour 70 ans.
– ***Fin du XIVe s :*** les pestes, la disette et l'insécurité tuent la moitié des Provençaux.
– ***1482 :*** la Provence devient française, à l'exception de la Savoie, de Monaco et du Comtat venaissin.
– ***XVIIe s :*** Richelieu puis Louis XIV renforcent le pouvoir central. Toulon port de guerre, galères à Marseille... La côte provençale devient une base majeure pour la « Royale ».
– ***1660 :*** venu châtier un complot, Louis XIV prend Marseille. Le rouleau compresseur de la francisation s'est mis en marche.
– ***1720 :*** terrible peste qui décime la population. Marseille perd la moitié de ses habitants.
– ***1789 :*** la province, avec à sa tête Mirabeau, n'est pas la dernière à participer à la Révolution. Avec l'instauration des départements disparaît l'ancienne Provence.
– ***1793 :*** après s'être mis au rouge révolutionnaire *(La Marseillaise)*, les Provençaux – régionalisme oblige – se distinguent : Marseille vire au blanc, Toulon s'offre aux Anglais. Reprise par Bonaparte, elle est rebaptisée Port-la-Montagne, Marseille devenant quant à elle – suprême outrage – Ville-sans-Nom.
– ***Fin du XVIIIe s :*** avec Honoré Fragonard et Joseph Vernet, la Provence se hisse au pinacle des arts picturaux.
– ***1815 :*** Napoléon débarque de l'île d'Elbe et emprunte, par Grasse, Digne et Gap, la route qui porte aujourd'hui son nom.
– ***1848 et 1851 :*** de nombreuses villes provençales manifestent de profonds sentiments républicains, à l'occasion de la révolution d'abord, puis lors du coup d'État de Napoléon III.
– ***1854 :*** fondation du félibrige, mouvement régionaliste culturel.
– ***1860 :*** le comté de Nice et la Savoie sont rattachés à la France, en échange de l'intervention de Napoléon III en faveur de l'unité italienne contre les Autrichiens. L'année suivante, Menton et Roquebrune sont rachetées à la principauté de Monaco.
– ***1942 :*** les troupes allemandes envahissent la Provence. Le 11 novembre...

- **1944 :** le 28 août, Marseille est libérée.
- **1947 :** Jean Vilar crée le Festival d'Avignon.
- **1956 :** la « région de programme » Provence-Corse-Côte d'Azur voit le jour.
- **1965 :** les premières installations du port de Fos sortent de terre.
- **1970 :** création du parc naturel régional de Camargue.
- **1974 :** première réunion du conseil régional de la nouvelle région PACA (la Corse faisant cavalier seul depuis 1970).
- **1977 :** le Luberon devient à son tour parc naturel régional. Les Marseillais, eux, prennent le métro.
- **1988 :** fermeture des chantiers navals de La Ciotat.
- **1993 :** l'OM gagne la ligue des champions (une première pour un club français).
- **2001 :** Marseille est à 3h de Paris en TGV.
- **2003 :** une canicule exceptionnelle accentue les dégâts provoqués par les incendies incessants (près de 40 000 ha pour l'ensemble de la région PACA).
- **2004 :** l'épave de l'avion d'Antoine de Saint-Exupéry est enfin retrouvée au large de l'île de Riou, près de Marseille.
- **2006 :** l'« année Cézanne » à Aix-en-Provence commémore le centenaire de la mort du peintre. Également, à Aix, inauguration en octobre du *Pavillon noir,* somptueux centre chorégraphique dessiné par l'architecte Rudy Ricciotti.
- **2007 :** les Alpilles sont classées parc naturel régional par décret.

JEUX DE CARTES

Les jeux de cartes, proscrits par l'Église, ont débarqué en France par la pieuse terre de Provence. Un demi-siècle après Pagnol, les joueurs de belote – ou de manille – font toujours partie du florilège régional, au même titre que le pastis ou les boules. C'est à Marseille, enfin, qu'est né le fameux tarot divinatoire qui devait prédire tant de sornettes aux gogos du monde entier...

LAVANDE

On ne peut dissocier la lavande de la Provence, et on a tous en tête les photos de champs violets de lavande des monts du Vaucluse, du pays de Sault ou du plateau de Valensole. La lavande était déjà cultivée du temps des Romains, qui l'utilisaient pour parfumer le linge et les bains. Ce n'est cependant qu'au XIXe s que la culture s'est développée, pour atteindre son apogée dans les années 1920, liée à la présence de parfumeries, près de Grasse, qui utilisaient l'huile essentielle de lavande. Avec la violette, elle était la seconde des fleurs tolérées – jadis – dans la parfumerie masculine. Aujourd'hui, alors que la lavande synthétique envahit les lessives, la vraie lavande disparaît progressivement des montagnes.
Il faut distinguer la lavande fine, qui pousse entre 600 et 1 600 m, et le lavandin (hybride entre la lavande aspic et la lavande officinale), qui est cultivé au-dessous de 600 m. C'est le lavandin qui est le plus répandu, plus facile à cultiver, permettant une meilleure production d'huile essentielle, même si son essence est de moins bonne qualité olfactive. La récolte se déroule au début de l'été dont les grosses chaleurs permettent la montée de l'essence dans les glandes sécrétrices de la lavande.
Si, dans les monts reculés de la Drôme ou du Vaucluse, on voyait encore récemment des alambics grimper dans les champs de lavande, parmi les sauterelles aux ailes rouge et bleu, rares sont aujourd'hui ceux qui distillent encore, à la ferme, de la « vraie » lavande. En Provence, la production est concentrée sur le plateau d'Albion, la montagne de Lure, le val de Sault et mécanisée depuis les années 1970.

La lavande est distillée dans un alambic à vapeur qui permet d'extraire l'huile essentielle de la plante (voir l'intéressant musée de la Lavande à Coustellet, dans le Vaucluse).

MERVEILLES DE GUEULE

Les spécialités

Une cuisine riche et délicieuse à base d'huile d'olive, d'herbes odorantes, d'ail et divers aromates, à découvrir surtout dans l'arrière-pays. La cuisine provençale se caractérise par l'abondante utilisation de légumes ingénieusement associés pour compenser le déficit en viande, trop coûteuse dans la Provence pauvre d'autrefois. Nombre de recettes feront ainsi le bonheur des végétariens. Pourtant, céla ne fait qu'un siècle que les légumes ont été développés réellement dans la région. Voici les spécialités les plus savoureuses dont les effluves viendront sans cesse titiller vos narines.

– ***L'agneau de Provence :*** les côtelettes aux herbes poussent dans la rocaille, de la Durance jusqu'aux Baux. Il est vrai que les agneaux y broutent une flore particulièrement parfumée – le foin de la Crau jouit même d'une appellation contrôlée ! L'agneau de Sisteron, qui fut longtemps leur roi, a quelque peu perdu en crédibilité.

– ***L'aïoli :*** mayonnaise à l'ail (et sans moutarde), plutôt épaisse et parfumée. Se fait exclusivement à l'huile d'olive. Mais l'aïoli est aussi un plat composé en principe de morue, bœuf et mouton bouilli, accompagnés de légumes cuits à l'eau.

– ***L'anchoïade :*** purée d'anchois, mélangée à de l'huile d'olive et des câpres, très onctueuse au goût.

– ***Le bœuf en daube :*** morceaux de bœuf cuits à l'huile d'olive avec du lard et des oignons, de l'ail et des aromates, servis avec une sauce au vin rouge.

– ***La bouillabaisse :*** à tout seigneur, tout honneur. Au moins douze poissons dans une soupe parfumée. D'abord plat des pauvres, il est devenu celui des très riches. La rareté des poissons (rascasse, loup, rouget de roche, etc.) entrant dans la composition de la bouillabaisse et la quantité limitée que l'on peut en pêcher expliquent le prix élevé de ce mets. Le poisson doit évidemment être très frais, et le safran, mis dans un bouillon, de bonne qualité. Pour accompagner la bouillabaisse, une sauce onctueuse et épicée, la rouille, et des croûtons grillés, généreusement frottés à l'ail.

PEUCHÈRE !

Bouillabaisse a pour origine deux mots bien provençaux : « bodha » qui signifie « quand ça bout », et « baissa » qui veut dire « tu baisses » ; ce qui résume le secret de la bonne bouillabaisse : quand ça bout, tu baisses le feu. La bouillabaisse doit mijoter à petit feu.

– ***La bourride :*** genre de bouillabaisse, un peu moins chère, avec des poissons blancs (mulet, baudroie, merlan) et servie surtout avec l'aïoli.

– ***Les grenouilles à la provençale :*** grillées dans l'huile avec de l'ail après avoir été roulées dans de la farine.

– ***Le lapin à la provençale :*** cuit au vin blanc, à tout petit feu, avec de l'ail, de la moutarde, des aromates et des tomates.

– ***Les pieds et paquets :*** selon la légende, ce sont les équarrisseurs qui inventèrent cette recette pour ne pas gâcher les abats. Vous ferez des pieds et des mains pour ces tripes à la marseillaise (alliées à des pieds de mouton), farcies et cuites à petit feu dans du vin blanc avec oignons, carottes et lard. Hmm ! Nombreuses variantes dans tout le pays.

– ***La ratatouille :*** mélange bien mijoté d'aubergines, courgettes, poivrons, tomates, oignons, ail, etc.

– ***Le riz de Camargue :*** grâce à la présence permanente d'une lame d'eau de 5 à 10 cm, le riz est cultivé depuis le XIIIe s en Camargue. Pourtant, les rizières ne se sont vraiment étendues qu'au cours de la Seconde Guerre mondiale, l'interruption du trafic maritime engendrant une pénurie alimentaire. Jusque-là, la riziculture servait surtout à préparer le sol pour la vigne.
– ***La rouille :*** complice indispensable de la bouillabaisse. Piments rouges, frais, écrasés avec de l'ail et du corail d'oursin, auxquels on ajoute de l'huile d'olive, un peu de mie de pain et du bouillon.
– ***Le sel de Camargue :*** il décante doucement dans les bassins de Salin-de-Giraud, avant d'aller relever tous les plats provençaux.
– ***La soupe au pistou :*** un des temps forts de la cuisine provençale. Soupe aux légumes parfumée avec une pâte composée de basilic et d'ail pilés dans de l'huile d'olive.
– ***La tapenade :*** purée d'olives noires (ou vertes) et de câpres mélangée à de l'huile d'olive. Délicieuse sur des tartines grillées.
– ***Les truffes du Tricastin :*** on en trouve de novembre à mars. Bien que les alentours de Valréas produisent deux truffes françaises sur trois, ce « diamant noir » fut, curieusement, longtemps absent de la gastronomie locale. Aujourd'hui, on fait des kilomètres pour venir en chercher aux marchés de Richerenches, Valréas, Apt, Vaison ou Carpentras, ou pour participer à un week-end d'initiation à la truffe dans les auberges de pays.

LA TRUFFE, GRANDEUR ET DÉCADENCE

En un siècle, la production s'est effondrée pour deux raisons. Les truffières ont besoin de lumière. Le débroussaillage était assuré par les moutons et les chèvres. C'est de moins en moins le cas aujourd'hui. Enfin, les pluies sont nécessaires à certaines époques. Le réchauffement de la terre n'y contribue pas. Mais n'oubliez pas : pour une tonne ramassée dans le Périgord, 45 sont récoltées en Provence !

Les gourmandises

– ***Le calisson :*** spécialité aixoise. Son nom viendrait (mais il y a d'autres versions) du provençal « *di calin soun* », qui signifie « ce sont des câlins ». Sa forme évoque une petite barque. Entre deux feuilles de pain azyme, un incomparable mélange de pâte d'amandes, de miel et de fruits confits (melons, oranges, mandarines, abricots).
– ***Les fruits confits :*** d'Apt, bien sûr, ville classée « Site remarquable du goût ». Une tradition préservée par les derniers artisans du pays. Qu'il s'agisse de fraises, d'abricots, de prunes, ces fruits confits n'ont rien à voir avec ce que vous pourriez goûter ailleurs. Mais le savoir-faire, allié aux ressources du sol et aux mérites du soleil, ici, ça a un prix !
– ***La navette :*** biscuit peu sucré, en forme de petite embarcation (pour rappeler l'arrivée des Saintes-Maries en Provence), généralement aromatisé à la fleur d'oranger, que les Marseillais préfèrent aux crêpes pour la Chandeleur.
– ***Le nougat :*** de Montélimar ? Non, malheureux, de Sault ou de Saint-Didier ! Celui que l'on fabrique ici, dans les monts du Vaucluse, n'a rien à voir, diront les puristes, avec celui du « Nord ». Les purs et durs le fabriquent encore avec des amandes de Provence, obligatoirement émondées. C'est traditionnellement l'un des treize desserts de Noël.
– ***Les papalines :*** confiserie de chocolat, sucre et liqueur d'origan (Avignon).

MISTRAL

Appelé « tramontane » dans le Languedoc et le Roussillon, il devient mistral dans la bouche des Provençaux. C'est le vent du nord, froid et sec. Engendré par les hau-

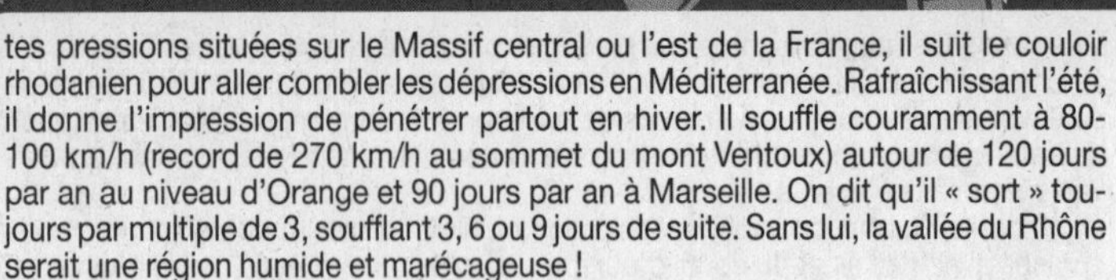

tes pressions situées sur le Massif central ou l'est de la France, il suit le couloir rhodanien pour aller combler les dépressions en Méditerranée. Rafraîchissant l'été, il donne l'impression de pénétrer partout en hiver. Il souffle couramment à 80-100 km/h (record de 270 km/h au sommet du mont Ventoux) autour de 120 jours par an au niveau d'Orange et 90 jours par an à Marseille. On dit qu'il « sort » toujours par multiple de 3, soufflant 3, 6 ou 9 jours de suite. Sans lui, la vallée du Rhône serait une région humide et marécageuse !

NOËL EN PROVENCE

La veille de Noël, surtout, mais désormais aussi les quatre week-ends précédant la fête (week-ends de l'Avent), les marchés se transforment en véritables foires aux santons, d'Aix-en-Provence, Aubagne ou Châteaurenard à Martigues et Vitrolles, sans oublier Marseille et les allées de Meilhan, où la foire a été créée en 1802, au son du fifre et du tambourin. La tradition marseillaise est née à la fois de la ferveur populaire pour la célébration de la Nativité et de l'apparition de cette figurine typiquement provençale qu'est le ***santon*** (voir plus loin « Santons de Provence »).

La nuit de Noël

Noël reste ici avant tout une fête familiale, intime, tendre et conviviale. Une fête qui entend rester à l'image de la Provence rêvée par Mistral : très belle et très pauvre. Frédéric Mistral fait, dans un style que personne n'a cherché depuis à imiter (heureusement !), la description suivante du « gros souper » dans les mas de Maillane et de Saint-Rémy : « Ô la tablée sainte, vraiment sainte, avec tout autour, la famille complète, pacifique et heureuse ! À la place de la lampe, ce soir-là, brillaient sur la table trois chandelles. Aux deux extrémités de la table, dans une petite assiette, verdoyait une graine de blé que, le jour de la Sainte-Barbe, on avait mise dans l'eau pour la faire germer. Sur la nappe blanche paraissaient à tour de rôle les plats sacramentels : les escargots que chacun tirait de sa coquille avec un beau clou neuf, la morue frite, la muge aux olives, la carde, le chardon, le céleri à la poivrade, suivis d'une multitude de friandises exquises telles que pompe à l'huile, raisins secs, nougat, pommes de paradis et, au-dessus de tout, le pain de Noël, que l'on n'entamait qu'après avoir donné un bon quart au premier pauvre qui passait. »
Le *cache-fio* est l'allumage rituel de la bûche de Noël (la vraie, pas la pâtisserie !) en olivier ou en cerisier. La tradition veut que l'on répande alors du vin cuit sur la souche que l'on met dans le foyer et qu'on allume, c'est-à-dire qu'on boute le feu. La cérémonie a généralement lieu en présence du doyen et du plus jeune de la famille, avant de se mettre à table, avant la messe.
Le « gros souper » était en fait un repas maigre, mais qui nécessitait une véritable mise en scène : table dressée sur trois nappes, les unes sur les autres, branches de houx et trois écuelles, avec du blé de la Sainte-Barbe. Si les grains avaient bien germé, c'était signe que la moisson serait bonne...
On mettait dessus ce que l'on avait : fricot d'escargots, morue frite ou aux poireaux, carde, céleri, beaucoup de sauce car il fallait manger beaucoup de pain...
Le « gros souper » se doit toujours d'être englouti avant la messe de minuit où sont mis à l'honneur bergers, agneaux et tous les acteurs de la crèche vivante. Au cours de la messe a lieu la cérémonie de « pastrage » (terme provençal qui signifie « adoration des bergers »), dont la plus célèbre est aujourd'hui celle des Baux, village enfin rendu à ses habitants, où l'on se presse dans les rues escarpées pour avoir la chance d'obtenir une place à l'église. Le vrai miracle, selon les anciens, étant encore de « faire chanter juste le chœur des femmes, d'ordinaire fâchées entre elles au point de ne pas se parler le reste de l'année ».
La suite, vous pouvez l'imaginer. De retour à la maison, on place le petit Jésus dans la crèche et on reprend des forces en se régalant des treize desserts (le Christ et

ses apôtres), tradition qui aurait été instaurée vers 1920. Depuis, elle a fait fortune... chez les commerçants : fougasse à l'huile, pompe au sucre parfumée à la fleur d'oranger, nougat noir et blanc, figues sèches, amandes, noix, raisins, miel, pommes ou poires, dattes, fruits confits...

PERSONNAGES

– ***Paul Arène*** (1843-1896) **:** natif de Sisteron, il fut l'ami de Mistral. Après une licence de philosophie, il se rend à Paris, rencontre Alphonse Daudet (certaines mauvaises langues assurent même que *Les Lettres de mon moulin* sont de sa main) et mène une vie de bohème. Il écrit pour le théâtre, compose contes et nouvelles pour des journaux parisiens. Ses œuvres les plus marquées par sa Provence natale sont sans doute *Jean-des-Figues* et *Domnine*. Après une déception sentimentale, Paul Arène retourne à Sisteron où il écrira de superbes contes jusqu'à la fin de sa vie.
– ***Belaud de la Bellaudière*** (1532-1588) **:** poète médiéval originaire de Grasse, cousin provençal de Villon pour sa vie de patachon mise en poèmes. Ses sonnets – en provençal – publiés après sa mort, étaient très appréciés au XVIe s.
– ***Henri Bosco*** (1888-1976) **:** né à Avignon, beaucoup moins connu que la trilogie Pagnol-Giono-Daudet. Et pourtant cet écrivain, qui a partagé sa retraite entre Nice et Lourmarin, a laissé quelques superbes pages sur la Provence comme dans *Le Mas Théotime* ou *L'Âne Culotte*.
– ***Pierre Boulle*** (1912-1994) **:** plus que de sa jeunesse tranquille à Avignon, sa ville natale, c'est dans sa vie aventurière (planteur de caoutchouc en Malaisie, combattant des FFL en Birmanie) que cet écrivain a puisé la matière de son plus célèbre roman, *Le Pont de la rivière Kwaï* (1959), adapté par le cinéma hollywoodien avec le succès que l'on sait. Autre adaptation réussie, la célébrissime *Planète des singes.*
– ***Jeanne Calment*** (1875-1997) **:** née arlésienne, elle le resta jusqu'à sa mort, qui marqua la fin d'une « carrière » de doyenne de l'humanité entamée en 1986 (soit à l'âge de 111 ans). Pour l'anecdote : elle avait vendu sa maison en viager à un couple qui ne lui a pas survécu...
– ***Henri Cartier-Bresson*** (1908-2004) **:** Provençal d'adoption, le photographe repose au cimetière de Montjustin (Alpes-de-Haute-Provence). Cofondateur de l'agence Magnum, il fut l'un des maîtres du déclic du XXe s, qu'il aura traversé d'un bout à l'autre, aux quatre coins du globe.
– ***César*** (1921-1999) **:** le plus célèbre des sculpteurs contemporains français. Né César Baldaccini, dans le quartier de la Belle-de-Mai à Marseille (au 71, rue Loubon), dans une famille d'immigrés italiens. Son père tenait un commerce de vins. Dès 1946, après un passage à Paris, il revient dans sa ville natale, où il soude des rebuts de ferraille, des tiges et des blocs de métal. Il trouve là son style. Il serait dommage de réduire son œuvre à sa partie la plus célèbre (et la plus incomprise du grand public), les fameuses *Compressions.* La ville de Marseille expose trois de ses œuvres : les portes de la bibliothèque de la ville (rue du 141e-R.I.A.), la pale d'hélice sur la corniche Kennedy et le pouce en bronze poli (6 m de hauteur, 6 t) sur l'avenue d'Hambourg, près du musée d'Art contemporain.
– ***Paul Cézanne*** (1839-1906) **:** né et mort à Aix-en-Provence. Référence de toutes les avant-gardes de la première moitié du XXe s, le peintre aixois était en fait d'un redoutable conformisme social, qui courut toute sa vie après la Légion d'honneur. Résultat de son éducation bourgeoise ? Copain de collège de Zola (ils se fâcheront définitivement après que l'écrivain l'a décrit sous les traits d'un peintre raté dans *L'Œuvre*), Cézanne le retrouvera à Paris où il monte pour devenir peintre. Pour l'anecdote, celui qui est aujourd'hui un des peintres les plus chers du monde a été recalé au concours d'entrée de l'École des beaux-arts ! Lié aux impressionnistes, Cézanne reste fidèle à certains de leurs principes, comme la peinture en plein air ou les ombres colorées, mais s'intéresse surtout à la modification des couleurs d'un objet en fonction de la lumière qui l'éclaire, et commence à peindre les objets obser-

vés de deux ou trois points de vue. Il partage son temps entre Paris, L'Estaque et Aix. En 1895, première exposition à Paris, organisée par Ambroise Vollard, qui lui achète de nombreuses toiles (il avait du flair). Cézanne est enfin reconnu, mais il continue d'aller plus loin dans son art avec l'apparition de compositions opaques ; les éléments entrant dans la composition d'une toile se situent dans un plan unique, sans profondeur. Ce qui explique qu'après sa mort son œuvre aura une influence considérable sur le fauvisme et le cubisme.

– ***René Char*** (1907-1988) **:** depuis Apollinaire, la poésie française n'avait pas connu une telle révolution que celle apportée par cet amoureux de L'Isle-sur-la-Sorgue. René Char a commencé à écrire en 1929, après avoir rencontré Picasso et Breton. En 1941, il entre dans la Résistance. En 1945, il publie *Seuls demeurent* et, en 1947, *Le Poème pulvérisé.* Une œuvre qui connaît la consécration avec sa publication dans la Pléiade en 1983.

– ***Alphonse Daudet*** (1840-1897) **:** né à Nîmes, Alphonse Daudet s'installe vite à Paris où il se consacre à la littérature. Il devient célèbre avec la publication des *Lettres de mon moulin,* en 1866. Octave Mirbeau a soutenu que ces écrits étaient de Paul Arène (allez savoir !). Toujours est-il que dans ces *Lettres* est peinte une Provence très authentique et très fraîche. Autres œuvres inspirées par cette région : *Tartarin de Tarascon, Tartarin dans les Alpes, Port-Tarascon,* dominées par la caricature. En 1869, Daudet publie *L'Arlésienne,* qui inspirera le compositeur Bizet. Alphonse Daudet passa de longs moments à Fontvieille, dans les Alpilles, comme hôte au château de Montauban, chez des amis.

– ***Alexandra David-Néel*** (1868-1969) **:** cette routarde avant l'heure (elle fut la première femme à pénétrer dans Lhassa, la cité interdite) a terminé une vie de périples dans une petite maison au pied des Préalpes, « ce Tibet en miniature pour Lilliputiens » (voir le chapitre « Digne-les-Bains »).

– ***Gaston Defferre*** (1910-1986) **:** né dans l'Hérault, de vieille souche protestante, il entra dans la Résistance pour diriger le réseau Brutus. À la Libération, élu maire socialiste de Marseille jusqu'en 1945, il fut réélu en 1953 et resta à la tête de la ville, sans interruption jusqu'en 1986. Gaston (surnommé affectueusement « Gastounet »), pilier de la vie politique marseillaise, personnalité charismatique (mélange d'autoritarisme et de populisme), a marqué la ville de son empreinte. Il a été plusieurs fois ministre sous François Mitterrand. Que l'on soit pour ou contre, il restera l'un des grands maires de Marseille, ce que même des Marseillais de droite reconnaissent.

– ***Jean-Henri Fabre*** (1823-1915) **:** nul n'est prophète en son pays. Cet entomologiste en est le plus parfait exemple. Quasiment inconnu en France, c'est une vraie star au Japon, où la moindre réédition de ses bouquins pulvérise des records de vente. Grillé comme prof parce qu'il avait osé expliquer la reproduction (des fleurs !) dans un collège de jeunes filles d'Avignon, ce touche-à-tout s'est installé définitivement en 1879 à Sérignan-du-Comtat, dans sa maison de campagne, l'Harmas. Encyclopédiste, il a laissé derrière lui une œuvre monumentale dans tous – ou presque – les domaines.

– ***Fernandel*** (1903-1971) **:** « Je suis laid, vindicatif et prétentieux, j'aime les cravates voyantes et les calembours, je gagne trop d'argent, je manque de goût, j'ai horreur de la lecture, je préfère Scotto à Beethoven, Dubout à Daumier, Létraz à Racine, j'ai un petit cerveau de bureaucrate dans un crâne de cheval... » Autoportrait sans concession (c'est rien de le dire !) de l'acteur d'origine marseillaise, de son vrai nom Fernand Contandin, qui, dans une filmographie pléthorique (plus de 125 films), a alterné navets et chefs-d'œuvre sans se départir de son sourire d'anthologie. Cet oiseau du Sud, né au 72, bd Chave à Marseille et longtemps résident de Carry-le-Rouet, est mort à Paris.

– ***Jean-Claude Gaudin*** (né en 1939) **:** né à Mazargues dans les quartiers sud de Marseille, il enseigne l'histoire-géo pendant 15 ans, tout en faisant de la politique son cheval de bataille. Benjamin à 26 ans du conseil municipal de Marseille, il est d'abord socialo-centriste, proche de Defferre, puis, s'orientant plus à droite, il s'oppose à celui-ci et devient député puis sénateur UDF. Il cumule alors les succès : élu maire de Marseille en 1995 (réélu en 2001 et en 2008), il a été également vice-président du Sénat.

– ***Jean Giono*** (1895-1970) ***:*** le plus connu, avec Pagnol et Daudet, des écrivains provençaux. Intrinsèquement lié (il a habité toute sa vie à Manosque) à sa région natale, Giono a trouvé dans ce pays violet les thèmes inspirateurs de son œuvre. Ses premiers romans, *Colline* et *Regain*, évoquent le retour à la nature. Il devient très célèbre avec la publication de *Que ma joie demeure* et *Le Chant du monde* dans les années 1930. En 1939, Giono prône le refus de la guerre, et ses écrits pacifistes entraîneront son emprisonnement à la Libération pour sympathie avec le régime de Vichy. Très marqué par cette expérience, il changera de ton dans ses écrits suivants, traduisant une inquiétude nouvelle, dans *Un roi sans divertissement* ou *Le Hussard sur le toit*, adapté au cinéma par J.-P. Rappeneau.

FERNANDEL BIDASSE

Après avoir tourné plein de rôles de troufions, le comédien le plus populaire de France sera appelé sous les drapeaux, lors de la dernière guerre. Quoi qu'il fasse, il provoquait une telle hilarité que la caserne devint une pétaudière. En toute urgence, il fut envoyé auprès de Pagnol (avec qui il ne s'entendait pas si bien), au service cinématographique des armées. Ils commencèrent à tourner La Fille du puisatier *dont le but était de se rapprocher des Italiens, contre Mussolini. Malheureusement, le film sera achevé après la guerre.*

– ***Le docteur Itard*** (1775-1838) ***:*** né à Oraison, il est surtout connu pour avoir entrepris l'éducation de Victor, l'enfant sauvage de l'Aveyron, dont François Truffaut a retracé l'histoire dans son film *L'Enfant sauvage* (1970).

– ***Les Gipsy Kings :*** si, depuis 1986, année de ses plus grands tubes *(Jobi Joba, Bamboleo)*, ce groupe fondé à Arles est un peu passé de mode en France, sa rumba flamenca version grand public continue à remplir les salles, aux États-Unis comme au Japon.

– ***Christian Lacroix*** (né en 1951) ***:*** né à Arles. Le plus provençal des grands couturiers ! C'est d'ailleurs grâce à ces racines assumées et revendiquées que Lacroix, qui avait fait ses classes chez Hermès puis chez Patou, a rencontré le succès avec sa première collection présentée en son nom en 1987 : son style baroque, son goût de l'opulence réinterprété avec des influences provençales, gitanes ou hispaniques, aux couleurs chatoyantes, éblouissent. Deux Dés d'or, distinction suprême de la profession, à son palmarès, Christian Lacroix est aujourd'hui sollicité dans le domaine du design (voitures, TGV, uniformes...) alors que sa maison de couture connaît quelques difficultés.

– ***Charles Maurras*** (1868-1952) ***:*** né à Martigues. Bizarrement, la plupart des notices biographiques de la documentation touristique du coin évoquent l'homme de lettres, le provençaliste convaincu, jamais le militant d'extrême-droite...

– ***Peter Mayle*** (né en 1947) ***:*** cet Anglais a abandonné la publicité et la vie à Londres pour le Luberon. Son livre *Une année en Provence*, publié en 1994, où il décrit avec humour (et parfois un brin de condescendance) sa vie quotidienne à Ménerbes, a connu un succès inouï. Idem pour le suivant, *Provence toujours* (1995). Responsable d'une invasion de touristes et un peu fâché avec certains habitants du coin, Mayle a fui le Luberon pour y revenir, paraît-il, incognito, et peut-être aussi y écrire son dernier ouvrage, *Dictionnaire amoureux de la Provence* (2006).

– ***Darius Milhaud*** (1892-1974) ***:*** né à Aix-en-Provence, il se passionne très jeune pour la musique et montre des dons précoces. Proche de Paul Claudel, il se rend avec lui au Brésil où il découvre de nouveaux rythmes et sonorités. De retour à Paris, il participe au groupe des Six, formé autour de Cocteau, et découvre ensuite le jazz aux États-Unis. Imprégné de ces différents courants musicaux, il compose des opus éclectiques (plus de 450 !), en s'attaquant à tous les genres (opéra, musique de chambre...). Le conservatoire d'Aix-en-Provence porte aujourd'hui son nom. Quelques œuvres évoquent sa Provence natale : *Suite provençale, Ouverture méditerranéenne, Le Train bleu...*

– ***Honoré Gabriel, comte de Mirabeau*** (1715-1791) **:** s'il n'est pas né à Aix-en-Provence, il s'y est marié, y a... divorcé, et laissé suffisamment de dettes pour être emprisonné à Manosque et au château d'If. Élu simultanément à Marseille et à Aix comme représentant du tiers état, en 1789, il choisit Aix, qui lui a offert la postérité en donnant son nom à un cours.

– ***Frédéric Mistral*** (1830-1914) **:** né dans une famille de paysans aisés, celui que Lamartine salua comme un nouvel Homère a passé son enfance à Maillane. Il doit abandonner des études qui s'annonçaient brillantes pour aider son père, malade, aux travaux de la ferme. Il commence pourtant aussi à écrire et prend une part active à la naissance du félibrige (voir « Langue régionale »). La notoriété vient avec la publication de *Mireio,* poème dramatique sur la Provence. Il contribue beaucoup à faire connaître le félibrige, en publiant des articles dans *L'Armana provençau* et *Le Trésor du félibrige,* dictionnaire provençal-français et encyclopédie de la langue d'oc. Il reçoit le prix Nobel de littérature en 1904.

– ***Yves Montand*** (1921-1991) **:** Ivo Livi est né à Monsumano en Toscane (Italie). À cause de l'attitude hostile de certains habitants, son père quitta ce village. En route pour les États-Unis, la famille Livi s'installa à Marseille, impasse des Mûriers (15e arrondissement), où Ivo passa son enfance. Très jeune, après avoir travaillé comme docker et connu le chômage, il se produisit comme artiste de music-hall dans les salles des quartiers nord. Puis, en 1939, il joua à l'Alcazar. C'est là que commença sa brillante carrière. Il prit le nom d'Yves Montand en raison d'un souvenir d'enfance, car sa mère le sommait ainsi de rentrer à la maison : « Ivo monta ! » Marié à Simone Signoret (1949), il joua dans près de cinquante films et tourna avec Marilyn Monroe en 1960. Artiste (à la fois chanteur et acteur) aux idées de gauche, très engagé, il s'opposa à l'URSS après les interventions de l'Armée rouge en Hongrie et en Tchécoslovaquie. Jusqu'à la fin de sa vie, il n'a cessé de dénoncer les pratiques d'emprisonnement arbitraire en URSS et milita en faveur des Droits de l'homme aux côtés d'Amnesty International.

– ***Nostradamus*** (1503-1566) **:** né à Saint-Rémy-de-Provence, sous son vrai nom Michel de Notre-Dame, il s'était établi à Salon-de-Provence en 1547. Nous n'ajouterons pas beaucoup de lignes à l'impressionnante littérature qui a été produite au fil des siècles autour de ses célèbres *Centuries.* D'autant que si l'on croit à la plupart des interprétations de ces prophéties, vous ne devriez pas être en train de lire ce texte...

– ***Marcel Pagnol*** (1895-1974) **:** né à Aubagne, l'écrivain cinéaste y passa son enfance avant de s'installer dans les faubourgs de Marseille, dans les quartiers de La Barasse, puis de Saint-Loup, où son père était instituteur. Sa famille habita ensuite dans le quartier de La Plaine (au 52, rue Terrusse). Le petit Marcel fut élève au lycée Thiers, où son meilleur camarade était ***Albert Cohen*** (auteur, entre autres, de *Belle du Seigneur* et Prix Nobel de littérature). Pagnol utilisa souvent le Vieux-Port de Marseille, qu'il adorait, comme décor dans ses films, ainsi que le quartier des Quatre-Saisons et le village de La Treille où son père louait la Bastide Neuve (hameau des Bellons). Autre lieu « pagnolesque » important : le château de La Buzine (voir plus loin le chapitre « Marseille – La Treille et le pays de Marcel Pagnol ») dans le 11e arrondissement, où l'écrivain et cinéaste rêva d'installer son « Hollywood provençal ». Ses studios marseillais se trouvaient impasse des Peupliers, puis au 11, rue Jean-Mermoz. Il y tourna les scènes d'intérieur de ses nombreux films, les extérieurs étant filmés dans les collines de Marseille et d'Aubagne. Il repose au cimetière de La Treille.

– ***Gérald de Palmas*** (né en 1967) **:** une figure de la variété rock française. Celui qui fut « sur la route toute la sainte journée » a débuté comme bassiste d'un groupe de lycée à Aix-en-Provence, sa ville natale.

– ***Pétrarque*** (1304-1374) **:** né à Arezzo, ce poète italien fuit l'Italie, très fâché avec les Guelfes. Il suit des études de droit à Montpellier, qu'il abandonne pour aller à Avignon. Admirateur des textes des auteurs antiques et des poètes de son époque, son érudition fait forte impression à la cour papale où il devient secrétaire d'un cardinal. En 1327, il rencontre l'amour de sa vie, Laure de Noves, qu'il chante avec émotion et raffinement dans les poèmes de son *Canzoniere.* En 1341, il sera honoré par la distinction de « poète des poètes » qu'il reçoit au Capitole à Rome. Ayant participé activement à la renaissance des lettres et à la redécouverte de textes oubliés, il annonce les humanistes. Il voyage en Europe et écrit *La Vie des hommes illustres.* Désireux de prendre le large, il se retire à Fontaine-de-Vaucluse mais meurt en Italie, à Arque.

– ***Raimbaud d'Orange*** (1147-1173) **:** ce comte d'Orange reste le plus connu des troubadours provençaux du Moyen Âge avec **Raimbaud de Vacqueyras,** fils d'un pauvre chevalier de Provence, et enfin **Fouquet de Marseille** qui, après s'être essayé aux chansons d'amour, se retira dans les ordres. Ils feront découvrir le provençal à toute l'Europe.

– ***Le roi René Ier le Bon*** (1409-1480) **:** fils de Louis II de Sicile et de Yolande d'Aragon, il n'est que peu resté dans cette Provence sur laquelle il régnait. Mais les sept années qu'il a passées dans son palais d'Aix-en-Provence ont laissé le souvenir d'un bon roi. Sa cour à Aix attirait nombre d'artistes. Son successeur et neveu rattacha la Provence à la France en 1482.

– ***Sade*** (1740-1814) **:** déjà marquis, pas encore (tout à fait) divin, Donatien Alphonse François de Sade a fait son entrée en Provence à l'âge de 4 ans, confié à son oncle, abbé érudit et libertin, au château de Saumane. En 1771, Sade, qui a déjà été emprisonné pour affaire de mœurs, s'installe au château de Lacoste, dans le Luberon. Il y est assigné à résidence après un premier scandale sexuel à Arcueil. Il le quittera fissa pour l'Italie après la fameuse affaire de Marseille (juin 1772 – une partie fine doublée d'empoisonnements). Condamné à mort par contumace, son effigie et celle de son valet sont exécutées sur la place d'Aix. Il reviendra pourtant à Lacoste de 1774 à 1778. Embastillé et plusieurs fois libéré puis emprisonné, il finira ses jours à l'asile de Charenton. Le château de Lacoste, pillé en 1792, sera vendu en 1796.

– ***Vincent Van Gogh*** (1853-1890) **:** né en Hollande, d'un père pasteur, c'est en Provence (aidé moralement par son frère Théo) que ce peintre tourmenté (c'est rien de le dire !) connaîtra sa période la plus productive. En 1888, Van Gogh s'installe à Arles et loue en mai la célèbre maison jaune. Entre deux crises d'exaltation délirante et une tentative d'assassinat sur son invité, Gauguin, il peint et dessine sans relâche : *La Moisson, Les Roulottes, Le Café, Le Soir,* les fameux *Tournesols.* Il s'automutile (célèbres portraits à l'oreille coupée) et demande alors à être interné à l'hospice de Saint-Rémy-de-Provence en mai 1889. Connaissant des moments de travail intensif qui alternent avec des crises éprouvantes, il y peindra encore quelques toiles célébrissimes, telles que *La Chambre à coucher à Arles, Le Parc de l'hôpital au bord des Alpilles, L'Enclos au soleil couchant vu de l'asile de Saint-Rémy.* En mai 1890, il décide de retourner à Paris et se suicide à Auvers-sur-Oise le 27 juillet suivant.

– ***Jean-Baptiste Van Loo*** (1684-1745) **:** né et mort à Aix. Descendant d'une famille d'artistes hollandais et frère du célèbre peintre Louis-Michel, il s'est fait un prénom grâce à son talent de portraitiste. Vous croiserez nombre de ses œuvres dans les églises et les musées de Provence.

– ***Luc de Clapiers, marquis de Vauvenargues*** (1715-1747) **:** né à Aix. Capitaine de cavalerie à la retraite, sa rencontre avec Voltaire décide de sa reconversion dans son château de Vauvenargues (racheté par Picasso en 1958). Si les temps modernes se souviennent de Pascal et de La Rochefoucauld, l'œuvre de moraliste de Vauvenargues est peu ou prou tombée dans l'oubli.

– ***Jean Vilar*** (1912-1971) **:** on s'attend encore aujourd'hui à croiser son inimitable silhouette (salopette, casquette aussi inamovible que la cigarette au coin de la bouche) sur la place de l'Horloge ou dans la cour du palais des Papes d'Avignon. Un des grands du théâtre français du XXe s. Très marqué par Charles Dullin, il devient metteur en scène en 1942 avec la pièce de Strindberg, *La Danse de la mort,* dont il est le principal interprète. En 1943, il fonde la compagnie des Sept. Avec *Meurtre dans la cathédrale* de T. S. Eliot, créé au Vieux-Colombier, c'est la consécration. Vilar devient un des maîtres incontestés de la mise en scène. Il interprète ensuite *Roméo et Juliette* d'Anouilh et *Jeanne au bûcher* de Claudel. Mais c'est avec la création du Festival d'Avignon en 1947 que Jean Vilar devient définitivement célèbre (voir au chapitre « Avignon »).

– ***Zinedine Zidane*** (né en 1972) **:** né dans les quartiers nord de Marseille, ce fils de Kabyles grandit dans une cité défavorisée où il découvre, très jeune, le ballon rond. À l'école, il ne pense qu'au foot et se lance corps et âme dans sa passion avant d'entrer dans l'équipe de France des minimes. À 16 ans, il est milieu de terrain à Cannes. À 18 ans, le voilà titulaire. Meneur de jeu de l'équipe de France, il entre dans la légende en marquant deux buts décisifs contre le Brésil, lors de la finale de la Coupe du monde 1998 remportée par les Bleus au Stade de France. Son surnom de « Zizou », donné naguère par son collègue Dugarry, est scandé par toute la France (ou presque !), et il devient le symbole de l'intégration à la française. Après une annonce de départ à la retraite, il revient finalement prêter main-forte à l'équipe de France à l'occasion du Mondial 2006. En finale, Zizou marque le seul but (sur penalty) des Bleus mais est exclu du match pour un coup de boule contre le joueur italien Materrazzi... un geste qui fait les choux gras de la presse et ternit un peu son image. Mais Zidane reste l'un des rares joueurs français à avoir marqué l'histoire du foot par son talent et sa personnalité.

– ***Émile Zola*** (1840-1902) **:** fils d'un ingénieur italien qui travaillait dans le coin, il a passé son adolescence à Aix-en-Provence où il a été le condisciple d'un certain Paul Cézanne. Cézanne qui, seul parmi les jeunes bourgeois de ce collège, témoignera de l'amitié à un Zola déjà marginal. Sa jeunesse à Aix est évoquée dans *L'Œuvre,* où le personnage de Claude Lantier est évidemment inspiré par Cézanne. Le portrait de ce peintre raté fâchera d'ailleurs définitivement les deux amis d'adolescence.

PÉTANQUE

La pétanque est le jeu le plus populaire du Midi. Jusque dans les années 1910, on jouait au jeu provençal, en faisant trois pas avant de lancer la boule. En raison de ses rhumatismes, un joueur dénommé Jules Hugues, dit « le Noir », proposa de jouer pieds (« pèds » ou « pès » en provençal) « tanqués », c'est-à-dire arrêtés, immobiles (du provençal « tanco »).

La pétanque se joue par équipe de deux (doublette) ou de trois (triplette). On utilise des boules métalliques mesurant de 7,5 à 8 cm de diamètre et pesant entre 620 et 800 g. Le jeu consiste à « pointer », c'est-à-dire à expédier sa boule le plus près possible d'une grosse bille en bois appelée « cochonnet ». En principe, on joue les pieds immobiles sur une distance d'environ 10 m. En Provence, cette distance peut être supérieure à 10 m et les joueurs sont autorisés à bouger : c'est la « longue ». Si l'on a trop bien « pointé », l'adversaire doit alors « tirer », c'est-à-dire chasser, en la frappant, la boule trop bien placée. Parfois, les grands tireurs réussissent même à enlever la boule adverse et à prendre sa place. Ça s'appelle « faire un carreau ».

SANTONS DE PROVENCE

Les santons (de *santoun,* « petit saint » en provençal) sont des figurines de terre cuite peinte servant à orner les crèches de Noël. La Provence connut une longue tradition de crèches d'église, avec parfois des sujets vivants.

L'art du santon de Provence connut son apogée dans la première moitié du XIXe s, ce qui explique que les costumes des personnages datent pour la plupart de cette époque.
Il existe actuellement de très nombreux santonniers en Provence. Dans les trois semaines qui précèdent Noël, il y a des foires aux santons à Aix, Marseille, Arles... À partir de Noël et durant tout le mois de janvier, un peu partout en Provence se jouent des pastorales. Ce sont des pièces de théâtre populaire en provençal, en partie chantées, qui mettent en scène la naissance du Christ, vue de façon naïve. Les acteurs y sont vêtus comme les santons.

SANTONS RÉVOLUTIONNAIRES

C'est la Révolution française qui popularisa involontairement les santons en fermant les églises. Un fabricant de statues de Marseille eut alors l'idée de fabriquer en série des santons bon marché pour que les gens puissent installer des crèches chez eux. Certains les faisaient d'ailleurs visiter moyennant deux sols. À côté des figurines classiques (Sainte Famille, bergers, Rois mages, etc.), on trouvait tous les personnages de la vie villageoise et du folklore de Provence : le paysan, le joueur de tambourin, le rémouleur, le marchand de gallines *(de poules), le pêcheur, la femme à la poule noire, dont le bouillon était recommandé pour les nouveau-nés, etc.*

SITES INSCRITS AU PATRIMOINE MONDIAL DE L'UNESCO

Pour figurer sur la Liste du patrimoine mondial, les sites doivent avoir une valeur universelle exceptionnelle et satisfaire à au moins un des dix critères de sélection. La protection, la gestion, l'authenticité et l'intégrité des biens sont également des considérations importantes.
Le patrimoine est l'héritage du passé dont nous profitons aujourd'hui et que nous transmettons aux générations à venir. Nos patrimoines culturel et naturel sont deux sources irremplaçables de vie et d'inspiration. Ces sites appartiennent à tous les peuples du monde, sans tenir compte du territoire sur lequel ils sont situés. Pour plus d'informations • *whc.unesco.org* •
Les sites concernés en Provence sont les suivants : les monuments romains et romans de la ville d'Arles (13) ; le centre historique d'Avignon (84) : palais des Papes, ensemble épiscopal et pont d'Avignon ; le théâtre antique d'Orange (84), ses abords et l'arc de triomphe.

TAUROMACHIE

– ***La course camarguaise :*** spectacle total, elle est peut-être le spectacle taurin le plus proche des origines antiques. Les jeunes taureaux sont testés en arène pour leur bravoure, leur intelligence, leur capacité à attaquer franchement l'homme. Les animaux sélectionnés iront ensuite d'arène en arène, selon une subtile hiérarchie, et les meilleurs se retrouveront un jour dans les arènes d'Arles en espérant arriver à la célébrité de *Goya* ou *Vovo,* taureaux mythiques dont on parle encore plus de vingt ans après leur retraite.
Le taureau est lâché dans l'arène, porteur d'une cocarde attachée au moyen de fils de laine décorés de pompons, en laine également, entourant les cornes. Les *raseteurs* vont aller le défier, provoquer sa charge, l'esquiver tout en cherchant dans un premier temps à décrocher la cocarde. Spectacle tout en finesse et rapidité mais

non sans danger, puisque la longueur du bras est approximativement celle de la corne ! Quand la cocarde est enlevée, il s'agit d'aller attraper les glands, plus petits et encore plus difficiles à décrocher. Enfin, les meilleurs vont aller s'emparer des fils de laine, s'ils le peuvent.

À chaque étape il y a des récompenses, soit honorifiques (des points), soit financières (primes offertes par les organisateurs ou le public).

Bien entendu, il ne suffit pas d'être courageux ou vif. Il faut également parfaitement comprendre et connaître la bête pour essayer de la tromper, de l'amener à la position où le trophée sera accessible. Même pour le profane, la complicité entre le raseteur et le taureau est perceptible. Il est vrai qu'ils peuvent se retrouver plusieurs fois par saison, voire d'une saison à l'autre. De plus, les raseteurs peuvent jouer en groupe, certains attirant le taureau en position afin de permettre à l'un d'entre eux d'arracher le trophée.

La course camarguaise est certainement la meilleure introduction possible à la tauromachie, puisque aucun sang ne coule. Elle partage avec la course espagnole la connaissance et l'estime portée au taureau. Son côté ludique n'est qu'apparent : ce n'est pas un jeu mais un combat, et si la mort en est absente, les blessures ne sont pas rares. Les taureaux sont traditionnellement amenés aux arènes lors d'un *abrivado* : les gardians à cheval forment un triangle dans lequel sont enfermés les taureaux. C'est une cérémonie tout ce qu'il y a de sérieux, car les connaisseurs jugent tout : l'habit des gardians, leur tenue à cheval, la manière dont la *manade* (ensemble des chevaux et des taureaux) évolue, sans à-coups, harmonieusement, sans que la moindre échappée ne soit offerte aux taureaux. Il y a d'ailleurs régulièrement des concours de manades où les meilleurs élevages défilent au petit galop dans les rues des villes, afin que l'on juge aussi bien de leur compétence que de leur élégance. Après la course, les taureaux sont ramenés aux pâturages lors d'un *bandido, abrivado* moins formel car les bêtes sont fatiguées et les habits parfois fripés. Dans toutes les ferias, *abrivados* et *bandidos* sont de grands moments à ne manquer sous aucun prétexte.

Sur le modèle navarrais, on voit de plus en plus souvent des *encierros* : les taureaux sont lâchés dans les rues de la ville pour le plaisir de la jeunesse qui va courir devant eux pour les défier. Ils sont la plupart du temps emboulés (leurs cornes portent des boules qui les rendent moins dangereuses) et, comme ils sont plus petits que les taureaux espagnols, les risques sont nettement moins élevés qu'à Pampelune, par exemple.

Il n'en reste pas moins qu'un taureau est une masse de muscles, et que les chutes peuvent être sérieuses, ainsi que les risques de piétinement. Donc, prudence et surtout respect des coureurs chevronnés qui connaissent bien le parcours et ses difficultés. Comme en Espagne, la plupart des accidents arrivent aux touristes. Vous voilà prévenu.

– ***La corrida :*** pas question de gloser à longueur de pages sur cette pratique « barbare » défendue par certains comme étant un « art ancestral, partie intégrante de la culture d'une population ». Les Camarguais, d'ailleurs, sont pour beaucoup passionnés de corridas, et le matador Juan Bautista n'est autre que le plus jeune des fils Jalabert, vieille famille d'éleveurs de taureaux camarguais. Une tradition, certes, mais toutes les traditions sont-elles bonnes ? Nous, on n'aime pas, du fait des cruautés infligées aux taureaux et aux chevaux, même si elle peut impressionner et avoir quelque chose de fascinant. Et on n'est d'ailleurs pas les seuls puisque, la corrida a été interdite sur le sol catalan par le Parlement à compter du 1er janvier 2012.

Savez-vous que de nombreuses précautions frauduleuses, toutes douloureuses pour l'animal, sont souvent prises avant la corrida, pour diminuer ses capacités : limage des cornes de l'animal *(afeitad)* qui modifie sa perception de l'espace, administration de drogues (sédatifs par exemple), écrasement de la colonne vertébrale avec des sacs de sable, yeux enduits de vaseline, sabots limés, pattes enduites de térébenthine... Une fois dans l'arène, l'animal subit les piques et harpons qui l'affaiblissent encore, jusqu'à être mis à mort.

Pour ceux qui souhaitent vraiment y assister, voici tout de même quelques repères permettant de suivre une corrida sans trop de problèmes (l'idéal étant toutefois d'y aller accompagné d'un vrai connaisseur). Attention, on ne vous dit pas : « Il faut y aller, c'est génial ! » On vous informe !

Une corrida est, avant tout, un combat mettant en scène un taureau. Elle se déroule suivant un protocole bien précis, dont chaque phase est annoncée par un thème musical joué par l'orchestre des arènes. Tout commence par un défilé préliminaire, le *paseo.* Deux hommes à cheval en costume sombre s'avancent vers le président, suivis par les trois matadors et leurs équipes de *peones* et de picadors à cheval. Le rituel commence. Il se compose de trois phases appelées *tercios.*

Le taureau entre dans l'arène. Les *peones* font d'abord courir l'animal pour que le matador étudie son adversaire. Quand il le décide, il exécute quelques passes. La présidence ordonne alors l'entrée des picadors. Le *tercio de piques* commence. Une bonne pique est portée au *morillo* (protubérance musculaire en arrière de la nuque). Il s'agit de calmer la fougue initiale du taureau sans pour autant réduire sa puissance, et surtout de modifier son port de tête par la lacération du *morillo.* Le taureau doit prendre deux piques. S'il ne les supporte pas, l'éleveur en sera vraiment humilié.

Ensuite vient l'épisode des banderilles, plus connu du grand public. Ce sont des bâtonnets de 70 cm de long, terminés par des harpons. Le torero – ou ses *peones* – va les placer par paires toujours sur le *morillo,* un peu en deçà des blessures dues aux piques. Pour qu'une pose soit réussie, le banderillero doit marquer un temps d'arrêt, avoir les pieds joints au moment où il plante les banderilles. La sonnerie des clarines retentit alors. C'est le début du *tercio de muleta.* Le matador se présente devant la présidence avec son épée et la *muleta,* un bâton de 50 cm avec le fameux tissu rouge. Il s'ensuit une série de passes, des « naturelles », des « statutaires », des « *manoletinas* »... C'est là que le public crie les « olé » de rigueur.

Ultime phase, l'estocade portée avec l'épée. Pas besoin de faire un dessin, même s'il y a des règles très précises. Le matador dispose de 15 mn pour cette troisième phase. S'il manque l'estocade à l'épée – ce qui est considéré comme une faute –, il achève le taureau au poignard. À la demande du public, il est récompensé par une oreille. La seconde oreille est accordée par le président à sa propre appréciation. Exceptionnellement, on accorde la queue. Mort, le taureau quitte l'arène après un tour de piste, tiré par des chevaux. Qu'on se rassure, le règlement prévoit que si le taureau a été brave et noble, il peut obtenir l'*indulto* (la grâce). Mais cette pratique reste rarissime...

On peut voir, en Provence, des corridas à Arles et aux Saintes-Maries-de-la-Mer, pendant les ferias.

TISSUS : DES INDES À LA PROVENCE

Il faut remonter jusqu'au milieu du XVIIe s pour trouver les origines du tissu provençal. La naissance de l'industrie cotonnière moderne date en fait de la création de la Compagnie des Indes en 1664. Les toiles arrivant alors de Marseille, par voie de mer, révélaient des imprimés aux couleurs vives, en provenance des Indes.

Il suffit d'aller au musée Souleiado, à Tarascon, pour revivre la passionnante histoire de l'impression et découvrir les anciens secrets de fabrication de la région.

Les boutiques *Souleiado* ont assis leur fortune autour de ces tissus descendant de la tradition des « indiennes », qui connurent un franc succès en Provence. Vu leur prix très élevé, l'industrie textile française ne tarda pas à créer ses propres ateliers de fabrication.

La Provence a su conserver la tradition à travers le travail des étoffes. Aujourd'hui imprimées à la main ou par de gros rouleaux de cuivre, les productions s'inspirent de dessins sculptés par des artisans il y a plus de 200 ans et puisent dans d'authentiques documents anciens des trésors de motifs toujours renouvelés.

Parmi les tissus les plus typiques, il faut accorder une place particulière aux *boutis,* ces tissus capitonnés aux motifs piqués que les femmes confectionnaient jadis pendant de longs mois. D'abord destinées à l'ameublement, ces étoffes de coton piquées servaient aussi à fabriquer les robes du dimanche. Et ces cotonnades, malgré la mécanisation industrielle et la disparition progressive des manufactures, surent rester fidèles aux techniques des anciens.

VINS ET ALCOOLS

On a longtemps rabaissé les vins de Provence au rang de breuvage estival. Or, non seulement ils sont connus et appréciés depuis l'Antiquité, mais les choses ont changé depuis quelques années et la qualité est en train de prendre le pas sur la quantité.
Au premier rang viennent, bien sûr, les côtes-du-rhône qui se sont surtout développés avec l'État papal sur la rive gauche au XIVe s et au XVIIe s sur l'autre rive. L'appellation date de 1937 (un bail déjà !). Même si les plus grands (côte-rôtie, hermitage, saint-joseph...) sont en Rhône-Alpes, sur la haute vallée du fleuve, la Provence a elle aussi ses *côtes-du-rhône villages,* et même quelques crus intéressants. D'abord, le *châteauneuf-du-pape,* vin corsé, charpenté, au bouquet puissant et complexe, accompagnant parfaitement les viandes rouges, le gibier et les fromages à pâte fermentée. Quant aux *vacqueyras* et *gigondas* produits près de Vaison-la-Romaine, ces nobles vins rubis au fort goût de prune et de cerise prennent de l'ampleur en vieillissant, au point de ressembler à leur voisin papal. Il faut dire que la Provence, où le soleil favorise l'abondance, produit la plus grosse part des côtes-du-rhône mis sur le marché. Ils se distinguent plus par leur « fruit » (cépages grenache et syrah) et leur légèreté (cépages cinsault et mourvèdre) que par leur finesse aristocratique, mais on les boit souvent avec plaisir. Les vins de coteaux ayant l'avantage sur ceux des plaines, nous conseillons les rouges du Tricastin (au nord-est d'Orange), étiquetés en *coteaux-du-tricastin* ou en *côtes-du-rhône.* Pour une démonstration plus complète – et grisante –, offrez-vous une visite des caves coopératives de Rousset-les-Vignes et de Saint-Pantaléon, en Drôme provençale, près de Valréas.
Les amateurs de vins doux naturels craqueront pour le célébrissime *muscat de beaumes-de-venise,* aromatique et fruité, produit du curieux terroir des dentelles de Montmirail, désormais classé « Site remarquable du goût ». Le *rasteau,* quant à lui, provient du nord du Vaucluse – un département qui peut désormais s'enorgueillir de vins de pays dignes de figurer sur les bonnes tables de la région : les *côtes-du-ventoux, côtes-du-luberon,* etc.
Viennent enfin les *côtes-de-provence,* connus surtout pour le rosé et sa bouteille si caractéristique. Ici, pas de grands crus, mais des vins de plus en plus remarquables qui méritent vraiment d'être redécouverts avec bonheur. Le *vin blanc de Cassis* accompagne à merveille le poisson et la bouillabaisse. Un bon *côtes-de-provence* rouge, quant à lui, s'accorde parfaitement avec pâtés et gibier.
Le *bandol,* qu'on voit peu sur les tables en France, est une excellente AOC, qui mérite d'être découverte.
Et les chemins de traverse vous feront sûrement découvrir quelques sympathiques vins de pays et AOC, comme ceux produits autour de Tarascon, dans les Alpilles ou autour de la montagne Sainte-Victoire.

Le pastis

Inventé au début du XXe s pour remplacer l'absinthe tout juste interdite, le « pastaga », compagnon indispensable de l'apéro, est un véritable rite le midi et après le boulot. Les conversations s'échauffent vite à partir du quatrième. Le rituel consiste à dire, quand votre tour arrive : « C'est la mienne. » En voici les ingrédients : environ 50 g d'anis vert, une demi-gousse de vanille, de la cannelle et 1 l d'alcool à 90°. Une « momie » est un tout petit verre de pastis (presque un dé à coudre), qui permet de tenir plus longtemps. Goûtez à certains mélanges harmonieux : avec du sirop de menthe (un « perroquet »), avec de la grenadine (une « tomate ») et avec du sirop d'orgeat (une « mauresque »).

MERCI PAULOT !

Le régime de Vichy devait préférer l'eau minérale puisque la production d'alcool fut interdite dès 1940. Paul Ricard embaucha alors tous ses ouvriers dans son domaine de Camargue pour développer la riziculture (avec peu de succès d'ailleurs ; ce n'était pas leur métier). Cette décision permit au personnel d'échapper au STO en Allemagne.

LES BOUCHES-DU-RHÔNE

ABC
DES BOUCHES-DU-RHÔNE

- *Superficie :* 5 112 km^2.
- *Préfecture régionale :* Marseille.
- *Sous-préfectures :* Aix-en-Provence, Arles, Istres.
- *Population :* 1 835 000 hab.
- *Densité :* 358 hab./km^2.

MARSEILLE (13001) 860 360 hab. *Carte Bouches-du-Rhône, C3-4*

Pour se repérer, voir le plan d'ensemble de la ville
ainsi que les centres 1 (Vieux-Port) et 2 (cours Julien) dans le cahier couleur.

Marseille vaut, c'est certain, la peine d'y passer plus que quelques heures, quelques jours. Ne serait-ce que pour l'atmosphère unique de certains quartiers, pour les multiples visages que la ville offre et pour ses remarquables musées. Marseille bouge, et l'arrivée encore récente du tramway a transformé la façon de voir et de sentir la ville, de long en large, et Dieu qu'elle est longue et large !
Il suffit généralement, dès l'arrivée, d'une petite promenade de quelques heures, pour faire comprendre à tous ceux qui

LA CROISADE DES ENFANTS

En 1212, des milliers d'enfants pauvres de France et du Saint Empire romain germanique se rassemblèrent et prirent la direction du sud pour libérer la Terre sainte. Désorganisés et affamés, seuls quelques survivants arrivèrent à Marseille. Après bien des difficultés, ils trouvèrent deux armateurs qui les embarquèrent sur leurs bateaux. Ils furent en fait vendus comme esclaves à un sultan de Tunis et ne virent jamais Jérusalem.

LES BOUCHES-DU-RHÔNE

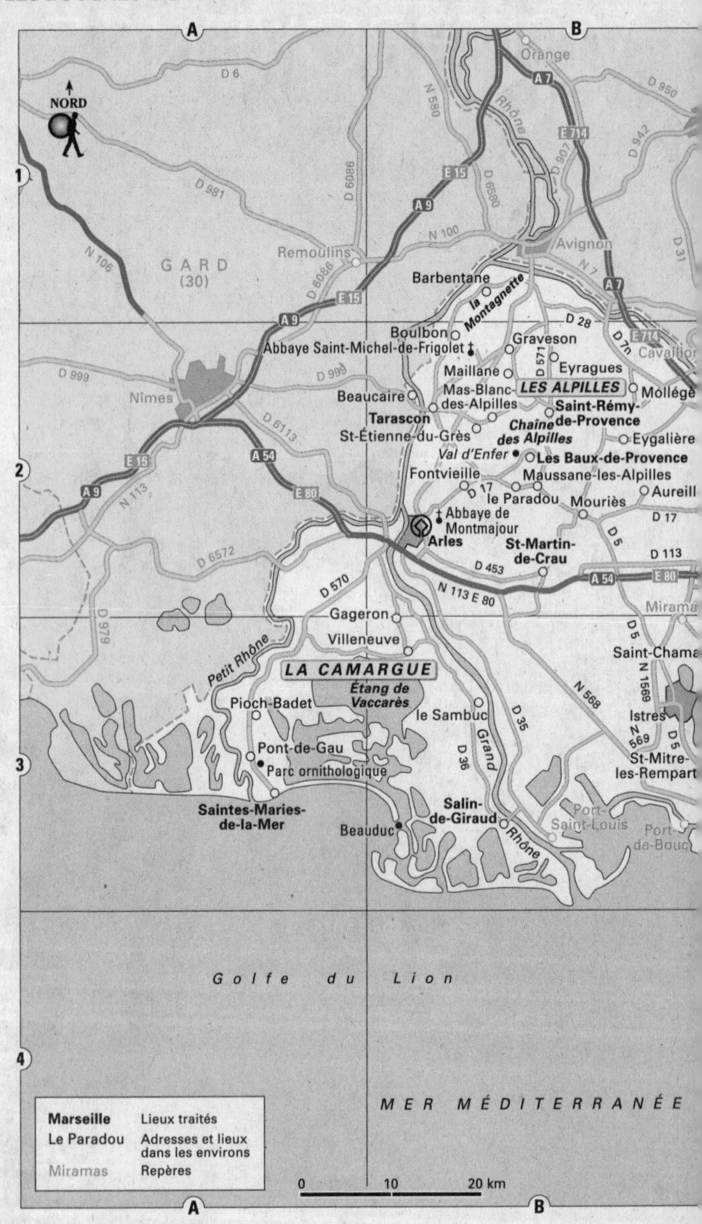

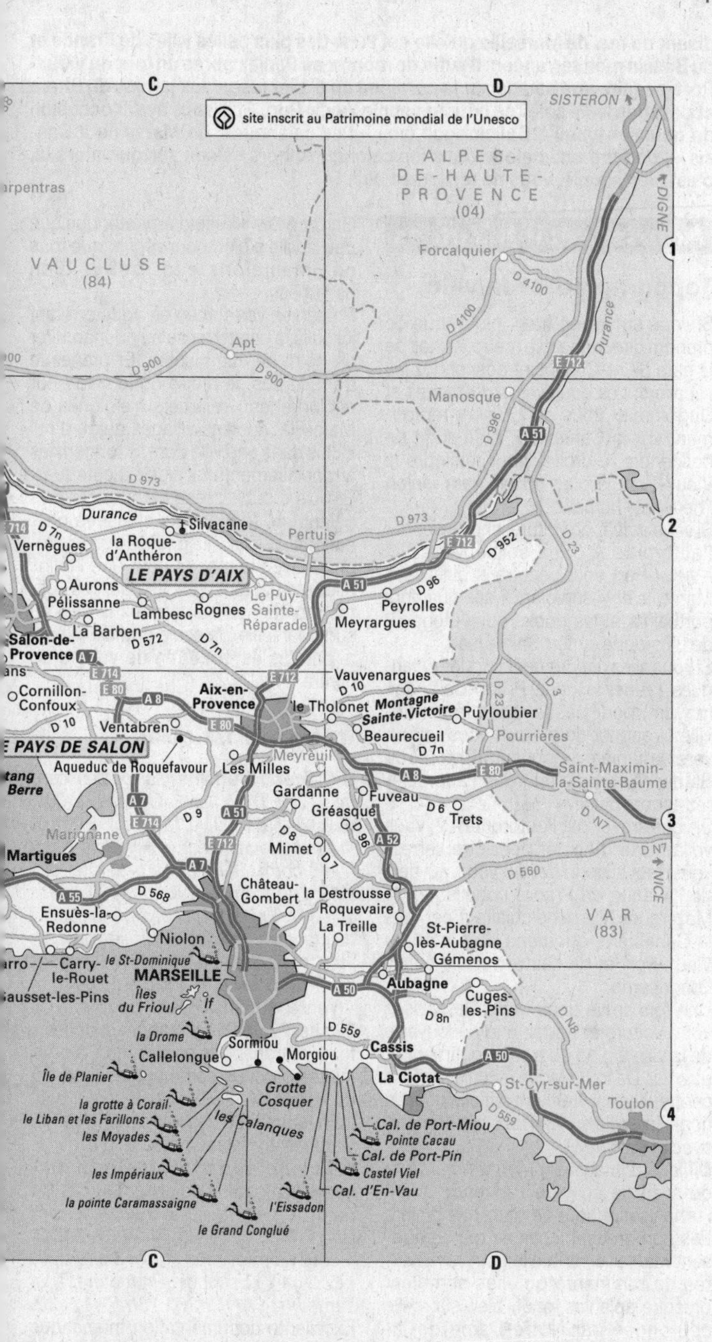
site inscrit au Patrimoine mondial de l'Unesco
SISTERON
ALPES-DE-HAUTE-PROVENCE (04)
VAUCLUSE (84)
DIGNE
Forcalquier
Apt
Manosque
Durance
Silvacane
Pertuis
Vernègues
la Roque-d'Anthéron
LE PAYS D'AIX
Aurons
Pélissanne
Lambesc
Rognes
Le Puy-Sainte-Réparade
Peyrolles
Meyrargues
La Barben
Salon-de-Provence
Vauvenargues
Cornillon-Confoux
Aix-en-Provence
le Tholonet
Montagne Sainte-Victoire
Puyloubier
Pourrières
Ventabren
Beaurecueil
LE PAYS DE SALON
Aqueduc de Roquefavour
Les Milles
Meyreuil
Saint-Maximin-la-Sainte-Baume
Gardanne
Fuveau
Gréasque
Trets
Marignane
Mimet
Martigues
Château-Gombert
la Destrousse
Roquevaire
Ensuès-la-Redonne
La Treille
Niolon
St-Pierre-lès-Aubagne
Gémenos
VAR (83)
NICE
le St-Dominique
Carry-le-Rouet
Sausset-les-Pins
MARSEILLE
Îles du Frioul
If
Aubagne
Cuges-les-Pins
la Drome
Sormiou
Cassis
Callelongue
Morgiou
La Ciotat
St-Cyr-sur-Mer
Toulon
Île de Planier
Grotte Cosquer
la grotte à Corail
le Liban et les Farillons
les Calanques
les Moyades
Cal. de Port-Miou
Pointe Cacau
Cal. de Port-Pin
les Impériaux
Castel Viel
la pointe Caramassaigne
l'Eissadon
Cal. d'En-Vau
le Grand Conglué

disent du mal de Marseille qu'elle est l'une des plus belles villes de France et du Bassin méditerranéen. Il suffit de monter au Panier, après un tour du Vieux-Port, de faire une balade sur la corniche ou d'aller jusqu'aux jardins du Pharo et de regarder le soleil se coucher sur le Vieux-Port. Et si vous avez l'occasion de pousser jusqu'à Callelongue (voir « Les calanques, de Marseille à Cassis »), de faire une balade dans les calanques, hors saison surtout, alors là, c'est bien simple, vous ne repartirez plus !

Adresses et infos utiles

Topographie de la ville

Si vous arrivez en train, plutôt que de prendre directement le métro, sortez de la gare Saint-Charles et descendez les escaliers. Les boulevards d'Athènes et Dugommier vous conduisent rapidement sur la Canebière, qu'il suffit de descendre, à droite, pour rejoindre le Vieux-Port, à pied ou en tram, selon l'heure et l'humeur.
Si vous arrivez en voiture, choisissez sur l'autoroute A 55 la sortie Marseille – Vieux-Port, vous pénétrerez ainsi dans Marseille en « survolant » ses quartiers portuaires et les docks qui s'étendent de L'Estaque au fort Saint-Jean.
Si vous allez directement vers les calanques, prenez le tunnel Prado-Carénage (payant) pour passer sous le centre-ville et gagner du temps ; vous retrouverez la lumière du jour aux alentours du Stade-Vélodrome (et vous l'apprécierez encore plus).
Si vous arrivez par l'autoroute A 7, vous voilà porte d'Aix, et peut-être verrez-vous, tout au fond devant vous, au-delà de l'avenue du Prado, l'obélisque de Mazargues. Perpendiculaire à cet axe, la Canebière, qui mène d'un côté au Vieux-Port et de l'autre vers le palais Longchamp.
Une fois arrivé dans Marseille, laissez votre voiture et partez à la découverte de la ville à pied ou à vélo, quartier par quartier. De toute façon, circuler dans le centre-ville est vraiment difficile pour un non-Marseillais... Surtout maintenant, avec le tramway !
Difficile d'imaginer aujourd'hui l'allure qu'avait ce coin de Provence avant l'urbanisation (qui ne date pas d'hier). Les nombreuses collines qui composent Marseille sont tellement recouvertes de bâtiments qu'elles semblent presque aplanies, sauf, bien sûr, celle couronnée par Notre-Dame-de-la-Garde. Mais il suffit d'arpenter quelque peu la ville à pied pour vérifier que tous ces mamelons sont bel et bien escarpés.
Préservez vos forces en vous arrêtant ici ou là, à une terrasse ou pour admirer un point de vue insolite. Et prenez le tram, le bus, le métro ou le vélo pour rejoindre les « quartiers » éloignés de Marseille, anciens villages aujourd'hui inclus dans une ville dont ils forment les arrondissements les plus excentriques.
Et puis n'oubliez pas les prodigieuses calanques (désormais classées parc national) que la ville possède en copropriété avec la mer, et peut-être l'Infini. Elles sont là, tout près, derrière ces petites montagnes qui ferment la ville au sud. Marseille : la seule grande ville où le paradis est à 20 mn de voiture du centre.

Infos touristiques

i *Office de tourisme* *(plan couleur centre 1, D4,* ***1****)* **:** *4, La Canebière, 13001. ☎ 0826-500-500 (0,15 €/mn). • info@marseille-tourisme.com • marseille-tourisme.com • Ⓜ Vieux-Port/Hôtel-de-Ville. Lun-sam 9h-19h, dim et j. fériés 10h-17h. Excellent accueil, bonne documentation sur la ville et ttes ses possibilités, résa d'hôtels (sur place et sans commission • resamarseille.com •).*
– Vente du *City Pass,* valable 1 ou 2 jours (22 ou 29 €) et donnant accès à tous les transports en commun, aux 12 musées, visites commentées (quartier du Panier, *Marseille insolite,* etc.), petit train touristique de Notre-Dame-de-la-Garde et au bateau pour l'île d'If.

i *Comité départemental de tourisme* *(plan couleur d'ensemble D5,* ***2****)* **:** *Le Montesquieu, 13, rue Roux-de-Brignoles, 13006. ☎ 04-91-13-84-13. • cdt@visitprovence.com • visitprovence.com • Ⓜ Estrangin/Préfecture. Tlj sf sam-dim 9h-12h30, 13h40-17h30.* Excellente documentation thématique

PLANS ET CARTES EN COULEURS

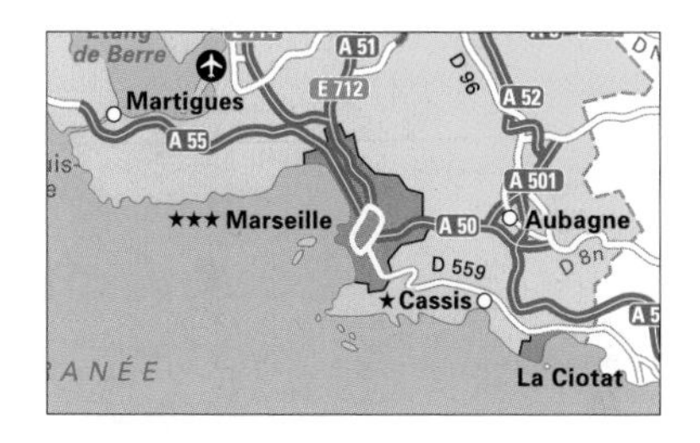

Planches **2-3**	La Provence
Planches **4-5**	Marseille – plan d'ensemble
Planches **6-7**	Marseille – plan centre 1
Planche **8**	Marseille – plan centre 2
Planche **9**	Le métro de Marseille
Planches **12-13**	Arles
Planches **14-15**	Avignon
Planche **16**	Aix-en-Provence

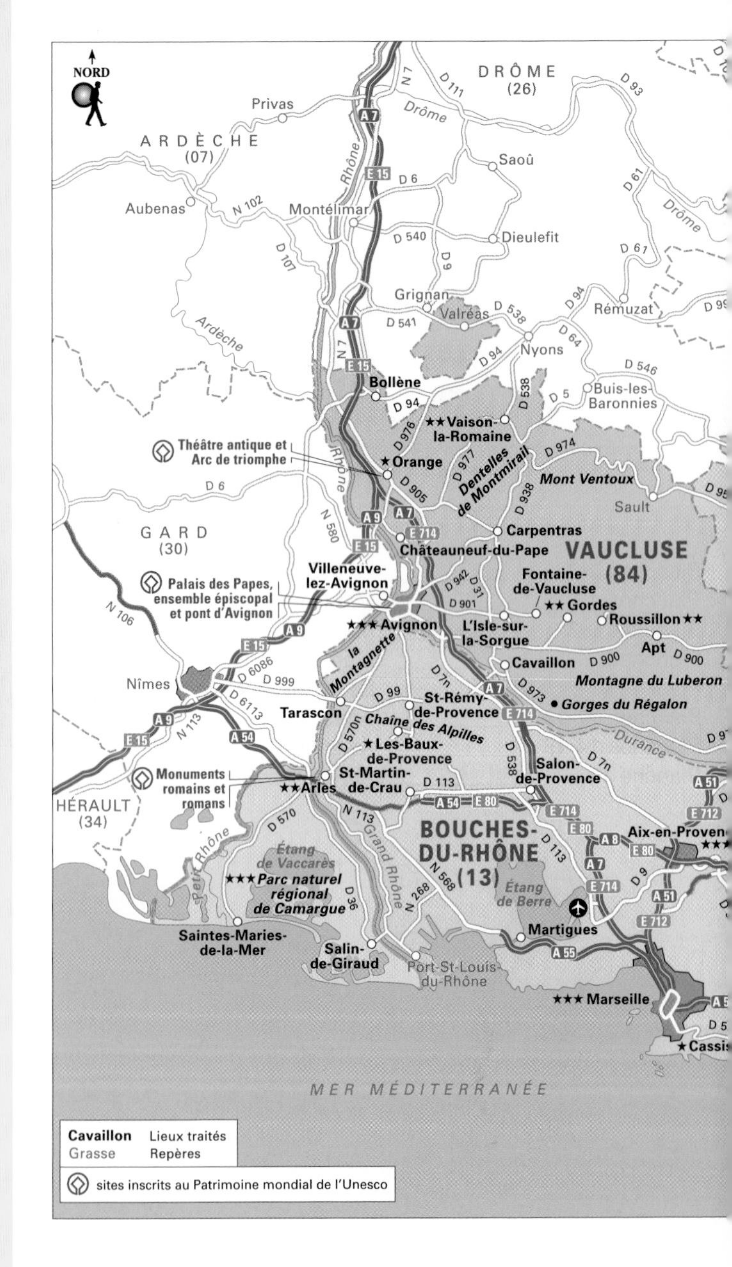
NORD
DRÔME
(26)
ARDÈCHE
(07)
Privas
Saoû
Aubenas
Montélimar
Dieulefit
Grignan
Valréas
Rémuzat
Nyons
Bollène
Buis-les-Baronnies
★★Vaison-la-Romaine
Théâtre antique et Arc de triomphe
★Orange
Dentelles de Montmirail
Mont Ventoux
Sault
GARD
(30)
Carpentras
Châteauneuf-du-Pape
VAUCLUSE
(84)
Villeneuve-lez-Avignon
Fontaine-de-Vaucluse
Palais des Papes, ensemble épiscopal et pont d'Avignon
★★ Gordes
★★★Avignon
L'Isle-sur-la-Sorgue
Roussillon★★
Apt
la Montagnette
Cavaillon
Nîmes
Montagne du Luberon
Tarascon
St-Rémy-de-Provence
• Gorges du Régalon
Chaîne des Alpilles
★Les-Baux-de-Provence
Durance
Monuments romains et romans
St-Martin-de-Crau
Salon-de-Provence
★★Arles
HÉRAULT
(34)
BOUCHES-DU-RHÔNE
(13)
Aix-en-Proven
Petit Rhône
Grand Rhône
Étang de Vaccarès
★★★Parc naturel régional de Camargue
Étang de Berre
Martigues
Saintes-Maries-de-la-Mer
Salin-de-Giraud
Port-St-Louis-du-Rhône
★★★ Marseille
★Cassis
MER MÉDITERRANÉE
Cavaillon Lieux traités
Grasse Repères
sites inscrits au Patrimoine mondial de l'Unesco

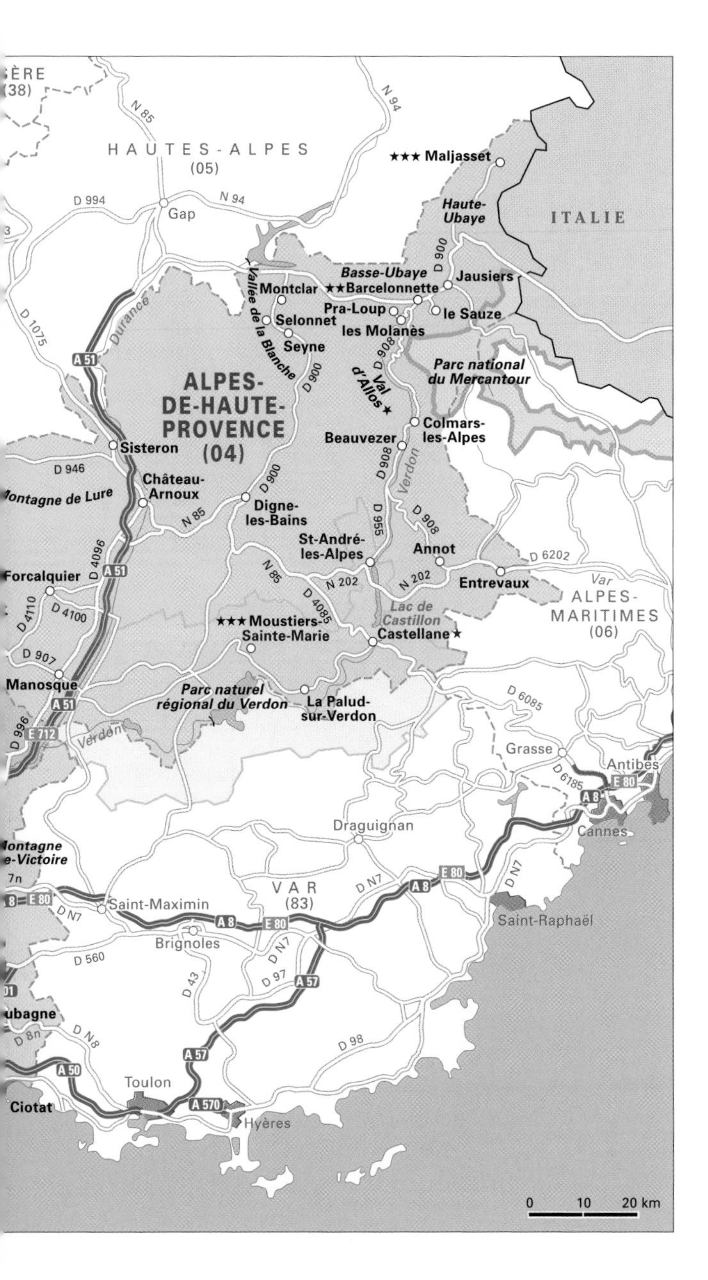
HAUTES-ALPES
(05)
Gap
ITALIE
★★★ Maljasset
Haute-Ubaye
Basse-Ubaye
Jausiers
★★Barcelonnette
Montclar
Pra-Loup
le Sauze
Selonnet
les Molanès
Seyne
Vallée de la Blanche
Val d'Allos★
Parc national du Mercantour
ALPES-DE-HAUTE-PROVENCE (04)
Colmars-les-Alpes
Beauvezer
Sisteron
Château-Arnoux
Montagne de Lure
Digne-les-Bains
St-André-les-Alpes
Annot
Entrevaux
Forcalquier
ALPES-MARITIMES
(06)
Lac de Castillon
★★★ Moustiers-Sainte-Marie
Castellane★
Manosque
Parc naturel régional du Verdon
La Palud-sur-Verdon
Grasse
Antibes
Cannes
Draguignan
VAR
(83)
Saint-Maximin
Brignoles
Saint-Raphaël
Toulon
Hyères
Ciotat
0 10 20 km

LA PROVENCE

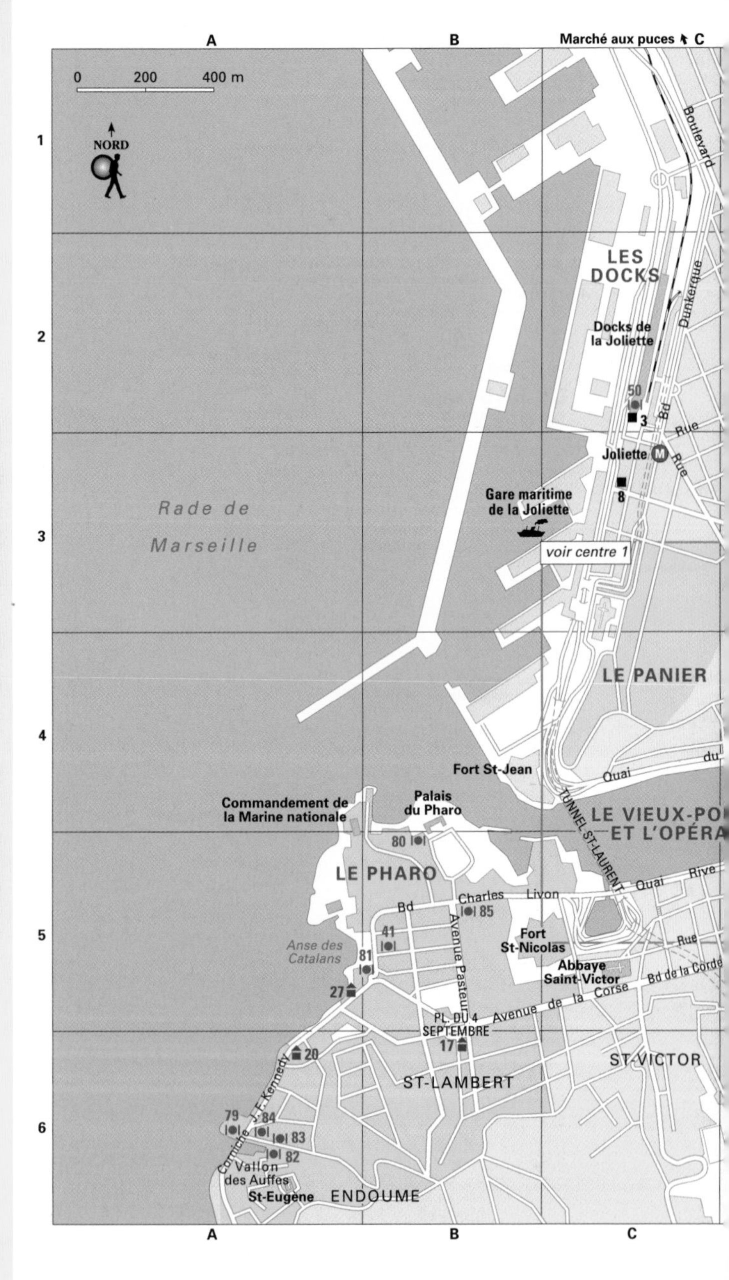

A
B
Marché aux puces C
0 200 400 m
NORD
1
2
3
4
5
6
Rade de Marseille
Boulevard
LES DOCKS
Dunkerque
Docks de la Joliette
50
3
Bd
Rue
Joliette
Rue
8
Gare maritime de la Joliette
voir centre 1
LE PANIER
du
Quai
Fort St-Jean
Commandement de la Marine nationale
Palais du Pharo
TUNNEL ST-LAURENT
LE VIEUX-PO
ET L'OPÉRA
80
LE PHARO
Quai
Rive
Bd
Charles
Livon
85
41
Avenue Pasteur
Fort St-Nicolas
Rue
Anse des Catalans
81
Abbaye Saint-Victor
Bd de la Corde
27
Avenue de la Corse
PL. DU 4 SEPTEMBRE
17
20
ST-VICTOR
Corniche J.-F.-Kennedy
ST-LAMBERT
79
84
83
82
Vallon des Auffes
St-Eugène
ENDOUME
A
B
C

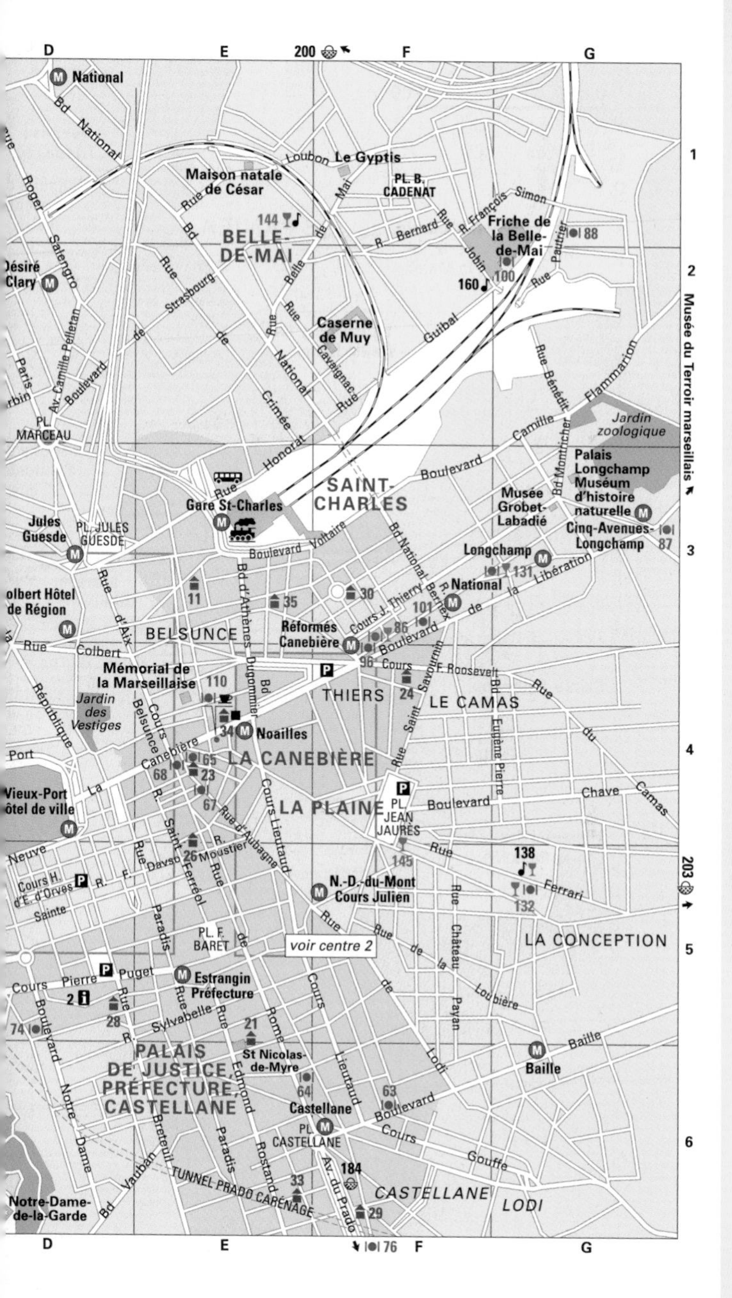

MARSEILLE – PLAN D'ENSEMBLE

MARSEILLE – PLAN D'ENSEMBLE

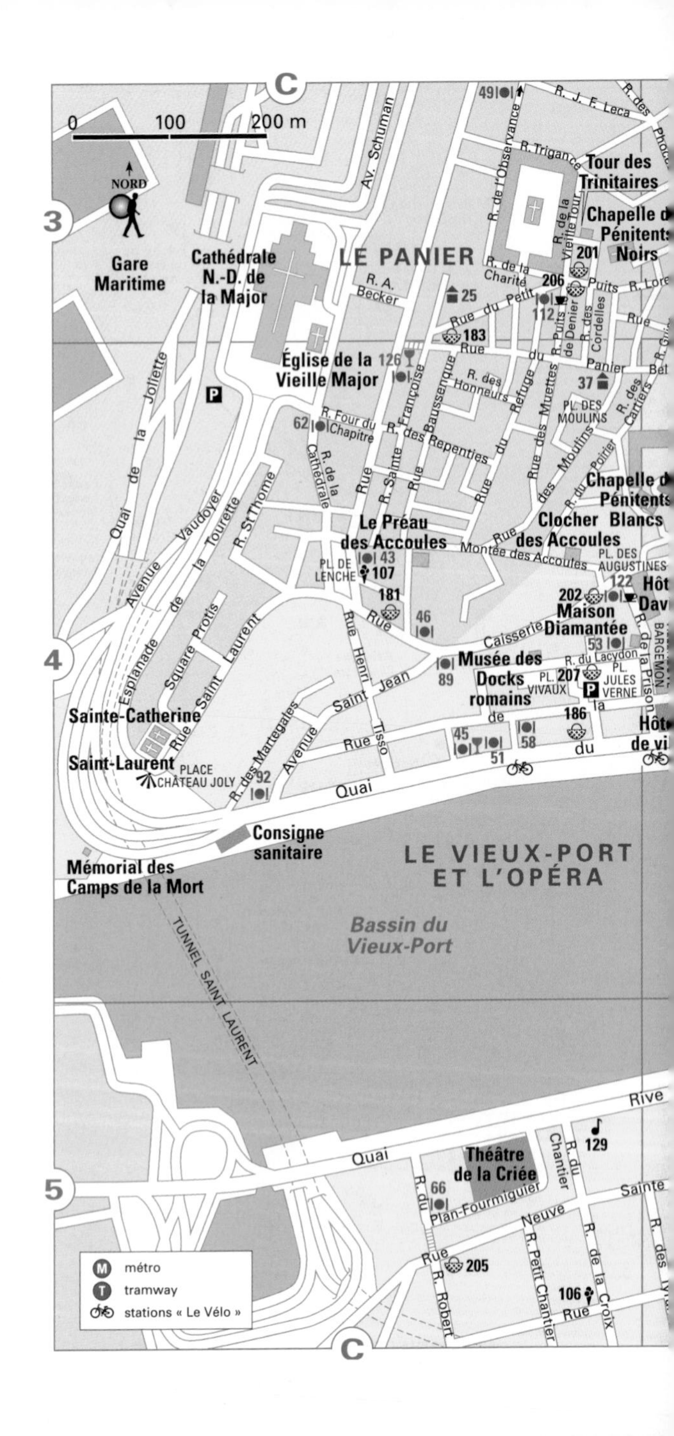
0
100
200 m
NORD
Gare Maritime
Cathédrale N.-D. de la Major
LE PANIER
Tour des Trinitaires
Chapelle des Pénitents Noirs
Église de la Vieille Major
Le Préau des Accoules
Clocher des Accoules
Chapelle des Pénitents Blancs
Maison Diamantée
Musée des Docks romains
Sainte-Catherine
Saint-Laurent
Consigne sanitaire
Mémorial des Camps de la Mort
LE VIEUX-PORT ET L'OPÉRA
Bassin du Vieux-Port
TUNNEL SAINT LAURENT
Théâtre de la Criée
métro
tramway
stations « Le Vélo »

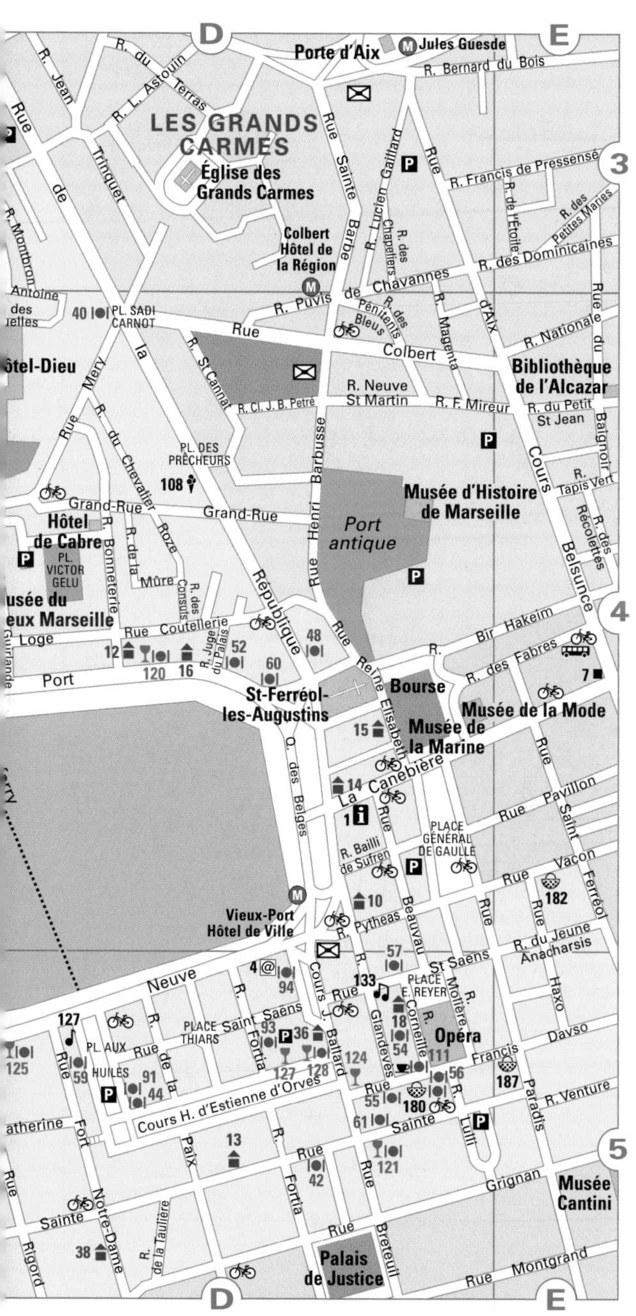

MARSEILLE – PLAN CENTRE 1

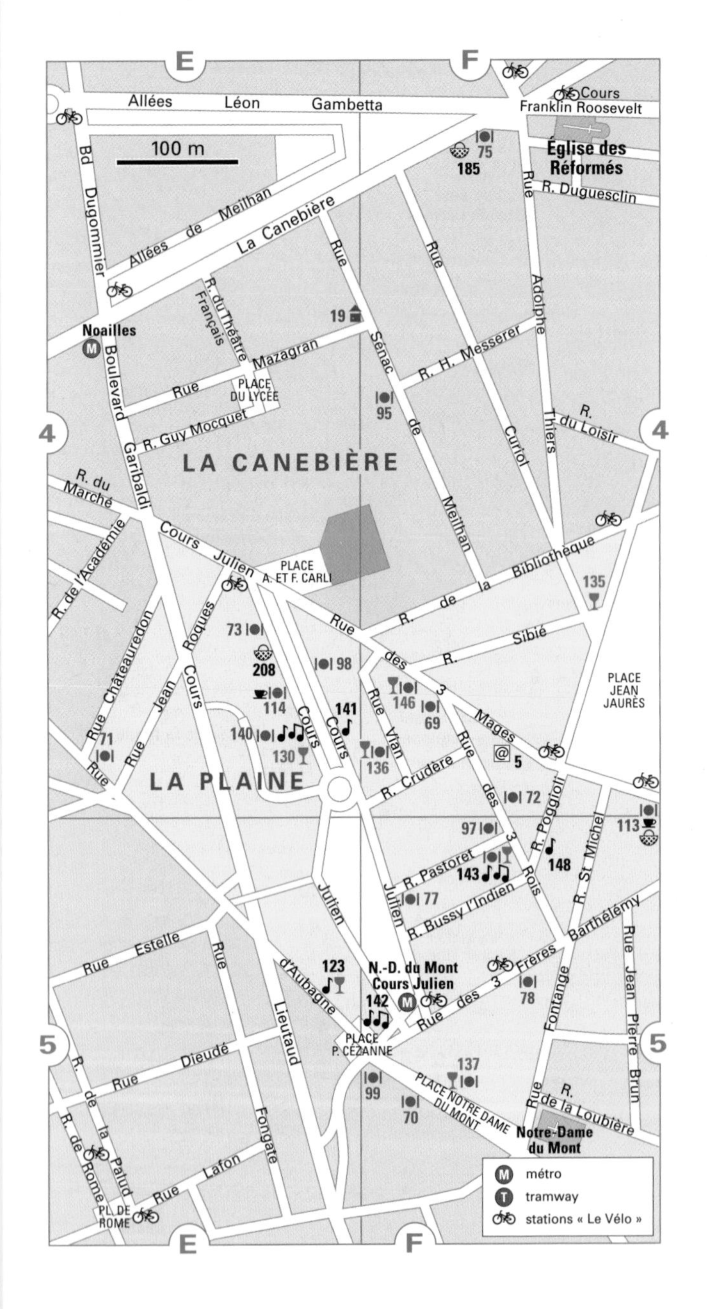

E
F
4
5
100 m
Allées Léon Gambetta
Cours Franklin Roosevelt
Église des Réformés
R. Duguesclin
Bd Dugommier
Allées de Meilhan
La Canebière
Rue Adolphe Thiers
R. du Théâtre Français
Rue Sénac de Meilhan
Rue Curiol
Noailles
Boulevard Garibaldi
Rue Mazagran
R. H. Messerer
PLACE DU LYCÉE
R. Guy Mocquet
R. du Loisir
LA CANEBIÈRE
R. du Marché
R. de l'Académie
Cours Julien
PLACE A. ET F. CARLI
R. de la Bibliothèque
Rue des 3 Mages
R. Sibié
PLACE JEAN JAURÈS
Rue Châteauredon
Rue Jean Roques
Cours
Rue Vian
Rue des 3 Rois
R. Crudère
LA PLAINE
R. Poggioli
R. St Michel
R. Pastoret
R. Bussy l'Indien
Julien
Rue Barthélémy
Rue Estelle
Rue d'Aubagne
Rue Lieutaud
N.-D. du Mont Cours Julien
Rue des 3 Frères
Fontange
Rue Jean Pierre Brun
PLACE P. CÉZANNE
Rue Dieudé
R. de la Palud
R. de Rome
Fongate
Rue Lafon
PL. DE ROME
PLACE NOTRE DAME DU MONT
Rue de la Loubière
Notre-Dame du Mont
métro
tramway
stations « Le Vélo »
185
75
19
95
135
73
208
98
114
141
146
69
140
130
136
71
5
72
97
113
143
148
77
123
142
78
137
99
70

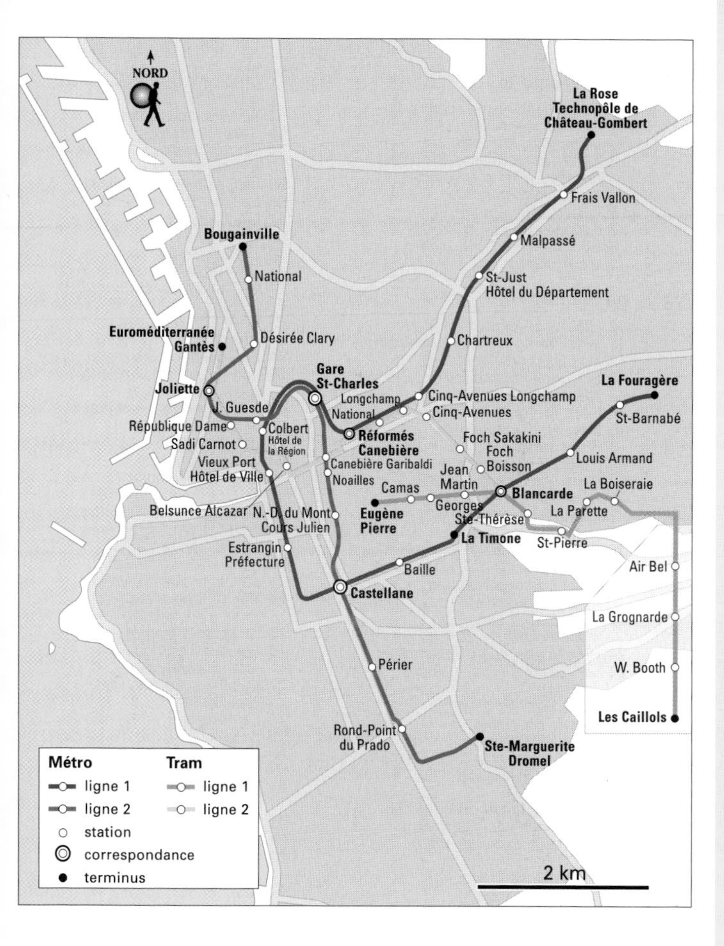

LE MÉTRO DE MARSEILLE

■ **Adresses utiles**

- 🛈 1 Office de tourisme *(centre 1)*
- 🛈 2 Comité départemental du tourisme *(plan d'ensemble)*
- 3 Centre d'information Euroméditerranée *(plan d'ensemble)*
- @ 4 Info Café *(centre 1)*
- @ 5 Cyber@Thé *(centre 2)*
- 7 Espace culture *(centre 1)*
- 8 Compagnie SNCM *(plan d'ensemble)*

Où dormir ?

- 10 Hôtel Alizé Vieux-Port *(centre 1)*
- 11 Hôtel Vertigo *(plan d'ensemble)*
- 12 Hôtel Hermès *(centre 1)*
- 13 Etap Hotel Marseille Vieux-Port *(centre 1)*
- 14 Hôtel Océania *(centre 1)*
- 15 New Hotel Vieux-Port *(centre 1)*
- 16 Hôtel La Résidence du Vieux-Port *(centre 1)*
- 17 Hôtel Mariette Pacha *(plan d'ensemble)*
- 18 Hôtel Relax *(centre 1)*
- 19 Le Ryad *(centre 2)*
- 20 Hôtel Péron *(plan d'ensemble)*
- 21 Hôtel Edmond-Rostand *(plan d'ensemble)*
- 23 Hôtel Saint-Louis *(plan d'ensemble)*
- 24 Hôtel Azur *(plan d'ensemble)*
- 25 La Maison du Petit Canard *(centre 1)*
- 26 Hôtel Saint-Ferréol *(plan d'ensemble)*
- 27 Hôtel Le Richelieu *(plan d'ensemble)*
- 28 Hôtel du Palais *(plan d'ensemble)*
- 29 Hôtel Lutia *(plan d'ensemble)*
- 30 Chambre d'hôtes chez Marie Botella *(plan d'ensemble)*
- 33 B & B Romain Pascal *(plan d'ensemble)*
- 34 Marseille Autrement *(plan d'ensemble)*
- 35 Pension Edelweiss *(plan d'ensemble)*
- 36 Appartements d'hôtes l'Atelier du Vieux-Port *(centre 1)*
- 37 Maison d'hôtes Au Vieux Panier *(centre 1)*
- 38 Hôtel Vertigo – Vieux-Port *(centre 1)*

Où manger ?

- 40 La Pause *(centre 1)*
- 41 Les Akolytes *(plan d'ensemble)*
- 42 L'Aromat & C *(centre 1)*
- 43 Au Lamparo *(centre 1)*
- 44 Le 29 *(centre 1)*
- 45 Le Crystal *(centre 1)*
- 46 Chez Angèle *(centre 1)*
- 48 La Kahéna *(centre 1)*
- 49 L'Arlecchino *(centre 1)*
- 50 Le Milano des Docks *(plan d'ensemble)*
- 51 Chez Madie, Les Galinettes *(centre 1)*
- 52 Le Miramar *(centre 1)*
- 53 Café des Épices *(centre 1)*
- 54 Chez Vincent-Le Vésuve *(centre 1)*
- 55 La Casertane *(centre 1)*
- 56 Le Mas de Lulli *(centre 1)*
- 57 O'Stop *(centre 1)*
- 58 La Virgule *(centre 1)*
- 59 L'Oliveraie *(centre 1)*
- 60 Une Table au Sud *(centre 1)*
- 61 La Tomate cerise *(centre 1)*
- 62 Le Panier gourmand *(centre 1)*
- 63 Chez Domino *(plan d'ensemble)*
- 64 Le Boucher *(plan d'ensemble)*
- 65 Le Fémina, Chez Kachetel *(plan d'ensemble)*
- 66 La Passarelle *(centre 1)*
- 67 Chez Sauveur *(plan d'ensemble)*
- 68 Toinou Dégustation *(plan d'ensemble)*
- 69 Le Cuisineur *(centre 2)*
- 70 Le Roi du Poulet *(centre 2)*
- 71 Ivoire Restaurant-Mama Africa *(centre 2)*
- 72 Le Quinze *(centre 2)*
- 73 La Cantinetta *(centre 2)*
- 74 Sushi Street Café *(plan d'ensemble)*
- 75 Chez Noël *(centre 2)*
- 76 Le Bistrot d'Édouard *(plan d'ensemble)*
- 77 Les Pieds dans le Plat *(centre 2)*
- 78 Le Pavillon Thaï *(centre 2)*
- 79 L'Épuisette *(plan d'ensemble)*
- 80 La Buvette du Chalet *(plan d'ensemble)*
- 81 Pizzeria des Catalans *(plan d'ensemble)*
- 82 Chez Jeannot *(plan d'ensemble)*
- 83 Le Café des Arts *(plan d'ensemble)*
- 84 Chez Fonfon *(plan d'ensemble)*
- 85 Le Victor Café *(plan d'ensemble)*
- 86 Les Danaïdes *(plan d'ensemble)*
- 87 Chez Vincent *(plan d'ensemble)*
- 88 Les Deux Sœurs *(plan d'ensemble)*
- 89 Bobolivo *(centre 1)*
- 90 Étienne *(centre 1)*
- 91 César's Place *(centre 1)*
- 92 Au Bout du quai *(centre 1)*
- 93 Chez Loury *(centre 1)*
- 94 El Canaletto *(centre 1)*
- 95 La Bessonnière *(centre 2)*
- 96 La Boîte à Sardine *(plan d'ensemble)*
- 97 Waaw *(centre 2)*
- 98 L'Oleas *(centre 2)*
- 99 Le Goût des Choses *(centre 2)*
- 100 Les Grandes Tables de la Friche *(plan d'ensemble)*
- 101 Chez Sam *(plan d'ensemble)*

Où acheter de bons produits ?

180 Le Pain de l'Opéra *(centre 1)*
181 Les Navettes des Accoules *(centre 1)*
182 Boulangerie Michel *(centre 1)*
183 Chocolatière du Panier *(centre 1)*
184 Dromel Aîné *(plan d'ensemble)*
185 Plauchut *(centre 2)*
186 La Maison du Pastis *(centre 1)*
187 Boulangerie Aixoise *(centre 1)*

Où boire un thé ou un bon café ? Où faire une pause sucrée-salée ?

110 Torréfaction Noailles *(plan d'ensemble)*
111 Maison Debout *(centre 1)*
112 Le Clan des Cigales *(centre 1)*
113 Le Patio *(centre 2)*
114 Le Thé dans l'Encrier *(centre 2)*
122 Cup of Tea *(centre 1)*

Où acheter une glace ?

106 La maison de la Glace *(centre 1)*
107 Le Glacier du Roi *(centre 1)*
108 La Maison de la Glace *(centre 1)*

Où manger sur le pouce ? Où boire un verre ?

45 Le Crystal *(centre 1)*
86 Les Danaïdes *(plan d'ensemble)*
120 La Caravelle *(centre 1)*
121 La Part des Anges *(centre 1)*
123 Le Paradox *(centre 1)*
124 Unic Bar *(centre 1)*
125 Bar de la Marine *(centre 1)*
126 Le Bar des Treize Coins *(centre 1)*
127 Polikarpov *(centre 1)*
128 Le Pointu *(centre 1)*
130 L'Équitable Café *(centre 2)*
131 Longchamp Palace *(plan d'ensemble)*
132 La Tasca *(plan d'ensemble)*
135 Au Petit Nice *(centre 2)*
136 La Maison Hantée *(centre 2)*
137 Le Bar du Marché *(centre 2)*
145 Bar de La Plaine *(plan d'ensemble)*
146 La Passerelle *(centre 2)*

Où sortir ?

129 Le Trolley Bus *(centre 1)*
133 Le Bunny'z *(centre 1)*
140 Planet Mundo Kfé *(centre 2)*
143 Cubaïla Café *(centre 2)*

Où assister à un concert ?

123 Le Paradox *(centre 2)*
127 Le Pelle-Mêle *(centre 1)*
138 Le Poste à Galène *(plan d'ensemble)*
141 L'Espace et le Café Julien *(centre 2)*
142 El Ache de Cuba *(centre 2)*
144 L'Embobineuse *(plan d'ensemble)*
148 Dan Racing *(centre 2)*
160 Cabaret Aléatoire de la Friche *(plan d'ensemble)*

Achats

200 La Savonnerie du Sérail *(plan d'ensemble)*
201 72 % Pétanque *(centre 1)*
202 La Compagnie de Provence *(centre 1)*
203 La Boule Bleue *(plan d'ensemble)*
205 Santons Marcel Carbonel *(centre 1)*
206 Arterra *(centre 1)*
207 L'Atelier des Santons *(centre 1)*
208 Savonnerie marseillaise de la Licorne *(centre 2)*

MARSEILLE – REPORTS DES PLANS

■ Adresses utiles

- Office de tourisme
- @ Cyber-Saladelle et cybercafé
- 1 La Maison jaune

Où dormir ?

- 10 Auberge de jeunesse
- 11 Le Belvédère
- 12 Hôtel de l'Amphithéâtre
- 13 Hôtel Constantin
- 14 Hôtel de la Muette
- 15 Hôtel Acacias
- 16 Hôtel Le Calendal et snack Olipan
- 17 Hôtel du Musée
- 18 Chambres d'hôtes La Pousada et Mia Casa
- 19 Hôtel du Forum
- 21 Hôtel-Restaurant Voltaire
- 23 Hôtel Porte de Camargue

Où manger ?

- 30 Le Bar à Thym
- 31 Le Gibolin
- 32 Fad'oli & Fad'ola
- 33 L'Autruche
- 35 Comptoir du Sud
- 36 La Mule Blanche
- 37 À Côté
- 39 Le Plaza – La Paillote
- 40 Le Jardin de Manon
- 41 Cuisine de Comptoir
- 42 Le 16
- 43 La Comédie
- 45 La Fée Gourmande
- 46 Le Cilantro
- 47 Atelier de J.-L. Rabanel
- 48 La Bodeguita

Où boire un verre ?
Où écouter de la musique ?

- 50 Le Tropical
- 51 Cargo de Nuit
- 52 Paddy Mullins
- 53 Le Tambourin
- 54 L'Entrevue - Espace Le Méjean
- 55 Le Coffee Socks

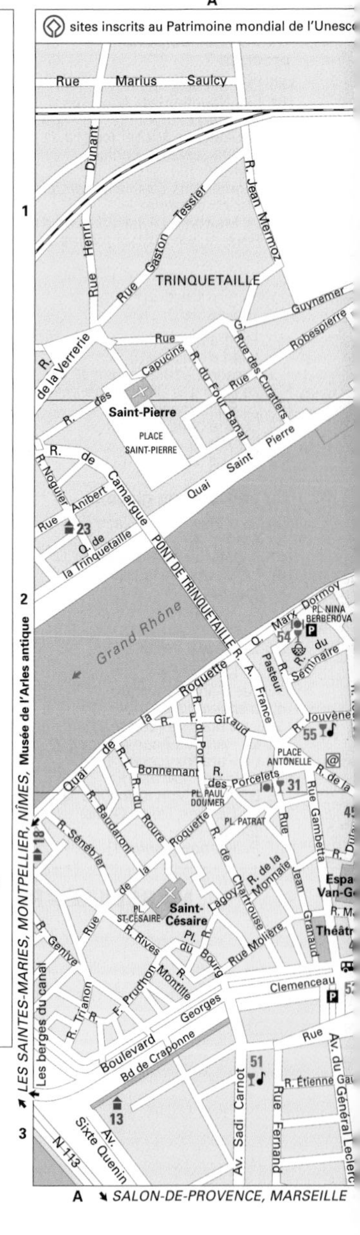

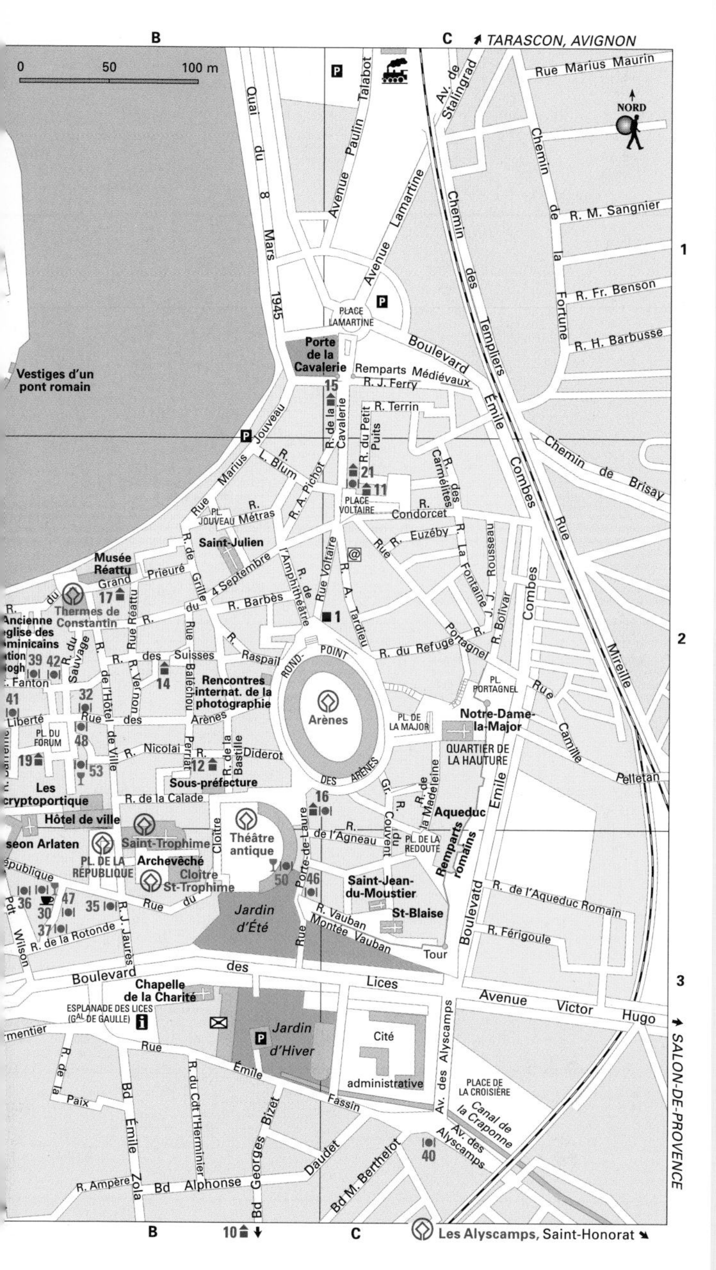
TARASCON, AVIGNON
NORD
0 50 100 m
Vestiges d'un pont romain
Porte de la Cavalerie
PLACE LAMARTINE
Remparts Médiévaux
Musée Réattu
Thermes de Constantin
Saint-Julien
Ancienne église des Dominicains
Rencontres internat. de la photographie
Arènes
Notre-Dame-la-Major
QUARTIER DE LA HAUTURE
Sous-préfecture
Les cryptoportique
Hôtel de ville
Museon Arlaten
Saint-Trophime
Archevêché
Cloître St-Trophime
Théâtre antique
Jardin d'Été
Aqueduc
Remparts romains
Saint-Jean-du-Moustier
St-Blaise
Tour
Chapelle de la Charité
ESPLANADE DES LICES (GAL DE GAULLE)
Jardin d'Hiver
Cité administrative
PLACE DE LA CROISIÈRE
Canal de la Craponne
SALON-DE-PROVENCE
Les Alyscamps, Saint-Honorat
ARLES

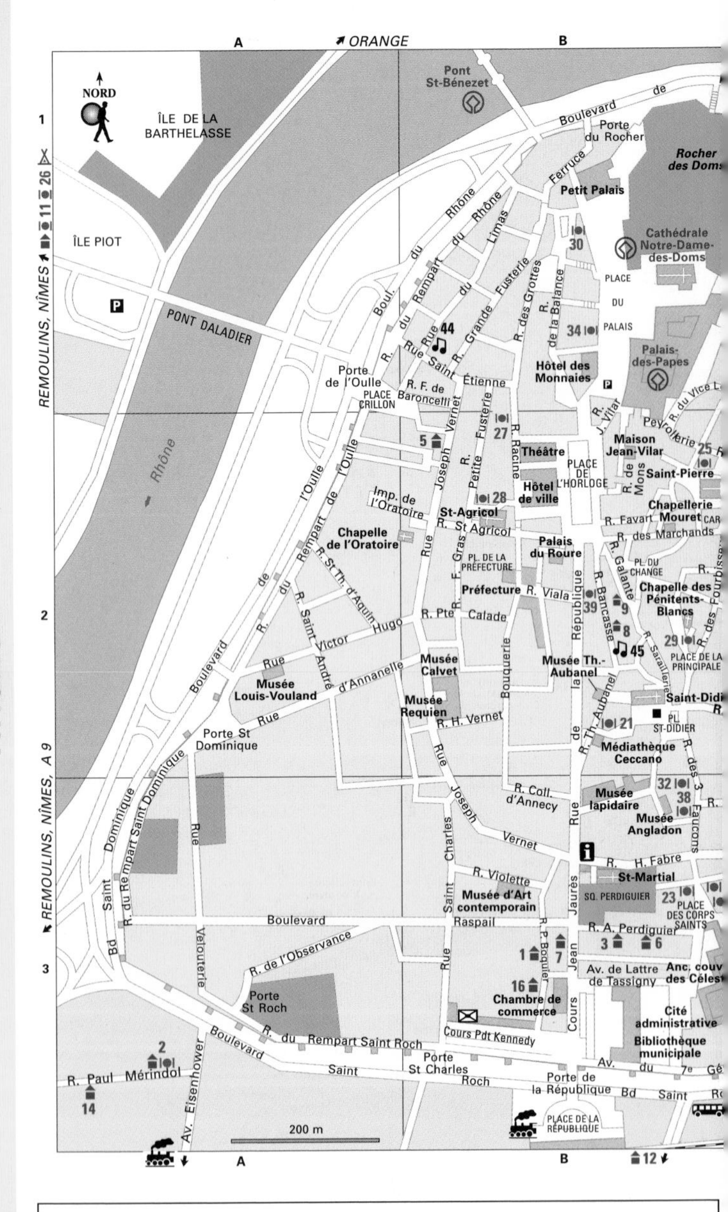

■ **Adresses utiles**

- Office de tourisme
- Comité départemental de tourisme du Vaucluse

Où dormir ?

1 Hôtel Boquier
2 Auberge de jeunesse Résidence Espace Europe
3 Splendid Hôtel
5 Hôtel Mignon
6 Hôtel Colbert
7 Hôtel Bristol
8 Hôtel de Blauvac
9 Hôtel de Garlande
10 Hôtel Le Magnan
11 Chambres d'hôtes L'Anastasy, chez Olga Manguin
12 Résidence La Madeleine
13 Villa de Margot
14 Hôtel Saint Roch
15 Chambres d'hôtes La Banasterie
16 Hôtel Cloître Saint-Louis
17 Résidence Autour du Petit Paradis

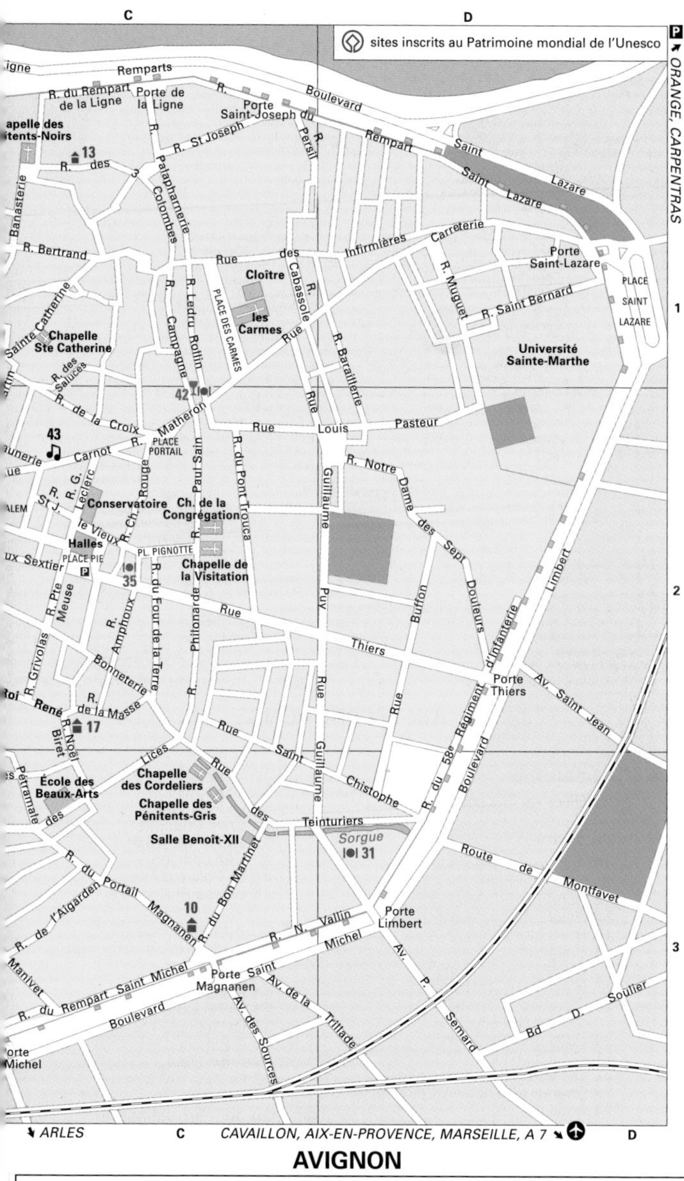

AVIGNON

Où manger ?

- 2 Équilibre
- 21 L'Ami Voyage... en Compagnie
- 22 AOC
- 23 Le Pili
- 24 Cuisine & Comptoir
- 25 L'Épicerie
- 26 La Ferme
- 27 La Fourchette
- 28 L'Essentiel
- 29 Basilic Citron
- 30 Restaurant Brunel
- 31 Le Numéro 75
- 32 Le Caveau du Théâtre
- 33 Le Grand Café
- 34 Le Moutardier
- 35 Au Tout Petit
- 36 Chez Ginette & Marcel
- 38 Piedoie
- 39 Hiély-Lucullus

Où boire un verre et grignoter sur le pouce ?

- 41 Bistrot Utopia
- 42 Mon Bar

Où danser ?

- 43 Le Red Zone
- 44 L'Esclave Bar
- 45 Les Ambassadeurs

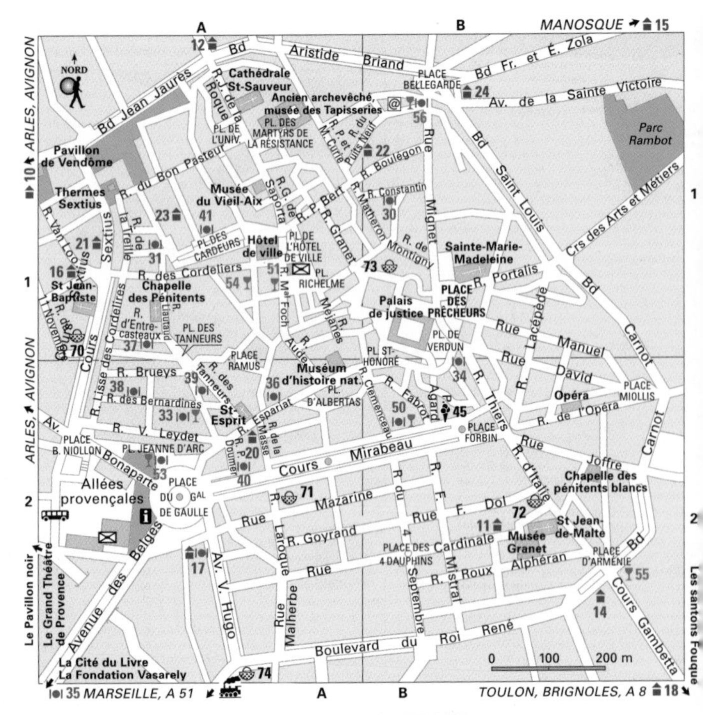

AIX-EN-PROVENCE

Adresse utile

- Office de tourisme

Où dormir ?

- 10 Auberge de jeunesse-CIRS
- 11 Hôtel Cardinal
- 12 Hôtel Paul
- 14 Hôtel Le Concorde
- 15 Hôtel Le Prieuré
- 16 Chambres d'hôtes Le Petit Nid de Sophie
- 17 Hôtel Saint-Christophe
- 18 Citéa Aix-La Bastide du Roy René
- 20 Hôtel des Augustins
- 21 Hôtel du Globe
- 22 La Petite Maison de Carla
- 23 Chambres d'hôtes L'Épicerie
- 24 Hôtel en Ville

Où manger ? Où déguster une bonne glace ?

- 30 Pourquoi Pas
- 31 Angelina
- 33 Carton Rouge
- 34 Le Verdun
- 35 Les 2 Frères
- 36 Le Formal
- 37 Le Petit Verdot
- 38 Chez Charlotte
- 39 La Tomate Verte
- 40 L'Amphitryon
- 41 Le Poivre d'Âne
- 45 Glaces Philippe Faur

Où boire un verre ? Où grignoter un morceau ? Où sortir ?

- 50 Les Deux Garçons
- 51 Le Brigand
- 53 La Rotonde
- 54 O'Shannon
- 55 Cuba Libre
- 56 Le Café des Mots

Où acheter calissons et autres gourmandises ?

- 70 Confiserie Sextius-d'Entrecasteaux
- 71 Béchar
- 72 Confiserie Brémond
- 73 Les chocolats de Puyricard
- 74 Confiserie Parli

(sites, loisirs, manifestations, hébergements...) sur Marseille et les Bouches-du-Rhône.

■ ***Gîtes ruraux :*** *domaine du Vergon, 13370 Mallemort. Résas : ☎ 04-90-59-49-40. • resa13@visitprovence.com • gitesdefrance13.visitprovence.com • Lun-ven 9h-12h30, 13h30-17h15.* Gère les gîtes ruraux et les chambres d'hôtes du département.

■ ***Centre Information Jeunesse :*** *96, La Canebière, 13001. ☎ 04-91-24-33-50. • crijpa@crijpa.com • crijpa.com • Ⓜ Noailles ou Réformés/Canebière. Tlj même pdt vac scol sf sam-dim 10h (13h mar)-17h. Infos par tél l'ap-m slt. Possibilité de rencontrer une documentaliste sans rdv.*

■ ***Centre d'information Euroméditerranée*** *(plan couleur d'ensemble C2,* ***3****) :* *docks de la Joliette, Atrium 10.2, 10, pl. de la Joliette, 13002. ☎ 04-91-14-45-50. • centre.info@ • euromediterranee.fr • euromediterranee.fr • Ⓜ Joliette. Tlj sf sam-dim 11h30-18h30.*

Poste et télécommunications

✉ ***Poste*** *(plan couleur centre 1, D4-5) :* *bureau central, pl. de l'Hôtel-des-Postes, 13001. ☎ 04-91-15-47-00. Ⓜ Vieux-Port/Hôtel-de-Ville. À l'angle des rues Henri-Barbusse et Colbert. Tlj sf dim et sam ap-m 8h (9h jeu)-18h30 (12h sam).* Plusieurs postes de quartier également (2 autres sont indiquées par un picto sur le *plan couleur centre 1*).

@ ***Info Café*** *(plan couleur centre 1, D5,* ***4****) :* *1, quai de Rive-Neuve, 13001. ☎ 04-91-33-74-98 et 04-91-52-70-30. Ⓜ Vieux-Port/Hôtel-de-Ville. Lun-sam 9h-22h, dim 14h30-19h30.* Sur le Vieux-Port, idéalement placé. Un des plus agréables cybercafés de Marseille.

@ ***Cyber@Thé*** *(plan couleur centre 2, F4,* ***5****) :* *44, rue des Trois-Mages. ☎ 04-91-48-29-72 et 0899-230-872. Ⓜ Notre-Dame-du-Mont/Cours-Julien. Lun-sam 9h-22h (voire plus si affini-thé), dim et j. fériés 13h-20h.*

Représentations diplomatiques

■ ***Consulat de Suisse :*** *7, rue d'Arcole, 13006. ☎ 04-96-10-14-10. Lun-ven 9h-11h30.*

■ ***Consulat de Belgique :*** *112, bd des Dames, 13002. ☎ 04-96-11-69-55. Lun-ven 8h30-13h.*

Santé, urgences

■ ***SOS Médecins :*** *☎ 04-91-52-91-52 ou 3624.*

■ ***SAMU :*** *☎ 04-91-49-91-91.*

■ ***Aide médicale urgente :*** *☎ 15.*

■ ***Centre antipoison :*** *☎ 04-91-75-25-25.*

■ ***Hôpital de la Timone*** *(hors plan couleur d'ensemble par G5) :* *264, rue Saint-Pierre, 13005. ☎ 04-91-38-00-00. Ⓜ Timone.*

■ ***Pharmacie*** *(plan couleur d'ensemble E2) :* *156, bd National, 13003. ☎ 04-91-50-74-50. Ⓜ Gare-Saint-Charles. Tlj sf dim 8h-20h.* Pour la pharmacie de garde, appeler la police.

■ ***SOS Voyageurs :*** *gare Saint-Charles, quai A. ☎ 04-91-62-12-80. Tlj sf dim et j. fériés 9h-19h.* Ouverte aux voyageurs en difficulté, cette antenne d'assistance essaie de trouver des solutions à tout ce qui pourrait transformer une arrivée ou un départ en cauchemar (perte de bagages, de papiers d'identité, etc.). Les cas les plus fréquemment traités sont évidemment les vols, soyez vigilants.

■ ***Police :*** *66-68, La Canebière, 13001 (plan couleur d'ensemble E4). ☎ 04-88-77-58-00. Ⓜ Noailles. Également : 2, rue Antoine-Becker, 13002 (plan couleur centre 1, C3). ☎ 04-91-39-80-00.* Une adresse connue de tous les amateurs de polars : c'est le célèbre Évêché !

■ ***Objets trouvés :*** *41, bd de Briançon, 13003. ☎ 04-91-14-68-97. Lun-ven 8h45-12h, 12h45-16h30.*

■ ***Météo France :*** *☎ 0892-680-213 (0,34 €/mn).*

■ ***Météo marine :*** *☎ 32-01 ou 32-50 (0,34 €/mn).*

Transports

Pour le plan du métro et du tram de Marseille, ainsi que pour la localisation des stations de vélos, se reporter au cahier couleur.

– Côté transports, on peut se déplacer en ***tramway*** (fonctionne de 5h à 0h30

MARSEILLE

dernier départ). Sinon, il y a deux lignes de **métro.** Elles fonctionnent de 5h à 22h30 seulement (0h30 – dernier départ – les vendredi, samedi et dimanche). • *metro-tramway-marseille.com* • Heureusement, le réseau est complété par les dessertes de **bus** (pratique pour les plages notamment). Le soir, un réseau *Fluobus* fonctionne de 21h30 à 0h30 environ. Mais si vous cherchez le moyen le plus rapide pour vous déplacer sur de courts trajets, **« Le Vélo »** reste le moins cher et le moins polluant ! Disponible dans 130 stations de locations à Marseille, la 1re demi-heure est gratuite puis 1 € chaque heure suivante. Et malgré le relief de la ville, le vélo remporte un franc succès ! • *levelo-mpm.fr* •

■ ***Infos et vente de tickets :*** *à la RTM (Régie des transports marseillais ; plan couleur centre 1, E4), 6, rue des Fabres, 13001. ☎ 04-91-91-92-10. • rtm.fr • Ⓜ Vieux-Port/Hôtel-de-Ville. Lun-ven 8h30-18h ; 1er et dernier sam du mois 9h-12h30, 14h-17h30 (horaires plus restreints pour la vente). Prix du ticket : 1,50 € (mieux vaut avoir l'appoint en montant dans le bus). Forfait 5 trajets 6 € ou 10 trajets 12 €. Plan gratuit du réseau.* Les tickets sont valables pour tous les transports en commun avec une validité de 1h pour toute correspondance. Possibilité d'acheter une carte *Journée, 3 jours* ou une carte *Liberté* (5 ou 10 trajets) valables sur tout le réseau. On se les procure aussi dans les stations de métro (guichets, 7h-19h ; ou distributeurs), à la gare Saint-Charles ou chez les commerçants agréés RTM.

✈ ***Aéroport Marseille-Provence :*** *à Marignane, à 25 km au nord-ouest. ☎ 04-42-14-14-14. • marseille.aeroport.fr •* Aéroport international, qui dessert – lignes régulières ou *low-cost* – toutes les grandes villes françaises et un certain nombre de destinations en Europe et dans le monde. Plusieurs points d'information touristique. Documentation et plan de ville gratuits.

➢ *Navette depuis/vers l'aéroport : dans le sens aéroport-Marseille-gare Saint-Charles, ttes les 20 mn 5h10-00h10. Pour aller à l'aéroport, départ de la gare Saint-Charles (rue Honnorat). Infos : ☎ 04-91-50-59-34 ou • navette marseilleaeroport.com • Ttes les 20 mn 4h30-23h30. Tarif : 8,50 €.* Compter entre 25 et 40 mn de trajet (attention aux heures de pointe).

➢ Désormais, l'aéroport est également desservi en train de Marseille, mais aussi d'Aix, Arles, Avignon, Cavaillon, Montpellier, Nîmes...
De l'aéroport pour rejoindre la gare, acheter son billet à la borne interactive de l'aéroport puis prendre la navette (5 mn) quai n° 2 ; compter 4,70 € pour rejoindre le centre de Marseille.
Pour plus de détails • *marseille.aeroport.fr* •

🚌 ***Gare routière*** *(plan couleur d'ensemble E3)* **:** *rue Honnorat, à côté de la gare SNCF Saint-Charles. Rens : ☎ 0891-024-025 (0,22 €/mn). Ⓜ Gare-Saint-Charles. Près de la nouvelle halle voyageurs.*

➢ ***Pour Aix-en-Provence :*** bus toutes les 10 mn 6h30-20h40 au départ de Porte d'Aix. Également des liaisons pour Marignane, Vitrolles, Martigues (départ gare routière)...

➢ ***Pour La Ciotat et Aubagne :*** *rens : ☎ 04-91-79-81-82.* Départs de Castellane, à l'angle de l'av. Cantini et de la rue du Rouet *(plan couleur d'ensemble F6)*. Jonction facile avec le métro, à deux pas.

➢ ***Pour Cassis :*** *rens : ☎ 04-91-36-06-19.* Départs de Castellane, sur l'av. du Prado *(plan couleur d'ensemble F6)* à l'arrêt du bus n° 21, avec la compagnie NAP Tourisme (pas indiqué sur l'arrêt).

🚆 ***SNCF gare Saint-Charles*** *(plan couleur d'ensemble E3)* **:** *☎ 36-35 (0,34 €/mn). • sncf.fr • Ⓜ Gare-Saint-Charles.* TGV pour Paris (3h), Lyon et la Côte d'Azur, entre autres.

➢ ***Liaisons régionales en TER (Train express régional) :*** au départ de Marseille-Saint-Charles ou de Marseille-Blancarde. Trains réguliers pour Aix (env 40 mn), Aubagne (env 15 mn), Cassis (entre 15 et 20 mn), L'Estaque, Martigues, Miramas, Toulon, Avignon et Vitrolles-aéroport de Marseille...

■ ***Taxis :*** *☎ 04-91-02-20-20 ou 04-91-05-80-80. Sur le Vieux-Port, derrière l'office de tourisme. Également à l'arrivée des trains, au sous-sol de la gare. Env 12 € de la gare jusqu'au centre (plus cher après 19h et les j. fériés). Compter*

45-55 € depuis l'aéroport. Même tarif pour aller jusqu'à Cassis. Faites-vous préciser le montant de la course avant de monter. Attention, les arnaques au kilomètre ne sont pas une légende, notamment au départ de la gare SNCF. Il existe également des taxis clandestins. Pensez à noter le numéro du taxi, affiché à l'arrière, en cas de contestation. À l'aéroport, les seuls taxis agréés sont ceux de la *Satma*.

➢ ***Location de voitures : Advantage,*** nouveau loueur de voitures *low-cost* ; kilométrage illimité et prix intéressants. Advantage est une marque du groupe Hertz ; rens au ☎ 04-42-14-33-35. Et puis, bien sûr, ***Hertz*** justement *(☎ 04-42-14-34-66)*, ***Europcar*** *(☎ 04-42-14-24-75)*, ***Avis*** *(☎ 0820-61-16-39).*

Gare maritime de la Joliette *(plan couleur d'ensemble B-C3) : parvis de la Joliette, entrée terminal 2, port autonome, 13002.* Ⓜ *Joliette. Tlj.*

■ ***Compagnie SNCM*** *(plan couleur d'ensemble C3,* ***8****) : 61, bd des Dames, 13002. ☎ 32-60 ou 0825-888-088 (0,15 €/mn). • sncm.fr •* Ⓜ *Joliette. Lun-ven 8h30-20h, et sam avr-août.* Départs depuis la gare maritime de la Joliette. En principe, quand tout va bien, bateaux pour la Corse, la Sardaigne, l'Algérie et la Tunisie. On peut également acheter ses billets sur Internet.

Culture

■ ***Espace culture*** *(plan couleur centre 1, E4,* ***7****) : 42, La Canebière, 13001. ☎ 04-96-11-04-60 ou 61 (billetterie). Infos et billetterie en ligne sur • espace culture.net • Tlj sf dim et j. fériés 10h-18h45 (en août, l'ap-m slt).* Association qui informe sur nombre d'activités culturelles de la ville, notamment en éditant un agenda mensuel gratuit, *In Situ*. On peut, sur place comme à l'office de tourisme, réserver pour certains spectacles.

■ ***Marseille Autrement :*** *☎ 04-91-71-17-78 ou 📱 06-81-11-29-29 (Marianne Ruelle). • marseille-autrement.fr •* Une association qui organise tous les w-e des randos guidées très documentées dans tous les quartiers de la ville, surtout ceux délaissés par les visiteurs. Compter 2 € la rando/pers pour les adhérents (adhésion 10 €), 5 € pour les autres. Programme sur le site. L'asso loue également un appartement façon gîte (lire plus bas « Où dormir autour de la Canebière ? »).

Marchés

– ***Au Vieux-Port*** *(plan couleur d'ensemble C-D4) :* Ⓜ *Vieux-Port/Hôtel-de-Ville. Mar et sam 8h-13h.* Pour les amoureux des fleurs, un marché attachant.

– ***Marché du cours Julien*** *(plan couleur d'ensemble F5) : cours Julien (6e arr.).* Ⓜ *Notre-Dame-du-Mont/Cours-Julien.* Fruits, légumes, produits bio le mercredi 8h-13h. Et dans un autre genre : livres anciens et timbres (le 2e samedi du mois).

– ***Marché de La Plaine*** *(plan couleur d'ensemble F4) : pl. Jean-Jaurès (5e arr.).* Ⓜ *Notre-Dame-du-Mont/Cours-Julien. Mar, jeu et sam 8h-13h.* Alimentation, fripes et fleurs, dans l'ordre que vous préférez.

– ***Marché aux puces*** *(hors plan couleur d'ensemble par C1) : av. Cap-Pinède (15e arr.). Bus no 35.* Antiquités et brocante le week-end jusqu'à 19h. N'espérez pas trop trouver la perle rare. Vente de fruits et légumes durant la semaine, sans doute les moins chers de la ville.

– ***Marché du Prado*** *(plan couleur d'ensemble F6) : av. du Prado, côté impair, à partir de la pl. Castellane (6e arr.).* Ⓜ *Castellane. Tlj sf dim 8h-13h.* Alimentation (côté Castellane) mais aussi vêtements. Le vendredi, plantes et fleurs côté impair.

– ***Marché aux poissons*** *(plan couleur d'ensemble D4) : tlj 8h-13h, sur le Vieux-Port, quai des Belges.* Ⓜ *Vieux-Port/Hôtel-de-Ville.* Elle est fraîcheuuuu, ma rascaaasse ! Elle bâille un peu ? C'est qu'elle est fatiguée, peuchère...

– ***Marché des Capucins*** *(plan couleur d'ensemble E4) : pl. des Capucins (1er arr.).* Ⓜ *Noailles. Tlj jusqu'en fin d'ap-m.* Le plus typique et le moins cher du centre. Poissons, fruits, légumes et viande halal.

– ***Marché du Soleil*** *(plan couleur d'ensemble D3) : rue du Bon-Pasteur, à l'angle de la rue Camille-Pelletan (2e arr.).* Ⓜ *Jules-Guesde. Tlj sf lun.* Marché couvert à l'ambiance de souk. Fringues pas chères et produits de là-bas...

– ***Marché place de la Joliette*** *(plan couleur d'ensemble C2)* **:** *lun-mer-ven mat.*

Fêtes et manifestations

Danse, musique, sport, cinéma... Chaque année, les fêtes, foires, festivals et autres manifestations se déclinent à l'infini, témoignant d'un extraordinaire bouillonnement culturel.

Fêtes

– ***Le Carnaval :*** *en avril.* À cette occasion, les chariots thématiques et leurs personnages bigarrés déambulent jusque sur la Canebière.
– ***La Fête de la musique :*** *21 juin.* Les groupes investissent trottoirs, places et devantures de cafés (Castellane, cours d'Estienne-d'Orves, Vieux-Port...).
– ***La Lesbian & Gay Pride :*** *début juillet.* La cité rime avec liberté d'aimer. La *Lesbian & Gay Pride* s'y décline en effet en une longue marche à travers les rues et une soirée de clôture au *Dock des Suds.*
– ***La Fête du vent :*** *en septembre.* Les Marseillais ont rendez-vous sur les plages du Prado pour célébrer le vent et ses ambassadeurs, les cerfs-volants.
– ***La Fiesta des Suds :*** *en octobre.* De son côté, la *Fiesta des Suds* ouvre ses portes au cœur des anciens docks de la ville. Ses soirées thématiques, développées autour des musiques et cultures latines, rencontrent un large succès populaire. Programme sur • *dock-des-suds.org* •

Fêtes de quartier

Bon nombre de quartiers, par le biais d'associations énergiques, organisent des manifestations devenues pérennes. Ainsi, fin juin, la **Fête du Panier** (concerts, danse, théâtre de rue...) ou celle de la ***Saint-Éloi,*** à Château-Gombert, avec son traditionnel défilé de cavaliers.

Foires

Pour le plaisir de flâner, goûter et repartir les bras chargés de beaux objets, ne négligez pas les foires. À citer, parmi les plus courues :
– ***Les Journées des plantes et jardins :*** *en avril et septembre, sur le cours Julien.*
– ***La Foire internationale de Marseille :*** *fin septembre-début octobre.* Un classique de la vie marseillaise, avec ses nombreuses délégations de pays étrangers (artisanat, gastronomie...) au parc des expositions Chanot.
– Enfin, la célèbre ***Foire aux santons :*** *de fin novembre à fin décembre.* C'est la plus ancienne de Provence (200 ans). Outre les illuminations qui parent la Canebière, l'église des Réformés et les allées de Meilhan (attention la foire se tient maintenant sur le bas de la Canebière) où la foire aux santons se tenait depuis sa création, des groupes de musiciens et de danseurs viennent célébrer cet incontournable rendez-vous de Noël (entrée gratuite).

Festivals

Côté festivals, la ville n'est pas en reste.
– ***Festival de B.D. Des Calanques et des Bulles :*** *un week-end début avril. Entrée gratuite.* Dédicaces, expositions, concours, animations pour les enfants... Depuis bientôt 15 ans les élèves d'Euromed Management réunissent les passionnés de B.D. et les familles pour un week-end convivial.
– ***Festival international des Musiques d'aujourd'hui :*** *en mai.* Différents lieux culturels de Marseille (TNM La Criée, église Saint-Laurent...) sont investis pour rendre hommage à la création contemporaine.
– ***Festival de Musique sacrée :*** *de mi-mai à mi-juin.* Il offre au public un répertoire d'œuvres majeures interprétées en l'église Saint-Michel. Autres concerts proposés dans les églises de la ville par le conservatoire de région.
– ***Festival d'Humour de Marseille :*** *rens, dates et réservations : ☎ 04-91-54-95-00 et sur • festival-humour.com •* Ce festival met en scène des humoristes prometteurs ou confirmés (Omar et Fred, Mouss Diouf...). Une trentaine de représentations ainsi que des animations de rue, des apéros-concerts...
– ***Cinestival :*** *en juin.* Une semaine de promotion du cinéma avec de nombreuses avant-premières accessibles,

dans toutes les salles, pour le prix d'un billet *Scoop*. Celui-ci se retire un peu partout en ville et offre une entrée au ciné pour seulement 3,50 €.

– ***Festival de Marseille :*** *en juin-juillet.* Pour la programmation, consulter le site • *festivaldemarseille.com* • Dédié aux arts vivants, à la danse, à la musique et au théâtre, il propose un programme éclectique en des lieux magiques (parc Henri-Fabre, théâtre de la Sucrière...). Le festival de danse, début juillet, propose régulièrement une remarquable programmation !

– ***Musiques à Bagatelle :*** *de fin juin à début juillet.* Concerts classiques et jazz à savourer sous les étoiles (prévoir plaid et siège pliant).

– ***Festival de Jazz des 5 continents :*** *en juillet.* Un sacré festival organisé dans le cadre enchanteur des jardins du palais Longchamp.

– ***Festival Marsatac :*** *fin septembre.* • *marsatac.com* • L'Espace Saint-Jean présente l'essentiel des tendances actuelles (électro, house, hip-hop...).

– ***Festival de Musique à Saint-Victor :*** *de septembre à décembre.* Cher aux mélomanes, il programme, en son abbaye, des concerts de qualité.

POUR LES CINÉPHILES

– ***Cinestival :*** voir la rubrique précédente.

– ***Festival Ciné Plein Air :*** *du début de l'été jusqu'à fin août.* Le rendez-vous des amoureux (et) des projections au clair de lune.

– ***Festival international du Film documentaire :*** *début juillet.* • *fidmarseille.org* • Dédié à la promotion de ce genre de plus en plus prisé, il présente aussi bien documentaires de création que reportages télévisuels ou œuvres vidéo d'artistes contemporains.

POUR LES AMOUREUX DE L'ART CORPOREL

– ***Festival international de Folklore :*** *en juillet, à Château-Gombert.* • *roudelet-felibren.com* • Un festival qui n'a pas pris une ride malgré le temps et les années.

Lieux culturels

– ***Théâtre :*** Marseille se place juste après Paris pour le dynamisme de son activité théâtrale. Les scènes sont nombreuses et variées. Parmi celles-ci, le théâtre national de Marseille, ***La Criée*** (théâtre installé depuis 1981 au 30, quai de Rive-Neuve, dans l'ancien marché aux poissons ; • *theatre-lacriee.com* •), que dirigea Marcel Maréchal et qui est aujourd'hui sous la direction de Macha Makeïeff. Riche programmation. D'autres théâtres marquent le paysage marseillais, comme le ***théâtre du Gymnase.*** Ou encore le *Toursky* et le *Gyptis* (quartier de la Belle-de-Mai), mais aussi le *Cabaret Aléatoire de la Friche,* le *Merlan, Les Bernardines* (17, bd Garibaldi), *La Minoterie* (théâtre de la Joliette, 9-11, rue d'Hozier), le *théâtre de Lenche* (pl. de Lenche, quartier du Panier). Les compagnies sont à l'image de cette effervescence : la compagnie Blaguebolle, Arc-en-Terre, les Bancs Publics, Cartoun Sardines, la Baleine qui dit Vagues...

– ***Danse :*** des chorégraphes et danseurs de renom comme Marius Petipa, Roland Petit et Maurice Béjart (né à Marseille en 1927 et décédé en 2007) ont donné à la ville ses lettres de noblesse dans ce domaine. Aujourd'hui encore, elle reste un haut lieu de la danse en France. Cet élan créatif s'incarne dans le *Ballet national de Marseille,* dirigé par le Belge Frédéric Flamand, et l'*École nationale de danse.* Le public peut accéder, pour une somme modique, à un spectacle de danse dans le grand studio du ballet, transformé pour l'occasion en salle de spectacle, et poursuivre ensuite par une rencontre autour d'un verre, dans la cafétéria du BNM. Pour en savoir plus : • *ballet-de-marseille.com* •

– Et l'un des derniers-nés des espaces culturels marseillais se trouve dans la ***Station Alexandre*** (bd Charles-Moretti dans le 14e arr.) : un espace original au nord des docks qui abrite, dans l'ancienne gare de triage d'une huilerie du début du XXe s, entreprises, crèche, commerces et activités culturelles (concerts, lectures, spectacles vivants...). • *station-alexandre.org* •

Manifestations sportives

Pour une envie de se remuer les gambettes, une multitude de manifesta-

tions sportives trouvent elles aussi leur place dans la cité phocéenne :
– ***Open 13 de tennis :*** *en février.* ● *open13.fr* ● Les meilleurs tennismen du moment réunis dans un décor thématique renouvelé chaque année. Un rendez-vous sportif qui allie sport et convivialité.
– ***Les Voiles du Vieux-Port :*** *4 jours en juin.* ● *lesvoilesduvieuxport.com* ● Une quarantaine de voiliers de tradition animent la « scène » du Lacydon.
– ***Mondial de pétanque / La Marseillaise :*** *en juillet.* ● *lamarseillaise.fr* ● Créé par Paul Ricard en 1962, il est devenu le « Roland-Garros des boules ».
– ***Joutes provençales de L'Estaque :*** *en août.* ● *joutespaca.fr* ●
– ***Juris Cup (voile) :*** *en septembre.*
– ***Septembre en mer :*** *de fin août à début octobre, de La Ciotat à Martigues. Rens et programme : ☎ 04-91-90-93-93 ou* ● *officedelamer.com* ● Un événement proposé depuis 1999 par l'Office de la mer, qui imprègne l'ensemble du bassin autour d'une centaine de manifestations en tout genre (pêche au gros, régates, etc.).
– ***Semi-marathon Marseille-Cassis :*** *en octobre.* ● *marseille-cassis.com* ● Pour vous mesurer à des champions de la course à pied, n'hésitez pas à vous inscrire, vous reviendrez flapi mais bougrement fier !

MARSEILLE

Où dormir ?

Pour les petits budgets, on compte deux auberges de jeunesse et quelques hôtels bon marché dans les quartiers populaires du centre, même si la rénovation gagne du terrain. Pour les budgets moyens, nous avons sélectionné quelques adresses appréciées pour leur calme, leur vue, leur accueil, leur atmosphère, et d'autres pour leur côté pratique ou économique. Reste les catégories « chic » et « plus chic ». D'une part, on trouve quelques belles chambres d'hôtes de charme en ville et dans les quartiers résidentiels, parfois même avec vue sur la mer. D'autre part, Marseille regorge d'hôtels confortables, de chaîne ou indépendants, jouant la carte design, bien souvent. Évidemment, autour du Vieux-Port, ceux-ci sont plutôt chers et le prix demandé n'est pas toujours justifié. Mais les offres de dernière minute, sur Internet, peuvent vous réserver de très jolies surprises...
Voir également l'offre week-end mise en place par l'office de tourisme, « L'Échappée belle » : deux jours, une nuit, City Pass compris, à partir de 60 € par personne. Réserver sur ● *marseille-tourisme.com* ● en donnant le code « Échappée belle » à l'hôtelier pour obtenir un pass à son nom.
Enfin, ceux qui préfèrent à l'hôtel une location meublée peuvent s'adresser au réseau ***Home Marseille,*** qui propose studios, apparts et villas disséminés dans toute la ville *(☎ 04-84-26-77-61 ou 📱 06-60-91-44-45.* ● *homemarseille.com* ●*). Compter 75 € pour 2 en studio ; 85 €/nuit pour 5 pers.*

Auberges de jeunesse

Auberge de jeunesse de Bois-Luzy *(hors plan couleur d'ensemble par G3) :* *château de Bois-Luzy, allée des Primevères, 13012. ☎ et fax : 04-91-49-06-18.* ● *fuaj.org* ● *Dans le nord-est de la ville, à env 5 km du centre. De la gare Saint-Charles, prendre le métro direction La Rose (ligne n° 1) et descendre à la station Chartreux ; de là, prendre le bus n° 6 (arrêt Marius-Py) ou le bus n° 8 (arrêt Bois-Luzy). Tlj, mais fermé 12h-17h ; ouv jusqu'à 22h30 (23h30 en saison). Fermé pour les fêtes de fin d'année. Carte d'adhésion obligatoire (16 € ; 11 € pour les moins de 26 ans). Compter 13 €/pers en dortoir et 15,10 € en double. Petit déj 3,60 €.* Une belle bastide construite en 1850, avec un hall impressionnant que dominent deux coursives. Au total, 92 lits en chambres de 2 à 8 lits. Magnifique point de vue sur la mer et sur la Bonne Mère, surtout au coucher du soleil, et même depuis certaines chambres. Celles-ci sont un peu anciennes mais propres. Cuisine à disposition. Pour les contemplatifs, car le secteur est très calme.

Auberge de jeunesse de Bonneveine *(plan Marseille – Les plages, J9, **168**) : impasse du Docteur-Bonfils, 13008. ☎ 04-91-17-63-30.* ● *accueil@*

ajmarseille.org • ajmarseille.org • Bus n° 44 (arrêt Place-Bonnefon). Tlj 7h-1h sf pdt les repas. Fermé de mi-déc à mi-janv. Parking gratuit. Carte d'adhésion obligatoire (en vente sur place). Compter 20,40 €/pers en dortoir, 23,60 € en chambre double avec lavabo, draps et petit déj compris. Internet et wifi. Une auberge moderne, sans grand charme mais pas loin de la plage, dans un quartier tranquille. En tout, 150 lits dans des dortoirs non mixtes de 3 à 6 lits, et des chambres doubles. Consignes à bagages et coffres individuels. Terrasse, accès billards, distributeurs alimentaires et snack pour les petites faims. Micro-ondes à dispo, mais pas de cuisine. Veilleur de nuit et vidéosurveillance. Organise également un tour de ville et des balades en canoë-kayak, notamment dans les calanques. Bonne ambiance.

Quartiers du Vieux-Port, de l'Opéra et du Panier

Prix moyens

Hôtel Relax *(plan couleur centre 1, D5, **18**) : 4, rue Corneille, 13001. ☎ 04-91-33-15-87. • hotelrelax@free.fr • hotelrelax.fr • Ⓜ Vieux-Port/Hôtel-de-Ville. Ouv tte l'année. Doubles 60-65 €. Triple 75 €. Internet et wifi. Apéritif maison et café offerts sur présentation de ce guide.* Carrément sur la place de l'Opéra, ce petit hôtel à l'ancienne s'est mis à niveau sans remiser au placard sa déco datée (tapisserie et couvre-lits à fleurs) ni ses espaces communs d'un kitsch absolu. Certaines chambres donnent sur le bel édifice, d'autres sur un mur... Dommage qu'elles soient petites – même remarque pour le coin réservé au petit déj (bon et copieux, au demeurant). Certains lits sont en 120 seulement. Selon le prix, la salle de bains est séparée de la chambre ou pas. Double vitrage côté rue, clim, TV, frigo et de bonnes douches. Accueil authentique.

La Maison du Petit Canard *(plan couleur centre 1, C3, **25**) : 48, impasse Sainte-Françoise. ☎ 04-91-91-40-31 ou 📱 06-17-80-45-43. • maison.petit.canard.free.fr • Ⓜ Colbert/Hôtel-de-la-Région ou Tram 2 Sadi-Carnot. Compter 60 € pour 2, 70 € pour 3 et 80 € pour 4.* Au cœur du Panier, derrière une façade mangée par le lierre, 4 petits studios colorés, équipés pour 2 à 4 personnes (mezzanine dans certains), avec salle d'eau et coin cuisine. Le beau petit déj se prend juste à côté, dans la courette fleurie et hétéroclite de la maison du maître des lieux, peintre à ses heures perdues.

Etap Hotel Marseille Vieux-Port *(plan couleur centre 1, D5, **13**) : 46, rue Sainte, 13001. ☎ 0892-680-582 (0,34 €/mn). • etaphotel.com • h2575@accor.com • Ⓜ Vieux-Port/Hôtel-de-Ville. ♿ Doubles env 47 € (via Internet slt)-71 € selon saison. Arrivée possible 24h/24. Paiement de la chambre à l'arrivée. Parking payant, fermé la nuit (9 €). Consignes à bagages. Wifi.* Hôtel fonctionnel, aux chambres climatisées et insonorisées, avec TV et grand lit doublé d'un lit superposé. Sans charme mais à prix doux, très propre, pratique et bien situé. Préférer les chambres du bâtiment ancien ou celles donnant côté port ou sur la place piétonne. On y trouve souvent de la place (147 chambres). Également des chambres familiales (jusqu'à 5 personnes). Petit déj d'un bon rapport qualité-prix.

Appartement d'hôtes l'Atelier du Vieux-Port *(plan couleur centre 1, D5, **36**) : 10, cours Jean-Ballard. ☎ 09-52-19-99-77 ou 📱 06-30-29-19-37. • atelierduvieuxport.com • Ⓜ Vieux-Port/Hôtel-de-Ville. Compter 70 € la nuit pour 2 (3 nuits min). Petit appartement lumineux d'un seul volume, perché à 50 m du port, au 5e et dernier étage d'un immeuble sans ascenseur.* Rénové sans y perdre son cachet, cet ancien atelier du peintre Raymond Fraggi (1902-1976), le grand-père des proprios actuels, vaut tout de même la grimpette. Tomettes à l'ancienne, poutres en mâts de bateau, meubles en bois, tableaux de l'artiste aux murs et, côté confort, une cuisine bien équipée. Pas de clim, il y fait donc chaud l'été, même si l'appart est traversant.

Hôtel Hermès *(plan couleur centre 1, D4, **12**) : 2, rue Bonneterie, 13002. ☎ 04-96-11-63-63. • hotel.hermes@*

orange.fr • hotelmarseille.com • Ⓜ Vieux-Port/Hôtel-de-Ville. Doubles 50-92 € selon confort. Tarif réduit au parking Hôtel-de-Ville. Internet et wifi. À partir de 81 €, on jouit d'une vue latérale sur le port, avec terrasse pour 10 € de plus. Un hôtel stratégiquement situé juste derrière le Vieux-Port, et c'est là son principal atout. Les chambres sont banales, étroites (les moins chères, donnant sur l'arrière, sont vraiment étriquées) mais fonctionnelles, bien tenues, climatisées et insonorisées. Sur le toit, la chambre nuptiale (plus chère) embrasse tout le panorama, jusqu'à la Bonne Mère. On peut monter son plateau du petit déj jusqu'à la terrasse du dernier étage, avec vue panoramique sur le Vieux-Port. Ça claque ! Accueil sympa.

Chic

■ ***Maison d'hôtes Au Vieux Panier*** *(plan couleur centre 1, C4, **37**) : 13, rue du Panier, 13002. ☎ 04-91-91-23-72. 📱 06-32-19-90-05. • jess@auvieuxpanier.com • auvieuxpanier.com • Ⓜ Vieux-Port/Canebière. Doubles 90-120 € suivant taille. Résa très conseillée.* Au cœur du Panier, dans une maison du XVIIe s, cinq adorables chambres d'hôtes décorées et arrangées de façon artistique et insolite. Ces chambres sont en fait des œuvres d'art, qui changent de tenue – des meubles à la déco – chaque année, selon l'artiste invité. À chaque créateur sa piaule donc, et tout est à vendre. Les couloirs servent aussi de galerie, des murs vous aimantent... Couleurs triomphantes, espaces lumineux, superbe terrasse dominant la forêt des toits et la cathédrale de la Major, élégance, charme et raffinement... Une adresse exceptionnelle. Copieux petit déjeuner-buffet en prime.

■ ***Hôtel Saint-Ferréol*** *(plan couleur d'ensemble E4-5, **26**) : 19, rue Pisançon, 13001. ☎ 04-91-33-12-21. • reservation@hotel-stferreol.com • hotel-stferreol.com • Ⓜ Vieux-Port/Hôtel-de-Ville ou Notre-Dame-du-Mont/Cours-Julien. Doubles 90-105 € selon confort et saison. Internet et wifi.* Posté non loin du Vieux-Port et à l'angle de la rue Saint-Ferréol, l'une des rues piétonnes les plus commerçantes de la ville, cet hôtel rénové propose des chambres raffinées et confortables, plus ou moins grandes selon le prix (idem pour la taille du lit), avec double vitrage ou doubles fenêtres, clim et TV (TPS). Déco étudiée, notamment le mobilier et le coin bureau. Accueil aimable et efficace.

■ ***Hôtel Alizé Vieux-Port*** *(plan couleur centre 1, D4, **10**) : 35, quai des Belges, 13001. ☎ 04-91-33-66-97. • alize-hotel@wanadoo.fr • alize-hotel.com • Ⓜ Vieux-Port/Hôtel-de-Ville. Doubles 79-98 € selon vue (plus cher le w-e). Internet et wifi. Un petit déj/chambre et par nuit sur présentation de ce guide (le préciser à la résa).* Idéalement placé et souvent complet. Chambres banales, pas très grandes mais climatisées et insonorisées, avec TV (Canal Satellite). Salles de bains entièrement refaites. Certaines chambres, les plus grandes, donnent sur le Vieux-Port ; les autres, avec leur fenêtre en verre dépoli donnent sur un mur et sont assez sombres. Accueil aimable.

Plus chic

■ ***Hôtel Océania*** *(plan couleur centre 1, D4, **14**) : 5, La Canebière, 13001. ☎ 04-91-90-61-61. • escaleoceania.marseille@oceaniahotels.com • oceaniahotels.com • Doubles 99-160 € suivant saison.* On ne peut guère être mieux placé ! Bel immeuble haussmannien joliment rénové. Chambres spacieuses tout confort : clim, double vitrage, sèche-cheveux, sanitaires séparés, TV écran plat, satellite, wifi, etc. Certaines avec vue directe sur le vieux port. Agréable décor contemporain. Beau petit déjeuner-buffet servi sous une verrière du XIXe s. Accueil souriant et pro.

■ |●| ***Hôtel La Résidence du Vieux-Port*** *(plan couleur centre 1, D4, **16**) : 18, quai du Port, 13002. ☎ 04-91-91-91-22. • info@hrvpm.com • hotel-residence-marseille.com • Ⓜ Vieux-Port/Hôtel-de-Ville. Doubles avec clim et TV 180-290 €. Parking Jules-Verne, derrière l'hôtel de ville (9 € pour 24h). Internet et wifi.* Un hôtel de luxe, entièrement rénové, idéalement situé pour découvrir la ville. Pleines de couleurs, un peu vintage, d'un excellent niveau de confort (moquette moelleuse, grande salle d'eau, lits douillets...), les chambres s'ouvrent sur un balcon-terrasse dominant le Vieux-Port, avec vue sur Notre-Dame-de-la-Garde. Waouw ! Accueil agréable et bon petit déj buffet. Au rez-de-chaussée, un resto gastronomique, *Le Relais 50.*

New Hotel Vieux-Port *(plan couleur centre 1, D4,* ***15****) : 3 bis, rue Reine-Élisabeth, 13001. ☎ 04-91-99-23-23. • marseillevieux-port@new-hotel.com • new-hotel.com • Ⓜ Vieux-Port/Hôtel-de-Ville. Au début de la zone piétonne. Doubles 90-180 €. Wifi.* Hôtel de bon confort, entièrement rénové, à deux pas du Vieux-Port. La décoration est une invitation à un voyage, ô combien confortable, dans les pays du Sud, avec une pointe de nostalgie pour le temps des colonies (Pondichéry, Veracruz...). Les chambres standard ne sont pas très grandes et n'ont pas de vue sur le port. Préférez donc les supérieures ou, mieux encore, celles avec terrasse si vous pouvez vous les offrir.

Autour de La Canebière

Bon marché

Marseille Autrement *(plan couleur d'ensemble, E4,* ***34****) : 73-75, La Canebière. ☎ 04-91-71-17-78 ou 📱 06-81-11-29-29 (Marianne Ruelle). • marseille-autrement.fr • Ⓜ Noailles. Compter 15-25 €/pers selon nombre de personnes, plus 10 € pour l'adhésion à l'association.* Dans un vilain immeuble de béton des années 1950, un appart façon gîte, meublé chez les Suédois, équipé de vaisselle de récup'. Géré par l'association Marseille Autrement, il peut loger jusqu'à 9 personnes et se divise en deux parties, chacune avec son espace cuisine, sa douche et ses w-c. De quoi faire connaissance, il faut traverser le premier studio (salut voisin !) pour rejoindre le second espace, plus grand (2 chambres), qui profite de la terrasse. Les cloisons ont été clouées vite fait, on fait soi-même le ménage... Bref, on ne vient pas ici pour le charme, mais plutôt pour le prix, et le côté pratique (la gare n'est pas loin) et convivial. Enfin, l'asso organise tous les week-ends des randos guidées (Marseille et environs ; voir plus haut dans « Adresses et infos utiles »)

De chic à plus chic

Hôtel Saint-Louis *(plan couleur d'ensemble E4,* ***23****) : 2, rue des Récollettes (cours Saint-Louis), 13001. ☎ 04-91-54-02-74. • info@hotel-st-louis.com • hotel-st-louis.com • Ⓜ Noailles ou Vieux-Port/Hôtel-de-Ville. Ouv 24h/24. Doubles 72-79 € selon confort. Wifi. 10 % sur le prix de la chambre sur présentation de ce guide.* Au cœur du quartier populaire de la rue d'Aubagne. Derrière sa belle façade néoclassique, une petite adresse qui a effectué quelques efforts de rénovation (surtout les salles de bains). Chambres sans charme particulier avec TV, double vitrage et téléphone. Clim bienvenue. Certaines parties communes (escalier, couloirs) demeurent cependant vieillottes. Quelques familiales et 3 chambres avec coin salon.

Hôtel Azur *(plan couleur d'ensemble F4,* ***24****) : 24, cours Franklin-Roosevelt, 13001. ☎ 04-91-42-74-38. • azur.hotel@wanadoo.fr • azur-hotel.fr • Ⓜ et Ⓣ Réformés/Canebière. Dans le prolongement de la Canebière, derrière l'église des Réformés. Doubles avec douche ou bains 69-85 € selon taille ; familiale 110 €. Wifi.* Maison de ville dans une rue relativement calme et pentue. Chambres rénovées, colorées, avec AC pour la plupart, téléphone, TV plasma (TNT). Demandez-en une côté cour-jardin ; elles sont évidemment très agréables. Également des chambres familiales pour 4. Le petit déj se prend dans la cour verdoyante, étagée sur plusieurs niveaux.

Le Ryad *(plan couleur centre 2, E-F4,* ***19****) : 16, rue Sénac-de-Meihlan, 13001. ☎ 04-91-47-74-54. • contact@leryad.fr • leryad.fr • Ⓜ Noailles. Doubles avec douche ou bains 95-170 € (suite pour 4 pers). Table d'hôtes 35 € sur résa (le soir jeu-sam). Wifi.* Une délicieuse surprise. Poussez la porte. Déco léchée au goût d'aujourd'hui et ancien en l'état, soleil qui joue sur les vitres, jardin étonnant pour rajouter à l'impression de voyage. Du blanc, du sobre.

Musique d'ambiance. Une minisuite rouge et gris, un coin lecture ou enfants. Malin. Quant à la petite chambre sous les toits, avec une petite terrasse et vue sur Notre-Dame-de-la-Garde, on craque. Pas la plus chère, d'ailleurs. Beaux petits déjeuners (crêpes marocaines, jus, fruits de saison, tartines ou viennoiseries)... et salon de thé (tlj 14h-18h).

Quartiers de la Préfecture et de Castellane

Prix moyens

Hôtel Lutia *(plan couleur d'ensemble F6,* ***29****) : 31, av. du Prado, 13006. ☎ 04-91-17-71-40. • hotelutia.com • Ⓜ Castellane. Doubles 58-68 € selon taille et confort (les moins chères ont les w-c sur le palier) ; familiale 94 €. Wifi.* Sur la grande avenue du Prado, côté centre-ville. Le secteur est un peu bruyant mais les fenêtres ont un double vitrage. Chambres récemment rénovées, couleurs tapenade aux deux olives. Toutes avec TV (TPS et Canal +), brasseur d'air et frigo. Les deux du dernier étage jettent un œil sur la Bonne Mère. Accueil très sympa même si, ici, on paie d'avance.

De prix moyens à chic

B & B Romain Pascal *(plan couleur d'ensemble E6,* ***33****) : 33, rue Falque, 13006. 📱 06-77-94-34-50. • contact@bnbromainpascal.com • bnbromainpascal.com • Ⓜ Castellane. Doubles 63-83 € ; apparts 85-125 € pour 2-4 pers (min 2 nuits). Parking payant. Wifi. Pastis offert à l'arrivée.* Fait partie du réseau Gay Provence. Une seule chambre, avec salle de bains à partager avec les proprios, dans un appartement bien décoré. Jolie terrasse. 3 autres chambres d'hôtes dans un bel immeuble à 100 m de là. Sinon, Romain, très sympa, vous propose aussi 4 apparts équipés et meublés avec une déco follement design, dont 2 dans son immeuble et un sur le Vieux-Port. Bref, largement de quoi satisfaire tous les budgets et les goûts !

Hôtel Edmond-Rostand *(plan couleur d'ensemble E5-6,* ***21****) : 31, rue Dragon, 13006. ☎ 04-91-37-74-95. • info@hoteledmondrostand.com • hoteledmondrostand.com • Ⓜ Castellane ou Estrangin/Préfecture. Entre la pl. Castellane et la préfecture, à l'angle de la rue Edmond-Rostand. Ouv tte l'année. Doubles 80-90 €. Internet et wifi.* Un petit hôtel moderne, dans une rue tranquille, non loin de la maison natale d'Edmond Rostand. 15 chambres climatisées et insonorisées sur 4 niveaux, accessibles par un ascenseur (sauf pour le 4e). Celles du 4e étage sont mansardées. À la fois central et calme, l'ensemble est coloré et confortable. Petit déj-buffet d'un bon rapport qualité-prix.

Plus chic

Hôtel du Palais *(plan couleur d'ensemble D5,* ***28****) : 26, rue Breteuil, 13006. ☎ 04-91-37-78-86. • hoteldupalais13@wanadoo.fr • hotel-palais-marseille.com • Ⓜ Estrangin/Préfecture. Doubles avec TV et clim 98-138 €. Wifi.* Un petit hôtel gentiment chic, bien placé, avec tout le confort souhaité aussi bien par les hommes d'affaires que par les amateurs d'atmosphère, les nostalgiques des maisons bourgeoises d'antan. Grandes chambres pouvant accueillir 4 personnes.

Quartiers de la gare Saint-Charles et de Belsunce

De bon marché à prix moyens

Hôtel Vertigo *(plan couleur d'ensemble E3,* ***11****) : 42, rue des Petites-Maries, 13001. ☎ 04-91-91-07-11. • contact@hotelvertigo.fr • hotelvertigo.fr • Ⓜ Gare-Saint-Charles. Compter 25-27 €/pers en chambre de 4-6 pers (serviette en plus) ; doubles 60-70 €. Internet et wifi.* Une très bonne surprise que cet hôtel d'à peine 20 chambres ouvert par 3 amis à deux pas de la gare. Il s'agit presque d'une auberge de jeunesse, d'ailleurs les routards du monde entier ne s'y sont pas trompés, atmosphère conviviale garantie ! On peut aussi bien y dormir dans un petit dortoir de 4 ou 6 lits (il y a alors 2 douches) qu'en chambre double avec salle de bains privée. Deux de ces chambres, appelées « cabanon », ont été aménagées dans la petite cour. Elles ne sont pas très lumineuses mais bien arrangées. Le top, la chambre avec une petite terrasse. Bref, il y en a pour toutes les bourses ! Un cadre extra à tous les niveaux : côté déco, on s'inspire des années 1970 (l'un des associés est ancien décorateur pour le cinéma, ça aide !). Jolie petite cour bien arrangée, où prendre son petit déj par exemple. Beaucoup de couleur partout. Cuisine à disposition, attenante au cosy petit salon. Également un bar. Un coup de cœur dans sa catégorie ! Et comme ce coup de cœur semble être partagé par beaucoup, la fine équipe a ouvert un ***second hôtel,*** *au 38, rue Fort-Notre-Dame (☎ 04-91-54-42-85), vers le Vieux-Port (plan couleur centre 1, D5,* ***38****) qui abrite des chambres de 2-6 pers, 25-27 €/pers en saison, petit déj inclus.*

Chambre d'hôtes chez Marie Botella *(plan couleur d'ensemble F3,* ***30****) : 17, pl. Alexandre-Labadié, 13001. ☎ 04-91-62-95-72. 06-63-45-60-18. • mariebotella@free.fr • marseille-hotes.org • Ⓜ Réformés/Canebière. Double 70 €. Wifi. Café offert sur présentation de ce guide.* Entre la gare Saint-Charles et la Canebière, au 3e étage d'un immeuble 1930 donnant sur une agréable rotonde arborée dont les immeubles épousent la belle courbe. Une seule chambre mais charmante, avec une grande salle de bains. Si elle n'est pas libre, la fille de Mme Botella en loue également une non loin de là, sur le boulevard d'Athènes.

Chic

Pension Edelweiss *(plan couleur d'ensemble E3,* ***35****) : 6, rue Lafayette. ☎ 09-51-23-35-11. • info@pension-edelweiss.fr • pension-edelweiss.fr • Ⓜ Gare-Saint-Charles. Tte l'année. Doubles avec clim et TV 75-90 €.* On grimpe l'escalier en bois brut de ce bel appartement de ville rénové sans y perdre son âme, jusqu'à atteindre les 4 grandes chambres au charme rétro, avec salle de bains privée. Les deux moins chères donnent côté rue, les autres côté cour, la plus grande – et la plus chère bien sûr – s'ouvrant sur une jolie terrasse. Un vrai nid cosy et sympa, à deux pas de la gare.

Quartiers du Stade-Vélodrome et du Prado

Chic

Hôtel Le Corbusier *(plan Marseille – Les plages, K9,* ***169****) : dans la Cité radieuse de Le Corbusier, 280, bd Michelet, 13008. ☎ 04-91-16-78-00. • albange@club-internet.fr • hotellecorbusier.com • Ⓜ Rond-Point-du-Prado. Bus no 21. Fermé 3 sem en août. Doubles 69-124 € selon confort. Wifi. Café offert sur présentation de ce guide.* Bienvenue dans un hôtel original et historique tout à la fois (voir « Marseille côté plages »). Si les chambres les moins chères (avec w-c communs pour 2 d'entre elles) sont monacales, les plus grandes, comme les studios, font 32 m^2 et profitent d'une vue lointaine sur la mer. On vous recommande la no 24 pour sa grande baie vitrée. Dormir ici est une expérience quasi culturelle. Petite précision tout de même : Le Corbusier n'a jamais meublé les appartements ni l'hôtel. Comme pour les résidents, accès gratuit au tennis, à la salle de gym, à la pataugeoire ! Enfin, l'hôtel fait aussi bar à vins et restaurant gastronomique (voir « Où manger sur le pouce ? Où boire un verre ? »).

Villa Monticelli *(plan Marseille – Les plages, J8,* ***172****) : 96, rue du Commandant-Rolland, 13008. ☎ 04-91-22-15-20. • contact@villamonticelli.com • villamonticelli.com • Ⓜ Rond-Point-du-Prado. Dans le quartier résidentiel du Prado. Double 100 € ; 90 € à partir de la 2e nuit. Parking intérieur fermé. Internet et wifi.* Dans une villa d'inspiration toscane, 5 chambres aux couleurs chaudes, confortables et toujours vastes, même si leur taille varie. Salle de bains, clim, insonorisation et bonne literie. Accès à une cuisine entièrement équipée. Coin salon garni de beaux livres sur

MARSEILLE

Marseille. Petite terrasse pour le petit déj, jardinet. Si le calme est indéniable, on est en revanche un peu loin de tout. Bon accueil.

Vers la Corniche, les plages et les calanques

De prix moyens à chic

Hôtel Péron *(plan couleur d'ensemble A6, **20**) : 119, corniche Kennedy, 13007. ☎ 04-91-31-01-41. • hotel-peron@wanadoo.fr • hotel-peron.com • Bus n° 83 depuis le Vieux-Port (arrêt Corniche-Frégier). Fermé quelques j. autour de Noël. Doubles 82-90 €. Wifi. Réduc de 10 % sur le prix de la chambre sur présentation de ce guide.* Un hôtel hors du temps, qui plaira aux nostalgiques du Marseille de Scotto : fresques murales assez kitsch en plâtre moulé, poissons et fruits de mer en céramique dans les salles de bains... Délicieusement désuet. Un hôtel familial, et c'est peu dire, on y croise toute la smala, du petit dernier à la grand-mère. Il appartient d'ailleurs à la même famille depuis 4 générations. Bon, évidemment, on est au bord de la route, ce qui gâche un peu la vue côté mer, mais l'ensemble est bien insonorisé.

Villa Valflor *(plan Marseille – Les plages, J10, **175**) : 13, bd Molinari, 13008. ☎ 04-91-72-03-54. • villa-valflor@wanadoo.fr • villavalflor.com • Bus n° 19 depuis le rond-point du Prado. Doubles 79-99 €, petit déj inclus ; également un gîte pour 13 pers. Wifi.* À deux pas des plages, 5 chambres d'hôtes dans une bastide du XIXe s qui fut sans doute la propriété de la famille Molinari, spécialisée dans le poisson et la... quincaillerie. La propriétaire, qui en a hérité, a su en faire une maison agréable à vivre, avec un joli jardin (palmiers, fontaine, terrasse et véranda pour le petit déj) et une déco d'inspiration italienne, peut-être un peu pompeuse. Les chambres, à l'étage, tout aussi soignées, sont de tailles différentes mais spacieuses et lumineuses (l'une d'elles peut accueillir 4 personnes). Enfin, dans le jardin, *un studio indépendant de 40 m² équipé pour 4 pers/sem (650 €).*

Hôtel Le Richelieu *(plan couleur d'ensemble A5, **27**) : 52, corniche Kennedy, 13007. ☎ 04-91-31-01-92. • hotelmer@club-internet.fr • lerichelieu-marseille.com • Bus n° 83 depuis le Vieux-Port (arrêt Catalans). Doubles avec TV et coffre 63-109 € selon confort, vue et saison ; suites 111-127 €. Internet et wifi. 10 % de réduc sur le prix de la chambre en basse saison offerts sur présentation de ce guide.* Un hôtel familial, vraiment les pieds dans l'eau, pour passer des vacances à la plage en pleine ville. Rénovées de façon un peu artisanale (lits un peu mous), les chambres restent tout de même gaies. Si vous en voulez une avec balcon et vue sur la mer en été, il faudra y mettre le prix. En contrepartie, beau panorama sur les îles du Frioul. Côté rue, heureusement qu'il y a un double vitrage car l'hôtel borde la corniche. Jolie terrasse commune pour prendre son petit déj (assez moyen) en surplomb de la mer. La petite plage des Catalans est juste en contrebas.

Plus chic

Hôtel Mariette Pacha *(plan couleur d'ensemble B6, **17**) : 5, pl. du 4-Septembre, 13007. ☎ 04-91-52-30-77. • hotelmariettepacha@wanadoo.fr • mariettepacha.fr • Bus n° 83 depuis le Vieux-Port. Ouv tte l'année. Doubles et familiales 87-120 €. Wifi.* Son nom fut celui d'un égyptologue puis d'un paquebot dont l'équipage faisait régulièrement escale ici. Aujourd'hui, l'hôtel a été entièrement rénové par un couple dynamique qui a eu la riche idée de le décorer avec des œuvres signées par des « peintres du soleil », tels Quilaci ou Farel. Les chambres, cossues, meublées à l'ancienne façon maison bourgeoise, sont climatisées et insonorisées. Côté environnement en revanche, on a connu plus bucolique. Le boulevard au pied de l'hôtel fait grise mine...

Bastide du Roucas *(plan Marseille – Les plages, I7, **176**) : 5, rue Étienne-Mein, 13007. ☎ 04-91-31-79-83. • labastideduroucas@orange.fr • bastideroucas.com • Bus n° 61 ou 73. Doubles*

85-140 € selon nombre de pers. Parking intérieur. Wifi. Dans le joli quartier du Roucas, avec ses lacis de ruelles grimpantes et ses points de vue sur la corniche. Belle bastide du XIXe s, ancienne procure des Pères du Saint-Esprit. Ils avaient bon goût, les Pères ! Superbement rénovée, avec piscine, joli jardin et vue sur la mer, elle abrite 2 chambres raffinées, chacune avec son cabinet de toilette, qui peuvent être louées ensemble si les gens se connaissent. Accès indépendant. Bon accueil.

New Hotel Bompard *(plan Marseille – Les plages, I7,* ***174****) : 2, rue des Flots-Bleus, 13007. ☎ 04-91-99-22-22. • marseillebompard@new-hotel.com • new-hotel.com • Suivre la corniche Kennedy, tourner à gauche juste avt le resto* Le Ruhl *; ensuite, c'est fléché. Fermé nov-mars. Doubles 110-180 € selon saison et vue (rue ou jardin). Beau petit déj servi dans le jardin fleuri. Internet.* Sur les hauteurs de la corniche, au milieu d'un grand jardin planté d'acacias et de palmiers, un ensemble hôtelier comptant un bâtiment ancien rénové, et une annexe de luxe aux chambres provençales, *Le Mas des Genêts.* Calme absolu donc, sauf peut-être pour les chambres qui donnent sur le parking privé (gratuit, c'est déjà ça) ! Pas très grandes, les chambres sont en revanche sobres et élégantes, avec pour certaines une terrasse ou un balcon. Éviter celles du rez-de-chaussée, trop sombres. Piscine bleu marine, resto. Accueil pro.

Où manger ?

Profitez du fait que Marseille reste avant tout une ville ouverte sur le monde pour goûter à la cuisine de tous les exilés venus un jour poser ici leurs bagages. À Marseille, le bonheur vous attend si vous savez déjouer les pièges à touristes. Il existe ici plein de petits restos populaires et bon marché : cantines de quartier et orientales foisonnent dans le centre-ville. Mais il ne faut pas oublier les *pizze* ! Car si elle vient d'Italie, la pizza a pourtant fait de Marseille une de ses capitales. On vous indique plus loin d'authentiques pizzerias utilisant le four à bois (les vraies !) où les Marseillais commandent « la pizze moit-moit » accompagnée d'un petit vin de Provence. N'oubliez pas non plus les pieds et paquets ni les spécialités plus chères mais qui méritent le détour : la bouillabaisse, bien sûr, et le poisson sous toutes ses formes.

Quant à la vraie cuisine provençale, c'est plutôt dans l'arrière-pays que vous la découvrirez. Au fait, n'oubliez pas les restos des calanques indiqués plus loin dans « Les calanques, de Marseille à Cassis ». Attention, beaucoup d'adresses sont fermées le dimanche soir.

Quartiers du Vieux-Port, du Panier et de la République

Très bon marché

Le Panier gourmand *(plan couleur centre 1, C4,* ***62****) : 5, rue Four-du-Chapitre, 13002. ☎ 04-91-90-95-11 et 08-99-23-11-90. Ouv lun-ven midi slt (et sam-dim en juil-août). Menu 6 € (entrée, plat, dessert et quart de vin !).* Le couloir à côté de la sandwicherie en devanture mène à une petite salle décorée de fresques marseillaises sur toile de verre, où le patron et sa famille, très sympas, cuisinent maison pour des clients maison « avé l'assent ». Également une petite carte à prix doux.

De bon marché à prix moyens

Bobolivo *(plan couleur centre 1, C4,* ***89****) : 29, rue Caisserie, 13002. ☎ 04-91-31-38-21. Ⓜ Vieux-Port/Hôtel-de-Ville. T2 arrêt Sadi-Carnot. Tlj midi et soir 23h sf dim soir et lun. Plats 14-18 €.* Une espèce de décor de théâtre patiné où l'on se sent de suite bien, un chaleureux accueil d'une équipe jeune qui se prend pas la tête, une cuisine de bistrot sincère, goûteuse, servie généreusement, voilà les ingrédients d'un succès mérité. Bons produits, sens des épices, simplicité... Ça donne une daurade royale d'une belle fraîcheur à la cuisson top, d'authentiques burgers, une délicieuse souris d'agneau au miel ou un tartare coupé au couteau... Plus des planches fromage-charcuterie à 10 €. C'est pas le tout, mais on y retourne !

|●| ***Au Bout du Quai*** *(plan couleur centre 1, C4,* ***92****) : 1, av. Saint-Jean, 13002. ☎ 04-91-99-53-36. 📱 06-86-52-16-96. Tlj sf lun midi et soir 22h30 (plus tard suivant fréquentation).* Assez éloigné du tintamarre touristique du quai, voici une très intéressante adresse. Dans un cadre contemporain plaisant, ouvert, aéré, dans des tons apaisants gris et rouge, une belle cuisine méditerranéenne pleine de fraîcheur à des prix raisonnables : poulpe de roche, tartare de daurade royale, pieds et paquets façon Mamie, tendre pièce du boucher (15 €). Ça chante dans les assiettes en de copieuses portions... Clientèle de potes et de familles que le volubile patron va saluer chaleureusement. Tous les dimanches soir, excellent jazz manouche, un jeudi sur deux musique brésilienne (réserver !).

|●| ***La Virgule*** *(plan couleur centre 1, C4,* ***58****) : 27, rue de la Loge, 13002. ☎ 04-91-90-91-11. • lavirgule.marseille@free.fr • Ⓜ Joliette. Fermé dim soir et lun en été, sinon slt le soir lun et j. fériés. Formule déj 19 € mar-ven ; menu 25 € ; carte 37 €. Wifi. Café offert sur présentation de ce guide.* Lumineux et moderne, le resto est pour ainsi dire sur le Vieux-Port, mais avec une terrasse bien au calme. Quelques photos macro d'orange et de fraise viennent colorer le décor moderne et lumineux et mettre l'eau à la bouche. Une carte courte et inventive, du cabillaud purée de lentilles au foie gras poêlé aux pêches et au porto... La cuisine est soignée, le service, charmant et pro, et les prix sont raisonnables.

|●| ***L'Arlecchino*** *(hors plan couleur centre 1 par C3,* ***49****) : 8, rue Jean-François-Leca, 13002. ☎ 04-91-90-18-90. • a.polverari@free.fr • Fermé lun soir, sam soir et dim. Mieux vaut réserver au déj. Plat du jour 8,50 €. Plusieurs formules midi et soir env 13,50 €. Menu 15 €. Vente à emporter. Digestif offert sur présentation de ce guide.* Voilà une escale animée au déjeuner, où se retrouvent tous les employés du coin. Des habitués donc, qui se relaient autour des tables, grâce à l'efficacité du service, souriant en plus. Ici on travaille en famille et dans la bonne humeur, pour proposer une cuisine simple et réussie. Pizzas, salades, viandes... Le plat du jour (bœuf carottes, rôti de porc aux pruneaux et purée...) est une bonne affaire, et les formules aussi. Quant aux desserts maison, ils sont généreusement servis et réussis. Également des tables en terrasse.

|●| ***Étienne*** *(plan couleur centre 1, D3,* ***90****) : 43, rue de Lorette, 13002. ☎ 04-91-54-76-33. Ⓜ Colbert/Hôtel-de-la-Région. Tlj sf dim jusqu'à 23h. Plat du jour 10 € ; pizzas 9-13 €. CB refusées.* Est-ce cet aspect de resto d'avant la révolution industrielle ou la réputation d'original du patron qui explique son succès ? Toujours est-il qu'on y est serré comme les ingrédients de ses fameuses pizzas (ici de simples entrées !). Pourtant, ce n'est pas spécialement bon marché et les additions ont longtemps été faites à la tête du client... Jetez donc un œil aux tarifs affichés à l'entrée. Ici, la plupart des clients se connaissent, se saluent, ça bruisse, ça vibrionne autour des viandes grillées au feu de bois, du gratin d'aubergines, des pieds et paquets et de bons supions. Une véritable institution. Pas de réservation par téléphone, il faudra venir le faire de vive voix, à midi comme à la tombée de la nuit.

|●| ***Le Crystal*** *(plan couleur centre 1, C4,* ***45****) : 148, quai du Port, 13002. ☎ 04-91-91-57-96. • eurl.lecrystal@orange.fr • Ⓜ Vieux-Port/Hôtel-de-Ville. Tlj 9h-2h sf dim soir et lun soir hors saison. Carte env 25 €.* L'adresse du Vieux-Port dans le vent et pas seulement à cause de sa terrasse ventée certains soirs. À l'intérieur, sympathique bar des années 1950 avec zinc rétro, jolies banquettes rouges et vieilles pendules. Clientèle jeune et enjouée venue s'offrir une salade exotique, un burger maison ou le plat du jour. Excellente ambiance. Voir aussi « Où manger sur le pouce ? Où boire un verre ? ».

|●| ***Chez Angèle*** *(plan couleur centre 1, C4,* ***46****) : 50, rue Caisserie, 13002. ☎ 04-91-90-63-35. Ⓜ Vieux-Port/Hôtel-de-Ville. Tlj midi et soir sf dim midi (plus sam midi hors saison). Menus 12 € (midi) et 19 € ; pizzas 7,50 € (petite)-18 €. Apéritif offert sur présentation de ce guide.* Au cœur du Panier, une petite

trattoria toute simple où l'on mange depuis des années des pizzas au feu de bois (moitié-moitié, 3 ou 4 fromages, etc.). Également des grillades et des pâtes fraîches. Accueil et service sympas bien que vite débordés. Bonne ambiance et brouhaha garantis.

Au Lamparo *(plan couleur centre 1, C4,* ***43****) : 4, pl. de Lenche, 13002. ☎ 04-91-90-90-29. • charles.pucciarelli0104@orange.fr • Ⓜ Colbert/Hôtel-de-la-Région. Fermé lun tte l'année et le soir en basse saison. Congés déc-janv. Plat du jour et dessert 15 € en sem ; menus 23-26 €. Apéritif maison offert sur présentation de ce guide.* On vient ici surtout pour profiter de la grande terrasse ensoleillée sur cette jolie place de Lenche en pente. Petit resto de quartier qui sert des plats familiaux corrects : supions frits, seiches à l'encre, marmite du pêcheur et *bocconcini* grillés. Le dimanche midi et en haute saison, service parfois un peu long, mais c'est la rançon du succès et les patrons reçoivent tellement gentiment qu'on prend son mal en patience !

La Kahéna *(plan couleur centre 1, D4,* ***48****) : 2, rue de la République, 13001. ☎ 04-91-90-61-93. Ⓜ Vieux-Port/Hôtel-de-Ville. ♿ Tlj jusqu'à 22h30. Carte env 20 €. Café ou thé offert sur présentation de ce guide.* Un resto tunisien idéalement situé face au Vieux-Port, mais assez touristique, vu l'emplacement. Dans un décor de céramiques, on se remplit la panse d'un fort bon couscous (toujours une version poisson) servi, sans grand entrain certes, dans de jolis plats creux tunisiens. Salle un peu bruyante néanmoins.

La Pause *(plan couleur centre 1, D4,* ***40****) : 5, pl. Sadi-Carnot, 13002. Ⓜ Colbert. Tlj sf dim-lun. Salade à partir de 3,90 €, sandwich à 4,90 € et plus... Formules à partir de 8,50 €.* Christian Ernst qui tient le « gastro » juste à côté, a ouvert cette sandwicherie de luxe qui reste cependant abordable. Les employés et cadres du coin l'ont vite adoptée pour ses sandwichs sophistiqués à base de bons produits, genre « hamburger de foie gras aux fruits rouges » ou « panini pot au feu confit et aïoli »... Jus de fruits frais, glaces maison en verrine complètent une offre originale.

De prix moyens à chic

Café des Épices *(plan couleur centre 1, C4,* ***53****) : 4, rue du Lacydon, 13002. ☎ 04-91-91-22-69. • contact@cafedesepices.com • Ⓜ Vieux-Port/Hôtel-de-Ville. Bus n° 83. Tlj sf sam soir, dim-lun et j. fériés. Congés... selon humeur. Résa fortement conseillée. Menus 21 et 25 € le midi et 40 € le soir.* Un ancien café de quartier devenu un des restos préférés des Marseillais voulant vivre avec leur temps. Face à un champ d'oliviers dessiné par un célèbre paysagiste, on vient surtout vivre ici une expérience des saveurs. Arnaud de Grammont, ce bourlingueur formé chez de grands chefs, a des idées plein sa cuisine de poche et ne se prosterne pas devant les poncifs provençaux. De l'épicé, de l'acidulé, du croquant, du moelleux, du sucré... Bref, un resto qui mérite largement l'attente, comme avant de s'embarquer pour un beau voyage. Apéro-tapas au milieu des oliviers, pour patienter. Terrasse.

Chez Madie, Les Galinettes *(plan couleur centre 1, C4,* ***51****) : 138, quai du Port, 13002. ☎ 04-91-90-40-87. • madielesgalinettes@gmail.com • Ⓜ Vieux-Port/Hôtel-de-Ville. Tlj sf dim. Formule 17 € et menus 25-30 €. Apéritif maison offert sur présentation de ce guide.* Une belle terrasse donnant sur le port où l'on vous servira des galinettes sauce meunière (selon arrivage, bien sûr) et quelques plats de pauvres pêcheurs d'autrefois. La viande n'est pas en reste, puisque la proprio se fournit auprès de son père, chevillard. On sait donc bien servir la viande, rassie et persillée, accommodée avec simplicité. Spécialités : daube de Mauricette, duo de ris de veau et d'agneau...

Très chic

Une Table au Sud *(plan couleur centre 1, D4,* ***60****) : 2, quai du Port, 13002. ☎ 04-91-90-63-53. • unetableausud@wanadoo.fr • Ⓜ Vieux-Port/Hôtel-de-Ville. Tlj sf dim-lun. Fermé 1 sem en août. Menus 36 € le midi, puis 87 et 127 €. Bouillabaisse 51 €/pers.* Table éclatante de soleil au 1er étage d'une maison avec vue sur le Vieux-Port. Un lieu très théâtral avec une montée d'escaliers d'anthologie, un ballet des serveurs bien réglé et une cuisine des grands soirs, imaginée par un des chefs les plus remuants de Marseille. Au carrefour de la Méditerranée, il nous offre dans l'assiette l'Italie, la Grèce, l'Espagne et même l'Asie, selon l'humeur du moment. Un beau voyage sans quitter le port.

Le Miramar *(plan couleur centre 1, D4,* ***52****) : 12, quai du Port, 13002. ☎ 04-91-91-10-40. • contact@bouillabaisse.com • Ⓜ Vieux-Port/Hôtel-de-Ville. Tlj sf dim-lun midi et soir 22h. Bouillabaisse célébrissime (ou bourride, sur commande) 60 €/pers ; carte env 80 €. Apéritif maison offert sur présentation de ce guide.* Une institution dont certains caïds marseillais avaient fait leur table bien avant les politiciens locaux. Belle brasserie des années 1960 toujours au goût du jour. Christian Buffa, un chef passé par les cuisines de Bocuse, prépare midi et soir de superbes poissons pêchés au bout des lignes des palangriers locaux ou minutieusement choisis à la criée de Marseille. Grande terrasse face au port. Belle carte des vins.

– Ici, on fait découvrir les secrets de la bouillabaisse ; le chef propose des stages une fois par mois, renseignez-vous !

Aux docks de la Joliette

Le Milano des Docks *(plan couleur d'ensemble C2,* ***50****) : 10, pl. de la Joliette, Atrium 10.4, 13002. ☎ 04-91-91-27-10. Ⓜ Joliette. Tlj le midi en sem. Plat du jour 8,50 € ; formule 12,50 € ; carte 10-14 €.* Un petit bistrot dans les docks, tellement couru le midi qu'on s'est dit qu'il valait mieux vous l'indiquer, au cas où vous n'auriez pas encore rencontré le Marseille-qui-bouge, ni mis les pieds sur les planches de ces docks réhabilités. Bon, pas la peine de vous faire un dessin pour la nourriture, c'est du franco-italien sans surprise... Grande terrasse dans la grande cour pavée.

Quartier de l'Opéra

De bon marché à prix moyens

La Tomate cerise *(plan couleur centre 1, D5,* ***61****) : 26, rue Sainte, 13001. ☎ 04-91-33-81-89. Ouv lun-sam 7h-23h en continu. Petit déj 5,50 €. Formules 7-9,50 €.* On se sert au comptoir et on s'installe dans une salle climatisée, avec pizza, quiche, panini, plat du jour, pâtes ou une belle salade dans l'assiette. Bons produits de base bien travaillés. Idéal pour casser une graine pas cher en plein centre, avec, pour finir, une bonne crêpe ou tarte ou tiramisu maison...

Chez Vincent-Le Vésuve *(plan couleur centre 1, D5,* ***54****) : 25, rue Glandevès, 13001. ☎ 04-91-33-96-78. Ⓜ Vieux-Port/Hôtel-de-Ville. Mar-sam midi et soir. Fermé en août. Plats à partir de 9 €, pizza 8 €.* Charmantes mamas, gentils neveux, bonnes pizzas et bons plats goûteux dans une salle climatisée. La vieille génération sicilienne, un peu fatiguée, regarde d'un air mi-attendri mi-amusé le ballet des serveurs et des habitués. On vient certes pour le folklore, les petits prix, mais surtout pour les produits frais, les cannellonis, les lasagnes, les poivrons grillés au feu de bois. Ici se retrouvent les chanteurs et les fidèles de l'Opéra après les représentations pour jouer les prolongations, entre embrassades et applaudissements. Rose (la propriétaire, 90 ans) y travaille depuis 1946 !

La Casertane *(plan couleur centre 1, D5,* ***55****) : 71, rue Francis-Davso, 13001. ☎ 04-91-54-98-51. Ⓜ Vieux-Port/Hôtel-de-Ville. Tlj sf dim, le midi slt ainsi que jeu, ven et sam soir. Fermé 2 sem en août. Boutique ouv 9h (10h sam)-19h30, fermée lun ap-m. Carte env 12 €. Café offert sur présentation de ce guide.* En face de *La Maison Debout*, une épicerie-restaurant où il vaut mieux venir tôt pour trouver une table libre, le midi, ou attendre 13h15 (pas de service certains soirs). Assiettes d'antipasti et de charcuterie pour se faire plaisir. Et si vous avez encore faim, offrez-vous un plat de pâtes fraîches.

Le Mas de Lulli *(plan couleur cen-*

tre 1, D5, ***56****) : 4, rue Lulli, 13001. ☎ 04-91-33-25-90. Ⓜ Vieux-Port/Hôtel-de-Ville. Tlj sf dim ; service jusqu'à 5h. Fermé 3 sem août-sept. Carte le soir 25-35 €.* Une équipe fidèle au poste depuis bien des années maintenant et un des rares bistrots de nuit. Pâtes très bonnes et tout à fait abordables. S'il y en a, ne manquez pas les spaghettis aux clovisses (palourdes) ou le foie de veau et frites. Mais la carte est riche de spécialités locales et provençales. Bonne ambiance dans ce lieu incontournable du Marseille by night (juste derrière l'Opéra, au milieu des bars à hôtesses, vous ne pouvez pas le manquer), où les photos du beau monde politique et culturel recouvrent certains murs. Terrasse au calme.

|●| ***O'Stop*** *(plan couleur centre 1, D5,* ***57****) : 16, rue Saint-Saëns, 13001. ☎ 04-91-33-85-34. Ⓜ Vieux-Port/Hôtel-de-Ville. Tlj 11h-6h. Plats du jour 8-13 € ; à la carte, compter 16-20 €.* Une autre institution de nuit mais attention il y a très peu de tables (on peut se glisser au comptoir néanmoins). Face à l'Opéra, ce snack connu de tous attire un public divers qui va du bobo marseillais à la dame de petite vertu en passant par les chanteurs, techniciens et habitués de l'Opéra. Les spécialités de la maison : boulettes de viande, daube provençale, tartare pommes rissolées, lapin grand-mère... Également des sandwichs à emporter, bien préparés.

De prix moyens à chic

|●| ***L'Aromat & C*** *(plan couleur centre 1, D5,* ***42****) : 49, rue Sainte, 13001. ☎ 04-91-55-09-06. • laromat@orange.fr • Ⓜ Vieux-Port/Hôtel-de-Ville. Tlj sf sam midi, dim, lun soir. Formules 14 (midi)-17 € ; menu entrée-plat-dessert-café au choix à la carte, 36 €. Apéritif offert sur présentation de ce guide.* Une cuisine méditerranéenne adaptée avec amour et humour à notre temps. Le chef, passé par *L'Épuisette* et le *Livon*, continue de réinventer la cuisine du Sud tandis que son associé associe (c'est son rôle !) les vins de producteurs qu'il aime bien... Déco colorée que la nuit magnifie.

|●| ***Chez Loury*** *(plan couleur centre 1, D5,* ***93****) : 3, rue Fortia, 13001. Ⓜ Vieux-Port/Hôtel-de-Ville. ☎ 04-91-33-09-73. • info@loury.com • Tlj (sf dim) midi et soir. Plats 13-18 €. Bouillabaisse à l'assiette (4 poissons) 19 €. Menu bouillabaisse 28 € (kir, plat et dessert), la complète en trois services 40 €.* L'une des meilleures bouillabaisses du port et bien moins chère que ses concurrents. Adresse discrète, qui a forgé sa réputation sans tapage au long des années. Certes, cadre un peu austère avec de grosses lumières style années 1970, mais terrasse sur ruelle tranquille. C'est pro, authentique, goûteux. Les poissons grillés, viandes, pieds et paquets sont à l'avenant. À la fin, le patron vient s'enquérir si les convives sont contents... et ils le sont !

|●| ***L'Oliveraie*** *(plan couleur centre 1, D5,* ***59****) : 10, pl. aux Huiles, 13001. ☎ 04-91-33-34-41. Ⓜ Vieux-Port/Hôtel-de-Ville. Tlj jusqu'à 23h sf sam midi et dim. Menus 20 € le midi (vin compris), 26 € soir et w-e ; compter 38 € à la carte. Café offert sur présentation de ce guide.* Une jolie voûte de pierre, de longues banquettes de moleskine, des couleurs chaudes, un accueil et un service ensoleillés, et des plats dignes de ce nom. Un nom qui devrait vous éviter toute confusion si vous êtes accro à la cuisine au beurre. Ici tout est fait maison, jusqu'aux glaces et au pain de campagne. Spécialité de daurade farcie aux tomates. Petite mezzanine plus intimiste.

|●| ***Le 29*** *(plan couleur centre 1, D5,* ***44****) : 29, pl. aux Huiles, 13001. ☎ 04-91-33-26-44. Ⓜ Vieux-Port/Hôtel-de-Ville. À deux pas de l'Opéra, parking souterrain juste devant le resto, payant. Fermé mar et dim midi juin-sept et le dim le reste de l'année. Menus 19,50 € à midi et 33-49 € le soir. À la carte, compter 40 €. Vins au verre à partir de 4,50 €.* Une déco résolument contemporaine, une salle plus intime à l'étage et la grande terrasse sur la place bien agréable. Ici, on ne travaille qu'avec des petits producteurs locaux, ce qui laisse augurer de la fraîcheur et de la qualité des produits, de saison, bien entendu. À souligner aussi : les desserts ne sont pas à la traîne, le chef étant pâtissier de formation. Très bon choix de vins au verre.

El Canaletto *(plan couleur centre 1, D5,* ***94****) : 8, cours Jean-Ballard 13001. Ⓜ Vieux-Port/Hôtel-de-Ville. ☎ 04-91-33-90-12. Tlj (sf lun) midi et soir. Autour de 25 €. CB refusées.* Installée là bien avant que la place ne devienne touristique, une bonne vieille adresse italienne qui n'a pas vu le temps passer. Patronne chaleureuse comme là-bas, cuisine de qualité régulière et à prix raisonnables. Poisson d'une belle fraîcheur, bon *fritto misto* à 15,90 €, pâtes cuites comme il faut. Terrasse aux beaux jours.

César's Place *(plan couleur centre 1, D5,* ***91****) : 21, pl. aux Huiles, 13001. ☎ 04-91-33-25-22. • contact@restaurant-cesarplace.com • Ⓜ Vieux-Port/Hôtel-de-Ville. ♿ Tlj sf dim 12h-14h30, 19h45-23h. Formule déj 19,50 € ; menus du soir 34-46,50 €. Terrasse l'été.* Un des beaux et bons restaurants de la place aux Huiles, qui fait l'unanimité autant pour son élégant décor design que pour ses plats provençaux originaux, comme le tartare de thon rouge et huîtres de Marennes. Le choix des produits est celui d'un amoureux de la bonne cuisine, et leur mariage est très réussi, qu'il s'agisse des viandes fondantes, des poissons cuits à la perfection ou des desserts originaux et savoureux. La carte des vins met en avant le sud de la France avec des bouteilles d'appellations choisies en connaisseur.

Autour du théâtre de la Criée

La Passarelle *(plan couleur centre 1, C5,* ***66****) : 52, rue du Plan-Fourmiguier, 13007. ☎ 04-91-33-03-27. • lapassarelle@gmail.com • Ouv tlj midi sf mer, dim et lun et le soir juin-sept. Plats 10-18 €.* Ici la cuisine est ouverte sur la salle. Il en sort une soupe de fanes de radis, une daube provençale, un bar et riz à l'encre de seiche, des desserts aux fleurs comestibles... Présentation à la bonne franquette. Le mobilier est de bric et de broc et bien arrangé ; ici et là des mots peints sur une porte... Dans le petit jardin d'en face, cultivé par une association, Philippe et Patricia ont installé tables et parasols, et viennent y ramasser quelques légumes et couper quelques herbes aromatiques. Une terrasse inhabituelle, au calme et en plein soleil : c'est d'ailleurs le gros atout de l'adresse. Cadre et accueil au poil.

Autour de La Canebière (Belsunce et Noailles)

Très bon marché

Plein de petits restos maghrébins dans le quartier de Belsunce, notamment *rue Francis-de-Pressensé (plan couleur centre 1, D-E3)*, comme **Le Cirta** ☎ 04-91-90-02-53 (excellent couscous). On y mange la chorba ou la méchouia, le couscous ou le tajine pour pas grand-chose... Ambiance très masculine, bien sûr, mais chaleureuse.

La Bessonnière *(plan couleur centre 2, F4,* ***95****) : 40, rue Sénac-de-Meilhan, 13001. ☎ 04-91-94-08-43. Ⓜ Noailles. Lun-ven midi, jeu-dim soir. Repas 7 €.* Dans une rue discrète, resto associatif servant un copieux plat du jour (au choix trois plats, genre paella ou poulet purée). C'est bon, propre et vraiment pas cher. Bien entendu, chaleureux rendez-vous du petit peuple local, toutes classes confondues, et la providence des petits budgets.

Bon marché

Chez Sauveur *(plan couleur d'ensemble E4,* ***67****) : 10, rue d'Aubagne, 13001. ☎ 04-91-54-33-96. • pizzasauveur@hotmail.fr • Ⓜ Noailles. Tlj sf dim-lun. Fermé 3 sem en août. Pizzas 11-16 €.* Cette pizzeria, réputée depuis des lustres (1943) et populaire comme le quartier, sert de savoureuses pizzas cuites au feu de bois. La carte propose sinon des pieds et paquets ou des lasagnes, pour permettre aux habitués de varier les plaisirs. Goûtez aussi aux desserts siciliens maison. Vente à emporter.

Ivoire Restaurant *(Mama Africa ; plan couleur centre 2, E4,* ***71****) : 57, rue d'Aubagne, 13001. ☎ 04-91-33-75-33. • ivoire.restaurant@laposte.net • Ⓜ Noailles ou Notre-Dame-du-Mont/Cours-Julien. Tlj 12h-2h. Plats et formu-*

les 8,50-12 €. Noailles et Belsunce regorgent de restos orientaux, mais la communauté africaine aussi est bien présente. Félicité, dite « Mama Africa », Ivoirienne d'origine, est aujourd'hui « la figure de la cuisine ivoirienne à Marseille », un qualificatif qui lui a été attribué dans un article de presse et qu'elle aime bien montrer. Et la communauté ne s'y trompe pas, qui vient se rassasier dans un décor sans prétention d'un bon et copieux tilapia à la braise, des classiques yassa et maffé (sauce cacahouète parfumée et viande tendre), de spécialités ivoiriennes comme la sauce graine queue de bœuf et le foutou (bananes plantain pilées), ou de kédjénou (poulet à l'étouffée) accompagné de couscous de manioc. Certes, il ne faut pas être pressé car tout est fait à la commande, mais avec le sourire.

Prix moyens

|●| ***La Boîte à Sardine*** *(plan couleur d'ensemble F3-4,* ***96****) : 7, bd de la Libération, 13001. ☎ 04-91-50-95-95. 📱 06-25-35-75-16. Ⓜ Réformés/Canebière. Slt 11h-15h du mar au sam pour le resto (boutique 9h-18h).* Encore une intéressante petite adresse, au point que, sans réservation, peu de chances d'obtenir une place. Minipoissonnerie à l'allure de bistrot de la mer, offrant quelques tables en inox et un long banc de poissons et crustacés ruisselant de fraîcheur. Prises du jour inscrites sur l'ardoise. Un plat chaque jour suivant un thème (le vendredi, c'est aïoli). Parfois, si vous avez de la chance, des couteaux grillés comme à Barcelone... Pour le poisson, cuisson et sauce à la demande, quelques tables dehors, accueil franc et prix abordables, que vouloir de plus ?

|●| ***Le Fémina, Chez Kachetel*** *(plan couleur d'ensemble E4,* ***65****) : 1, rue du Musée, 13001. ☎ 04-01-54-03-56. Ⓜ Noailles. ♿ Tlj sf dim soir et lun, 12h-15h, 19h-minuit. Congés : août. Carte env 25 €. Digestif maison offert sur présentation de ce guide.* Transmis « de père en fils et de mère en fille depuis 1921 » : voilà une institution marseillaise ! Vaste salle avec pierres apparentes et fresques naïves représentant la vie dans la campagne de Kabylie. On vous conseille bien sûr le couscous... sous toutes ses formes. Essayez le couscous à base de semoule d'orge, typiquement kabyle et, bien sûr, la spécialité, celui au poisson. À propos, l'orge est excellente pour la santé, plus digeste que le blé mais plus lourde pour le porte-monnaie.

|●| ***Toinou Dégustation*** *(plan couleur d'ensemble E4,* ***68****) : 3, cours Saint-Louis, 13001. ☎ 04-91-33-14-94. Ⓜ Noailles. Lun-sam 12h-14h (précises !) et soir, dim 15h-18h30. Carte env 20 €. Près de 50 ans de succès (pour la vente à emporter) !* Avant ce resto, il n'y avait en fait qu'un kiosque sur le cours, où Toinou vendait ses coquillages à prix doux. On peut aussi les déguster à deux pas de là, dans un décor n'ayant rien de provençal (bois, inox sur fond bordeaux). Ici, on propose des choses simples : moules de Bouzigues, moules-frites, huîtres... Il y a toujours beaucoup de monde et une équipe d'écaillers hyper entraînés. Assez bruyant, évidemment, on ne vient pas chez Toinou pour un tête-à-tête romantique.

|●| ***Chez Noël*** *(plan couleur centre 2, F4,* ***75****) : 174, La Canebière, 13001. ☎ 04-91-42-17-22. Ⓜ Réformés/Canebière. Tlj sf lun, midi et soir jusqu'à minuit. En août, ouv le soir slt. Plat du jour 10 € le midi en sem. Carte 15-20 €.* Une façade désuète au pied de l'église des Réformés. La pizza se décline en trois tailles, une « moyenne » est déjà bien copieuse. On vous conseille notamment la figatelli-gruyère, absolument délicieuse. Pâtes fraîches et bonnes viandes également, passées au feu de bois elles aussi. Salle un peu tristoune en revanche ; pas de terrasse.

|●| ***Les Danaïdes*** *(plan couleur d'ensemble F3,* ***86****) : 6, sq. Stalingrad, 13001. ☎ 04-91-62-28-51. • lesdanaides@orange.fr • Ⓜ Réformés/Canebière. ♿ Tlj à midi sf dim et j. fériés. Le soir ven et sam. Plat du jour 9,50 €. Voir aussi « Où manger sur le pouce ? Où boire un verre ? ».* Brasserie très vivante, assez gaie même, qui a joliment réussi sa mixité, côté clientèle comme en cuisine. Mamies, joueurs d'échecs, ouvriers, « trans », ici, tout le monde défile, selon l'heure et l'humeur. Adresse sympa qui pro-

MARSEILLE

pose une agréable restauration. Salades, assiettes variées, plats du jour à prix raisonnables.

Quartiers de La Plaine, de la Préfecture et de Castellane

Bon marché

Waaw (plan couleur centre 2, F5, **97**) : *17, rue Pastoret, 13006. ☎ 04-91-42-16-33. • contact@waaw.fr • Notre-Dame-du-Mont/Cours-Julien. Tlj sf dim-lun 10h-21h. Compter 11 €.* Au cœur du quartier du cours Julien, dans le flamboiement des fresques et des graffs, un petit lieu adorablement insolite et sympathique. D'ailleurs, Waaw veut dire « What an amazing world ». Ici, outre de précieuses infos culturelles et musicales, vous dégusterez de belles « waassiettes » gourmandes élaborées suivant le marché et l'humeur de la maison, ainsi que de bonnes pâtisseries. Le soir, à l'heure de l'apéro, fromages et charcutailles. Mon tout dans une atmosphère vraiment déliée et reposante, affalé dans un mobilier de récup à lire sur de grands tableaux noirs les intéressantes propositions de concerts, à rêvasser ou à dévorer votre plat... L'idéal, pour une petite restauration sur le pouce sans façon ni réservation !

De bon marché à prix moyens

L'Oleas (plan couleur centre 2, E4, **98**) : *27, cours Julien, 13006. ☎ 04-91-47-83-73. • loleas.marseille@gmail.com • Notre-Dame-du-Mont/Cours-Julien. Tlj midi et soir 21h30-22h, sf dim et soir des lun-mar-mer. Menus 11,50-16 € (le midi), 26-33 €.* Cadre très sobre comme pour mieux souligner que ce qui compte ici, c'est ce qu'il y a dans l'assiette. Belle restauration à base d'excellents produits, pleine d'inspiration et d'idées... Cuisine de pro, cuissons exactes, mise en valeur des goûts et des saveurs, on sent une vraie « patte » derrière tout ça ! Goûteux tartare coupé au couteau et délicieuses noix de Saint-Jacques et leur risotto d'asperges. En prime, accueil affable et service efficace. Agréable terrasse aux beaux jours. Un remarquable rapport qualité-prix, une de nos plus belles découvertes, c'est dit !

Le Pavillon Thaï (plan couleur centre 2, F5, **78**) : *28, rue des Trois-Frères-Barthélemy, 13006. ☎ 04-96-12-46-19. • pavillonthai@free.fr • Notre-Dame-du-Mont/Cours-Julien. Tlj sf dim-lun et ven midi. Résa le soir. Fermé fin déc-début janv et de mi-juil à mi-août. Menus 10,50 € (midi en sem), 21-30 €. À la carte, compter 25 €.* Un *Pavillon* qui ne baisse pas en qualité et ne désemplit jamais. On y déguste en effet une fine cuisine à des prix très raisonnables. Goûtez notamment à la salade de bœuf de la campagne thaïe ou à la salade *ko tao* (ananas, poulet, crevettes, soja), ou encore au *praneng* au cumin, lait de coco et piment rouge, copieux et délicieux. Avis aux palais sensibles, le curry le moins fort est le jaune, suivi du rouge puis du vert. Plateau de Siam et fondue thaïe sur commande 48h avant. Accueil et service vraiment sympas.

Le Goût des Choses (plan couleur centre 2, F5, **99**) : *4, pl. Notre-Dame-du-Mont, 13006. ☎ 04-91-48-70-62. Notre-Dame-du-Mont/Cours-Julien. Tlj sf dim et mar. Formule 13 €, menus 16 (le midi), 20 et 26 €.* Ce n'est pas parce qu'on se trouve sur une grande place bourrée de restos qu'il faut nécessairement proposer du facile et du tout-venant ! Le pari du *Goût des choses* fut d'accrocher et de fidéliser une clientèle avec des petits plats pleins de saveurs subtiles et d'harmonieuses alliances. Le chef, qui a beaucoup voyagé, a butiné, au long des routes, parfums, épices et idées originales. Résultat : des petits plats élaborés et doux aux papilles, comme ces coquilles Saint-Jacques pochées au jus d'orange et riz noir. Délicieux desserts. Accueil et service discrets, beaux menus. Une bonne surprise !

Sushi Street Café (plan couleur d'ensemble D5, **74**) : *24, bd Notre-Dame, 13006. ☎ 04-91-54-17-90. Estrangin/Préfecture. Tlj sf dim, lun et j. fériés. Fermé en août et 1 sem à Noël. Formules déj à partir de 15 €,* *menu 31 € ; carte 30 €.* Originalité du lieu, ce petit resto japonais est tenu par... une Irlandaise. Pourtant, il jouit d'une réputation solide et est même considéré comme le meilleur japonais de Marseille. Excellents desserts également. Attention, l'endroit est convivial mais petit. Pratique à l'aller ou au retour de la visite rituelle à la Bonne Mère.

|●| ***Chez Domino*** *(plan couleur d'ensemble F6,* ***63****) : 21, bd Baille, 13006. ☎ 04-91-18-48-88. Ⓜ Castellane. Fermé dim et j. fériés. Mieux vaut réserver. Plats nouveaux tlj, suggestions du chef. Formule midi 13,50 €. Carte 30 €. Pizzas 7,50-12 € suivant taille (à emporter) et 11,50-18 € (en salle). Apéritif ou digestif offert sur présentation de ce guide.* Une adresse de quartier bien connue des habitants des alentours. Pâtes servies dans leur poêle, raviolis napolitains gratinés au feu de bois, salades, viandes et de bonnes pizzas qu'on vous propose en 2 tailles, la « petite » faisant déjà largement l'affaire. Spécialité de « supions-fromage ». Petites tables multicolores, quelques banquettes, une terrasse... Atmosphère conviviale. Service aimable et efficace.

|●| ***Le Roi du Poulet*** *(plan couleur centre 2, F5,* ***70****) : 14, pl. Notre-Dame-du-Mont, 13006. ☎ 04-91-42-87-46. Ⓜ Notre-Dame-du-Mont/Cours-Julien. ♿ Fermé lun soir sf j. fériés. Congés : 15 j. en sept ainsi qu'à Noël. Plat du jour 7,50 €, menu 11 € (le midi). Carte 17-22 €. Apéritif maison offert sur présentation de ce guide.* Un des bons restaurants portugais de Marseille, sur l'une des places les plus animées du quartier de La Plaine. *Azulejos* sur les murs comme au pays, grande salle agréable et service rapide. La cuisine ne fait pas d'étincelles mais tout est bien mijoté (le poulet piquant et le cochon de lait au four notamment), et la morue, sous différentes formes (grillée, en accras...), est au rendez-vous. Quelques bons petits vins blancs pétillants (ah, le *vinho verde* qu'on boit sous les tonnelles, du côté de Marseille).

|●| ***Le Quinze*** *(plan couleur centre 2, F4,* ***72****) : 15, rue des Trois-Rois, 13006. ☎ 04-91-92-81-81. Ⓜ Notre-Dame-du-Mont/Cours-Julien. Ts les soirs jusqu'à 23h. Fermé 10 j. juil-août. Menus 16,50-20,50 € ; carte env 20-25 €. Apéro offert sur présentation de ce guide.* Dans ce restaurant de la rue des Trois-Rois où les restos jouent du coude, bonne humeur, galéjades et plaisanteries sont de la partie, depuis bien longtemps. Cuisine familiale à la bonne franquette (daube provençale, porcelet au cidre).

|●| ***Le Cuisineur*** *(plan couleur centre 2, F4,* ***69****) : 2, rue des Trois-Rois, 13006. ☎ 04-96-12-63-85. • cuisineur2001@hotmail.fr • Ⓜ Notre-Dame-du-Mont/Cours-Julien. Ts les soirs sf mar-mer hors saison ; service jusqu'à 23h30. Carte 30 €. CB refusées. Digestif maison offert sur présentation de ce guide.* Deux salles intimes séparées par une arche, décor baroque-trash coloré (cherchez-y le roi des Belges et le plat de moules !). Certes, l'adresse connaît parfois quelques sautes d'humeur, mais le patron est jovial et l'atmosphère vraiment sympa. On est en famille, d'ailleurs on y vient souvent en petites bandes pour déguster les pieds et paquets, la daube provençale ou la gardianne de taureau. Petite carte des vins qui fait la part belle aux crus du Sud. Pour les beaux jours, terrasse rafraîchissante.

|●| ***Les Pieds dans le Plat*** *(plan couleur centre 2, F5,* ***77****) : 2, rue Pastoret, 13006. ☎ 04-91-48-74-15. Ⓜ Notre-Dame-du-Mont/Cours-Julien. Tlj sf dim-lun. Formules 11, 16 et 18 € (le midi). Menu soir 32 €.* Parmi les dizaines de restos du coin, celui-ci détonne par ses tentatives (réussies) de proposer d'intéressantes collisions de saveurs et de présenter une cuisine enrichie d'une vraie touche personnelle. Pas mal de choix au tableau noir, des ris de chevreau poêlés et sabayon de comté au croustillant cochon de lait, en passant par les *kefte* de sardine et le gaspacho de couscous... Aux beaux jours, on apprécie la fraîcheur du petit patio intérieur et, vu le sympathique accueil et l'atmosphère relax, on pardonne aisément un service le soir parfois un peu dépassé !

Plus chic

|●| ***Le Boucher*** *(plan couleur d'ensemble E-F6,* ***64****) : 10, rue de Village, 13006.*

☎ *04-91-48-79-65.* Ⓜ *Castellane. Tlj sf dim-lun et j. fériés. Congés : août. Résa le soir en fin de sem. Plat du jour 12,30 €, menu 22 € le midi mar-ven (34 € le soir). Digestif offert sur présentation de ce guide.* On accède au patio plein de plantes vertes en traversant une boucherie de quartier. Aujourd'hui, c'est le restaurant qui fait vivre le petit commerce. Bien sûr, les viandes sont sélectionnées et « traçables » : fleur d'Aubrac, veau, magret de canard ou agneau. Ça se paie un peu mais on vous la sert en quantité. Panaché de deux tartares (300 g !) et pièces du boucher à toutes les sauces servis avec des frites maison et deux légumes. Spécialité de millefeuilles de bœuf. Pieds et paquets en hiver. Semaines à thèmes. Sourire franc du boucher. Une adresse de costauds !

|●| ***La Cantinetta*** *(plan couleur centre 2, E4,* ***73****) : 24, cours Julien, 13006.* ☎ *04-91-48-10-48. • petr52@hotmail.com •* Ⓜ *Notre-Dame-du-Mont/Cours-Julien. Tlj sf dim-lun ; service jusqu'à 22h30. Fermé 3 sem sept-oct. Beaucoup de monde le soir, mieux vaut réserver. Plat du jour 11 € ; carte env 30 €. Digestif maison offert sur présentation de ce guide.* Un vieux bistrot revisité en bas du cours, très couru lui-même, si l'on peut dire. Agréable jardin intérieur pour changer de monde. Toute l'Italie revue et interprétée par un jeune chef, fou de cuisine et respectueux des saisons qui vous offre toute l'Italie du Nord en hiver et celle du Sud à la belle saison.

Quartiers Cinq-Avenues et Belle-de-Mai

De prix moyens à chic

|●| ***Les Deux Sœurs*** *(plan couleur d'ensemble G1,* ***88****) : 46, rue Pautrier, 13004.* ☎ *04-91-64-17-78.* Ⓜ *Chartreux. Bus n° 49 A (arrêt Jobin-Pautrier).* ♿ *À la frontière de la Belle-de-Mai et des Chutes-Lavie. Tlj sf lun et certains j. fériés. Menu 25 € (vin, fromage, dessert et café compris).* Resto de quartier comme on n'en fait plus. On rentre par le bar avec ses habitués accoudés au zinc, fidèles comme des santons de Provence depuis déjà plus de 40 ans, puis on accède aux deux petites salles constellées de photos et de trophées de boules. Certains soirs, les deux sœurs, la tata, la belle-sœur et le beau-frère, qui font tous partie de la fine équipe, mettent le feu avec des répliques à la Audiard (oreilles chastes, s'abstenir). Spectacle autant dans la salle que dans l'assiette. Ici, on prend le menu ou rien. Spécialités de pizzas, pieds et paquets, bourride, bouillabaisse, alouettes sans tête, etc. Une généreuse cuisine de famille, faite à partir de produits frais. On en repart repu ou plié (de rire), quand ce n'est pas les deux...

|●| ***Les Grandes Tables de la Friche*** *(plan d'ensemble F-G2,* ***100****) : 41, rue Jobin (accès piéton et voitures 12, rue François-Simon).* Ⓜ *Cinq-Avenues/Longchamp ou Gare-Saint-Charles.* ☎ *04-95-04-95-85. • friche@lesgrandestables.com • Tlj sf dim, resto lun-ven 12h-14h, jeu-sam 20h-22h. Café lun-mer 8h30-20h, jeu-sam 8h30-minuit, sam 18h30-minuit. Salades 9-11 €, plats 12-13 €.* Bienvenue dans le plus chaleureux et sympathique cadre *destroy* qui soit. En apéro, on déguste d'abord les magnifiques graffs de la cour en admirant les prouesses des skateurs. En plat principal, après l'escalier en fer, dans l'immense salle ou sur la fort agréable terrasse, une cuisine du quotidien fraîche avec une petite touche créative. En « dessert », les « dîners découverte », une cuisine pas vraiment en friche, assez élaborée même et à prix remarquablement modérés. Beau tartare de bœuf avec mangue verte, gingembre et piment d'Espelette, grosses salades, légumes du marché *(12 €)*. Une gastronomie d'un exotisme urbain et décalé réjouissant !

|●| ***Chez Vincent*** *(plan couleur d'ensemble G3,* ***87****) : 2 bis, av. des Chartreux, 13004.* ☎ *04-91-49-62-34.* Ⓜ *Cinq-Avenues/Longchamp.* ♿ *Tlj sf dim. Congés : dernière sem de juil et 3 premières sem d'août. Ouv le midi et tard le soir après les spectacles. Résa conseillée en fin de sem. Le midi, plat du jour 9,50 € ; carte env 25 €. Café ou digestif offert sur présentation de ce guide.* Grande salle haute de plafond,

avec poutres apparentes. Nombreuses photos de sportifs et vedettes aux murs (Carlos, Brialy, Renaud, Salvador et même Léo Ferré). Bonne cuisine de qualité régulière et beau choix à la carte. Au hasard, soupe de poisson, tête de veau, pizza, pâtes au noir, pieds et paquets, osso buco, épaule d'agneau, etc. Tables un peu trop serrées peut-être, mais accueil à l'image du lieu, plein de chaleur.

Chez Sam *(plan couleur d'ensemble F3, **101**) : 53, bd de la Libération, 13001. Ⓜ Réformés/Canebière. ☎ 04-91-95-40-23. Tlj (sf dim) midi et soir jusqu'à 22h ; compter 15-20 €.* Votre premier resto syrien peut-être, à seulement un vol de mouette du Vieux-Port. Cadre nécessairement oriental et ambiance familiale pour une bonne cuisine de là-bas à prix modérés (proche de la cuisine libanaise, il faut dire !). *Mezze* à tout-va (houmous, *moutabal,* taboulé, falafel...). *Mezze* royal avec *chich taouk* (brochette de poulet) et *kefta,* brochette d'agneau, *fatouche* (salade syrienne)... Bon accueil, mais ça on s'en doutait !

Quartiers du Pharo, de la Corniche et du Prado

De prix moyens à chic

Le Comptoir Marseillais *(plan Marseille-les plages, J8, **104**) : 5, promenade Georges-Pompidou, 13008. ☎ 04-91-32-92-54. • contact@lecomptoirmarseillais.com • Tlj sf dim soir et lun. Brunch le dim midi. Ouv slt le soir en août (résa très conseillée). Parking payant en face. Compter 25-30 €.* Plage du Prado, en face du centre municipal de voile (sur le côté gauche, venant du centre, enseigne discrète !). Au 1er étage, grande salle au décor contemporain ou la très agréable terrasse à l'ombre de petits oliviers. Cuisine méditerranéenne d'une remarquable fraîcheur, sens des saveurs, des herbes et des épices, un vrai bonheur. Goûter au poulpe au fenouil et citron confit, au tartare de daurade sauvage, au risotto crémeux... Pâtes fraîches à la cuisson exacte, gnocchis, etc. Fruits de mer à partir de septembre. Clientèle d'habitués, de copains et amis que le patron vient chaleureusement saluer. En prime, une atmosphère franchement déliée, un service toujours souriant, aimable et efficace... On se pinçait pour le croire !

Les Akolytes *(plan couleur d'ensemble B5, **41**) : 41, rue Papety, 13007. ☎ 04-91-59-17-10. • lesakolytes@hotmail.fr • Bus n° 83, 81 ou 54. Ouv tte l'année lun-ven midi et soir, sam soir et dim en saison. Fermé 15 j. autour de Noël. Résa conseillée, surtout le soir. Formules 12-16 € le midi en sem. Compter 25-30 € à la carte. Vins servis au verre 3-6 €.* À l'angle de la rue des Catalans et de la rue Papety. Vue imprenable sur la baie des Catalans. Dans un décor minimaliste : murs blancs colorés par endroits de petits cadres de toutes tailles aux graphismes et motifs originaux et sol en béton brut. Tables en fer, chaises en plastique seventies et assiettes transparentes, comme à la cantine, voilà pour le décor. Dans l'assiette, le choix entre une douzaine de petits plats servis comme des tapas à la « française », délicieux et inventifs à souhait, comme ce gaspacho de tomates et fraises aux 2 sorbets (poivrons et basilic) ! Clientèle résolument jeune, contrastant avec le très conformiste restaurant *Michel* en face. Une belle petite découverte.

Pizzeria des Catalans *(plan couleur d'ensemble A-B5, **81**) : 3, rue des Catalans, 13007. ☎ 04-91-52-37-82. Bus n° 54, arrêt Corniche-Audeoud. Tlj sf dim soir et lun midi, avr-oct et le reste de l'année du mar au dim midi slt. Fermé 2 sem pdt les fêtes de fin d'année. Plat du jour 13 € ; carte env 25 €.* Posée en surplomb de la plage du même nom, la terrasse de cette pizzeria attire la grande foule dès les beaux jours. Quand la plage est ouverte, on joue les voyeurs estivaux, un œil sur les sirènes en maillot, un autre sur les garçons de plage qui jouent au beach-volley. Et on ne cherche surtout pas à se compliquer la vie avec la carte. Parfait pour avaler une pizza aux anchois ou une friture de calamars en prenant le soleil.

La Buvette du Chalet *(plan couleur*

MARSEILLE

d'ensemble B5, **80***) : jardin Émile-Duclaux (palais du Pharo), 13007.* ☎ *04-91-52-80-11.* ● *lechalet@bbox.fr* ● *Bus n° 83, arrêt Le Pharo. Tlj à midi mars-oct, plus le soir juin-sept. Fermé en cas de pluie ou de mistral. Carte 23 € le midi, env 40 € le soir.* Guinguette cachée sous les frondaisons du jardin d'un palais construit pour Napoléon III et l'impératrice Eugénie. Cuisine traditionnelle à la mode de Marseille exécutée quasiment en plein air. Plats du jour et salades qui ne cherchent pas à vous en mettre plein la vue. Il y a déjà un très beau point de vue sur le Vieux-Port, et c'est l'essentiel. Un peu cher tout de même.

|●| ***Chez Jeannot*** *(plan couleur d'ensemble A6,* **82***) : 129, rue du Vallon-des-Auffes, 13007.* ☎ *04-91-52-11-28. Bus n° 83, arrêt Vallon-des-Auffes.* ♿ *Au fond du vallon. Fermé lun juin-août ; sinon fermé dim soir, jeu midi et lun. Ouv le soir jusqu'à minuit. Pizzas 8-16,50 € suivant taille. Carte env 28 €. Café offert sur présentation de ce guide.* Une institution. On vient surtout pour le cadre, absolument idyllique, avec ses bateaux amarrés, son vallon et son viaduc... Agréables terrasses, ensoleillée ou couverte, et grande salle abritée du vent. On y mange d'honnêtes pizzas, des pâtes fraîches maison, mais surtout de bons poissons grillés (comme le loup d'un élevage bio du Frioul) et des fruits de mer (moules, palourdes, huîtres Côte bleue). Bon accueil familial.

|●| ***Le Café des Arts*** *(plan couleur d'ensemble A6,* **83***) : 122, rue du Vallon-des-Auffes, 13007.* ☎ *04-91-31-51-64. Bus n° 83, arrêt Vallon-des-Auffes.* À 50 m de Chez Jeannot, *dans une rue étroite. Fermé lun et sam midi, mer. En été ouvert slt le soir. Congés : 3 sem fin août-début sept. Menus 15 € (midi), 28 et 45 €. Café offert sur présentation de ce guide.* Une adresse à la limite plus tropézienne que marseillaise, recommandée chaleureusement pour son patio et ses oliviers, tout autant que pour sa cuisine traditionnelle. Ici, vous vous régalerez simplement d'une viande d'Argentine servie avec une sauce aux truffes ou de noix de Saint-Jacques poêlées et jus de truffes (oui, ils sont très truffes !). Pas de vue sur la mer, en revanche.

|●| ***Le Bistrot d'Édouard*** *(hors plan couleur d'ensemble par F6,* **76***) : 150, rue Jean-Mermoz, 13008. Près du rond-point du Prado.* ☎ *04-91-71-16-52.* Ⓜ *Rond-Point-du-Prado.* ♿ *Fermé dim-lun. Plats 11-18 € ; carte 27-33 €. Congés 15 j. en août, 1 sem à Noël et 1 sem à Pâques.* On espère que ce coin de rue restera encore quelques années dans son jus, avec ce bistrot improbable, perdu au cœur d'un quartier résidentiel. Un petit coin de campagne en ville, où se retrouvent, au bar ou dans la véranda, autour des nappes à carreaux, des familles, des couples, des mamies du quartier. Édouard Giribone, jeune chef marseillais un peu fou, propose une cuisine simple, authentique, qui met en avant les produits. Des saveurs retrouvées, autour d'un poisson cuit à la perfection. Farandole de tapas, en entrée : sardines simplement grillées, aubergines frites à la menthe, carpaccio de poisson... bref, une cuisine qui sent bon la cuisine.

|●| ***Le Victor Café*** *(plan couleur d'ensemble B5,* **85***) : au New Hôtel of Marseille, 71, bd Charles-Livon, 13007.* ☎ *04-91-31-53-15.* ● *info@victorcafe marseille.com* ● Ⓜ *Vieux-Port/Hôtel-de-Ville. Tlj, tte l'année, midi et soir. Plat du jour 12 € (avec un verre de vin). Formules déj 13-16 € ; menus 25-39 €.* Un restaurant d'hôtel qui a créé l'événement à Marseille, en mettant à portée du grand public, ou presque, une cuisine et un cadre dans l'air du temps, réveillant les papilles tout en amusant l'œil. À l'entrée de l'établissement, on est accueilli par un joli petit carré de plantes aromatiques (qui sait, qu'on retrouvera peut-être dans son assiette ensuite), puis par l'imposante réception. Jérôme Pollo, le jeune chef, réalise une cuisine méditerranéenne plutôt maligne, enlevée, aux saveurs franches. Si vous n'êtes pas suffisamment en fonds, venez au déjeuner, prenez la formule rapide ou profitez de la belle terrasse, face à la piscine. Le soir, ambiance plus « chic décontractée ».

De chic à beaucoup plus chic

|●| ***Chez Fonfon*** *(plan couleur d'ensemble A6,* **84***) : 140, rue du Vallon-des-Auffes, 13007.* ☎ *04-91-52-14-38.*

• *contact@chez-fonfon.com • Bus n° 83. Au début du Vallon. Ouv tlj sf dim et lun midi. Fermé début janv. Menus 43-55 € ; compter 46 € pour la bouillabaisse.* Fonfon n'est plus là ; c'est son petit-neveu qui a repris le flambeau. Face à un cadre inégalé à Marseille, si l'on excepte les calanques, un décor moderne et chaleureux pour déguster l'une des bouillabaisses les plus réputées de la ville. Pourtant, ce n'est pas la plus chère. Sinon, craquez pour le poisson au sel et à l'argile ou la lotte en pastilla fondue de poireaux. Essayez d'obtenir une table près de la fenêtre, si possible, pour profiter du spectacle des pointus rentrant au port. Accueil et service très prévenants. Une valeur sûre et traditionnelle.

|●| ***L'Épuisette** (plan couleur d'ensemble A6, **79**) : 138, rue du Vallon-des-Auffes, 13007. ☎ 04-91-52-17-82. • contact@l-epuisette.com • Bus n° 83. Tlj sf dim-lun. Congés : 3 dernières sem d'août. Menus 60, 95 et 145 €. Bouillabaisse 60 €.* Guillaume Sourrieu a fait son tour de France des grands chefs avant de revenir au port, transformant *L'Épuisette* en table gastronomique, sans jouer les prétentieux, car il connaît bien sa ville natale. L'accueil n'est pas guindé. Face à la mer, qu'on voit danser les jours où elle est en forme, on déguste les grands classiques revisités comme le tajine de homard aux artichauts piquants d'Italie, ou un pavé de loup cuit fondant au vin de noix, champignons du moment et citrons confits. Une carte sobre et raffinée, alliant la tradition locale à une cuisine novatrice pêchée çà et là, mais surtout au fond de sa mémoire et de son imagination. Bonne cave régionale à des prix qui, comme le vin, peuvent taper assez vite.

Où acheter de bons produits ?

Boulangerie-pâtisserie

|●| ***Le Pain de l'Opéra** (plan couleur centre 1, D5, **180**) : 61, rue Francis-Davso, 13001. ☎ 04-91-33-01-05. Ⓜ Vieux-Port/Hôtel-de-Ville. Ouv tlj, sf dim, 7h-20h.* De l'imagination, du beau et du bon. Voilà une très bonne adresse pour se constituer un pique-nique simple mais d'excellente qualité (sandwichs, salades...), ou pour s'offrir une douceur en passant. L'accueil est bien aimable en plus. Quelques tables pour déguster sur place.

Navettes et biscuits

***Les Navettes des Accoules** (biscuiterie José Orsoni ; plan couleur centre 1, C4, **181**) : 68, rue Caisserie, 13002. ☎ 04-91-90-99-42. Ⓜ Vieux-Port/Hôtel-de-Ville ou Colbert/Hôtel-de-la-Région. Tlj sf dim 9h-19h.* La navette (la « nave »), c'est la barque qui aurait amené Marie-Madeleine, Marthe et Lazare depuis la Terre sainte. Chez les Orsoni, une famille d'origine corse, on se transmet les secrets de fabrication de génération en génération. Le père était cuisinier, la grand-mère boulangère, il était logique que José, natif de Marseille, ex-boulanger devenu biscuitier, fabrique à son tour les traditionnelles navettes (confectionnées sans levure, elles se conservent longtemps), mais aussi des *canistrelli* (à l'anis, aux amandes, à l'orange, au chocolat, aux raisins), des croquants, de délicieux macarons (pur amande et miel) et des *cucciole* au vin blanc (spécialité d'origine corse). Tout ça est bien bon.

***Boulangerie Michel** (plan couleur centre 1, E4, **182**) : 33, rue Vacon, 13001. ☎ 04-91-33-79-43. Ⓜ Noailles ou Vieux-Port/Hôtel-de-Ville. Tlj sf dim. Fermé en août.* Autre bonne boulangerie chère aux Marseillais. Fabrique depuis plusieurs générations la pompe à huile, l'un des treize desserts de Noël de la tradition provençale, ainsi qu'un excellent pain rectangulaire (au semi-levain) et le pain marseillais (au levain naturel). Espace salon de thé mitoyen de la boutique.

***Boulangerie Aixoise** (plan couleur centre 1, E5, **187**) : 45, rue Francis-Davso, 13001. ☎ 04-91-33-93-85. Ⓜ Noailles ou Vieux-Port/Hôtel-de-Ville. Tlj sf dim et j. fériés.* Autre temple couru par les Marseillais, malgré son nom rappelant l'ennemi héréditaire (on plaisante !). Savoureuses pâtisseries provençales aux pignons, fruits secs et/ou fruits confits. Mais aussi sandwichs de grande qualité, aux différents pains spéciaux maison. Accueil inégal, dommage.

Chocolats

Chocolatière du Panier *(plan couleur centre 1, C3-4,* ***183****) : 47, rue du Petit-Puits, 13002. ☎ 04-91-91-79-70. Ⓜ Colbert/Hôtel-de-la-Région. Tlj sf dim-lun 10h-13h, 14h30-18h30. Compter 49 € le kilo, soit env 4,50 € la portion. Annexes au 35, rue Vacon, 13001, à côté de la Boulangerie Michel (tlj sf lun 10h-18h30), et au 25-27, rue Neuve-Sainte-Catherine, 13007.* Nos lecteurs gourmands mais au régime iront par la rue du Petit-Puits jusqu'à cette minuscule boutique. On y trouve un chocolat sans beurre ni crème. Ne demandez pas la recette à Michèle Lehay, c'est un secret de famille ! Des dizaines de variétés surprenantes : citron vert et coriandre, melon et calissons, noisettes salées et huile d'olive, fenouil, etc. Pas donné mais vraiment délicieux.

Dromel Aîné *(plan couleur d'ensemble F6,* ***184****) : 19, av. du Prado, 13006. ☎ 04-91-54-01-91. Ⓜ Castellane. Tlj sf dim 9h (9h30 lun)-19h. En août fermé 13h-15h30.* Un très grand chocolatier-confiseur marseillais depuis 1760. Les chocolats de chez Dromel sont des trésors de finesse et de gourmandise. Également des navettes, macarons, marseillotes, etc. Très bons marrons glacés en saison. Choix de cafés torréfiés et de thés.

Plauchut *(plan couleur centre 2, F4,* ***185****) : 168, La Canebière, 13001. ☎ 04-91-48-06-67. Ⓜ Réformés/Canebière. Tlj sf lun 8h-20h.* Pâtissier, confiseur, chocolatier, glacier et salon de thé, délicieusement désuet. La spécialité de la maison, ce sont les « Baisers de Nègres », une délicieuse ganache au chocolat, ainsi que la tarte aux poires bourdaloue surmontée d'une spectaculaire couche de meringue... Plein d'autres recettes à l'ancienne, comme les navettes et les croquets (biscuits aux amandes). Très beau décor datant de 1820.

Pastis

La Maison du Pastis *(plan couleur centre 1, C4,* ***186****) : 108, quai du Port, 13002. ☎ 04-91-90-86-77. Ⓜ Vieux-Port/Hôtel-de-Ville. En règle générale ouv tlj 10h30-19h (17h dim). Achat aussi en ligne sur le site • lamaisondupastis.com •* Unique en son genre ; foultitude de grandes marques et des producteurs locaux ; en tout, quelque 90 variétés de pastis et d'absinthe.

Où boire un thé ou un bon café ? Où faire une pause sucrée-salée ?

Le Thé dans l'Encrier *(plan couleur centre 2, E4,* ***114****) : 52, cours Julien, 13006. ☎ 09-53-51-43-43. • contact@lethedanslencrier.com • Ⓜ Noailles ou Notre-Dame-du-Mont/Cours-Julien. Ouv mar-dim 11h30-19h. Brunch dim. Également des ateliers pour enfants.* Un bel espace chaleureusement arrangé, avec un bar, des canapés colorés, fauteuils et tables basses. On y prend un thé, un smoothie qui mélange fruits et légumes, pour accompagner le dessert du jour, tout simple (gâteau au yaourt, cake au citron...). Pour ceux qui veulent manger sur le pouce, des salades à composer soi-même, des sandwichs... Sur les murs, des photos ou des peintures, qui changent souvent. Régulièrement de la musique live, et plus précisément du jazz. Des bouquins disséminés çà et là. Une autre bonne idée ? Un espace pour les enfants avec quelques jeux, feutres, télé et des ateliers qui leur sont régulièrement consacrés. Pas mal non plus la terrasse de poche.

Le Patio *(plan couleur centre 2, F4-5,* ***113****) : 59, pl. Jean-Jaurès, 13006. ☎ 04-91-42-97-85. Ⓜ Notre-Dame-du-Mont/Cours-Julien. Jusqu'à 20h ; fermé dim.* Voilà l'occasion de s'offrir un aller simple au pays des épices. La charmante Schérazade en a rassemblé ici de plus ou moins connus (hmm... la fève tonka à l'incroyable parfum d'amande), à découvrir en dégustant un bon thé (glacé, pourquoi pas ?), un chocolat maison (parfois épicé justement) ou un cocktail « Trottinette », accompagné d'une corne de gazelle, d'une part de gâteau ou de tarte, ou d'une tartine-salade. À ne pas rater non plus, le fondant d'amande, une confiserie languedocienne qui a son petit succès.

Le Clan des Cigales *(plan couleur centre 1, C3, **112**) : 8, rue du Petit-Puits, 13002. 06-63-78-07-83. • b.fraysse@sfr.fr • Ouv tlj sf dim au déj ; boutique salon de thé l'ap-m. Formules 15-17 €. Apéritif offert sur présentation de ce guide.* À l'intérieur ou sur l'une des 2 tables en terrasse, on découvre une courte carte basée sur de bons produits : quelques assiettes composées, la tarte salée du jour, le délicieux baba au *limoncello* et un aïoli (le vendredi) qui s'est taillé une petite réputation auprès des habitués. Une tarte aux fruits de saison et un petit thé bien choisi pour conclure, et nous voilà de nouveau d'attaque pour une balade dans le quartier. *Le Clan des Cigales* est aussi un salon de thé de poche et une boutique de produits fins.

Torréfaction Noailles *(plan couleur d'ensemble E4, **110**) : 56, La Canebière, 13001. ☎ 04-91-55-60-66. Ⓜ Noailles. Tlj sf dim 6h30-19h30.* Un beau décor à l'ancienne sur ce boulevard « mythique ». Café moka, arabica, de Colombie ou du Brésil, on trouve de tout dans ce temple de la Canebière, même d'excellents caramels, des chocolats, des calissons et des biscuits.

Maison Debout *(plan couleur centre 1, D5, **111**) : 46, rue Francis-Davso, 13001. ☎ 04-91-33-00-12. • cbaille@cafesdebout.com • Ⓜ Vieux-Port/Hôtel-de-Ville. Tlj sf dim 8h30-19h30.* « Caféine » les gens depuis 1932. Debout dans la boutique... ou, mieux encore, assis en terrasse. Des sacs de café par terre, au fond pour les dégustations, près d'une trentaine de cafés différents, plus d'une centaine de thés à goûter, ou un bon chocolat chaud. On y déguste aussi sur le pouce cake pistache, financier, tarte chocolat, barres marseillaises, entre autres douceurs. En saison, on peut aussi opter pour des glaces artisanales. Deux autres Maison Debout, 244, bd National et 277, av. Mendès-France.

Cup of Tea *(plan couleur centre 1, C4, **122**) : 1, rue Caisserie, 13002. ☎ 04-91-90-84-02. • cupoftea@hotmail.fr • Ⓜ Colbert/Hôtel-de-la-Région ou Vieux-Port/Hôtel-de-Ville. Ouv tlj sf dim et j. fériés, 8h30 (9h30 sam)-19h. Fermé 1 sem mi-juil. Thés à partir de 3 € ; quiches et salades 6,50-8 €.* Un salon de thé-café-librairie accroché au Panier avec une hotte pleine d'éditeurs locaux et d'ouvrages d'Actes Sud (maison d'édition basée à Arles). Joli décor intime avec mezzanine et belle terrasse, souvent ombragée. Quiches et salades composées. Les tartes (salées et sucrées) arrivent quotidiennement en poussette (!) d'une excellente boulangerie marseillaise. Bières et eaux corses. Un bon choix de thés évidemment (goûtez au thé blanc ou au thé jaune de Chine, ça change) ; également des thés déthéinés et quelques tisanes. Idéal pour un grignotage littéraire. Très bon chocolat. Quelques jeux pour enfants.

Où acheter une glace ?

La Maison de la Glace *(plan couleur centre 1, C5, **106**) : 94, rue Sainte, 13007. ☎ 04-91-33-17-23. Ouv mar-sam 10h-12h30, 15h-19h ; dim 10h-13h, 16h30-19h. Près de 70 parfums de glace et de sorbet.* Un incontournable pour les fondus de froid ff... fondant ! Cannelle, verveine, gingembre, coquelicot, mais aussi des parfums plus traditionnels bien sûr. À déguster en marchant car on ne peut s'asseoir sur place.

Le Glacier du Roi *(plan couleur centre 1, C4, **107**) : 4, pl. de Lenche, 13002. ☎ 04-91-91-01-16. • leglacierduroi@hotmail.fr • Ⓜ Vieux-Port/Hôtel-de-Ville. Bus n° 55 ou 49, arrêt place de Lenche. Tlj 8h30-1h en été (sinon 8h30-19h30 sf lun).* Excellentes glaces à l'italienne déclinées en 24 parfums : tiramisu, nougatine, profiterole, figue, kaki, kiwi... Tous les sorbets sont aux fruits frais, sauf le melon en hiver bien sûr ! Également un salon de thé offrant de superbes verrines, carrés royaux et autres bouchées du Roi...

La Maison de la Glace *(plan couleur centre 1, D4, **108**) : 19, rue de la République, 13013. ☎ 04-91-90-35-35. T2 arrêt Sadi-Carnot. Tlj sf dim jusqu'à 19h.* Régale depuis 1947. Impossible d'échapper à la façade rose et aux 50 parfums de la maison : verveine, litchi, citron-basilic, gingembre, crème brûlée... Sorbets à base de fruits frais et spécialités de pots marseillais et catalan.

Où manger sur le pouce ? Où boire un verre ?

Les terrasses, quand il y a du soleil, c'est le top. Et tout le monde sait qu'il y a souvent (très souvent !) un petit soleil accroché à l'emplacement de Marseille sur les cartes météo. Évidemment, le Vieux-Port offre un bon choix de terrasses. Mais il y a aussi de grandes places qui en sont remplies aux beaux jours : cours d'Estienne-d'Orves (près de l'Opéra), cours Julien (La Plaine), place de Lenche (le Panier) et place Félix-Éboué (face à la préfecture) notamment. Alors, à vos lunettes de soleil...

N'oubliez pas non plus les stations uvales, du latin *uva,* qui veut dire « raisin », où l'on vous presse à la minute de bons jus de fruits frais selon la saison. Ouvertes de mi-juin à octobre. En principe, 6 grands kiosques métalliques situés sur le Vieux-Port, le cours Belsunce, l'avenue des Réformés, le cours Pierre-Puget, la place Castellane et à La Plaine.

Quartiers du Vieux-Port et du Panier

***La Caravelle** (plan couleur centre 1, D4, **120**) : 34, quai du Port, 13002. ☎ 04-91-90-36-64. • lacaravelle_marseille@yahoo.fr • Ⓜ Vieux-Port/Hôtel-de-Ville. Au 1er étage de l'*hôtel Bellevue. *Tlj 7h-2h. Apéro-kemia 18h30-21h30. Concerts (jazz, blues, soul...) ts les mer et ven à partir de 21h15 (pas de concerts l'été) 3 €. Carte 20-25 € à midi.* Voici le plus petit mais le plus joli balcon du port. Idéal pour bronzer à l'heure du petit déj ou à midi, autour d'une assiette de petits farcis ou d'un aïoli. Salle à l'intérieur assez hors du temps et toilettes rustiques. Ouvert depuis 1938, et le décor n'a pas bougé depuis, se contentant de gentiment se déglinguer. Jolie carte de whiskies, à déguster à la fraîche.

***Bar de la Marine** (plan couleur centre 1, D5, **125**) : 15, quai de Rive-Neuve, 13007. ☎ 04-91-54-95-42. Ⓜ Vieux-Port/Hôtel-de-Ville. Tlj 7h-2h.* Pratiquement en face de l'embarcadère du ferry-boat, un lieu étonnant, qui traverse le temps. Dire qu'il y en a encore pour croire que c'est ici que s'est tournée la célébrissime « partie de cartes » du film de Pagnol ! La scène est même dessinée sur les sachets de sucre ! Le zinc est beau mais l'endroit est vraiment touristique et les consos chères (même au bar !).

***Le Bar des Treize Coins** (plan couleur centre 1, C4, **126**) : 45, rue Sainte-Françoise, 13002. ☎ 04-91-91-56-49. Ⓜ Colbert/Hôtel-de-la-Région. Tlj jusqu'à 22h, voire bien plus tard selon affluence.* Une devanture à l'ancienne, badigeonnée de fresques qui peignent avec humour des tranches de vie du Panier. Une minuscule salle un brin rétro et, surtout, la terrasse, squattant la placette avec ses tables en couleurs. Sous les arbres, on s'y retrouve à toute heure, du café à l'apéro, pour tailler une bavette en hommage à la rue voisine, celle « des bavardages ». Une institution dans le quartier, où l'on peut venir grignoter le midi et écouter un concert le jeudi, à partir de 19h.

***Le Crystal** (plan couleur centre 1, C4, **45**) :* voir aussi « Où manger ? ». Un petit lieu sur le port, sympa pour boire un verre sur fond de musique électro. Bar des années 1950 avec terrasse et clientèle branchée.

Quartier de l'Opéra

***Unic Bar** (plan couleur centre 1, D5, **124**) : 11, cours Jean-Ballard, 13001. ☎ 04-91-33-45-84. Ⓜ Vieux-Port/Hôtel-de-Ville. Tlj 7h30-4h. Consos 2,50-7 €.* Un bistrot (d'oiseaux) de nuit, des jeunes, des moins jeunes, des voisins ou des marins, des rockers et des marginaux, des photos qui racontent quelques chaudes soirées passées, des qui se mettent parfois dans des états... Une ambiance un rien interlope, qu'on aime bien. Patronne adorable. Pour nos lecteurs noctambules.

***Polikarpov** (plan couleur centre 1, D5, **127**) : 24, cours d'Estienne d'Orves,*

13001. ☎ 04-91-52-70-30. Ⓜ Vieux-Port/Hôtel-de-Ville. Tlj 9h-2h. Happy apéro 19h-21h. Le « Poli », peut-être le plus populaire bar de cette place mythique... Un signe : la foule très « tendance » des 25-45 ans devant certains soirs. À quoi est-ce dû ? Au nombre de vodkas proposées (certaines pas trop chères), à l'originalité des cocktails (ne pas manquer celui de « la Place rouge »), à l'atmosphère électrique, à la bonne sélection musicale et à l'excellent DJ du week-end, aux intéressantes expos ! Allez savoir... Prost !

Le Pointu *(plan couleur centre 1, D5,* ***128****) : 20, cours d'Estienne d'Orves, 13001. Ⓜ Vieux-Port/Hôtel-de-Ville. Tlj jusqu'à 1h30. Plat du jour 10 €.* À deux pas du Vieux-Port, une grande terrasse où l'on se mélange pépère pour un apéro prolongé de tapas pas chères. Et si on ne peut plus décoller, on peut toujours y manger des petits plats de bistrot. Un plan d'habitués, nombreux à venir s'y caler sans trop se casser la tête.

La Part des Anges *(plan couleur centre 1, D5,* ***121****) : 33, rue Sainte, 13001. ☎ 04-91-33-55-70. • marseille@lapartdesanges.com • Ⓜ Vieux-Port/Hôtel-de-Ville. Tlj jusqu'à 2h (dim à partir de 18h et 9h-13h pour la cave). Fermé l'ap-m et dim en juil-août. Menu 14 € le midi (plat, verre de vin et café).* Un bar à vins à l'atmosphère et au cadre éclectiques, décoré de vieilles pubs émaillées Dubonnet ou rhum Saint-James, des tableaux éclairés par des lampes industrielles articulées... En entrant, on tombe d'emblée sur des bouteilles, bien alignées dans leurs casiers : plus de 800 références, depuis les vins de Provence à ceux du Languedoc ou de Corse en passant par les côtes-du-rhône. Seule une petite sélection apparaît sur le long tableau noir suspendu au-dessus du bar. Petits plats simples pour accompagner les vins ; également fromage et charcuterie. Clientèle de trentenaires fringants et d'anges célibataires dans une ambiance joyeuse. Accueil sympa.

La Canebière et La Plaine

Les Danaïdes *(plan couleur d'ensemble F3,* ***86****) : 6, sq. Stalingrad, 13001. ☎ 04-91-62-28-51. Ⓜ Réformés/Canebière. ♿ Tlj sf dim et j. fériés 7h-22h.* Belle brasserie avec une déco discrètement néo-fifties et la plus grande terrasse du quartier. À vrai dire, *Les Danaïdes* touchent un peu à tout, et c'est pour ça qu'on les aime. On s'y restaure le midi (voir « Où manger ? »), on y joue aux échecs en fin de journée, on se rend à l'une des nombreuses soirées organisées tout au long de l'année (vernissages d'expo, mix, etc.). Bref, un incontournable pour qui souhaite se sociabiliser un tant soit peu !

La Tasca *(plan couleur d'ensemble G5,* ***132****) : 102, rue Ferrari, 13005. ☎ 04-91-42-26-02. • contact@latasca.fr • Ⓜ Notre-Dame-du-Mont/Cours-Julien. ♿ Mar-sam 19h-minuit, plus dim midi. Tapas env 5 €. Menus 27-35 €.* Juste en face du fameux *Poste à Galène,* voici un bar à tapas chaleureux où se retrouve une jeunesse chahuteuse et heureuse de vivre. Étonnant de découvrir cette adresse pleine comme un œuf même un soir de semaine, dans cette rue un peu morne. Cadre assez baroque, avec moulures et bougies fondues telles des sculptures. Longue liste de mets au tableau noir. Honnêtes tapas servis au comptoir, en salle ou dans le jardin, à accompagner d'une bouteille de vin espagnol ou sud-américain (au verre sur demande). Bonne musique de fond et personnel sympa.

Au Petit Nice *(plan couleur centre 2, F4,* ***135****) : 28, pl. Jean-Jaurès, 13001. 📱 06-64-89-58-03. Ⓜ Notre-Dame-du-Mont/Cours-Julien. Mar-sam 11h-1h30. Consos autour de 2 €.* Ambiance décontractée pour un café après le marché du samedi ou à l'heure sacrée de l'apéro. Le patron est un ancien boxeur (un titre de champion d'Europe !), avec une tête à faire du cinéma. Terrasse protégée du vent, dominée par une stèle amusante du ministère de l'Air et l'une des plus populaires de la ville.

Bar de La Plaine *(plan couleur d'ensemble F4-5,* ***145****) : 57, pl. Jean-Jaurès, à l'angle de la rue Saint-Pierre, 13005. ☎ 04-91-47-50-18. Ⓜ Notre-Dame-du-Mont/Cours-Julien. Tlj jusqu'à 2h.* Ce troquet apparemment banal est en fait le rendez-vous des MTP (« Marseille Trop Puissant »), un des clubs de supporters de l'OM. Y venir à l'heure de l'apéro-kemia ou un soir de match, bien sûr. Ou encore pour écouter un groupe local comme Fatche d'Eux. Rendez-vous des occitanistes également. Ambiance typico-marseillaise.

La Maison Hantée *(plan couleur centre 2, E-F4, **136**) : 10, rue Vian, 13006. ☎ 04-91-92-09-40. • mh.yann@yahoo.fr • lamaisonhantee.net • Ⓜ Notre-Dame-du-Mont/Cours-Julien. Tlj à partir de 19h, sf dim et j. fériés. Une soirée à thème chaque mois. Fermé 15 juil-20 août env. Plat du jour 9,50 €. Carte env 17,50 €. Apéritif offert à nos lecteurs qui s'y restaurent, sur présentation de ce guide.* L'histoire musicale de la ville s'est écrite entre ces murs : du punk au hip-hop (IAM y a fait ses classes), connus ou inconnus, des centaines de groupes ont joué ici. Et continuent, d'ailleurs, tous les 15 jours environ. Programme à consulter sur le site. Décor de train fantôme de fête foraine (bouh !) et rock dur en fond sonore. Mais n'ayez pas peur, l'accueil y est vraiment cool... Billard.

Le Bar du Marché *(plan couleur centre 2, F5, **137**) : 15, pl. Notre-Dame-du-Mont, 13006. ☎ 04-91-92-58-89. Ⓜ Notre-Dame-du-Mont/Cours-Julien. Tlj jusqu'à 2h.* Un bar typiquement marseillais (comprendre avec un écran géant qu'on sort les soirs de match). Les patrons et les habitués sont au comptoir et les p'tits jeunes en terrasse, « comme ça les moutons sont bien gardés » ! Grand choix de bières, dont la Cagole, une bière locale, comme son nom l'indique. Petite restauration, le midi seulement.

La Passerelle *(plan couleur centre 2, F4, **146**) : 26, rue des Trois-Mages, 13006. ☎ 04-96-12-46-12. • librairiepasserelle@yahoo.fr • la-passerelle.biz • Ⓜ Notre-Dame-du-Mont/Cours-Julien. ♿ Tlj sf dim (hors saison). Wifi.* Café-resto populaire où boire un verre. Bonne sélection de p'tits vins. Clientèle jeune et fauchée. Quelques événements mensuels : expos, lectures, concerts... À côté, le *P'tit Pernod*, sympa aussi avec ses fresques rigolotes de consommateurs.

L'Équitable Café *(plan couleur centre 2, E4, **130**) : 54, cours Julien. ☎ 04-91-47-34-48. • equitablecafe.org • Ⓜ Notre-Dame-du-Mont/Cours-Julien. Ouv mar-sam 15h-23h (1h sam).* Un bar associatif (l'adhésion est obligatoire, son prix libre) où, entre concerts, conférences, débats, projections... il se passe toujours quelque chose. Également une épicerie bio, un coin enfant, des revues alternatives, une bibliothèque... Côté comptoir, des bières artisanales, du café équitable. Bref, un lieu alternatif et militant, où s'inventer un autre monde.

Quartier de Longchamp

Longchamp Palace *(plan couleur d'ensemble G3, **131**) : 22, bd Longchamp. ☎ 04-91-50-76-13. Ⓜ Cinq-Avenues/Longchamp ou National. Tlj 8h-2h. Plat env 15 €.* Une paire de tables et de tonneaux posée sur le trottoir, des couleurs, un long comptoir où siroter des rhums arrangés. Clientèle un peu bohème, un peu branchouille mais aux poches encore trop vides pour être labellisée « bobo ». À l'arrière, une salle et un patio, où l'on sert une cuisine fusion food volontiers voyageuse. Petits déj le matin.

Le Prado et les plages

Le Ventre de l'Architecte *(plan Marseille – Les plages, K9, **169**) : au 3e étage de la Cité radieuse, à l'entrée de l'hôtel Le Corbusier, 280, bd Michelet, 13008. ☎ 04-91-16-78-00. Ⓜ Rond-Point-du-Prado. Fermé dim et lun. Bar à vins ts les soirs. Formule 26 € midi en sem, menus 45-65 € le soir.* Après la plage et la visite de la Cité radieuse (voir « Marseille côté plages »), prenez donc un verre au bar, en profitant de la jolie vue et du coucher de soleil sur la ville et la mer au loin. Fait aussi resto, à prétention plutôt gastro, mais surtout hôtel (voir « Où dormir ? »).

Où sortir ?

Ne vous étonnez pas si, passé minuit un soir de semaine, vous ne rencontrez pas âme qui vive du Vieux-Port au Prado.

Marseille est comme ça. Certains soirs, il y a « le feu », d'autres « dégun » (personne) dans les rues, y compris un samedi soir aux abords du cours Julien, épicentre du Marseille noctambule. Pour être franc, le circuit de la nuit n'est pas à la dimension de la ville. D'ailleurs, celle-ci compte un grand nombre d'endroits où se pratique le *before,* ou « avant-boîte », une soirée qui vous emmène au début et non au bout de la nuit, soit vers 1h maxi. Certes, il y a des lieux fort sympathiques (dont pas mal de petits clubs où se produisent de jeunes groupes), mais on en a vite fait le tour.

Marseille n'a rien à voir avec une capitale branchée, ce n'est pas non plus une ville étudiante. Juste une ville qui vibre. Notamment à l'heure de l'apéro, « heure » qui peut durer une bonne partie de la nuit ! Pastis (dites « fly » pour faire couleur locale) et kemia (version Massilia des tapas) de rigueur. Faites donc comme tout un chacun, laissez venir... S'il vous reste des envies de prolonger la nuit, faites votre marché de flyers dans les bars ou procurez-vous les petits fanzines genre *Paf* ou *Event's* et les gratuits *Ventilo* et *César* : on y trouve toute l'actualité musicale, branchée ou alternative.

Et, puisque pour rester branché il faut désormais être connecté, allez donc jeter un œil sur le blog • *chutmonsecret.canalblog.com* • Derniers lieux à la mode, soirées et événements pour *happy few*... Toujours sur le Web, détour par la page Facebook du collectif ***Borderline*** pour connaître le programme de leurs soirées mix dans des lieux toujours plus insolites (sur un bateau les dimanches d'été, mais aussi sur le toit des bus à impériale, dans des chambres d'hôtels...). Enfin, ***Mix en Bouche*** organise environ tous les 3 mois des soirées « chefs et DJ », en général aux *Grandes Tables,* le resto gastro de la Friche de la Belle-de-Mai (• *mixenbouche.com* •).

Les quartiers animés le soir

Comme toutes les grandes villes, Marseille est « éclatée » en plusieurs centres nocturnes.

– La Plaine, on monte à La Plaine ? Petit quartier qui s'étend entre le cours Julien et la place Jean-Jaurès. C'est la zone branchée de la planète Mars(eille). Bars et restos à foison, ainsi que des petites salles de concerts et de spectacles. Rockers alternos et rappeurs, motards et intellos, étudiants et zonards cohabitent pacifiquement en général dans des ruelles où pas un centimètre carré n'a échappé aux graffitis : tags rageurs comme superbes fresques.

– Le bord de mer, de la Corniche aux Goudes en passant par l'Escale Borély, s'adresse surtout (et surtout l'été) à ceux qui préfèrent des ambiances plus « Côte d'Azur » et une clientèle plus friquée qui aime ce qui brille.

– Autour du Vieux-Port, l'îlot Thiars et le quai de Rive-Neuve font dans le mélange des genres, jeunes et moins jeunes, Marseillais et touristes. Bars, boîtes de nuit, restos, clubs plus ou moins privés, il y en a pour tous les goûts.

Attendez-vous à une certaine sélection (sinon à une sélection certaine !) à l'entrée des lieux de la jeunesse dorée. La Plaine restant le quartier le plus « ouvert d'esprit ». Sinon, Marseille, la nuit, peut s'avérer une ville un peu « compliquée », avec ses codes et ses tensions. Pas de parano, mais se souvenir que Marseille n'est pas une ville riche.

QUARTIERS DU VIEUX-PORT ET DE L'OPÉRA

♩ ***Le Trolley Bus*** *(plan couleur centre 1, C5,* ***129****)* **:** *24, quai de Rive-Neuve, 13007.* ☎ *04-91-54-30-45.* • *letrolleybus@orange.fr* • *letrolley.com* • Ⓜ *Vieux-Port/Hôtel-de-Ville.* ♿ *Jeu-sam juin-sept 23h30-6h. Entrée : 10 € sam ; entrée payante les soirs de concert. Entrée gratuite sam sur présentation de ce guide.* Une institution du swinging Marseille. Installé dans l'ancien arsenal des galères ; cadre assez stupéfiant, donc : un long couloir souterrain bordé de part et d'autre de salles voûtées aux ambiances différentes (pop-rock, électro, soul, funk, hip-hop...). Il y en a même une consacrée à la pétanque ! Petite sélection à l'entrée.

♫ ***Le Bunny'z*** *(plan couleur centre 1, D5,* ***133****)* **:** *2, rue Corneille, 13001.* ☎ *04-*

91-54-09-20. Ⓜ Vieux-Port/Hôtel-de-Ville. Mar-sam (à partir de 23h30 sf jeu et ven dès 22h), sf de mi-juil à fin août. Une boîte qui a ses fidèles parmi les quadragénaires et au-delà. Nombreux adeptes et espace tout petit, d'où une chaude (dans tous les sens du terme) ambiance. Musique volontiers rétro (années 1970-1980).

LA CANEBIÈRE ET LA PLAINE

Cubaïla Café *(plan couleur centre 2, F5, **143**) : 40, rue des Trois-Rois, 13006. ☎ 04-91-48-97-48. • cubailacafe@hotmail.com • Ⓜ Notre-Dame-du-Mont/Cours-Julien. Tlj sf lun-mar 20h-minuit (resto). Menus 22-27 €. Entrée concert : 8 €. Wifi. Apéritif offert sur présentation de ce guide.* Au rez-de-chaussée, un joli resto aux saveurs cubaines et espagnoles. À l'ardoise, une trentaine de tapas, au choix, réalisées par un chef catalan créatif... C'est au sous-sol (à partir de 23h) que l'on s'essaie à danser la salsa. Concerts de musique cubaine ou brésilienne certains soirs. Clientèle très comme il faut (pour le quartier). D'ailleurs, petite sélection à l'entrée. Terrasse.

Pour l'ambiance, citons en passant les petits concerts du ***Lounge,** 4, rue des Trois-Mages...*

Planet Mundo Kfé *(plan couleur centre 2, E4, **140**) : 50, cours Julien. ☎ 04-91-92-45-72. Ⓜ Notre-Dame-du-Mont/Cours-Julien. Ouv mer-sam. Repas dansant 25 €. Concerts 5 €.* D'abord, des tables, disposées en cercle autour de la piste de danse, dans un espace resto où l'on vient surtout en groupe. Au sous-sol, la salle de concert. Jazz le jeudi, latino le vendredi, world music le samedi. Pour ceux qui aiment guincher *caliente*.

LA CORNICHE ET LES PLAGES

The Red Lion *(plan Marseille – Les plages, J10, **190**) : 231, av. Pierre-Mendès-France, 13008. ☎ 04-91-25-17-17. Bus nº 19, arrêt Les Gatons-Plage. Tlj 15h-2h (4h ven-sam et veille de j. fériés). Happy hours (17h-20h), jam-session mar, concerts mer et dim (rock, blues, country...), soirées à thème jeu et DJ ven-sam au lounge. Pinte 4 € ; demi 2,60 €.* Bonnes bières, faut-il encore préciser ? Un pub, un vrai, où l'on parle presque plus anglais qu'*avé l'assent.* Décor dans l'esprit et grande terrasse en bois qui court le long du trottoir. Pour les amateurs de bains de minuit (un rite du coin), la plage est juste en face.

Le Bazar *(plan Marseille – Les plages, K8, **192**) : 90, bd Rabatau, 13008. ☎ 04-91-79-08-88. Ⓜ Périer. Ouv jeu-sam à partir de 23h (dim 19h30). Entrée : 20 € (2 consos comprises).* Pour son espace VIP avec une terrasse de 400 m² et ses cabanes suspendues au milieu des palmiers... Et pour la musique, avec la présence de quelques-uns des meilleurs DJs (house et techno surtout) du moment. On peut dire que ça décoiffe. Clientèle jeune et branchée. Très couru, le dimanche pour son BBQ notamment. Sélection à l'entrée.

Complex Warm Up *(plan Marseille – Les plages, J10, **191**) : 8, bd Jourdan-Barry, Pointe-Rouge, 13008. ☎ 04-96-14-06-30. • info@warmup-marseille.fr • Tlj sf dim-lun. Soirées parfois payantes (10-20 € ; conso incluse).* Un lieu en vogue pour les *before* et autres *seven to one.* Une terrasse pour les beaux jours et deux salles, dont une au look d'usine repeinte en rouge, pour une programmation éclectique et originale. Soirées salsa, masquées, DJ, électro, house, massages au cours de la soirée, etc. Tenez-vous au courant ! Fait aussi resto.

Sport's Beach Café *(plan Marseille – Les plages, J9, **194**) : 138, av. Pierre-Mendès-France, 13008. ☎ 04-91-76-12-35. • infos@sportsbeachcafe.fr • Ⓜ Rond-Point-du-Prado puis bus nº 19. Face à l'hippodrome, côté mer. Tlj (sf dim soir au mer soir en basse saison). Resto jusqu'à minuit le w-e menu 17 € midi, 32 € le soir. Carte 30 €. Boîte jusqu'à 2h. Soirées à thème une fois par semaine, salsa mar, années 1970-1980 ven, world music sam... Entrée de la boîte : 10 €, 1re conso incluse ; gratuit pour les clients du resto. Wifi. 10 % sur l'addition du resto sur présentation de ce guide.* Vestiaire obligatoire en hiver (payant). Sélection à l'entrée. Un lieu de rendez-vous de la jeunesse dorée (au soleil), friande de la piscine en été (location de transats payante) et de la piste de danse aux premiers frimas, avec écran géant. Pour garder des forces, commandez un filet de bœuf à la provençale, la restauration étant possible jusqu'à près de minuit.

Où assister à un concert ?

Quartier du Vieux-Port

♩ **Le Pelle-Mêle** *(plan couleur centre 1, D5,* ***127****) : 8, pl. aux Huiles, 13001. ☎ 04-91-54-85-26. Ⓜ Vieux-Port/Hôtel-de-Ville. Tlj en saison 18h-2h, tapas offertes avec l'apéro jusqu'à 21h ; jazz sessions mer-sam 22h30 (sf en été). Entrée : 6 €. Conso 4 €.* Si New York a ses « clubs de jazz », Marseille a son « bistrot de jazz », ouvert et toujours tenu par Jean-Louis, très sympa, manifestement tombé dedans quand il était petit. Petite scène cernée de mezzanines avec banquettes de moleskine et photos noir et blanc des musiciens passés par ici : Abercombie, Petrucciani... cherchez-les !

La Canebière et La Plaine

🍷♩ **Le Poste à Galène** *(plan couleur d'ensemble G5,* ***138****) : 103, rue Ferrari, 13005. ☎ 04-91-47-57-99. • lepostea galene.com • Ⓜ Notre-Dame-du-Mont/Cours-Julien ou Baille. ♿ Tlj sf dim. Concerts et soirées 2 à 3 fois/sem avec DJ à partir de 21h30. Fermé en août. Petite adhésion obligatoire. Entrée : 5 €. Conso 3 €.* Un des bons lieux associatifs de Marseille. Du rock alterno des débuts, cet ancien hangar s'est ouvert à d'autres expressions musicales (reggae, musiques électroniques, nouvelle scène française...). L'ambiance est généralement sympa. Régulièrement des concerts et excellente programmation. Les amateurs de mousses apprécieront comme il se doit la carte des bières, bien fournie en cervoises du monde entier.

♩ **L'Espace et le Café Julien** *(plan couleur centre 2, E4,* ***141****) : 39, cours Julien, 13006. ☎ 04-91-24-34-10. • espace-julien.com • Ⓜ Notre-Dame-du-Mont/Cours-Julien. Fermé l'été. Concerts parfois gratuits.* Une institution ! Bonne programmation, totalement éclectique (hip-hop, rock, chanson, etc.). Une grande salle (*L'Espace*, avec son millier de places debout ou 600 assises) pour les têtes d'affiche et désormais un « café » plus intime avec 150 à 200 places pour des soirées avec DJs (dont le fameux Jack de Marseille).

♩♫ **El Ache de Cuba** *(plan couleur centre 2, F5,* ***142****) : 9, pl. Paul-Cézanne, et 108, cours Julien, 13006. ☎ 04-91-42-99-79. • elachedecuba@wanadoo.fr • elachedecuba.com • Ⓜ Notre-Dame-du-Mont/Cours-Julien. Jeu-sam 17h-2h. Fermé en août. Concert 5 €, consos 2-4 € ; soirées DJ gratuites.* Un bar associatif latino et authentique, lancé par la fameuse Lili de Cuba ! Déco chaleureuse, cocktails explosifs, cours de danse (salsa) et enfin concerts 2 fois par mois.

♩ **Dan Racing** *(plan couleur centre 2, F5,* ***148****) : 17, rue André-Poggioli, 13006. 📱 06-09-17-04-07. • danracing@neuf.fr • dan-racing.tk • Ⓜ Notre-Dame-du-Mont/Cours-Julien. Presque à l'angle de la rue des Trois-Rois. Ouv mer-sam 21h-2h. Scène ouv le mer à ts les groupes punk-rock de la galaxie destroy (matos fourni !). Fermé en août. Concerts gratuits ven-sam. Conso 2,50 €.* Ambiance et look garantis. Décor intérieur original sur le thème de la bagnole ça va de soi (vénérables plaques émaillées, pompe à essence, etc.).

🍷♩ **Le Paradox** *(plan couleur centre 2, E5,* ***123****) : 127, rue d'Aubagne, 13006. ☎ 04-91-63-14-65. • leparadox.fr • Ⓜ Notre-Dame-du-Mont/Cours-Julien. Tlj sf lun 18h30-2h (restauration 20h30-minuit). Concerts 21h à 22h30. Entrée : 5-10 €.* Belle programmation dans tous les genres : blues, boogie-woogie, afro-blues, afro-tropical, funk, hip-hop, rock, électro, etc. On y a vu Sadik Asken (de Belzunce), Awek Blues, Malted milk, Nasser & Black Sheep...

Quartiers de la Belle-de-Mai et de Longchamp

♩ **Cabaret Aléatoire de la Friche** (plan couleur d'ensemble F-G2, **160**) : *41, rue Jobin, 13003. ☎ 04-95-04-95-04. • lafriche.org • Ⓜ Chartreux ou Cinq-Avenues/Longchamp.* Dans le cadre de la belle aventure de la Friche (à lire dans « À voir plus loin du centre »), voici une scène alternative qui monte. Ici, tous les courants artistiques émergents sont représentés : les musiques actuelles mais aussi les arts visuels et le multimédia. Renseignez-vous sur la programmation.

♩ ***L'Embobineuse*** *(plan couleur d'ensemble E1,* ***144****) : 11, bd Bouès, 13003. ☎ 04-91-50-66-09. • lembobineuse.biz • Ⓜ Chartreux ou Cinq-Avenues/Longchamp. Une ½ douzaine de concerts par mois. Programme complet sur le site internet.* À deux pas de la friche de la Belle-de-Mai, une salle dédiée à la création musicale, entre concerts électro et performances. Pointu, parfois déroutant.

Achats

Savon de Marseille

Savonnerie marseillaise de la Licorne (plan couleur centre 2, E4, **208**) : *34, cours Julien, 13006. ☎ 04-96-12-00-91. • soap-marseille.com • Ⓜ Noailles ou Notre-Dame-du-Mont/Cours-Julien. Lun-ven 9h-19h ; sam 10h-19h. Visite (20 mn) tlj à 11h, 15h et 16h.* Une savonnerie artisanale qui travaille avec des parfums et colorants naturels, et machines parfois centenaires. À l'issue de la visite, le savon n'aura plus de secrets pour vous ! Accueil sympathique. *Autre boutique sur le Vieux-Port, au 24, quai de Rive-Neuve.*

La Savonnerie du Sérail *(hors plan couleur d'ensemble par F1,* ***200****) : 50, bd Anatole-de-la-Forge, Sainte-Marthe, 13014. ☎ 04-91-98-28-25. Dans les quartiers nord. En voiture : autoroute d'Aix, sortie Arnavaux, 2e rond-point à gauche et 1er feu à droite ; c'est face au Clos de la Margeraie. Visite guidée (gratuite) ven 14h-16h30.* Cette savonnerie artisanale de Marseille existe depuis 1949. Ici, on fabrique encore le savon à l'ancienne, c'est-à-dire au chaudron.

72 % Pétanque *(plan couleur centre 1, C3,* ***201****) : 10, rue du Petit-Puits, 13002. ☎ 04-91-91-14-57. • philippechailloux.com • Ⓜ Colbert/Hôtel-de-la-Région. Tlj 10h-18h30 (dim 10h-17h).* Une de nos boutiques préférées, juste à droite de la Vieille-Charité. Son nom rappelle le taux d'huile nécessaire au savon de Marseille... et la forme de certains savons créés par Philippe Chailloux. Farceur et créatif, il passe son temps à en inventer de nouveaux : melon, chocolat, romarin, feuille de tomate, et même un au pastis ! Belle collection de vieux savons de Marseille. Bref, un fondu du savon. Et les prix sont raisonnables.

La Compagnie de Provence (plan couleur centre 1, C4, **202**) : *1, rue Caisserie, 13002. ☎ 04-91-56-20-94. Ⓜ Colbert/Hôtel-de-la-Région ou Vieux-Port/Hôtel-de-Ville. Tlj sf dim 10h-19h (juil-août 10h-19h30) ; tlj pdt les vac scol et l'été.* Un magasin assez tendance proposant du savon de Marseille sous toutes ses formes (traditionnel ou liquide).

Boules de pétanque

La Boule Bleue (hors plan couleur d'ensemble par G5, **203**) : *Z.I. La Valentine, 57, montée de Saint-Menet, 13011. ☎ 04-91-43-27-20. • laboulebleue.fr • Tlj sf sam-dim : lun-jeu 9h-12h, 14h-18h (jeu 17h), ven 9h30-16h30. Fermé 3 sem en août et 15 j. pdt les fêtes de Noël. Compter 75-200 € la triplette.* Dernière fabrique artisanale de Marseille qui commercialisa les premières boules de bois cloutées en 1904 puis la fameuse boule en acier bleuté créée en 1947. Cette entreprise familiale fait du sur mesure et de la personnalisation en les gravant à votre nom (sur commande, 1 semaine à l'avance). Triplettes de compétition haut de gamme en inox (ne rouillent pas !) ou en acier au carbone.

Santons

Santons Marcel Carbonel (plan couleur centre 1, C5, **205**) : *47, rue Neu-*

ve-Sainte-Catherine, 13007. ☎ 04-91-54-26-58. • santonsmarcelcarbonel.com • Ⓜ Vieux-Port/Hôtel-de-Ville. On peut visiter l'atelier (lun-jeu 9h-13h, 14h-17h) et la boutique-musée au n° 49 (mar-sam 10h-12h30, 14h-18h30). Santonnier depuis 1935 (c'est le petit-fils qui a repris l'affaire). Figurines pastorales classiques.

Arterra *(plan couleur centre 1, C3, **206**) : 15, rue du Petit-Puits, 13002. ☎ 04-91-91-03-31. Ⓜ Colbert/Hôtel-de-la-Région. Tlj sf dim 9h-13h, 14h-18h.* Pour ceux qui veulent découvrir une nouvelle génération de santons. La technique reste traditionnelle mais le style est plus moderne que les autres. Belle création originale : les personnages d'Arlésiennes, danseuses de farandole. Atelier et boutique.

L'Atelier des Santons *(plan couleur centre 1, C4, **207**) : 48, rue du Lacydon (pl. Jules-Verne), 13002. ☎ et fax : 04-91-90-67-56. Ⓜ Colbert/Hôtel-de-la-Région ou Vieux-Port/Hôtel-de-Ville. Mer-sam 9h-12h, 14h-19h.* Jacques Flore fabrique des santons selon la méthode traditionnelle mais dans un style non conventionnel, avec des personnages modernes et originaux.

À voir

Prévoyez plusieurs jours pour tout voir, ou revoir, dans cette ville dont la seule façade maritime s'étend sur 57 km et qui compte quelque 240 km^2 de superficie. Une ville passionnante, foisonnante, qui mérite plus qu'un coup d'œil rapide, de L'Estaque aux calanques et du Vieux-Port, où tout commence, au pays de Pagnol, dans les collines, en passant par la Canebière qui ne va plus « jusqu'au bout de la terre », comme on le chantait dans les années 1930, mais qui vous mènera dans un Marseille perdu et retrouvé, en prenant le tramway.

Côté musées, Marseille est devenu, après Paris, une des plus importantes villes de France. Collections antiques, collections ethnographiques, arts classique, moderne et contemporain, traditions, tout est représenté à Marseille. Sans parler du futur musée des Civilisations de l'Europe et de la Méditerranée qui devrait voir le jour à l'horizon 2013, à l'occasion de Marseille-Provence 2013 capitale européenne de la culture ! La première pierre a été posée fin 2009.

– Si vous voulez en visiter pas mal, achetez le ***City Pass,*** valable dans les 14 musées municipaux pour les expos permanentes (et incluant d'autres avantages). *• resamarseille.com • Compter 22 € pour 1 j., 29 € pour 2 j. En vente à l'office de tourisme.*

– *Pass Marseille :* pour ceux qui souhaiteraient effectuer un tour de la ville, la Société marseillaise de tourisme propose un « Grand Tour » en bus découvert avec 16 arrêts possibles. *Départ sur le quai du port tlj à partir de 10h. Ⓜ Vieux-Port/Hôtel-de-Ville. Se procurer le pass valable 1 j. (18 €) ou 2 j. (20 €). • marseillelegrandtour.com • ☎ 04-91-91-05-82.*

IMPORTANT : les collections permanentes des musées municipaux sont gratuites le dimanche matin jusqu'à 12h.

AU CŒUR DU VIEUX MARSEILLE

Autour du Vieux-Port

Le Vieux-Port *(plan couleur centre 1) :* les Marseillais prétendent volontiers que c'est le plus beau du monde. Une myriade de bateaux de plaisance y sont alignés en rangs serrés, dans la calanque où débarquèrent les Phocéens. Belle vue depuis Notre-Dame-de-la-Garde, les jardins du Pharo et certaines rues du Panier, surtout au coucher du soleil. Deux forts en gardent l'entrée. Sur la rive droite, le fort Saint-Jean, et sur la rive sud, le fort Saint-Nicolas (voir plus loin). Le Vieux-Port a débuté une cure de jouvence qui sera bien sûr terminée en 2013, quand la ville sera capitale européenne de la culture avec pour objectif de rendre le Vieux-Port aux piétons. À suivre...

SARDINE OU SARTINE ?

On connaît l'histoire de la « sardine » qui a bouché le port. Elle a fait vendre beaucoup de cartes postales au début du XXe s, et l'on en parle aujourd'hui encore comme du symbole de l'exagération marseillaise, de la galéjade en somme. Or, il ne s'agit pas d'un effet de l'imagination des Marseillais, mais sans doute d'un navire appelé La Sartine, *échoué en travers de la passe du Vieux-Port au XVIIIe s.*

Les quais : ils ont été construits sous Louis XIV. Les nazis, qui considéraient Marseille comme « un foyer d'abâtardissement pour le monde occidental », en ont largement modifié l'aspect, le long du quai du Port notamment. Hitler lui-même décide, début 1943, la destruction à l'explosif de près de 2 000 maisons, faisant évacuer par la force 20 000 personnes. Seuls quelques monuments en réchapperont, comme l'hôtel de ville (XVIIe s) et sa belle architecture d'inspiration génoise (lire plus loin) ou, juste derrière, le pavillon Daviel (du nom du premier oculiste à avoir pratiqué l'opération de la cataracte, en 1745), ancien palais de justice, et son élégant balcon en ferronnerie. C'est l'architecte Fernand Pouillon qui reconstruisit une bonne partie du quai (immeubles en arcades et ceux au pied du Panier). Après quelques mésaventures financières, il se retrouva en prison, où il écrivit *Les Pierres sauvages* (prix Médicis quand même !) avant de s'exiler en Algérie, où il exerça ses talents (Dar-el-Mansour et les Mille Colonnes à Alger notamment).

Le marché aux poissons *(plan couleur centre 1, D4)* **:** *Ⓜ Vieux-Port/Hôtel-de-Ville. Quai des Belges, au débouché de la Canebière, chaque matin à partir de 8h, s'installe le célèbre marché aux poissons.* Là, rascasses, congres, girelles, daurades, poulpes ou galinettes sont vendus à la criée. Pour le folklore de la « tchatche » plus que pour les prix ! Comment oublier cette marchande de poisson qui, le soleil commençant à faire des siennes, apostropha les passants qui regardaient ses moules avec méfiance : « Hé, elles sont fraîches, qu'est-ce que vous croyez... elles bâillent un peu, les pauvrettes, mais c'est de fatigue ! »

L'église Saint-Ferréol *(plan couleur centre 1, D4)* **:** *quai des Belges et rue de la République.* Sa façade blanche (de 1875) se détache au-dessus du bassin du Port. Ce fut l'une des plus grandes églises de Marseille, construite à l'emplacement du couvent des Grands-Augustins (XIVe s). Aujourd'hui, elle donne une touche de sérénité au quartier. Large nef voûtée d'ogives.

Le port antique et le musée d'Histoire de Marseille *(plan couleur centre 1, D4)* **:** *installé au rez-de-jardin du Centre Bourse, 13001. ☎ 04-91-90-42-22. Ⓜ Vieux-Port/Hôtel-de-Ville. Tlj sf dim et j. fériés 12h-19h (17h45 pour le jardin). Accès par le port antique ou par le Centre Bourse. Entrée (musée et jardin) : 2 € ; réduc. Visites commentées lun et sam à 14h30 (collection permanente) et 15h30 (expo temporaire).*

En 1967, lors de travaux d'aménagement du quartier de la Bourse, on fit une découverte extraordinaire : l'ancien port, rien de moins. Jusqu'alors, les historiens ne disposaient pratiquement d'aucun vestige, indice ou trace de Massalia. Aujourd'hui, on peut admirer, en traversant le jardin des Vestiges, une nécropole et les remparts d'époque grecque ainsi que la belle ordonnance du quai, un bassin d'eau douce, une voie dallée d'époque romaine, etc. En prime, on découvrit même en 1974 un magnifique bateau du IIe s, à l'abri aujourd'hui au musée d'Histoire de Marseille, juste à côté. Expositions permanentes et temporaires, avec une présentation didactique de l'histoire de Marseille.

– *Anciennes salles :* évocation des origines grecques de la cité (VIe s av. J.-C.) avec une maquette de Massalia, réalisée grâce aux écrits d'Aristote, et l'énumération de certaines règles de l'époque, comme l'interdiction du vin pour les femmes ou l'autorisation du suicide à la ciguë. Les fouilles récentes du port grec ont permis de mettre au jour de très nombreux objets, dont une exceptionnelle barque de pêche « cousue » par ligatures, datant du VIe s av. J.-C. Nombreux témoignages de l'époque romaine, bornes, cippes, mosaïques, etc. Reconstitution d'un four de potier, amphores, lingots de cuivre et étain. Enfin, étonnante épave lyophilisée d'un navire de commerce romain du IIe s trouvée dans le port.

– *Salle de l'Antiquité tardive à l'an mil :* tombes grecques et romaines, reconstitution de « fours à barres » (avec rayonnages), encore employés en Iran aujourd'hui, et fours des potiers de Sainte-Barbe (XIIIe-XIVe s) toujours en usage en Turquie et au Maroc.

– *Salle Louis XIV (XVIIe-XVIIIe s) :* très intéressants panneaux historiques sur cette période, depuis le monopole du commerce avec « le Levant et la Barbarie » confié à Marseille jusqu'à l'agrandissement décidé par Louis XIV au détriment des nobliaux locaux. C'est Pierre Puget (1620-1694) qui en fut l'architecte, mais nombre de ses projets, présentés ici en maquette et sur une grande toile, furent refusés. Finalement, la seule réalisation marquante qui subsiste de son œuvre est la chapelle de la Vieille-Charité !

Le musée de la Marine et de l'Économie *(plan couleur centre 1, D4)* **:** *à l'intérieur du palais de la Bourse, 9, La Canebière, 13001. ☎ 04-91-39-33-33. Ⓜ Vieux-Port/Hôtel-de-Ville. Tlj 10h-18h. Entrée : 2 € ; réduc de 1 €, notamment sur présentation de ce guide.* Fleuron du style architectural Second Empire à Marseille, où est logée la plus ancienne chambre de commerce et d'industrie du pays (et sans doute du monde). Beau musée avec des collections racontant l'histoire du port et de son commerce. Nombreuses peintures, superbes maquettes, notamment celle du *Danube,* un paquebot à voiles et à vapeur de 5 m de long, datant des Messageries maritimes. Superbes affiches anciennes, pour alimenter la nostalgie. Une salle côté rue est consacrée à l'histoire des explorations sous-marines (et de leurs technologies) depuis 1734. Quelques scaphandres et dessiccateurs à soie. Touche de modernité à l'extérieur avec une tourelle de plongée de la Comex. Petite librairie spécialisée.

Le fort Saint-Jean *(plan couleur d'ensemble B-C4)* **:** sa fondation date du XIIe s. Il fut construit pour garder l'entrée du port et servit d'établissement aux hospitaliers de Saint-Jean-de-Jérusalem. Agrandi, renforcé par une tour carrée dite « du roi René » (d'Anjou) au XVe s et doté d'une tour du Fanal (1644) regardant la mer, le fort Saint-Jean est bordé aujourd'hui par une promenade piétonne très agréable de jour comme de nuit avec vue sur le jardin du Pharo. Beaucoup de monde dès l'arrivée des beaux jours pour se faire bronzer, pendant que les enfants jouent et que d'autres s'éloignent pour lire ou simplement rêver devant les bateaux. La chapelle du XIIIe s est en cours de restauration. Dans les caves sont entreposés de nombreux objets découverts lors de fouilles sous-marines par les plongeurs de la Direction régionale de l'archéologie sous-marine, qui occupe le fort.

Le MuCEM *(musée des Civilisations de l'Europe et de la Méditerranée ; plan couleur d'ensemble B-C4)* **:** *esplanade Saint-Jean, 13002. ☎ 04-91-59-06-87. • mucem.eu • Ⓜ Vieux-Port/Hôtel-de-Ville. ♿ En fonction des expos et sur rdv. Entrée libre.*

D'ici 2013 surgira de terre, au pied du fort Saint-Jean et relié à celui-ci par une fine passerelle de 130 m de long, le bâtiment futuriste du musée des Civilisations de l'Europe et de la Méditerranée (MuCEM), conçu par l'architecte Rudy Ricciotti. Il s'agit d'installer au bout du Vieux-Port un espace culturel unique en Europe consacré aux sociétés de l'espace euro-méditerranéen. Le chantier bat donc son plein. Pour l'heure, le MuCEM organise, dans le fort Saint-Jean, des visites guidées sur rendez-vous. En ressortant du MuCEM, depuis la place d'Armes, avant de reprendre l'ascenseur, jetez un œil sur le Marseille de demain, celui qui verra une ville marcher de nouveau jusqu'à la mer, quand le flot automobile passera sous terre. En attendant ce grand jour rêvé par tous les promoteurs, vous profite-

rez d'une vue extraordinaire non seulement sur la mer, mais surtout sur l'histoire de Marseille au Second Empire, qu'on vous narre un peu plus loin (voir « Vers les docks de la Joliette »).
Le MuCEM sera inauguré avec le lancement de la programmation de « Marseille-Provence 2013 Capitale européenne de la culture ».

Le mémorial des Camps de la Mort (plan couleur centre 1, C4) **:** *quai de la Tourette, 13002. ☎ 04-91-90-73-15. Adossé au mur nord du fort Saint-Jean, dans le grand virage au bout du quai du Port. Oct-mai, tlj sf lun 10h-17h ; juin-sept, tlj sf lun 11h-18h. Entrée libre, et quand on dit « libre », ça veut aussi dire fortement conseillée.* En effet, n'oublions pas que Marseille connut la plus grande rafle de l'Occupation après celle du Vél' d'Hiv, la rafle du Panier ordonnée par Hitler et Karl Oberg, chef de la Gestapo en France. Ce mémorial, lieu de mémoire ouvert à tous les publics, est installé dans un blockhaus. Paroles de déportés écrites sur des panneaux, comme des lueurs essayant de survivre à la tentation de l'oubli (ce n'est pas une formule mais bien ce que veut dire le texte de Primo Levi). Des témoignages et des photos, la sculpture de Jean-Marc Boury, au 2e niveau, évoquant la force nazie, une maquette réalisée par des élèves de collèges, des urnes contenant les cendres des différents camps...

La consigne sanitaire (anciennes douanes ; plan couleur centre 1, C4) **:** au pied du fort. Édifiée en 1719, à l'époque de la Grande Peste, elle resta un modèle jusqu'au XIXe s pour tous les grands ports de la Méditerranée. Elle abrite aujourd'hui les services maritimes et les douanes. Une deuxième consigne a été ajoutée au XIXe s dans un style architectural identique. Après réhabilitation, elle accueillera dès 2013 le musée Regards de Provence.

Le musée des Docks romains (plan couleur centre 1, C4) **:** *pl. Vivaux (au pied du Panier), 13002. ☎ 04-91-91-24-62. Ⓜ Vieux-Port/Hôtel-de-Ville. Bus nos 83 et 55. Tlj sf lun et j. fériés 10h-17h hors saison et 11h-18h en hte saison. Entrée : 2 € pour les collections permanentes ; réduc.* En 1947, avant la reconstruction du Vieux-Port détruit par les Allemands, des fouilles ont permis de mettre au jour les vestiges d'un entrepôt commercial romain. Notamment un ensemble de dolia (grosses jarres à huile et à vin, à l'intérieur enduit de poix, dont la contenance atteignait les 2 000 l, voire plus) qui, conservé en place et en l'état, constitue l'élément central de ce musée. S'y trouvent également nombre de découvertes archéologiques sous-marines illustrant le commerce de Marseille et ses liens avec le reste de la Méditerranée dans l'Antiquité. Les trois vitrines centrales sont le résultat des fouilles de Cousteau. Voir entre autres le couvercle cassé d'une célèbre marque de dolia de l'époque, les différents modèles d'amphores marseillaises, les restes de la galère de César et le trésor de pièces de monnaie du IIIe s trouvées au large de La Ciotat. Également la mosaïque polychrome de la Baigneuse datant du IIIe s apr. J.-C., provenant sans doute des thermes découverts sous la place Villeneuve-Bargemon.

La Maison diamantée (plan couleur centre 1, C4) **:** *2, rue de la Prison, 13002. Ⓜ Colbert/Hôtel-de-la-Région ou Vieux-Port/Hôtel-de-Ville.* La maison présente un décor mural à bossage de la fin du XVIe s : observer la pierre taillée comme la pointe d'un diamant. Le quartier a été rénové, et c'est désormais un vrai bonheur de monter jusqu'au Panier depuis l'hôtel de ville.

L'hôtel de Cabre (plan couleur centre 1, D4) **:** *à l'angle de la Grande-Rue et de la rue Bonneterie. Ⓜ Colbert/Hôtel-de-la-Région.* C'est la plus ancienne maison de Marseille (1535), au décor Renaissance française assez chargé. Lors de la reconstruction du quartier, cette maison a carrément été soulevée d'un bloc puis tournée à 90° pour être dans l'alignement des nouveaux bâtiments !

L'hôtel de ville (plan couleur centre 1, D4) **:** *quai du Port. Ⓜ Colbert/Hôtel-de-la-Région ou Vieux-Port/Hôtel-de-Ville. Visites guidées slt (voir avec l'office de tourisme).* Face au bassin du Vieux-Port, belle construction du XVIIe s, en pierre rose de la Couronne. Le quartier a été transformé grâce au bel aménagement de la place

Villeneuve-Bargemon : vaste esplanade ombragée par des platanes, avec vue sur le Vieux-Port et Notre-Dame-de-la-Garde. En sous-sol, il y a une nouvelle salle de réunion pour les 110 conseillers municipaux. On trouve aussi des salles de commission pour les élus. Ne manquez pas le joli champ d'oliviers juste derrière, place Jules-Verne, où les habitués du *Café des Épices* voisin se retrouvent pour boire un verre en attendant leur table...

À l'est du Vieux-Port

Derrière le quai de Rive-Neuve, balade obligatoire dans le quartier Thiars, site de l'arsenal des Galères, réaménagé à la fin du XVIIIe s. Unité architecturale sans égale dans la ville. Flânez sur la ***place Thiars*** *(plan couleur centre 1, D5)*, qui dégage une atmosphère de campo vénitien, et le ***cours d'Estienne-d'Orves,*** semblable à l'une de ces piazze tout en longueur que l'on voit à Rome. Du temps des galères, un canal en L occupait les actuels place aux Huiles et cours d'Estienne-d'Orves. Tout le quartier était alors bouclé. Les galériens y vivaient mais ne pouvaient en sortir. Comblé au début du XXe s, le canal a été, dans les années 1960, remplacé par un parking monstrueux, dont l'heureuse réhabilitation du quartier a fini par avoir raison. Vous trouverez des panneaux qui vous expliqueront toute cette histoire dans le ***porche des Arcenaulx,*** entre le restaurant et la librairie des sœurs Laffite, qui ont beaucoup milité pour que cet aménagement soit une réussite.

L'Opéra *(plan couleur centre 1, D5)* **:** Ⓜ *Vieux-Port/Hôtel-de-Ville.* Reconstruit en 1924 dans le pur style Art déco, il reste une référence en France pour tous les amoureux du lyrique, qui apprécient tout autant les prestations des chanteurs que l'intérieur, superbe, et surtout l'atmosphère de ce petit bijou, où admirateurs comme détracteurs n'hésitent pas à donner de la voix, les grands soirs.

Notre-Dame-de-la-Garde *(plan couleur d'ensemble D6)* **:** *en voiture, Notre-Dame-de-la-Garde est fléchée à partir du Vieux-Port. En bus, prendre le n° 60 au départ du cours Jean-Ballard (Vieux-Port). À pied, compter une demi-heure par le cours Puget et le jardin de la Colline. Basilique et crypte ouv 7h-19h (7h30-20h en juil-août).*

– Si vous n'avez guère de temps, c'est l'endroit où vous rendre avant tout autre, notamment pour le superbe panorama à 360° sur la ville. Vous allez pouvoir admirer aussi l'intérieur de la basilique, sa restauration étant terminée. Il était temps. La pierre gris-vert de Golfina se dégradait. L'eau pénétrait dans les façades et tombait à l'intérieur sur les orgues ; vous pouvez désormais contempler sans crainte le plafond de la nef centrale.

– Visite : sur un piton calcaire culminant à 160 m (pardon, 157 m !), la « Bonne Mère » est à Marseille ce que le Pain de Sucre est à Rio : un lieu magique d'où l'on épouse du regard toute une ville. La première chapelle fut construite en 1214 par l'ermite maître Pierre, sous l'autorité de l'abbé de Saint-Victor. À la mort de l'ermite, la chapelle devint un prieuré, reconstruit au XVe s et agrandi au XVIe s. Après la visite de François Ier, le 22 janvier 1516, on adjoignit un fort au site de Notre-Dame-de-la-Garde ; enfin, en 1853, on détruisit la vieille chapelle pour édifier une basilique plus vaste, capable d'accueillir les pèlerins qui, depuis les premières épidémies de choléra, affluèrent en nombre (plus de 1,5 million de visiteurs chaque année). Il n'y a jamais eu d'apparitions ici, donc il ne s'agit pas d'un lieu de miracles du type Lourdes. Objet de pèlerinage depuis bientôt 800 ans, c'est aussi un lieu de recueillement ouvert à tous les publics de toutes confessions. Extraordinaire collection d'ex-voto (tableaux souvent d'une naïveté confondante, maquettes de bateaux ou d'avions suspendues à la nef ou exposées dans les couloirs...) qui témoignent d'une expression de la foi très méditerranéenne comme, dans la crypte, les plaies d'un Christ en croix, creusées à force d'avoir été touchées. Plus surprenant, des ex-voto pour remercier le Ciel... d'une victoire de l'OM ! De style romano-byzantin, dans un déploiement de marbres et de mosaïques, la « Bonne Mère » est surmontée d'une statue de la Vierge étincelante de 9,70 m de hauteur. Comme l'écrit l'auteur marseillais Louis Brauquier dans *Et l'au-delà de Suez* : « Tu restes dans le ciel le signe et le haut phare. La reine au règne d'or, celle qui tient l'amarre. Et maîtrise la mer. »

L'Eau Vive : *☎ 04-91-37-86-62. Tlj sf lun, à midi. Carte 11-30 €.* Pour rester dans l'ambiance, et si vous n'êtes pas allergique à un Ave Maria chanté, allez manger un morceau à la cafétéria de Notre-Dame. Bonne petite cuisine familiale (on peut le dire, ce sont des bonnes sœurs). Calme, gentillesse et petits prix.

Jardin et palais du Pharo *(plan couleur d'ensemble B4-5)* **:** *58, bd Charles-Livon, 13007. ☎ 04-91-14-64-00. Le palais ne se visite pas. Jardin ouv 7h-21h (20h en hiver). Entrée gratuite.* Ce fut d'abord un site balnéaire jusqu'en 1860 avant que Napoléon III ne lance la construction du palais (entre 1858 et 1870), qui ne fut achevé qu'après sa chute. Il est bâti sur le promontoire de la Tête de More, qui domine l'entrée du port. L'impératrice Eugénie fit un procès à la ville de Marseille pour le récupérer, gagna son procès et... finalement le donna à la ville en 1883. Aujourd'hui, il abrite un centre de congrès et, dans le jardin, l'Institut de médecine tropicale, des services de l'Université Méditerranée et de la communauté urbaine. Du jardin autour du palais on peut admirer d'un côté le Vieux-Port et son animation, de l'autre la Méditerranée et au loin les îles du château d'If et du Frioul. Espace jeux pour les enfants, très sympa.

Le fort Saint-Nicolas *(plan couleur d'ensemble B-C5)* **:** *2, bd Charles-Livon, 13007.* Cet ouvrage en étoile fut construit à la demande de Louis XIV, le Roi-Soleil. Il avait pour objet principal non de défendre la ville mais de maîtriser ses révoltes ! En effet, les canons du fort étaient tournés vers la ville. Partiellement démantelé par les révolutionnaires en 1790, qui y voyaient le symbole de l'absolutisme royal, le fort fut ensuite reconstitué et coupé en deux par le boulevard Charles-Livon. L'édifice appartient à l'armée, qui n'occupe que la partie haute. Au pied du fort se trouvait le mythique pont transbordeur, détruit en 1945. Il devrait accueillir, en 2013, une reconstitution de la grotte Cosquer afin que chacun puisse admirer à loisir les merveilles découvertes dans cette grotte sous-marine fermée au public.

L'abbaye Saint-Victor *(plan couleur d'ensemble C5)* **:** *3, rue de l'Abbaye, 13007. ☎ 04-96-11-22-60. Tlj 9h-19h. Entrée (crypte) : 2 €.*
Sur un site vraisemblablement occupé par l'un des premiers monastères des Gaules, fondé au début du Ve s en l'honneur de saint Victor, martyr du IIIe s. Détruite par les Sarrasins, l'abbaye sera reconstruite au XIe s, puis fortifiée au XIVe s par le pape Urbain V, avant d'être sécularisée au XVIIIe s. N'en subsiste aujourd'hui que cette basilique où sont exposés le sarcophage d'une jeune fille trouvée en 1971 avec une croix en or *(traditio legis)*, un autel paléochrétien et un tableau de l'école du Caravage. Mais c'est surtout la superbe crypte qui permet de mieux comprendre l'histoire de ce lieu. S'y trouvent des vestiges qui, à priori, sont ceux de la première église (Ve s) enterrée lors de la construction de l'abbaye au XIe s. Panneaux explicatifs bien faits.
Dans la salle carrée, seules les colonnes ont été changées, suite à l'intervention d'un préfet au XIXe s qui a trouvé astucieux d'installer les vraies sur les avenues de la ville. De la chapelle axiale, dite « de Saint-André », on peut voir une partie du cimetière antique sur lequel a été construit le premier monastère. La crypte contient également un remarquable ensemble de sarcophages antiques, païens et chrétiens (sarcophage d'enfant du IIIe s transformé en autel, celui dit « des Compagnes de Sainte-Ursule »...), une rangée d'obituaires et une épitaphe du IIe s. Voir aussi la chapelle Saint-Lazare du IIIe s. Beau chapiteau représentant le saint et sarcophage des Saints-Innocents avec, au fond, un anachronique bas-relief de Puget.
Remarquez la couleur verte des cierges : saint Victor reçut le privilège d'utiliser cette couleur de cire, normalement réservée aux cachets royaux. Nombreux concerts, messes et baptêmes.

Le quartier du Panier

ꝏꝏꝏ ***Le Panier** (plan couleur centre 1, C-D3-4) :* Ⓜ *Colbert/Hôtel-de-la-Région.* Drôle de nom de quartier, non ? Origine religieuse (une statue de Vierge au panier qui recueillait les fleurs accompagnant parfois les prières des paroissiens) ou profane du nom d'un cabaret, les historiens balancent encore aujourd'hui. Mais peu importe au fond. Compris entre le quai du Port, la place de la Major et la rue de la République, derrière l'hôtel de ville, c'est un quartier encore riche d'atmosphère, où l'on retrouve le véritable esprit de Marseille. Ici se sont installés pendant longtemps les immigrés débarquant par vagues à Marseille : les Italiens, les Corses, les Arabes. Pierrot le Fou, le fameux bandit des années 1930, y est né. Beaucoup de marins y habitaient, du moins quand ils n'étaient pas sur les mers du globe (une coutume voulait que l'on garde, dans les maisons, un lit fait pour pouvoir accueillir à l'improviste tout marin débarqué qui se présenterait). C'était un quartier interlope de petits truands, de voyous et de grands bandits. L'une des raisons évoquées pour que Hitler le fasse raser (il se limita heureusement à la partie basse du Panier). On commémorera, en 2013, les 70 ans de la rafle du Panier.

Aujourd'hui, objet d'une lente réhabilitation, le quartier s'est mis à changer. Des blocs entiers de maisons sont détruits pour laisser entrer le soleil. Les loyers grimpent, conséquence de la « gentrification » sociale. Mais la peur des vols et les tracas journaliers font fuir les nouveaux arrivants, mal préparés à la rencontre avec l'esprit du quartier ; façon insolite de se venger, pour ce dernier. Passer derrière les immeubles reconstruits dans la hâte de l'après-guerre par Pouillon. Impossible alors de ne pas être sensible à la douceur toute méditerranéenne de ses ruelles, de ses escaliers, de ses passages étroits.

➢ L'office de tourisme propose des ***visites guidées*** du quartier, le samedi. Départ à 14h (10h30 et 14h30 en été, visite bilingue) de l'office de tourisme. S'inscrire auparavant. Prix : 6,50 € par personne. Ces visites ne sont pas systématiques ; consulter le programme mensuel à l'office.

➢ Si vous découvrez le quartier par vous-même, voici une petite suggestion d'itinéraire : abordez le quartier par la ***place Daviel,*** derrière le Vieux-Port et au pied des arcades de l'hôtel-Dieu, un grand bâtiment du XVIIe s, restauré au XIXe. Jetez un œil à l'adorable ***place des Augustines,*** vestige du couvent des religieuses Ursulines créé en 1632. Au n° 6, porte centrale avec balcon Régence et décor à la marguerite. Bonaparte aurait habité au n° 4. Il est temps de prendre la délicieuse ***montée des Accoules*** (son clocher solitaire est le dernier vestige d'une église du XIe s). Jetez un œil à l'usure de la maison du n° 5. La Cagole a fini de s'installer et vous pouvez surveiller la fabrication de cette bière typique. Mais n'en abusez pas, ça grimpe. La commune du Panier, c'est Montmartre sans les touristes, comme dirait Léo Loden, notre privé marseillais préféré (profitez de votre passage par ici pour acheter quelques-unes de ses B.D., ça devrait vous plaire)...

Tournez ensuite dans la ***rue des Moulins.*** De la ***place des Moulins*** (qui en a compté jusqu'à quinze au XVIe s ; il en reste trois, cherchez bien), gagnez la bibliothèque du Panier au 1, rue des Honneurs, ancien ***couvent du Refuge*** aujourd'hui entièrement réhabilité. Ce fut un couvent-prison pour filles de mauvaise vie. Elles y entraient par cette rue (anciennement baptisée rue du Déshonneur) et en sortaient par la rue des Repenties ! Trop beau...

Empruntez ensuite, après avoir traversé la ***rue du Panier,*** véritable colonne vertébrale du quartier, la ***rue des Pistoles*** (qui n'en est plus vraiment une, mais que de vieux noms sonnant agréablement aux oreilles !), qui débouche sur la ***Vieille-Charité,*** magistral ensemble architectural du XVIIe s (voir plus loin). Un peu plus haut dans la *rue du Petit-Puits,* plusieurs ateliers-boutiques (céramique, santons, tourneur sur bois, savonnerie...). Si vous rejoignez la rue de la République, ne manquez pas le ***passage de Lorette*** au bout de la rue du même nom : bienvenue à Naples !

En poursuivant vers le sud et la mer, la ***rue de l'Évêché*** (désormais commissariat central, comme le savent tous les lecteurs de polars, encore un édifice de Pouillon...)

débouche ensuite sur la villageoise ***place de Lenche,*** vraisemblablement siège de l'agora antique. Son nom viendrait de celui d'un riche Corse, le sieur Linciu, qui possédait ici un atelier de corail et un hôtel particulier au XVIe s. À l'extrémité de la rue Saint-Laurent, un des rares bâtiments rescapés des bombardements de 1943 : la jolie petite église du même nom, de style romano-provençal (ouv en sem 14h-18h) et qui fut amputée de sa façade orientale lors de la construction du fort Saint-Jean. C'était la paroisse des pêcheurs et des gens de mer. La chapelle Sainte-Catherine, construite par les pénitents blancs au XVIIe s, est contiguë à l'église. Autres temps, misère identique : une des terrasses sert de refuge aux SDF. Du parvis, belle vue sur le Vieux-Port et le fort Saint-Nicolas. La balade se termine par l'***esplanade de la Tourette,*** au pied des cathédrales de la Major, malheureusement noyées dans le flot des automobiles.

On peut imaginer ce que sera la partie sud de la future Cité de la Méditerranée, autour du fort Saint-Jean (voir plus haut le MuCEM), dernier chantier d'Euromed, complétant les 2,7 km de façade maritime remodelés. On annonce un quai pour bateaux de croisière, un aquarium (avec quelques requins, on suppose ; sinon, ils manqueraient, dans le paysage, avec leurs cousins de la finance), des équipements de loisirs et le musée des Civilisations de l'Europe et de la Méditerranée, déjà cité plus haut. Rien que ça !

– Ceux qui veulent voir le Panier en fête doivent venir vers le 20 juin. Pour le détail de la programmation, consulter l'office de tourisme car la fête a connu des hauts et des bas...

Le centre et les musées de la Vieille-Charité *(plan couleur centre 1, C3) : 2, rue de la Charité, 13002. ☎ 04-91-14-58-52. Ⓜ Joliette. Tlj sf lun 11h-18h (10h-17h hors saison). Billets : 2 € plein tarif pour les collections permanentes, et 4 ou 8 € pour les expos temporaires selon importance. Programme des visites commentées (expos permanentes et temporaires) sur le site • marseille.fr • (2,50 €/pers). Mieux vaut prendre un billet combiné à 3 € (incluant le musée d'Archéologie, le MAAOA – musée d'Arts africains, océaniens et amérindiens –, la chapelle et les salles du rez-de-chaussée).*

La Vieille-Charité, l'une des plus belles œuvres de Pierre Puget, est aussi l'une des rares qui lui aient survécu. Superbe témoignage de l'architecture civile du XVIIe s, utilisée pour l'enfermement des vagabonds jusqu'au siècle suivant. Elle fut ensuite utilisée comme hospice au XIXe s, puis comme caserne au XXe s, avant d'être finalement abandonnée à son triste sort. Elle menaçait de tomber en ruine quand Le Corbusier attira l'attention des autorités sur ce chef-d'œuvre. Classée Monument historique. Les travaux de rénovation durèrent plus de 15 ans. La chapelle centrale est l'un des plus beaux édifices baroques français. Admirez sa lumineuse pierre rose, ses harmonieuses proportions et son portique corinthien. L'été, on y donne des concerts.

– Sur place, on trouve également une librairie et un centre de poésie.

Pour une pause sucrée-salée, un café-resto avec terrasse, le ***Charité Café,*** où rien n'est vraiment gratuit, en dépit de ce que son nom pourrait laisser penser.

Au 1er étage : le musée d'Archéologie méditerranéenne

Il regroupe 3 grandes collections.

– *Collections classiques :* panorama des arts mineurs et des civilisations antiques méditerranéens. Multitude d'objets (bronzes, terres cuites, verrerie...) proche-orientaux, grecs, chypriotes, étrusques et romains.

– *Collection de protohistoire régionale (VIIe-Ier s av. J.-C.) :* remarquable muséographie, grande richesse et variété des objets présentés. En grande partie résultat des fouilles de Roquepertuse, dont un Hermès à double tête (IIIe s av. J.-C.), des dolia, des amphores et des cippes (stèles). Belle collection de bijoux, fibules, parures diverses.

– *Collection égyptienne :* à ne pas manquer car c'est la 2e de France après celle du Louvre ! Très ingénieuse présentation, on se croirait à l'intérieur d'une pyramide. Pas moins de 2 000 objets évoquant la vie quotidienne ou les rites funéraires, de l'époque prédynastique (3100 av. J.-C.) à l'époque copte (IVe s apr. J.-C.) : amulettes, sarcophages, momies humaines ou animales, vases, coffrets à kohol, délicats petits bronzes... Quelques pièces rares, voire uniques au monde, comme les 4 Stèles orientées du général Kasa, qui servaient à protéger son caveau contre toutes les forces hostiles, ainsi qu'un livre des Morts en écriture hiératique. Également, une insolite sculpture en argile de Bès (dieu de la fécondité) avec un impressionnant « phallus apotropaïque »...

Au 2e étage : le musée d'Arts africains, océaniens et amérindiens (MAAOA)
La plupart des pièces exposées datent du XIXe et du XXe s, mais la collection est vraiment extraordinaire. À ne pas manquer.
– *Section Afrique noire :* parmi les objets rituels (superbement présentés sur fond noir), signalons notamment les statues de reliquaire fang et les masques guerzé et baoulé de Côte d'Ivoire, le masque marka du Gabon, un masque-heaume de Sierra Leone ou encore l'étonnant masque bwa du Burkina Faso. Intéressantes statuettes et poids pour peser l'or.
– *Section océanienne et amérindienne :* la collection la plus étonnante est celle du professeur Gastaut, centrée autour du crâne humain, sans doute unique au monde. Têtes réduites jivaros, crânes décorés ou surmodelés du Vanuatu (ex-Nouvelles-Hébrides), d'Irian-Jaya, de Papouasie-Nouvelle-Guinée... Chef-d'œuvre de l'art primitif, une tête-trophée mundurucu (Brésil). Impressionnant ! À tel point que les préposés à la surveillance du musée n'y restent pas trop longtemps... Également des coiffes d'Indiens d'Amérique, le chambranle d'une porte kanak, etc. De la culture hopi, de superbes poupées Kachina. Dans la dernière salle, beaux masques kanak. Enfin, une collection presque complète de masques de cérémonie ramenée du Vanuatu. Un film raconte le voyage dans cet ancien condominium franco-britannique à 500 km au nord de la Nouvelle-Calédonie et la négociation qui s'y déroula pour acheter ladite collection.
– *Section mexicaine :* la plus récente, consacrée à l'art populaire mexicain. C'est François Reichenbach qui a offert cette foisonnante collection de masques de danse et de carnaval ainsi que de figures sculptées. Si vous aimez les couleurs, vous allez être servis !

Vers les docks de la Joliette

La Vieille-Major *(plan couleur centre 1, C3-4)* **:** c'est l'ancienne cathédrale, édifiée au XIIe s à l'emplacement où saint Lazare, Marie-Salomé et Marie-Madeleine, les tout premiers chrétiens, auraient débarqué en venant de Terre sainte. Elle souffre beaucoup de l'ombre de la Nouvelle-Major, une étonnante « pièce montée » néobyzantine. La Vieille, un bel exemple de style roman provençal avec coupole octogonale, se vit amputée de sa façade et de 2 travées lors de la construction au XIXe s du monstre d'à côté. Une campagne d'opinion empêcha cependant sa destruction totale. Elle a aussi souffert des travaux du tunnel routier qui passe juste en dessous : elle est d'ailleurs étayée sur 3 côtés et fermée, jusqu'à nouvel ordre. Les beaux autels et le bas-relief en faïence de Luca Della Robbia ont été entreposés ailleurs en attendant la réouverture au public.

La cathédrale de la Major *(plan couleur centre 1, C3-4)* **:** *tlj sf lun 10h-12h, 14h-17h30 (18h dim).* En pierre verte de Florence et blanche de Calissane, ce gros édifice domine l'entrée du port de Marseille. De dimension comparable à l'église Saint-Pierre-de-Rome, ce fut la première cathédrale édifiée en France après deux siècles d'abstinence. Elle n'est pas orientée est-ouest, selon la tradition, mais nord-sud. Le projet de Vaudoyer reposait sur l'idée d'un syncrétisme entre gothique, roman et byzantin, ce qui eut d'ailleurs le don d'exaspérer Viollet-le-Duc. Et en effet, elle est byzantine par sa décoration intérieure et extérieure, romane par son élévation et gothique par son plan. La première pierre fut posée par Napoléon III en 1852, mais les travaux demandèrent plus de 40 ans. C'est finalement l'élève de Vaudoyer, Esperandieu (quel nom prédestiné !), qui dessina les plans des deux églises. La chapelle axiale abrite le tombeau de Monseigneur de Mazenod, canonisé par le pape Jean-Paul II en 1995. Cet homme d'Église, zélé et populaire, lança la construction de Notre-Dame-de-la-Garde en 1853.

Les docks de la Joliette *(plan couleur d'ensemble C2)* **:** *entrée au 10, pl. de la Joliette, 13002. Ⓜ Joliette. À quelques centaines de mètres de la Major, face au port autonome. Lun-ven 7h30-20h.*
Gigantesque ensemble d'austères façades construit au milieu du XIXe s dans l'esprit des Saint Katharine's Docks de Londres. Il faut pénétrer dans les cours intérieures closes par des murs vertigineux pour en prendre toute la mesure. Réhabilitation réussie sous l'impulsion et la direction de l'architecte Éric Castaldi : passerelles de bois sur bassins, immenses verrières, jardin de palmiers... rendent justice aux proportions impressionnantes et étonnantes du bâtiment : 365 m de long, 4 atriums, 52 portes et 7 niveaux... ça ne vous évoque rien ? Bars et restos, médias locaux et bureaux internationaux. Une vaste maquette de l'ensemble est visible, à l'Atrium 10.3.
Non loin de là, le chantier de construction d'un parking rue Malaval a déjà permis la découverte d'un édifice funéraire du Ve s, une basilique de 40 m de long et de 17 m de large contenant pas moins de 180 tombes (dont peut-être celle d'un saint dans le chœur de l'église !). En fait, la ville n'est sûrement pas au bout de ses découvertes archéologiques.

De la ***place de la Joliette,*** on peut regagner la Canebière par l'impressionnante trouée réalisée sous le Second Empire selon le modèle haussmannien : la ***rue de la République.*** Si un gros chantier y est aujourd'hui terminé (la mise en place du tramway et la construction de parkings), côté immobilier en revanche, les travaux de réhabilitation s'y poursuivent encore. Dans les immeubles dont la rénovation est terminée, les loyers ont explosé, ce qui n'apprendra rien à ceux qui ont suivi le feuilleton de la métamorphose du quartier. Un quartier que la fin de siècle avait laissé en piteux état et que le siècle nouveau découvre, progressivement, métamorphosé par la baguette magique de capitaux, étrangers en grande partie (les fameux fonds de pension américains). Étrangers du moins aux intérêts de ceux qui croyaient vivre là jusqu'à la fin de leurs jours, car la transformation, réussie sur un plan purement esthétique, a fini par contraindre les petits revenus à partir sans demander leur reste. Si vous l'avez loupé dans le Panier, 2e chance au grattage : le ***passage de Lorette,*** juste avant la grande place Sadi-Carnot, fut longtemps une impressionnante cour fermée, une vraie tranche de vie napolitaine. Cependant, aujourd'hui, tout le bloc d'immeubles est en rénovation totale.

La place Sadi-Carnot *(plan couleur centre 1, D4)* **:** *Ⓜ Colbert/Hôtel-de-la-Région. T2 arrêt Sadi-Carnot.* Ne pas rater, au n° 3, l'une des façades les plus élaborées de la ville. Ancien siège des Messageries maritimes (ex-impériales) qui se transforma en *Hôtel Regina* en 1908 (et ferma en 1930). Aujourd'hui, centre des Finances. Monumentale façade sculptée. Porche encadré de 2 licornes, symbole des messageries à l'époque et consoles en forme de têtes de lion.

Le Grand Port maritime *(plan couleur d'ensemble B-C2-3)* **:** *23, pl. de la Joliette, 13002. Rens : ☎ 04-91-39-40-00. Ⓜ Joliette.* Visite des bassins est (2h) en bus par l'intermédiaire de l'office de tourisme. Seulement pour les groupes. Premier port de France et de la Méditerranée, et plus vaste espace industrialisé d'Europe du Sud, puisqu'il englobe en fait des installations portuaires jusqu'à Saint-Louis-du-Rhône et les zones industrielles de Fos et Lavéra.

DU CÔTÉ DE LA CANEBIÈRE

La Canebière, les quartiers Belsunce et de Noailles

La Canebière *(plan couleur d'ensemble D-E-F4)* **:** Ⓜ *Vieux-Port/Hôtel-de-Ville ou Noailles.*

C'est l'avenue la plus célèbre de Marseille, presque son symbole, popularisée par une chanson de Vincent Scotto (« Elle part du Vieux-Port, et sans effort, elle va jusqu'au bout de la terre, notre Cane-Cane-Cane-Canebièreuuuu... »). Ce boulevard, qui n'a jamais connu d'arbres mais des lampadaires, descend en pente douce vers le bassin du Vieux-Port. Il a inspiré bien des artistes et écrivains. Joseph Conrad, qui vécut 3 ans et demi à Marseille, l'évoque dans ses souvenirs : « Pour moi, la Canebière a été une rue qui menait vers l'inconnu. » Et pour Edmond About, « la Canebière est une porte ouverte sur la Méditerranée et sur l'univers entier ; car la route humide qui part de là fait le tour du monde ».

Mais, ces dernières années, il n'y avait pas grand-chose à voir sur la Canebière, et cela malgré une forte volonté de réhabilitation. Artère tristounette et sans âme, plus proche de « Chiche-Kebab Avenue » que des Champs-Élysées, elle semblait se résigner à son sort, prête à se passer définitivement la corde au cou, en laissant à d'autres le soin de faire rêver les nouvelles générations. Son nom, d'ailleurs, puisque l'on parle de corde au cou, vient du chanvre (*canebe* en provençal), dont on faisait les cordes pour les bateaux, sauf qu'on ne dit pas « corde » sur un bateau, ça porte malheur. Revenons sur terre.

Tout en bas de la Canebière, avant d'arriver au port, s'élève la ***Bourse,*** pur exemple de l'architecture du Second Empire. Elle abrite la plus ancienne chambre de commerce du pays (créée sous Henri IV) et même du monde à ce qu'il paraît, ainsi que le musée de la Marine et de l'Économie (voir plus haut ; oui, ça fait beaucoup d'allers-retours, mais ces pages sont à l'image de la ville, qui bouge beaucoup et fait énormément marcher). Notez les noms des comptoirs gravés dans la pierre du hall principal. Devant ce monument, le roi Alexandre de Yougoslavie fut assassiné par des anarchistes croates en 1934. Un peu plus haut que la Bourse, en remontant la Canebière sur le trottoir de gauche, le magasin C & A est installé dans ***l'ancien Grand Hôtel du Louvre et de la Paix.*** Les statues de la façade représentent les 4 continents. Une plaque rappelle que Mark Twain y fit dodo et que, le 29 février 1896, la première projection publique des frères Lumière eut lieu dans cet hôtel. Sur le trottoir d'en face, achetez une écharpe de l'OM à la boutique officielle si vous allez au stade ou faites une pause à la célèbre Torréfaction Noailles, au n° 56. Plus haut, belle restauration de l'ancien Hôtel Noailles (aujourd'hui un des commissariats de la ville).

Les allées de Meilhan *(plan couleur centre 2, E4)* **:** Ⓜ *Noailles.*

Elles forment la partie haute de la Canebière. Autrefois, la jeunesse s'y donnait rendez-vous pour danser dans des guinguettes. La plupart des immeubles datent du XVIIIe s, au style très différent de ceux de la partie basse. C'est ici que chaque année, en novembre-décembre, se tenait la Foire aux santons, l'une des plus anciennes traditions vivantes de Marseille. Attention, pendant les travaux du tramway, toujours en cours, la foire a été transférée. Renseignements auprès de l'office de tourisme.

– Voir « Fêtes et manifestations » plus haut.

LA CAGOLE

Elle fait partie du paysage local. On la repère à sa vulgarité et à sa tenue outrancière. Ses deux armes sont la mini-jupe et son parfum bon marché. Son rouge à lèvres est aussi discret qu'un maquillage au Nutella. Elle fait tout de trop. Elle n'est pas frileuse ni des yeux ni d'ailleurs. Ailleurs, on dit « pétasse ».

Le quartier Belsunce *(plan couleur d'ensemble D-E3-4)* **:** Ⓜ *Colbert/Hôtel-de-la-Région.*
Délimité par le cours Belsunce, la rue d'Aix, le boulevard d'Athènes et la Canebière, Belsunce est un très vieux quartier de Marseille, habité en majorité par les immigrés et semblable au quartier de la Goutte-d'Or, à Paris. Ici, Belsunce exaspère encore les racistes et ceux qui ont perdu la mémoire. En effet, ce quartier fut toujours, avec le Panier, celui de l'immigration : Arméniens en 1915, antifascistes italiens dans les années 1930, Maghrébins du boom économique d'après-guerre. Bon nombre de pieds-noirs s'y installèrent aussi après 1962. En outre, c'est l'un des poumons économiques de Marseille. Les gens viennent de loin pour y faire leurs achats. Races, ethnies et religions cohabitent : au nord-est du quartier, les grossistes juifs ; au-dessous, les travailleurs africains ; au sud-ouest, les Maghrébins, dont beaucoup de Mozabites (détail et demi-gros) ; au nord, les hommes d'affaires libanais (import-export). Les Arméniens sont dans le cuir, etc.
Sa principale originalité est avant tout d'exister en plein centre de la ville et d'exposer ses immeubles décrépis et ses ruelles délabrées au vu et au su de tout le monde.
Déjà, la récente ***bibliothèque de l'Alcazar*** (la BMVR ; ouv tlj sf lun), cours Belsunce, a donné un coup d'accélérateur intellectuel au quartier. Elle se trouve à l'emplacement même de l'ancien Alcazar où Yves Montand fit ses débuts (le porche original est toujours là). Mais Belsunce, c'est aussi le Sentier local, quartier des grossistes et des jeunes créateurs de prêt-à-porter. Déjà, comme un peu partout, autour de la Canebière, les prix des logements commencent à monter.
Vous constaterez, à travers les rues aux noms pittoresques (rue des Petites-Maries, des Convalescents, du Tapis-Vert, du Baignoir, du Poids-de-la-Farine, etc.), combien ce quartier est dynamique. Il se métamorphose au fil des heures. Lorsque les boutiques ont fermé, la rue appartient aux habitants, aux curieux, aux visiteurs, aux petits dealers et autres demi-sels. Nombreux petits restos pas chers. Et puis vous y découvrirez également, sous la crasse et la patine, de beaux exemples d'architecture du XVIIe s : portails sculptés, balcons en fer forgé ou encore la façade de l'ex-manufacture des chapeaux de paille, rue des Petites-Maries. Mais la mixité n'est jamais loin. Il y a aussi la rénovation de la ***rue d'Aix,*** qui révèle aujourd'hui combien son ordonnancement est harmonieux. Sans oublier l'histoire : au n° 25 de la ***rue Thubaneau*** (aujourd'hui musée), naguère l'une des rues les plus chaudes de Marseille, résonna pour la première fois ***La Marseillaise.*** Quelques églises anciennes, comme Saint-Théodore, à l'entrée de la rue des Dominicaines. L'arc de triomphe de la ***porte d'Aix*** a été édifié en 1825. Statues et bas-reliefs de David d'Angers, superbes rosaces sur la voûte à caissons.
– De l'autre côté du quartier Belsunce, on découvre (en tournant le dos au port) un secteur qui fut longtemps considéré comme étant le Marseille aisé et « propre ». Aujourd'hui, la Canebière ne constitue plus la frontière symbolique entre les pauvres et les riches, entre les immigrés et les « Blancs ». Là aussi, les choses évoluent. Pendant la restructuration de Belsunce, nombre de ses commerçants se seront installés de ce côté-ci.

Le mémorial de la Marseillaise *(plan couleur d'ensemble E4)* **:** *23-25, rue Thubaneau, 13001.* Ⓜ *Noailles.* ☎ *04-91-91-91-97.* • *memorial-marseillaise@vert-marine.com* • *1er juin-15 sept tlj 10h-19h. 1er avr-31 mai et 16 sept-31 oct, tlj 10h-12h, 14h-18h. Hiver mar-dim et j. fériés 14h-18h. Entrée : 7 € (réduc). Carnet de citoyen gratuit et audioguide pour les enfants.* Pendant longtemps, il n'y eut qu'une plaque sur le mur indiquant que la Marseillaise naquit là ! Depuis mars 2011, Marseille possède enfin son musée du chant national ! Abrité dans un lieu historique : jeu de paume au XVIIe s puis théâtre et, à partir de 1790, siège du club des Jacobins. C'est d'ici donc que partirent les fameux bataillons de volontaires pour Paris, entonnant le *Chant de Guerre pour l'Armée du Rhin* qui allait devenir la *Marseillaise.* Scénographie particulièrement réussie, tout à la fois ludique, pédagogique, interactive. On se retrouve véritablement transporté dans le temps.

– *Salle des Marseillaises :* Marseille avant la Révolution, la situation politique, ses acteurs, fac-similés de journaux de l'époque rapportant les événements.
– *Salle des Doléances :* on fait connaissance avec les personnages leaders du mouvement jusqu'à ce que les volontaires s'emparent de ce nouveau chant de guerre et le projettent dans l'histoire.
– *Salle du Jeu de Paume :* effets spéciaux et projections à 360° vous feront revivre avec émotion toute cette période. Bornes tactiles pour écouter différentes versions de la *Marseillaise.* Boutique.

Le quartier de Noailles *(plan couleur d'ensemble E4-5) :* Ⓜ *Noailles.* Le ventre de Marseille, depuis toujours. Un lieu qui fascine toujours autant, fréquenté par toutes les couches de la population, ou presque. Empruntez la rue des Feuillants jusqu'à la place du Marché-des-Capucins, en forme de triangle, pour respirer les bonnes odeurs du marché de rue et retrouver, sur quelques centaines de mètres, toutes les couleurs de l'Afrique et de l'Orient. Plein de restos pas chers. Néanmoins, un peu de prudence s'impose le soir.

La rue d'Aubagne *(plan couleur d'ensemble E4-5) :* Ⓜ *Notre-Dame-du-Mont/Cours-Julien.* L'axe le plus animé de cette partie de la ville. « Descendre la rue d'Aubagne, à n'importe quelle heure du jour, était un voyage. Une succession de commerces, de restaurants, comme autant d'escales. Italie, Grèce, Turquie, Liban, Madagascar, la Réunion, Thaïlande, Vietnam, Afrique, Maroc, Tunisie, Algérie », écrit Jean-Claude Izzo dans *Total Khéops.* Au n° 24, ***Arax*** a fait peau neuve mais reste un sommet de l'épicerie arménienne. Rue Méolan, l'***herboristerie du Père Blaize*** est ouverte depuis 1815. Plus haut, le cours Julien et la rue des Trois-Rois ont désormais pour vocation d'attirer le Tout-Marseille, qui sait qu'ici il y a vraiment « à boire et à manger » à toute heure.

Le quartier de La Plaine

« Si vous voulez connaître le vrai Marseille, celui où on parle peu et dont on ne parle jamais, restez à La Plaine et dans ses environs. » C'est maître Lombard, le célèbre avocat marseillais, qui conseillait cela naguère. Pourquoi « La Plaine » ? Parce que, bizarrement, cette « plaine » est une sorte de plateau en pleine ville, à une centaine de mètres au-dessus de la mer, à laquelle elle tourne le dos.

À vrai dire, tout s'ordonne autour de la ***place Jean-Jaurès*** *(plan couleur centre 2, F4).* De cette place, animée le soir, descendent vers les quatre points cardinaux des rues pentues comme des rampes de toboggan. La Plaine, c'est un des quartiers de la « Nuit marseillaise ». Il est impensable de ne pas y passer ! Autour du ***cours Julien*** pullulent les restaurants branchés, les cafés, les bars de nuit, les salles de concerts abritées dans des immeubles aux façades couvertes par d'innombrables peintures murales colorées et de graffitis esthétisants. Les jeunes (et moins jeunes) Marseillais s'y retrouvent le soir en fin de semaine. Également des créateurs de vêtements dans le coin, et deux ou trois bouquinistes dans la journée au début du cours Julien, devant le palais Longchamp.

Le boulevard Chave *(plan couleur d'ensemble F-G4) :* Ⓜ *Notre-Dame-du-Mont/Cours-Julien.* Des rues qui descendent de la place Jean-Jaurès vers le nord de la ville (gare de la Blancarde), le boulevard est incontestablement la plus belle artère. Ici, pas d'horreurs immobilières, pas de grands immeubles en béton, rien que des constructions anciennes, hautes de 3 ou 4 étages et précédées d'une rangée de platanes, caractéristiques de l'architecture marseillaise. Au n° 72 se dresse un petit immeuble où est né Fernand Contandin (1903-1971), plus connu sous le nom de ***Fernandel*** *(plan couleur d'ensemble G4).* Un peu plus loin, à l'angle avec le boulevard Eugène-Pierre, un buste sculpté représente l'artiste avec son chapeau et son large sourire. Au n° 127, rue Ferrari, maison natale du danseur et chorégraphe Maurice Béjart, qui choisit Marseille pour y fêter ses 80 ans, en beauté, en 2007.

Le cimetière Saint-Pierre *(hors plan couleur d'ensemble par G4)* **:** *rue Saint-Pierre.* Ⓜ *La Timone. Bus n° 14.* Plus à l'est encore, un des plus vastes cimetières de France. Le cinéaste Henri Verneuil y est enterré. On peut voir aussi les tombeaux des grandes familles marseillaises, du XIXe s notamment, de chaque côté de la Grande Allée ; celui de Camille Olive, d'inspiration orientale, avec ses céramiques polychromes qui rappellent Notre-Dame-de-la-Garde ; tombe en forme de marabout du docteur Clot-Bley ; clocher et gargouilles pour le tombeau des familles Burel de Barbaria et Gazanvillar, etc. Du côté des pinèdes, statuaire très italianisante.

La préfecture, le cours Puget, la rue Paradis

Perpendiculairement à la Canebière s'allongent des rues très commerçantes et tracées au cordeau. Les longues ***rues Paradis*** et ***de Rome*** – cette dernière débouche sur la ***place Castellane*** *(plan couleur d'ensemble E-F6),* où trône l'allégorique ***fontaine Cantini*** – se partagent la mode. À l'angle de la rue de Rome et de la rue de la Palud, maison construite par et pour l'architecte Pierre Puget (1680), avec une statue du grand homme. Remonter la tout aussi longue et semi-piétonne ***rue Saint-Ferréol*** (les Marseillais disent « Saint-Fé ») jusqu'à la ***préfecture*** des Bouches-du-Rhône, édifiée en 1861.
Si, sur la façade néo-Renaissance, figurent en bonne place les statues de quelques gloires locales d'Aix et d'Arles, il ne s'y trouve rien pour Marseille ! Monseigneur Belsunce et le chevalier Roze, héros de la peste de 1720, ont été relégués côté jardin. Et on s'étonnera que les Marseillais se sentent parfois mal aimés... Pour se consoler, ceux-ci mangent une glace à la *Folle Époque,* un café Art nouveau de la place (zinc et carrelage d'époque), à côté du lycée Montgrand, ou achètent un livre, un disque chez Virgin, installé dans une ancienne banque de la rue Saint-Ferréol.
Les rues avoisinantes regorgent d'***hôtels particuliers*** des XVIIIe et XIXe s (visite possible avec l'office de tourisme). L'hôtel Montgrand, au n° 13 de la rue du même nom (étroite et amusante maison mitoyenne, abondant décor sculpté), l'hôtel de la Compagnie du Cap-Nègre au 19, rue Grignan. Ce bâtiment abrite le musée Cantini (voir ci-dessous). La rue Sainte mène jusqu'à la basilique Saint-Victor. Au n° 47, rue Neuve-Sainte-Catherine se trouve l'atelier de Marcel Carbonel, santonnier depuis plusieurs générations.

Le musée Cantini *(plan couleur centre 1, E5)* **:** *19, rue Grignan, 13006.* ☎ *04-91-54-77-75.* Ⓜ *Estrangin/Préfecture.* ***Attention,*** le musée est fermé pour rénovation au moins jusqu'à l'automne 2012. Collections de peintures de 1900 à 1960 : fauvisme, surréalisme, après-guerre...

Le cours Pierre-Puget *(plan couleur d'ensemble D-E5)* **:** Ⓜ *Estrangin/Préfecture.* Ouvert en 1800 à l'emplacement de l'ancien rempart de l'époque Louis XIV, ce cours ombragé se termine par une butte rocheuse, le jardin Puget. Celui-ci permet d'accéder à Notre-Dame-de-la-Garde. Sur le cours s'ouvre le cours Monthyon, bordé par le néoclassique palais de justice.

La rue Paradis *(plan couleur d'ensemble E5-6)* **:** certains dimanches d'août, quand la rue est vide, on a l'impression qu'elle forme une longue rampe dans l'ombre des immeubles, qui finit par accéder au ciel bleu (le paradis ?). Le cinéaste Henri Verneuil raconte son enfance dans le film *588, rue Paradis* (le numéro n'existe plus).

La rue Sylvabelle *(plan couleur d'ensemble D-E5-6)* **:** Ⓜ *Estrangin/Préfecture.* Une de nos rues préférées dans ce quartier, car très homogène de style. Elle relie la préfecture au boulevard Notre-Dame, coupant en perpendiculaire les rues Paradis et Breteuil. C'est une rue « bourgeoise » (traduisez : sans commerces) assez étroite et qui monte vers le ciel bleu. Elle est encore bordée de beaux immeubles (bien conservés) datant du Second Empire et du début de la IIIe République. Vers 1880-1900, de nombreux consulats de pays étrangers y avaient pignon sur rue. Le jeune marin Joseph Conrad y aurait même vécu dans ses années marseillaises (vers 1875) : l'auteur de *La Flèche d'or* et d'*Au cœur des ténèbres* aurait pu habiter, selon certains érudits, conradiens de la première heure, au 82, rue Sylvabelle, en face de l'ex-consulat du Paraguay (n° 79), un très bel immeuble.

***L'église Saint-Nicolas-de-Myre** (plan couleur d'ensemble E6) : 19, rue Edmond-Rostand.* La construction de cette église à Marseille témoigne de l'importance de « la porte du Levant » dans les relations avec les pays méditerranéens. Construite en 1821 par l'archevêque de Myre (actuelle Turquie) à la demande des réfugiés grecs catholiques venus d'Égypte et de Syrie, Saint-Nicolas-de-Myre est la première église catholique orientale de France et du monde. Dès l'origine, ses prêtres servirent de traducteurs et d'intermédiaires entre les Orientaux et les pouvoirs publics. Un vrai dépaysement d'y découvrir une architecture et une décoration à mi-chemin entre Orient et Occident. L'église vient d'être rénovée.

Au nord de La Canebière

Le palais Longchamp *(plan couleur d'ensemble G3) : pl. Henri-Dunant, 13004. Ⓜ Cinq-Avenues/Longchamp. Ⓣ Longchamp.* Un édifice original et étonnant (certains diraient de style grandiloquent), inauguré en 1869. La composition centrale symbolise la Durance et ses affluents, entourés de la vigne et du blé. Agréable jardin où les gens du quartier viennent volontiers s'étaler au soleil (son inclinaison est favorable au bronzage...).
Attention, le musée des Beaux-Arts est fermé jusqu'en 2012 pour des travaux de rénovation.

Le Muséum d'histoire naturelle *(plan couleur d'ensemble G3) : dans l'aile droite du palais Longchamp, 13004. ☎ 04-91-14-59-50. Ⓜ Cinq-Avenues/Longchamp. Ⓣ Longchamp. ♿ (accès possible au 1er étage, à la salle Provence, et expos temporaires). Tlj sf lun et j. fériés 10h-17h. Entrée : 5 € ; gratuit jusqu'à 21 ans ; réduc ; gratuit pour ts le dim mat jusqu'à 14h.* Dans la salle Safari-muséum, grande collection d'animaux naturalisés et de squelettes impressionnants (section ostéologie, soit la science de l'anatomie des os). Dans la jolie salle Provence (classée), à l'étage, présentation de la faune et de la flore provençales dans l'esprit des muséums du XIXe s. Très élégant. Également des expositions temporaires.

***Le musée Grobet-Labadié** (plan couleur d'ensemble G3) : 140, bd Longchamp, 13001. ☎ 04-91-62-21-82. Ⓜ Cinq-Avenues/Longchamp. Ⓣ Longchamp. Tlj sf lun et j. fériés 11h-18h (10h-17h hors saison). Entrée : 3 € ; réduc.* Plaquettes explicatives à disposition. Face au palais Longchamp, un hôtel particulier du XIXe s où un couple de la bourgeoisie aisée, Louis Grobet et Marie-Louise Labadié, a rassemblé une riche et éclectique collection d'œuvres et d'objets d'art des écoles française et européenne du XVe au XIXe s. Leur fille unique n'ayant pas eu de descendance, elle en fit don à la ville.
– *Rez-de-chaussée :* belles tapisseries, salle à manger ornée de lambris ciselés. Superbe piano au décor polychrome.
– *1er étage :* intéressante collection de primitifs religieux, dont de superbes Joos Van Cleve (*Vierge à l'Enfant* et *Annonciation* entre autres). Noter aussi cette *Flagellation* de l'école allemande (XVe s), riche en costumes et en drapés. Beau mobilier, cheminée sculptée. Sur le palier, ravissante porte aux Amours du XVIIe s. Puis, petits objets d'art et visite de la chambre à coucher, boudoir, salon. Meubles anciens, série de portraits de qualité.
– *2nd étage :* séduisante expo de porcelaines d'Iznit (Turquie), majoliques italiennes, faïences mauresques... Magnifique tapisserie du Roi Salomon et de la Reine de Saba (XVe s). Salles des petits maîtres comme Paul Guigou et ses savoureux paysages, mini-Delacroix comme son *Lion attaquant une femme* et ses études sur le cheval.

À voir plus loin du centre

LA BELLE-DE-MAI : CHRONIQUE D'UN VIEUX QUARTIER MARSEILLAIS

« Autour du boulevard de la Révolution, chaque nom de rue salue un héros du socialisme français. Le quartier avait enfanté des syndicalistes purs et durs, des militants communistes par milliers. Et de belles brochettes de truands. Francis le Belge était un enfant du quartier. »

Jean-Claude Izzo, *Total Khéops*, Gallimard, « Série noire ».

➢ ***Pour s'y rendre :*** *à pied du centre-ville, aisément, ou avec les bus nos 31, 33, 34 et le 49 B (un peu plus long et on l'attend longtemps) de la place de la Bourse (arrêt Boulevard-National).*

Très précisément circonscrite par le boulevard National à l'ouest, la rue Guibal à l'est et le boulevard Plombières au nord, la Belle-de-Mai fut le plus important point de chute de l'immigration italienne entre la seconde moitié du XIXe s et le début du XXe. Ouvrier, de gauche (longtemps communiste), c'est l'un des quartiers populaires les plus emblématiques de Marseille. Il envoya d'ailleurs en 1881 le premier député socialiste à l'Assemblée nationale. Lieu de naissance du grand sculpteur contemporain César Baldaccini (eh oui, LE César des césars), la Belle-de-Mai fut longtemps réputée pour sa riche vie sociale et associative, et l'atmosphère conviviale, quasi familiale, de ses rues. Aujourd'hui cependant, avec la crise, un taux de chômage très élevé, le vieillissement de la population, le départ des jeunes, l'arrivée d'une nouvelle immigration (Africains, Comoriens) et la fermeture de la maternité, le quartier a considérablement changé.

Le Parti communiste décline comme partout, les solidarités s'effilochent... Beaucoup de magasins fermés donnent à ce quartier un côté déprimant. Moral de la population en berne, une impression d'abandon de la part des pouvoirs publics. Pourtant, dans ce tableau très gris foncé, quelques lueurs d'espoir. D'abord, l'arrivée de nouvelles familles, pour beaucoup issues des milieux culturels, attirées par la proximité du centre-ville, les prix encore abordables, l'histoire du quartier et ce qui lui reste encore de personnalité et de convivialité. L'ouverture de l'ensemble culturel ***La Friche de la Belle-de-Mai*** (dans l'ancienne usine *SEITA ; plan couleur d'ensemble F-G1-2*) a positivement rejailli sur le quartier en termes d'insertion et, peut-être, de retombées économiques. L'assimilation culturelle réussie du ***théâtre Gyptis*** *(plan couleur d'ensemble F1)* et l'implantation des nouvelles entreprises multimédia vont dans ce sens et donnent bon espoir.

UN PEU D'HISTOIRE

Le quartier ne se développe véritablement qu'avec l'ouverture de la gare Saint-Charles et l'apparition des premières industries : la fabrique d'allumettes Toussaint-Caussemille (en 1847), la manufacture des tabacs de la rue Guibal (en 1868), puis des raffineries de sucre et autres industries alimentaires.

Grâce à ce nouveau gisement d'emplois, la population triple en 15 ans (de 5 000 à 15 000). Les nouveaux venus sont à 60 % originaires d'Italie, surtout du Piémont, de Toscane et de Naples. Les conditions de travail sont alors extrêmement dures dans les usines de la Belle-de-Mai, avec, comme corollaire, le développement d'une conscience politique et la création des premiers syndicats. Très rapidement, la population se radicalise (surtout les cigarières de la manufacture des tabacs).

En mars 1871, le bataillon de la Belle-de-Mai prend la direction de la Commune de Marseille, la plus importante après Paris. Le quartier est si rouge que Jules Guesde, grand dirigeant ouvrier de l'époque et expert en la matière, le surnomme « boulevard de la Révolution » (en 1926, une rue prendra d'ailleurs ce nom). En 1881, élection à la Belle-de-Mai de Clovis Hughes (1851-1907) comme premier député socialiste en France. Cet ancien communard, poète à ses heures, sera réélu jusqu'en 1889, puis deviendra député de Montmartre, à Paris. À partir de cette époque, la Belle-de-Mai élira systématiquement des députés de gauche et se révélera une pépinière d'hommes politiques de grande importance régionale, notamment Bernard Cadenat (1853-1930), qui fut député-maire de Marseille, et Jean Cristofol (1901-1957), élu député communiste en 1936, puis réélu jusqu'en 1956 et l'un des fondateurs du quotidien *La Marseillaise.* Le 27 mai 1944, lors du bombardement américain sur la gare Saint-Charles, le quartier reçut son lot de bombes. Beaucoup de morts ; l'église et de nombreuses maisons seront détruites. L'ancrage à gauche se maintint toujours par la suite, même si le Parti communiste perdit sa position dominante.

Aujourd'hui, les trekkeurs urbains s'y baladent avec plaisir ; rien de fascinant à voir dans la Belle-de-Mai, mais une atmosphère qui lui est propre. On peut passer devant l'***ancienne manufacture des tabacs (LCM),*** rue Guibal *(plan couleur d'ensemble F-G1-2)* ; construite en 1868, elle constitua l'un des fleurons de la mémoire ouvrière de la Belle-de-Mai, jusqu'en 1990, date de sa fermeture (lire plus bas « La Friche »). Vaut le coup d'œil aussi, la ***caserne de Muy*** *(plan couleur d'ensemble F2),* d'un luxe architectural inouï pour un tel usage, reflet de la mégalomanie de Napoléon III. Longer le ***Gyptis*** *(plan couleur d'ensemble F1),* l'ancien cinéma devenu théâtre, fierté culturelle du quartier, puis la ***maison natale du sculpteur César*** *(plan couleur d'ensemble E1),* et, si vous êtes dans le coin un jour de marché *(lun, mer et ven mat),* redescendre par la ***place Cadenat*** *(plan couleur d'ensemble F1).*

CARMEN MARSEILLAISE

Difficile de ne pas penser à Carmen en revisitant le passé de la Belle-de-Mai. Il fallait surveiller les quelque 1 000 femmes qui allaient rouler ici cigares et cigarettes pendant 10h par jour (certes, 9h en hiver) dans des conditions de travail particulièrement éprouvantes. Et pour que l'ordre règne, l'encadrement était composé majoritairement d'anciens soldats. À la sortie du boulot, les femmes subissaient deux fouilles (par des hommes !). D'abord à corps, puis les sabots. Une réalité qui devrait inspirer une version moins lyrique de Carmen...

LA CULTURE, LOCOMOTIVE DU QUARTIER

*** ***La Friche de la Belle-de-Mai*** *(plan couleur d'ensemble F-G1-2) : 41, rue Jobin ; autre accès par la rue François-Simon. ☎ 04-95-04-95-04. • lafriche.org • ♿ Lun-sam 9h-18h (jusqu'à minuit les soirs de spectacles). Point info.*

C'est dans le cadre d'une ancienne manufacture de tabac que La Friche s'est installée en 1991, réunissant sur 45 000 m² toutes les disciplines artistiques émergentes à travers une soixantaine d'associations : théâtre, musique, danse contemporaine, cirque, marionnettes, arts plastiques, cinéma, photographie, vidéo, multimédia, etc. Robert Guédiguian en a pris la présidence en 2002, renforçant l'option cinéma-audiovisuel, en écho aux grands studios professionnels qui se sont installés juste en face, dans le Pôle médias : hé oui ! c'est là que l'on tourne les épisodes du feuilleton télévisé *Plus belle la vie.* Ne dites pas que vous ne connaissez pas !

Marseille bouge, ici, ça se sent, ça se voit. Époustouflantes scénographies d'images et de sons organisées par le Groupe Dunes sur le toit-terrasse de La Friche, remarquables spectacles proposés par Massalia, et expos des collectifs à demeure comme les Astérides, Triangle France ou Sextant et Plus qui dynamisent la scène de l'art contemporain. Sans oublier l'action musique de l'Ami *(Aide aux musiques innovatrices)*, et la scène musiques actuelles du Cabaret aléatoire (funk, soul, rock, abstract hip-hop et musiques électro, et à l'affût des tendances musicales de demain), tous les stages, ateliers et formations diverses... Infos par téléphone ou sur le site internet. La Friche abrite également Radio-Grenouille (88.8 FM) et, bien sûr, un bar-restaurant ouvert à tous.

CHÂTEAU-GOMBERT

Connu pour sa technopole, Château-Gombert est resté un charmant petit village qui défend farouchement son identité provençale. Sur la place des Héros, face à la fontaine glougloutante, une jolie petite église du XVIIe s avec clocher-campanile, et bien sûr un musée étonnant, créé en 1928 par Jean-Baptiste Julien-Pignol, un félibre passionné, décidé à poursuivre l'œuvre de Mistral. Comme à l'époque on faisait aussi dans le social, le bâtiment de style Renaissance accueillit en même temps un hospice de vieillards et un dispensaire pour les nourrissons !

Le musée du Terroir marseillais *(Musée provençal ; hors plan couleur d'ensemble par G3)* **:** *5, pl. des Héros, 13013. ☎ 04-91-68-14-38. • contact@musee-provencal.fr • musee-provencal.fr • Ⓜ La Rose (ligne 1) ; puis bus n° 5 ou 5T, arrêt Château-Gombert. Lun-ven 10h-13h, 14h-17h ; sam-dim slt l'ap-m. Appeler le musée pour les j. fériés. Entrée : 4 € ; réduc ; gratuit pour les moins de 7 ans. Visite guidée pour les groupes sur rdv.*

Riches collections ethnographiques se répartissant sur plusieurs salles, que l'on parcourt d'un regard mi-émerveillé, mi-attendri. Cadre particulièrement chaleureux et familial, accentuant l'impression d'intemporalité. Vêtements et costumes traditionnels, coiffes, faïence de Saint-Jean-du-Désert, une petite souillarde reconstituée et le rituel du « gros souper », ce repas du 24 décembre qui tenait lieu de réveillon, à ceci près qu'il précédait la messe de minuit, au lieu de la suivre. Un repas maigre composé de sept plats (brandade de morue, cardes et autres légumes) évoquant les sept douleurs de la Vierge, et, plus réjouissant, les treize desserts évoquant le Christ et ses apôtres. Parmi eux, la pompe à huile (grosse brioche), le nougat, les fruits secs dits aussi mendiants pour leur couleur rappelant les ordres du même nom, sans oublier oranges, fruits confits, oreillettes... Section jouets anciens, broderies, miniatures, souvenirs de la mer et maquettes de bateaux. Belle collection de tambourins provençaux et de santons, bien sûr. Des automates nous font revivre l'intimité d'une chambre bourgeoise et une scène du foyer familial à la veille de Noël : cuisine provençale, technique du boutis, mobilier. La salle agraire permet de découvrir les techniques agricoles du terroir avant son urbanisation. Un lieu à visiter toute l'année, quand la nostalgie gagne du terrain...

Petite boutique de produits du terroir, ateliers de formation à l'artisanat d'art (restauration de faïence...).

Où dormir ?

L'Oustau du Musée : *dans l'enceinte du musée. ☎ 04-91-68-14-38. Double env 80 € (68 € sur le site internet).* Pour ceux qui ne voudraient plus repartir, 7 chambres vraiment confortables et spacieuses, avec salle de bains et TV. Très zen.

Où manger ? Où boire un thé ?

La Table Marseillaise : *impasse Ramelle, 13013. ☎ 04-91-05-30-95. • contact@table-marseillaise.fr • Dans la ruelle derrière le musée. Mar-ven et dim à midi, ven-sam soir. Fermé en août. Menus 18 € (midi sem)-30 €.* Dans un joli cadre avec des tables bien dressées. Spécialités provençales, ça va de soi, style alouettes sans tête, daube, pieds et paquets, etc. Bonne cuisine pour un resto de musée. Aïoli tous les vendredis midi. Terrasse aux beaux jours. Accueil souriant, même les jours gris.

Le Moulin Bleu : *7, cours du 11-Novembre, 13190* ***Allauch.*** *☎ 04-91-68-19-06. • au-moulin-bleu.com •*

Tlj sf lun mat. Une confiserie qui ne date pas d'hier, où l'on vend les chiques, suce-miel, casse-dents et autres bonbons fabriqués par M. Emery, fournisseur officiel des hosties du Vatican ! Fait aussi salon de thé.

– Le 3e dimanche de juin, ***fête de la Saint-Éloi :*** bénédiction des chevaux et défilé. Patron des orfèvres et des maréchaux-ferrants, c'est en l'honneur de ce saint patron que se donnent, durant tout l'été, en Provence, les cavalcades de la « Carreto Ramado », charrette attelée de chevaux de trait harnachés à la mode sarrasine, au son des fifres et des tambourins.

LA TREILLE ET LE PAYS DE MARCEL PAGNOL

Une belle balade à faire, à l'est de Marseille, entre La Treille, petit village perché à 7 km de là – appartenant en fait au 11e arrondissement de Marseille, où Marcel Pagnol (1895-1974) repose, et Aubagne, où il est né. Pagnol retrouvera-t-il un jour sa juste place dans l'évolution d'un art qu'il a rendu parlant... avec l'accent de Marseille ? L'homme qui sortit le cinéma des studios pour raconter des histoires faussement « provinciales » aux résonances en fait universelles est parfois mal vu ici. Certains ne lui pardonnent pas d'avoir donné d'eux une image de Marseillais hâbleurs, tricheurs, fainéants, plus portés sur la galéjade que sur le travail (plutôt mal vu, ça, aujourd'hui !).
Pourtant nombreux sont ceux qui, aux beaux jours, partent voir Marseille d'en haut, à travers la garrigue parfumée, sur les pas des personnages de Pagnol, pour découvrir des sites et des paysages que ses films ont rendus célèbres (voir la rubrique « Randonnée » ci-après).
– ***Conseil :*** la plupart des circuits qui suivent les pas de Marcel Pagnol ne se font pas depuis La Treille ni de La Buzine, mais au départ d'Aubagne *(visites guidées organisées par l'office de tourisme, ☎ 04-42-03-49-98 ; • oti-paysdaubagne.com •).* Cela dit, le village de La Treille ne manque pas de charme.
➢ ***Pour y aller :*** bus no 50 depuis l'av. Jules-Cantini (pl. Castellane), arrêt Centre-Commercial-de-La-Valentine, puis bus no 12 S (arrêt La Treille).

Où dormir ? Où manger autour de La Treille et des Accates ?

De prix moyens à plus chic

La Bastide des Escourches : *6, chemin des Escourches, à* ***Éoures,*** *13011. 06-09-84-39-83. • bastide.des.escourches@orange.fr • bastidedesescourches.com • Ouv tte l'année. Double 80 € et suite env 120 €.* Pour ceux qui recherchent le calme et un peu de nature pas trop loin du centre-ville. Élégante bastide du XIXe s offrant la jouissance d'un parc et d'une forêt de 13 ha. 3 chambres d'hôtes un rien rustiques, spacieuses et bien entretenues, avec salle de bains. Une suite avec cuisine, salon et une vue plongeante sur le vallon. Piscine. Bon accueil.

Les 3 Frères : *pl. Saint-Christophe, 13011* ***Les Accates.*** *☎ 09-50-33-12-09. 06-24-45-05-07. • brasserieles3freres@gmail.com • Tlj midi et soir jusqu'à 22h. Plat du jour 9,80 €, menus 12,80 € (le midi) et 24,90 €. Résa ultra conseillée. Ⓜ La Timone, puis bus no 12. Venant de la ville, par la A 50, sortie no 4, puis prendre av. des Peintres Roux, César Boy, rue de l'Audience et enfin chemin des Accates.* Au pied des pistes de randonnée, à l'ombre de la charmante église, sur cette place paisible et verdoyante, l'impression d'être à mille lieues de Massalia. Et si, en plus, vous avez la chance d'avoir une place en terrasse, vous allez vivre une très heureuse expérience culinaire. À l'intérieur, cadre sobre et élégant, tables bien séparées. Famille hyper accueillante aux petits soins pour ses clients. Cuisine traditionnelle pleine de soleil et faite avec cœur, à partir d'excellents produits locaux. Spécialités de « *gragnato* », cuisses de grenouilles marinées citron vert, sautées ail et persil, pâtes fraîches, viandes tendres, sauté de veau aux olives, pieds et paquets, etc. Mon tout servi généreusement dans une atmosphère conviviale. Addition raisonnable, un authentique moment de félicité !

Le Cigalon : *9, bd Louis-Pasteur, La Treille, 13011. ☎ 04-91-43-03-63. Tlj sf dim soir et mer ; lun et mar soir slt sur résa. Ouv spéciale 10 pers min les j. fermés. Résa conseillée. Formule le midi 17 €. Menus 25-32 €.* On y vient pour sa belle terrasse au cœur du village offrant une vue bien reposante sur la région, mais aussi pour le cadre rustique et authentique d'une auberge ouverte depuis près d'un siècle. Pagnol y a d'ailleurs tourné. Agréable cheminée. À table, plats provençaux fort honnêtes. Vins un peu chers, cela dit. Petite piscine en été et cabanon à louer à côté. Accueil aimable.

Le Relais de Passe-Temps : *vallon de Passe-Temps, La Treille, 13190* ***Allauch.*** *☎ 04-91-43-07-78. • lepassetemps@wanadoo.fr • ♿ À 1,5 km au nord de La Treille. Suivre les panneaux et aller jusqu'au bout de la route. Tlj sf dim soir et lun-mar. Ouv à midi les j. fériés. Fermé janv-fév. Formule déj 25 € en sem ; menus 39-55 € le soir et le w-e ; carte env 39 €. Wifi.* Dans un vallon isolé, cette auberge a quelque chose de bout du monde (c'est une impasse). Quand on est arrivé, on y est bien, en pleine garrigue. Belle salle rustico-chic. Et la cuisine provençale, fine et mijotée avec brio, ne donne pas envie de repartir de sitôt. D'ailleurs, les clients du resto ont libre accès au tennis, à la piscine et au terrain de boules ! Balade digestive conseillée aux alentours. Accueil jovial et attentif.

MARSEILLE

À voir

Le village : au milieu de la garrigue, sur un flanc de colline miraculeusement préservée, La Treille est un adorable village provençal. Ici, impossible d'échapper au fantôme du célèbre cinéaste-écrivain ! Pagnol y tourna plusieurs films incontournables : *Manon des sources, La Fille du puisatier, Regain, Cigalon* et *Angèle* (dans les collines aux environs). Installez-vous à la terrasse du *Cigalon*, café-restaurant qui servit de cadre au film de Marcel Pagnol du même nom et qui n'a guère changé depuis les années 1930, et profitez du panorama (voir plus haut dans « Où dormir ? Où manger autour de La Treille et des Accates ? »).

La tombe de Marcel Pagnol : l'écrivain-cinéaste repose dans le petit cimetière à droite de la route principale, en entrant dans le village quand on vient de Marseille. Pas de croix, juste une inscription latine extraite des *Bucoliques* de Virgile, dont Pagnol avait, dans sa jeunesse, livré une traduction : « Il avait aimé les sources, ses amis et la femme. » Ou « sa » femme... dans une version plus politiquement correcte, qui oublie ses nombreuses conquêtes... À ses côtés repose Estelle Pagnol, sa fille disparue très jeune.

La Bastide Neuve : située à un bon kilomètre au nord du village. On peut y monter à pied en suivant une route goudronnée et étroite. Dépasser le panneau du *Relais de Passe-Temps*. Juste après la buvette *Les Bartavelles* se trouve sur la gauche la *Bastide Neuve*. Citation de Pagnol sur l'un des murs. C'était la maison de vacances familiale. Aujourd'hui, seule la partie de gauche est habitée. Tout autour poussent des oliviers à flanc de colline. Pour les fans de Pagnol, des circuits (fléchés) partent à travers les vallons, la garrigue parfumée de thym et de romarin à la recherche des souvenirs de son œuvre.

À voir encore à la Treille

Le château de La Buzine : *au village* ***La Valentine,*** *parc des Sept-Collines 56, traverse de La Buzine, 13011. Ⓜ La Timone, puis bus n° 12 jusqu'à La Valentine, et*

enfin bus n° 51 direction La Reynarde. Tlj juin-sept 11h-19h. Avr, mai et oct. Fermé lun. Basse saison, 10h-18h, fermé lun-mar.
Bastide de 1889 rouverte en juin 2011 après restauration (renseignez-vous à l'office de tourisme de Marseille). Un projet très attendu, qui prend enfin forme avec une exposition permanente sur Pagnol, un musée provençal du Cinéma, une salle sur les artistes et les grands hommes de Marseille et de sa région ainsi qu'une boutique.

LE CHÂTEAU DE MA MÈRE

Marcel Pagnol acquit ce château sans le visiter. C'est bien plus tard qu'il reconnut la propriété qu'il traversait clandestinement, dans son enfance, en guise de raccourci. Il écrivit d'ailleurs un roman, Le Château de ma mère, qui relatait ses souvenirs. Pagnol venait d'acheter l'édifice mythique de sa jeunesse, sans le savoir.

À l'origine, La Buzine est un souvenir d'enfance que Marcel Pagnol évoque dans son livre *Le Château de ma mère.* Le 21 juillet 1941, Pagnol acheta La Buzine pour réaliser son rêve de jeune garçon : en faire une cité du Cinéma, une sorte de Hollywood en Provence. En 1942, le château fut réquisitionné et servit de maison de repos pour les marins allemands (Gestapo et espionnage y résidèrent). En 1944, une partie de l'état-major de l'armée française s'y installa. Puis la demeure servit d'infirmerie militaire, de consulat général de Pologne, de logement pour des réfugiés espagnols. Après avoir été longtemps squattée, La Buzine devint inhabitable. Juste avant sa mort, en 1973, Marcel Pagnol vendit le domaine (40 ha) à un promoteur qui construisit un lotissement de 249 villas dans le parc. En 1995, le château a été racheté par la mairie de Marseille. Il aura fallu attendre encore une quinzaine d'années pour qu'un projet voie le jour...

Les circuits Pagnol : *rens à l'office de tourisme d'Aubagne. ☎ 04-42-03-49-98. • oti-paysdaubagne.com •* L'office de tourisme d'Aubagne a mis en place plusieurs itinéraires pour découvrir, entre Aubagne, le Garlaban et La Treille, tous les lieux qui ont fourni matière à l'œuvre de Pagnol et ceux dont il a fait ses décors de tournage : le puits de Raimu, le mas de Massacan, la ferme d'Angèle, le bar-tabac du *Schpountz,* La Treille... Descriptifs gratuits disponibles à l'office de tourisme, où il vous faudra absolument passer, ne serait-ce que pour connaître les conditions d'accès au massif.

Randonnée

➢ ***Marcel Pagnol au Taoumé :*** *12 km, 4-6h A/R selon le point de départ, 3h A/R sans compter les arrêts.* Cet itinéraire de crêtes calcaires, dans l'arrière-pays de Marseille et des collines du Garlaban, est tout empreint de la saveur des romans de Marcel Pagnol. Des paysages traduits par le cinéma, où les noms de lieu résonnent de la faconde méridionale. *Important :* le sentier de randonnée est soumis à un arrêté préfectoral qui en limite l'accès du 1er juin au 30 septembre afin d'éviter tout risque d'incendie. Il est impératif de se renseigner au ☎ 0811-201-313 (prix d'un appel local) ou auprès de l'office de tourisme *(tél la veille de votre rando, après 17h ou • bouches-du-rhone.pref.gouv.fr •).*
➢ ***Boucle au nord d'Allauch :*** *11 km au nord-est de Marseille. Balisage jaune. Difficulté moyenne.* Pour se documenter : *52 balades en famille autour d'Aix-en-Provence,* éd. Didier-Richard ; *Randonnées pédestres Étoile et Garlaban,* éd. Édisud. Cartes IGN au 1/25 000 : 3145 E et 3245 E ; *Balades et randonnées dans le Garlaban* (10 fiches), en vente à l'OTI du pays d'Aubagne et de l'Étoile.
Du col de Canteperdrix, accessible d'Allauch et de la D 4A, emprunter le sentier qui monte, balisé de jaune. Il est surplombé par les falaises de Tête Rouge. Au croisement, prendre le sentier balisé de bleu qui monte vers Escaouprés. En face, le côté ouest du Taoumé évoque les romans célèbres de Marcel Pagnol.

Un tracé, au niveau du ***socle du Taoumé,*** mène directement à la grotte du Grosibou, facile à visiter. Une cavité à découvrir avec les yeux émerveillés de Pagnol enfant et de son copain Lili des Bellons : « Nous étions presque sous le Taoumé, et je voyais nettement le contour de la barre qui surplombait le passage souterrain où j'allais vivre la grande aventure. » Lili baptise le grand duc qui habite la grotte « Legrosibou »... et l'aventure commence (*Le Château de ma mère,* 1958).
Revenant sur la gauche, on atteint le sommet du Taoumé (670 m), d'où l'on découvre le Garlaban, Marseille et la mer, la Sainte-Baume et la Sainte-Victoire.
La balade sur la crête se poursuit avec de magnifiques panoramas pour redescendre sans difficulté au col ombragé de Baume Sourne puis au col de Canteperdrix et rejoindre le tracé jaune de l'aller.

MARSEILLE CÔTÉ PLAGES

Pas nécessaire d'aller à Cassis ni à La Ciotat pour se baigner. De L'Estaque (au nord) aux calanques (au sud), Marseille déroule près de 57 km de littoral et une bonne cinquantaine de spots de baignade.

VERS LES PLAGES : DU STADE-VÉLODROME À LA CAMPAGNE PASTRÉ

★ ***Le Stade-Vélodrome*** *(plan Marseille – Les plages, K8)* **:** *bd Michelet, 13008. Ⓜ Rond-Point-du-Prado. Visite slt avec l'office de tourisme. Musée-boutique du Stade-Vélodrome : ☎ 04-91-23-32-51. Lun-sam 10h-19h (10h-13h, 14h-18h hors saison) ; dim, ouv slt les j. de match.* Mythique. Le stade a été rénové pour la Coupe du monde 1998 et peut, grâce à ses tribunes en forme d'oreilles de Mickey, accueillir 60 000 personnes (c'est le plus grand stade de France, après, bien sûr, le Stade de France, à Saint-Denis). Pour accueillir l'Euro 2016, il sera à nouveau agrandi (67 000 places), et ses tribunes seront couvertes. Un beau cadeau pour l'OM (Olympique de Marseille, au cas où vous auriez un – azur et – blanc !), qui a fêté son centenaire en 1999, d'où l'idée d'un petit musée, et d'un restaurant ouvert les soirs de match. Pas un passage à Marseille sans un tour – un pèlerinage, diraient certains – au Stade-Vélodrome. On a tout écrit ou presque sur l'OM, sur ses affaires ou sur ses aspects sociologiques. Pour se remémorer les exploits du club au cours du XXe s, une visite au musée de l'OM (sous le virage sud) suffit, avec en prime la possibilité d'acheter gadgets et souvenirs à la boutique officielle. Mais c'est surtout à l'occasion d'un match qu'il faut s'imprégner de l'ambiance des grands soirs. Si vous avez la possibilité (ou la chance !) d'avoir une place, vous pourrez alors goûter à la grande liesse collective, en participant par exemple aux *tifos* d'avant-match, en brandissant papiers ou étendards, ou en entonnant l'un des 150 chants (gratinés) du répertoire ! Vous apprendrez aussi à comprendre la spécificité de chaque tribune et à repérer les différents groupes de supporters : les Ultras et les Winners au virage sud, les Yankees, les Dodgers, les Fanatics et les MTP (« Marseille Trop Puissant ») au virage nord. Dans les gradins, la convivialité est de mise et vous aurez tôt fait d'engager la conversation avec un(e) inconnu(e) à propos d'un joueur, d'une action litigieuse ou de tout autre sujet d'importance capitale... pendant 90 mn, et plus si affinités !

★★ ***La Cité radieuse de Le Corbusier*** *(plan Marseille – Les plages K9,* ***169****)* **:** *280, bd Michelet, 13008 (prolongement de la rue de Rome et de l'av. du Prado). Ⓜ Rond-Point-du-Prado. Pour visiter un appartement, résa obligatoire à l'office de tourisme ; visite possible 2 ven ap-m/mois, env 6,50 €/pers pour 2h de visite.*
Les curieux et férus d'architecture urbaine viendront voir l'une des œuvres les plus célèbres de l'architecte Le Corbusier, classée Monument historique. Pourtant, après sa construction, la Cité radieuse fut surnommée ironiquement « la maison du fada » par des Marseillais effrayés par la modernité du bâtiment. Aujourd'hui,

de nombreux appartements sont occupés par des enseignants, médecins, architectes, psychanalystes, journalistes, décorateurs, designers. Les retraités et les cadres du commerce et de l'industrie commencent seulement à s'y installer. Pourquoi ? Voilà donc une « unité d'habitation » bâtie en 1952 sur pilotis et qui suscita à l'époque bien des polémiques. L'enjeu du « Corbusier » fut de répondre au problème du logement collectif tout en anticipant celui des transports en réunissant, sous un même toit, tout ce dont l'homme « moderne » pouvait avoir besoin pour s'épanouir socialement : services, commerces, école, équipements sociaux et sportifs. 350 logements en duplex, et même un hôtel au 3e étage (voir « Où dormir ? »).

CORBU, CE GRAND MÉCONNU

Le Corbusier, l'un des plus grands architectes français est né... en Suisse. Il adorait les idées mégalomaniaques mais s'intéressait peu au suivi de ses chantiers. Un de ses projets détruisait ainsi la moitié de Paris... Théoricien de l'habitat collectif, il ouvrit – malgré lui – la voie à l'édification des grands ensembles et des barres d'immeubles, dont on mesure aujourd'hui les effets destructeurs. En 1941 et 1942, il s'installa à Vichy, pour mieux séduire ce bon maréchal Pétain. Il mourut en 1965, d'une noyade en Méditerranée. Corbu eut droit à des funérailles nationales, orchestrées par Malraux, qui n'avait peur de rien.

Au rez-de-chaussée, éclairages indirects, portes rouges des ascenseurs. À l'étage de l'hôtel, épicerie et boulangerie, comme si l'on se trouvait dans une rue de la ville (ici d'ailleurs, les étages s'appellent des « rues », du fait de la largeur des couloirs). Au 8e, une petite école maternelle pour les habitants de l'immeuble. Au 9e, sur le toit, on trouve un gymnase et une minipiscine autour de laquelle, les soirs d'été, les habitants viennent boire l'apéro. La cité dispose aussi d'une piste de jogging, d'un sauna, etc. Malgré la taille imposante de l'immeuble, il se dégage une étonnante impression de légèreté de l'ensemble. Les appartements ne sont pas très hauts de plafond (1,92 m pour certains !), mais la plupart sont en duplex. Des matériaux nobles ont été utilisés (escalier en chêne massif...). On y trouve aussi des gadgets inédits pour l'époque, comme le tapis à ordure ou les boîtes de livraison et les glacières, de grosses boîtes dans les couloirs où l'on déposait des provisions et de la glace tous les matins. Voir aussi les douches et les cuisines, révolutionnaires à l'époque.

Le parc et le château Borély *(plan Marseille – Les plages, J-K9)* ***:*** *entrée par l'av. du Prado ou par le 134, av. Clot-Bey, 13008. ☎ 04-91-55-25-24 (parc) et 04-91-55-24-96 (jardin botanique). ♿ Près de la promenade de la Plage et de l'av. du Prado. Bus nos 19, 44 et 83 (arrêt Borély). Parc ouv tte l'année, 6h-21h ; entrée gratuite. Jardin ouv tlj mai-août 10h-12h, 13h30-19h ; mars-avr, sept-oct 10h-12h, 13h-18h ; janv-fév, nov-déc 10h-12h30, 13h30-16h30. Congés : 20-31 déc. Entrée : 3 € ; visite guidée 4 € ; réduc.*

Attention, le château est fermé jusqu'en 2013 pour travaux de restauration en vue de la création du musée des Arts décoratifs et de la Mode, dont une partie des collections portera sur l'art de vivre en Provence aux XVIIIe et XIXe s. Profitez du parc en attendant.

D'une superficie de 17 ha, ce parc, fierté des Marseillais, a été dessiné par l'architecte-paysagiste Alphan. Le cinéaste Yves Robert y tourna des scènes du film *Le Château de ma mère* (1990), adapté du livre de Marcel Pagnol. Vous y trouverez un petit lac avec des canards, une roseraie (avec des espèces très bien signalées) et, à la porte est du parc, le jardin botanique et la serre tropicale. Au milieu du parc, un château de style classique qui fait rêver. Construit entre 1767 et 1778 par le négociant-armateur Louis Borély, il présente une façade sobre et classique tandis que le décor intérieur frappe par sa richesse.

En juillet, le parc devient le rendez-vous mondial de la pétanque, pour un concours placé sous l'égide du journal *La Marseillaise*.

Belle piste pour rollers et vélos, manèges, location de rosalies, de voitures électriques et de barques.

Le MAC, musée d'Art contemporain (plan Marseille – Les plages, K10) **:** *69, av. de Haïfa, 13008. ☎ 04-91-25-01-07. Ⓜ Rond-Point-du-Prado puis bus n° 23 ou 45 (arrêt Marie-Louise ou Hambourg-Haïfa). ♿ Tlj sf lun et j. fériés 11h-18h (10h-17h oct-mai). Entrée : 2 € ; expos temporaires 4 € ; réduc. Visites publiques accompagnées : 2,50 €.* Le seul « Mac » marseillais hautement recommandable. Cadre aéré et lumineux. Expositions temporaires (artistes internationaux) et collection permanente dont celle consacrée aux installations de Jean-Luc Parant (oh, la belle Jaguar rouge !). Cela dit, on peut régulièrement découvrir des œuvres issues du fonds du musée (600 pièces) comme celles des nouveaux réalistes (Tinguely), de quelques fortes individualités comme Rauschenberg ou Richard Baquié en passant par des œuvres du groupe Support-Surface ou de l'Arte Povera. Films et vidéos au *Cinémac,* dans le cadre des expos et des conférences. Ne manquez pas le gigantesque *Pouce* de César sur le rond-point devant le musée ni les sculptures du petit parc derrière, signées Jean-Michel Alberola et Erik Dietman.
Café sympathique au sein du musée, pour se restaurer.

Le musée de la Faïence (hors plan Marseille – Les plages par J10) **:** *château Pastré, campagne Pastré, 157, av. de Montredon, 13008. ☎ 04-91-72-43-47. ♿ Bus n° 19, à prendre au rond-point du Prado (arrêt Montredon-Pastré). Entre l'entrée principale (route) et le château, il y a un chemin long de 1 km à parcourir à pied. Tlj sf lun et j. fériés 11h-18h (10h-17h oct-mai). Entrée : 2 € ; réduc ; gratuit pour les moins de 10 ans. Visite commentée (+ 2,50 €) sam-dim à 15h oct-mai et à 16h juin-sept.*
Un musée essentiel à la compréhension de la ville, installé dans une vaste et élégante bastide, au cœur d'un parc de 120 ha, appelé la campagne Pastré, où furent données quelques-unes des fêtes les plus folles du Second Empire. Pendant l'Occupation (1940-1944), la comtesse Pastré, la propriétaire (une héritière de l'entreprise Vermouth), y organisa des concerts et des spectacles pour protester contre l'occupant. Ses héritiers ont vendu la propriété en 1974. Le château a retrouvé sa splendeur grâce à quelques passionnés et à la mairie de Marseille. Plus de 1 500 céramiques y sont exposées, du Néolithique à nos jours.
Au XVIIIe s, Marseille était l'un des plus prestigieux centres faïenciers de France. Avec la Révolution, cette activité déclina. Ce musée présente donc beaucoup d'intérêt car il offre un bel aperçu du raffinement de l'art sous l'Ancien Régime. En témoignent ici les pièces des fabriques Robert ou Clérissy, ainsi que les somptueux services de table de la fabrique Joseph Fauchier ou les célèbres décors floraux de la Veuve Perrin. Descendante d'une famille de faïenciers de Nevers, la Veuve Perrin (elle fut veuve pendant 56 ans) aurait introduit la nouvelle technique dite du « petit feu ».
Les autres centres de production provençaux (Moustiers bien sûr, mais aussi Apt et Castellet) ne sont pas oubliés : effets jaspés, quasi psychédéliques, permis par le mélange des terres du Luberon. Parmi nos pièces préférées : le surtout de table aux huit bras de lumière de Fauchier (très rare) dans la salle 4, la *fontaine aux Aigles,* un service à bouillabaisse, la plaque dite « aux Singes » dans la salle 11.
La faïence moderne est notamment représentée par l'Alsacien Théodore Deck, dont les œuvres sont exposées salle 15. Directeur de la manufacture de Sèvres en 1887, Deck est le précurseur de l'Art nouveau (beaux plats-portraits en ronde-bosse). Au dernier étage, pièces modernes avec Picasso et des pièces contemporaines (créations de Starck, Garouste et Bonetti, sans oublier le brillant René Ben Lisa – 1926-1955 –, qui était d'origine kabyle).

Les faïenceries Figuères et fils (plan Marseille – Les plages, J10) **:** *10, av. Lauzier, 13008. ☎ 04-91-73-06-79. • faiencerie-figueres.com • ♿ De la plage du Prado, prendre direction Pointe-Rouge. Au début de l'av. de Montredon (qui continue au sud), la petite av. Lauzier est sur la gauche de la route de la corniche. Tlj sf sam ap-m, dim et j. fériés 8h30-12h, 13h-18h30. Fermé de mi-août à mi-sept. Visite* *gratuite avec un membre de la famille Figuères.* Une visite très attachante d'une entreprise familiale devenue une adresse que l'on espère conserver longtemps. Marcel Figuères se lança dans le métier dans les années 1930. Depuis 1952 (date de sa fondation), c'est le royaume du trompe-l'œil et des décors peints à la main. C'est surtout aujourd'hui le dernier faïencier en activité de Marseille. Les faïences produites ici s'inspirent pour certaines de la tradition marseillaise (le trompe-l'œil se faisait déjà au XVIIIe s) mais aussi de l'époque contemporaine. Les techniques modernes de cuisson, les matériaux nouveaux utilisés permirent à la faïence Figuères d'évoluer avec son temps.

L'ART DU TROMPE-L'ŒIL

Certains collectionneurs conservent précieusement leurs « barbotines » dont le prix actuel donne des regrets à ceux qui ne voyaient là que des décors de table un peu trop hauts en couleur : plats à asperges, assiettes à huîtres ou coupes de fruits, mais aussi vases, cache-pots, animaux de toutes sortes... Des faïences exubérantes, qui vous jettent leurs formes et leurs couleurs à la figure, car ce sont elles qui ont eu le dernier mot... dans les salles des ventes !

LE BORD DE MER

Si vous arrivez directement du Vieux-Port, vous n'échapperez certes pas aux embouteillages, mais vous avez au moins une chance d'arriver plus vite à la plage que dans tout autre ville.

👁👁 ***La corniche Kennedy*** *(plan couleur d'ensemble A5-6)* **:** *bus n° 83 depuis le Vieux-Port. En voiture : au Vieux-Port, prendre le quai de Rive-Neuve, passer devant le théâtre national La Criée ; en continuant tt droit, on arrive aux Catalans, où commence la corniche.* À pied, c'est encore l'idéal, d'autant que la corniche est dotée du plus long banc du monde (homologué par le *Guinness Book*), ceci dit pour qui craint la fatigue. La corniche vous offrira l'un des plus beaux paysages de Marseille : la Méditerranée et ses îles. C'est aussi l'itinéraire préféré des joggeurs marseillais, sauf les jours de tempête, et encore.

👁👁 ***Le vallon des Auffes*** *(plan couleur d'ensemble A6)* **:** *après l'imposant monument aux morts de l'armée d'Orient, on arrive au-dessus de l'adorable vallon des Auffes.* Un des lieux magiques dont Marseille a le secret. Vous allez craquer à votre tour pour ce petit port de pêche de carte postale avec un viaduc en fond de décor. Son nom provient de l'*alfa* (*auffo* en provençal), une herbe d'Afrique du Nord et d'Espagne employée dans la fabrication des cordages et des tissus grossiers, autrefois stockés ici. Quelques-uns des restaurants les plus célèbres de la ville s'y cachent. Voir « Où manger ? ».

👁👁 ***Endoume :*** un autre quartier villageois, en surplomb, avec son lacis de ruelles et d'escaliers, ses jardins suspendus et ses maisons à l'étonnant décor de ciment modelé (notamment au 11, rue Pierre-Mouren, et au 365, rue d'Endoume). Prolonger la balade dans le quartier de ***Bompard,*** tout aussi charmant.

👁👁 ***Les villas de la corniche :*** la corniche appartient ensuite aux somptueuses villas du XIXe s, pas toujours du meilleur goût. Le *château Berger,* qui se croit dans la Loire, la *villa Valmer* et son agréable parc public, le *castel Alléluia* et sa tour médiévale en miniature, la *villa Gaby,* où séjourna le général Aoun après sa fuite du Liban, et enfin le *château Talabot,* qui domine superbement le site (éclatant contraste entre son toit vert-de-gris et la brique de ses murs). Derrière cette partie de la corniche s'étend le très, très chic quartier du ***Roucas-Blanc.*** On dit que les taxes d'habitation et foncières sont étonnamment basses dans ce quartier pourtant huppé...

MARSEILLE – LES PLAGES

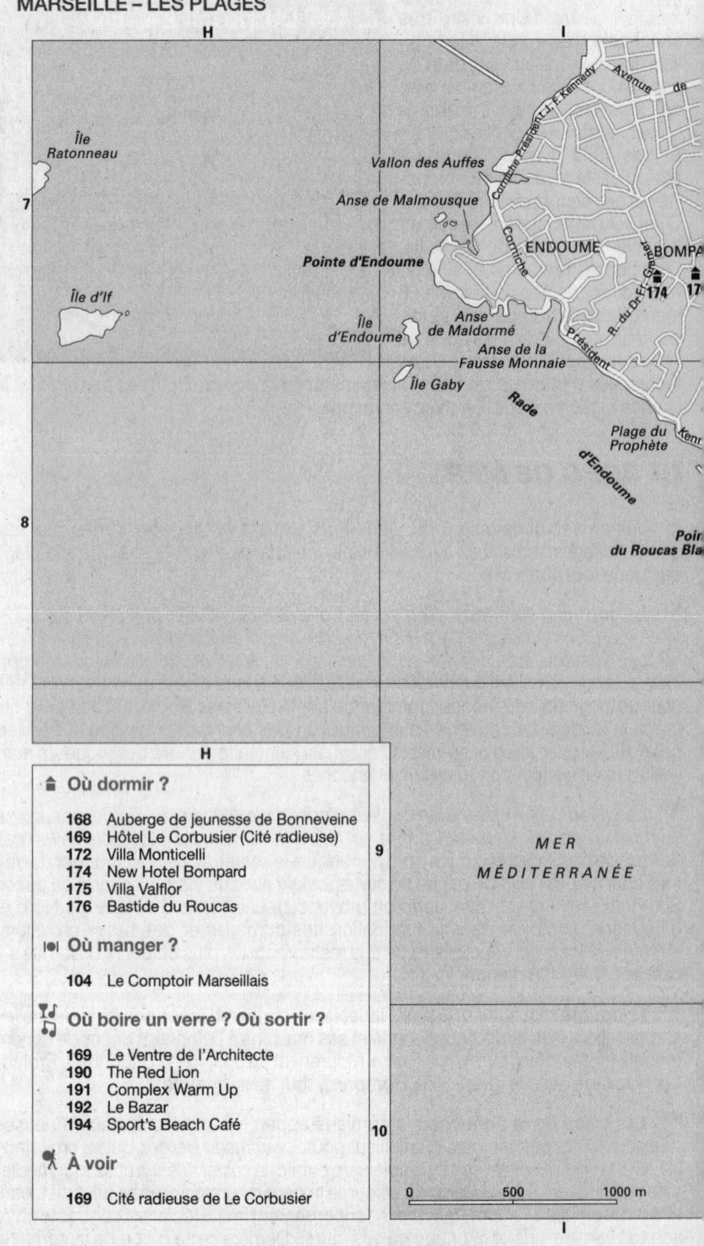

Où dormir ?

- **168** Auberge de jeunesse de Bonneveine
- **169** Hôtel Le Corbusier (Cité radieuse)
- **172** Villa Monticelli
- **174** New Hotel Bompard
- **175** Villa Valflor
- **176** Bastide du Roucas

Où manger ?

- **104** Le Comptoir Marseillais

Où boire un verre ? Où sortir ?

- **169** Le Ventre de l'Architecte
- **190** The Red Lion
- **191** Complex Warm Up
- **192** Le Bazar
- **194** Sport's Beach Café

À voir

- **169** Cité radieuse de Le Corbusier

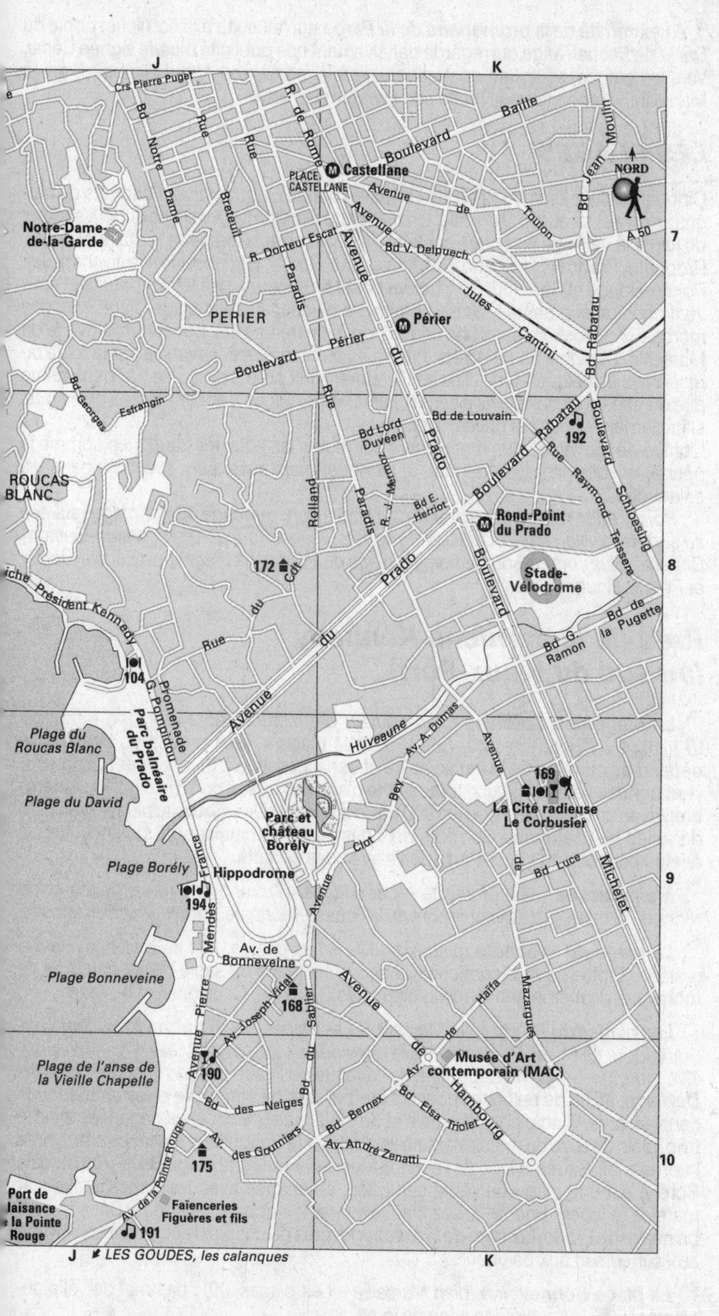
J
K
Crs Pierre Puget
Bd Notre Dame
Rue
Rue Breteuil
R. de Rome
Boulevard Baille
Bd Jean Moulin
NORD
PLACE CASTELLANE
Castellane
Avenue de Toulon
Avenue du Prado
A 50
Notre-Dame-de-la-Garde
R. Docteur Escat
Paradis
Bd V. Delpuech
Jules Cantini
PERIER
Périer
Boulevard Périer
Bd Rabatau
Bd Georges Esfrangin
Bd de Louvain
Rue Paradis
192
Boulevard Rabatau
Rue Raymond Teissere
Bd Lord Duveen
R. J. Mermoz
Bd E. Herriot
Rond-Point du Prado
Boulevard Schloesing
ROUCAS BLANC
Rue Rolland
172
Rue du Cdt
Stade-Vélodrome
Président Kennedy
Boulevard
Bd de la Pugette
Bd G. Ramon
104
Promenade G. Pompidou
Parc balnéaire du Prado
Plage du Roucas Blanc
Huveaune
Av. A. Dumas
Avenue
169
Plage du David
Bey
La Cité radieuse Le Corbusier
Parc et château Borély
Clot
Plage Borély
France
Hippodrome
Bd Luce
Michelet
194
Mendès
Av. de Bonneveine
Plage Bonneveine
Avenue Pierre
Av. Joseph Vidal
168
Sablier
Avenue de Hambourg
Av. de Haïfa
Mazargues
190
Musée d'Art contemporain (MAC)
Plage de l'anse de la Vieille Chapelle
Bd des Neiges
Bd du Sablier
Bd Bernex
Bd Elsa Triolet
Av. des Goumiers
Av. André Zenatti
175
Port de plaisance la Pointe Rouge
Av. de la Pointe Rouge
Faïenceries Figuères et fils
191
LES GOUDES, les calanques
7
8
9
10

À l'extrémité de la ***promenade de la Plage*** qui fait suite à la corniche, copie du *David* de Michel-Ange qui regarde pensivement une publicité murale signée César. Vers les plages, sculpture contemporaine à la mémoire d'Arthur Rimbaud, qui, à Marseille, « rencontrera la fin de son aventure terrestre ».

LES PLAGES

Cinquante-sept kilomètres de littoral et une bonne cinquantaine d'endroits de baignade : c'est ça aussi, Marseille. Onze d'entre elles sont surveillées du 1er vendredi de juin à la veille de la rentrée scolaire de septembre : Corbières, Catalans, Frioul, Prophète, Prado Nord, Prado Sud, Huveaune, Borély, Bonneveine (vieille chapelle), Pointe-Rouge et Sormiou. On y trouve poste de secours, sanitaires gratuits et souvent consignes gratuites. Une vingtaine de plages, au sens plage-plage (pas des morceaux de rochers dans une crique pour faire trempette), ponctuent le rivage de Marseille. De sable ou de galets, familiales ou branchées, envahies par la foule ou réservées à quelques-uns, elles sont vraiment aux portes de la ville. On peut même dire qu'elles sont dans la ville sans trahir la vérité, car on y accède à pied ou en bus, si facilement ! Sous les pavés, la plage !
L'office de tourisme vous renseignera sur toutes les activités nautiques comme la pêche, la voile, le kayak de mer, la plongée, mais aussi sur l'escalade dans les calanques...
➢ ***Pour y aller :*** *bus n° 83, à prendre au Vieux-Port, qui longe ttes les plages situées au sud de la ville ; arrêts Catalans, Prophète, Plage-Roucas-Blanc, Plage-Gaston-Defferre (plus connue sous le nom de plage du Prado), La Plage, puis Escale-Borély et Pointe-Rouge.*

Près de la corniche Kennedy (au sud du Vieux-Port)

La plage des Catalans *(plan couleur d'ensemble A5)* **:** *corniche Kennedy.* Ⓜ *Vieux-Port/Hôtel-de-Ville. Bus n° 83.* La plage la plus proche du centre-ville dépend aujourd'hui de la municipalité et est accessible à tous. Elle est donc souvent bondée l'été. C'est une toute petite plage (surveillée du 10 juin au 10 septembre), avec un petit côté années 1960 pas déplaisant. On y trouve le plus ancien club de volley-ball de France. Son nom vient des pêcheurs catalans qui étaient autrefois rejetés par ceux du Vieux-Port. Idéale avec des enfants.

Malmousque *(plan Marseille – Les plages, I7)* **:** une crique de galets et de rochers, secrète, juste avant le pont de la Fausse-Monnaie, sur la corniche Kennedy.

La plage du Prophète *(plan Marseille – Les plages, I8)* **:** *à Endoume. Entrée gratuite.* Blottie sous la corniche Kennedy, une plage de sable blanc, entourée de rochers et du même genre que la plage des Catalans. Consignes et buvette.

Les plages du Prado *(plan Marseille – Les plages, J8-9)* **:** *promenade Georges-Pompidou.* Ⓜ *Rond-Point-du-Prado, puis bus n° 19 ; ou* Ⓜ *Vieux-Port/Hôtel-de-Ville, puis bus n° 83.* Au débouché de l'avenue du Prado s'étend la ***plage Gaston-Defferre,*** 45 ha de pelouses pour les footballeurs du dimanche et les amateurs de cerfs-volants. Cinq plages de sable et de petits galets y ont été aménagées avec le trop-plein de terre du métro marseillais. Ambiance tranquille le matin, plus bruyante l'après-midi. Située le long de l'avenue Mendès-France, la ***plage Borély*** (ou Escale Borély) est une plage de sable surveillée, aménagée avec transats, parasols et matelas (à louer). Endroit assez chic, avec restos et bars branchés. Dans le parc balnéaire du Prado, la ***plage de l'Huveaune*** (près du champ de courses) est ouverte aux surfeurs et aux baigneurs.

La plage Bonneveine *(plan Marseille – Les plages, J9)* **:** pas mal de véliplanchistes. Elle dispose d'une zone de jeux.

Plus loin, la ***plage de l'anse de la Vieille Chapelle*** *(plan Marseille – Les plages, J9-10)* **:** elle est équipée d'un skate-park, le plus beau de France selon les amateurs. Les jours de compétition, on se croirait en Californie.

La plage de la Pointe-Rouge *(plan Marseille – Les plages, J10)* **:** devant le port de la Pointe-Rouge, plage de sable surveillée, une des plus anciennes de Marseille. Familiale et populaire. Très recherchée par les débutants en planche en voile. Après le port de la Pointe-Rouge, le ***Bain des Dames*** et le ***Fortin*** sont deux minuscules plages de galets, avec des cabanons.

Vers Les Goudes et Callelongue

En suivant le bord de la côte jusqu'aux Goudes, vous découvrirez quelques petites plages nichées dans des anses comme celle de ***Bonne Brise*** ou des ***Phocéens.*** Ensuite débutent les calanques, mais là, c'est déjà une autre histoire : voir le chapitre suivant...

MARSEILLE

LES ÎLES AU LARGE DE MARSEILLE

« Le départ de Marseille, les îles blanches et nues, Pomègues, Ratonneau, les grandes silhouettes frontonnantes de Marseille-Veyre, jusqu'à l'éperon détaché de Mare, le graduel recul de la grande ville, sèche et pâle, les montagnes du fond ressortant peu à peu, tout ce paysage où Notre-Dame-de-la-Garde met un point d'or, m'est resté comme l'un des plus beaux souvenirs de tout le voyage qui me menait jusqu'en Extrême-Asie. »

André Chevrillon, 1928.

Le château d'If : *☎ 04-91-59-02-30. • monuments-nationaux.fr • Tlj (sf lun hors saison ; voir site internet pour le détail des horaires). Visite de l'île et du château : 5 € ; réduc ; gratuit pour les moins de 18 ans venant en famille et pour les 18-25 ans.*
➢ ***Pour y aller :*** *compagnie* ***Frioul If Express,*** *1, quai de la Fraternité, 13001 Marseille. ☎ 04-91-46-54-65. • frioul-if-express.com • Tlj 9h-18h30.* Billet aller-retour : 10 €. Billet combiné avec les îles du Frioul : 15 € (transport slt). Une vingtaine de départs/j. (moins hors saison).
L'île d'If est la plus petite de l'archipel : 300 m de long sur 180 m de large (3 ha). C'est son château qui l'a rendue célèbre. Il fut édifié sur ordre de François Ier. Celui-ci fit une première visite sur l'île en 1516, afin d'y admirer un rhinocéros offert par un maharadjah des Indes au roi du Portugal, lequel l'offrit au pape. Ayant noté l'importance stratégique du site, le roi ordonna sa fortification dès 1524. Devenu prison d'État en 1634, on y enferma des princes, des protestants, des gentilshommes turbulents (Mirabeau y fut incarcéré 6 mois sur ordre de son père), des insurgés de 1848 et des communards de 1871. Contrairement à la légende, le Masque de Fer et le marquis de Sade n'y ont jamais été emprisonnés. Mais l'imaginaire s'empara du lieu avec Alexandre Dumas, qui y enferma Edmond Dantès, le héros de son roman *Le Comte de Monte-Cristo.* La réalité a rejoint la fiction : sa cellule se visite aujourd'hui !
Sur place : bar-restaurant ***Le Château d'If.*** Touristique certes, mais tout à fait fréquentable.

Les îles du Frioul *(îles de Pomègues et Ratonneau)* **:**
➢ ***Pour y aller :*** *compagnie* ***Frioul If Express.*** Pour les infos pratiques voir plus haut. Une vingtaine de départs/j. 6h45-18h (un peu moins hors saison).
Reliées entre elles par une digue depuis le début du XIXe s, ces îles sont devenues un quartier « maritime » de Marseille, suite à la construction, dans les années 1970, d'un projet immobilier discutable et, d'ailleurs, jamais mené à terme.

Sur l'***île Ratonneau,*** on peut voir les ruines de l'hôpital Caroline (en restauration permanente), destiné à l'isolement des malades contagieux (fièvre jaune), construit en plein vent pour l'évacuation des miasmes.
L'***île de Pomègues*** servait aussi de port de quarantaine. On peut encore se baigner dans de petites criques quasiment désertes.

PROTÉGÉS PAR LES MORTS ?

Sur l'île Ratonneau, pendant la dernière guerre, l'armée allemande bâtit d'énormes blockhaus. Pour se protéger des attaques aériennes, les soldats construisirent un faux cimetière en érigeant de gigantesques croix. Elles sont toujours visibles aujourd'hui.

|●| ***L'Orange Bleue :*** *quai d'Honneur, port du Frioul.* 📱 *06-22-49-50-96.* • *orange.bleu3@orange.fr* • ♿ *Tlj en saison. Fermé le soir dim-jeu, plus lun midi hors été. Congés : déc-avr. Menu 35 € sf w-e.* Ce n'est pas parce qu'il arbore un portrait tiré du *Lotus bleu* et qu'il a piqué son nom à une aventure cinématographique de Tintin qu'on l'aime bien. Mais ce restaurant-là fait un effort sincère pour travailler exclusivement du frais : tartare de loup ciboulette et menthe, quasi de veau, etc. Pas de carte mais l'ardoise change tous les jours. Le soir, en terrasse, on peut suivre la préparation du plat commandé, grâce à un écran qui retransmet l'activité de la cuisine !

Plongée sous-marine

Il est bien loin le temps où le proprio du *Vieux Plongeur* – magasin de plongée incontournable à Marseille – vendait ses « masques-bulle » et « nageoires de caoutchouc » aux premiers aventuriers du monde sous-marin... Car, avant même de savoir shooter dans un ballon, Marseille était une plongeuse émérite. Ses premières bulles remontent aux années 1930, quand le commandant Le Prieur invente l'ancêtre de nos actuels appareils respiratoires... Après la Seconde Guerre mondiale, la cité phocéenne se passionne pour les travaux d'une palanquée de pionniers farfelus : Philippe Taillez, Frédéric Dumas et Jacques-Yves Cousteau, un jeune officier de Marine à l'avenir déjà prometteur. Ces « Mousquemers », comme on les appelle à l'époque, utilisent le fameux scaphandre autonome Cousteau-Gagnan et réalisent les premiers films sous-marins en enfermant leurs caméras dans des pots à confiture ! Bientôt, à bord de la célèbre *Calypso,* ils fouillent des épaves antiques (les fonds marseillais en sont truffés !) et définissent – à grand renfort d'expériences – les bases de la plongée sous-marine actuelle. Depuis ces temps héroïques, Marseille la Bleue s'impose comme la grande Mecque de la plongée sous-marine française. On y trouve le siège de la Fédération française d'études et de sports sous-marins (FFESSM), mais également quelques entreprises de plongée professionnelle, dont la Comex fut longtemps le fleuron... La cité abrite enfin la Direction régionale de notre archéologie subaquatique (DRASSM) et demeure le repère des biologistes marins du Centre océanologique de Marseille (COM), sans oublier les fabricants et autres importateurs de matériels de plongée... Marseille est une étape incontournable dans la vie d'un plongeur. De tombants colorés en épaves luxuriantes, ses eaux cristallines livrent richesses et curiosités fabuleuses. Côté météo, les plus belles plongées sont accessibles par mistral ; mais le choix sera limité si le vent d'est se met à souffler.

Clubs de plongée

■ ***Les Plaisirs de la Mer :*** *1, quai Marcel-Pagnol, 13007.* ☎ *04-91-33-03-29.* • *plmclam.free.fr* • *En contrebas du fort Saint-Nicolas, sous la balise verte marquant l'entrée du Vieux-Port. Tlj en été ; w-e et vac scol hors saison. Résa obligatoire. Baptême env 45 € (38 € jusqu'à 12 ans) ; env 22-43 € pour une plongée* *selon équipement ; forfait dégressif à partir de 6 plongées. Réduc de 10 % sur les plongées et baptêmes sur présentation de ce guide.* Rendez-vous au Vieux-Port pour embarquement immédiat sur l'un des gros navires confortables : un chalutier et deux vedettes de transport de passagers. Après vous avoir équipé complètement, les moniteurs assurent baptêmes, formations jusqu'au niveau III et encadrement sur les meilleurs spots du coin. Pour sortir des plongées classiques, demandez donc aux dirigeants sympas du club (FFESSM) de vous emmener sur un petit tombant de derrière les fagots : c'est leur grande passion ! Initiation enfants à partir de 8 ans.

■ ***Rêve Bleu Plongée :*** *25, bd du Collet, parc du Collet, 13008. 06-82-09-05-68. • guillaume.thfoin@free.fr • revebleu-plongee.fr • Ouv tte l'année. Prix : baptême 50 €, stage niveau 1 FFESSM / PADI à partir de 299 €, exploration sous-marine à partir de 30 €.* Guillaume Thfoin sait faire partager sa passion et fera de vos plongées une expérience unique, sur mesure et pleine de convivialité, en toute sécurité. Formations proposées par groupe de 4 personnes maximum, visant une double certification FFESSM / PADI afin de plonger en toute tranquillité à travers le monde. Des packs plongée vous sont proposés du baptême au plongeur professionnel, ainsi que des qualifications : épaves, profonde, étanche, nitrox, nuit... pour les personnes souhaitant vivre de nouvelles expériences ou se perfectionner. *En exclusivité, formation « étanche » offerte pour tout stage effectué d'oct à mai (hors loc du vêtement étanche).* Ainsi, plonger en hiver dans le plus grand confort devient possible et se révèle un pur plaisir. Vous trouverez également sur le site web des propositions de séjours plongée organisés dans le monde entier !

■ ***Atoll Club :*** *31, traverse Prat, 13008. ☎ 04-91-72-18-14. 06-11-54-71-40. • atollplongee.com • Tte l'année, tlj. Résa obligatoire. Baptême env 55 € ; plongées 25-60 € selon équipement.* Plongée à la carte et en petit comité sur les 2 embarcations rapides de cette école confortable (FFESSM, ANMP, PADI) où Anne Lerebourg – la proprio sympa – et ses moniteurs brevetés d'État proposent baptêmes sur mesure, formations jusqu'au niveau IV et brevets PADI, ainsi que des explorations dont vous garderez le plus vif souvenir. Initiation enfants à partir de 8 ans. Équipements complets fournis. Hébergement possible en chambres de 2 à 4 personnes et restauration sur place.

■ ***No Limit Plongée*** *: entrée n° 3, port de la Pointe-Rouge, 13008. 06-61-94-73-63. • nolimitplongee.com • Tte l'année sur résa et tlj en été. Résa obligatoire. Baptême env 50 € ; plongées à partir de 29 € selon équipement ; forfaits dégressifs 5 et 10 plongées.* Encore une école (FFESSM, ANMP, PADI) où la plongée en petit comité est une règle d'or. Aux antipodes de la cohue des gros clubs, vous embarquez au port de Pointe-Rouge sur un bateau rapide où Pascal Perino et ses moniteurs brevetés d'État assurent baptêmes, formations jusqu'au niveau IV et brevets PADI, sans oublier l'exploration des épaves et tombants qui font la réputation de Marseille. Initiation enfants dès 8 ans et plongée Duo Nitrox (air enrichi en oxygène) pour les cracks. Équipements complets fournis. Possibilité d'hébergement (hôtel et chambres d'hôtes) à tarif réduit.

Nos meilleurs spots

Voici quelques spots pour plonger dans la légende !

AUTOUR DE L'ÎLE RIOU

Les Impériaux : la plongée phare de la côte marseillaise. Pour plongeurs niveau I et plus. Vie sous-marine luxuriante et très sauvage sur ces 3 « cailloux » (de 15 à 60 m) magnifiquement découpés au sud-est de l'île Riou.

La grotte à corail : accessible aux plongeurs débutants. Sur la face sud de l'île Maïre, une balade fabuleuse au pays de « l'or rouge », comme l'appellent les vieux scaphandriers marseillais. Par seulement 15 m de fond, vous déclencherez un incendie sans précédent en braquant votre lampe torche sur les parois de cette arche recouverte de corail rouge. Surtout, ne touchez à rien et faites attention à l'amplitude de votre palmage.

Le Liban et les Farillons : pour plongeurs confirmés (niveau II minimum). Au sud-est de l'île Maïre, cette plongée surréaliste (de 24 à 37 m) débute par l'exploration du *Liban,* sombré en 1903. Pour son ultime croisière fantôme, le paquebot – brisé en deux – a revêtu un somptueux manteau de gorgones rouge et jaune (n'oubliez pas votre lampe torche !), où se pelotonnent les nouveaux passagers de la *first class* : congres pépères, murènes craintives et langoustes curieuses. Les classiques castagnoles accompagnent cette visite généreuse en curiosités (hélice de bronze, proue majestueuse...). Puis vous remonterez tranquillement le long du proche tombant des Farillons, où trois arches poissonneuses – véritables cathédrales – garnies de corail rouge achèveront de vous émerveiller... Évitez toute incursion dans l'épave. Site exposé.

Les Moyades : à la pointe ouest de Riou, la plongée bénie des photographes ! À partir du niveau II. Vous dévalez un superbe tombant (de 20 à 40 m) où les gorgones éclatantes dissimulent de nombreuses langoustes (repérez leurs antennes !). Les rascasses, cigales de mer et congres placides ont trouvé refuge dans les failles (n'oubliez pas votre lampe torche, là encore !), survolées par des nuages de castagnoles et de mendoles (rayures bleues). Pas mal de poulpes, sars, saupes, corbs et loups.

La pointe Caramassaigne : à l'est de Riou, la plongée marseillaise par excellence. Pour plongeurs confirmés (niveau II minimum). Incendie de couleurs sur ce tombant (40 m maxi) littéralement recouvert de gorgones rouges, d'anémones jaunes et d'éponges rose et orange éclatantes. Dans ce grand « jardin à la marseillaise », vous croiserez loups, sars, dentis, ainsi que des mérous très attachants. De beaux congres dans les éboulis. Courant souvent violent. « À deux brassées de palmes », le tombant du ***Grand Conglué*** (43 m) offre des beautés sous-marines qui n'ont – bienheureusement – rien de fatal ! Cousteau y a fouillé plusieurs épaves antiques dans les années 1950...

AUTOUR DE L'ÎLE DE PLANIER

Au large de la cité phocéenne, un haut lieu de la plongée méditerranéenne réputé pour ses épaves. Situé à une faible profondeur (de 3 à 25 m), le cargo ***Chaouen*** coulé en 1970 révèle sa silhouette enchantée aux plongeurs néophytes (niveau I confirmé). Équipage charmant et paisible (congres, rascasses...) camouflé parmi les gorgones du ***Dalton,*** un autre cargo sombré en 1928 (de 15 à 32 m) et qui devint la vedette du film *Épaves,* tourné par Cousteau dans les années 1950 (niveau II). Par 45 m de fond, les plongeurs – aguerris – seront séduits en survolant murènes, congres et homards qui se partagent le cockpit du ***Messerschmitt 109,*** avion allemand – intact – de la Seconde Guerre mondiale (niveau III confirmé). Les eaux cristallines de l'île offrent également d'éblouissants tombants peuplés de poulpes, loups, dentis, daurades, castagnoles, et même quelques liches.

LE SAINT-DOMINIQUE

Pour plongeurs de niveau II. Plongée « coup de cœur » sur ce voilier de 3 mâts – intact – coulé en 1897 par 33 m de fond devant le port autonome de Marseille. Son immense coque métallique – droite et dénudée – affiche encore toute l'élégance de la marine à voile (sans les mâts !). Coup d'œil spectaculaire à la proue, où des nuées de castagnoles se livrent à de vastes mouvements « gymnasticatoires » sous l'œil perçant du nouvel équipage : congres, murènes et rascasses, tapis dans les cales vides. Attention aux filets.

LA DROME

Seuls les routards-plongeurs aguerris (niveau III confirmé) accéderont – si la météo le permet – à l'épave mythique de ce transporteur de munitions reposant depuis 1918 au beau milieu de la rade de Marseille. Par 51 m de fond, le navire – coupé en deux – livre une très jolie silhouette et des locataires de taille (congres, langoustes...). Surprenante pièce d'artillerie sur l'arrière. Éviter toute incursion à l'intérieur. Pour votre sécurité, cette plongée délicate ne doit pas excéder 15 mn.

L'ESTAQUE

À une dizaine de kilomètres au nord-ouest du Vieux-Port, l'un des quartiers de Marseille ayant le moins changé. À deux pas de Saint-Henri, le village natal du poète Saint-Paul-Roux (1861-1940) – pour les surréalistes, l'un des précurseurs de la poésie moderne. Zola tomba en amour (comme on dit au Québec) pour le coin et lui consacra de fort belles pages dans un de ses romans *(Naïs Micoulin)*. Venez, vous comprendrez vite ce qui fascina aussi Cézanne, Braque, Dufy et tant d'autres. L'Estaque s'enorgueillit d'avoir signé l'acte de fondation du cubisme, ce n'est pas rien, quand même !
De la route, on ne devine pas vraiment que ce village, avec son port intime, abrite un charmant lacis de ruelles et de demeures à tuiles rouges dégringolant de la montagne... Aucune grosse opération chirurgicale immobilière n'est venue non plus en modifier la physionomie. Hélas, beaucoup de voitures autour aujourd'hui ! Avec la disparition des usines, son côté industriel semble s'être estompé. Le site conserverait toutefois un taux de pollution des sols très élevé. Riche de ce passé mélangé et contradictoire, L'Estaque a su conserver une âme forte et un caractère populaire bien ancré. Et ce n'est pas le cinéaste Robert Guédiguian qui le démentira, lui qui s'en est inspiré et s'en inspire toujours. Nul n'a été autant marqué par les lieux de son enfance, au point d'en faire le cadre de (presque) tous ses films... Laissons la conclusion à Peter Handke (*La Leçon de la Sainte-Victoire*) : « *Je ne connais l'endroit que par les tableaux de Cézanne. Et pourtant ce seul nom*, L'Estaque, *donne l'espace à la paix telle que je l'imagine.* »

UN PEU D'HISTOIRE

La vocation maritime de L'Estaque remonte à la nuit des temps. Peut-être grâce à sa situation privilégiée. En effet, avec le Vieux-Port, c'est le seul endroit de la rade protégé du mistral. Or, sur les pentes de Saint-Henri poussaient des vignes donnant un fameux vin déjà connu des Grecs et des Romains. L'Estaque connut donc la noria des galères venant y charger les précieuses amphores de nectar. D'ailleurs, la vigne y fut cultivée jusqu'au XIXe s, jusqu'à ce qu'on découvre que l'argile qui gisait dessous allait se révéler, grâce à la fabrication des tuiles, une source de richesse bien supérieure. Entre-temps, le port de pêche s'était développé en se spécialisant dans la sardine, ce qui généra une véritable culture locale, à l'origine de la véritable identité du village. Il y gagna son nom, ***L'Estaco,*** « point d'attache du bateau » en provençal.

LES TUILES

Les tuileries furent la deuxième industrie de L'Estaque. Elles aussi faisaient vivre beaucoup d'autochtones. D'ailleurs, ici, on était pêcheur ou tuilier. L'argile de grande qualité de Saint-Henri permit ainsi de couvrir d'innombrables demeures aux quatre coins du monde. Des dizaines de tartanes, bateaux spécialisés dans le transport des tuiles, les amenaient au port de la Joliette et assuraient ainsi une autre activité importante pour le village. Les cargos, qui retournaient en Indochine, par exemple, en transportaient en « fret de retour ». C'est ainsi que les ***tuiles de***

MARSEILLE – L'ESTAQUE

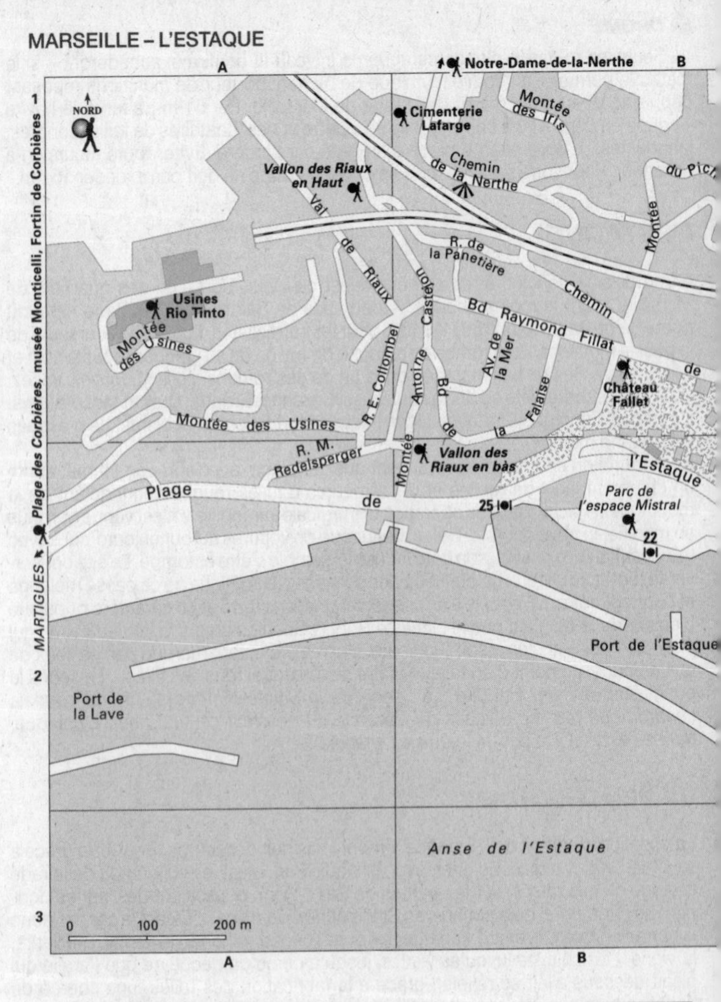

Où dormir ?	**Où manger ?**
10 Hôtel Bénidorm	**20** Le Français
	21 Le Grand Pavois

L'Estaque (dûment estampillées d'une abeille ou d'une étoile) donnèrent aux maisons des colons du Delta, de Saigon ou de Hanoi cet air si méditerranéen... Toutes les petites tuileries disparurent dans les années 1930-1940. Aujourd'hui, il n'en reste qu'une, très moderne, à Saint-André.

De grosses usines apparurent à la fin du XIXe s, comme Pennaroya et les cimenteries. Puis la plupart fermèrent. Dans *Marius et Jeannette,* le film de Robert Guédiguian, on voit d'ailleurs Gérard Meylan jouer le rôle du gardien d'une cimenterie en voie de démolition. Tous, pourtant, pêcheurs, tuiliers et ouvriers d'usine conti-

22 Au Bord de l'Eau
23 Le Petit Naples
25 L'Hippocampe
26 Restaurant du CAM

Où déguster une glace ?

24 Gelati Nino

nuèrent à entretenir l'esprit de village, encore bien vivant. La « tuile », aujourd'hui, c'est que les sols sont considérablement pollués par ces anciennes activités industrielles...

LES ROIS DU CHICHI-FREGI

Les fameuses joutes de L'Estaque (d'avril à septembre), la Fête de L'Estaque (le 1er week-end de septembre) où l'on honore saint Pierre-es-Lien, patron des pêcheurs, et le pèlerinage de la Galline (le 2e dimanche de septembre) restent des grands moments de l'année. Et pendant longtemps, le dimanche vit arriver les flots de citadins venus manger du bon poisson frais, se détendre et faire la fête. Aujourd'hui encore, on vient à L'Estaque pour la personnalité et la légende tenace du « p'tit village de pêcheurs ». Dans les kiosques du port, on y déguste, le dimanche en famille, le fameux ***chichi-fregi,*** délicieux beignet local, ou les ***panisses,*** autres beignets confectionnés avec de la farine de pois chiches. Et puis on y vient aussi pour le remarquable chemin des peintres...

L'ESTAQUE ET LES PEINTRES

La situation privilégiée du village, son microclimat, sa merveilleuse lumière, son charme naturel se devaient obligatoirement d'attirer les artistes. De Collioure à Menton, L'Estaque fut ainsi le lieu qui séduisit le plus de peintres. Les raisons du succès : un panorama sur le golfe de Marseille, tout simplement fascinant, une conjonction de formes, de lignes et de couleurs assez unique. À un peintre sensible, il ne pouvait échapper cette combinaison de verticalité (les cheminées d'usine), d'horizontalité (la mer) et de courbes harmonieuses (les collines, les arches des viaducs). En prime, le jeu ahurissant des couleurs (toutes ces teintes d'ocre, cette avalanche de rouges, de verts et de bleus). Pas étonnant, dans ces conditions, qu'on retrouve L'Estaque immortalisé par trois périodes fondamentales de la peinture : l'impressionnisme, le fauvisme et le cubisme (avec même un zeste d'expressionnisme). Quelques noms ?
- ***Paul Cézanne*** (1839-1906). Le pionnier, le plus fidèle. Véritablement amoureux du site, il y vint régulièrement pendant une quinzaine d'années (de 1870 à 1886) et y séjourna même une année entière (en 1878-1879). C'est à L'Estaque qu'il réalisa sa plus grosse production : plus de trente tableaux et de nombreux dessins. On peut dire que L'Estaque permit à Cézanne de passer de l'impressionnisme à un style plus personnel.
- ***Pierre-Auguste Renoir*** (1841-1919). Il vint peindre aux côtés de Cézanne en 1882, mais, malade, fut obligé d'aller se refaire une santé en Algérie. Il laissa quatre toiles représentant L'Estaque.
- ***Georges Braque*** (1882-1963). Il vint quatre fois. Séjours qui correspondirent d'ailleurs à différentes périodes artistiques : de fin 1906 à début 1907, le style fauve ; en septembre 1907, les balbutiements du cubisme ; l'année suivante, de vrais tableaux cubistes. En 1910, dernier séjour.
- ***André Derain*** (1880-1954). C'est le premier à venir après Cézanne et Renoir (en 1905-1906). Il nage alors en plein fauvisme et signe une quinzaine de toiles, principalement des vues du port et du vallon de Riaux, notamment le remarquable *L'Estaque, route tournante* (pour ses camaïeux de rouges et de roses).
- ***Raoul Dufy*** (1877-1953). Il débarque à L'Estaque en 1908 pour dire bonjour à Braque (originaire du Havre comme lui) et tombe lui aussi sous le charme. Il y produisit une dizaine de toiles dont, à la différence des œuvres des autres artistes, quelques-unes sont heureusement restées à Marseille.
- ***Émile-Othon Friesz*** (1879-1949). Dans son prosélytisme pour L'Estaque, Braque entraîne dans l'aventure artistique cet autre Havrais. Cependant, ce dernier ne se laisse pas séduire par la manière cubiste et perpétue le style fauve.
- ***Adolphe Monticelli*** (1824-1886). Un vrai peintre marseillais, lui, élève de Ziem et ami de Cézanne, qui consacra quelques toiles au village, dont *Saint-Henri, avant-port de L'Estaque* et le *Restaurant Bernard.* Il peignait déjà par touches fragmentées, utilisant une matière épaisse. Considéré comme un des précurseurs de l'expressionnisme du XXe s, il fut tout à fait incompris à l'époque.
- ***Albert Marquet*** (1875-1947). Il y séjourna plusieurs fois en 1918-1919. Il peignit souvent la terrasse de Château-Fallet.
- ***August Macke*** (1887-1914). Un grand photographe, pour finir, qui est aussi un admirateur passionné de Braque. Braque s'inspira de ses photos pour certaines

de ses œuvres. Macke fut, en septembre 1914, du côté allemand, l'un des premiers morts de la Grande Guerre.

Comment y aller ?

➢ ***En voiture :*** depuis le Vieux-Port, prendre la rue de la République, place de Joliette, boulevard de Dunkerque, puis l'autoroute du Littoral (sortie L'Estaque).
➢ ***En bus :*** le n° 35. Départ : devant l'arrêt de métro de la Joliette, côté église, en face du café *La Samaritaine*. Tous les jours, plusieurs départs chaque heure.
➢ ***En train :*** depuis la gare Saint-Charles. Le 1er arrêt sur la ligne Martigues-Port-de-Bouc-Miramas. De 5h58 à 20h49, toutes les 30-45 mn aux heures de pointe mat et soir, ttes les heures le reste du temps (avec deux « trous » : entre 9h34 et 11h34 et 12h34 et 14h18). L'occasion d'admirer au passage la vieille gare datant du début du XXe s, digne chef-d'œuvre de la ferronnerie d'art et qui attend une rénovation méritée.

Où dormir ?

🏠 ***Hôtel Bénidorm*** *(plan L'Estaque D2,* ***10****) : 734, chemin du Littoral, L'Estaque, 13016. ☎ 04-91-46-12-91. • hotelbenidorm@orange.fr • hotelbenidormlestaque.fr • Doubles 45-52 € selon confort. Wifi. Parking gratuit.* À deux pas du port et de l'animation. Une petite structure de 2 étages propre et venant en grande partie d'être rénovée. Pour celles et ceux qui auront (ou non) apporté leur palette ou souhaiteraient s'insérer pleinement dans L'Estaque. Même prix pour les chambres côté cour ou celles côté mer. Certaines avec w-c communs, toutes avec TV, clim et terrasse. Bon accueil.
🏠 Certaines chambres d'hôtes au sein du réseau *Hôtel du Nord* sont (fort bien) situées à L'Estaque. Voir plus loin au chapitre « À voir encore dans les quartiers nord ? ».

Où manger ?

Bon marché

🍽 ***Le Français*** *(plan L'Estaque C2,* ***20****) : 80, plage de L'Estaque, 13016. ☎ 04-91-46-54-08. Tlj midi (soir de juin à septembre). Menus 12 € (le midi, quart de vin compris) et 16,90 €.* Très sympathique petit bar-brasserie. Atmosphère familiale, populaire en diable, accueil chaleureux et les amateurs de petite cuisine bien faite et servie généreusement s'y pressent. Quelques classiques : épaule d'agneau rôtie, tartare de saumon et bien sûr, poisson et fruits de mer. Agréable terrasse au 1er étage.
🍽 **Le Grand Pavois** *(plan L'Estaque D3,* **21***) : promenade de la plage, Mourepianen, 13016. ☎ 04-91-46-01-19. Tlj le midi. Menu 12 €. Aucune pancarte ne l'indique. À environ 1 km de L'Estaque (venant de Marseille), à gauche de la route du littoral, dans le club de voile de L'Estaque (repères : près de la caserne des marins-pompiers et du chantier de bateaux Servaux).* Là encore une bonne surprise (et qui se mérite donc !). Salle plutôt plaisante, mais dès que le soleil joue les divas, allez, tous en terrasse ! Bonne cuisine traditionnelle. Au choix, 5 entrées et 2-3 plats bien servis. Souvent plein, adresse connue principalement des locaux.
🍽 ***Au Bord de l'Eau*** *(plan L'Estaque B2,* ***22****) : plage de L'Estaque, parc de l'Espace Mistral. ☎ 04-91-69-16-75. Tlj en service continu. Viandes 10-14 €, loup ou daurade à la plancha 15 €, vin 13 € (au verre 2 €).* Dans ce nouveau parc très réussi, cadre super agréable et reposant pour une cuisine de brasserie correcte : grillades, snacks, salades, sandwichs, crêpes...
🍽 **Le Petit Naples** *(plan L'Estaque C2,* **23***) : 14, plage de L'Estaque, 13016. ☎ 04-91-46-05-11. Tlj sf mer hors saison et sam midi. Ouv slt le soir en juil-août jusqu'à 23h. Fermé en sept. Réserver le w-e. Menu 12 € le midi, vin compris ; carte 23-30 €. Pizzas 9-13 € suivant taille. CB refusées.* Un peu à l'écart des terrasses touristiques, une toute petite adresse face au port. Deux petites salles empilées l'une sur l'autre et une terrasse pour prendre le soleil. Bonnes pizzas et poissons frais (daurade, loup, baudroie...), le tout cuit lentement au feu de bois.

Prix moyens à plus chic

I●I ***L'Hippocampe*** *(plan L'Estaque B2,* ***25****) : 151, plage de L'Estaque, 13016. ☎ 04-91-03-83-78. • info@hippocampe.lestaque.com • Tlj sf dim soir et lun. Résa ultra-conseillée. Menu 11,50 €. Autres menus 35, 42 et 72 € ; carte env 25 €. Apéritif ou digestif maison offert sur présentation de ce guide.* Un petit cadre tout simple avec, bien sûr, une belle vue panoramique sur les petits bateaux qui vont sur l'eau. Extrêmement populaire pour ses pizzas croustillantes, ses copieuses salades composées, ses pâtes fraîches et, surtout, de fort belles viandes. Poisson au poids acheté à la criée de Saumaty, non loin de là. D'octobre à mars, fruits de mer. Atmosphère bruissante en diable, grandes familles et joyeuses bandes le dimanche midi. Également une terrasse.

Plus chic

I●I ***Restaurant du CAM*** *(cercle de l'Aviron marseillais ; plan L'Estaque C2,* ***26****) : 1, plage de L'Estaque. ☎ 04-91-03-60-77. • restocam@wanadoo.fr • Tlj sf sam midi, dim soir, lun et en août. Formule 29 € (le midi), menus 38 et 58 €.* À l'entrée de L'Estaque, ses grandes baies donnent sur la forêt de mats du port de plaisance. Plus de 20 ans que sa réputation s'étend bien au-delà du nord de Marseille (dimanche midi, quasi obligatoire de réserver). On y court pour sa cuisine inspirée, créative, aux cuissons si justes et qui n'utilise que de beaux produits. Assiettes pleines de couleurs et de lumière, presque des compositions artistiques. Il faut goûter à leur turbot croquette de lard fermier, risotto aux truffes d'été... Service discret et efficace, monsieur aux fourneaux, madame préposée aux conseils pour les vins (bien choisis) et attentive aux désirs et confort des clients. Une bonne raison de plus de venir à L'Estaque !

Où déguster une glace ?

🍦 ***Gelati Nino*** *(plan L'Estaque C2,* ***24****) : 88, plage de L'Estaque. À 10 m du* Français. Un « artiste glacier », avec une grande terrasse pour déguster une bonne sélection de parfums, dont certains plairont aux ados, *snickers, bubbly, spéculos...*

À voir. À faire

Partir sur les traces de Cézanne et de Braque donne l'occasion de parcourir les ruelles du bourg, d'aller humer les chaleureuses atmosphères des films de Robert Guédiguian, même si certaines scènes furent tournées à Saint-Henri (bon, on ne va pas se mettre à faire du chauvinisme de quartier !).
Pour une visite guidée, possibilité d'avoir un(e) guide-conférencier(cière) spécialisé(e) en passant par l'office de tourisme de Marseille *(☎ 04-91-13-89-00)* qui vous permettra aussi de découvrir le chaudron de l'ancienne prud'homie de pêche, où l'on teignait les filets.

À L'ESTAQUE, ON SE LA JOUE PAS !

C'est une blague classique qui montre que pour ses habitants, L'Estaque c'est presque le centre du monde ! À la gare de Pékin, un Chinois, ayant entendu parler du chemin des peintres Braque et Cézanne et des films de Guédiguian, veut acheter un billet de train pour L'Estaque. L'employé lui demande alors : « L'Estaque-Gare ou L'Estaque-Plage ?

➢ Départ du ***port*** *(plan L'Estaque B-C2),* qui inspira beaucoup Derain (plusieurs déclinaisons de *Barques de pêcheurs,* 1906), ainsi que Braque et Marquet. Quelques bornes figuratives sur le chemin des peintres vers la jetée nord. Une partie du

port a été récemment réaménagée de fort belle façon en ***parc de l'Espace Mistral*** *(plan L'Estaque, B2).* Très agréable promenade en fin d'après-midi.
Au passage, petite visite au ***Pôle des Arts visuels,*** *90, plage de L'Estaque,* où l'on découvre (de 13h30 à 19h) d'intéressantes expos temporaires d'artistes régionaux.

Château-Bovis *(plan L'Estaque D1)* **:** monter ensuite au « plateau » (Château-Bovis), au-dessus de la vieille gare, pour bien comprendre ce qui frappa et motiva profondément Cézanne. Joli point de vue depuis la traverse Bovis et charmantes maisons sur la gauche. Monter jusqu'au long bâtiment jaune, tout en haut du chemin, avec son parking devant et ses joueurs de boules du dimanche. C'est à côté que Cézanne habita un temps (mais sa maison n'est pas indiquée). Devant le superbe panorama, on comprend qu'il ait craqué. Devant vous, rien n'a changé : les ocres, rouilles, verts et bleus de la palette cézannienne sont tous là, superbement réunis. Ainsi, l'artiste souffle-t-il sans cesse le chaud (ocre et rouille) et le froid (vert et bleu), comme dans les deux *Golfe de Marseille* (1883-1885, au Metropolitan Museum of Art à New York et au Chicago Art Institute). C'est une grande période de maturité : l'artiste va à l'essentiel. Formes de plus en plus simples, assez géométriques : l'artiste se souvient des cheminées d'usine de l'époque pour structurer l'espace verticalement. Aujourd'hui, avec les containers à gauche, les joueurs de pétanque, la montagne derrière et la Bonne Mère au loin, on reconnaît ce mélange original qui fait l'atmosphère des films de Guédiguian.

La place Malleterre *(anciennement pl. de l'Église ; plan L'Estaque C2)* **:** *prendre la sympathique montée des Écoles.* Cézanne y fait de nombreux séjours entre 1870 et 1882. Sa mère y louait une maison depuis longtemps (plaque sur la façade). Place toujours paisible et charmante qu'aimait beaucoup Zola. Il ne vint que quelques jours en 1870, mais resta cinq mois en 1877. Rejoindre la ***traverse Mistral*** avec son escalier et ses jolies maisons avec courettes et jardinets.

Les vieilles demeures : le **Château-Fallet** *(plan L'Estaque B1)* est en fait une ancienne bastide transformée en *Hôtel de la Falaise* à la fin du XIXe s. Il inspira Braque (*Terrasse à L'Estaque,* 1908, au musée d'Art moderne de Paris), Dufy et Marquet (*La Terrasse,* 1918, au Statens Museum for Kunst de Copenhague). Peu visible de l'extérieur. Mieux vaut tenter de distinguer cette bastide rose depuis la route principale, en bas, au niveau des n°s 146-148, plage de L'Estaque. Profitez-en pour admirer, non loin de là, au n° 126, la belle *Villa Palestine* de 1905, au style oriental.

Le vallon du Marinier *(hors plan L'Estaque par C1)* **:** Cézanne y peignit des rochers en 1882 (tableau aujourd'hui au musée de São Paulo), ce qui n'était pas dans ses habitudes (en dehors de la Sainte-Victoire !).

Le vallon des Riaux en haut *(plan L'Estaque A1)* **:** *accès par la montée Antoine-Castejon.* Cézanne y peint *Maisons à L'Estaque.* En 1908, le viaduc du chemin de fer inspire grandement Braque. Il le peint tantôt dans des teintes cézanniennes, tantôt dans des camaïeux de bleus (*Viaduc à L'Estaque,* 1907, au Minneapolis Institute of Art). À ce moment-là, le souci de composition l'emporte, il s'éloigne insensiblement de la réalité. Macke prend abondamment le viaduc en photo. Derain traîne également ses pinceaux dans le coin. Toute cette période connaît un véritable bouillonnement créatif. Intellectualisation de la peinture : couleurs arbitraires (influences de Gauguin et de Van Gogh), volumes bousculés (voir le chaos des maisons dans le tableau *Le Viaduc de L'Estaque,* 1908, du même Braque au musée d'Art moderne de Paris), parfois influences japonisantes (cernes de noir). Plus haut, les derniers témoignages de la ***cimenterie Lafarge*** *(plan L'Estaque B1),* lieu de scènes importantes du film *Marius et Jeannette.*

Le vallon des Riaux en bas *(plan L'Estaque B2)* **:** émouvant ; c'est exactement ici que fut signé l'acte de naissance du cubisme. En effet, en 1908, lors de son troisième voyage, Braque fait une fixation sur un petit groupe de maisons accrochées à la colline. Deux ans auparavant, il les a peintes à la manière fauve. Pourtant, cette fois-ci, il les dépouille de leurs portes et fenêtres et tout détail est gommé... Elles n'apparaissent plus que comme de gros cubes. En outre, il travaille dans des teintes robustes (brun, ocre, vert, jaune et quelques gris). On dit qu'un journaliste écrit à propos de ce tableau (*Maisons à L'Estaque,* au Kunstmuseum à Berne) : « Qu'est-ce donc que cette peinture tout en cubes ? » Le terme « cubisme » est lancé. Prenez une reproduction du tableau en main ou regardez la borne : les demeures sont toujours là !

Les usines de Rio Tinto *(plan L'Estaque A1)* **:** ce qui avait fait fuir Cézanne a fasciné Braque. La toile se découvre aujourd'hui au musée d'Art moderne de Villeneuve-d'Ascq. Cette usine de produits chimiques s'appellera plus tard Pennaroya, puis Ugine-Kuhlmann. L'usine ferma en 1989, mais il est toujours possible de la peindre aujourd'hui...

Musée Monticelli – Fortin de Corbières *(hors plan L'Estaque par A2)* **:** *route du Rove. ☎ 04-91-03-49-46. • fondationmonticelli.com • Ouv mer-dim 10h-17h. Fermé j. fériés. Entrée : 4,50 € ; réduc. Bus n° 35, de juin à août.* Musée aménagé dans un ancien fortin militaire du XIXe s (qui servait à surveiller les mouvements des bateaux de commerce). Joli appareillage de pierre fort bien rénové et mis en valeur. Le lieu idéal pour rendre hommage au peintre marseillais méconnu Adolphe Monticelli, figure importante du mouvement impressionniste du XIXe s. Au rez-de-chaussée, admirez *Près de la Cathédrale* et le *Faust*, au style très particulier. On aime beaucoup aussi son *hommage à Turner* qu'il évoque avec lyrisme et flamboyance des couleurs. Dans *Jeunes Femmes près de la Fontaine,* en revanche, l'artiste joue sur les économies de couleurs, en leur opposant le blanc... Effet intéressant ! Au 1er étage, des objets lui ayant appartenu – comme sa palette, offerte par les Garibaldi – ponctuent le parcours. Dans *Tobie et l'Ange*, que de puissants contrastes ! Quant à *L'Offrande à l'Impératrice*, il se révèle l'un des tableaux les plus élaborés, tendant quasiment vers le fondu enchaîné et projetant une remarquable lumière sur les personnages. Mais il faut bien reconnaître qu'un des plus séduisants tableaux, c'est incontestablement, lorsque assis sur la banquette, dans l'encadrement de la grande fenêtre, on bénéficie de cette vue exceptionnelle sur la baie et le port de L'Estaque !

Quelques balades encore !

Notre-Dame-de-la-Nerthe *(hors plan L'Estaque par B1)* **:** *on y parvient par le chemin de la Nerthe.* Beaux points de vue après la montée des Iris. Dans sa dernière partie, itinéraire délicieusement rocheux, bucolique et sauvage pour ce mini-hameau de rêve. Quelques privilégiés y résident encore. Chapelle datant du XIe s et longtemps lieu de pèlerinage très populaire des Marseillais. On y honore la Madone « à la poule ». Fête le 2e dimanche de septembre.

Les plages de Corbières *(hors plan L'Estaque par A2)* **:** *au nord de L'Estaque, de belles plages aménagées en contrebas du viaduc. Bien indiqué depuis la route. Parking et bus n° 35, juin-sept.* Gazons en pente, buissons et aires de pique-nique appréciées des familles. Faites une pause avant de poursuivre votre route sur la Côte bleue.

Du côté de ***Mourepiane,*** au sud de L'Estaque, découvrir aussi ce charmant quartier de pêcheurs où quelques bourgeois avisés de Marseille se firent construire des villas à la fin du XIXe s. Malgré la disparition de sa plage (aujourd'hui le port autonome), le quartier a conservé un certain caractère, quelques beaux exemples de vénérables demeures et même une maison moderne réalisée à partir de conteneurs (en dessous de l'ancien phare).

À voir encore dans les quartiers nord ?

Hormis L'Estaque, les autres quartiers composant les quartiers nord ne se visitent évidemment pas avec la démarche touristique habituelle. Hétéroclites et poétiques villages des quartiers nord, entre usines, logement social, villas bourgeoises et anciennes terres des bastides, entre mer et collines, entre d'authentiques pans de nature champêtre et une urbanisation totalement chaotique, tout cela compose un paysage urbain très particulier, assez original même... Loin des clichés négatifs habituels, vous y découvrirez aussi une histoire, des sites intéressants, des lieux culturels vivants et des dizaines de milliers d'habitants fiers et heureux d'y vivre. D'ailleurs, la municipalité des XVᵉ et XVIᵉ arrondissements et son service culturel effectuent de gros efforts de valorisation de son patrimoine. D'abord, à travers les journées nationales du Patrimoine (en septembre), ensuite, bien entendu, dans la perspective de Marseille, capitale européenne de la culture en 2013. Il est même prévu, pour une vraie insertion, que les visiteurs puissent dormir sur place et, à cette occasion, une organisation de leur séjour s'est mise en place.

Où dormir ?

Hôtel du Nord (nom judicieusement trouvé !) est une association qui rassemble des chambres chez l'habitant (en fait de vraies chambres d'hôtes) rigoureusement sélectionnées. On les trouve pour le moment dans les quartiers de *L'Estaque, Saint-Henri, Mourepiane, Saint-André, Les Aygalades, Saint-Louis* et *Verduron*. Certaines chambres sont disponibles uniquement au moment des grandes initiatives (genre journées du Patrimoine), mais d'autres sont ouvertes à l'année. Bien sûr, de nouvelles chambres viendront rejoindre progressivement les pionnières... À signaler que Samia Ghali, la dynamique sénatrice-maire des XVᵉ-XVIᵉ arrondissements, a déposé un projet de loi autorisant (sous certaines conditions bien sûr !) les chambres d'hôtes dans le logement social. Partout, garantie d'un accueil personnalisé et chaleureux... Toutes ces familles seront en outre ravies et fières de vous parler de leur quartier, de ses richesses, de ses possibilités, avec parfois des surprises qu'ils savent réserver aux visiteurs curieux. Enfin, pour vous mettre l'eau à la bouche, voici une petite présentation de quelques-unes d'entre elles :

– **_Michèle Rauzier_** propose à Mourepiane sa jolie demeure de famille au milieu d'un vaste jardin avec piscine et panorama superbe sur la baie... **_Danièle Ducellier,_** musicienne, habite traverse de l'Harmonie (ça ne s'invente pas !) et accueille bien sûr les mélomanes et... les autres ; **_Max Fontana,_** cache, derrière l'ancien phare de Mourepiane, une sympathique villa avec jardin ; **_Loïc, Martine et Théa_** reçoivent chaleureusement tous les amoureux des chats et des chiens (ici gentils comme tout) ; la **_famille Raous_** met à disposition un charmant petit appartement dans une ancienne bastide (avec piscine) ; **_Martine Ricou,_** quant à elle, héberge ses hôtes dans une magnifique villa de style mauresque à L'Estaque... Et encore d'autres à découvrir ! Toutes ces adresses possèdent une personnalité, une âme et des atouts différents. Descriptions des chambres, coordonnées, images, disponibilités, situation, prix, vous saurez tout en consultant le site d'**_Hôtel du Nord_** (suivant confort, compter de 40 à 70 € pour deux, copieux petit déj inclus). Dernière nouvelle : l'association a été nominée aux Trophées du tourisme responsable !

– Rens : • contact@hoteldunord.coop • hoteldunord.coop • 06-48-96-65-98.

Où manger ?

Restaurant pédagogique : *360, chemin de la Madrague Ville, pl. des Abattoirs, 13015. Dans le quartier Saint-Louis-la Calade. Résa : ☎ 04-96-15-80-62. Resto slt le midi les mar, mer et jeu. Self le midi lun-ven. Menu à thème le jeu.* C'est en fait un restaurant-école (appelé école de la 2e chance) pour réinsérer des jeunes sortis du système scolaire et leur redonner le goût des études. Abrité dans le superbe cadre des anciens abattoirs remarquablement rénovés (et ouverts au public). Deux formules : le self offrant un très bon repas pour 6-7 € (et garantie de trouver de la place) et, à côté, le restaurant dans une agréable et lumineuse salle. Il offre un menu imbattable à... 11 €. Plats goûteux et copieux. Étonnez-vous qu'il faille réserver !

À voir aussi

Outre les visites guidées au moment des journées du Patrimoine (et bien entendu le quartier de L'Estaque largement traité dans cet ouvrage), il sera bientôt possible, dans la perspective « Marseille-Provence 2013 » de parcourir ***la Route du Savon.*** Elle permettra de découvrir les dernières savonneries de Marseille à travers un itinéraire pédagogique qui livrera toute la richesse de cette industrie emblématique de Marseille...
En attendant, on peut faire ses emplettes à la ***Savonnerie du Midi :*** *72, rue Augustin-Roux, 13015, dans le quartier des Aygalades. ☎ 04-91-60-54-04. En principe, boutique ouv lun-jeu 13h-16h.* Grand choix d'excellents produits. Vous y verrez aussi un gros bloc de savon de 30 kg avant découpe... en attendant une éventuelle restauration de l'usine et la mise en valeur du vieux processus de production à des fins touristiques ! L'usine a fermé en 1999, mais tout est encore en place, les vieilles cuves pour le mélange et la cuisson, les bassins pour la coulée et le refroidissement, avant découpe manuelle... Aujourd'hui, la pâte est fabriquée ailleurs, l'usine ne tourne que le matin pour des opérations de conditionnement.

– À propos des ***Aygalades,*** *l'association des Amis des Aygalades*, une dynamique société d'histoire du quartier, bataille ferme pour mettre en valeur son patrimoine. Déjà, au moment des journées du Patrimoine, elle arrive à attirer plus de 400 personnes à ses conférences guidées. On découvre ainsi le premier ermitage des Carmes (ainsi qu'un prieuré du XIe s) installés au Moyen Âge dans une grotte, l'église des Aygalades (ses beaux vitraux du XIIIe s, son horloge du XVIIe s), la pittoresque coulée verte du ruisseau de la Caravelle (en voie de débroussaillement et de sécurisation) et sa chute d'eau... À voir aussi, quartier Saint-Louis, la remarquable église Art déco (1930) et ses deux étonnants *Vasarely*. À terme, l'association souhaiterait organiser des visites plus régulières durant l'année. « Marseille-Provence 2013 » pourrait en être l'occasion !
Pour les groupes, tout renseignement au service culturel de la mairie des XVe-XVIe arrondissements *: ☎ 04-91-14-61-24. • taddart@taddart.com • pwplace@nnx.com •*

– Enfin, suivez sur son site internet, les initiatives culturelles de la ***Cité des Arts de la Rue*** (une dizaine de fois dans l'année). Installée dans l'ancienne huilerie et savonnerie *l'Abeille,* dans la petite vallée de la Caravelle. C'est un magnifique ensemble abritant, sur 36 000 m², des ateliers d'artistes bénéficiant d'exceptionnels volumes pour travailler tous les arts de la rue. Une terre privilégiée d'expérimentation et de développement des arts, pas seulement local ou régional, mais au rayonnement international. On y trouve notamment *Sud Side, les Ateliers Spectaculaires,* spécialisés dans la fabrication de véhicules et de mécaniques hors normes, utilisés dans des spectacles et événements artistiques particulièrement originaux... Également, *Generik Vapeur, Gardens, Karwans, Lezarap'art,* tous travaillant sur un aspect spécifique des arts de la rue. Ils se définissent eux-mêmes comme un site qui bouge, qui respire, une utopie au quotidien, une fabrique d'initiatives, une parade à la morosité...
– Cité des Arts de la Rue : *225, av. des Aygalades, 13015. ☎ 04-91-03-20-75. • info@lacitedesartsdelarue.net • lacitedesartsdelarue.net • Ⓜ Bougainville, puis*

bus n° 30 (dir. La Savine, arrêt Traverse du Cimetière). C'est à 50 m... Visite guidée sur rdv pour les groupes d'au moins 10 pers.

Enfin, il faut se payer une toile au vénérable et superbe cinéma Art déco ***L'Alhambra*** (dans le quartier Saint-Henri), dernier représentant des populaires salles de quartier des années 1930. À l'abandon, il fut sauvé en 1990 sous l'égide de *René Allio* et de l'actrice *Catherine Rouvel*. À nouveau, il vient de faire peau neuve : fauteuils flambant neuf, projection numérique, pour une des plus riches programmations du département. C'est un lieu absolument unique pour tous les amoureux du cinéma, capable d'être à la fois populaire et d'avant-garde, d'allier tradition et modernité, dans une atmosphère authentique de qualité et de convivialité ! Outre le cinéma, c'est aussi un lieu de débats, d'expos diverses, de rencontres et d'échanges, de liens avec les étudiants du cinéma avec des ateliers d'expérimentation et des salles de montage... Nombreux sont les cinéphiles amoureux de l'Alhambra, adoré par les regrettés *René Allio, Youssef Chahine* et *Robert Kramer*, ainsi que *Jean-Louis Comolli, Nicolas Philibert* et, bien entendu, *Robert Guédiguian* et ses complices... Et dehors, l'atmosphère unique du quartier Saint-Henri, une place méditerranéenne intacte et des cafés hors du temps (où vous rencontrerez peut-être Marius et Jeannette – aujourd'hui probablement à la retraite !)...
– ***L'Alhambra :*** *2, rue du Cinéma, 13016. ☎ 04-91-03-84-66. • alhambracine.com • Entrée : 4 € ; réduc. Ⓜ Bougainville, puis bus n° 36 (arrêt Rabelais Frère). En voiture : autoroute du Littoral (A55), sortie Saint-André-Saint-Henri. Suivre Saint-Henri, puis c'est fléché.*

LA CÔTE ET L'ARRIÈRE-PAYS MARSEILLAIS

LA CÔTE BLEUE

À l'ouest de L'Estaque et au nord de Marseille, pour être précis, car les plans qu'on vous distribue en ville sont parfois orientés de façon à... vous désorienter. C'est la chaîne de L'Estaque (ou de la Nerthe) qui, sur 25 km entre rade de Marseille et golfe de Fos, fait barrage entre l'étang de Berre et la Méditerranée. Largement moins connue des touristes que la côte de Marseille à La Ciotat. Mais pas des Marseillais, qui aiment à venir s'oxygéner sur les plages de sable de gentilles stations balnéaires comme dans de minuscules calanques hérissées de cabanons.
Pour qui ne veut pas prendre sa voiture, une bonne solution : le petit train de la Côte bleue, au départ de la gare Saint-Charles (départ à peu près toutes les heures). Un tortillard très sympa, qui circule en surplomb du bord de mer et s'arrête dans de bien pagnolesques petites gares à Niolon, Ensuès-la-Redonne, Carry-le-Rouet, Sausset-les-Pins et La Couronne. Ou, pour les randonneurs, le GR 51, qui suit d'anciens sentiers de douaniers où les gabelous guettaient autrefois les barques qui déchargeaient dans les calanques autre chose que du poisson...
Attention, ne traversez en aucun cas la voie ferrée, ne la longez pas et n'empruntez pas les tunnels. Tous les ans, des accidents sont à déplorer, dus à l'imprudence de certains piétons.

NIOLON *(13740)*

Minuscule port de pêche niché dans une calanque. Un certain charme, une ambiance « cabanonnière » comme à Sormiou ou Morgiou, même si cette calan-

que est devenue aujourd'hui un important centre de plongée. Un conseil à nos lecteurs automobilistes : n'essayez pas de descendre jusqu'au port en voiture ; garez-vous juste avant le tunnel qui franchit la voie ferrée. De toute façon, l'accès à Niolon est interdit aux véhicules le week-end en été. Pour ceux qui en voudraient encore, un autre petit village de cabanons et un port minuscule sont planqués dans la voisine calanque de la Vesse.
Bon à savoir : pour éviter les embouteillages estivaux, on peut arriver à Niolon en train *(rens TER au ☎ 0891-703-000 ; 0,23 €/mn).*

LA FAMEUSE BROUSSE DU ROVE

Dans les collines autour de Niolon sont élevées les véritables chèvres du Rove, auxquelles on doit cette superbe brousse qu'on trouve sur les marchés de Marseille. Ce fromage frais à base de lait de chèvre doit son nom au vinaigre blanc que l'on incorpore dans le lait en ébullition (on dit qu'on fait « brousser » le lait). La brousse du Rove se déguste fondante, recouverte d'un peu de sucre et d'une larme de fleur d'oranger. On la cuisine aussi en quiche avec du lard.

Où dormir ? Où manger dans le coin ?

Bon marché

🍴 **Le Rovenain :** *20, rue Jacques-Duclos, 13740* **Le Rove.** *☎ 04-91-09-94-40. Au centre du bourg. Resto tlj à midi sf sam-dim et j. fériés. Menu unique 11 € (boissons comprises). CB refusées.* D'accord, on a quitté les calanques. Encore d'accord, c'est un bistrot comme il y en a beaucoup dans le coin, où les habitués jouent au tiercé et appellent le patron Dédé. Toujours d'accord, la petite salle du fond n'a pas de vue sur mer. Mais, mais... un menu de cette qualité-là, avec ce choix-là, dans ce coin-là et à ce prix-là, ça ne se refuse pas !

🏠 🍴 **Auberge du Mérou :** *3, chemin du Port, calanque de Niolon, 13740* **Le Rove.** *☎ 04-91-46-98-69. • contact@aubergedumerou.fr • aubergedumerou.fr • Tlj sf le soir des lun et dim hors saison (5 sept-Pâques). Résa conseillée. Doubles avec douche et w-c ou bains 44-48 €. Menus 26,60-35 € ; carte 40 € env. Wifi.* On s'enthousiasme tout autant de la vue panoramique sur Marseille et ses îles que du poisson frais, grillé juste et bien sous vos yeux, ou d'une jolie cuisine, entre terre et mer et bien d'aujourd'hui. Quelques chambres dans le style bateau (au sens premier du terme !) pour qui voudrait prolonger le séjour.

LES CALANQUES DE LA REDONNE

Échancrures encaissées reliées par une route en montagnes russes pas plus large qu'une table de cuisine. Petits ports, amoncellement de cabanons, viaducs élancés de la ligne ferroviaire : un paysage aussi pittoresque que méconnu. D'est en ouest, on croise Méjean, les Figuières, la Redonne et enfin la Madrague de Gignac (où Blaise Cendrars a écrit, au printemps 1927, les sublimes pages de *L'Homme foudroyé*).

Adresse et info utiles

ℹ **Bureau de tourisme** *(dans la mairie)* **:** *15, av. du Général-Monsabert, 13820* **Ensuès-la-Redonne.** *☎ 04-42-44-88-88.*
– Sachez que la Redonne est accessible en train *(rens TER au ☎ 0891-703-000 ; 0,23 €/mn).*

Où manger ?

🍴 **Le Mangetout :** *8, chemin du Tire-Cul, calanque du Grand-Méjean, 13820*

Ensuès-la-Redonne. *☎ 04-42-45-91-68. Fermé le mer et le soir, ouv tlj mai-sept. Fermé déc-fév. Carte 25-35 €. Café offert sur présentation de ce guide.* On grignote sans façon (petite friture de... mange-tout ou de calamars, poisson à la provençale) sur la terrasse ou sur les 3 ou 4 tables d'un vrai cabanon, près d'un port pas plus grand, lui non plus, qu'un mouchoir de poche. Ambiance décontractée et familiale.

CARRY-LE-ROUET (13620)

D'Ensuès-la-Redonne, on vous conseille de gagner Carry par le pittoresque petit port du Rouet. Plage sympa.
Avec une avenue Don-Camillo longeant la plage Fernandel, devinez quel comédien célèbre avait élu résidence dans cette gentille station balnéaire ? Gentille si l'on sait fermer les yeux sur cette invraisemblable tour des années 1970 dressée en plein centre...
Les trois premiers dimanches de février, sacrifiez au rite de l'« oursinade », fête bon enfant où l'on se régale d'oursins et autres fruits de mer arrosés d'un coup de blanc.

Adresse et info utiles

ℹ ***Maison du tourisme :*** *av. Aristide-Briand. ☎ 04-42-13-20-36. • carry-lerouet.com • mairie-carrylerouet.fr •* Dans le hall de l'Espace.
– Bonne nouvelle : la ville de Carry est accessible en train *(rens TER au ☎ 0891-703-000 ; 0,23 €/mn).*

Où dormir ?

Villa Arena : *pl. Camille-Pelletant (av. Aristide-Briand). ☎ 04-42-45-00-12. • villaarena-hotel.fr • Au centre. Doubles avec douche et w-c ou bains, TV, 78-84 €. Parking privé gratuit. Wifi.* Cette imposante bâtisse très XIXe s en jette. La réception et le bar (inévitablement *lounge*) aussi. Les chambres un peu moins... dans un style moderno-provençal. Mais elles sont d'un irréprochable confort, climatisées.

SAUSSET-LES-PINS (13960)

Les pins, on les rencontre en arrivant de Carry-le-Rouet, masquant quelques jolies villas. Une végétation durement touchée en juillet 2010 par un incendie qui a ravagé 915 ha de pinède et garrigue sur les communes de Sausset, du Carry et de Châteauneuf.
Petite ville agréable avec son port qui abrite aujourd'hui plus de plaisanciers que de pêcheurs, sa promenade en front de mer offrant une belle vue sur la rade de Marseille.
– ***Oursinades :*** *les 3 derniers dim de janv (en principe).*

Adresse et info utiles

ℹ ***Bureau de tourisme :*** *16, av. du Port. ☎ 04-42-45-60-65. Tlj sf dim ap-m en saison ; lun, mar, jeu et ven en basse saison.*
– Bon à savoir : on peut arriver à Sausset en train *(rens TER au ☎ 0891-703-000 ; 0,23 €/mn).*

Où dormir ?
Où manger ?

Chambres d'hôtes La Restanque-Côte Bleue : *23, av. des Micocouliers. ☎ 04-42-44-65-73. 📱 06-71-71-63-55. • florence.kudszuspetit@wanadoo.fr • larestanque-cotebleue.com • Doubles* *avec douche et w-c ou bains, TV, 65-80 € selon saison. Familiales 85-125 €. Wifi. Réduc de 10 % à partir de 7 nuits consécutives sur présentation de ce guide.* Petite villa dans un quartier résidentiel tranquille. 3 chambres côte à côte ouvrant sur une véranda et... la mer au loin. On a bien aimé l'ambiance zen de la chambre rouge. Mais vous avez le droit de préférer les 2 autres ! Petite piscine dans un jardin fleuri. Accueil plein d'attentions.

La Dolce Vita : *18, av. Simeon-Gouin.* ☎ *04-42-45-15-81. Au centre. Tlj sf jeu (hors saison). Formule déj 12 €. Menu 18,50 €. Carte 25-30 €.* À quelques battements d'ailes (de mouette) de Marseille, l'autre capitale de la pizza, allons-y pour une pizzeria. D'autant qu'ici les pizzas sont cuites au feu de bois – comme il se doit – et drôlement bonnes. Rien à redire des plats du jour non plus. Salle dont on n'écrira rien et terrasse d'été couverte au-dessus du port.

CARRO *(13500)*

Petit port de pêche et pittoresque marché aux poissons, qu'il faut découvrir de bon matin, quand reviennent les chalutiers. Quelques rochers plats pour la bronzette et spot de planche à voile des Arnettes. Sur la route de La Couronne se dresse le cap Couronne (panorama sur la Côte bleue et, au loin, la rade de Marseille). Au pied du cap, populaire et grande plage du Verdon (la plus grande de la Côte bleue, d'ailleurs : elle peut accueillir jusqu'à 10 000 personnes...), noire de monde dès les beaux jours. Parking payant en saison. Vers Sausset-les-Pins, juste après le tranquille village de La Couronne, nichées entre les rochers, les petites et jolies plages de Sainte-Croix et de la Saulce. De Carro, on peut pousser jusqu'à la charmante petite ville de Martigues (voir plus loin ce chapitre).

Où dormir ? Où manger ?

Campings

Camping de l'Arquet : *chemin de la Batterie, La Couronne, 13500* ***Martigues.*** ☎ *04-42-42-81-00. • semovim-martigues.com • Entre la plage du Verdon et celle de La Couronne (fléché). Ouv début mars-fin sept. Emplacement pour 2 avec voiture et tente 16,50-21,30 € selon saison.* Dans un joli site, encore presque sauvage, sous les pins et en surplomb de la Méditerranée. Petite plage, très nature, elle aussi, à 300 m. Location de mobile homes, épicerie.

Camping Marius : *plage de la Saulce, La Couronne, 13500* ***Martigues.*** ☎ *04-42-80-70-29. • contact@camping-marius.com • camping-marius.com • À 3 km de Carro direction Sausset puis fléchage. Ouv de fin mars à mi-nov. Emplacement pour 2 avec voiture et tente 20-26,50 € selon saison.* Camping familial, à 200 m de la plage. Emplacements bien isolés par des haies, tous avec évier. Location de bungalows et de tentes. Prêt de VTT et de kayaks de mer pour profiter de la Côte bleue.

Prix moyens

Le Chalut : *13, pl. Joseph-Fasciola.* ☎ *04-42-80-70-61. • viviane.simon@gmail.com • Sur le port. Tlj sf dim soir, lun soir et mar hors saison ; mar et mer midi en saison. Fermé 23 déc-10 janv. Résa conseillée. Formule en sem 22 €. Menu 32 € le w-e ; carte 35 €. Apéritif maison offert sur présentation de ce guide.* Le bon resto familial qui fait depuis plus de 15 ans le plein d'habitués en semaine comme le dimanche. Cadre sans façon, vue sur le port depuis les baies vitrées de l'étage. Salade de *piccatas,* gratinée de langouste, Saint-Jacques aux cèpes, poissons à la plancha (et à l'huile d'olive de Maussane !) et même, sur commande, une vraie bouillabaisse. C'est frais, simple, bon et on n'en demande pas plus.

LES CALANQUES, DE MARSEILLE À CASSIS

Ne dites jamais à un Marseillais que vous allez visiter les calanques de Cassis, malheureux, il se vexerait ! Les calanques sont à Marseille, monsieur ! Même si certaines sont, il est vrai, géographiquement plus proches de Cassis, les calanques restent sur le territoire de la commune de Marseille (97 % du moins, si l'on veut être précis). Et si les plus connues (En-Vau, Port-Miou et Port-Pin) se découvrent de Cassis, les plus proches de Marseille ne manquent pas non plus d'intérêt. Surtout hors saison : il fait trop chaud pour randonner ou grimper dans les calanques en été. Et l'accès au massif est strictement réglementé (suivez nos conseils, un peu plus loin). Gardez vos forces pour l'hiver (malgré le mistral) et le printemps ou l'automne, qui restent les meilleures saisons. Mais évitez les grands week-ends et les dimanches !
De Marseille à Cassis vous croiserez Saména, Callelongue, la Mounine, Marseilleveyre, Podestat, Cortiou, Sormiou, Morgiou, Sugiton, Devenson, l'Oule, En-Vau, Port-Pin, Port-Miou. Mais attention, même à pied en longeant la mer par le GR 98 et les autres chemins de randonnée, le sentier n'est pas toujours aisé à trouver. Une balade formidable à faire en bateau (départ du port de Cassis), qui ne permet pourtant de découvrir que les calanques les plus proches de cette ville.

COMMENT DÉCOUVRIR LES CALANQUES ?

À pied

Les calanques ne sont, pour l'essentiel, accessibles qu'à pied ou en bateau. Nous vous détaillons ci-dessous l'accès à chacune d'elles.
➢ Ceux qui veulent découvrir tout le massif emprunteront le GR 98-51 (balisage rouge et blanc) : 28 km (soit 11 ou 12h pour un marcheur moyen) le long de la ligne de crête. Le sentier démarre à Marseille du parc Adrienne-Delavigne, après l'église de la Madrague de Montredon (bus n° 19 jusqu'à son terminus) ou à Cassis. Les bons marcheurs pourront faire l'excursion dans la journée.
Plus qu'une journée, à moins d'être un marcheur émérite, il faudrait mieux compter 2 bonnes journées si l'on devait prendre la peine de descendre dans les calanques tout en appréciant le paysage. Problème : le camping et le bivouac sont interdits. Le bivouac (sans feu) n'est plus toléré, même « naturel » : fini le simple sac de couchage pour dormir à la belle étoile !
La quasi-absence de refuges devrait inciter ceux qui aiment prendre leur temps à réserver une chambre en ville, avec un petit coup de cœur pour Cassis hors saison (voir plus loin), et à visiter les calanques une par une (ou deux par deux !).
Plusieurs organismes (dont le succès va croissant d'année en année) proposent des randos accompagnées. Renseignements dans les offices de tourisme de Marseille et de Cassis. Pratique pour qui n'aurait pas l'habitude : on avance, comme disent les guides, « sur les chemins d'une haute montagne qui aurait les pieds dans l'eau ». Quelques passages relativement difficiles (pour les personnes sujettes au vertige), notamment entre Sugiton et Morgiou. Bref, les calanques, c'est beau, mais ça se mérite, et ça se partage. Pour rejoindre les criquettes il faut marcher, parfois longtemps, sans être assuré de profiter seul du lieu à l'arrivée.

En voiture

➢ De Marseille, hors saison, Morgiou et Sormiou sont facilement accessibles en voiture sans se fatiguer. Mais cet accès est strictement réglementé en saison : il y a un gardien et une barrière, fermée de 8h à 19h, et il faut un laissez-passer pour franchir cette dernière les week-ends et jours fériés à partir de Pâques, et tous les jours de début juin à début septembre. Si c'est pour aller à l'un des restos des criques, lui téléphoner pour qu'il prévienne le gardien.

En bus

➢ De Marseille, les premières calanques, de Montredon à Callelongue, sont desservies par les bus n° 19 (se prend au Ⓜ Castellane) puis n° 20.

En bateau

➢ ***De Marseille :*** plusieurs départs par jour depuis le quai des Belges (Vieux-Port) et le quai de la Fraternité (face à la Canebière). Billets en vente à l'office de tourisme.
– ***Icard Maritime :*** *guichet quai de la Fraternité (entre la Canebière et le quai du Port). ☎ 04-91-33-03-29. • info@icard-maritime.com • visite-des-calanques.com • Compter 21-27 € (réduc).* Promenades en mer et au château d'If, visite des calanques (grand et petit circuit), côté Côte bleue et parc national. En juillet et août, « calanque et baignade » à Sugiton et « naturoscope », randonnée palmée sur un sentier sous-marin *(à partir de 8 ans, matériel fourni, 15 €, réduc).*
➢ ***De Cassis :*** sur le port, de nombreux bateaux proposent l'excursion vers les calanques les plus proches, de Port-Miou aux calanques de Devenson et Morgiou. Une jolie balade, à conseiller à tous. Un seul kiosque, situé sur le terrain de boules, vend les billets pour toutes les compagnies. *Rens : ☎ 04-42-01-90-83 ou 📱 06-86-55-86-70. • calanques-cassis.com • Suivant le nombre de calanques (de 3 à 8) visitées, compter 14-23 €/pers, et 45 mn à 1h50 de balade.* Départs toute la journée tlj fév-oct 10h-16h ou 18h selon le circuit (moins de départs en basse saison). Sous réserve d'une bonne météo. *Attention,* aucune dépose de passagers dans les calanques n'est faite.
➢ ***De La Ciotat :*** sur un catamaran à vision sous-marine de 100 places ou sur un monocoque de 63 places. Balades de 45 mn à 2h45 dans les calanques de La Ciotat et celles de Cassis à Marseille (*📱 06-09-35-25-68 ou 06-09-33-54-98 ; • visite-calanques.fr •*). Compter 14-26 € selon le circuit. Env 2 départs/j. du vieux port avr-juin et sept-oct (en principe 10h30 et 15h), et 7-8 départs/j. 10h-17h30 juil-août. Résa conseillée.
➢ ***En kayak de mer :*** le kayak permet d'approcher au mieux les calanques (à partir de 16 ans). Plusieurs partenaires :
– ***Raskas Kayak (Jérémie Metzer) :*** *6, rue Jacquemet, 13114* ***Puyloubier.*** *☎ 04-91-73-27-16. • raskas-kayak.com •* Des stages de 2, 3 ou 5 jours (excursions au départ de Marseille ou de Cassis, mais bivouac interdit dans les calanques, on vous le rappelle). Également excursions à la journée.
– ***Base de kayak à l'AJ de Bonneveine à Marseille :*** *Cassis Sports Loisirs Nautiques, plage de la Grande-Mer, 13260* ***Cassis.*** *☎ 04-42-01-80-01 ou 📱 06-11-98-87-65. • cassis-kayak.fr •* Location de kayaks monoplace et biplace, stages enfants.
– ***Provence Kayak Mer :*** *📱 06-12-95-20-12. • provencekayakmer.fr •* À Cassis, Marseille et La Ciotat. Balades à la journée ou à la demi-journée avec notamment une formule « coucher de soleil » sous le cap Canaille.
– ***Kayak Club des Calanques de Cassis : Port-Miou.*** *📱 06-75-70-00-73.* Location seule ou sortie accompagnée.

À VTT

Désolé les enfants, mais ce sport est désormais strictement interdit dans les calanques.

Conseils et règles d'accès

– *Rappel :* **le camping et le bivouac sont interdits toute l'année.** Un seul lieu d'hébergement dans les calanques mêmes : *l'auberge de jeunesse La Fontasse ☎ 04-42-01-02-72.* Voir plus loin « La calanque de Port-Miou ».

ATTENTION : les calanques, depuis 1975, ont été à plusieurs reprises ravagées par des incendies. Pas de balade en été, en règle générale ! Il y va de votre vie tout autant que de la survie du massif.
– ***Avant toute balade, il faut absolument se renseigner*** sur le serveur « envie de balade » au 0811-201-313 (prix d'un appel local), des offices de tourisme de Marseille ou de Cassis (voir les « Adresses utiles » de ces villes), ou alors, consulter les sites internet du GIP ● *gipcalanques.fr* ● et de la préfecture ● *bouches-du-rhone.pref.gouv.fr* ● Même le GR est interdit en cas de trop grande sécheresse ou de risque majeur d'incendie. Il est par ailleurs, faut-il le préciser, **totalement interdit de fumer, d'utiliser un réchaud à gaz, de quitter les sentiers balisés...**
– Prévoir de ***bonnes chaussures*** (qui dit terrains calcaires dit éboulis et certains passages sont un peu abrupts) et une ***casquette*** (peu d'ombre et du soleil presque toute l'année !), et emporter une quantité suffisante d'eau (il n'y en a pas dans les calanques).
– Attention, n'empruntez que les sentiers balisés car le terrain abrite une espèce de plante protégée unique au monde, la sabline de Provence, ou *Gouffeia arenarioides*.
– ***La meilleure saison :*** de mi-septembre à fin juin. C'est à la fin de l'hiver qu'on adore les calanques et plus particulièrement au début du printemps et même juste après les grosses chaleurs de l'été. Eh oui, les calanques sont très belles hors saison ! Attention, dès les grands week-ends de printemps, elles sont prises d'assaut...
– ***Cartes de randonnée et topoguides :*** la carte IGN série Plein Air au 1/15 000, *Les Calanques, de Cassis à Marseille.* Topoguides : GR 98 *Massifs provençaux* et GR 51 *Balcon de la Méditerranée.* Autre bon ouvrage pour vos randos dans les calanques (et ailleurs) : *52 balades en famille autour de Marseille* aux éd. Richard.

OÙ S'ARRÊTER ? OÙ DORMIR ? OÙ MANGER DANS LES CALANQUES ? OÙ SE BAIGNER ?

Ne vous attendez pas à faire un repas gastronomique dans les calanques, mais profitez des premiers beaux jours pour venir goûter ici supions et poisson grillé, le regard perdu sur le large, sans vous poser de questions existentielles. Pas facile de se loger, entre Marseille et Cassis, mais on ne vous laissera pas mourir de faim pour autant. Pour le reste, à vous de voir, et la vue, dans les calanques, c'est pas ce qu'il y a de plus difficile à trouver !

LA MADRAGUE DE MONTREDON

C'est le début des calanques. Oubliez Marseille, ses embouteillages, et tous vos soucis, sauf si dans votre tête vous êtes en train de vivre un roman policier, car c'est généralement par ici que se règlent les comptes. Bienvenue à Montredon. La route qui longe le littoral commence à tourner. Pour les amateurs de plage, quelques endroits à retenir. L'***Abri Côtier*** est une plage de sable appréciée par les jeunes des quartiers sud. Hélas, elle n'est pas toujours très propre (déchets poussés par les courants marins). Entre la pointe de Montredon et le port de la Madrague, la ***plage de la Verrerie,*** bordée de cabanons creusés dans la roche, en sous-sol, est maintenant fréquentée par toutes les couches sociales. Gentil ***port de la Madrague,*** bien loin de tout. Vers la gauche, après avoir longé le port, on arrive à une côte rocheuse appréciée de ceux qui souhaitent bronzer (stationnement facile jusqu'en moyenne saison).

Où manger ?

|●| ***Chez Aldo :*** *28, rue Audemar-Tibido, 13008.* ☎ *04-91-73-31-55.* ♿ *Tlj sf dim soir et lun. Congés : vac de fév. Résa impérative le w-e. Petite fri-*

ture 14 €. Marmite du pêcheur 30 €. Bouillabaisse sur commande env 45 €/ pers. Il y a de la pizza pour amuser le monde, et du beau poisson, apporté par les pêcheurs du port de la Madrague, à savourer simplement grillé. Ici, malgré le cadre élégant, pas de chichis : on partage la friture, on goûte les moules et les calamars sur la *plancha* des voisins. Accueil sympathique, grande terrasse, pour en prendre plein la vue... la belle vie, quoi !

Au Bord de l'Eau : *15, rue des Arapèdes, 13008. ☎ 04-91-72-68-04. Tlj en été midi et soir jusqu'à 22h. Mars à juin fermé mar soir et mer (hiver lun soir, mar-mer). Pizzas 12-14 €. Poissons 20-28 €, viandes 18-23 €.* Très agréable terrasse les pieds dans l'eau. Cuisine de poisson traditionnelle correcte (cependant pas tout à fait bon marché). Vaut principalement pour sa situation privilégiée et le charme de ce port de poche.

LA CALANQUE DE SAMÉNA

À la sortie sud de la Madrague de Montredon, une crique rocheuse qui abrite une petite plage de graviers, entre quelques pins et des tamaris.

Où dormir ?

Chambres d'hôtes Villa d'Orient : *30, calanque de Saména, 13008. 06-03-67-16-38 et 06-12-03-18-43. • villadorient@free.fr • villadorient.com • Bus n° 19 (jusqu'au terminus). Doubles 75-90 €.* Trois jolies chambres, colorées et chaleureuses, dans une belle villa cachée à quelques pas de la mer. Vincent a rénové ces chambres avec beaucoup de goût, mais elles ont une salle de bains-wc seulement séparée par un paravent ! Vous passerez cependant tout votre temps sur la terrasse panoramique, où sont servis les petits déjeuners, ou dans le beau jardin, si vous trouvez qu'il y a tout à coup trop de monde à la plage, qui n'est qu'à 3 minutes de la maison.

La Petite Calanque : *22, calanque de Saména, 13008. 06-12-03-18-43. Juste à côté de l'adresse précédente (même famille). Une chambre (85 €), un studio (590 €/sem) et une suite (90 €) avec bains privés. Un peu moins cher hors saison.* Maison de style antillais, avec une très agréable varangue sur un jardin au calme. Cadre gentiment désuet : hauts plafonds et vieux carrelages, vénérable mobilier et éléments de décor ancien donnant un charme particulier à l'ensemble. BBQ dans le jardin.

LA CALANQUE DE L'ESCALETTE

Une petite calanque, juste après Montredon, en allant vers Callelongue. Une usine de plomb en ruine domine le site, rappelant l'époque où les bateaux chargés de produits chimiques accostaient dans la calanque.

Où manger ?

Le Petit Port : *calanque de l'Escalette. Bus n° 20 direction Callelongue. % 04-91-72-20-00. Tlj en saison. Carte env 40 €.* Accrochée au-dessus du micro port empierré de l'Escalette, une longue terrasse pétillante où l'on travaille poissons et fruits de mer en couleurs, le plus souvent grillés et accompagnés de légumes du soleil. Bonne salade de poulpe. Un peu cher tout de même, sauf si on opte pour une pizza (9-13 €).

LES GOUDES

L'anse des Goudes a servi de lieu de tournage dans certains films de Jean-Pierre Melville, et surtout de pied-à-terre à Fabio Montale, le héros déprimé d'Izzo.

Si la faim vous tenaille, profitez-en : dans ce grand village de pêcheurs, il y a quelques restaurants fort recommandables.

Où manger ?

La Marine des Goudes : *16, rue Désiré-Pellaprat, 13008. ☎ 04-91-25-28-76. Ouv ts les midis, ven-sam soir en basse saison ; ouv midi et soir en hte saison ; fermé mar. Menu 24 €. Poissons 13-16 €. Bouillabaisse 38 €. Carte env 40 €.* À l'entrée du village de pêcheurs, un restaurant tenu par un ancien skipper qui sait recevoir. Régalez-vous avec les moules gratinées aux amandes, les poissons grillés ou encore les suggestions selon la pêche du jour. Spécialité d'aïoli provençal. Cadre hors du temps, à deux pas de la route : une grande terrasse domine la mer et le petit port de pêche.

L'Esplaï du Grand Bar des Goudes : *25-29, rue Désiré-Pellaprat, 13008. ☎ 04-91-73-43-69. Fermé mer midi en saison, avr et oct mar soir et mer, hors saison dim soir, lun-mer. Congés : 1er-20 déc. Formule env 25 €. Menus 35-55 €. Carte 40 €. CB refusées.* Du cinoche sur grand écran, pour les fans d'Izzo et les nostalgiques de Lautner. Pas seulement depuis la terrasse, si vous avez eu la prudence de réserver, mais déjà côté rue, au bar, en face, si vous arrivez à approcher du comptoir, les habitués restant un poil méfiants. Forcément, vous êtes chez eux, dans le plus beau village de Marseille, celui que le monde entier leur envie. Le patron, les cuistots, les serveurs, tout le monde ici fait son cinéma, naturellement, mais la cuisine, si vous tapez dans les plats du jour, est très honorable : duo de tartare de loup et de thon, pavé de thon mi-cuit et sa sauce aux câpres, tajine de loup sauvage. Pizzas, sinon, bien sûr.

L'ANSE DE LA MARONAISE

Une petite route y conduit à travers un beau paysage rocailleux et calcaire couvert d'une maigre végétation. Aux mois d'octobre et novembre y pousse une variété de bruyère *(Erica multiflora)* qui ne se trouve que dans deux endroits du monde.

LE CAP CROISETTE ET LA BAIE DES SINGES

Juste en face de l'île Maïre, le cap Croisette est une pointe rocheuse, solitaire et très découpée. La route s'arrête là, et il faut continuer à pied, car ce cap n'est accessible qu'aux randonneurs. Une petite anse secrète (la baie des Singes) sert de plage, où l'on peut louer des matelas. Gros îlot sauvage et calcaire, l'***île Maïre*** est habitée seulement par quelques chèvres.

LA CALANQUE DE CALLELONGUE

➢ **Accès :** *à une douzaine de km du Vieux-Port, Callelongue fait partie des calanques les plus accessibles de Marseille. On y va en voiture. Prendre la corniche Kennedy et suivre la côte jusqu'au bout de la route ; arrivé aux Goudes, continuer tout droit. En bus, terminus de la ligne n° 20 (3 à 4 bus par heure), après avoir pris le n° 19 (depuis la sortie de métro « Castellane ») jusqu'à son terminus.*

« Et quand je vais au bout du monde, je m'en vais à Callelongue », chante le groupe ragga-rigolo Massilia Sound System. Voici le lieu secret où tout Phocéen vient de temps à autre chercher l'âme de sa ville, aujourd'hui connu de tous les amoureux de Marseille. Et vous verrez : même sous un petit soleil d'hiver, elle ne manque pas de prétendants. À Callelongue, on trouve quelques cabanons, un port miniature avec de rares bateaux, et une poignée de maisons de pêcheurs et de cabanons discrets. Callelongue est le point de départ des randonneurs qui veulent rejoindre Cassis en longeant les calanques.

Où manger ?

La Grotte : *calanque de Callelongue, 13008. ☎ 04-91-73-17-79. • la.grotte@live.fr • Tlj, tte l'année, midi et soir. Carte 30-40 €.* Cadre chic et surprenant : une ancienne usine du XIXe s restaurée, avec un décor totalement baroque, un vieux zinc et de grands tableaux à dorures. Parfait pour un dîner en amoureux. Pour le déjeuner, terrasse, croulant sous la vigne et les bougainvillées, plus sobre et très appréciée des Marseillais. Comme dans tant d'autres endroits, on se laisse tenter par la sacro-sainte pizza, bonne et pas trop chère. Il n'est pas interdit de commander un poisson grillé ou un tartare de charolais coupé au couteau, mais évidemment ce n'est pas le même prix !

L'ÎLE RIOU

L'île Riou, inhabitée et classée réserve naturelle, abrite une variété de lapins dite « aux courtes oreilles ». De nombreuses épaves parsèment les fonds sous-marins de ce secteur du littoral. Auprès de l'île Riou, des plongeurs ont retrouvé les restes du *Grand-Saint-Antoine*, le voilier de commerce qui apporta la peste à Marseille en 1720. Sur le site du Grand Congloué, le commandant Cousteau découvrit sa première épave.

QUAND SAINT-EX TUTOYAIT LES NUAGES...

On connaît aujourd'hui les circonstances de la mort de Saint-Exupéry. En 1944, l'aviateur écrivain Antoine de Saint-Exupéry s'abîme non loin des sites de Plane et du Congloué, et, pendant longtemps, on privilégiera la thèse de l'accident. Plus tard, c'est le repêchage de sa gourmette et d'un débris de son avion qui, après une longue enquête, mèneront jusqu'à celui qui reconnaît aujourd'hui être l'auteur du crime. Horst Rippert, ancien pilote de la Luftwaffe puis journaliste, avoue 64 ans plus tard avoir tué sans le vouloir l'homme de lettres qu'il appréciait. À lire : Saint-Exupéry : l'ultime secret *de J. Pradel et L.Vanrell, éd. Le Rocher.*

LA CALANQUE DE MARSEILLEVEYRE

Une très belle marche de 1h30, plutôt facile, au départ de Callelongue, vous mènera jusqu'à Marseilleveyre et sa petite plage intelligemment flanquée d'un resto avec terrasse.

Où manger ?

Chez le Belge : *calanque de Marseilleveyre, 13009. Pas de tél. Slt w-e hors saison, tlj en été (accès réglementé). Compter 15-20 €.* En suivant le GR 98, compter une bonne heure de marche depuis Callelongue pour arriver à la table du Belge, un « immigré » venu en balade ici il y a bien longtemps et qui a préféré ne pas repartir. Le panorama vaut le détour, ou plutôt le parcours. Ce qu'on mange est moins paradisiaque, mais une côtelette et des spaghettis n'ont jamais rebuté un groupe d'affamés... L'endroit est ravitaillé, simplement par bateau.

LA CALANQUE DE SORMIOU

➢ ***Accès :*** *en voiture, de Marseille, remonter l'av. du Prado et le bd Michelet, direction Mazargues. La route de la calanque est indiquée. Accès réglementé les w-e au printemps et en automne, ainsi que tlj en été (voir plus haut « Comment découvrir les calanques ? »), ce qui signifie une petite heure de marche. Hors saison, la route, étroite et en lacet, vous conduit jusqu'au parking (à 3 €) tt en bas de Sormiou ; en bus, ligne n° 23 à prendre au rond-point du Prado, arrêt La Cayolle.*

Une prudence particulière s'impose dans cette calanque. En effet, de nombreux véhicules voient leurs vitres brisées sur les parkings, notamment au niveau de la barrière d'accès, mais parfois avant et après également... Mieux vaut donc venir en bus ou se garer au parking payant mais pas toujours ouvert hors saison. Sinon, ne jamais rien laisser en évidence.

Cette calanque est tout simplement superbe. Comme sa jumelle Morgiou, depuis le début du XXe s, elle est occupée par des cabanons de pêcheurs, une centaine en tout, qui forment un ensemble homogène, avec leur tonnelle et leur toit en tuile. Ici, on est locataire de père en fils, privilège rare. Et tout ce petit monde se réunit entre soi, en été, autour du traditionnel aïoli du 15 août, jour de la Sainte-Marie, en hommage à deux femmes, la mère de Jésus et Marie de Sormiou, la propriétaire de la calanque, qui a légué à ses héritiers un joli pactole. Sormiou est donc bien une propriété privée ; cependant, les plages sont publiques. Vous pouvez tout de même vous balader jusqu'au petit port de pêche et au-delà. De chaque côté de la calanque, petits sentiers bien sympas...

LE SECRET DES CABANONS

À Sormiou, toute la calanque appartient à une seule propriétaire, une comtesse. Les cabanons qui s'y trouvent sont loués aux mêmes familles depuis des générations. Ainsi, comme ils n'appartiennent pas à ceux qui les occupent, aucune opération immobilière n'est possible et l'endroit garde tout son charme.

Où manger ?

🍽 ***Le Château :*** *calanque de Sormiou, 13009. ☎ 04-91-25-08-69. Tlj en saison. Bouillabaisse 35 €. À la carte 25-35 €. Vin à partir de 14 €.* Atmosphère paisible, belle terrasse surplombant la mer pour une bonne cuisine de la mer et quelques viandes. Spécialité de lasagne de Saint-Jacques aux poireaux et coquillages. Bon accueil.

🍽 ***Le Lunch :*** *calanque de Sormiou, 13009. ☎ 04-91-25-05-37. • lelunch.sormiou@gmail.com • L'été, la route est fermée aux autos et motos, sf celles des riverains. Pensez à donner votre numéro d'immatriculation, on ouvrira la barrière (parking : 4 €) à votre venue. Tlj de mi-mars à mi-oct, midi et soir, jusqu'à 22h. Résa impérative. Bouillabaisse 52 €. Carte 40-55 €. CB refusées.* La descente débouche sur une mer bleu turquoise et l'une des plus jolies terrasses des calanques. Cependant, le cadre se paie et la cuisine bio est bonne sans être inoubliable. Pas de viande, bien sûr, mais pas de menu enfants non plus. Soupe de poissons de roche et poisson au poids assez onéreux. Comme il n'y a pas d'eau courante, eau minérale obligatoire.

LA CALANQUE DE MORGIOU

➢ ***Accès :*** *en voiture par Mazargues, puis la prison des Baumettes et le chemin de Morgiou ; route d'accès à la calanque également fermée les w-e au printemps et en automne et tlj en été. Bus n° 22, arrêt Baumettes, ou n° 23 jusqu'au terminus Morgiou-Beauvallon. Ensuite il faut marcher pdt 45 mn.*

Certaines années, si vous venez en juin, vous assisterez à la « Journée des ânes ». Une fête peu connue, réservée aux calanquais et à leurs proches, qui rappelle l'époque où les poissonnières venaient chercher ici le poisson qu'elles transportaient ensuite en ville à dos d'âne. Aujourd'hui, le village est resté typique, dans l'esprit du moins, même s'il y a un peu moins de pêcheurs faisant la sieste au soleil.

Où manger ?

🍽 ***Nautic Bar :*** *calanque de Morgiou, 13009. ☎ 04-91-40-06-37 ou 04-91-40-17-71. Ⓜ Rond-Point-du-Prado puis bus n° 25 jusqu'à l'arrêt Morgiou-*

Beauvallon, et enfin compter 1h de marche en saison, la route étant fermée à la circulation (laissez-passer au compte-gouttes pour les clients). Tlj sf dim soir et lun. Congés : de début janv jusqu'au vac de fév. Résa conseillée. Carte 29,50-44,50 €. Dans les calanques, on dit « Chez Sylvie » quand on parle de ce resto, idéal pour une pause revigorante. Grandes baies vitrées derrière lesquelles s'abriter les jours gris ; sinon, terrasse avec vue sur mer pour tout le monde. Brise de mer, poissons grillés et vin frais, une trilogie classique. Bouillabaisse sur commande (40 €), ou friture avec un peu de chance.

LA GROTTE COSQUER OU LE LASCAUX SOUS-MARIN

Désolé, mais elle est impossible à visiter, car son entrée est murée suite à un accident mortel. Seuls les archéologues peuvent y accéder pour faire leurs recherches. C'est dans une grotte sous-marine du cap Morgiou qu'ont été découvertes en 1991, par le plongeur Henri Cosquer, les plus anciennes représentations d'animaux que l'on connaissait à l'époque. Cosquer faisait de l'exploration sous-marine à ses heures libres. Il fouilla toutes les cavités, se glissa dans toutes les anfractuosités qu'il rencontrait sur la côte entre Cassis et Marseille. Un jour, par hasard, dans la calanque de la Triperie, il découvrit un passage étroit dont l'entrée était située à 38 m sous le niveau de la mer. En remontant cet oblique boyau rocheux long d'une centaine de mètres, il atteignit une étonnante salle souterraine (hors d'eau) méconnue, aux parois couvertes de représentations préhistoriques. Elles datent d'il y a au moins 27 000 ans (les peintures de Lascaux remontent « seulement » à 16 000 ans). Depuis, la grotte Chauvet, découverte en Ardèche, a battu tous les records d'ancienneté, avec des gravures vieilles de 320 siècles !

– On pourra admirer, à partir de 2013, une reconstitution de la grotte Cosquer au fort Saint-Nicolas *(plan couleur d'ensemble B-C5).*

LA CALANQUE DE SUGITON

➢ **Accès :** *on y accède habituellement de Marseille. En voiture jusqu'à l'université de Luminy ou en bus n° 21, au départ de Castellane jusqu'au terminus Luminy (attention, pas de bus les w-e et j. fériés) ; ensuite, compter env 1h de marche.* La balade commence par un large chemin plat, très fréquenté le dimanche, menant à un superbe point de vue plongeant sur le cap Morgiou. Descente possible sur Sugiton en 30 mn avec de beaux points de vue et un petit bain au milieu des rochers. Attention, ça monte au retour. Collée à la calanque de Sugiton se trouve la calanque des Pierres Tombées (désormais interdite d'accès).

LES CALANQUES DU DEVENSON ET DE L'OULE

Ce sont sûrement les plus secrètes du massif. Et pour cause : elles sont quasiment impossibles d'accès pour le commun des randonneurs. On ne vous conseille d'ailleurs pas du tout de tenter l'expérience, mais plutôt de les surplomber en suivant le GR ou de les découvrir en bateau. Joli point de vue sur la calanque de l'Oule en allant vers En-Vau.

LA CALANQUE D'EN-VAU

➢ **Accès :** *à 15 km de Marseille et à 5 km de Cassis. Prendre, sur la D 559, à hauteur du camp de Carpiagne, la route en direction de la mer jusqu'au parking de la Gardiole. Attention, il est fermé en été, et le reste du temps, il y a de nombreux vols dans les véhicules, on vous prévient.*

Un large sentier descend à la calanque via le vallon boisé de la Gardiole. Compter 2h30 à 3h aller-retour. On insiste, ce sentier est fermé l'été. On peut aussi y accéder depuis Cassis, via Port-Miou et Port-Pin (compter 2h l'aller simple). Superbe rando, facile pour le début, mais ATTENTION, elle est vraiment sportive sur la fin du parcours quand il s'agit de descendre dans la calanque (et donc totalement déconseillée aux enfants et aux personnes âgées). La calanque d'En-Vau est la plus connue, la plus photogénique des calanques. Et incontestablement l'une des plus belles, avec ses aiguilles et falaises tombant dans la mer, qui font le bonheur des grimpeurs (nombreux sites d'escalade). Il y a une charmante petite plage de sable et de galets. À éviter l'été et les week-ends, pour qui n'aime ni le bruit ni la foule.

LA CALANQUE DE PORT-PIN

➢ ***Accès :*** *à 1h de marche d'En-Vau (soit 3h aller-retour depuis le parking de la Gardiole) ou 1h de Cassis via Port-Miou.* À peine moins encaissée que ses voisines. Petite plage de sable exposée plein sud, entourée de pins dont on se demande comment ils poussent sur les rochers. Idéale pour la baignade. C'est bien sûr la foule en été et les grands week-ends.

LA CALANQUE DE PORT-MIOU

C'est bien sûr la plus proche de Cassis (et la seule qui appartienne au territoire de cette commune). À environ 30 mn de marche du centre-ville. La plus longue des calanques (1,2 km) mais aussi la plus facile d'accès, donc l'une des plus fréquentées par les promeneurs comme par les plaisanciers. Port-Miou, qui n'est depuis longtemps qu'un garage à bateaux, devrait un jour ressembler à un petit port si l'on en croit les projets annoncés. Cela dit, si la grande carrière de pierre a cessé son activité, elle a singulièrement défiguré le paysage. Prolongez plutôt la balade jusqu'à la pointe Cacau. Au passage, jetez un coup d'œil ou plutôt écoutez le son du *Trou Souffleur,* curiosité géologique. De la pointe, jolie vue sur les falaises de la calanque d'En-Vau.

Où dormir ?

Auberge de jeunesse La Fontasse : *lieu-dit La Fontasse, 13260* **Cassis.** ☎ *04-42-01-02-72. Depuis Marseille par la D 559 ; à une quinzaine de km, tourner à droite (c'est fléché) pour la maison forestière de la Gardiole (3 km de petite route, puis depuis le parking, 2 bons km de piste caillouteuse). Attention, l'accès en voiture à l'AJ ne peut se faire que si vous avez réservé (barrière). À pied, possibilité de se faire déposer (bus Marseille-Cassis) au carrefour pour la Gardiole ou, si l'on a un sac pas trop lourd, de monter à l'AJ depuis Cassis via la calanque de Port-Miou (4 km, soit env 1h de marche). Tlj sf janv-15 mars 8h-10h, 17h-21h. Avec la carte FUAJ (obligatoire et vendue sur place), compter 12 € la nuit. CB refusées. Enfants acceptés à partir de 7 ans.* Auberge installée dans un ancien relais de chasse, franchement isolée au cœur d'une nature exceptionnelle, avec une vue non moins exceptionnelle sur le cap Canaille. Un vrai retour à la nature : citerne d'eau de pluie (et des bassines pour prendre sa douche !), panneaux solaires et éolienne pour l'électricité... Propose 60 places en chambres collectives de 6 à 10 lits. Cuisine à disposition (apportez vos provisions !). Excellent accueil, pas avare de bons conseils pour votre découverte (à pied, bien sûr) des calanques. En juillet-août, présentez-vous dès le matin, car l'AJ risque vite d'afficher complet (piétons et cyclistes ne seront cependant jamais refusés).

LA PRESQU'ÎLE DE PORT-MIOU

➢ **Accès :** *départ du parking de la presqu'île à Cassis ; navettes au départ du parking des Gorguettes (à l'extérieur du bourg) les grands w-e de mai et tlj en été.* Le *sentier du Petit Prince,* en référence à la gourmette de Saint-Exupéry retrouvée au large, a été aménagé. Balisé en bleu, il est équipé de panneaux d'information. Grande balade de 1h-1h30, accessible à tous, offrant une jolie vue sur la calanque de Port-Miou et permettant de découvrir la richesse du milieu naturel, l'histoire des calanques, etc.

Plongée sous-marine dans les calanques

En plongeant dans l'azur méditerranéen, les hautes falaises brutes des calanques se transforment en tombants colonisés par une vie luxuriante très sauvage. Ces fonds peuvent être classés parmi les plus spectaculaires de la Méditerranée française, surtout quand l'eau – très limpide – est investie en profondeur par les intenses rayons du soleil. Une escorte de dauphins viendra peut-être compléter l'envoûtement...

Club de plongée

■ ***Centre cassidain de plongée :*** *3, rue Michel-Arnaud, BP 1, 13714* ***Cassis*** *Cedex.* ☎ *04-42-01-89-16 ou* 📱 *06-71-52-60-20.* • *centrecassidaindeplongee.com* • *Tlj sf mer 15 mars-15 nov ; ouv tlj de mi-juin à mi-sept. Résa souhaitable. Baptême autour de 65 € ; env 37-57 € pour une plongée, selon équipement ; forfaits dégressifs pour 6 et 10 plongées. 2 départs/j., à 9h et 15h ; un 3e à 17h30 en juil-août.*
– C'est en fouinant sous les falaises que l'ancien proprio du club (FFESSM, ANMP) – Henri Cosquer – a découvert l'entrée sous-marine de la fameuse grotte préhistorique (fermée aux plongeurs) qui porte désormais son nom (voir plus haut). Avec la nouvelle équipe, on embarque aujourd'hui à bord du *Cro-Magnon,* un chalutier de plongée où les moniteurs brevetés d'État assurent baptêmes, formations niveaux 1 à 3, explorations quotidiennes (selon météo) et plongées de nuit. Plongée Nitrox (air enrichi en oxygène) pour les cracks et, pour les autres, randonnée palmée (snorkeling) encadrée pour se familiariser en douceur avec la vie sous-marine. Équipements complets fournis.

Nos meilleurs spots

Castel Viel : juste au pied de la falaise. Pour plongeurs niveau I. Gorgones et corail rouge éclatant enflamment littéralement ce tombant somptueux qui dégringole jusqu'à 40 m de profondeur (courte plate-forme à 17 m). Les loups, mérous, sars, saupes, girelles paons et castagnoles, aux couleurs et reflets chatoyants, viennent enrichir cet énorme bouquet. Une vraie palette d'artiste ! À « deux brassées de palmes », les surplombs d'une fameuse ***grotte à Corail*** (12 à 24 m) sont fascinants.

La pointe Cacau : accessible aux plongeurs débutants. Au pied d'une falaise qui chute dans le bleu méditerranéen, une cascade d'éboulis rocheux suivis d'un magnifique tombant (43 m maxi) fleuri de gorgones et corail rouge. Devant vos yeux éblouis, les langoustes, mérous, girelles paons, loups, anthias, castagnoles, et même parfois un poisson-lune ou un saint-pierre, déclenchent un véritable incendie de couleurs (inutile de faire le ☎ 18 !). Présence de 3 beaux canons de bateau.

Phare de la Cassidaigne : idéal pour les plongeurs de niveau I. Au sud des fameuses calanques, ce vaste plateau rocheux entouré de tombants (à partir de 6 m) permet plusieurs plongées magnifiques. Eaux limpides où se déploie une vie particulièrement sauvage. Parmi les congres, murènes et autres nombreux poissons « maousses », vous rirez de bon cœur (ne perdez pas votre détendeur !) quand vous verrez les lièvres de mer se dandiner sur le sable comme des danseuses espagnoles ! Spot exposé.

L'Eissadon : à proximité de la pointe de l'Îlot. Accessible aux néophytes (niveau I minimum). Ambiance surréaliste dans cette faille entrecoupée de tunnels que vous visiterez un à un – sans danger – par 15 m de fond. À explorer l'après-midi, quand le soleil donne à la roche des couleurs bien vives. Jeunes mérous en pagaille.

DE CASSIS À AUBAGNE EN PASSANT PAR LA CIOTAT

CASSIS (13260) 8 070 hab. *Carte Bouches-du-Rhône, D4*

Port depuis l'Antiquité, Cassis comptait encore 170 pêcheurs professionnels dans les années 1960, contre moins d'une dizaine aujourd'hui. Le village, glissé dans une échancrure entre les calanques et un cap Canaille qui s'enflamme à la fin du jour, ne ramène aujourd'hui dans ses filets que des touristes, ou presque. L'été, la population de Cassis est multipliée par 4, un afflux massif qui fait perdre à ce sympathique port coquet et bourgeois une bonne partie de son charme. On ne saurait donc que trop vous conseiller de découvrir Cassis hors saison, ou du moins à la mi-saison. On pourra alors s'abandonner à la vue, flâner sur les hauteurs à la recherche des belles villas balnéaires de l'entre-deux-guerres, grimpant dans les pins à l'assaut des collines. Enfin, les calanques (voir plus haut), escapades idéales pour un pique-nique ou un vrai casse-croûte marin, offrent des espaces sauvages relativement tranquilles à qui se donne la peine de marcher un peu... Ou à ceux qui disposent du budget suffisant pour louer un bateau, évidemment.

IL Y A CASSIS ET CASSIS !

Vous n'êtes pas en Bourgogne (le blanc-cassis, ou le kir, vous connaissez !), ici, on prononce Cassis sans le « s » final. Il n'y a que les estrangers qui viennent pour acheter ici une liqueur de cassis provenant tout droit... de Bourgogne. Pourquoi en vendre ? « Parce qu'on nous en demande ! » Peuchère...

Comment y aller ?

➢ ***En bus :*** plusieurs liaisons par jour au départ de Marseille avec NAP Tourisme. Départs de Castellane, sur l'av. du Prado, à l'arrêt de bus n° 21 (NAP pas indiqué sur l'arrêt). Plus pratique que le train, puisque la gare de Cassis se trouve à plus de 3 km du port. Moins rapide (40 mn de trajet) mais plus économique (2,70 € l'aller) et parfois plus sûr. *Rens : ☎ 04-91-36-06-19 ou 0820-821-400 (n° Indigo).*

➢ ***En train :*** *☎ 36-35 (0,34 €/mn). Cassis est à 20 mn de la gare Saint-Charles. Compter 4,50 € l'aller.* Une quinzaine de navettes en autocar (ligne *La Marcouline*) relient la gare de Cassis au centre du village (rond-point du

casino) tlj tte l'année (sf le 1er mai). Ticket autour de 1,50 €.
– ***Stationnement et circulation :*** d'avril à mi-novembre, la municipalité a mis en place un parking relais gratuit aux Gorguettes avec une navette (1 €) pour le centre-ville (rond-point du casino). Se renseigner auprès de l'office de tourisme pour connaître la fréquence des passages. En principe, navette ttes les 30 mn 9h-19h les w-e et j. fériés avr-juin et de sept à mi-nov (tlj pendant les vac scol de Pâques) ; juil-août, rotation ttes les 10 mn tlj 9h-20h, puis ttes les 30 mn jusqu'à 1h. Une 2de navette relie les Gorguettes à la presqu'île avec arrêts à la plage du Bestouan et à la Viguerie (fonctionne d'avr à mi-sept les w-e et j. fériés de 11h à 20h, avec un passage ttes les 20 mn). Si vous avez décidé de rester, optez pour le parking de la Viguerie (à l'entrée du centre). Stationnement gratuit la 1re heure ; forfait 3 jours (en vente sur place) à partir de 16 €. Certains hôtels disposent également d'un parking et/ou de garages.

Adresse et infos utiles

Office de tourisme : *quai des Moulins. ☎ 0892-259-892 (0,34 €/mn). • info@ot-cassis.com • ot-cassis.com • Tlj (sf dim ap-m hors saison).* Bon matériel touristique, bon accueil et bons conseils. Bref, que du bon...

Promenades dans le village : *avr-oct. 8 €/pers ; gratuit pour les moins de 12 ans. Durée : 1h45. 06-07-32-10-31. Pour plus d'infos • provence-insolite.org •* L'auteur de *Provence insolite et secrète,* Jean-Pierre Cassely, vous raconte Cassis avec humour, entre faits historiques et anecdotes insolites.

– ***Marché :*** *ts les mer et ven mat, sur la pl. Baragnon et les rues adjacentes. Parking du casino gratuit pour l'occasion.*

Où dormir ?

Attention, lors des grands week-ends ou des manifestations se déroulant sur plusieurs jours, la plupart des établissements ne prendront votre réservation que pour une durée minimale de 2, voire 3 nuits.

Camping

Camping Les Cigales : *av. de la Marne. ☎ 04-42-01-07-34. • campingcassis.com • À 1,5 km du centre, sur les hauteurs. Arrêt de bus Cartreize « Clos des Oliviers ». Ouv 15 mars-15 nov. Emplacement pour 2 avec voiture et tente 18,30 €.* Un camping, un vrai, sans mobile homes. Le sol est caillouteux, parfois légèrement en pente, mais les emplacements sont bien délimités et à l'ombre pour la plupart, calés sous les pins et les oliviers. Sur place, bar, épicerie, aire de jeux, machines à laver. Reste à y trouver de la place en saison (réservation impossible, arriver tôt le matin).

Bon marché

Auberge de jeunesse La Fontasse : *lieu-dit La Fontasse. ☎ 04-42-01-02-72.* Voir plus haut la calanque de Port-Miou, dans « Les calanques, de Marseille à Cassis ».

De prix moyens à chic

Le Provençal : *7, av. Victor-Hugo. ☎ 04-42-01-72-13. • le-provencal@aliceadsl.fr • cassis-le-provencal.com • Dans la rue principale, près du port. Tlj. Fermé 2 sem en nov. Résa conseillée. Doubles 47-67 € avec douche ; 64-83 € avec douche ou bains et w-c, TV. Petit déj 7,50 €, servi en chambre faute de place. Wifi. Un petit déj/pers et par nuit en basse saison offert sur présentation de ce guide.* En plein centre, à deux pas du port, des chambres pas immenses mais à la déco plutôt ensoleillée, toutes climatisées. Ce petit hôtel fort bien tenu ne compte que deux poignées de chambres.

Hôtel de France Maguy : *av. du Revestel. ☎ 04-42-01-72-21. • hoteldefrancemaguy@gmail.com • hoteldefrancemaguy.com • Congés : de mi-nov à mi-fév. Doubles 85-100 € en hte saison selon taille, petit déj inclus. Parking privé payant. Internet et wifi.* Un peu sur les hauteurs, à 5 grosses minutes à pied du port. Un petit hôtel familial (seulement 10 chambres), ouvert dans les années 1950, repris par la nouvelle génération. Chambres confortables (climatisées pour certaines) dans l'esprit de la région mais avec une déco très personnelle, pleine de fantaisie. Certaines un peu petites toutefois. Les moins chères ont les w-c sur le palier, mais privatifs ; une, plus chère, s'ouvre sur un balcon. Quelques familiales également. Très bon accueil.

🏠 🍽 ***Le Clos des Arômes :*** *10, rue Abbé-Paul-Mouton. ☎ 04-42-01-71-84. • closdesaromes@orange.fr • le-clos-des-aromes.com • À 200 m du port. Resto fermé mer-jeu midi (sf j. fériés). Congés : de mi-nov à mi-janv. Doubles avec douche et w-c ou bains, 69-89 € selon taille et vue. Menus 26-33 €. Carte env 40 €. Garage payant.* Vieille maison de village rénovée, dans une rue tranquille, suffisamment éloignée en tout cas du port et du bruit. Chambres à la déco discrètement provençale. Sans clim, elles donnent sur le jardin (plus chères) ou sur l'église. Restaurant dans le genre mignon lui aussi pour une cuisine traditionnelle. Cheminée l'hiver et terrasse dans la grande cour fleurie et ombragée aux beaux jours.

🏠 **Le Cassitel :** *pl. Clemenceau. ☎ 04-42-01-83-44. • cassitel@hotel-cassis.com • hotels-cassis.com • À deux pas du port. Doubles avec douche et w-c ou bains, TV, 72-95 € selon taille et vue (les plus chères regardent la mer). Petit garage payant.* Jolies et confortables chambres au goût d'aujourd'hui. Petits balcons face au port pour certaines. Clim et TV.

🏠 ***Hôtel du Grand Jardin :*** *2, rue Pierre-Eydin. ☎ 04-42-01-70-10. • contact@hoteldugrandjardin.com • hoteldugrandjardin.com • Dans le centre. Doubles 75-82 € ; également des chambres pour 3 pers. Garage payant. Wifi. Un petit déj/chambre et par nuit offert sur présentation de ce guide.* En plein centre mais plutôt au calme. Les chambres, avec clim et double vitrage, sont certes fonctionnelles mais mériteraient un bon coup de jeune. Elles donnent pour la plupart sur une terrasse verdoyante, face au jardin municipal. Idéal pour les familles (chambres communicantes). Petit déj en terrasse l'été. Patron accueillant.

🏠 ***Hôtel Laurence :*** *8, rue de l'Arène. ☎ 04-42-01-88-78. • cassis-hotel-laurence.com • En plein centre. Doubles 72-84 € selon type de chambre.* L'hôtel est certes étriqué, les salles de bains plus qu'exiguës, mais les chambres, claires, ont été récemment rénovées et jouissent de tout le confort (TV, clim), d'un petit balcon et même d'une terrasse pour 2 d'entre elles (plus chères). Enfin, le port n'est qu'à deux pas.

Plus chic

🏠 ***Chambres d'hôtes La Bastidaine :*** *6 bis, av. des Albizzi. ☎ 04-42-98-83-09. 📱 06-18-97-66-51. • cassis@labastidaine.com • labastidaine.com • À 2 km du centre. Sur résa 15 nov-15 fév. Doubles 89-110 € (tarif dégressif) ; familiales 99-139 €. Également gîte pour 4 pers, 490-730 €/w-e selon saison. Parking gratuit. CB refusées. Internet et wifi. Apéritif ou café (selon heure d'arrivée) offert sur présentation de ce guide.* 4 jolies chambres d'hôtes indépendantes, situées au rez-de-chaussée d'une ancienne bastide, au pied d'une grande pinède, dans les vignobles. Et au calme, ça compte, surtout ici ! Excellentes confitures maison au petit déj, servi, aux beaux jours, sous les platanes. Piscine pour qui ne voudrait pas descendre jusqu'à la mer. Départ de randonnées pédestres et à VTT de la propriété. Accueil particulièrement sympathique.

🏠 🍽 ***Le Jardin d'Émile :*** *23, av. de l'Amiral-Gauteaune. ☎ 04-42-01-80-55. • info@lejardindemile.fr • lejardindemile.fr • Tte l'année. Doubles avec douche et w-c ou bains, TV, 99-139 €. Parking gratuit. Wifi.* Calée dans une échancrure, à deux pas de la garrigue, à une encablure de la petite plage du Bestouan et, bien sûr, face à un joli jardin, cette petite adresse toute rouge, presque rescapée d'un autre temps, se révèle plus proche de la chambre d'hôtes que de l'hôtellerie traditionnelle. Au programme, 7 chambres mignonnes et confortables, éclatantes de couleurs. Bar tout aussi pétillant, ouvert sur la mer et le jardin, pour une petite restauration relax.

🏠 ***Les Jardins de Cassis :*** *rue Auguste-Favier. ☎ 04-42-01-84-85. • contact@lesjardinsdecassis.com • hotel-les* *jardinsde-cassis.com • Slt de mi-mars à mi-nov. Sur les hauteurs de Cassis, à 15 mn à pied du port (ça grimpe !). Doubles 130-155 € selon saison ; chambres familiales également. Parking privé gratuit. Internet.* Dans une grosse bâtisse encerclée de pins, de vastes chambres climatisées, lumineuses et tout confort, dotées d'un balcon pour les plus chères et réparties autour d'un patio. Annexe, un cran en dessous toutefois, et côté route... Petit déjeuner à base de bons produits, servi au bord de la piscine. Jacuzzi.

Beaucoup plus chic

▲ |●| ***Hôtel de la Plage « Le Mahogany » :*** *plage du Bestouan. ☎ 04-42-01-05-70. • info@hotelmahogany.com • hotelmahogany.com • Doubles avec douche et w-c ou bains, TV, 155-195 € ; suites 195-230 € ; petit déj inclus. Parking payant.* Une façade très balnéaire, joliment dressée au-dessus de la plage (forcément !). Belles chambres d'une élégante sobriété, top confort, contemporaines pour celles avec vue sur mer, plus colorées côté jardin. Les moins chères (façon de parler...) sont un peu étroites mais s'ouvrent sur un grand balcon de bois, face au cap Canaille. Snack pour les petites faims, et plage privée branchouille en contrebas.

▲ **Hôtel La Rade :** *1, av. des Dardanelles, route des Calanques. ☎ 04-42-01-02-97. • larade@hotel-cassis.com • hotels-cassis.com • Tte l'année. Doubles avec douche et w-c ou bains, TV, 95-169 € selon taille et saison ; également des suites. Parking. Wifi.* Un 3-étoiles caréné comme un yacht : bastingages, teck et hublots. Autour de la piscine, superbe terrasse d'où la vue court jusqu'au cap Canaille. S'il fait frisquet, la véranda jouera tout aussi bien les vigies. Chambres d'humeur marine, évidemment très confortables et climatisées. Les moins chères donnent toutefois côté rue. Accueil très pro. La plage du Bestouan est à deux pas.

▲ ***Chambres d'hôtes Astoria Villa :*** *15, traverse du Soleil. ☎ 04-42-62-16-60. • info@astoriacassis.com • astoriacassis.com • Sur la presqu'île. Tte l'année. Doubles avec douche et w-c ou bains, TV, 120-200 €. Suites 150-250 €.* Une villa des années 1940, dans un tranquille quartier résidentiel. Luxe, calme et volupté : l'expression est presque galvaudée mais colle parfaitement à la réalité de cette belle adresse. Piscine, et vue, évidemment.

Où manger ?

De bon marché à prix moyens

|●| ***Le Bonaparte :*** *14, rue Général-Bonaparte. ☎ 04-42-01-80-84. À 100 m du port. Tlj sf lun et dim soir. Congés : déc-janv. Formule 12 € midi en sem ; menus 16-24 € ; carte env 22 €. Digestif offert sur présentation de ce guide.* Resto populaire fréquenté par des habitués, qui se moquent des aléas du service, souvent dans le jus. Petite salle simplette et terrasse sur la rue (piétonne). Cuisine familiale à prix doux, orientée mer.

|●| ***La Stazione :*** *39, rue Victor-Hugo. ☎ 04-42-01-16-60. Tlj sf lun midi, mar et mer (en été ouv mar soir). Congés : à Noël. Carte slt env 30 €.* Une adresse qui donne envie de se poser. Seulement 2 ou 3 tables en extérieur, mais l'intérieur combine harmonieusement décor de bistrot et ambiance plus branchée. Sur l'ardoise, une cuisine du marché, aux accents transalpins au cas où vous auriez un doute. Accueil très sympathique.

|●| ***Saveurs latines :*** *3, rue du Docteur-Séverin-Icard. ☎ 04-42-72-21-24. Dans une des petites rues du centre. Fermé mar (et mer hors saison). Congés : janv-début fév. Menu 16 € midi slt ; menus 18-32 € ; carte env 30 €. Digestif corse offert sur présentation de ce guide.* Ces saveurs-là ne dansent pas la salsa. Il s'agit, pour changer, d'un resto corse, qui propose, dans la décontraction et en version copieuse, toutes les spécialités de l'île et les vins qui vont avec. Terrasse sur la rue piétonne et agréable petite salle contemporaine.

|●| ***L'Escalier :*** *4, rue Frédéric-Mistral. ☎ 04-42-32-33-80. • restolescalier@orange.fr • Dans une rue perpendicu-*

laire au port. Tlj slt le soir sf jeudi hors saison. Congés : de mi-déc à fin janv. Menus 19-28 € ; carte env 35 €. Digestif offert sur présentation de ce guide. En terrasse, en salle ou – mieux encore – dans l'atmosphère intime d'un ancien appartement qui a conservé sa pile (comprendre évier !) en pierre de Cassis. Gentille cuisine au gré du marché... aux poissons. Accueil charmant.

I●I ***La Place :*** *pl. Clemenceau. ☎ 04-42-01-17-32. ● jacquesrochegude@free.fr ● Tlj sf mer, plus mar soir hors saison (une partie du marché s'installe juste devant l'entrée). Congés : 3 sem fin janv. Formule 9,90 € ; menus 14-18 €. Digestif offert sur présentation de ce guide.* Cuisine traditionnelle et italienne, pour occuper la place. Déco contemporaine chic et soignée, ustensiles de cuisine accrochés au mur. Une carte sympathique et alléchante (pizzas, pâtes, salades...), un plat du jour à prix tout doux (c'est bien pour Cassis) et de savoureux desserts. Accueil très agréable. Belle terrasse, parfaite dès les beaux jours. Et si elle ne vous convient pas, prenez à emporter.

Chic

I●I ***Fleurs de Thym :*** *5, rue Lamartine. ☎ 04-42-01-23-03. ● fleurdethym3@wanadoo.fr ● Ouv le soir slt, sf janv-fév. ♿ Menus 29-42 €. Résa conseillée. CB refusées.* La déco fait dans le raffiné, clin d'œil à la maison de poupée, la cuisine est remarquable de goût, de précision. Une vraie dînette de charme avec de mémorables plats provençaux qui changent au fil des saisons et des humeurs du duo qui vous accueille dans cette jolie bonbonnière. Changement d'atmosphère mais pas de cuisine, aux beaux jours, avec la confortable terrasse installée dans la petite ruelle.

I●I ***Nino :*** *1, quai Barthélemy. ☎ 04-42-01-74-32. Sur le port. Tlj sf lun (et dim soir hors saison). Congés : déc-janv. Menu 32 € ; carte 45-55 €. Wifi.* Installé dans la Prud'homie, où les pêcheurs règlent prudemment leurs problèmes. Accueil sympathique et décor marin (jusqu'à la tenue des serveurs). Belle (et assez courue) salle largement vitrée où goûter une traditionnelle cuisine de la mer... face au port et au château de Cassis. Attention au poisson vendu au poids (ça peut alourdir... l'addition). Quelques chambres d'hôtes de charme, au prix en conséquence (120-200 €), tout à côté.

Où boire un verre ?

🍷 ***La Marine :*** *5, quai des Baux. ☎ 04-42-01-76-09. Tlj sf mar hors saison. Fermé de janv à mi-fév. Internet et wifi. Café offert après le repas sur présentation de ce guide.* Pourquoi cette terrasse-là et pas celle du voisin ? Parce que, derrière cette terrasse-là, il y avait Yette. Un personnage, Yette, l'ancienne patronne de ce bistrot, dont le franc-parler avait séduit nombre d'artistes, de Bécaud à Bardot, qui venaient ici pour un pastis ou un petit vin de Cassis. Aujourd'hui, quelques anciens tentent de perpétuer la tradition, mais sans grande conviction. On peut aussi y manger, façon brasserie de bord de quai.

🍷 ***Le Chai Cassidain :*** *6, rue du Docteur-Séverin-Icard. ☎ 04-42-01-99-80. Tlj sf mar soir (et lun en basse saison), jusqu'à 20h30 (boutique), 22h30 (bar). Fermé 3 sem en janv. Dégustation offerte pour l'achat de bouteilles, sur présentation de ce guide.* Une cave à vin aux airs de club anglais, où l'on retrouve à la vente tous les domaines de blanc de Cassis, et surtout un bar où l'on peut déguster. Quelques tonneaux-tables dans la ruelle, pour siroter en plein air. Pour élargir son palais aux vins du grand Sud, direction ***Divino,*** *une petite cave située 3, rue Rossat, à 100 m du port (☎ 04-42-98-83-68).*

🍷 ***Pastis et Compagnie :*** *9, rue Brémond, à 100 m du port. Ouv tlj en saison 11h-22h30.* Ici, on sert l'apéro (pastis Janot, vin du coin et de plus loin, champagne...), accompagné de tapas, au comptoir d'un tout petit bar. À côté, la boutique, pour ramener à la maison la bouteille et ses accompagnements (tapenade, anchoïade...).

Où acheter de bons produits ?

🧺 ***Sucré Délices :*** *4, rue Alexandre-Gervais. ☎ 04-42-03-59-79. Tlj sf lun*

7h-13h45, 16h-19h30. Après une poignée d'années passées chez un grand de la gastronomie locale, ce pâtissier a ouvert boutique au cœur de Cassis. Et les douceurs proposées ici donnent vraiment envie de garder une place pour le dessert !

Le Vin : un vignoble précieux, 230 ha pour plus de 900 000 bouteilles par an. 13 domaines, avec possibilité de vente directe, comme chez Laurent Jayne, un jeune vigneron qui accumule les médailles sans se prendre la tête, au ***Domaine Saint-Louis*** *(chemin de la Dona ; ☎ 04-42-01-02-26 ou 04-42-01-30-31. Prendre rdv).* Sinon, vous trouverez certainement votre bonheur à la ***Maison des vins,*** *clos des Oliviers, départementale 559 (à l'entrée de la ville, sur la route de Marseille ; ☎ 04-42-01-15-61).*

À voir. À faire

Le Musée municipal méditerranéen de Cassis ATP (arts et traditions populaires) *: pl. Baragnon. ☎ 04-42-01-88-66. • cassis.fr • Mer-sam 10h30-12h30, 15h30-18h30 (14h30-17h30 en hiver) ; fermé le mat mer-jeu. Entrée gratuite (pour les individuels). Visite guidée 3 €. Cycle de conférences oct-mai.* Installé dans un presbytère du XVIIIe s, ce musée est destiné à ceux qui ont un peu de temps devant eux pour remonter dans le temps justement. Propose quelques vestiges archéologiques (monnaie massaliote, cippe du Ier s), des œuvres de peintres régionaux et des documents sur la ville. Modeste mais intéressant. Expos temporaires.

Le château : construit par les comtes des Baux du XIIIe au XIVe s. Les fréquentes incursions des Barbares sur la côte poussèrent les habitants de Cassis à s'y réfugier, créant une véritable petite cité fortifiée sur le rocher. On peut à la rigueur grimper jusqu'au pied des murailles, mais le château, privé, ne se visite pas. À moins que vous n'ayez les moyens de vous offrir ses chambres d'hôtes avec vue ; très chères, mais parmi les plus belles du pays.

Incontournable, la ***partie de boules,*** à disputer sur le terrain au bord du port, quai Saint-Pierre. Un vrai billard, bien sableux, bien lisse, avec quelques nids à cailloux tout de même, pour le challenge. Avis aux amateurs : à Cassis, ça tète le cochonnet.

Les plages : la plus grande, à deux pas du port, est celle de la *Grande-Mer,* plage de sable et de petits galets classique (baignade surveillée en saison et équipements sanitaires). En allant vers les calanques, on trouve de petites plages (crique ou anse) plus typiques du coin comme celle du *Bestouan* (eau très claire mais plage de galets, surveillée en saison) ou les *Roches Plates* avec ses roches plates évidemment (zone tolérée pour les naturistes), vestiges d'anciennes carrières au pied du cap de Port-Miou. Vers le cap Canaille, la discrète mais pas déserte (il y a un grand parking juste à côté) plage de galets du *Corton* et la sauvage (et très caillouteuse...) plage de l'*Arène* – naturisme toléré à son extrémité, au lieu-dit Pamplemousse.

Fêtes et manifestations

– ***Printemps du livre :*** *le dernier w-e d'avr et le 1er w-e de mai.* Conférences-débats, signatures, dans l'amphithéâtre d'une ancienne villa du bord de mer. Concerts de jazz et, dans l'église, un concert classique.
– ***Fête de Saint-Pierre et de la Mer :*** *le dernier w-e de juin et en juillet.* La statue de saint Pierre quitte sa niche grillagée du tribunal de pêche pour être menée en procession jusqu'à l'église. Bénédiction des barques de pêche en mer. Anchoïade et sardinade sur le port. Joutes.
– ***Les Vendanges étoilées :*** *le dernier w-e de sept.* Beaucoup d'animation, trois jours durant. Marché des producteurs, dégustation. Le samedi, démonstration de

savoir-faire par 7 grands chefs étoilés, ateliers culinaires... Le dimanche matin, messe en provençal et bénédiction du sarment.
– ***Grande braderie :*** *1er w-e d'oct.* Comme à Lille, mais en plus petit, et en moins frileux.
– ***Marché de Noël :*** *en plein air, le 2e w-e de déc, pl. Baragnon.* Cassis prend pendant 9 jours des allures de crèche provençale. Animations, expositions.

LE CAP CANAILLE ET LA ROUTE DES CRÊTES

Une route à ne pas manquer : la D 141. Sur une courte portion de littoral entre Cassis et La Ciotat, la montagne surplombe la mer en d'impressionnantes falaises. Superbes panoramas et nombreux belvédères le long de cette route des Crêtes qui monte jusqu'au cap Canaille (363 m et une vue somptueuse sur Cassis et, au loin, les calanques et l'archipel de Riou), puis serpente au sommet des falaises Soubeyranes, les plus hautes de France (394 m à la Grande Tête). Personnes sujettes au vertige, s'abstenir ! Et attention aux enfants, car aucun site n'est sécurisé, et les falaises tombent vraiment à pic dans la mer. Après 13 km, une petite route sur la droite gagne le sémaphore du Bec de l'Aigle, qui offre une vision splendide sur toute la côte (table d'orientation sur place). *Attention :* la route peut être interdite à la circulation en cas de vent fort par exemple. Renseignez-vous à l'office de tourisme.
➢ À pied, de Cassis, suivre la route sur 100 m après le carrefour du Pas-de-la-Bécasse et de la Saoupe. Le sentier (balisage jaune) part à droite et conduit au sommet des falaises Soubeyranes. Si vous continuez sur ce sentier, vous arriverez au sémaphore. De là, à gauche, descendez au fond du vallon, et, au-delà de la chapelle Notre-Dame-de-la-Garde, vous êtes (avec un peu de courage) à La Ciotat. La randonnée dure environ 4h, et le retour peut se faire soit par le même chemin, soit en car (attention, on ne compte qu'une à deux liaisons/j. Renseignez-vous avant sur les horaires). Prévoir de l'eau.

LA CIOTAT (13600) 33 320 hab. *Carte Bouches-du-Rhône, D4*

La Ciotat, « ville Lumière » ? C'est ici que les frères Louis et Auguste Lumière tournèrent en 1895 l'un des premiers films de l'histoire du cinéma : *L'Arrivée d'un train en gare de La Ciotat*.
Depuis, la gare a changé, la ville aussi, même si son histoire reste intimement liée à la mer : petit port de pêche devenu un grand de la construction navale, La Ciotat s'est désormais dotée d'un pôle de haute plaisance, sans faire fuir pour autant les barques de pêcheurs. Enfin, si les grues immenses des anciens chantiers navals plantent encore le décor d'une ville naguère ouvrière et populaire, les collines accueillent les bâtiments design d'entreprises de haute technologie, dont le leader mondial de la

PLEINS FEUX SUR LA CIOTAT !

La capitale du cinéma, ce n'est pas Cannes, mais La Ciotat, du moins aux yeux de ses habitants. La première du film des frères Lumière, montrant l'arrivée du train en gare, eut lieu ici le 21 septembre 1895, plus de 2 mois avant la projection pour le public parisien. Mais ce film n'est pas le premier de l'histoire... La Sortie de l'usine Lumière, *le premier essai, date de mars 1895.*

carte à puce. « Entre high-tech et tradition », ce pourrait être le slogan de cette ville en mutation où les vieilles maisons colorées du port semblent s'enorgueillir d'avoir vu, certes, les frères Lumière inventer le cinéma, mais surtout un certain Jules Le Noir donner naissance à la pétanque (on peut voir encore le vieux boulodrome !).

Adresses et info utiles

Office de tourisme : *bd Anatole-France, face à la mer. ☎ 04-42-08-61-32. • tourisme-laciotat.com • Juin-sept, lun-sam 9h-20h, et dim mat 10h-13h ; à partir d'oct, lun-sam 9h-12h et 14h-18h.* Bonne doc. Visite de la ville en 1h (« La Ronde du patrimoine »). Participation : 3,50 €.

Arrêt de bus : *devant l'office de tourisme.*

– **Marchés :** *marché traditionnel mar mat, pl. Évariste-Gras, et dim mat, sur le vieux port. En juil-août, grand marché nocturne tlj (20h-minuit), sur le vieux port, piéton.*

Où dormir ?

De bon marché à prix moyens

Les Lavandes : *38, bd de la République. ☎ 04-42-08-42-81. • hotel leslavandes@free.fr • hotel-les-lavandes.com • Dans le centre. Tte l'année sf 26 déc-4 janv. Doubles avec douche et w-c, TV, 54-62 € selon saison. Menu unique le soir 13,50 €. Parking souterrain en face. Internet et wifi.* Chambres régulièrement rajeunies mais sans véritablement de vue, installées dans une vieille maison à l'écart du port qui parvient à garder de la fraîcheur l'été. Ventilos au plafond, au cas où. Les chambres à l'arrière, plus étroites, donnent cependant, comme la salle du petit déjeuner, sur un jardin tranquille. Accueil pro et sincère, un bon petit établissement.

La Marine : *1, av. Fernand-Gassion. ☎ 04-42-08-35-11 ou 06-03-29-45-23. • hotellamarine@free.fr • Dans le centre. Doubles 40-58 € selon confort. Parking fermé gratuit.* Un 1-étoile sympathique dans un petit immeuble de béton, du genre à avoir été construit dans les années 1950. Sans grand charme donc, mais entièrement rénové et vraiment tranquille du côté de la cour-jardin. 4 chambres familiales y sont d'ailleurs installées dans de petits bungalows avec terrasse. Jeune patron sympa avec qui causer rugby.

La calanque de Figuerolles : *dans la calanque du même nom. ☎ 04-42-08-41-71. • gregori.reverchon@wanadoo.fr • figuerolles.com • Accès fléché depuis le centre-ville. Si vous avez des bagages, attention, il y a quelques marches à descendre depuis le parking... Doubles 37-150 € selon confort et saison.* Petite précision : pas de téléphone dans les chambres et les portables ne passent pas dans la calanque... Bienvenue à Figuerolles, République indépendante autoproclamée en 1956, un lieu à l'histoire étonnante avec sa monnaie (la figue) et son décalage horaire. Un coin certes à part, calé au bord de l'eau entre pins et falaises rougeoyantes, mais désormais normalisé, tant au niveau du service que des prix. La République s'est embourgeoisée... Agréables bungalows et petits appartements avec kitchenette planqués dans une végétation presque exotique. Et quelques chambres comme on en a rencontrées dans de plus lointains voyages : les moins chères sont sous le resto (donc un peu bruyantes...) et se partagent des w-c sur la... terrasse. La plus chère pose sa baignoire en terrasse, face à la calanque. Grande terrasse-paillote agréable, surtout le soir quand la calanque s'illumine. Resto (voir « Où manger ? »).

Auberge Le Revestel : *corniche du Liouquet, route des Lecques. ☎ 04-42-83-11-06. • revestel@wanadoo.fr • revestel.com • À la sortie de La Ciotat, prendre la direction de Saint-Cyr-sur-Mer, l'accès est fléché. Tlj sf mer et dim soir (ouv slt lun midi, mer midi et dim soir en juil-août) ; fermé 3 janv-9 fév et 17 nov-3 déc. Double avec douche et w-c, TV satellite, 68 €. ½ pens possible. Wifi. Café offert sur présentation de ce* *guide.* Une grosse poignée de chambres, joliment rénovées et climatisées (mais plus ou moins bien insonorisées) dans une maison orange tranquillement posée sur une corniche face à la mer. Les chambres, pour la moitié, regardent d'ailleurs de ce côté-là. Bon resto (voir « Où manger ? »).

Le L'Louveteau : *39, quai François-Mitterrand. Sur le port. ☎ 04-42-08-42-98. Doubles 50-60 € selon saison.* Un café-terrasse populo, dont le relifting façon lounge n'a pas fait fuir une clientèle d'habitués volontiers gouailleurs. Aux étages, une poignée de chambres, modernes et confortables (frigo, TV...), avec vue sur les quais ou l'arrière. Pas le grand calme en revanche, plutôt une auberge d'atmosphère, *avé l'assent !* Accueil à l'avenant, avec du « tu » et sans faux-semblants.

Où manger ?

De bon marché à prix moyens

Lou Pitchounet : *8-10, rue Fougasse. ☎ 04-42-08-28-99. Dans une petite rue perpendiculaire au port. Tlj sf mar soir et mer (slt mer midi en hte saison). Congés : 2 sem en fév, 1 sem en juin, 2 sem en oct-nov. Plat du jour 8 € le midi ; menus 12-15 €. CB refusées. Café offert sur présentation de ce guide.* Niché dans une ancienne cave de pêcheurs à deux pas du port, un resto populaire un peu kitsch, pas touristique pour un sou. Depuis près d'une quarantaine d'années, retraités du quartier, ouvriers de la réparation navale, marins et skippers y nouent leur serviette pour manger une cuisine familiale, simple et bonne, volontiers provençale.

Kitch and Cook : *4, pl. Esquiros. ☎ 04-42-03-91-36. • frdlcn@hotmail.com • En plein centre-ville. Fermé sam midi et dim. Formules déj du jour env 12,50-16,50 € ; menu 28 €. Wifi.* Entre deux chapelles de pénitents, sur une mignonne place piétonne, un petit resto qui a su trouver très vite son style. Cuisine créative et contemporaine, pour changer du terroir d'hier sans trahir les saveurs provençales, avec des plats à l'ardoise dans l'air du temps. Petite salle ornée d'une drôle de fresque en hommage à la sieste, et belle terrasse sur la placette.

Chic

La Calanque de Figuerolles : *sur la calanque du même nom. ☎ 04-42-08-41-71. Voir « Où dormir ? ». Menu 39 €. Carte env 40-50 €.* La courte carte propose une cuisine provençale raffinée, complétée par des poissons sauvages du jour pêchés à la ligne, qu'on vous présente avant de les envoyer griller. Le tout à savourer sur la belle terrasse face à la crique.

Auberge Le Revestel : *corniche du Liouquet, route des Lecques. ☎ 04-42-83-11-06. Voir « Où dormir ? ». Tlj sf mer et dim soir (slt lun midi, mer midi et dim soir en juil-août) ; fermé 2 janv-10 fév et 15 j. fin nov. Menus 27 € le midi (sf dim et j. fériés), 42 €.* Une cuisine terre et mer remarquable, signée par un chef fort de 25 années de métier, mais qui n'hésite pas à se remettre régulièrement en question. Mignonne salle ouverte sur la mer et grande terrasse, face aux flots elle aussi, aux beaux jours. Service dynamique.

Où boire un verre ? Où sortir ?

Sur les Quais : *46, quai François-Mitterrand. ☎ 04-42-98-80-80. • sassurlesquais@free.fr • surlesquaislaciotat.com • Sur le port, vers les chantiers navals. Ouv mar-jeu 18h-2h, ven-sam 18h-5h. Entrée gratuite sf soirées exceptionnelles. Tapas 4-6 €.* Le vaste espace de cet ancien hangar accueille soirées latino, rock, jazz, café-théâtre... Clientèle d'autochtones et de marins (à forte dominante anglo-saxonne) en escale. Petite restauration (salades, cuisine du monde...). Resto à l'étage, avec une superbe terrasse.

Les Deux Pétou : *10, av. Bellon. ☎ 04-42-83-08-09. Dans la partie « balnéaire » ; à quelques dizaines de mètres du petit port de Saint-Jean. Tlj.* Un bar-PMU qui reste une des adresses les plus authentiques de la ville. Il y a bien la salle de café à l'ancienne mais, l'été, tout le monde se retrouve sous les guirlandes lumineuses accrochées aux branches des platanes. Terrain de pétanque attenant (évidemment...).

À voir. À faire

Musée du vieux La Ciotat : *1, quai Ganteaume. ☎ 04-42-71-40-99. • museeciotaden.org • Tlj sf mar 16h-19h en juil-août ; 15h-18h hors saison. Entrée : 3,20 € ; gratuit jusqu'à 12 ans.* Installé dans l'ancien hôtel de ville de style Renaissance mais construit en... 1864, au beffroi immanquable. Pas mal de documents relatifs à la vie maritime de la ville et aux pêcheurs (maquettes de bateaux, pièce de marines). Salle sur le cinéma et les célèbres frères Lumière. Faune, flore et scènes de la vie en Provence. Expos temporaires.

L'espace Lumière-Michel-Simon : *20, rue Maréchal-Foch. ☎ 04-42-08-69-60. • amichelsimon.free.fr • Tte l'année, mar-sam 15h-18h30 (plus mar et sam 10h-12h). Entrée gratuite.* Deux pièces où sont exposés quelques documents sur les « gloires locales » : les frères Lumière et l'acteur Michel Simon qui séjournait fréquemment dans sa villa de La Ciotat. Vieilles photos, projecteurs de cinéma, costumes personnels de Michel Simon, coupures de presse... Modeste mais touchant.

L'Éden : *25, bd Clemenceau (à l'angle du bd Jean-Jaurès ; face au port de plaisance). ☎ 04-42-04-72-62.* Attention, lieu mythique ! C'est dans cette salle de spectacle (qui, avant de devenir cinéma, accueillait cabaret, matchs de boxe, etc.), que, le 25 mars 1899, les frères Lumière ont projeté *Le Lancement d'un navire à La Ciotat.* Si *L'Éden* n'a pas abrité la première projection mythique de septembre 1895, il demeure néanmoins « le plus vieux cinéma du monde » encore sur pied. Les projecteurs de *L'Éden* ont tourné de la fin de la Seconde Guerre mondiale jusqu'en 1985. Classé Monument historique depuis 1996, il devrait être réhabilité et transformé en musée d'ici 2013. En attendant, grâce à l'association « Les Lumières de L'Éden », on peut y découvrir des expos sur le cinéma et voir la salle mythique au travers d'une vitre, sécurité oblige.

Le berceau de la pétanque : *traverse des Pieds-Tanqués. À deux pas du centre, vers le cimetière Sainte-Croix. Tlj à partir de 14h (pour la fermeture, ça dépend des visiteurs !).* Encore un lieu mythique de La Ciotat, puisque c'est sur ce boulodrome que Jules Hugues dit « Le Noir » a inventé la pétanque. Un jour de juin 1907, ce commerçant retraité de La Ciotat eut l'idée, un peu par hasard, de ce jeu, moins fatigant pour lui, perclus de rhumatismes, que la « longue ». Finalement, la longue fut abandonnée dans toute la région au profit de la pétanque. Si la promotion immobilière n'a pas englouti cet endroit hors du temps, on peut encore y tenter un carreau, à l'ombre des platanes centenaires.

Les calanques de Figuerolles et du Mugel : *à quelques centaines de mètres des anciens chantiers navals.* L'ocre de leurs rochers surprend quand on s'est habitué au calcaire blanc des calanques de Marseille. Le vent et la mer ont donné à ces roches rouges (ou poudingues) des formes étonnantes. Si l'on avoue un petit faible (comme Braque ou Hemingway, en toute modestie !) pour la calanque de Figuerolles, celle du Mugel offre la possibilité d'une sympathique balade dans ***le parc du Mugel*** *(accès libre, 8h-20h 1er avr-30 sept ; 9h-18h le reste de l'année).* Créé au XIXe s, il a été entièrement réaménagé. Des sentiers traversent sur 12 ha des jardins thématiques (exotique, de plantes aromatiques...), une palmeraie, des restanques, une bambouseraie... et offrent, en deux belvédères, une jolie vue sur la mer. Classé « Jardin remarquable ».

Les plages : sablonneuses, familiales, elles jalonnent les longues avenues Wilson, Roosevelt et le boulevard Beaurivage, front de mer classique avec villas, restos, bars, et promenade piétonne pour relier tout ça. Si vous n'avez rien contre les galets, sympathiques petites plages dans les calanques.

L'île Verte : à 10 mn de la côte en bateau. Très boisée, comme son nom l'indique. Sympa pour un pique-nique ou une baignade dans l'une des deux calanques miniatures. C'est également un spot de pêche et de plongée. Resto. *Départs du vieux port ttes les heures 9h-19h en juil-août, et 10h-17h en mai, juin et sept (départs supplémentaires à 13h et 18h le w-e). Se renseigner à l'embarcadère. A/R : 10 € (6 € pour les moins de 10 ans).*

Manifestations

– ***Acampado des vieux gréements :*** *en mai pdt le w-e de l'Ascension.* Régates de vieux voiliers.
– ***Festival du Berceau du cinéma :*** *1 w-e fin mai-début juin.* Autour de jeunes réalisateurs dont les longs métrages sont en sortie nationale.
– ***Festival Musique en vacances :*** *mi-juil.* Des grands noms de la musique, du chant, du ballet.
– ***Festival Jazz :*** *2e sem d'août.*
– ***La Ciotat, il était une fois 1720 :*** *3e w-e d'oct, festival historique.*

AUBAGNE (13400) 43 600 hab. *Carte Bouches-du-Rhône, D4*

Deux symboles de la Provence éternelle sont nés en 1895 à Aubagne : l'écrivain et cinéaste Marcel Pagnol, qu'on ne présente plus, et la très kitsch cigale en céramique, indispensable à tout magasin de souvenirs qui se respecte !
Avant d'être la patrie de Pagnol (voire, pour certains, celle de la Légion étrangère), Aubagne est en effet la capitale de l'argile. En se glissant dans les vieilles ruelles de la cité, on y découvrira, avec l'aide du plan distribué par l'office de tourisme, de nombreux artisans potiers, céramistes et santonniers. Pour le reste, Aubagne est une tranquille ville moyenne, populaire, que l'urbanisation continue de la vallée de l'Huveaune fait apparenter à une banlieue de Marseille. Mais les environs, à commencer par la ronde colline du Garlaban chère à Pagnol, restent très nature.

RICHE ET CÉLÈBRE

En 1933, Marcel Pagnol sera l'un des rares réalisateurs français (avec J.-P. Melville) à créer ses propres studios de cinéma. Il achète 24 ha de garrigue entre Aubagne (où il est né) et le village de La Treille. Les tournages étaient ponctués par les parties de pétanque et de sieste. Il revendra ses studios pendant la guerre pour ne pas être obligé de tourner des films de propagande nazie.

Adresses et infos utiles

Office de tourisme : *8, cours Barthélemy. ☎ 04-42-03-49-98. • accueil@oti-paysdaubagne.com • oti-paysdaubagne.com • Lun-sam (fermé sam ap-m hors saison). En juil-août : lun-sam ; dim et j. fériés mat slt.* Une équipe compétente et accueillante. Passage indispensable si vous envisagez une excursion sur les pas de Pagnol, dans les collines. L'été, l'office organise une visite guidée du centre ancien le jeudi à 18h (durée : 2h). Le reste de l'année, visite guidée un sam/mois.

Les Bus de l'Agglo : *sq. Marcel-Soulat. ☎ 04-42-03-24-25. • bus-agglo.*

fr • Bonne nouvelle : tous les bus sont gratuits à Aubagne !
– *Pour se garer,* **grand parking** *près du cimetière, dans le haut de la vieille ville.*
– ***Marché provençal :*** *mar, jeu et w-e sur le cours Voltaire.*
– ***Brocante :*** *le dernier dim du mois à la Tourtelle.*

Où dormir ?

Camping

Camping du Garlaban : *1915, chemin de la Thuilière. Suivre le fléchage du musée de la Légion puis poursuivre tt droit. ☎ 04-42-82-19-95. • contact@camping-garlaban.com • camping-garlaban.com • Congés : janv. Forfait pour 2 avec voiture et tente 18 €.* Au calme, isolé dans une vaste pinède posée sur une colline. Emplacements plutôt vastes. Lave-linge, aire de jeux, boulodrome. Loue également une grande tente équipée pour 5 personnes.

De bon marché à prix moyens

Hôtel du Parc : *6, chemin Pérussonne, Le Charrel. À l'écart du centre, suivre la direction La Penne-sur-Huveaune-Le Charrel ; c'est ensuite fléché sur la gauche. ☎ 04-42-03-29-85. • hotelduparc_aubagne@hotmail.com • hotelduparcaubagne.free.fr • Congés : 2 sem fin déc-début janv. Doubles avec douche 35-47 € selon confort. Parking gratuit. Wifi.* Petit hôtel familial, installé dans une villa d'époque napoléonienne, pittoresque et joliment défraîchie, derrière un jardin qu'on peut appeler parc. Chambres modestes, un peu fatiguées bien sûr mais proprettes et à prix serrés, avec TV mais w-c sur le palier, dont 3 disposent de la clim. Accueil souriant. Petit déj dans le jardin aux beaux jours. Un bon plan routard.

Chambres d'hôtes Les Pins : *210, impasse des Cavaliers, chemin des Arnauds, Champ-Fleuri. ☎ 04-42-84-94-43. • lespinsmartine@hotmail.com • lespinsmartine.free.fr • À 5 km du centre. Sortir d'Aubagne par l'ex-N 96 direction Aix puis prendre direction Napollon (parc technologique) ; au rond-point tourner à gauche, prendre à droite au stop puis encore à droite env 500 m plus loin sur le chemin des Arnauds, puis suivre le fléchage. Résa conseillée longtemps à l'avance. Doubles avec douche et w-c 70-75 € ; familiale 110 €. Internet.* Dans une maison récente, au pied du Garlaban, à la campagne. Chambres tranquilles, décorées comme chez votre grand-tante. Grand jardin fleuri qui domine toute la vallée. Piscine. Salon d'été. Exceptionnelles confitures maison (tomates vertes, figues, oranges...) au petit déj. Et aussi et surtout, un accueil incomparable.

De chic à plus chic

Hôtel Souléia : *4, cours Voltaire. ☎ 04-42-18-64-40. • info@hotel-souleia.com • hotel-souleia.com • À proximité de la gare, dans le centre-ville, sur la pl. du Marché. ♿ Tte l'année. Doubles climatisées avec bains, TV, 84-99 € selon confort, familiales 104-120 €. Menus 12-20 €. Parking payant à proximité. Internet et wifi. Apéritif et remise de 10 % sur le prix de la chambre offerts sur présentation de ce guide.* Un hôtel encore tout nouveau, tout beau, confortable, pratique, alignant 70 vastes chambres pleines de couleurs, toutes différentes les unes des autres, dont certaines possèdent une petite terrasse avec vue sur la vieille ville. Sur le toit, un resto panoramique ; au rez-de-chaussée, une brasserie et sa terrasse.

Chambre d'hôte La Bonne Heure : *815, chemin du Charrel. À l'écart du centre, suivre la direction La Penne-sur-Huveaune-Le Charrel. La rue part sur la gauche, suivre le fléchage. ☎ 04-42-03-61-23 ou 📱 06-49-28-60-45. • autourd.laurette@orange.fr • labonne-heure.fr • Congés de mi-oct à avr. Double 80 €. Table d'hôtes 20 €.* Jeunes retraités actifs – la bonne heure sans doute –, Laurette et Jean-Luc ont aménagé dans la petite dépendance de leur maison des années 1930 une chambrette pimpante avec douche et w-c, éclairée en azur et blanc histoire de varier un peu du jaune provençal. Le soir comme au petit déj, sous les micocouliers de leur terrasse ouverte sur les col-

LA CÔTE ET L'ARRIÈRE-PAYS MARSEILLAIS

lines – et la cité –, ils reçoivent en toute simplicité, en hôtes qui ne se prennent pas pour des hôteliers. Une petite adresse comme à la maison.

Chambres d'hôtes La Royante : *chemin de La Royante. ☎ 04-42-03-83-42. • contact@laroyante.com • laroyante.com • Du centre-ville, suivre le fléchage du musée de la Légion étrangère, puis celui de ces chambres d'hôtes. Tte l'année. Doubles 129-159 € selon saisón. Internet et wifi.* Une belle demeure d'hôtes, dans un vallon paisible, au pied du Garlaban. Cette ancienne résidence de l'archevêque de Marseille au XIXe s ne manque pas d'allure, avec sa chapelle-bibliothèque et son parc soigneusement entretenu. Chambres de caractère (vitraux dans la salle de bains pour l'une, cheminée...) et belle piscine à débordement. Accueil charmant.

Où manger ?

Signataires d'une « charte terroir », certains restos de la ville s'engagent à proposer un menu composé exclusivement de produits locaux. Liste des participants (avec leur menu) à l'office de tourisme.

De bon marché à prix moyens

La Galinette : *13, rue de la Fraternité. ☎ 04-42-73-90-07. Fermé dim soir et lun. Congés : Noël, courant mars et 1 sem en sept. Formules 17-23 € ; menu 27 € ; carte 30 €. Café offert sur présentation de ce guide.* Une adresse discrète, très discrète, dans une petite rue qui l'est tout autant. Pas de terrasse, une petite salle un peu datée avec un brasseur d'air pour combattre la canicule, et une patronne qui assure seule cuisine et service. Plats provençaux, généreux et forts en goût(s).

Grains de Siècle : *14, bd Jean-Jaurès. ☎ 04-42-71-00-31. • thierry.grainsdesiecle.muller@gmail.com • Tlj sf dim (et lun midi hors saison). Menu 25 € ; carte 30 €.* Petite salle un peu kitsch, mais quand vous aurez vu leur salon de thé de l'autre côté de la place, vous comprendrez que c'est un peu fait exprès ! Enfin, quand la température monte, la terrasse est sûrement la plus agréable de la ville. Au menu, salades composées, plats dans la tradition provençale et tout plein de desserts. On peut aussi y prendre son petit déjeuner le matin, un thé l'après-midi et un verre de vin le soir. Accueil jeune et sympathique.

Les Arômes : *8, rue Moussard. ☎ 04-42-03-72-93. • francoisebesset@neuf.fr • Dans la vieille ville. Fermé dim et lun, le soir mar et mer, et sam midi. Menus déj 15-22 € ; autre menu 29 € ; carte 50 €. Wifi.* Réservez ! D'abord parce que la salle climatisée, d'un chic sans ostentation, est toute petite. Ensuite, parce que nous ne sommes pas les premiers à manifester notre enthousiasme pour cette adresse. Belle cuisine d'aujourd'hui, variant au gré du marché, presque offerte par un chef qui aime à magnifier de déjà très beaux produits. Courte mais pertinente carte des vins (dont certains au verre, au déjeuner). Service tout aussi impeccable.

Chic à plus chic

Le Triskel : *12, rue Jean-Jacques-Rousseau. ☎ 04-42-03-59-86. Dans la vieille ville. Tlj sf mer, dim et j. fériés. Congés : août. Plat du jour midi slt 9,50 € ; carte 40 €. Apéro maison ou café offert sur présentation de ce guide.* Le nom « restaurant-pizzeria » et l'enseigne façon crêperie inciteraient presque à passer son chemin. Il s'agit en fait d'un clin d'œil aux origines bretonnes de la patronne, et s'il y a des pizzas, plutôt bonnes au demeurant, c'est surtout pour les p'tits plats à l'ancienne que les habitués réservent leur place dans une salle pas plus grande qu'une boîte à chaussures : filet de bœuf rossini ou poularde aux morilles mijotés avec amour sur la cuisinière à bois, et servis dans de la belle vaisselle locale.

Auberge de la Ferme : *chemin Ruissatel, La Font de Mai. ☎ 04-42-03-29-67. • auberge-la-ferme@wanadoo.fr • Du centre-ville, suivre le fléchage « Sentiers de Pagnol ». Fermé ts les soirs (sf ven-sam), lun et mar tte la journée et sam midi. Appeler avant pour* *confirmer que c'est ouvert. Compter 50 €. Possibilité de réserver la salle en soirée : min 20 pers.* Au pied du Garlaban, une belle auberge de campagne qui se fond dans le décor. Salle évidemment rustique et terrasse sous les frondaisons. Ni carte ni menu, mais une patronne, tout en noir, qui vous annonce, comme au théâtre et avec l'accent, les propositions du jour. Produits de la région, cuisine de... la région, joliment tournée et volontiers généreuse (pour digérer, le sentier Pagnol est à deux pas). Gibier en saison.

Où dormir ? Où manger dans les environs ?

De bon marché à prix moyens

Hôtel Le Provence : *200, av. du 2e-Cuirassier, 13420* **Gémenos.** *☎ 04-42-32-20-55. • hotel-leprovence-gemenos@wanadoo.fr • hotel-le-provence.fr • À 5 km au sud-est par la D 2 ; à Gémenos, prendre la direction Aix-en-Provence. Congés : 23 déc-16 janv. Doubles avec douche 37-39 € ; avec douche et w-c, TV, 57 €. Parking. Wifi. Apéritif offert sur présentation de ce guide.* Des chambres toutes simples mais régulièrement rafraîchies et un patron accueillant, de bon conseil pour découvrir la région. Pour les familles, grandes chambres au rez-de-chaussée, face au jardin.

Marie-Coco : *6, pl. Ferrer, 13112* **La Destrousse.** *☎ 04-42-72-23-05. À 13 km au nord par la N 96. Tlj sf mer tte la journée, et le soir des lun, jeu et dim. Congés : 2de quinzaine d'août. Formule déj en sem 16,50 € ; carte 26 €. Café offert sur présentation de ce guide.* Cuisine fraîche et sans complications inutiles réalisée par un jeune chef, passé chez des grands de la région. Bons plats de grand-mère transalpine (madame est italienne) style osso buco, côte de veau poêlée aux herbes fraîches, pâtes et risotto évidemment. Intérieur de maison de poupée, chaleureux, tout en bois patiné. Et une terrasse où l'on peste un peu contre la circulation automobile. Vins au verre pour compenser.

De prix moyens à chic

Hôtel du Parc : *vallée de Saint-Pons, 13420* **Gémenos.** *☎ 04-42-32-20-38. • hotel.parc.gemenos@wanadoo.fr • hotel-parc-gemenos.com • À 9 km au sud par la D 2 ; accès fléché depuis Gémenos. Tte l'année. Doubles avec douche et w-c ou bains, TV, 56-92 € selon confort et saison. Menus 16,50 € (midi en sem)-39 €. Parking gratuit. Wifi. Apéritif offert sur présentation de ce guide.* Une demeure à l'ancienne entourée d'un parc avec bassin et copies de statues antiques. Chambres simples, climatisées, tranquilles au milieu de toute cette verdure, discrètement rénovées dans le genre provençal. Les plus sympas (et les plus chères) donnent sur le parc. Accueil dynamique. Resto (très classique provençal), si vous n'avez plus envie de bouger, agrémenté d'une belle terrasse sous les frondaisons. La vallée de Saint-Pons est à un petit quart d'heure à pied. Piscine en projet.

Hostellerie de la Source : *13400* **Saint-Pierre-lès-Aubagne.** *☎ 04-42-04-09-19. • hostelleriedelasource@orange.fr • hostelleriedelasource.com • À 3 km au nord par l'ex-N 96 ou la D 43C. L'hôtel se situe entre Pont-de-l'Étoile et Gémenos. Ouv tte l'année. Resto ouv sur résa slt (min 10 pers). Doubles avec douche et w-c ou bains, TV, 91-115 € selon saison. Familiale 195 €. Parking. Wifi. Un petit déj/chambre et par nuit offert sur présentation de ce guide.* Belle bastide du XVIIe s, à l'histoire riche en anecdotes. Ce fut une villa romaine puis vraisemblablement une abbaye. La chambre no 16 a même accueilli une chapelle orthodoxe dans les années 1920 ! Une source aux vertus minérales alimente la bastide. Chambres à l'ancienne, mais dotées de tout le confort moderne (certaines avec jacuzzi). Grande terrasse ombragée donnant sur un parc verdoyant avec terrain de tennis, de boules et un bassin où barbotent des cygnes. Piscine sous une verrière.

Achats

L'argile a façonné l'histoire de ce coin de terre. Carreaux et tuiles ne sortent plus des usines, mais les artisans ont repris le flambeau. Plus de 40 ateliers de céramistes, potiers ou santonniers, à découvrir lors des grandes manifestations (voir « Fêtes et manifestations ») ou mieux encore avec le guide distribué gratuitement par l'office de tourisme (● *argile-aubagne.net* ●).

Barbotine : *rue Paul-Ruer. ☎ 04-42-70-03-00. ● barbotine.fr ● Lun-sam 9h-19h (et les dim, en déc). Parking dans la cour.* Un lieu accueillant et coloré. Philippe Beltrando, le maître potier, continue la grande tradition de la poterie aux engobes vernissés. En plus de réaliser de très belles pièces utilitaires (daubières, tians), il est intarissable sur l'origine des poteries, leur utilisation (il propose même les recettes qui vont avec !)...

Poterie Ravel : *av. des Goums. ☎ 04-42-82-42-00. ● poterie-ravel.com ● Ouv lun-sam tte l'année. Visite gratuite des ateliers le jeu à 10h30.* Depuis 1837, Ravel fabrique vases, jarres, pichets et services de table en terre cuite.

Les fils d'André Corsiglia Facor : *455, chemin de la Vallée. ☎ 04-42-36-99-99. Près de la gare SNCF La Penne-sur-Huveaune. Ancien local Pulco. Ouv aux particuliers en déc (sinon, sur rdv).* La famille Corsiglia confectionne des marrons glacés à partir de châtaignes venues du Var et de l'Italie, selon une méthode artisanale secrète. Ces savoureux marrons ne se trouvent pas chez les grands de la distribution, mais seulement chez *Dromel* à Marseille ou chez des épiciers de luxe *(Fauchon, Hédiard).*

Distillerie Janot : *304, rue du Dirigeable, Z.I. Les Paluds. ☎ 04-42-82-29-57. En sem 8h-12h30, 14h-17h30. Possibilité de visite de la distillerie (sur résa).* La maison mère, depuis 1928, du fameux pastis Janot. Une des dernières entreprises familiales dans ce domaine. Pastis obtenu par macération et non par distillation (ce qui, au goût, fait la différence). Parmi les autres productions maison : le non moins célèbre (enfin dans les bistrots de la région) Gambetta, boisson sans alcool, provenant d'une macération de plantes, que l'on allonge de limonade, d'eau plate ou gazeuse, des vins aromatisés ou le plus costaud marc de Garlaban. L'espace dégustation-vente, bien arrangé, fait oublier qu'on est en pleine zone industrielle.

À voir

Le Petit Monde de Marcel Pagnol : *esplanade De-Gaulle. ☎ 04-42-03-49-98. Juil-août tlj 9h-13h, 14h-19h ; sept-oct, janv-mars tlj 10h-12h30, 14h-17h30 ; 28 nov-déc et avr-juin 9h-12h30, 14h30-18h ; fermé 1er janv, 1er mai et 1er-27 nov. Entrée gratuite.* Amusante (même si un peu kitsch) reconstitution des sites et personnages fétiches de l'enfant du pays par les santonniers aubagnais. À Noël, crèche provençale dans le même esprit. C'est le site le plus visité de la ville !

Le centre ancien : le cœur de cette ville millénaire (le nom d'Aubagne est apparu pour la première fois dans un document de 1005) tient dans un mouchoir de poche ; prenez donc un peu de temps pour flâner le long de ses ruelles sinueuses où, derrière les vitrines de leurs ateliers, on surprend les santonniers au travail, avant de grimper jusqu'à la place de l'Église, face au Garlaban, la colline où Pagnol ira puiser les sources de son inspiration. Joli panorama.

Les ateliers Thérèse-Neveu (Maison de l'argile) : *cour de Clastre. ☎ 04-42-03-43-10. Dans le centre ancien. En été, tlj 10h-12h, 14h-19h ; en hiver, mer-dim 10h-12h, 14h-18h ; fermé hors période d'expos (tél pour plus de rens). Entrée gratuite.* Anciens ateliers de la plus célèbre des santonnières d'Aubagne (sœur de Louis Sicars, inventeur de la fameuse cigale en céramique), surnommée « la fée de l'argile » ! Expos temporaires autour des arts de la terre, avec crèche et santons au moment de Noël.

Les santonniers et les potiers : une quarantaine d'ateliers sont installés dans le centre-ville et dans les environs d'Aubagne. Liste disponible à l'office de tourisme. Parmi ceux-ci, un coup de cœur : *Barbotine* (voir plus haut, la rubrique « Achats ») ! Les jeudis d'été, circuit guidé gratuit à la découverte des potiers. Départ à 9h30 de l'office de tourisme.

La maison natale de Marcel Pagnol : *16, cours Barthélemy (à côté de l'office de tourisme). ☎ 04-42-03-49-98. Avr-juin, tlj 9h-12h30, 14h30-17h30 ; en continu en juil-août ; sept-mars, mar-dim 9h-12h30, 14h30-17h30 ; 1er mai et 25 déc : 10h-12h, 16h-18h. Entrée : 3 € ; réduc. Visite libre (30-45 mn), mais, si le jeune préposé à l'accueil vous propose de vous accompagner, acceptez sans hésiter : ses anecdotes et autres précisions font prendre une tt autre dimension à la visite !* Une maison de ville que rien ne différencie de ses voisines. C'est pourtant ici qu'est né, le 28 février 1895, Marcel Pagnol. L'appartement de fonction de son père, Joseph Pagnol, à l'époque instituteur à l'école Lakanal, a été reconstitué au rez-de-chaussée. Aucun des meubles exposés dans ces trois pièces en enfilade (chambre, salle à manger et cuisine) n'a jamais appartenu à la famille Pagnol, et l'appartement se situait en fait au 3e étage de la maison. Mais les inconditionnels de Pagnol pourront y jouer au petit jeu des correspondances avec l'œuvre biographique... Une autre pièce évoque la vie adulte de Pagnol à travers photos de famille ou de tournage, livres illustrés, etc. Un film évoque l'œuvre cinématographique et son ancrage en Provence, notamment dans les collines du Garlaban.

Le musée de la Légion étrangère : *chemin de la Thuilière. ☎ 04-42-18-10-25. À la sortie de la ville par la D 2 direction Marseille, puis à droite la D 44. Ouv tlj sf lun et jeu 10h-12h, 15h-18h. Entrée gratuite.* La maison mère de ce corps d'armée mythique est installée à Aubagne depuis l'indépendance de l'Algérie en 1962. Son musée devrait faire peau neuve d'ici 2013. En attendant, une galerie de photos au rez-de-chaussée évoque quelques légionnaires célèbres (Blaise Cendrars, Nicolas de Staël...), suivie d'une solennelle salle d'honneur orné d'un grand tableau de Beaucé (un élève de Manet), qui évoque la célèbre bataille de Camerone. Dans son prolongement, une crypte aux murs couverts des noms de tous les officiers morts au combat abrite la main de bois du capitaine d'Anjou, héros de Camerone. À l'étage, toute l'histoire de la Légion étrangère, de sa fondation en 1831 par le roi Louis-Philippe à ses missions plus récentes (comme le Kosovo en 1999), en passant par les guerres coloniales. Peintures et dessins anciens, uniformes et objets personnels des légionnaires, « prises de guerre » (lances malgaches, amphores du Soudan...). Historiquement (et humainement) intéressant, même pour qui n'est pas spécialement sensible au prestige de l'uniforme. Pour égayer tout ça enfin, on peut toujours entonner « Tiens, voilà du boudin », l'hymne des légionnaires...

La Font de Mai : *☎ 04-42-03-49-98 (office de tourisme). Dans les collines (suivre le fléchage « Sentiers de Pagnol »). Bus no 10 direction « La Treille » à prendre au pôle d'échanges, arrêt Font-de-Mai (tlj sf dim). Le dim, navettes depuis l'office de tourisme. Ouv avr-juin, les mer, sam, dim et vac scol, 9h30-12h30 et 13h30-17h30 ; juil-août tlj 8h30-12h30, 14h30-18h30. Entrée gratuite.* Une ferme provençale telle qu'on en trouvait quand le XIXe s passait la main au XXe. Un petit monde qui vivait en autarcie avec son four à pain, son pressoir à huile, sa cave à vin et ses gigantesques cuves (20 000 litres !), son domaine au pied du Garlaban, où l'on découvre encore des restanques, une étonnante aire de battage du blé, une ancienne carrière... Le tout revit aujourd'hui avec un potager bio, des ruches, des moutons... prétextes à autant d'activités centrées sur le développement durable : sentiers découverte, initiation à la cuisine bio, ateliers pédagogiques... Le programme est distribué à l'office de tourisme. La Font de Mai est également le point de départ des randonnées dans le Garlaban. On peut s'y lancer accompagné d'un âne bâté (***Les ânes du Régage,*** *06-84-90-66-61 ou 06-50-50-08-51. Compter 50 € la journée et 32 € la ½ journée).*

À faire

Les circuits Pagnol : l'office de tourisme a mis en place plusieurs itinéraires pour découvrir, entre Aubagne, le Garlaban et La Treille, tous les lieux qui ont fourni matière à l'œuvre de Pagnol et ceux dont il a fait ses décors de tournage : le puits de Raimu, le mas de Massacan, la ferme d'Angèle, le *bar-tabac du Schpountz,* La Treille... Descriptifs gratuits disponibles à l'office de tourisme, où il vous faudra absolument passer, ne serait-ce que pour connaître les conditions d'accès au massif.

➢ *À pied et en liberté :* l'office de tourisme édite un topoguide rassemblant 10 circuits dans le **Garlaban,** de tous niveaux (facile à plus difficile), de 4,8 km à 13,5 km. Attention, en été, l'accès au massif est réglementé ; se renseigner obligatoirement la veille. *Serveur vocal : ☎ 0811-201-313 (prix d'un appel local).*

➢ Plusieurs randonnées accompagnées dans les collines, avec un guide connaisseur non seulement de l'œuvre de Pagnol mais aussi de la flore et de la faune locales. Inscription préalable à l'office de tourisme obligatoire :

– Juil-août, pour les lève-tôt, circuit de 7 km (ven et mar 7h30-12h30, sf journée classée noire) avec, au retour en centre-ville, une visite de la maison natale de Marcel Pagnol. Tarif : 10 € ; réduc. Départ du pôle d'échanges.

– Sept-juin : circuit de 9 km le dernier dim du mois (9h-17h30). Tarif : env 21 € ; réduc. Avant de partir, visite du Petit Monde de Marcel Pagnol et de sa maison natale, puis transfert en bus.

– Sept-juin : le 2e dim de chaque mois, rando au départ d'un des autres villages de l'agglomération d'Aubagne. Rens à l'office de tourisme.

➢ *En voiture :* circuit automobile (interrompu par quelques petites occasions de se dégourdir les jambes) d'Aubagne à La Treille en passant par le château de La Buzine. Descriptif gratuit disponible à l'office de tourisme.

➢ *En bus climatisé :* en juil-août, lorsque les collines sont interdites, ts les mer et sam 15h-18h. Circuit commenté, avec arrêt à la maison natale et au Petit Monde de ce bon vieux Marcel. Tarif : 15 € ; réduc.

Fêtes et manifestations

– ***Camerone :*** *30 avr-1er mai.* La Légion fête le plus célèbre fait d'armes de son histoire : la résistance héroïque de 64 légionnaires face à 2 000 Mexicains à Camerone (Mexique) le 30 avril 1863. Récit de la bataille par un jeune officier, défilé suivi par une foule incroyable venue du monde entier et, enfin, kermesse.

– ***Argilla :*** *2 j. en août, les années impaires.* Un Salon qui fait d'Aubagne le plus grand marché potier de France avec 150 artisans et quelque 70 000 visiteurs sur les 2 jours.

– ***Grande cavalcade provençale :*** *1 dim mi-août, les années paires.* Venus des villages voisins, plus d'une centaine d'attelages tirés par des chevaux décorés à l'ancienne convergent vers Aubagne pour y défiler au son des fifres et des tambourins.

– ***Marché des créateurs-céramistes et santonniers du pays d'Aubagne et de l'Étoile :*** *de mi-juil à fin août et fin nov-fin déc, sur l'esplanade De-Gaulle.* La plupart des santonniers et céramistes aubagnais présentent leur travail et leurs dernières créations. Expo aux ateliers Thérèse Neveu, animations...

– ***Journées Livre Jeunesse :*** *4 j. fin oct ou début nov.* Spectacles, rencontres avec les auteurs et les illustrateurs. Avec 30 000 visiteurs, le 2e événement du genre en France, après celui de Paris-Montreuil.

– ***Biennale de l'art santonnier :*** *1er w-e de déc, les années paires.* Plus de 50 artisans santonniers venus du sud de la France. Deux crèches panoramiques au cœur de la ville, balade des santons vivants (de quoi faire des cauchemars...), animations, conteurs...

DANS LES ENVIRONS D'AUBAGNE

La Maison de celle qui peint : *à 5 km au nord, sur l'ex-N 96 direction Aix, à gauche à l'entrée de* ***Pont-de-l'Étoile****, immanquable quand on arrive d'Aubagne.* Une maison d'artiste, éclatante de couleurs. Art brut ? Art singulier, préfère Danielle Jacqui, qui fait quelquefois visiter l'intérieur de sa maison aux curieux. Un festival d'art singulier est d'ailleurs organisé à Roquevaire, en août, les années paires.

OK Corral : *13780* ***Cuges-les-Pins.*** *☎ 04-42-73-80-05. • okcorral.fr • À l'est d'Aubagne, entre Cuges-les-Pins et Le Camp. Ouv 10h (attractions à partir de 10h30)-17h ou 18h30 (selon affluence) : tlj de mi-juin à début sept et pdt les vac de Pâques et de la Toussaint (zone B) ; les w-e en mars, avr et oct. Entrée adultes : env 19 € ; enfants de moins de 1,40 m : env 17 € ; gratuit pour les enfants de moins de 1 m.* Un parc dont les manèges, spectacles et autres attractions évoquent le monde du western. Quelques temps forts : les *montagnes du Grand Canyon* (un vertigineux Grand 8), la *montagne sacrée* (un toboggan qui dévale plus de 80 m) ou *Splash Mountain,* une secouante balade en canoë qui s'achève (dans un grand splash, bien sûr) au milieu d'un lac. Possibilité de séjour sur place dans des appartements-tipis.

DE LA SAINTE-BAUME À LA SAINTE-VICTOIRE

Pour rejoindre le pays d'Aix, plutôt que l'autoroute, si vous avez le temps, prenez les chemins de traverse, riches en adresses sympathiques (voir plus haut « Où dormir ? Où manger dans les environs ? »).

La vallée de Saint-Pons : *accès par la D 2 jusqu'à Gémenos ; fléché ensuite (le parking est à 3 km sur la gauche ; de là, 5 mn à pied pour gagner la vallée).* Une jolie forêt méditerranéenne où s'offrir une gentille et fraîche balade jusqu'aux surprenants vestiges d'une abbaye cistercienne de femmes du XIIe s.

La Sainte-Baume : *accès par la D 2 via* ***Gémenos,*** *sympathique village provençal, puis le col de l'Espigoulier.* À l'est d'Aubagne s'étend ce massif qui mérite le détour et dont (sans vouloir vous pousser à l'achat...) on parle dans *Le Guide du routard Côte d'Azur.*

Le musée des Papillons : *39, chemin des Prades, 13710* ***Fuveau.*** *☎ 04-42-68-15-88. • musee-papillons.fr • À une vingtaine de km au nord par la D 96 ; fléché depuis le village. Tlj sf mar, 10h-12h, 14h30-19h. Fermé janv. Entrée : 4 € ; réduc. Visite guidée (1h env).* Installé dans le sous-sol d'une maison de campagne, un petit musée de passionné. Et le terme est peut-être encore un peu faible pour décrire Daniel Dubois, le maître des lieux ! Un fou de nature en général, d'insectes en particulier et, bien sûr, de papillons (une espèce porte même son nom, l'*Olepa duboisi* !). Un enthousiasme communicatif, des milliers d'anecdotes : on ne voit pas passer l'heure de visite.

Trets (13530) : *à une grosse vingtaine de km au nord-est d'Aubagne par l'ex-N 96, la D 460 puis la D 908.* Entre Sainte-Baume et Sainte-Victoire, aux confins du département, donc oublié (pour l'instant ?) des touristes. Un très joli bourg provençal pourtant, dont on peut tranquillement apprécier le centre ancien, au hasard des ruelles et passages couverts : remparts médiévaux percés de deux solides portes, murs portant encore beau d'un château, clocher fortifié d'une église dont les origines remontent au IVe s, vieilles boutiques aux devantures de bois, synagogue du XIIe s...

LE PAYS D'AIX

LA MONTAGNE SAINTE-VICTOIRE

Carte Bouches-du-Rhône, D3

Difficile d'évoquer le Pays d'Aix sans partir sur les pas de Cézanne, autour de cette montagne qu'il a immortalisée. Les spécialistes dénombrent 44 toiles et 43 aquarelles, témoignant de son attachement à cette « montagne hardie qu'il ne cessait de peindre à l'eau et à l'huile, et qui le remplissait d'admiration », selon Émile Bernard, qui l'accompagnait « sur le motif ». Des œuvres conservées aujourd'hui dans les plus grands musées du monde. Cette pièce principale du jeu cézannien est un incroyable massif calcaire, qui s'étire sur 18 km, pointe à 1 011 m d'altitude avant de s'effondrer presque subitement... C'est peut-être côté sud que la montagne Sainte-Victoire se montre la plus spectaculaire, purement minérale. Changement de décor, côté nord avec une verdoyante vallée baignée par les ruisseaux de la Cause, de l'Infernet et du Bayon. Le circuit complet autour de la montagne, long d'une soixantaine de kilomètres, est tout simplement magnifique. D'autant que, reboisement aidant, on finit par oublier que le massif a été bien endommagé par endroits, notamment lors du terrible incendie de 1989 qui détruisit forêts et campagne environnantes. Depuis, Sainte-Victoire est classée Grand Site de France.

Adresses utiles

La Maison de la Sainte-Victoire : *sur la D 17, 13100* ***Saint-Antonin-du-Bayon.*** *☎ 04-42-66-84-40. • msv@cg13.fr • Tlj, tte l'année. Entrée gratuite.* Un espace d'information (mais vous n'y trouverez pas toutes les cartes de rando du secteur...), un petit espace muséographique, des expositions temporaires de sensibilisation à l'environnement et un montage multimédia de 40 mn pour mieux comprendre la montagne Sainte-Victoire. Organise également des randonnées à thèmes (en dehors de la période estivale). L'été, on vous remettra un dépliant sur la réglementation et les accès dans les espaces sensibles. Resto enfin, avec une belle terrasse face à la... vallée.

■ **Les Écuries du Maistre :** *chemin de la Plaine, 13100* ***Beaurecueil.*** *☎ 04-42-54-77-76 ou 06-03-40-70-12. • ecuriesdumaistre.com •* Didier Faure a ouvert un centre équestre au pied même de la montagne. Un cadre idéal pour des cours ou des balades en toute sécurité.

Où dormir ? Où manger autour de la montagne Sainte-Victoire ?

Campings

Camping Sainte-Victoire : *quartier Le Paradou, 13100* ***Beaurecueil.*** *☎ 04-42-66-91-31. • campingvictoire@aol.com • campingsaintevictoire.com • À 8 km à l'est d'Aix. Ouv de mi-janv à fin nov. Emplacement pour 2 avec tente et voiture 15,70 € en hte saison. Mobile homes 270-500 €/sem selon saison. Internet et wifi.* Au pied de la montagne Sainte-Victoire, un camping au calme en pleine campagne. Grands emplacements. Randonnées pédestres, équestres, VTT, escalade, tir à l'arc, terrain de jeux, trampoline, solarium, boulodrome, jeux de société... Bref, de quoi s'occuper ! Les enfants pourront patauger dans le ruisseau voisin. Location de vélos, lave-linge et petite épicerie sur place.

⛺ **_Camping Le Cézanne :_** _chemin Philippe Noclercq, 13114_ **_Puyloubier._** _À 300 m du village, à côté du stade (fléché). ☎ 04-42-66-36-33. • camping@le-cezanne.com • le-cezanne.com • Compter 16 € pour 2 avec tente et voiture. Gîtes et mobile homes 300-450 €/sem selon taille et saison. Wifi._ Un minuscule camping (35 emplacements caillouteux), calé sous les pins sur les flancs de la Sainte-Victoire, point de chute idéal pour des randos sur le massif à la mi-saison. Pour compléter ces vacances sportives, terrains de foot et de tennis juste à côté. Et pour se requinquer, pizzeria les vendredi et samedi, barbecue à dispo tous les jours.

De prix moyens à plus chic

Le Relais de Saint-Ser : _route de Saint-Antonin, 13114_ **_Puyloubier._** _☎ 04-42-66-37-26. • contact@relaisdesaintser.com • relaisdesaintser.com • Double avec douche, w-c et TV 50 €. Au resto, compter 30 € à la carte._ Pied-à-terre idéal pour partir randonner dans la montagne - un sentier part juste derrière -, cette bastide posée au pied de la Sainte-Victoire aligne des chambres simples, correctes, qui ne trichent pas sur les prix. Elles donnent sur la vallée ou sur la montagne. Piscine et resto traditionnel offrant, de sa terrasse, un superbe panorama sur la vallée.

La Table de Beaurecueil : _la Ferme, 66, allée des Mûriers, route de Meyreuil, 13100_ **_Beaurecueil._** _☎ 04-42-66-94-98. • jubergfait@free.fr • Fermé dim soir, lun, mer et soir des j. fériés (en juil-août, ouv mer soir). Menus mar-ven 22-30 €, w-e 32-65 €. Apéro maison offert sur présentation de ce guide._ Le petit village de Beaurecueil a vu passer quatre générations de restaurateurs hauts en couleur qui ont marqué la vie gastronomico-touristique entre Marseille et Aix. Dans cette bergerie rénovée, la saga continue, portée par la relève, le duo Natacha Bergès-Ronan Dufait. En salle, comme dans le délicieux patio, ils bichonnent tous les classiques, remis au goût du jour. Enfin, si vous cherchez des adresses de vignerons insolites, demandez donc à Bruno Butz, sommelier hors norme.

Où acheter de bons vins ?

Élaborés au cœur du terroir côtes-de-provence, les vins de ce pays bénéficient désormais de leur propre appellation, l'AOC côtes-de-provence Sainte-Victoire, qui rassemble des vins réputés depuis le Moyen Âge. Des rouges, blancs ou rosés qui ont les couleurs et les humeurs de la montagne qui les a vus naître...

Domaine de Saint-Ser : _route de Saint-Antonin, 13114_ **_Puyloubier._** _☎ 04-42-66-30-81. • saint-ser.com • Tte l'année._ Une situation unique, au pied de la Sainte-Victoire, pour ce vin qui collectionne les victoires (nombreuses médailles ces dernières années). C'est l'occasion d'évoquer le martyre de saint Ser, en dégustant quelques crus. Visite gratuite de la cave possible. Prévenir à l'avance pour les groupes.

À voir. À faire autour de la montagne Sainte-Victoire

Le pont des Trois-Sautets : _sur les bords de l'Arc à la sortie d'Aix-en-Provence (c'est fléché) par l'ancienne N 7._ Un petit pont presque mythique, où durant l'été 1906 Cézanne vint chercher fraîcheur et inspiration. Le coin n'a pas énormément changé même s'il n'y a plus de baigneuses se séchant sur les rives !

La route du Tholonet et le Château noir : elle laisse apercevoir au détour d'un virage la masse compacte de la montagne Sainte-Victoire et longe le Château noir (propriété privée) où Cézanne loua deux pièces, à partir de 1887, à défaut d'avoir pu acheter cette imposante bâtisse du XIXe s. Au Tholonet, on peut se poser sur la terrasse du *Relais Cézanne,* bar-resto délicieusement hors du temps où le peintre avait ses habitudes. Après avoir traversé Le Tholonet, à la sortie du village, jetez un œil sur le moulin, un site, là encore, cher à Cézanne. La petite route qui vous mènera du Tholonet au pied de la montagne Sainte-Victoire a certes bien changé depuis l'époque où il partait de bon matin peindre son « modèle préféré », mais comme tous ceux qui, hiver comme été, empruntent ces chemins de traverse, vous tomberez ébahi, à un détour de la route, devant un paysage qui ressemble – en moins « vrai » – aux tableaux du peintre... Entre l'entrée de Beaurecueil et Saint-Antonin, le paysage devient grandiose. Prenez le temps de vivre, sur deux ou quatre roues, sur cette petite route encore peu fréquentée hors saison.

UNE ROUTE QUI A DE LA CLASSE !

C'est du pont des Trois-Sautets que démarre la D 17, dite « route Cézanne », dont les premiers kilomètres furent classés ! Depuis, seules quelques zones pavées du Paris-Roubaix ont eu droit au même statut. Mais ici vous rencontrerez peu de coureurs. Seulement quelques Japonais marchant sur les pas du maître et quelques peintres en quête d'inspiration.

Puyloubier *(13114)* **:** petit village posé, à 350 m d'altitude, sous les falaises de la montagne Sainte-Victoire. Volées d'escaliers, placettes et étroites ruelles pour se sentir vraiment en Provence. Il n'y a plus de loups (le nom du village vient du latin *podium luperium*) dans les environs, seulement des légionnaires à la retraite, chérissant leurs vignes qui donneront la cuvée Esprit de Corps. Le vignoble de Puyloubier est d'ailleurs le plus grand du département, tout comme le parc photovoltaïque local qui produit plus d'électricité que n'en consomme le village. Dans le bourg, on pourra faire étape au *Café Sainte-Victoire*, agréable petit resto traditionnel flanqué d'une grande terrasse sous les platanes.

Vauvenargues *(13126)* **:** côté nord. Village situé le long de la rivière et dominé par un immanquable château. Ancienne propriété des comtes de Provence, reconstruit à partir du XVe s, ce château a été acheté en 1959 par Picasso (peut-être pour être plus près de son « seul et unique maître » Cézanne). Le peintre repose depuis 1973 dans le jardin. Le château est parfois ouvert à la visite l'été. Se renseigner à l'office de tourisme d'Aix. En redescendant vers Aix, on croisera deux barrages dont celui érigé par le père d'Émile Zola.

Les carrières de Bibémus : *sur la route entre Aix et Vauvenargues. Résa conseillée auprès de l'office de tourisme d'Aix. ☎ 04-42-16-11-61. • cezanne-en-provence.com • Visites guidées uniquement. Fermé 1er janv, 1er mai et 25 déc. Nov-mars, visite mer et sam à 15h ; avr-mai et oct, visite lun, mer, ven et dim à 10h30 et 15h30 ; juin-sept, tlj à 9h45. Entrée : 5,50 € ; réduc. Navettes au départ du parking des Trois-Bons-Dieux. A/R : 1 €. Prévoir de bonnes chaussures de marche.* Carrières d'ocre exploitées dès la période romaine et fermées depuis 1885. La pierre extraite ici a servi à la construction de nombreux monuments aixois. Cézanne y loua un pavillon à partir de fin 1895 pour y peindre sur le motif. La ville d'Aix a aménagé le paysage pour permettre aux visiteurs de découvrir les « rochers orange » aux formes géométriques que Cézanne a peints entre 1895 et 1904. Autre curiosité, les ébauches de construction (colonnades, fenêtres ouvrant sur le vide) laissées ici par le tailleur de pierre d'origine canadienne, David Campbell.

Randonnées

Procurez-vous la carte de randos à l'office de tourisme d'Aix-en-Provence. ATTENTION : comme partout dans le département, l'accès au massif est interdit les jours de fort vent et, du 1er juin au 30 septembre, le niveau danger « feu de forêt » est défini chaque jour avant 19h pour le lendemain. Zone concernée : « Concors-Sainte-Victoire ». *Infos au ☎ 0811-201-313 (prix d'un appel local).* Vous saurez si vous pouvez vous balader toute la journée (niveau orange), seulement de 6h à 11h si les conditions météo sont favorables (niveau rouge) ou si l'accès est interdit (niveau noir). Indispensable. Consultez aussi le site • *grandsitesaintevictoire.com* •

➢ Du parking du *plan d'En-Chois* (sur la D 17, à environ 10 km d'Aix), un sentier (balisage rouge, 4h aller-retour) mène au *Pas-du-Moine* via la croix de Provence et le refuge Cézanne. Pour la petite histoire, c'est au nord-ouest, dans les Roques-Hautes, qu'ont été trouvés des œufs fossilisés de dinosaures. On peut faire la balade depuis Vauvenargues (lire ci-dessous).

➢ Du *Relais de Saint-Ser* (sur la D 17 entre Saint-Antonin et Puyloubier, lire plus haut « Où dormir ? Où manger autour de la montagne Sainte-Victoire ? ») partent deux autres sentiers ; l'un grimpe (balisage rouge ; compter 2h de montée, 2h de descente) vers le col de Saint-Ser via la mignonne chapelle du même nom (du XIe s mais remaniée et souvent fermée). Quelques passages difficiles au-dessus de la chapelle. Du col, on peut gagner le pic des Mouches (table d'orientation et envol de parapentes) en suivant le balisage rouge et blanc du GR 9. On peut également grimper vers le pic des Mouches depuis *Puyloubier.* Compter 5h aller-retour (balisage rouge et blanc du GR). Ou alors partir du col des Portes à l'est de la vallée de Vauvenargues (2h aller-retour).

➢ Côté nord, 2 km à l'ouest de Vauvenargues, aux *Cabassols,* démarre une balade facile le long du sentier des Venturiers (balisage rouge et blanc du GR) qui grimpe vers la croix de Provence via un vieux prieuré du XIIe s (2h30 aller ; balisage rouge et blanc du GR). Du pied de cette croix haute de 28 m, superbe panorama évidemment sur la Sainte-Baume, le Luberon et les Alpilles. Les plus courageux pourront continuer en suivant la crête (balisage rouge et blanc toujours) jusqu'au col de Subéroque et redescendre sur Vauvenargues par le sentier des Plaideurs (balisage vert).

➢ Enfin, les très bons marcheurs suivront le GR 9 sur toute la ligne de crêtes des Cabassols à Puyloubier ou l'inverse. Attention, ce n'est pas une boucle, prévoir un véhicule pour le retour.

➢ ***VTT :*** quatre circuits au pied de la Sainte-Victoire, au départ du lieu-dit « Puits-d'Auzon-La Stèle », vers le col des Portes (sur la D 10, entre Vauvenargues et Rians). Et, sur la commune de Saint-Marc-Jaumegarde, au départ du parking du barrage de Bimont, 3 parcours. Tous les circuits sont fermés l'été (sauf sur le parc de Roques-Hautes ; circuit non balisé, chemin forestier comprenant 2 boucles de 2h, une en direction du refuge Cézanne à l'est, l'autre qui contourne la réserve géologique, à l'ouest du parc).

AIX-EN-PROVENCE

(13100) 145 720 hab. *Carte Bouches-du-Rhône, C3*

Pour le plan d'Aix-en-Provence, se reporter au cahier couleur.

Pierres calcaires d'une teinte chaude, toitures simples en tuiles rondes, façades homogènes... Grâce à sa rare unité architecturale, la ville de Paul Cézanne a conservé au fil des siècles une élégance nourrie d'influences baroques italiennes.

Un charme venu de la Péninsule bien avant que ce ne soit à la mode. Aix fut la première fondation romaine en Gaule (122 av. J.-C.). Caius Sextius Calvinus y établit une garnison et lui donne le nom qui associe les qualités thermales du site et son propre nom (pas fous ces Romains !) : *Aquae Sextiae,* soit Les Eaux-Sextiennes, pour ceux que le latin hérisse ! Le cours Sextius nous rappelle cette conquérante époque.
Aix est en fait bâtie sur ces sources qui n'ont cessé depuis, grâce aux fontaines que l'on retrouve à presque tous les coins de rue (on en compte une centaine !), d'en faire une des villes de France où l'on vit le mieux, entre ombre et soleil. Une ville jeune et cosmopolite, irriguée par une forte population étudiante, revivifiée par l'arrivée du TGV, qui permet de rejoindre Paris en 3h. Une ville bourgeoise, qui a su casser son image de belle endormie au pied de la montagne Sainte-Victoire. Une petite ville, enfin, qui s'est réveillée grande en voyant arriver du monde entier, en 2006, des visiteurs par les couleurs de Cézanne alléchés, pour une exposition qui marqua la réouverture du musée Granet. Et qui a poursuivi sa croissance, en 2007, avec la naissance du quartier Sextius-Mirabeau, offrant, autour du Grand Théâtre de Provence, une vision plus contemporaine d'une ville fière de son image.
Réputée pour jouer de son charme, Aix n'est pas pour autant une ville facile. Propre sur lui, le centre a, comme souvent, perdu un peu de son âme au profit des boutiques de fringues, de luxe, des magasins d'antiquités. Exposé aux terrasses de café, on s'y montre souvent plus que l'on ne se dévoile. Pour percer l'intimité de la ville, il faudra alors l'arpenter à pied, se laisser happer par son dédale de ruelles pour découvrir des adresses insolites, des brocantes, des bouquinistes et des marchés où l'on peut faire provision de couleurs, de parfums, d'accent ensoleillé...

Adresses et infos utiles

Office de tourisme *(plan couleur A2) : 300, av. Verdi. ☎ 04-42-16-11-61. Central de résas : ☎ 04-42-16-11-84 ou 85. • aixenprovencetourism.com • Ouv tlj (sf 1er janv, 1er mai, 25 déc). Visites guidées 2h, env 8 € ; réduc.* Distribue le *Mois à Aix,* qui détaille manifestations, expos... Beau choix de visites guidées toute l'année.

@ ***Game's Friends*** *(plan couleur B1) : 46, rue du Puits-Neuf. Tlj 10h30 (14h30 dim)-minuit.* Un grand cybercafé aux confortables fauteuils en cuir.

✈ ***Aéroport Marseille-Provence :*** *à 25 km d'Aix. ☎ 04-42-14-14-14. Voir « Adresses et infos utiles » à Marseille.*

Gare TGV : *D 9, technopole de l'Arbois. Navette de bus régulière pour Aix (15 km). Loc de voitures sur place. Et toujours, en ville, la* ***gare SNCF*** *(hors plan couleur par A2) : résas au ☎ 36-35 (0,34 €/mn).*

Gare routière *(plan couleur A2) : av. de l'Europe. ☎ 0891-024-025 (0,23 €/mn).*

– ***Circulation et stationnement :*** c'est parfois un réel problème (doux euphémisme...) à Aix. Si vous voulez vraiment pénétrer en ville en voiture, mieux vaut utiliser au plus vite les nombreux *parkings* du centre-ville (plutôt chers !). Un bon plan : les **parking-relais** (navette pour rejoindre le centre) Krypton (av. de l'Arc-de-Meyran, depuis l'A 8, sortie pont de l'Arc, fléché), des Hauts-de-Brunet (av. Fernand-Benoît, depuis l'A 51, sortie Puyricard) et Route des Alpes (route de Sisteron, depuis l'A 51 sortie Les Platanes). Pas chers : 2 € pour la journée et un ticket de bus gratuit (valable également à la journée) pour tous les passagers du véhicule.

Marchés

Les marchés d'Aix sont une institution hors du temps (dans tous les sens du terme, car il y en a en toutes saisons) qui fait beaucoup pour l'image de marque de la ville. Il faut suivre quelques groupes de touristes américains ou japonais et voir leurs réactions face au marché aux fruits et légumes de la place Richelme ou à celui aux fleurs de la place des Prêcheurs. À ne pas manquer !
IMPORTANT : ne cherchez pas à sta-

tionner alentour les jours de marché, et pensez à déplacer votre voiture si vous avez trouvé une place la veille sur l'un des emplacements réservés aux marchés. Sinon, fourrière garantie...

– ***Marché aux fruits et légumes :*** *pl. Richelme (plan couleur A1), tlj.* Le lieu de vie où tout le monde se retrouve. Nombreux cafés tout autour.
– ***Autres marchés d'alimentation :*** *pl. des Prêcheurs et pl. de l'église Sainte-Marie-Madeleine (plan couleur B1), mar, jeu et sam.*
– ***Marché aux fleurs :*** *pl. de l'Hôtel-de-Ville (plan couleur A1) mar, jeu et sam.*
– ***Marché à la brocante :*** *pl. de Verdun (plan couleur B1), mar, jeu et sam.*
– ***Marché textile, mode et accessoires :*** *cours Mirabeau (plan couleur A-B2) jeu, Cour d'appel sam.*
– ***Marché des livres anciens :*** *pl. de l'Hôtel-de-Ville, le 1er dim du mois 9h-18h.*
– ***Marché des artisans :*** *cours Mirabeau, fin juil-début août.*

Où dormir à Aix et dans les proches environs ?

De très belles adresses, très chères aussi pour certaines, et souvent pleines d'une année sur l'autre, dès les premiers beaux jours. Réservez, c'est plus prudent.

Campings

Arc-en-ciel : *50, av. Malacrida. ☎ 04-42-26-14-28. • camping-arcenciel@neuf.fr • campingarcenciel.com • ♿ À 2 km du centre-ville, route de Fréjus-Toulon-Nice (ex-N 7). Bus nº 3 direction Val-Saint-André. Ouv 1er avr-30 sept. Forfait emplacement pour 2 avec tente et voiture 19,20 € en hte saison. Wifi.* Une cinquantaine d'emplacements dans un vaste parc, traversé par une rivière (l'Arc) que franchit, à deux pas, le pittoresque petit pont des Trois-Sautets, autrefois peint par Cézanne. Un joli coin, donc – même les sanitaires sont mignons –, et tout le confort, piscine incluse. En revanche, essayer d'obtenir un emplacement dans le fond du camping, car ceux qui sont installés côté route vivent au rythme de la circulation... Lave-linge. Commerces à proximité.

Chantecler : *av. du Val-Saint-André. ☎ 04-42-26-12-98. • info@campingchantecler.com • campingchantecler.com • À 2 km du centre. Par l'autoroute, direction Nice, sortie Val-Saint-André. Bus nº 3 direction Val-Saint-André. Ouv tte l'année. Restauration juin-fin sept. Forfait emplacement pour 2 avec tente et voiture env 21,10 € en hte saison. Loc de chalets et mobile homes (428-796 €/sem). Internet.* Dans un quartier résidentiel, ce grand camping en terrasses (ça grimpe !) s'est installé dans l'ancien parc d'une bastide. Emplacements bien ombragés, qui hésitent entre herbe et cailloux. Belle piscine, boulodrome, snack, salle TV, lave-linge... Tout le confort, quoi.

Bon marché

Auberge de jeunesse-CIRS *(Centre international de rencontres et de séjours ; hors plan couleur par A1, **10**) : 3, av. Marcel-Pagnol, quartier Jas-de-Bouffan, 13090. ☎ 04-42-20-15-99. • direction-ajaix@orange.fr • auberge-jeunesse-aix.fr • ♿ À 2 km du centre-ville. Près de la Fondation Vasarely. Bus nº 4 La Mayanelle, arrêt Vasarely/Auberge-de-Jeunesse. Accueil 7h-14h, 16h30-minuit ; inscription avt 22h ; fermé de mi-déc à mi-janv. Avec la carte FUAJ (indispensable et vendue sur place), nuit 19-22 €, petit déj compris. Repas 11 €. Wifi.* Près de la rocade, un ensemble de bâtiments modernes entourés d'un jardin. Auberge très confortable (dortoirs de 4) et fonctionnelle. Pas de quoi faire sa popote, mais on peut manger au resto-snack. Salle de détente, aire de jeux, location de vélos, lave-linge. Terrasse.

De prix moyens à chic

Hôtel Paul *(plan couleur A1, **12**) : 10, av. Pasteur. ☎ 04-42-23-23-89. • hotel.paul@wanadoo.fr • Pas d'arrivée possible à l'hôtel dim et j. fériés 12h-18h. Fermeture le soir à 22h. Congés : 2 sem en* *fév. Doubles avec douche et w-c 45-58 €, familiale 70 €. Internet et wifi.* Bien situé, à deux pas de la cathédrale et du parking Pasteur, ce gentil hôtel à l'ancienne mode aligne des chambres aussi simples que propres, louées à un prix modique. Accueil vraiment chaleureux. Quelques chambres (les n°s 14 à 19) donnent sur le jardin, où l'on peut prendre le petit déj. Parking vélos et motos. Un bon plan, rare à Aix.

Hôtel Le Concorde *(plan couleur B2, **14**) : 66-68, bd du Roi-René. ☎ 04-42-26-03-95. • hotel.leconcorde.aix@gmail.com • hotel-aixenprovence-concorde.com • Fermé de mi-déc à mi-janv. Doubles avec douche 62 €, avec douche ou bains et w-c 64-90 €. Familiale 110 €. Grand garage payant. Wifi. Réduc de 10 % sur la chambre nov-mars sur présentation de ce guide.* Pas terrible vu de l'extérieur, cet hôtel familial dissimule des chambres basiques mais tranquilles (évitez si possible le côté boulevard...), encadrant une petite cour bétonnée, avec un jardin où l'on peut se détendre et pique-niquer. Les piaules côté cour s'ouvrent sur un balcon et profitent, dans les étages, d'une belle vue sur la région. TV et minibar. Accueil agréable.

Hôtel Le Prieuré *(hors plan couleur par B1, **15**) : 458, route de Sisteron (ex-N96). ☎ 04-42-21-05-23. • hotel.leprieure.free.fr • À 2 km au nord d'Aix-en-Provence par l'ex-N 96 (direction Manosque-Sisteron). Tte l'année. Doubles avec bains et w-c 59-79 €. Pas de TV. Parking gratuit et gardé. Wifi.* Installé dans un prieuré du XVIIe s, cet hôtel au calme s'habille d'une déco à l'ancienne, un rien surprenante. La propriétaire, souriante, s'applique à conserver des prix plus que décents. Toutes les chambres, très cosy, donnent sur le parc du pavillon Lenfant, dessiné par Le Nôtre. Pas d'accès, mais la vue est déjà reposante en elle-même... Terrasse fleurie devant l'hôtel pour prendre le petit déj ou l'air du temps. Bon plan, la navette pour le centre-ville passe à 200 m (fonctionne de 7h à 20h30).

Hôtel Cardinal *(plan couleur B2, **11**) : 24, rue Cardinale. ☎ 04-42-38-32-30. • hotel.cardinal@wanadoo.fr • hotel-cardinal-aix.com • Tte l'année. Internet, wifi. Double avec bains, clim et TV 75 €. Réduc de 10 % sur le prix de la chambre (nov-mars) sur présentation de ce guide.* Installé dans un immeuble du XVIIIe s, un hôtel d'atmosphère, pour ceux qui ont toujours l'esprit routard mais aiment aussi le calme et le confort. La plupart des chambres ont été rajeunies (enfin, façon de parler, puisque la déco est très rétro). Les habitués ne jurent que par l'annexe, au pied de l'église Saint-Jean-de-Malte, et on les comprend un peu. Accueil naturellement sympathique.

Hôtel du Globe *(plan couleur A1, **21**) : 74, cours Sextius. ☎ 04-42-26-03-58. • contact@hotelduglobe.com • hotelduglobe.com • Fermé de mi-déc à mi-janv. Doubles avec douche et w-c ou bains, TV, 74-78 € selon saison. Garage payant. Wifi. Réduc de 10 % sur le prix de la chambre sur présentation de ce guide.* Une quarantaine de chambres récentes, toutes identiques, confortables, climatisées et bien insonorisées côté circulation. Terrasse.

De chic à plus chic

Hôtel Saint-Christophe *(plan couleur A2, **17**) : 2, av. Victor-Hugo. ☎ 04-42-26-01-24. • saintchristophe@francemarket.com • hotel-saintchristophe.com • ♿ Hôtel ouv tte l'année. Doubles avec douche et w-c ou bains, TV, 92-105 € selon confort. Menus 19-25 €. Parking payant. Wifi.* Une référence aixoise avec ses chambres à la déco contemporaine (avec un clin d'œil aux années 1930 ou à la Provence), climatisées et parfaitement équipées. Certaines ont même une petite terrasse. Autre atout : la brasserie *Léopold,* au rez-de-chaussée, une institution au cadre Art déco avec ses tables resserrées mais nappées et ses garçons en tablier. Bonne cuisine aux senteurs de Provence. Terrasse sur l'avenue.

Chambres d'hôtes L'Épicerie *(plan couleur A1, **23**) : 12, rue du Cancel. 📱 06-08-85-38-68. • chambreenville@aol.com • unechambreenville.eu • Double avec douche et w-c ou bains, TV, 100 €. Suites 120-130 €. Wifi.* Allez, on vous le dit tout de suite : la délicieuse épicerie à l'ancienne du rez-de-chaussée n'a jamais existé. C'est un joli décor, signé du maître des lieux, autrefois homme de théâtre. Ses chambres, sobres et élégantes, sont d'un confort optimal. Petits plats et confitures d'anthologie pour le petit déjeuner servi, quand cela est possible, dans l'adorable cour-jardin. Un calme inouï à quatre pas de la place des Cardeurs. Et un accueil à nul autre pareil. Tout pour en faire un coup de cœur, quoi...

La Petite Maison de Carla *(plan couleur A-B1,* ***22****) : 7-9, rue du Puits-Neuf. ☎ 04-42-21-20-73. 06-74-18-60-98. • maison-de-carla@orange.fr • la-petite-maison-de-carla.com • Doubles avec douche et w-c ou bains 75-90 € selon saison ; suite 130-150 €. Wifi.* 5 chambres douces et colorées, au charme aixois joliment décalé, dans une maison entièrement rénovée, à 100 m du parking Bellegarde. L'idéal, évidemment, c'est la suite, avec terrasse, clim et jacuzzi.

Chambres d'hôtes Le Petit Nid de Sophie *(plan couleur A1,* ***16****) : 2, rue Van-Loo. 06-14-64-29-58. • contact@lepetitniddesophie.fr • lepetitniddesophie.fr • Doubles avec douche et w-c ou bains, TV, 80 € (2 petits lits), ou 100 € (1 grand lit et 1 petit). Wifi.* En se perdant à moitié dans les étages de cet immeuble de ville, on a l'impression de s'installer dans l'appartement d'amis. 2 chambres, plaisantes, tout autant que la terrasse surplombant une mer de toits dominée, au loin, par la montagne Sainte-Victoire. Accueil tout sourire de Sophie qui tient également un restaurant en ville.

Hôtel des Augustins *(plan couleur A2,* ***20****) : 3, rue de la Masse. ☎ 04-42-27-28-59. • hotel.augustins@wanadoo.fr • hotel-augustins.com • Doubles 99-250 € selon confort et saison. Wifi.* L'hôtel a été aménagé dans la chapelle (XVe s) de l'ancien couvent des Grands-Augustins, édifié au XIIe s. Que le cadre, avec ogives, vitraux et pierres apparentes, ne vous leurre pas : toutes les chambres ne sont pas dans le même style, les moins chères s'avérant même plutôt banales. Toutes sont en revanche confortables (certaines avec jacuzzi), climatisées, et meublées dans le style Louis XIII. Bref, ce n'est pas donné, mais c'est à Aix, et à deux pas du cours Mirabeau en plus.

Hôtel en Ville *(plan couleur B1,* ***24****) : 2, pl. Bellegarde. ☎ 04-42-63-34-16. • contact@hotelenville.fr • hotelenville.fr • ♿ Double avec douche et w-c, TV 140 €. Wifi.* Très « en ville » effectivement, sur un boulevard où l'on se prend parfois à maudire l'inventeur du moteur à explosion. Mais tout cela s'oublie à l'intérieur. Chambres joliment pensées, de ce design tendance qui privilégie l'épure et les couleurs neutres. Cher tout de même. Terrasse (pour une chambre), pour qui veut bénéficier de l'animation urbaine. Petit bar-brasserie dans le même esprit au rez-de-chaussée.

Citéa Aix – La Bastide du Roy René *(hors plan couleur par B2,* ***18****) : 31, av. des Infirmeries. ☎ 04-42-37-83-00. • aixlabastide@citea.com • citea.com • ♿ À 2,5 km du centre (bus n° 6). Tte l'année. Studios avec bains 75-90 € selon saison (également 2-pièces et duplex 100-115 €). Parking gratuit. Wifi. Un petit déj/chambre et par nuit offert sur présentation de ce guide.* Construite au XVe s pour le roi René, cette bastide a été remarquablement restaurée. C'est désormais un hôtel-résidence pratique, abritant des chambres-studios (kitchenette dans un placard), plus toutes fraîches mais encore confortables. Environnement pas terrible, dans une zone d'activités près de l'autoroute.

Où manger ?

Bon marché

Pourquoi Pas *(plan couleur B1,* ***30****) : 15, rue Constantin. ☎ 04-42-21-13-02. Tlj sf dim-lun ; fermé le soir. Congés : 15 j. fin août et vac de Noël. Assiette du jour 14 €.* Toute seule en cuisine et au service, Laure réussit le pari de proposer chaque jour un petit plat mitonné avec amour. Ou plutôt une assiette à sa façon, composée de 5 mets, où créativité et humour se mélangent sur fond d'épices et de cuisine du marché. De quoi rassasier à prix doux celles et ceux qui ont la curiosité de pousser jusqu'à cette petite salle où dorment quelques bouquins, prolongée d'une terrasse sur la rue. Pour terminer gourmand, desserts maison.

I●I ***Angelina*** *(plan couleur A1,* ***31****) : 7, rue Mérindol. ☎ 04-42-59-66-62. Tlj sf dim-lun ; fermé le soir (sf ven). Congés : 20 j. en août, 10 j. en hiver. Formules 13,50-14 € ; carte 19 €.* Un endroit seulement connu de quelques fidèles habitués. Heureusement d'ailleurs, parce que la salle, moderne, est vraiment minuscule (mais il y a une sympathique terrasse sur la petite place des Fontêtes). Gentille cuisine familiale, d'inspiration italiano-provençale (salades, pâtes, bruschettas...). Service aussi souriant que décontracté.

I●I ***Chez Charlotte*** *(plan couleur A2,* ***38****) : 32, rue des Bernardines. ☎ 04-42-26-77-56. Tlj sf dim-lun. Fermé août. Résa conseillée. Menus 16-19 € ; carte env 20 €.* Une adresse comme à la maison. Il y a même un vestibule ! C'est derrière que ça se passe, et c'est souvent plein à craquer ! Patron entier, bandes d'étudiants attablés, jeux d'échecs et piano pour patienter... Avec le soleil, on passe en terrasse côté cour, pour une cuisine sympa et abordable (terrines, tartes salées...), mitonnée sous l'œil des clients.

I●I 🍷 ***Carton Rouge*** *(plan couleur A2,* ***33****) : 7, rue Isolette. ☎ 04-42-91-41-75. • carton_rouge@msn.com • Tlj sf dim-lun. À la carte slt ; plats à partir de 15 €.* Une affaire de femmes (mère et fille) dans le monde des bars à vins habituellement plutôt masculin. Quelques mètres carrés qui n'accueillent qu'une vingtaine de chanceux pour des petits plats à l'ardoise, simples, frais et bons. Carte des vins évidemment riche en belles surprises. Vente à emporter également.

Prix moyens

I●I ***Le Verdun*** *(plan couleur B1-2,* ***34****) : 20, pl. de Verdun. ☎ 04-42-27-03-24. • cafeleverdun@orange.fr • Tlj sf 25 déc et 1er janv 12h-minuit. Formule 17,50 € et menu 22 € ; carte env 25 €.* Une brasserie miniature tout simplement sympa, en face du palais de justice, qui ne désemplit pas les jours de marché. Un lieu cher aux Aixois où, en plus, on mange bien, en terrasse, sous les platanes, avec un service enlevé qui plus est. Carte qui oscille entre classiques de brasserie (pot-au-feu, andouillette) et de Provence (pieds et paquets à la marseillaise).

I●I ***La Tomate Verte*** *(plan couleur A2,* ***39****) : 15, rue des Tanneurs. ☎ 04-42-60-04-58. • contact@latomateverte.com • Tlj sf lun (et dim hors saison). Fermé 15 j. fin janv. Formules 14-18,50 € le midi en sem et menus 27-30 € ; carte env 35 €.* Une cantine new-look qui a posé chaises et tables de bois d'un bistrot d'hier entre les murs vert d'eau d'un *lounge* d'aujourd'hui. Même patte dans les assiettes avec des recettes de toujours remises au goût du jour. L'été, la terrasse prend ses aises, de chaque côté de la rue.

I●I ***Le Poivre d'Âne*** *(plan couleur A1,* ***41****) : 40, pl. des Cardeurs. ☎ 04-42-21-32-66. • lepoivredane@club-internet.fr • Ouv mar et jeu-sam, le soir slt. Menus 28-45 € ; carte env 40 €. Vin servi au verre.* Certes, ce resto s'est installé sur une place définitivement trop touristique. Pourtant, on est conquis : la salle se croit dans les années 1970, la terrasse profite de la douceur aixoise, le service est définitivement charmant. Et la cuisine, très personnelle et emballante, est doucement facturée (surtout dans cette ville...).

I●I ***Les 2 Frères*** *(hors plan couleur par A2,* ***35****) : 4, av. Reine-Astrid. Dans un quartier résidentiel, à 15 mn à pied du rond-point de la Rotonde. Descendre l'av. des Belges, puis prendre sur la gauche le bd d'Ollone puis l'av. Reine-Astrid. En voiture, au bas de l'av. des Belges prendre l'av. Brossolette, puis à gauche. ☎ 04-42-27-90-32. • les-deux freres@wanadoo.fr • ♿ Parking privé. Tlj tte l'année sf 24 déc et 25 déc midi. Formule déj 19 € (sf sam, dim et j. fériés) ; menus 25-35 € ; carte 45 €.* Une de ces adresses tendance qui a le mérite de rassembler curieusement toutes les générations, tous les styles, chacun se faisant plaisir en découvrant une cuisine maligne qui fusionne, qui fonctionne, sans faire d'éclats inutiles. Il y a des écrans plats dans la salle pour suivre les préparations, des platanes en terrasse et des voiles blanches pour protéger de la chaleur. Le blanc domine, d'ailleurs, dans les tenues comme dans le mobilier. Branché mais plaisant.

Voir aussi La Brasserie *Léopold* de l'hôtel **Saint-Christophe** (lire plus haut « Où dormir ? »).

Chic

***Le Petit Verdot** (plan couleur A1, **37**) : 7, rue d'Entrecasteaux. ☎ 04-42-27-30-12. Ouv lun-sam le soir slt. Résa conseillée. Carte 35-40 €.* Du cadre à l'accueil, de l'assiette au verre, le bistrot dans ce qu'il a de plus généreux. Des plats de toujours, des goûts du coin et de plus loin, à peine revisités, sûrs de leurs valeurs, préparés et servis avec conviction. Pour accompagner, des vins chantants mûris au soleil du Sud. Laissez-vous guider, le patron est sommelier. Bref, de la bonne bouffe, à apprécier dans une salle tout en bois, tout en long, sur l'une des tables en caisses de pinard alignées le long du comptoir.

***L'Amphitryon** (plan couleur A2, **40**) : 2-4, rue Paul-Doumer. ☎ 04-42-26-54-10. • amphitryon22@wanadoo.fr • Tlj sf dim-lun. Formules midi 22-25 €. Menu 39,90 €. Carte 45 €. Apéritif offert sur présentation de ce guide.* Une bonne table, où l'on découvre l'amour qu'a le chef Bruno Ungaro pour les produits de sa Provence, à travers une carte et des menus dans l'air du temps. En terrasse, confortablement assis dans le patio, à l'abri du campanile des Augustins, prendre le menu-affaires. Pour qui est plus pressé, petite carte bistrotière à prix serrés au « comptoir de l'amphi ». Très bons coteaux-d'aix à prix (encore) raisonnables.

***Le Formal** (plan couleur A2, **36**) : 32, rue Espariat. ☎ 04-42-27-08-31. Tlj sf dim et lun (et sam hors saison). Résa conseillée (même en été). Menus 25 € midi en sem, puis 37-75 € ; carte env 45 €. Le Formal,* c'est chez Jean-Luc... Formal, un des chefs les plus sérieux, les plus inventifs du pays d'Aix. Son restaurant est si mal indiqué qu'on passe deux fois devant avant d'oser entrer dans cet étroit couloir. Mais on s'habitue tout de même à cette cave voûtée climatisée quand arrivent les plats inventés par ce Breton intello et novateur, qui ne cesse de travailler le décor de l'assiette pour que tous les sens soient à la fête. Une cuisine jeune, fraîche, énergique qui joue déjà les classiques contemporains ; une cuisine personnelle où chaque ingrédient a sa place.

Où dormir ? Où manger dans les environs ?

Voir aussi bien sûr nos bonnes adresses du chapitre précédent, autour de la Sainte-Victoire.

De prix moyens à chic

***La Table de Ventabren** : 2, rue Cézanne, 13122 **Ventabren.** ☎ 04-42-28-79-33. • contact@latabledeventabren.com • À 16 km à l'ouest d'Aix par la D 10 puis la D 64. Au centre du village. Tlj sf lun, ainsi que dim soir et mer soir oct-avr. Congés : Noël-fin janv sf réveillon. Menus 43-53 €.* Une vue exceptionnelle depuis la petite terrasse, une salle intimiste entre de vieux murs de pierre pour les jours où le mistral fait des siennes, et une cuisine de Provence très actuelle, faite de produits frais uniquement, improvisée au gré du marché.

***Le Grand Puech** : 8, rue Saint-Sébastien, 13105 **Mimet.** ☎ 04-42-58-91-06. • legrandpuech@orange.fr • legrandpuech.fr • À 23 km au sud par l'A 8 direction Aubagne, puis la D 96. Congés : vac scol de fév (zone B) et 1re sem de nov. Resto fermé lun, dim soir (et mer soir hors saison). Doubles avec douche et w-c ou bains, TV, 45-60 €. Formule 18 € midi en sem. Menus 29-45 €. Carte 40 € env. Wifi. Apéritif offert sur présentation de ce guide.* Tranquille adresse dans un paisible village perché sur le massif de l'Étoile (c'est d'ailleurs, à 512 m, le plus haut du département). Le patron, en salle, a été formé chez les plus grands (Loiseau, Blanc...). Le chef a animé quelques bonnes tables à Marseille. Le tandem ne manque donc ni de métier ni d'idées : belle cuisine aux influences italiennes, belle carte des vins, belle vaisselle en céramique, et belle vue sur les collines depuis la véranda. Une poignée de chambres (dont 2 avec terrasse côté collines, toujours).

Où déguster une bonne glace ?

Glaces Philippe Faur (plan couleur B2, **45**) : *57, cours Mirabeau (à côté du passage Agard). ☎ 04-42-38-24-62. Ouv tlj 10h30-minuit.* Des parfums et des goûts ahurissants (réglisse, roquefort, foie gras, entre autres !) et des classiques (fraise, mangue ou melon) juste renversants. Idéal pour un rafraîchissement original !

Où boire un verre ? Où grignoter un morceau ? Où sortir ?

Des terrasses partout, de celles, presque mythiques, du cours Mirabeau à d'autres, plus secrètes, sur les placettes du vieil Aix, où toute la ville ou presque se pose à la moindre journée ensoleillée (comme il y en a au moins 300 par an...). Et une vie nocturne, pas aussi débridée toutefois qu'on l'attendrait d'une ville qui héberge plus de 38 000 étudiants. Peu d'adresses branchées, des boîtes *(Le Divino, Le Seven, Le Club 88...)*, toutes ou presque dans la périphérie, pas de vraie salle consacrée aux musiques nouvelles, mais (serait-ce dû au fort pourcentage d'étudiants anglo-saxons ?) presque autant de pubs que dans une ville irlandaise.

Le Brigand *(plan couleur A1,* ***51****) : 17, pl. Richelme. ☎ 04-42-12-46-81. Tlj 11h-2h. Wifi. Apéro offert sur présentation de ce guide.* Peut-être bien le plus petit pub de la ville. Peut-être bien le plus grand choix de bières de la ville. Du rock (et affiliés) en fond sonore, des étudiants qui transitent, chopes en main, vers la terrasse au moindre réchauffement climatique. Des concerts, parfois.

Le Café des Mots *(plan couleur B1,* ***56****) : 48, rue du Puits-Neuf. ☎ 04-42-21-67-52. • sante.gourmandise@hotmail.fr • lecafedesmots.fr • Ouv lun-sam 9h-15h, et pour des soirées thématiques. Wifi.* Un café fourre-tout sympa, à la fois librairie, resto et salon de thé, où l'on trouvera à boire et à manger. Petite restauration « diététique » à moins de 10 €. Organise régulièrement des soirées philo, psycho, poésie...

Les Deux Garçons *(plan couleur B2,* ***50****) : 53, cours Mirabeau. ☎ 04-42-26-00-51. Tlj tte l'année. Formule brasserie à 25 €.* Plus connu sous le nom des 2 G. Construit dans un décor consulaire fin XVIIIe s, ivoire et or, il doit son nom aux deux garçons de café qui rachetèrent l'établissement au XIXe s. Cézanne, Zola, plus près de nous Mauriac, Cocteau, Mistinguett, Louis Jouvet fréquentèrent l'endroit. Terrasse stratégique, et brasserie chic, où sucer des coquillages.

La Rotonde *(plan couleur A2,* ***53****) : 2 A, pl. Jeanne-d'Arc. ☎ 04-42-91-61-70. • fontaine.mirabeau@orange.fr • À côté de... la Rotonde. Tlj 8h30-2h. Menus 17,50-47 €.* Restaurant-café-*lounge,* avec tous les attributs du genre. Belle décoration intérieure, DJs, clientèle très *hype* et serveurs à qui on a dû expliquer que sourire était de mauvais goût... Bel endroit néanmoins, à fréquenter du petit noir, en terrasse sous les platanes, à l'apéro tardif tapas inclus. Formule rapide à midi. On peut aussi y dîner (plutôt chic et assez cher) autour d'une carte très *fusion food*.

O'Shannon *(plan couleur A1,* ***54****) : 30, rue de la Verrerie. ☎ 04-42-23-31-63. • oshannon929@orange.fr • Tlj 16h-2h. Wifi.* Pub irlandais qui draine une importante clientèle étudiante, surtout anglophone, plutôt prête à faire la fête (s'il n'y a pas de partiels le lendemain...) jusque sur le trottoir, au grand dam du voisinage. Concert pop, rock ou blues de temps en temps.

Cuba Libre *(plan couleur B2,* ***55****) : 4, bd Carnot. ☎ 04-42-63-05-21. Lun-sam 17h-2h.* Un peu bar, un peu boîte (« physio » et sélection à l'entrée, d'ailleurs). Un parfait *before* donc qui, à la fermeture, lâche sur le boulevard une jeunesse bien comme il faut (hé, on est à Aix...). La déco aligne les clichés sur Cuba, la musique saute allègrement d'un genre à l'autre et c'est petit, donc vite bondé. Arrivez, comme les habitués, vers minuit.

Où acheter calissons et autres gourmandises ?

Aix la gourmande est si fière de ses produits qu'elle rêve d'une AOC pour les protéger tous, à commencer par le calisson. Cette petite navette subtile, à la robe d'hostie et au cœur d'amande douce, révèle les parfums et les saveurs de tout le pays d'Aix. Son originalité, son moelleux particulier, elle les doit aux fruits confits, melons et oranges nourris de sirop, qui entrent dans la composition de sa pâte.

Confiserie Sextius-d'Entrecasteaux *(plan couleur A1, **70**) : 24, cours Sextius. ☎ 04-42-27-15-02. Tlj sf dim et j. fériés.* De bons calissons...

Béchard *(plan couleur A2, **71**) : 12, cours Mirabeau. ☎ 04-42-26-06-78. Tlj sf dim-lun 9h-19h (8h-20h sam).* La boutique semble avoir toujours été là, les vendeuses portent le noir et blanc de rigueur : une institution, quoi. Bons calissons. Goûtez aussi au biscotin (noisette grillée enrobée d'un biscuit parfumé au citron), fabriqué ici depuis un bon siècle. Fait aussi pâtisserie.

Confiserie Brémond *(plan couleur B2, **72**) : 16, rue d'Italie. ☎ 04-42-38-01-70. Fermé dim.* Fabricant depuis 1830. Une curiosité : le choco d'Aix, emmailloté de... chocolat.

Les chocolats de Puyricard *(plan couleur B1, **73**) : 7, rue Rifle-Rafle. ☎ 04-42-96-11-21. Lun-sam 9h-19h.* C'est dans la campagne aixoise, à Puyricard, que sont nés les chocolats du même nom, en 1967. Visite de la fabrique sur rendez-vous. Plusieurs magasins dont celui d'Aix, élégant repaire de la gourmandise.

Confiserie Parli *(plan couleur A2, **74**) : 35, av. Victor-Hugo. ☎ 04-42-26-05-71. Fermé dim sf déc.* Une boutique plus élégante que ses consœurs, délicieuse bonbonnière où l'on vient dépenser des fortunes avant de reprendre le train.

À voir

Le vieil Aix

La cathédrale Saint-Sauveur *(plan couleur A1) : accès lun-sam 8h-12h et 14h-18h, dim 9h-12h et 14h-20h.* Édifiée selon la légende sur un temple d'Apollon, la cathédrale a évolué entre le Ve et le XVIIIe s. Et ça se remarque sur sa façade, où la diversité des styles (du XIIe au XVIe s) fait un peu fouillis. Sur le portail gothique, une statue de saint Michel épargnée par les révolutionnaires qui avaient pris sa curieuse coiffe pour un bonnet phrygien ! Grande diversité de styles à l'intérieur où se succèdent trois nefs, romane, gothique et baroque. Intéressant baptistère préroman. Pièce maîtresse de la cathédrale, le célèbre *triptyque du Buisson ardent,* dans le haut de la nef, peint par Nicolas Froment pour le roi René, vers 1476, et superbement restauré. À voir aussi : la série de tapisseries du XVIe s qui orne le chœur, l'original buffet d'orgues qui n'est pas un vrai, mais fait la symétrie avec l'autre (le vrai).
Traversez le chœur pour découvrir, en compagnie des bénévoles qui assurent la visite, le cloître, intime et d'une grande élégance. Prenez la peine de détailler l'abondante décoration des piliers et des chapiteaux. Jardin planté d'essences provençales.

Le musée des Tapisseries *(plan couleur A1) : pl. des Martyrs-de-la-Résistance. ☎ 04-42-23-09-91. Tlj sf mar : 10h-18h 15 avr-15 oct, 13h30-17h le reste de l'année ; fermé janv, 1er mai, 25-26 déc. Entrée : 3,20 € ; gratuit pour les moins de 25 ans et pour ts les 1er dim du mois.* Le musée s'est installé au rez-de-chaussée et au 1er étage de l'ancien (et superbe) archevêché construit au XIIe s, puis remanié en 1650 et 1730. C'est ici que logèrent tous les souverains de passage dans la ville, de François Ier à Napoléon III. La visite permet déjà de découvrir la salle à manger avec ses gypseries et son marbre en trompe l'œil, le grand salon d'apparat, les corniches à la feuille d'or du salon doré. Sans oublier, bien sûr, l'admirable collection de tapisseries tissées à Beauvais aux XVIIe et XVIIIe s : entre autres, série dite « des Grotesques », décor théâtral tissé vers 1689, et neuf pièces (uniques au monde ; le propriétaire, pour être sûr de leur exclusivité, les avait payées trois fois le prix) qui racontent l'histoire de don Quichotte... Expos temporaires dans la galerie.

La rue Gaston-de-Saporta *(plan couleur A1)* **:** aujourd'hui semi-piétonne et très (très !) touristique, elle traversait déjà la ville romaine. Bordée par quelques beaux hôtels particuliers. Au n° 23, l'*hôtel Maynier-d'Oppède* (XVIIIe s) étale sa façade baroque. Au n° 21, sobre mais élégante façade de l'*hôtel Boyer-de-Fonscolombe* (du XVIIe s, celui-là). Au n° 19, l'*hôtel de Châteaurenard* (actuellement fermé pour rénovation) abrite un escalier aux murs ornés d'un superbe trompe-l'œil. Au n° 17 se trouve l'un des plus beaux hôtels particuliers de la rue, sinon de la ville, l'*hôtel d'Estienne de Saint-Jean*. On peut passer sa porte finement sculptée, puisqu'il abrite le musée du Vieil-Aix.

Le musée du Vieil-Aix *(plan couleur A1)* **:** *17, rue Gaston-de-Saporta. Tlj sf lun et j. fériés, 10h-12h, 14h30-18h (14h-17h oct-avr). Entrée gratuite.* Derrière un intitulé rébarbatif se cache un musée passionnant. L'occasion d'abord de faire le tour de cet hôtel des XVIIe-XVIIIe s : escalier monumental, jolis plafonds peints... Ensuite, ce musée recèle quelques pièces très intéressantes, à commencer par l'exceptionnel paravent de la Fête-Dieu : dix panneaux de toile peintes évoquant cette fête qui remonte au Moyen Âge. L'artiste, un anonyme du XVIIIe s, s'est attaché à rendre la fête dans ses moindres détails. On peut tout à loisir étudier les vêtements et les armes des ecclésiastiques et des soldats de la procession représentée sur l'une des faces ; les attitudes (un peu plus relâchées...) des participants aux jeux et à la foire sur l'autre. Autre passage obligé du musée : la pièce consacrée aux marionnettes de l'ancienne crèche parlante installée de 1830 à 1911 dans un théâtre, passage Agard. Faïences de Moustiers, chefs-d'œuvre de compagnons – comme cette crèche installée dans une coquille de noix – donnent également au musée l'ambiance d'un cabinet de curiosités. Et la maquette en bois du cabinet à coupole (« Modello » retrouvé à Aix) est dans un état de conservation exceptionnel.

La tour de l'Horloge *(plan couleur A1)* **:** *pl. de l'Hôtel-de-Ville.* Ancien beffroi de la ville, elle marque le passage dans la cité comtale. Horloge astronomique de 1661, dont les statues de bois symbolisant les saisons (il y en a donc quatre !) défilent à tour de rôle.

L'hôtel de ville *(plan couleur A1)* **:** *salle des États ouv lun-ven 10h-12h, 15h-17h.* Un monument incontournable de la vie politique locale, installé au pied de la tour depuis le XIVe s. Façade baroquisante où, curieusement, au traditionnel « Liberté, Égalité, Fraternité » ont été ajoutées « Générosité » et « Probité ». Élégante grille de fer forgé qui s'ouvre sur une belle cour intérieure caladée. Un escalier d'honneur à double révolution (le premier à avoir été construit en France, paraît-il, en 1655) permet d'accéder à la somptueuse salle des États de Provence. Galerie de portraits et blasons.

La halle aux grains *(plan couleur A1)* **:** si vous avez une carte postale à timbrer, profitez-en, puisque cet imposant bâtiment du XVIIIe s abrite aujourd'hui la poste. Les sculptures de la façade rappellent sa première destination. Au fronton, place de l'Hôtel-de-Ville, une allégorie représentant le Rhône et la Durance. De l'autre côté (place Richelme), rigolote frise de fruits, légumes et céréales.

La place et l'hôtel d'Albertas *(plan couleur A2)* **:** une petite place rococo mais bourrée de charme. Elle fut aménagée en 1742 pour une grande famille d'Aix qui, se sentant un peu à l'étroit dans son hôtel particulier, a fait démolir les maisons voisines. Au centre de cette place inspirée par la mode des places royales parisiennes, une fontaine avec une vasque en fonte datant de 1912.

Le Muséum d'histoire naturelle *(plan couleur A1-2)* **:** *6, rue Espariat. ☎ 04-42-27-91-27. Tlj 10h-12h, 13h-17h. Entrée : 3,20 € ; gratuit pour les moins de 25 ans ; gratuit pour ts le 1er dim du mois.* Installé dans un hôtel particulier du XVIIe s. Petite mais intéressante section consacrée à la protohistoire, avec notamment une collection unique en France d'œufs de dinosaures fossilisés trouvés au pied de la montagne Sainte-Victoire, des œufs parmi les plus grands du monde (jusqu'à 23 cm de circonférence). Également un impressionnant squelette (20 m de long, 5 m de haut) d'un Titanosaure découvert à Trets.

Le palais de justice *(plan couleur B1)* **:** du XIXe s, mais façon temple antique. Néoclassique donc, les plans étant signés d'un des maîtres du genre, le célèbre Claude-Nicolas Ledoux. On peut aller perdre ses pas dans la salle du même nom, aux colonnades éclairées par une impressionnante verrière. Ces colonnes portent encore les traces d'un attentat à l'explosif de 1992 revendiqué par le FLNC...

Le quartier Villeneuve *(plan couleur B2)* **:** « nouveau » quartier créé entre 1590 et la fin du XVIIe s. Quelques rues ignorées des touristes, pourtant riches en hôtels particuliers. Rue de l'Opéra, par exemple, avec au n° 18 la belle cour de l'*hôtel de Lestang-Parade,* ou au n° 26 la façade à colonnades de l'*hôtel de Grimaldi-Régusse,* dû à Pierre Puget. Saint-John Perse y a séjourné en 1960. C'est au n° 28 qu'est né, le 19 janvier 1839, un certain Paul Cézanne, sur les pas duquel nous allons bientôt partir, rassurez-vous, pour la visite incontournable d'une ville qui ne peut plus désormais se passer de lui !

Le passage Agard *(plan couleur B2)* **:** passage couvert qui permet de rejoindre le cours Mirabeau depuis la place de Verdun. À son débouché sur le cours Mirabeau, à l'angle, inscription signalant la boutique de chapeaux que le père de Cézanne avait ouverte (voir ci-dessous). Cela ne se remarque pas, quand on le franchit, mais le passage Agard traverse un ancien couvent. Maisons et boutiques se sont imbriquées dans les vestiges du monastère. Bel exemple, au n° 12 rue Fabrot, avec une parfumerie installée sous les élégantes voûtes de l'ancienne chapelle.

Aix sur les traces de Cézanne

Le parcours Paul Cézanne : un circuit estampillé de clous de bronze jalonne la vie de Cézanne à Aix (le plan est disponible à l'office de tourisme, mais dans le centre-ville, il suffit de regarder où l'on marche).
Vous êtes pour l'instant sur le *cours Mirabeau* au n° 55, où l'enseigne « chapellerie Cézanne, gros et détail » est à moitié effacée. Emporté par la foule, vous saluerez au passage sa mémoire, devant la terrasse du café des *Deux Garçons,* où il aimait s'arrêter. Faites de même pour lire le dépliant, proposé par l'office de tourisme. Il vous permettra de retrouver aisément, à travers des repères ignorés par le commun des visiteurs, les différents lieux de la vie (voir la rubrique « Personnages » dans le chapitre « Hommes, culture et environnement ») de ce fils de chapelier. *Aix, sur les pas de Cézanne* (c'est le nom donné au dépliant) vous propose donc un circuit à votre rythme, du lieu de sa naissance (voir plus haut) à celui de sa mort, en passant par l'atelier où il passa ses derniers jours à peindre, devenu un des lieux les plus visités de la ville.
Au hasard des rues, vous apprendrez à mieux connaître cet homme peu communicatif ayant fait ses études au collège Bourbon (actuellement lycée Mignet), rue Cardinale, avant d'étudier le droit pour faire plaisir à un père devenu banquier entre-temps !
Le trekkeur urbain amateur de peinture se baladera donc de la maison natale au *cimetière Saint-Pierre,* où le peintre est enterré, sur la route du Tholonet et de la

Sainte-Victoire, en passant par la *rue Boulegon* (il est mort au n° 23, le 23 octobre 1906, à l'âge de 67 ans) avant de remonter vers la cathédrale Saint-Sauveur, où se déroulèrent ses obsèques. Avant de traverser le boulevard pour grimper jusqu'à son atelier, faites une pause en terrasse pour reprendre votre souffle. Vous vous retrouverez peut-être dans un de ces lieux où l'on raconte encore volontiers que Cézanne, sans le sou, offrait généreusement ses œuvres à ses amis. Celui qui parvenait à échapper à ces cadeaux encombrants était prié de payer sa tournée au bistrot. Le malheureux qui n'avait pu décliner l'offre s'en retournait avec un tableau sous le bras qu'il se hâtait d'oublier dans le grenier. Et depuis, plusieurs générations d'Aixois se sont empressées de fouiller les greniers de leurs ancêtres. On ne sait jamais !

– *Pour les « cézannophiles » :* l'office de tourisme propose un tarif spécial pour visiter les 3 sites : *les* ***carrières de Bibémus*** *(voir circuit Sainte-Victoire),* l'***atelier de Paul Cézanne*** *(voir ci-dessous), et le* ***Jas-de-Bouffan,*** à l'ouest de la ville, où Cézanne résida longtemps avt de le revendre. *Résas : ☎ 04-42-16-11-61. Entrée de chaque site : 5,50 €.*

★★★ *L'atelier de Paul Cézanne* *(hors plan couleur par A1) :* *9, av. Paul-Cézanne. ☎ 04-42-21-06-53. • atelier-cezanne.com • Au nord de la ville en empruntant l'av. Pasteur. Bus n° 1 de la Rotonde, arrêt Cézanne, tout bêtement. Sept-juin tlj 10h-12h, 14h-17h (18h avr-juin et sept) ; juil-août, tlj 10h-18h ; fermé le 1er mai, à Noël et le Jour de l'an. Entrée : 5,50 € ; réduc ; gratuit pour les moins de 13 ans. Résa conseillée au ☎ 04-42-21-06-53. Durée de la visite : 30 mn. Plus insolites, plus aixois encore, les rdv culturels et gastronomiques, le jeu en juil, à 19h30. Sur résa.*

Un lieu assez magique construit au nord de la ville, sur la colline des Lauves. Un atelier devenu aujourd'hui le rendez-vous de la nostalgie pour ceux qui, venus du monde entier, patientent dans le jardin pour avoir le privilège d'accéder, par petits groupes, à ces 53 m² où flotte encore le souvenir – mieux, la présence – du grand homme.

Cézanne fit construire cet atelier sur une colline d'où il pouvait contempler la montagne Sainte-Victoire, éternelle source d'inspiration. Il fut conçu comme un extérieur, baigné de lumière et entouré de verdure. Seul son plancher a été rénové, pour pouvoir accueillir ceux qui retrouvent là, non sans émotion, les crânes des natures mortes, les objets dont il a usé, l'échelle monumentale, les pots, les bouteilles, les céramiques... sans oublier les fameuses pommes. À ce propos, on rapporte que l'artiste talentueux était aussi tellement lent qu'il ne peignait, en nature morte, jamais de fleurs, périssables, toujours des fruits ! Les environs ont aujourd'hui changé, les arbres et les habitations cachent la vue, mais l'atelier a su préserver l'empreinte du maître. Boutique-librairie au rez-de-chaussée ; tables en terrasse avec boissons en été.

Il n'y a plus d'âne pour vous conduire, à votre tour, de l'atelier au Château noir où, au pied de la montagne Sainte-Victoire (voir chapitre précédent), il avait loué deux pièces pour déposer son matériel et être plus près des motifs qui le fascinèrent durant toute la fin de sa vie. Contentez-vous alors de rêver dans les jardins de Cézanne, qui sont chaque été l'objet d'une mise en espace originale, autour de l'atelier.

★ En redescendant à pied de l'atelier Cézanne, jetez un œil, près du *6, avenue Pasteur (hors plan couleur par A1),* au ***monument Joseph-Sec,*** curieux monument jacobin et maçonnique dédié « À la municipalité observatrice de la loi ». Un des rares édifices révolutionnaires (il est daté du 26 février 1792) encore debout. L'œuvre de ce marchand de bois et son commentaire, en vers, méritent le coup d'œil.

★ Pour ne pas faire de jaloux, citons également le parcours littéraire ***Sur les pas de Zola.*** Pas de clous au sol cette fois, mais un riche plan-brochure distribué par l'office de tourisme, où les rues et quartiers d'Aix entrent en résonance avec ceux de la ville de Plassans. C'est en s'inspirant d'Aix, la cité de sa jeunesse, que l'écrivain inventa cette ville fictive, lieu de naissance des Rougon et des Macquart.

J'ACCUSE

En 1838, l'ingénieur italien François Zola, le père d'Émile, se voit confier l'édification d'un barrage et d'un canal pour alimenter Aix en eau. Mais il meurt en 1847, emporté par une pneumonie contractée sur le chantier. Pour les Zola, c'est le début des galères. Vingt ans plus tard, Émile fustige dans un article la ville d'Aix « qui a cherché à oublier jusqu'au nom de celui qui avait compromis pour elle sa fortune et sa santé ». Touché. Les élus décident de donner le nom de François à un boulevard, aujourd'hui rebaptisé « boulevard François et Émile Zola ».

Le nouveau quartier Sextius-Mirabeau

Le cours Sextius relie le cœur de la ville à ce nouveau quartier, appelé à faire demain de la petite cité aixoise une des grandes villes de la région.

★ *Les thermes Sextius* *(plan couleur A1) : 55, cours Sextius. ☎ 04-42-23-81-82. • thermes-sextius.com • Résa obligatoire.* Pour retrouver la forme. Le bâtiment actuel s'élève à l'emplacement même des anciens thermes romains de Sextius, qu'on peut encore apercevoir dans le hall. À l'arrière, côté bd Jean-Jaurès, les vestiges d'une tour. Les thermes actuels utilisent une eau de source naturellement chaude à 34 °C, qui alimente des installations que vous allez pouvoir utiliser si vous avez mis un petit pécule de côté : bains bouillonnants et hydromassants, douches au jet et autres traitements d'inspiration asiatique comme les massages zen sous affusion (pas infusion, on vous en servira après, entre deux soins, si vous voulez !), et même des massages japonais à base de pierres de basalte ! Lieu agréable à vivre, avec jardin et espaces de relaxation.

★★ *Le pavillon de Vendôme* *(plan couleur A1) : 32, rue Celony ou 13, rue de la Molle. ☎ 04-42-91-88-75. Tlj sf mar 10h-18h de mi-avr à mi-oct et 13h30-17h de mi-oct à mi-avr ; fermé janv, 25-26 déc et le 1er mai. Accès libre au jardin (mais pas aux pelouses...). Entrée du pavillon : 3,20 € ; gratuit pour les moins de 25 ans et pour ts le 1er dim du mois.* De l'autre côté du cours Sextius, un chemin piétonnier (fléché) permet de rejoindre cette autre curiosité aixoise. Ce pavillon fut construit pour le duc de Vendôme qui y cacha, paraît-il, quelques liaisons tapageuses qui amenèrent le roi à l'obliger à devenir cardinal... Les deux magnifiques atlantes (signés Rambot, ça ne s'invente pas !) qui ornent la façade classique du bâtiment surplombent un vaste jardin à la française remarquablement reconstitué. Le pavillon-musée renferme de beaux meubles et tableaux des XVIIe et XVIIIe s. Il accueille des expos temporaires.

★ *Les Allées provençales* *(plan couleur A2) :* la nouvelle artère commerçante la ville, qui relie la Rotonde et le cours Mirabeau au Grand Théâtre de Provence. Ce qui fut longtemps une friche industrielle est devenu, en l'espace de quelques mois, mais après 15 ans de gestation, un quartier très couru. Il y a déjà quelques terrasses, mais là encore il faudra apprendre aux serveurs à sourire et aux cuisiniers à cuisiner. Si ça met autant de temps que sur le cours Mirabeau, les restos du vieil Aix ne risquent pas de manquer de clientèle... Grand parking souterrain de 1 800 places. Jardin paysager en surface.

★ *Le Grand Théâtre de Provence* *(hors plan couleur par A2) : 380, av. Max-Juvénal. Pour connaître la programmation : ☎ 04-42-91-69-70 ou • grandtheatre.fr •* Le dernier arrivé sur la scène aixoise, mais pas le moindre, achevant le forum culturel constitué ici par la Cité du livre, le Pavillon noir et les archives départementales. Une construction en terrasses permet au visiteur d'accéder au dernier étage, sans passer par le théâtre, et de profiter ainsi d'une vue panoramique rare.

Le Pavillon noir *(hors plan couleur par A2)* **:** *530, av. Mozart. À l'angle de la rue des Allumettes. ☎ 04-42-93-48-00. • preljocaj.org •* Voilà donc, faisant face au Grand Théâtre, l'écrin étonnant abritant désormais le CCN (Centre chorégraphique national). Un écrin à la hauteur du talent du chorégraphe Angelin Preljocaj, une structure unique dédiée à la danse, à sa création, aux répétitions de la troupe et aux représentations (allez donc voir un spectacle si vous le pouvez !). Ce bâtiment est un curieux parallélépipède noir, aux poutres de béton dansantes. L'architecte, Rudy Ricciotti, Grand Prix d'architecture 2006, ne dit-il pas : « C'est un bâtiment pour les initiés et pour Pythagore sous l'emprise de l'absinthe » ? Tout un programme, qu'on vous laisse apprécier.

La Cité du livre *(hors plan couleur par A2)* **:** *8-10, rue des Allumettes. ☎ 04-42-91-98-88. • citedulivre-aix.com • Fermé dim-lun. Renseignez-vous pour les horaires d'ouverture des différentes sections.* Installée dans une ancienne manufacture d'allumettes, cette *Cité du livre* abrite l'impressionnant fonds de la bibliothèque Méjanes (dont quelques centaines d'incunables), une vidéothèque internationale d'art lyrique et de musique, un centre de documentation historique sur l'Algérie, la fondation Saint-John Perse pour les fans du poète...

Le cours Mirabeau

Il suffit de remonter les *Allées provençales* pour retrouver la fameuse Rotonde et sa circulation toujours aussi mal régulée. Traversez en respectant les feux (ici, c'est plus prudent) avant de terminer en beauté votre balade dans Aix par le cours Mirabeau et le quartier Mazarin. Le charme des platanes et des cafés bordant cette belle avenue tracée au milieu du XVIIe s (et quelque peu « retracée » au début du XXIe s, à la suite de travaux que certains n'ont pas pardonnés) donne à Aix un air de détente qui évoque l'Italie du Nord. Côté impair (le plus ensoleillé) s'alignent les terrasses des grands cafés. Côté pair se dressent plusieurs somptueux hôtels particuliers, aujourd'hui principalement occupés par des banques et administrations.

Les fontaines *(plan couleur A-B2)* **:** quatre fontaines rythment le cours, lui apportant fraîcheur et raison d'être. La première est celle de la Rotonde, une lourde fontaine du XIXe s. Les trois statues (Justice, Agriculture et Beaux-Arts) semblent indifférentes à l'intense circulation de la place. On pourra passer très vite devant celle des Neuf-Canons (XVIIe) dont les sculptures disparaissent malheureusement sous la végétation. Plus haut, la fontaine dite « Moussue » (vous comprendrez pourquoi) où coule l'eau chaude en provenance de la source des Bagniers. Sur celle du Roi-René, en haut du cours, le souverain tient une grappe de ce muscat qu'il introduisit en Provence. Et, vous l'aurez remarqué, nulle trace de Mirabeau sur le cours... Mirabeau. Sa statue a été reléguée dans l'enceinte du palais de justice.

Les hôtels particuliers *(plan couleur A-B2)* **:** au n° 4, immanquable entrée de l'*hôtel de Villars* (quatre colonnes sculptées qui supportent un balcon). L'*hôtel Isoard-de-Vauvenargues* occupe de sa façade sévère (et un peu poussiéreuse) le n° 10. Poussez plutôt (en jetant un coup d'œil, au n° 20, au vaste hôtel de Forbin) jusqu'à l'*hôtel Maurel-de-Pontevès* (au n° 38), actuel tribunal de commerce. Sûrement le plus beau du cours : lourde porte de bois délicatement sculptée, tout petit balcon supporté par d'impressionnants atlantes (pas très, hum, pudiques...) et façade à l'italienne, dont la décoration reprend les trois ordres classiques (dorique, ionique et corinthien).

Le quartier Mazarin

Construit au XVIIe s pour la grande bourgeoisie de l'époque, ce quartier, qui a conservé le nom de son créateur, frère du fameux cardinal, doit son charme particulier à ses grandes rues rectilignes. Le routard nostalgique trouvera là comme un coin d'Italie.

L'église Saint-Jean-de-Malte *(plan couleur B2)* **:** solide église fortifiée du XIIIe s, premier édifice gothique de Provence. À l'intérieur, nef d'une élégante simplicité et reproduction (l'original a été détruit en 1793) du tombeau des comtes de Provence.

Le musée Granet *(plan couleur B2)* **:** *pl. Saint-Jean-de-Malte (entrée du public). ☎ 04-42-52-88-32. • museegranet-aixenprovence.fr • Tlj sf lun : juin-sept, 11h-19h ; oct-mai, 12h-18h. Entrée : 4 € ; réduc ; gratuit pour les moins de 18 ans. Tarifs et horaires spéciaux pour les expos estivales. Audioguide 2 €.*
Installé dans l'ancien palais de Malte (1676), le musée a fait peau neuve en ce début de nouveau millénaire. Sextuplant sa surface, il s'est offert un écrin digne de recevoir, en 2006, quelques-unes des plus belles toiles de Paul Cézanne *himself.* Si, depuis, ce dernier a retrouvé une place plus restreinte, le public peut toujours découvrir la superbe donation faite sous le titre « De Cézanne à Giacometti ». Au printemps 2013, le musée s'agrandira à nouveau, hors les murs cette fois, pour accueillir à deux pas de là, dans ***la chapelle des Pénitents Blancs,*** la collection Planque. Ce collectionneur suisse, Jean de son prénom (1910-1998), a rassemblé plus de 300 toiles, dessins, gravures et sculptures, signés de Picasso, Degas, Klee, Monet, Dubuffet...
En attendant, dans le palais de Malte, le nouveau hall d'entrée crée déjà la surprise par ses dimensions comme par sa lumière. Il s'ouvre sur une petite cour où l'on peut s'asseoir, rêver... Dans les étages, belles vues transversales sur le jardin de l'église Saint-Jean-de-Malte voisine.

Niveau - 1
La salle Entremont présente une rare collection d'archéologie avec des têtes sculptées, les yeux clos, comme décapitées. Étaient-ce des trophées de guerre ? Elles furent découvertes sur le site d'Entremont, siège de la confédération salyenne au Ier s av. J.-C.
Suivent les tableaux des Écoles française, nordique et italienne du XIVe au XVIIIe s. Ils sont regroupés selon l'âge de la vie auquel ils se rapportent, de la naissance à la mort, en passant par le temps des amours. Une muséographie intelligente, qui permet de mettre en lumière le contexte dans lequel les œuvres ont été réalisées, tout en présentant les différents temps forts stylistiques de cette longue période. Œuvres du maître de Flémalle, des frères Le Nain, Rubens, Rigaud ou encore Rembrandt.
En redescendant, on traverse au *rez-de-jardin* la galerie des sculptures (étonnant *Écorché*).

Niveau 1
Ici s'expose la peinture moderne et contemporaine, autour d'un parquet qui couine, qui grince, qui geint... presque une installation !
À voir, Constantin, chef de file de l'École provençale, puis son élève, Granet, avec ses ruines romaines, ses cloîtres doucereux, sa pénombre évoquant une Rome qui, au dire de Chateaubriand, glisse vers les catacombes.
Le fameux *Jupiter et Thétis* d'Ingres domine la salle néoclassique. Le goitre de Thétis rappelle le goût du maître pour la déformation de ses sujets féminins (comme *Le Bain turc* du Louvre). Achèvement de ce premier parcours avec l'École provençale autour de Loubon.
Enfin, merveilles du palais de Malte, la salle Cézanne offre 8 tableaux définitivement en dépôt au musée d'Aix, dont une *Madame Cézanne,* une esquisse de baigneuses, une nature morte de jeunesse, un hommage à Delacroix... Giacometti nous fait quant à lui chavirer avec son homme qui semble s'envoler vers le ciel. Les autres noms donnent envie : Picasso, Léger, Mondrian, de Staël, Bram Van Velde, Klee, Tal Coat, Balthus.
Le musée Granet accueille aussi des expos temporaires.

La place des Quatre-Dauphins *(plan couleur B2)* **:** les 4 dauphins sont bien là, toutes nageoires dressées autour de la fontaine. La place est cernée de plusieurs hôtels particuliers, dont l'hôtel de Boisgelin (milieu du XVIIe s). Très belle cour à carrosses (aujourd'hui à berlines étrangères !), façade décorée de frises.

Le monument au génocide arménien *(plan couleur B2) : pl. d'Arménie.* À l'orée du quartier Mazarin. Si vous passez devant, vous pourrez vous initier aux charmes de l'alphabet arménien. La place est squattée par les terrasses d'une paire de cafés décontract'.

Autour du centre-ville

Les santons Fouque *(hors plan couleur par B2) : 65, cours Gambetta. ☎ 04-42-26-33-38. • santons-fouque.com • Fermé dim sf en déc. Visite gratuite de l'atelier et des collections (sf groupes : 1 €/pers) 9h-12h, 14h-18h.* Maison fondée en 1934. Une collection d'anthologie de quelque 1 800 modèles de santons en argile où se retrouve toute l'âme du vieux pays. Fabrication sur place.
– Si vous êtes accro, d'autres santonniers du pays aixois vous accueilleront volontiers : Henri Cavasse, dans sa *Villa Mireille (☎ 04-42-21-16-62)*, ou Roger Jouve, qui a passé le flambeau à son gendre au bout de 60 ans *(☎ 04-42-24-01-40)*.

La Fondation Vasarely *(hors plan couleur par A2) : 1, av. Marcel-Pagnol. ☎ 04-42-20-01-09. • fondationvasarely.fr • Bus n° 4 La Mayanelle depuis la Rotonde. Si vous êtes en voiture, direction Jas-de-Bouffan, sinon sortie autoroute Aix-Ouest. Tlj sf lun 10h-13h, 14h-18h ; fermé mar déc-fév. Tarif : 9 € ; réduc. Audioguide 2,30 €.* La fondation de ce « cher » Victor Vasarely s'est installée dans un bâtiment géométrique très seventies, un peu abscons il faut bien l'avouer. Récemment inscrit aux Monuments historiques, il fera l'objet de travaux de rénovation tout au long de l'année 2012, sans pour autant fermer ses portes au public. Une restauration bienvenue, le bougre accusant le poids des ans. À l'intérieur, rétrospective de plusieurs années de recherche du plasticien, qui avait mis son art au service de la décoration et de la pub, et s'était résolument orienté vers l'abstrait géométrique donc. À voir, quelque 42 œuvres dites « intégrations monumentales » auxquelles s'ajoutent des expos temporaires qui réunissent, tout au long de l'année, les travaux des grands noms de la peinture contemporaine. Organisation également d'événements et ateliers sur divers thèmes.

Fêtes et manifestations

– **Rencontres du 9e art :** *mars-avr, consacré à la B.D. Rens : ☎ 04-42-16-11-61. • bd-aix.com •*
– **Festes d'Orphée :** *pdt la Semaine sainte et en juil. • orphee.org • Rens : ☎ 04-42-99-37-11.* Découverte de la musique baroque.
– **Seconde Nature :** *mai-juin (dates variables). ☎ 04-42-64-61-01. • secondenature.org •* Musique électronique (concerts et DJs), nouvelles images, plasticiens... Pointu mais passionnant. Organise des événements toute l'année (*local au 27 bis, rue du 11-Novembre ; plan couleur A1*).
– **Festival Côté Cour :** *juil. 📱 06-83-60-19-80. • festival-cotecour.org •* Concerts, spectacles, chants du monde par l'association Festival Côté Jardin.
– **Festival d'Art lyrique et de Musique :** *juin-juil. ☎ 04-42-17-34-00. • festival-aix.com •* Prestigieux ! Créé en 1948, ce fut longtemps, avec celui de Salzbourg, le plus mozartien des festivals. Depuis il s'est largement ouvert au bel canto, à la création contemporaine, à la musique baroque... Après avoir fait les belles heures du théâtre de l'Archevêché, il partage désormais son temps et ses productions avec le Grand Théâtre de Provence, qui l'abrite depuis 2007.
– **Nuits pianistiques :** *nov-déc. Rens : 📱 06-16-77-60-89. • lesnuitspianistiques.com •* Récitals de piano.

– ***Festival Tous Courts :*** *fin nov-début déc. Rens : ☎ 04-42-27-08-64. • aix-film-festival.com* • Une semaine autour du court métrage. Un festival qui s'affirme, au fil des ans, comme un tremplin pour les jeunes réalisateurs. Projections publiques.
– Également de nombreuses fêtes dans la tradition provençale. Renseignements à l'office de tourisme.

DANS LES ENVIRONS D'AIX-EN-PROVENCE

Plusieurs circuits en boucle autour d'Aix, le plus connu partant bien sûr sur les pas de Cézanne, autour de la Sainte-Victoire (voir au début de ce chapitre). Sinon, avant de découvrir le nord du pays d'Aix, en remontant vers Salon, voici quelques visites insolites, plus au sud, entre Aix et Marseille, qui nécessitent une voiture, une carte et de la patience, si vous n'avez pas de GPS.

Les jardins d'Albertas : *à 9 km d'Aix ; sur l'ex-N 8, au pied de* **Bouc-Bel-Air.** *☎ 04-42-22-94-71. • jardinsalbertas.com • Juin-août, tlj 15h-19h ; mai, sept et oct, slt w-e et j. fériés 14h-18h ; fermé nov-avr. Entrée : 4 € ; gratuit pour les moins de 7 ans.* Au milieu du XVIIIe, siècle plutôt somptueux, ces jardins devaient ajouter à la magnificence d'un château qui n'est jamais sorti de terre, le propriétaire ayant été assassiné. Ils sont aujourd'hui classés Monument historique. Sur plus de 8 ha, joyeux mélange d'influence italienne (copies de statues antiques) et de tradition française (les parterres), avec de belles fontaines et des platanes pour ceux qui auraient oublié qu'ils sont en Provence.

L'écomusée de la Forêt méditerranéenne : *D 7, chemin de Roman, 13120* **Gardanne.** *☎ 04-42-65-42-10. • ecomusee-foret.org • ♿ (espace muséographique). À une dizaine de km au sud d'Aix. En été, tél pour savoir si le parc est ouvert (vigilence-incendie). Tlj sf sam : juil-août 9h-13h, 13h30-18h ; sept-juin 9h-12h30, 13h-17h45 ; fermé 1 sem fin déc. Entrée : 5,50 € ; réduc. Compter 3h de visite.* Un espace muséographique pédago-ludique doublé d'un agréable sentier d'interprétation en sous-bois de 1,5 km. Des jeux et des expériences qui font appel aux cinq sens, des dioramas sur la faune et la flore, un petit théâtre de la forêt en images de synthèse... et une démarche évidente de sensibilisation à la protection du patrimoine (la reconstitution d'un petit morceau de forêt calciné ne laissera personne insensible). On termine la visite en sachant (au moins) faire la différence entre les pins (noir, à crochet, sylvestre, pignon ou d'Alep).

Le puits Hely d'Oissel (pôle historique minier) : *13850* **Gréasque.** *☎ 04-42-69-77-00. • poleminier.com • À une vingtaine de km au sud-est d'Aix. Visites guidées (1h30) à 10h, 14h30, 16h30 ; fermé mar, 1er mai et 21 déc-22 janv. Entrée : 5 € ; réduc ; gratuit pour les moins de 6 ans.* Un indispensable témoignage d'une page d'histoire industrielle qui s'est définitivement tournée en 2003 avec la fermeture à Gardanne du puits Morandat (le plus profond d'Europe avec 1 109 m). Juste pour rappeler que la Provence de la sieste, de la pétanque, des cigales et des paysages immortalisés par Cézanne ou Van Gogh a aussi été la Provence des mines de charbon et de la culture ouvrière. Comme en Lorraine et dans le Nord-Pas-de-Calais. Le bassin de Provence autour de Gardanne se plaçait d'ailleurs au troisième rang de la production nationale. Et quelque 6 500 mineurs travaillaient dans le secteur au lendemain de la Seconde Guerre mondiale. Les chevalements, la salle du treuil, celle de télévigile où l'on tentait de prévenir les coups de grisou et les inondations, la galerie longue de près de 15 km qui conduit jusqu'à la mer : tout est resté en l'état dans cette mine de charbon qui a fonctionné de 1919 à 1960. Une muséographie moderne (son et lumière, écrans interactifs, diaporama...) permet d'évoquer tous les aspects de l'extraction du charbon dans la région.

Le mémorial des Milles : *chemin de la Badesse, 13290* **Les Milles.** *☎ 04-42-39-17-11. • campdesmilles.org • À env 5 km au sud-ouest d'Aix par la D 9. En principe, lun-ven sf j. fériés, 9h-12h, 12h45-17h. Entrée : 9 €.* Récemment réaménagé, ce lieu de mémoire nécessaire se double d'un espace muséographique et pédagogique. Y seront organisés, dès le 1er semestre 2012, des activités culturelles, des débats, des conférences, des ateliers... Cette tuilerie, vaste ensemble de massifs bâtiments de brique rouge, a, pendant la Seconde Guerre mondiale, servi de camp, d'abord d'internement de « sujets ennemis » (dont une grande partie de l'intelligentsia allemande et autrichienne de l'époque qui, ironie de l'Histoire, s'était réfugiée en France pour fuir le nazisme), puis de transit (pour ceux qui ont eut la chance de quitter la France...), de déportation malheureusement enfin (vers Auschwitz via Drancy). Plusieurs milliers de juifs, d'opposants allemands au régime nazi, de réfugiés espagnols furent internés dans ce camp, le plus grand du Sud-Est de la France. Les peintres Max Ernst, Hans Bellmer, Golo Mann (le fils de Thomas Mann) ou Thadeus Reichstein, l'inventeur de la cortisone, Prix Nobel de médecine en 1950, sont passés par les Milles. Un ancien atelier transformé à l'époque en réfectoire des gardiens a été conservé en l'état. Ses murs sont ornés de six grandes fresques réalisées par des internés dont on ne peut affirmer avec certitude l'identité. Des œuvres de commande (l'une des fresques est carrément pétainiste) autour du thème du repas. Réalisées avec les moyens du bord mais d'un évident intérêt artistique entre illustrations de livres pour enfants, surréalisme et constructivisme russe. À visiter aussi, un wagon souvenir.

UNE RUMEUR PEUT TUER !

Le 22 juin 1940, 2 010 internés, souvent juifs, du camp des Milles, obtiennent l'autorisation de partir par un état-major français et anti-nazi. Ils montent à bord d'un train pour Bayonne d'où ils espèrent embarquer vers l'Espagne puis le Maroc. Là, une rumeur se propage : plusieurs milliers de soldats allemands attendent le convoi à son terminus. Les cheminots décident alors de faire rebrousser chemin au train... qui sera arrêté le 27 juin en gare de Nîmes et ses passagers internés dans un camp de fortune à Saint-Nicolas. Un tragique et méconnu épisode de la Seconde Guerre mondiale.

L'aqueduc de Roquefavour : *à une dizaine de km à l'ouest d'Aix par la D 64.* Cet aqueduc, construit au milieu du XIXe s au travers de la vallée de l'Arc, achemine encore aujourd'hui l'eau de la Durance jusqu'à la ville de Marseille. Long de 375 m, avec trois arcades qui culminent à 84 m, il est presque deux fois plus haut que le pont du Gard (ce qui en fait, mine de rien, le plus grand aqueduc en pierre du monde !). Ses environs offrent d'agréables promenades dans le cadre des gorges de l'Arc.
Montez jusqu'à ***Ventabren,*** village typique perché en nid d'aigle. Ruelles en escaliers, vieilles maisons, moulins... et panorama sur la plaine, bien sûr. Bon resto (lire plus haut « Où dormir ? Où manger dans les environs »).

D'AIX À SALON PAR LA RIVE GAUCHE DE LA DURANCE

LE CIRCUIT DES BASTIDES

Tout un monde à découvrir, surtout si vous arrivez à pousser quelques portes. La crainte des vols et les difficultés d'entretien empêchent nombre de propriétaires d'ouvrir leurs bastides aux visiteurs venant à l'improviste. Il reste, heureusement, quelques domaines que vous pourrez approcher plus facilement en allant déguster et commander du vin sur place, ces « maisons de campagne » de la bourgeoisie du XVIIIe s (voir la rubrique « Habitat » dans le chapitre « Hommes, culture et environnement » au début de ce guide) étant souvent de belles propriétés viticoles.

Liste complète à l'office de tourisme d'Aix et possibilité, en été, de visite guidée de quelques-unes de ces bastides, dont (parfois...) la ***Mignarde,*** la plus connue d'entre elles, d'ailleurs classée Monument historique. Ce « château » de la Mignarde cache, derrière les buis taillés et les statues néoclassiques de son superbe parc, une histoire mouvementée (la bastide a notamment abrité, en 1807, les amours tapageuses de Pauline Borghèse) et une belle enfilade de salons Louis XVI et Empire.

À voir. À faire dans les environs

Liquoristerie de Provence : *36, av. de la Grande-Bégude, 13770* ***Venelles.*** ☎ *04-42-54-94-65.* • *versinthe.net* • *Lun-sam.* Si vous êtes nostalgique des apéritifs et liqueurs d'autrefois, vous allez vous régaler en visitant ces lieux où l'absinthe a été ressuscitée, en 1999, après plus de 80 ans d'interdiction. Un mal pour un bien (ou pas, question de point de vue), qui aura entraîné l'invention du pastis. Fallait bien trouver un nouveau breuvage aux herbes pour arroser l'apéro ! Visite pédagogique et dégustation de versinthe, boisson à base d'absinthe.

PEYROLLES-EN-PROVENCE (13860)

Un bourg tranquille où ruelles et maisons se tassent autour d'un château, ancienne résidence du roi René (sérieusement remaniée au XVIIe s). Une imposante bâtisse en U que se partagent aujourd'hui la mairie et des appartements. Le sous-sol abrite une étonnante grotte aux parois recouvertes de palmiers fossilisés, vieux de 6,5 millions d'années et uniques en Europe *(visite sur résa,* ☎ *04-42-57-89-82).* Plan d'eau de Plaintain dans les environs proches (le plus grand du département, avec 40 ha). Baignade (mais attention pour les enfants : les berges de cette ancienne carrière sont plutôt raides), planche à voile, ski nautique, etc.

MEYRARGUES (13650)

Bourg provençal typique, blotti au pied d'un imposant château noyé dans les pins. S'il vous prend l'envie de rester, ledit château est devenu un hôtel très classe (dans le genre chic et cher, si vous préférez !).

ROGNES (13840)

Un village qui a longtemps vécu de ses carrières de pierre (on peut en voir sur la route de Lambesc) et qui s'est récemment lancé dans la culture de la truffe (grand marché le dimanche avant Noël). Quelques habitations troglodytiques dans la colline. Et dans l'église, au cœur du village, un remarquable ensemble de dix retables des XVIIe et XVIIIe s.

Adresses utiles

Office de tourisme : ☎ *04-42-50-13-36.* • *office.tourisme@rognes.fr* • *ville-rognes.fr* • *Tlj sf dim-lun et j. fériés.*

Chez Robert Georjon : *5, route d'Aix.* ☎ *04-42-50-21-75.* Bonne biscuiterie artisanale. Spécialité de croquants et de navettes.

LA ROQUE-D'ANTHÉRON (13640)

À deux pas de l'abbaye de Silvacane, charmant petit bourg autrefois vaudois (pour l'histoire des vaudois, voir à Mérindol dans le chapitre « Le Luberon »). Jetez un coup d'œil au grand château de Florans bâti à la Renaissance (notez les anses de panier au-dessus de la porte). Ce château, qui abrite aujourd'hui une clinique, ne se visite malheureusement pas, mais son vaste parc accueille chaque été les concerts du prestigieux festival de piano. La mignonne église romano-gothique mérite, elle aussi, un coup d'œil (même si l'intérieur est quelconque).

Adresse utile

Office de tourisme : *cours Foch. ☎ 04-42-50-70-74. ● omt@ville-laroque dantheron.fr ● ville-laroquedantheron. fr ● Juil-août, tlj 10h-12h30 et 15h-19h. Hors saison, tlj sf lun-mar.*

Où manger ?

Le Grain de Sel : *av. de l'Europe-Unie. ☎ 04-42-50-77-27. Fermé le soir dim-mer, ouv tlj 15 juil-31 août. Formule 9,50 € (midi en sem). Menus 20-27 €.* Au rez-de-chaussée d'une salle des fêtes dont on ne félicite pas vraiment le concepteur. Mais la salle est plutôt agréable, tout comme la terrasse (avec un pianiste de jazz – La Roque-d'Anthéron oblige – en été). Mais si on a voulu apporter notre grain de sel (facile, celle-là !) à cette adresse, c'est pour évoquer sa cuisine : d'une belle jeunesse, d'une inventivité qui respecte les produits, et à des prix plutôt inhabituels entre Aix et le Luberon.

À voir

L'abbaye de Silvacane : *en contrebas de la D 563, juste à la sortie de La Roque-d'Anthéron (parking 2 €). ☎ 04-42-50-41-69. Juin-sept, tlj 10h-18h ; oct-27 mai, tlj sf lun, 10h-13h, 14h-17h ; fermé 1er janv, 1er mai et 25 déc. Entrée : 7 € ; réduc ; gratuit pour les moins de 12 ans. Visites guidées régulières, se renseigner. Billet combiné avec le musée de Géologie et d'Ethnographie et le château des Baux de Provence : 13 €. Jeu de piste pour les enfants.* La troisième dans l'ordre chronologique des abbayes cisterciennes de la région (après Le Thoronet et Sénanque). Elle a été fondée en 1144 sur un terrain marécageux (*silva cannae* : « forêt de roseaux »). Les bâtiments actuels ont été construits entre 1175 et 1230, à l'exception de trois galeries du cloître (1250-1300). Comment ne pas être sensible au charme du cyprès dans le jardin du cloître, à la sobre beauté des travées d'ogives de la salle capitulaire et de la salle des moines, à la douce lumière qui baigne les chapiteaux délicatement sculptés du réfectoire (qui abrite désormais les créations de l'artiste conceptuel Sarkis) et de l'église abbatiale ?
Dans le cadre de plusieurs festivals, l'abbaye propose des concerts en saison.

Le musée de Géologie et d'Ethnographie : *cours Foch. ☎ 04-42-53-41-32. Juil-août, tlj 15h-19h ; hors saison, sam 14h-17h, dim 10h-12h et 14h30-17h30. Entrée : 4 € ; réduc ; gratuit pour les moins de 12 ans. Billet combiné avec l'abbaye de Silvacane et le château des Baux-de-Provence : 13 €. Jeu de piste pour les enfants. Visite guidée 2 €.*
Au rez-de-chaussée, évocation des Kuna (ou Cuna). Peuple amérindien dont des tribus vivent sur l'isthme du Darién entre le Panamá et la Colombie. Quel rapport avec La Roque-d'Anthéron ? Les vaudois, dont certains pour fuir les persécutions, s'exilèrent jusqu'en Amérique centrale. C'est d'ailleurs à ces protestants que les Kuna ont emprunté la tech-

Y A BON...NE IDÉE !

Les Indiens Kuna du Panamá, auxquels le musée d'Ethnographie de La Roque-d'Anthéron consacre un intéressant espace, dégustaient une boisson à base de cacao. Des huguenots exilés, qui vivaient en bonne intelligence avec ces Indiens, eurent l'idée d'enrichir d'une purée de banane ce breuvage traditionnel. Une recette découverte sur place par le journaliste Pierre Lardet qu'il commercialisera en 1912 sous le nom de Banania.

nique des molas, des pièces de tissu cousues sur le corsage des femmes. Ce musée expose évidemment une très belle collection de ces molas, véritables « sculptures de tissus ».
À l'étage, on traverse de façon très didactique (panneaux, reconstitution d'une partie de la grotte Cosquer, fossiles, etc.), 300 millions d'années d'histoire de la Provence ; de l'ère primaire à l'apparition de l'homme en passant par le Miocène, quand la Durance était un fjord à requins géants ! Et quand on découvre ici une des dents du monstre (15 m de long pour un poids moyen de 30 t...), on apprécie qu'il ait déserté les environs. Comme le Velociraptor, d'ailleurs...

Fêtes et manifestations

– ***Festival international de Piano :*** *de mi-juil à août, dans le parc du château. Rens : ☎ 04-42-50-51-15. • festival-piano.com* • Depuis 1980, ce célébrissime festival attire un public venu du monde entier. Environ 70 concerts.
– Parmi les autres manifestations à ne pas manquer, le ***marché aux cerises*** *(dernier w-e de mai)* et la ***fête patronale de Saint-Louis*** *(fin août). Rens à l'office de tourisme.*

➢ Rejoindre Lambesc par la D 67A, sympathique petite route qui traverse la chaîne des Côtes.

LAMBESC (13410)

On repère de loin l'imposant dôme de l'église. Et l'on se dit qu'il a dû se passer quelque chose pour que ce bourg ressemble à un Aix-en-Provence miniature, avec moult hôtels particuliers et fontaines des XVIIe et XVIIIe s. Gagné ! Lambesc, érigé en principauté par Louis XIV, a été la capitale politique de la Provence, siège des assemblées générales des communautés de 1639 à 1787. Dommage que ce petit patrimoine (hormis le grand lavoir) ne soit pas franchement mis en valeur...

LE PAYS DE SALON ET L'ÉTANG DE BERRE

Salon-de-Provence fait partie de ces villes aimées par ses habitants mais méconnues des touristes. Véritable ville à la campagne, elle bénéficie d'un environnement mal connu, entre pays d'Aix et Alpilles. Du massif des Costes, à l'est, aux villages cachés autour de l'étang de Berre, au sud, en poussant jusqu'à la Crau, à l'ouest, voilà une microrégion pleine de surprises, à quelques minutes des sorties d'autoroutes... Avant de partir à la découverte de la Camargue, allez donc jusqu'à Martigues, la « Venise provençale » et même jusqu'à Carro et la Côte bleue.

LE MASSIF DES COSTES

Carte Bouches-du-Rhône, C2

Ne cherchez pas ce massif sur une carte, l'appellation n'existe en fait que depuis 2001 et englobe un petit ensemble de collines et de jolis villages provençaux qu'évitent soigneusement les « grandes routes ». Une appellation de massif que confirme un relief ici ou là (les gorges de la Goule) assez marqué.

Adresse utile

Office de tourisme du massif des Costes : *parc Roux-de-Brignolles, 13330* ***Pélissanne.*** *☎ 04-90-55-15-55. • ot-massif.des.costes.com • Tte l'année : mar-ven, et sam mai-sept.*

LA BARBEN (13330)

Noyé dans la verdure, un discret petit village, traversé par la Touloubre. C'est pourtant, avec son zoo et son château, le plus touristique du secteur.

Où dormir ?

Chambres d'hôtes Mas de Raiponce : *1250, route de la Source. ☎ 04-90-55-31-70. • masderaiponce@orange.fr • masderaiponce.com • À l'entrée du village. Tte l'année. Doubles avec douche et w-c 60-75 € selon taille et saison. Fait également gîte pour 6 pers, 550-700 €/sem.* Dans un vieux mas, 4 chambres simplement mignonnes, provençales et campagnardes. La plus grande (une suite en fait, avec petite cuisine) est installée dans l'ancien four à pain. Quelques poules qui se baladent, un petit ruisseau et un petit déj sous les platanes font complètement oublier que la route n'est pas loin. Animaux non admis.

À voir

Le château de La Barben : *route de Saint-Cannat. ☎ 04-90-55-25-41. • info@chateau-de-la-barben.fr • chateau-de-la-barben.fr • Ouv d'avr à mi-nov tlj 11h-18h. De mi-fév à mi-mars tlj ttes les heures 14h-17h inclue. D'avr à mi-nov tlj ttes les heures 11h-18h inclue (sf 13h). Fermé de mi-nov à mi-fév pour les particuliers mais pas pour les groupes. Visites guidées en costume (50 mn) ttes les heures (sf à 13h) en saison avec jeu d'énigmes pour les enfants. Entrée : 8 € ; réduc. Animation médiévale avec des chevaliers dans les souterrains pdt les vac scol et w-e de pont, tlj 14h-17h : 8 € ; réduc (billet combiné avec la visite classique : 14 € ; réduc).* Ses majestueuses tours blanches émergent d'un bouquet d'arbres au-dessus de la bucolique petite vallée de la Touloubre. Superbe site. Le château, dont on trouve trace dès le XIe s, a appartenu à l'abbaye marseillaise de Saint-Victor, puis au roi René, avant de devenir propriété de la puissante famille des Forbin. La rampe d'accès qui surplombe de jolis jardins à la française débouche aujourd'hui sur un élégant château de plaisance du XVIIe s. Intérieur d'époque : beaux plafonds aux poutres décorées de scènes mythologiques, gypseries, remarquables cuirs de Cordoue dans la grande salle, chambre à coucher de Pauline Borghèse (style Empire, comme il se doit), un temps hôte du château... Désormais, vous pouvez à votre tour dormir au château, à condition d'avoir la bourse aussi remplie que celle du roi René.

Le zoo de La Barben : *juste avt le château. ☎ 04-90-55-19-12. • zoolabarben.com • Tlj 10h-18h (9h30-19h juil-août). Entrée : 14,50 € ; 8,50 € pour les 3-12 ans ; réduc. Compter 2-4h de visite.* Au total, 600 animaux (girafes, éléphants, fauves, watusis, autruches, émeus...) sur 33 ha de rochers et de pinèdes. Dans le vivarium : pythons, boas, iguanes et alligators. Oisellerie.

VERNÈGUES (13106)

Émouvantes ruines d'un vieux village détruit par un tremblement de terre le 11 juin 1919. On peut grimper sur le plateau qui prolonge le village, pour la vue panoramique sur les environs (tour avec table d'orientation, d'ailleurs). Pause sympa à la crêperie-glacier *Le Repaire (☎ 04-90-59-31-64)*, au pied du plateau.

PÉLISSANNE *(13330)*

Gros village aux allures de petite ville. Typique, avec son boulevard circulaire qui enserre le centre ancien marqué par un vieux beffroi. Une église, dont le clocher du XVIIe s peut se vanter d'avoir été le premier au monde à être photographié (par Daguerre, en août 1837). Et un rêve de pilier de comptoir : une fontaine où coule du vin, pour la fête de la Saint-Maurice (autour du 22 septembre). Courses de taureaux dans les arènes.

AURONS *(13121)*

Perché tout au bout des gorges de la Goule, un très joli village qui a su garder son caractère provençal, avec l'église et son presbytère, l'ancienne prison aménagée en poste, le lavoir, l'ancien ermitage qui servit de maison de force au Xe s... sans oublier le platane planté en 1820, les vieilles ruelles et la Vierge d'Aurons qui, du haut du rocher du Castellas, veille sur les Auronais tout en profitant de la vue. L'été, en principe, le bistrot du cercle de boules organise des grillades, le soir, autour du boulodrome.
Plus loin, par la D 16 direction Alleins, on gagne le plateau du Sonnailler, au cœur du massif des Costes, avec ses moutons et sa chapelle Saint-Martin (XIe s).

Où dormir ? Où manger ?

Chambres d'hôtes du Petit-Sonnailler : Le Sonnailler. ☎ 04-90-59-34-47. • jc.brulat@club-internet.fr • petit-sonnailler.com • *À env 5 km au nord-ouest du village par la D 16 puis une petite route sur la gauche (c'est fléché). Tte l'année. Doubles avec douche et w-c ou bains 66-73 €. Studio (2 adultes + 2 enfants) 490 €/sem. Dégustation des vins du château offerte sur présentation de ce guide.* Pour mener la vie de château au milieu des vignes, une belle propriété, avec vue sur les chaînes du Luberon et des Alpilles. Deux chambres ont été aménagées dans le vénérable château, en haut des escaliers de pierre usés par des siècles de bottes. L'une s'ouvre sur le vignoble, l'autre, immense, flanquée d'un âtre monumental, regarde vers la cour. La troisième chambre, destinée aux familles, est au rez-de-chaussée. Enfin, du haut de la tour du XIIe s, on peut voir arriver et repartir les amoureux des coteaux-d'aix, ravis d'avoir découvert ici un vignoble cultivé de façon traditionnelle (remarquable tête de cuvée dans les rouges).

Chambres d'hôtes Le Castelas : *vallon de l'Éoure,* **Aurons.** ☎ 04-90-55-60-12 ou 06-83-25-86-76. • lecastelas@aol.com • le-castelas.fr • *Tte l'année. Doubles avec douche et w-c ou bains, 85-110 €. Wifi. Un cadeau offert sur présentation de ce guide.* Au cœur de ce village attachant, une maison entourée de pins tenue par deux amoureux des traditions et de l'histoire de la Provence (Mme Brauge était brocanteur). Tout incite ici à la douceur de vivre, les adorables chambres aux noms de plantes tinctoriales, l'atmosphère sereine, sans oublier le petit déjeuner servi dans une immense véranda surplombant le pays salonais, avec nappe blanche et porcelaine. Un lieu rare, raffiné. Bassin pour se rafraîchir.

Domaine de la Reynaude : Les Sonnaillets. ☎ 04-90-59-30-24 (hôtel) ou ☎ 04-90-59-36-35 (resto). • domaine.reynaude@wanadoo.fr • domainedelareynaude.com • *À 5 km au nord-ouest du village par la D 16, puis une petite route sur la gauche (c'est fléché). Resto fermé lun midi (et dim soir hors saison). Congés : 24-31 déc. Selon confort et saison, doubles avec douche ou bains et w-c, TV, 72-92 € dans le bâtiment moderne, 116-130 € dans l'ancien relais de poste. Formule le midi 20 €. Menus 25-42 €. Wifi. Apéritif maison offert sur présentation de ce guide.* Au cœur du plateau, en pleine nature et avec tout ce qu'il faut sur place pour en profiter (piscine, tennis, boulodrome, location de VTT...). Les plus jolies chambres, avec terrasse mais assez chères, sont installées dans un ancien relais de poste du XVIIIe s. Les autres, réparties dans de modernes annexes qui s'intègrent plutôt bien dans le site, sont meilleur marché mais franchement basiques, genre hôtel de station de ski. Pour 10 € de plus, elles profitent d'un balcon ou d'une terrasse. Service toujours souriant et de bon conseil. La cuisine provençale du resto a les faveurs des gens du pays.

SALON-DE-PROVENCE

(13330) 40 100 hab. *Carte Bouches-du-Rhône, C2*

Surtout connue aujourd'hui pour sa patrouille de France et son École de l'air, la ville, située à proximité d'Arles, d'Avignon, de Marseille, était au XIXe s un centre commercial important. Productrice d'huile d'olive, de savon de Marseille et de café, elle s'était bâti une solide réputation dont témoigne un riche patrimoine, en bonne voie de réhabilitation. Deux savonneries traditionnelles font d'ailleurs partie des lieux à visiter au cours de votre séjour.
La cité fut aussi la patrie de Nostradamus, Michel de Notre Dame de son vrai nom, qui passa ici les vingt dernières années de sa vie à pratiquer l'astrologie et à pondre ses fameuses (ou fumeuses, c'est selon) prophéties. Enfin et surtout, Salon est une gentille ville de province à échelle humaine, dotée d'un petit centre historique joliment rénové. De fontaine en hôtel particulier, on se plaît à l'arpenter à pied, avant d'aller prendre un verre en toute quiétude le soir venu, autour de l'étonnante fontaine Moussue de la place Crousillat.

Adresses et infos utiles

i *Office de tourisme :* *56, cours Gimon. ☎ 04-90-56-27-60. • accueil@visitsalondeprovence.com • visitsalondeprovence.com • Tte l'année, lun-sam, et dim juil-août.* Bonne documentation pour tout ce qui concerne les activités à faire dans le pays salonais (randos, balades dans les arbres, baptême de l'air, etc.). Organise également des « Flâneries » sympathiques, en été, autour des fontaines, des artisans, des exploitations agricoles du pays... Et renseignez-vous sur le *Pass Avantage Séjour* (12 €) qui donne droit à de nombreuses réductions.

Gare SNCF : *☎ 36-35 (0,34 €/mn). Infos : ☎ 04-90-56-01-15.* Navettes TGV Aix-en-Provence et aéroport Marseille-Provence.

Il existe plusieurs compagnies de cars qui desservent les villes de la région. Se renseigner auprès de la ***Direction des transports et des ports*** *(☎ 0800-199-413 ; appel gratuit)* pour obtenir les horaires sur tout le département.

– ***Marchés :*** *mer mat, pl. Morgan et sur les cours du centre-ville. Sam mat, pl. Morgan (marché paysan) ; dim mat, pl. du Général-de-Gaulle.* D'authentiques marchés provençaux où toute la ville se retrouve.

Où dormir ?

Camping

Nostradamus : *route d'Eyguières (D 17). ☎ 04-90-56-08-36. • gilles.nostra@gmail.com • camping-nostradamus.com • ♿ À 5 km au nord de Salon, par la D 17. Des bus réguliers (6/j.) entre Arles et Salon peuvent vous y déposer. Fermé 31 oct-1er mars. Forfait emplacement pour 2 avec tente et voiture 21,60 € en hte saison. Mobile homes 420-1050 €/sem. Internet et wifi dans tt le camping. Café offert sur présentation de ce guide.* Sympathique camping familial ouvert depuis les années 1960. En pleine campagne, sous les ombrages d'un bois, le long d'un canal. Accueil assez extraordinaire d'un patron qui tutoie immédiatement. Grande capacité d'accueil. Petit resto et bar avec des concerts de jazz. Terrain de foot, piscine. Le GR 6 passe à proximité.

Prix moyens

Grand Hôtel de la Poste : *1, rue des Frères-Kennedy. En plein centre. ☎ 04-90-56-01-94. • info@ghpsalon.com • ghpsalon.com • Fermé 1 sem en janv. Doubles avec douche et w-c ou bains, TV, 47-65 € selon type de chambre et saison. Familiales 72-75 €. Internet, wifi. La 7e nuit offerte sur présentation de ce guide.* Un hôtel presque aussi mythique que la célèbre fontaine Moussue qui rafraîchit la placette, en face de son entrée principale. Une bonne étape en centre-ville : chambres confortables (clim et brasseur d'air), proprettes dans leurs habits roses, pétantes même pour les plus chères. Accueil très pro.

Hôtel Select : *35, rue Suffren. ☎ 04-90-56-07-17. • contact@hotel-select-provence.fr • hotel-select-provence.fr • Congés : 1 sem en janv. Doubles avec douche et w-c ou bains, TV, 52-56 €. Familiales 69-79 €. Wifi.* Certes, le nom peut faire sourire, surtout pour un établissement encore bien désuet par endroits. Pourtant, cet hôtel reste sympa, et joue la carte des prix doux et de l'accueil itou. Les chambres, simplettes, sont mignonnes et bien tenues. Nos préférées donnent sur le patio-jardin où se prend le petit déjeuner, même si c'est là que cogne le soleil l'été. Enfin, on y profite du calme d'un immeuble du XVIIe s, pourtant posté à seulement 200 m du centre-ville.

Hôtel Vendôme : *34, rue du Maréchal-Joffre. Dans le centre. ☎ 04-90-56-01-96. • vendome.hotel13@gmail.com • hotelvendome.com • Tte l'année. Doubles avec douche ou bains et w-c, TV, 45-57 €. Familiales 71-73 €. Parking. Internet, wifi. Réduc de 5 % sur le prix de la chambre sur présentation de ce guide.* Derrière une façade à l'ancienne, des chambres aux couleurs de la Provence dont certaines donnent sur un patio, frais et charmant. On vous conseille celles-là évidemment ! Excellente literie et immenses salles de bains un tantinet rétro.

Hôtel d'Angleterre : *98, cours Carnot. ☎ 04-90-56-01-10. • hoteldangleterre@wanadoo.fr • hotel-dangleterre.biz • Dans le centre. Tte l'année. Doubles avec douche ou bains et w-c, TV, 56-65 €. Garage payant. Wifi.* L'hôtel *old-fashioned* (vu l'enseigne) qui semble avoir toujours été là (le petit déj se prend sous une coupole Empire), mais qui évolue doucement (doucement...) avec son époque. Déco un poil kitsch ici ou là, mais chambres sans histoires, d'un honorable confort (clim pour certaines). Préférer celles qui donnent sur la cour, moins bruyantes.

Où dormir dans les environs ?

Voir aussi plus haut nos adresses à Aurons.

Chambres d'hôtes Le Mas de Lure : *route d'Aurons/Val-de-Cuech. ☎ 04-90-56-41-24. 06-13-06-27-59. • roger.ouillastre@wanadoo.fr • masdelure.com • Tte l'année. Doubles avec douche et w-c ou bains 100-120 €. CB refusées. Parking. Internet et wifi. Collation et boisson d'accueil offertes sur présentation de ce guide.* Au cœur du vallon, loin du monde et du bruit, une bâtisse solide, ancien tennis-club de luxe devenu lieu de séjour idyllique pour citadins stressés. Du beige, du blanc, du bois, des poutres apparentes, des chambres spacieuses où la lumière joue naturellement. Déco très magazine de luxe, façon *gentleman-farmer,* compensée par une rare convivialité côté accueil. Potager fabuleux. Piscine, court de tennis évidemment. Et autour, que du vert.

Où manger ?

Prix moyens

Café des Arts : *20, pl. Crousillat (aussi appelée pl. Fontaine-Moussue). ☎ 04-90-56-00-07. Tlj sf mer soir (et* *dim hors saison) ; congés vac de fév et de la Toussaint. Service en continu juin-sept. Formule bistrot midi et soir 14,50 €, carte 27-30 €.* Un lieu que fréquentaient naguère Mistral et Trenet (non, pas à la même époque !), et surtout une belle terrasse sur la place, sous les platanes centenaires. Une salle aux airs de bistrot de toujours, qui accueille régulièrement des expos de photos. Entrées copieuses, pleines de saveur, et bonne viande grillée au feu de bois. Bref, une bonne brasserie, tenue par un patron en or, amoureux du jazz, qui a toujours plein d'idées pour animer la ville.

Le Petit Verre d'Un : *17, rue de Verdun. ☎ 04-90-53-83-62. • lepetitverredun@orange.fr • Tlj sf mer, dim et le midi des j. fériés. Congés : 2 sem fin août et à Noël. Formules le midi en sem 10,90-12,50 €. Autres menus 20,90-33 €.* Cuisine de tradition, plus lyonnaise que provençale, qui sent l'amour du bon rapport qualité-prix et du travail bien fait. Pour coller à l'assiette, le couple installé dans cette rue tranquille n'a pas joué la carte fusion-*lounge*. Et, attablé à l'étage dans cette petite salle climatisée, on ne s'en plaindra pas.

La Salle à Manger : *6, rue du Maréchal-Joffre. ☎ 04-90-56-28-01. ♿ Tlj sf dim-lun. Résa conseillée. Menus déj 15 € (en sem) et 27 € (entrée + plat) ; carte 35 €.* Depuis plus de 20 ans, la famille Miège (trois générations qui se croisent, en salle comme en cuisine) reçoit chaleureusement ses hôtes dans le décor rococo de cette maison bourgeoise de savonnier du XIXe s. Et le spectacle se prolonge côté jardin l'été, sous les étoiles. Un écrin flamboyant, où l'on savoure en paix une cuisine riche en goûts, pleine de surprises, en perpétuelle évolution, volontiers voyageuse. Les prix restent enfin très raisonnables, et ne subissent pas l'inflation. Bonne sélection de vins du pays.

Où boire un verre ? Où écouter de la musique ?

La Case à Palabres : *44, rue Pontis. ☎ 04-90-56-43-21. • lacaseapalabres@free.fr • ♿ Fermé dim-lun et le soir mar-mer. Congés : de fin juil à mi-août. Formules midi 11-13,50 €. Apéritif offert sur présentation de ce guide.* Un lieu étonnant, une cave aux couleurs d'hacienda, tout à la fois bar-salon de thé, lieu d'expo et épicerie, où l'on peut même grignoter sur le pouce, le midi, des tartes zé tartines et des plats végétariens. Produits exclusivement commerce équitable. Quelques tables sur la rue. Soirées à thèmes.

Café-concert du Portail-Coucou : *160, bd Lamartine (pl. Porte-Coucou). ☎ 04-90-56-27-99. • portail-coucou.com •* Théâtre et musiques actuelles (chanson, reggae, électro...) dans une salle sympa avec, au coin du bar, un bon vieux juke-box garni de 45 tours rock'n'roll. Belle programmation.

Salon de musique : *95, av. Raoul-Francou. ☎ 04-90-53-12-52. • imfp.fr • Ouv lun, mar et mer soir oct-juin. Fermé pdt les vac scol. Entrée : 10 € (5,50 € pour les étudiants) avec la carte d'adhérent (obligatoire) vendue sur place (10 €) et valable 1 an ; réduc.* C'est le club de jazz de l'IMFP, un institut de formation musicale (et une véritable institution, on peut le dire). Tous les mardis soir, des concerts avec des grands noms du jazz contemporain (1re partie assurée par les élèves et les stagiaires de l'institut). *Jam-sessions* (entrée gratuite) les lundi et mercredi. Petite restauration sur place.

LES PAYS D'AIX ET DE SALON

À voir dans le centre ancien

– Il existe un billet combiné valable dans deux des trois musées suivants : Le château-musée de l'Empéri, La maison de Nostradamus et le musée Gréven de la Provence. *Tarif : compter 7,20 €.*

Le château-musée de l'Empéri : *☎ 04-90-44-72-80. • accueil.museeemperi@salon-de-provence.org • Tlj sf lun, 9h30-12h, 14h-18h ; derniers tickets ven-*

dus 45 mn avt ; fermé 1er mai, 1er et 11 nov, 24, 25 et 31 déc, et le Jour de l'an. Entrée : 4,60 € ; billet combiné (voir en début de rubrique) ; réduc ; gratuit pour les moins de 25 ans.
Dominant la ville du haut du rocher du Puech, voici la plus ancienne et l'une des trois plus importantes forteresses médiévales de Provence, avec le palais des Papes d'Avignon et le château de Tarascon. Les archevêques d'Arles, qui dirigeaient Salon sous l'œil du Saint Empire romain germanique (d'où le nom de l'édifice, qui n'a donc rien à voir, autant le préciser d'entrée, avec Napoléon !), ont habité ici du IXe au XVIIIe s. Les rois de France en ont fait une de leurs résidences secondaires après le rattachement de la Provence à la France en 1481.

– Le ***château*** que l'on découvre aujourd'hui n'a, en fait, plus grand-chose de médiéval. Réaménagé par les archevêques au XIIIe s, il a été plusieurs fois remanié pour rester à la mode. Si vous ne voulez pas visiter le musée, jetez au moins un coup d'œil à la jolie galerie Renaissance de la cour d'honneur (en oubliant la caserne du XIXe s qui défigure un peu l'édifice). Vous pouvez également visiter le jardin des simples aménagé dans la cour nord du château, réalisé à partir des recettes laissées par Nostradamus *(entrée libre).* Toujours dans la même cour, une salle est consacrée aux scènes pastorales du peintre provençal du XIXe s Théodore Jourdan *(entrée libre).*

– Le ***musée d'Art et d'Histoire militaires français,*** installé dans le château, est sans doute le plus important de France après le musée de l'Armée aux Invalides, à Paris. Une riche collection illustre l'histoire des armées françaises et de ses uniformes du règne de Louis XIV à la fin de la Première Guerre mondiale. Ce musée s'adresse en priorité aux passionnés et, en l'absence de visite guidée, le néophyte passera à côté de pas mal de choses. Quelques pièces emblématiques, du fameux fusil modèle 1777 au plus célèbre canon de la Grande Guerre. Des détails anecdotiques (les nattes que se tressaient les hussards, pour se protéger le visage des coups de sabre). Et de belles salles consacrées au Premier et au Second Empire : gants portés par Bonaparte pendant la campagne d'Égypte, lit de cuivre (le grand homme était effectivement de petite taille) de Sainte-Hélène... En fin de visite, émouvante évocation de la Première Guerre mondiale, avec une foule d'objets rapportés du front par l'un des deux frères marseillais qui ont constitué cette collection, laquelle appartient aujourd'hui au musée de l'Armée (Paris).

L'église Saint-Michel : *au pied du château. Tlj sf lun mat et dim (mais ouverture aléatoire).* Érigée au XIIIe s, elle présente un portail de tradition romane. Sur le tympan, saint Michel écrasant les forces du mal (un serpent en l'occurrence). À l'intérieur, grand autel doré du XVIIe s.

La maison de Nostradamus : *rue Nostradamus. ☎ 04-90-56-64-31. Tlj sf sam mat, dim mat, 24 et 31 déc ainsi que certains j. fériés, 9h-12h, 14h-18h. Entrée : 4,60 € ; billet combiné (voir en début de rubrique) ; réduc ; gratuit pour les moins de 25 ans. Audioguide.* Musée classé « Maison d'écrivain et des patrimoines littéraires ». Michel de Notre-Dame – dit Nostradamus – se fixe à Salon en 1547. Il y pratique l'astrologie médicale avec un prestige sans cesse grandissant, renforcé par la visite de Catherine de Médicis qui vient se faire lire l'horoscope de son bambin Charles IX, roi de France (il aurait pu lui dire que le massacre de la Saint-Barthélemy, c'était pas joli, joli !). C'est à Salon qu'il écrira ses célèbres *Centuries,* que l'on tente depuis 500 ans de déchiffrer. Le musée, situé dans la maison où il vécut près de vingt ans, retrace la vie de cet érudit original en le situant dans son époque, si riche intellectuellement mais perturbée par les luttes de pouvoir. Expos temporaires au rez-de-chaussée. Boutique-librairie bien fournie.

Le musée Grévin de la Provence : *pl. des Centuries. ☎ 04-90-56-36-30. Tlj sf sam mat, dim mat et certains j. fériés, 9h-12h, 14h-18h. Visite avec audioguide. Durée : 40 mn. Entrée : 4,60 € ; billet combiné (voir en début de rubrique) ; réduc ; gratuit pour les moins de 25 ans. Audioguide.* L'histoire de la Provence, contée en 16 décors avec mannequins de cire (personnages mythiques et historiques, des envahisseurs romains à Emmanuelle Béart en Manon...). C'est un drôle de musée, dont vous ressortirez sourire aux lèvres, si vous avez des enfants ou avez gardé une âme d'enfant. Un vrai musée provençal, qui propose chaque année pour Noël des animations autour de sa crèche. Il y a même la marraine, Mireille Mathieu, à l'accueil, mais rassurez-vous, elle ne chante pas *La Marseillaise*.

L'hôtel de ville : du XVIIe s, il évoque quelque palais italien : balustrades, tourelles d'angle, balcon sculpté...

Juste à côté, un passage voûté se glisse sous la **tour du Bourg-Neuf,** un des derniers vestiges des remparts du XIIe s. On peut y voir des traces des chaînes du carcan des condamnés. Dans la niche, cela dit pour donner une note plus heureuse, la Vierge noire du XIIIe s était vénérée par les futures mères.

La statue Adam de Craponne : ce célèbre ingénieur hydraulicien de la Renaissance réalisa un système d'irrigation à travers tout le pays salonais en détournant les eaux de la Durance, et transforma ainsi une vaste région désertique en une plaine maraîchère. Les canaux existent toujours et sont un élément essentiel de la vie du pays.

La porte de l'Horloge : de 1630 et coiffée d'un campanile en fer forgé. Horloge astronomique au 2e étage. Entièrement rénovée.

La collégiale Saint-Laurent : *ouv lun-ven 13h45-16h45.* « Voilà la plus belle chapelle de mon royaume ! », s'était, paraît-il, exclamé Louis XIV. Construite entre 1344 et 1480, c'est de fait un très bel exemple de gothique méridional. Large et haute nef unique, peu éclairée, les fenêtres ayant été sciemment oubliées pour lutter contre le mistral et la chaleur de l'été. Plutôt que de vous échiner à essayer de déchiffrer l'inscription latine qui orne le reliquaire de Nostradamus (une simple plaque sur le mur dans la chapelle de la Vierge), admirez la *Descente de Croix,* du XVIe s. Tout le talent du sculpteur est visible dans le drapé des vêtements de Marie Madeleine.

LA VENGEANCE DU PROPHÈTE

En 1792, en pleine agitation post-révolutionnaire, des gardes nationaux de passage à Salon profanent le reliquaire de Nostradamus dans la collégiale Saint-Laurent et dispersent ses os. La légende raconte que, quelques jours plus tard, le soldat qui avait le premier violé le tombeau fut fusillé, pour avoir tout bêtement volé de l'argenterie. Un crime plus grave en cette époque peu catholique que la mise à sac d'une église. Pour les mystiques en revanche la cause est entendue, derrière le peloton d'exécution c'est Nostradamus qui se vengeait...

LE CIRCUIT DES SAVONNERIES

Un monde hors du temps. C'est au XIXe s que s'est développé à Salon un important marché d'huile d'olive et de savon de Marseille (la première entrant dans la composition du second). De cette grande époque, Salon a conservé les (beaux) restes de villas aux faux airs de châteaux baroques construites par les riches savonniers, que vous découvrirez si vous allez à pied visiter les dernières savonneries de la ville. Une ville qui n'a pas mis pour l'instant à l'honneur ce qui faisait autrefois sa richesse : seuls les trekkeurs urbains impénitents prendront plaisir à longer des rues et des places pas franchement touristiques, pour arriver jusqu'à ces deux petites merveilles de savonneries heureusement sauvées de l'oubli.

La savonnerie Marius-Fabre et le musée du Savon-de-Marseille : *148, av. Paul-Bourret (pas évident à trouver, prendre un plan à l'office de tourisme).* ☎ 04-

90-53-82-75. ● marius-fabre.fr ● Visite de la savonnerie lun et jeu à 10h30 (ts les mat à 10h30 en juil-août) ; arriver 30 mn avt visite. Musée ouv lun-ven 8h30-12h, 14h-17h (16h ven) ; fermé les j. fériés et entre Noël et Jour de l'an. Visite et musée : 3,50 € ; musée seul : 2 € ; réduc ; gratuit pour les moins de 15 ans.

Une fabrique à l'atmosphère typique, créée en 1900 par un jeune homme entreprenant : Marius Fabre. Succès aidant, la savonnerie s'installera dans des locaux plus importants, et ce à deux pas de la voie ferrée, un avantage précieux. La brève visite de la savonnerie (env 15 mn) permet de découvrir des procédés de fabrication, qui n'ont pratiquement pas changé depuis qu'un édit de Louis XIV la réglementa, en 1688. Pourquoi modifier outillage et savoir-faire ayant fait leurs preuves depuis plus de 300 ans ?

Le musée, installé dans une ancienne salle de séchage, expose une foule d'objets, joliment présentés : tampons en buis gravés, premières mouleuses à savon, pochoirs pour caisses d'expédition, vieux emballages, papiers à en-tête... Belle boutique qui propose notamment une gamme « 1900 » en l'honneur du fondateur de la savonnerie.

La savonnerie Rampal-Latour : *71, rue Félix-Pyat. ☎ 04-90-56-07-28. ● rampal-latour.fr ● Une partie de la fabrication est visible dans le hall d'entrée de la savonnerie (jusqu'à 17h). Boutique ouv lun-ven 8h-12h, 14h-18h. Visite gratuite (20 pers max) de la fabrique en principe mar et ven à 10h30 (tél pour confirmer) ; fermé entre Noël et Jour de l'an.* La deuxième savonnerie artisanale de Salon et, de fait, l'une des dernières de Provence, puisqu'on n'en compte plus que quatre dans la région. Un lieu assez magique, resté dans son jus. Suivez une visite pour mieux comprendre l'histoire de cette maison fondée en 1907. Entre cette date et 1950 – qui vit l'arrivée funeste de la machine à laver –, la fabrique vécut près d'un demi-siècle d'âge d'or, que l'on peut imaginer en traversant ces ateliers où le passé est intelligemment mis en scène. Quant au présent, il ne se contente pas d'être une boutique alignant les dérivés. La reprise récente de cette maison par un chimiste malin lui a redonné vie et couleurs, tout en lui conservant son âme.

Fêtes et manifestations

Bon, on ne va pas toutes vous les citer, car cette petite ville a un tempérament à faire la fête que vous n'imaginez certainement pas. Consultez le guide touristique de l'office !

– ***Reconstitution historique :*** *dernier w-e de juin.* La ville se replonge dans son passé. Reconstitutions en tout genre (campements, échoppes, tavernes...), ripaille, théâtre, défilés en costumes, troubadours...
– ***Les Éclats – Festivals au Château de l'Empéri :*** *juil-août.* Dans les cours du château, concerts (classique, lyrique, chanson, jazz, musique du monde...) et théâtre (festival *Côté Cour*).
– ***Fête des Agriculteurs :*** *fin juil, pl. Morgan.* Marché artisanal, démonstration du travail du foin, animations, produits du terroir...
– ***Festival Salon Public :*** *oct.* Trois jours durant, la ville vibre au rythme des arts de la rue.

DANS LES ENVIRONS DE SALON-DE-PROVENCE

GRANS (13450)

À 5 km au sud-ouest de Salon, à l'orée de la Crau. La Touloubre traverse en prenant son temps ce village estampillé provençal : centre ancien cerné par un boulevard qui forme un cercle parfait, église du XIIIe s coiffée d'un campanile, fontaines... L'étang de Berre n'est pas loin.

Où dormir ?

Chambres d'hôtes du Moulin : *12, rue des Moulins. ☎ 04-90-55-86-46. • monmoulin@aol.com • mon-moulin-en-provence.net • À la poste du village, prendre la petite rue qui la longe sur le côté ; au bout, tourner à gauche : la maison est dans la petite rue qui grimpe. Fermé début nov-fin mars. Double avec douche et w-c ou bains 75 €. Parking gratuit. Internet et wifi.* Chambres agréables, dans un ancien moulin à huile qui vous réserve d'heureuses surprises, comme cette curieuse petite piscine installée à l'étage sur une terrasse. Pas de table d'hôtes, mais restos au village. Accueil sincère et chaleureux.

AUTOUR DE L'ÉTANG DE BERRE

Les rives de ce vaste étang (15 500 ha) et de ses voisins de moindre envergure se sont révélées, dès la fin de la Première Guerre mondiale, le lieu idéal où débarquer le pétrole du Moyen-Orient. Depuis les années 1960, la zone s'est considérablement urbanisée : extension du port pétrolier, installation d'industries pétrochimiques, aménagement de l'aéroport de Marseille entre Vitrolles et Marignane. Avec d'inévitables conséquences sur l'environnement (les pêcheurs se font désormais rares sur l'étang...). Pas vraiment l'endroit où passer ses vacances, donc... Mais vous pouvez pousser jusqu'à ces quelques villages qui ont, par on ne sait quel miracle, échappé à cette impressionnante mutation. Et jusqu'à deux villes comme Istres et Martigues qui multiplient les efforts pour sauver ce qui peut encore l'être.

CORNILLON-CONFOUX *(13250)*

Un petit village à 10 km de Salon par l'ex-N 113, puis la D 70, indolemment posé sur un éperon rocheux. L'ancien tracé de ses remparts offre une vue superbe (sûrement la plus belle du coin) sur l'étang de Berre. Petit marché animé le mardi matin.

Adresse utile

Office de tourisme et de la culture : *pl. de l'Église. ☎ 04-90-50-43-17. Ouv mar-mer et sam tte la journée et ven l'ap-m. • otcornillonconfoux@free.fr • cornilloncofoux.fr •* Dans un ancien presbytère du XVe s, 2 beaux gîtes communaux, bien équipés et confortables, profitent d'une vue imprenable *(pour 4 pers, compter 310-500 €/sem selon saison).*

SAINT-CHAMAS *(13250)*

À voir pour son petit port de pêche sur l'étang. En fond de décor, des falaises percées d'habitations troglodytiques. À l'entrée du village, un pont romain pas mal conservé (mais pas vraiment mis en valeur...).

ISTRES *(13800)*

Difficile à croire, vu la périphérie, mais le centre a des airs de vieux village provençal. Entouré de remparts dont certaines parties sont encore visibles, il a su conserver ses placettes, ses platanes, ses cafés et quelques beaux hôtels particuliers.

Adresse utile

Office de tourisme : *30, allée Jean-Jaurès. ☎ 04-42-81-76-00. • istres.fr • Lun-sam 9h-12h, 14h-18h ; ouv dim mat juin-août.* Nombreuses activités sportives et de loisirs.

Où manger ?

De bon marché à prix moyens

Ô Bout d'Istres : *Z.I. Le Tubé, 2, rue Copernic. Sur le bd circulaire, prendre l'av. Georges-Guynemer à gauche, tt droit jusqu'à la Z.I., puis à droite juste après le pont qui traverse l'autoroute. C'est le bâtiment couleur brique. ☎ 04-42-85-00-00. • oboutdistres@orange.fr • Fermé dim et lun soir. Parking gratuit sur place. Formules « express » 11,90-14,90 € le midi en sem, formule « duo » 19,90 € et menus 24,90-59,90 €. Apéritif offert sur présentation de ce guide.* Il faut être gourmet pour s'aventurer en pleine ZAC, dans cet immense loft à la déco épurée, prolongé d'une grande terrasse en été. Au piano, Mathias Peres, qui a appris auprès de chefs étoilés, aussi bien en cuisine qu'en tant que sommelier. Avec Daniel Cova, ex-étoilé également, ils puisent dans les produits de région pour élaborer une cuisine terre et mer, où modernité et tradition se côtoient. À souligner, les exceptionnelles formules express du déjeuner, à l'incroyable rapport qualité-prix. ZAC oblige, l'adresse fait aussi cave à vins et épicerie fine.

Plus chic

La Table de Sébastien : *7, av. Hélène-Boucher, en plein centre. ☎ 04-42-55-16-01. • contact@latabledesebastien.fr • Tlj sf dim soir, lun et mar midi. Fermé 2 sem fin août-début sept et fin janv-début fév. Menus 28-88 €.* Sébastien Richard a travaillé aux côtés de Thierry Marx et Alain Senderens avant d'ouvrir ce resto récemment étoilé, rassurant dans une ville qui peut sembler, de prime abord, un poil angoissante. Entrée très théâtrale donnant sur une cour fermée où il fait bon venir, à la fraîche, savourer cette cuisine forte en goût et en caractère, qui surfe sur l'air du temps. Un grand moment de plaisir à partager.

À voir à Istres et dans les environs

Petit musée archéologique René-Beaucaire : *pl. José-Coto (centre ancien). ☎ 04-42-11-27-72. Tlj sf dim 9h-12h, 14h-18h. Entrée gratuite.* Riche section d'archéologie sous-marine du golfe de Fos. Intéressante collection d'amphores – une des plus complètes de France – peintes aux noms des commerçants romains (l'ancêtre de l'étiquette !). Nombreux objets en bois, c'est assez rare, cette matière ne se conservant que dans certains milieux comme les étangs, chargés en sel. Expos temporaires.

Le site archéologique de Saint-Blaise : *route d'Istres. Fléché depuis la D 5 entre Istres et Saint-Mitre. Mar-dim 8h-12h, 14h-18h. Entrée gratuite.* Dans un coin très nature (eh oui, il y en a encore !) dominant l'étang de Citis. Oppidum celto-ligure à l'origine, puis comptoir étrusque au VIIe s av. J.-C. On distingue encore le solide rempart antique (qui n'a pas empêché Saint-Blaise d'être détruit par les Sarrasins) et des vestiges des occupations successives du village, définitivement abandonné au profit de Saint-Mitre au XIVe s : maisons, nécropole, églises...

Saint-Mitre-les-Remparts : *à env 6 km au nord-ouest de Martigues par la D 5.* Un peu planqué au-dessus de la départementale, un village médiéval resté dans son jus : des remparts du XVe s encore percés de deux portes qui cachent un lacis de ruelles (évitez d'y pénétrer en voiture).

MARTIGUES (13500) 44 960 hab. *Carte Bouches-du-Rhône, C3*

Après Bruges, Venise des Flandres, Annecy, Venise des Alpes (et bien d'autres...), voilà la Venise provençale, chantée par Vincent Scotto ! Il ne reste pourtant que trois canaux de l'important réseau qui traversait autrefois Martigues. Trois canaux et trois quartiers, héritiers de trois bourgs médiévaux, longtemps rivaux : Ferrières, l'Île et Jonquières, qui ont donné naissance à cette petite ville « posée sur l'eau » assez unique en son genre. Ce petit port provençal, qui continue de se battre pour n'être pas totalement asphyxié par la civilisation industrielle, a su conserver un charme certain, avec ses bâtisses colorées et ses barques de pêche.

En partie piétonnier, le pittoresque centre ancien a vaillamment résisté à l'urbanisation intense des bords de l'étang de Berre. Et la Côte bleue, si elle n'a pas le côté spectaculaire de celle qui court de Marseille à La Ciotat, cache quelques petits coins où les Marseillais aiment à retrouver une certaine authenticité (voir plus haut le chapitre sur Marseille). Quelques bonnes adresses peuvent donner envie d'y passer une nuit, d'attendre au cœur de l'île le passage d'un bateau pour voir se lever le pont suspendu, puis de revenir par les canaux, en jetant un regard amusé vers le viaduc de l'autoroute que l'on finit vite par oublier.

LE CAVIAR DE MARTIGUES

Une vraie spécialité locale que cette poutargue forte en goût ! Installés sur le canal Galliffet, les derniers pêcheurs utilisent un immense filet traditionnel (appelé calen*) qui, tendu entre les deux rives, emprisonne les mulets, emportés par le courant entre la mer et l'étang. Les œufs sont ensuite rincés, nettoyés, abondamment salés et pressés pendant plusieurs jours entre de lourdes pierres, avant d'être séchés au grand air. Une petite production encore très artisanale, ce qui explique le prix de la poutargue, entre 40 et 85 €/kg ces dernières années...*

Adresses utiles

Office de tourisme : *rond-point de l'Hôtel-de-Ville (quartier de Ferrières). ☎ 04-42-42-31-10. • martigues-tourisme.com • Tte l'année, lun-sam, et dim mat.* Un office dynamique, plein d'infos sur les activités à faire à Martigues et dans les environs. Bon plan de la ville détaillant les points d'intérêt. Organise une visite guidée de la cité le mer à 16h en saison (3 €). Autres points d'infos à la maison de Carro (seulement en saison) et dans le centre commercial *Auchan.*

Arrêt de bus Cartreize : *pl. des Aires, quartier de Ferrières, face à l'Île.*

Où dormir ?
Où manger ?

De prix moyens à chic

Clair Hôtel : *57, bd Marcel-Cachin. ☎ 04-42-13-52-52. • contact@clair-hotel.fr • clair-hotel.fr • Sur les hauteurs du quartier de Jonquières (c'est fléché). Tte l'année, 24h/24. Doubles avec douche et w-c ou bains (balnéo), clim et TV 68-83 €. Familiales 81-108 €. Parking fermé gratuit. Wifi. Un petit déj offert/pers/nuit, sur présentation de ce guide.* Ravissant, vraiment, de la salle de petit déj à l'humeur joliment campagnarde aux profonds fauteuils club du salon de lecture. Côté hébergement, chambres de caractère, charmantes, d'un remarquable confort, certaines s'ouvrant sur un balcon. Jacuzzi et solarium sur la terrasse. Accueil décontracté et souriant. Avouez que la façade ne vous avait pas préparé à ça... Une jolie surprise !

Le Garage : *20, av. Frédéric-Mistral. ☎ 04-42-44-09-51. • contact@restaurantmartigues.com • Tlj sf sam midi, dim soir et lun. Congés : 3 sem en janv et 15 j. début août. Plat du jour 13,90 €, formule 25,70 € (midi en sem), menus 28-49 €. Wifi.* Après avoir travaillé à Londres et à Sydney, ce jeune chef, entre-temps passé chez Chibois, à Grasse, et à *L'Épuisette*, à Marseille, a fait le pari d'ouvrir en famille, à Jonquières, un petit lieu au design contemporain, avec des plats bien enlevés pour le lunch et des menus plus soignés pour le soir. Jouant sur les textures et les épices tout en respectant le goût des produits de région, il propose une restauration plaisir, bien dans l'air du temps.

Le Bouchon à la Mer : *13, quai Toulmond, sur l'île. ☎ 04-42-49-41-41. • lebouchonalamer@wanadoo.fr • Ouv du mar soir au dim midi. Menu 28 €. Carte env 35 €.* Avec sa jolie terrasse posée le nez dans les haubans, au bord du canal et sous des canisses, ce petit resto élégant n'a pas grand-chose d'un bouchon. Passé les amuse-bouches – c'est toujours agréable –, on s'y laisse séduire par des poissons préparés avec finesse et parfois un brin d'inventivité, piochés dans le menu unique ou au gré de la pêche du jour, vendue au poids (au risque d'alourdir l'addition). Quelques viandes également, pour satisfaire ceux qui ont l'esprit de contradiction, et des desserts raffinés pour les gourmands. Une cuisine légère, qui colle bien à l'été. Service stylé mais pas guindé.

La cour du Théâtre : *19, quai Paul-Doumer. ☎ 04-42-49-43-43. À Ferrières, sur le quai qui fait face à l'île ; dans la cour... du théâtre. Tlj sf dim-lun ; fermé 3 sem en août et 10 j. en déc. Formules le midi 17-20 €. Menus 22-25 €. Café offert sur présentation de ce guide.* Une terrasse sous les platanes. Une jolie salle façon bistrot, avec de la couleur, des photos de spectacles. Une clientèle d'habitués, un peu bourgeoise, un peu artiste. Et une petite cuisine de région, côté mer et côté terre.

Où boire un verre ?

Point de ralliement à l'heure de l'apéro, une poignée de bars bien sympathiques alignent leurs terrasses sur le cours du 4-Septembre, dans le quartier de Jonquières... On vous laisse choisir. Sinon, sur l'île, quelques terrasses se sont idéalement posées au bord du canal.

À voir. À faire

Le musée Ziem : *bd du 14-Juillet (Ferrières). ☎ 04-42-41-39-60. En juil-août, tlj sf mar 10h-12h, 14h30-18h30 ; le reste de l'année, mer-dim sf j. fériés, 14h30-18h30. Entrée gratuite.* Nombreux tableaux de Félix Ziem (1821-1911), peintre orientaliste et peintre officiel de la Marine nationale : vues du Caire, de Venise, de Marseille aussi. Également des œuvres de l'école provençale, d'art contemporain, et une petite section d'archéologie locale. Amusante collection d'ex-voto, presque une galerie de faits divers : noyades, tempêtes, accidents de cheval... Grâce à Marie, tout est bien qui finit bien ! Expos temporaires.

L'île : au cœur de la ville, une vraie île, reliée par trois ponts et traversée par un canal où s'entrechoquent les barques de pêcheurs. Au bout, le « miroir aux oiseaux », un plan d'eau bordé de maisons colorées qui ravit les peintres du dimanche, modestes successeurs de Ziem, Corot... Petite mais très mignonne « *cathédrale* » *Sainte-Madeleine* avec façade à chapiteaux corinthiens, plafonds peints et un orgue réalisé par le facteur montpelliérain Moitessier (1851).

Espace Prosper Gnidzaz : *rue Colonel-Denfert (Ferrières). ☎ 04-42-49-44-47. Ouv mar-mer et sam-dim 10h-12h, 14h30-18h30. Entrée libre.* Prosper Gnidzaz, une figure locale passionnée de cinoche, a légué à la ville son impressionnante collection de bobines et de projecteurs, 79 machines datées de 1880 à 1980. 27 sont présentées dans ce minimusée retraçant l'évolution technique du cinéma, et où l'on peut aussi, calé dans des fauteuils club, voir ou revoir des films tournés à Martigues. Du plus célèbre d'entre eux, *La Cuisine au beurre* (1963) de Gilles Grangier avec Fernandel et Bourvil, en passant par l'incontournable Robert Guédiguian (*Dieu vomit les tièdes*, 1989) ou le plus iconoclaste *Marche ou rêve ! Les homards de l'utopie* de Paul Carpita (2001). Enfin, une salle de projection, pour découvrir les productions de ce bon vieux Prosper.

La galerie de l'Histoire de Martigues : *rond-point de l'Hôtel-de-Ville (Ferrières). ☎ 04-42-44-34-02. À côté de l'office de tourisme. En hiver, mer-ven, 9h-12h, 13h30-18h30 ; sam-dim, 14h30-18h30. En été, 10h-12h30, 15h-19h. Entrée gratuite.* Deux galeries en réalité, qui racontent Martigues à l'aide de moult photos, textes, vidéos, maquettes... La première se penche sur le passé, de la préhistoire au XIXe s ; la seconde s'intéresse au XXe s et aux projets et enjeux de demain. Un bel espace, un peu dense tout de même pour le visiteur de passage.

➢ **Le sentier du littoral :** descriptif (succinct) disponible à l'office de tourisme. Une balade de 15 km (balisage rouge et blanc du GR) jalonnée d'une quarantaine de panneaux qui donnent des infos sur l'histoire, la faune, la flore, etc., de la côte.

➢ **Balade en bateau au fil des canaux :** *l'été slt. Départs du quai Paul-Doumer (quartier de Ferrières) jeu et dim à 17h, sam à 14h. Durée 45 mn. Tarif : 8 € (6 € pour les enfants). On peut aussi visiter le Fort de Bouc. Départs du même quai mer et dim à 14h, sam à 10h. Compter 2h30 (traversée et visite guidée) et 10 € (7 € pour les enfants). ☎ 04-42-06-02-39.*

Fêtes et manifestations

– **Fête de la Mer et des Pêcheurs :** *fin juin.* Bénédiction des bateaux, messe en provençal et joutes nautiques.
– **Sardinades :** *juil-août, ts les soirs à partir de 18h.* On fait la fête, au bord des canaux, autour de sardines grillées ou à l'escabèche et de vins de pays.
– **Festival de Martigues, danses, musiques et voix du monde :** *une dizaine de jours fin juil. Rens : • festivaldemartigues.com •* Une programmation rigoureuse pour une fête qui, toutefois, sait rester populaire. Avec quelque 600 artistes et une centaine de rendez-vous (concerts, spectacles de danse, stages...), le plus important festival du genre dans le département.
– **Nuit vénitienne :** *en juil.* Elle existe depuis 1928. Si le défilé de chars nautiques sur le canal n'existe plus pour des raisons de sécurité, le grand spectacle pyrotechnique attire chaque année quelque 10 000 spectateurs.

DANS LES ENVIRONS DE MARTIGUES

CARRO ET LA CÔTE BLEUE

Largement moins connue des touristes que la côte de Marseille à La Ciotat, la Côte bleue, de Carro à Niolon, reste l'enfant chérie des Marseillais (et la nôtre aussi un peu, beaucoup...). Voir plus haut le chapitre « La côte et l'arrière-pays marseillais ».

LA CAMARGUE

ARLES (13200) 51 614 hab. *Carte Bouches-du-Rhône, B2*

Pour le plan d'Arles, se reporter au cahier couleur.

Bordée par le Rhône, battue par le mistral et patinée par le soleil, Arles résiste à tout car elle a su garder un cœur de pierre. Et celui qui a la passion des vieilles pierres va se régaler à les contempler. Des arènes au beffroi de l'hôtel de ville, des demeures du XVIIe s au cloître Saint-Trophime, elles évoquent Rome, ses toits de tuile, ses couleurs douces. Arles, qui comptait déjà 50 000 habitants sous l'Empire romain (autant qu'aujourd'hui, en somme), est pourtant loin d'être une ville-musée. Si, dans ses murs, se croisent les chemins de l'histoire, la tauromachie et la photographie donnent à son esprit du mouvement et de l'allant. La mode aussi, puisque Christian Lacroix a fait revivre les racines arlésiennes et leurs camaïeux de couleurs. Bientôt, la cité disposera même de son petit Guggenheim, un Centre International de la Photographie et de l'Image, réalisé sur les sites des anciens ateliers SNCF et conçu par les architectes Frank Gerhy et Edwin Chan.
À Arles, il faut se laisser aller à flâner au hasard des ruelles étroites, le long des placettes et des nobles façades colorées. Et, bien sûr, s'arrêter aux terrasses des bistrots, surtout lorsque, de Pâques à septembre, corridas et ferias se succèdent, emplissant la ville de clameurs... et de visiteurs. Pour vous garer, laissez plutôt votre voiture place Lamartine (sauf en période de feria, car la fête foraine s'y installe) ou sur les boulevards (mais attention aux jours de marché si vous voulez la retrouver le lendemain matin !).

UN PEU D'HISTOIRE

Les fouilles ont permis de révéler l'existence d'une ville celte sur le site d'Arles, colonisée par les Grecs venus de Massilia. Une petite ville servant de passage sur le Rhône juste avant qu'il ne s'élargisse en un delta infranchissable. Cette position stratégique entre la Provence et la Narbonnaise incita Marius, général romain, à s'y intéresser : la guerre entre les Massiliotes et l'armée de César mit fin à la colonisation grecque. Très vite, la ville, avec son port fluvial et son port maritime, Fos, devient une des principales cités romaines. De grands empereurs, comme Auguste et Constantin, aident à son développement.
Aujourd'hui encore, la taille de l'amphithéâtre (les arènes) et l'importance du forum témoignent de la prospérité d'Arles, au point que le roi wisigoth Euric en fit sa capitale. Stratégiquement, Arles commandait l'accès à la vallée du Rhône et servait de verrou entre la Provence et le Languedoc.
Très tôt évangélisée par saint Trophime, un copain de saint Paul, la ville connaît l'installation d'un premier évêque dès 254. Témoin de la richesse religieuse d'Arles, une cathédrale, la première église de la ville, construite autour du IVe s, a été découverte dans le quartier de l'Hauture. C'est sans doute l'une des toutes premières cathédrales de l'histoire des Gaules. Arles a donc abrité un évêché qui fut le siège du Primat des Gaules et a vu se dérouler plusieurs conciles. Tout cela a ajouté à la ville une belle floraison d'églises. À la fin du XIIIe s, Arles est incorporée à la Pro-

vence par Charles d'Anjou. La ville devient alors une métropole commerciale qui contrôle les échanges est-ouest. Toutefois, la pauvreté de son arrière-pays et la concurrence de villes comme Avignon vont, peu à peu, la faire tomber dans une douce torpeur. Il faudra attendre la fin du XIXe s, Mistral et Daudet, pour lui redonner un certain lustre. Son importance stratégique sera redécouverte à la fin de la Seconde Guerre mondiale quand, pour détruire ses ponts, l'aviation alliée rasera le quartier de Trinquetaille et ses belles maisons patriciennes.

Adresses et infos utiles

Office de tourisme *(plan couleur B3)* **:** *esplanade Charles-de-Gaulle, bd des Lices. ☎ 04-90-18-41-20. • arlestourisme.com • Avr-oct, tlj ; le reste de l'année, lun-sam, dim mat ; fermé 25 déc et 1er janv. Visites guidées en été vers 17h : 6 € (entrées dans les monuments non comprises).* Un office précieux à visiter avant toute balade en Camargue comme en ville. De juillet à septembre, passionnantes visites guidées du centre ancien (6 €), en compagnie de guides-conférenciers. Différents thèmes (*sites Unesco, Sur les pas de Van Gogh...*)

Gare SNCF *(plan couleur C1)* **:** *☎ 36-35 (0,34 €/mn).* Navettes gratuites ttes les 15 mn pour le centre. Départ de l'avenue Paulin-Talabot, devant la gare.

Bus Cartreize *(plan couleur A3)* **:** *bd Clemenceau.* Desservent tout le département.

Aéroport Nîmes-Arles-Camargue : *à Garons, à 23 km d'Arles.* La navette directe n'existant plus, il faut prendre la navette Nîmes aéroport-centre-ville, puis le bus Nîmes-Arles (pratique !).

@ **Cyber-Saladelle** *(plan couleur A2)* **:** *17, rue de la République. ☎ 04-90-93-13-56. • contact@cyber-saladelle.com •* En plus des ordis, une poignée de tables au rez-de-chaussée d'un massif hôtel particulier. Un autre **cybercafé** 31, rue Tardieu *(plan couleur C2)*, entre la place Voltaire et les arènes.

Location de vélos - La Maison Jaune *(plan couleur B-C2,* ***1****)* **:** *rue Voltaire, au pied de l'escalier des arènes. ☎ 04-90-93-58-52. Tlj 9h30-18h. Compter 12 €/j. et 8 € la ½ journée.*

– **Marchés :** *mer sur le bd Émile-Combes et, plus important, sam sur le bd des Lices et le bd Clemenceau :* 3 km de long, 600 forains. Le 1er marché régional.

– **Foire à la brocante :** *bd des Lices, le 1er mer du mois.*

Où dormir ?

Camping

Camping City : *67, route de Crau. ☎ 04-90-93-08-86 ou 06-13-46-28-22. • contact@camping-city.com • camping-city.com • À 1 km en allant vers Raphèle-lès-Arles. Par l'autoroute, prendre la sortie n° 7 « centre-ville », puis le bd Victor-Hugo et poursuivre toujours tt droit. En bus du centre, prendre le n° 2 direction Arcades (arrêt Hermite). Ouv avr-sept. Forfait emplacement pour 2 avec tente et voiture 19 € en hte saison. Loc de mobile homes (450 €/sem). CB refusées.* Proche du centre-ville, mais le coin n'est pas franchement emballant, avec son garage à l'entrée et son marécage (gare aux moustiques) à proximité. Le camping est cependant assez ombragé, herbeux et bien équipé (grande piscine, salle de jeux, épicerie, bar et resto). Location de vélos et animations l'été. Atmosphère familiale.

Bon marché

Auberge de jeunesse *(hors plan couleur par B3,* ***10****)* **:** *20, av. Foch. ☎ 04-90-96-18-25. • arles@fuaj.org • fuaj.org • À 10 mn à pied du centre. En bus de la gare : ligne Starlette (jusqu'au centre-ville ; arrêt Clemenceau ; gratuite), puis bus n° 2 direction Hôpital, arrêt AJ-Fournier. Accueil 7h-10h, 17h-23h (minuit de mi-juin à mi-sept). Fermé 15 déc-15 fév. Carte FUAJ obligatoire, vendue sur place. Nuit env 18 €, petit déj compris. Repas env 9 € (le soir et slt en saison pour les individuels sur commande). Internet.* Dans le tranquille quartier du stade. Une centaine de places en dortoirs de 8 personnes. Le bâtiment n'est pas de prime jeunesse, mais il est bien entretenu et s'ouvre sur un jardin. Casiers à bagages, location de VTC.

Hôtel-Restaurant Le Voltaire *(plan couleur C2,* ***21****) : 1, pl.Voltaire. ☎ 04-90-96-49-18. • levoltaire13@aol.com • Doubles 30-40 €, sans ou avec douche et w-c.* Pour les budgets serrés, un établissement familial fatigué aux chambres défraîchies mais propres, idéalement situé à 150 m des arènes. Toutes les piaules s'ouvrent sur un balcon en surplomb de la place. Pas de double vitrage en revanche. Au rez-de-chaussée, un café-resto et sa grande terrasse.

Prix moyens

Hôtel du Musée *(plan couleur B2,* ***17****) : 11, rue du Grand-Prieuré. ☎ 04-90-93-88-88. • contact@hoteldumusee.com • hoteldumusee.com • Congés : 1er-27 déc et 8 janv-10 mars. Doubles avec douche et w-c ou bains 60-80 € selon confort et saison. Familiales 80-130 €. Petit déj (8 €) à prendre obligatoirement à l'hôtel en juil-août et pendant les grands w-e. Garage payant. Internet et wifi.* Une excellente adresse installée dans une belle demeure du XVIIe s, dans un quartier tranquille, face au musée Réattu et à deux pas du Rhône. Chambres toutes différentes, toutes confortables, parquetées, fraîches et vastes, avec clim et belles salles de bains. Deux jolis patios fleuris pour le petit déj. Régulières expos d'art contemporain. Très bon accueil.

Hôtel Acacias *(plan couleur C1,* ***15****) : 2, rue de la Cavalerie. ☎ 04-90-96-37-88. • contact@hotel-acacias.com • hotel-acacias.com • ♿ Fermé nov-mars. Doubles avec douche et w-c ou bains 60-68 € selon saison. Parking gratuit à proximité. Wifi.* Un hôtel pratique et entièrement rénové, à côté de la place Lamartine, derrière les portes de la vieille ville. Chambres aux tons chauds qui ne manquent pas d'air, climatisé du moins.

Hôtel Constantin *(plan couleur A3,* ***13****) : 59, bd de Craponne (contre-allée du bd Clemenceau). ☎ 04-90-96-04-05. • hotelconstantin@wanadoo.fr • arles-hotel-constantin.com • Congés : nov. Doubles avec TV, douche et w-c ou bains 55-60 €. Familiales 71-80 €. Parking privé payant. Wifi. Réduc de 10 % (oct-mars hors feria) sur présentation de ce guide.* Ce vieil hôtel a été transformé au fil des ans en un lieu plutôt agréable à vivre (et climatisé). Si le style gréco-romain d'une ou deux chambres vous déplaît, les autres sont plus classiquement rustico-provençales. Accueil d'une souriante énergie.

Hôtel Porte de Camargue *(plan couleur A2,* ***23****) : 15, rue Noguier. ☎ 04-90-96-17-32. • contact@portecamargue.com • portecamargue.com • ♿ Fermé fin oct-début avr. Doubles avec douche et w-c ou bains 60-70 € selon saison. Familiales 85-91 €. Internet et wifi.* Charmant petit hôtel, juste de l'autre côté du pont, quartier de Trinquetaille. Pas loin donc du centre-ville (et on s'y gare plus facilement). Tenu par un couple sympathique et dynamique. Cadre provençal fort plaisant, chambres simples et confortables (clim notamment). Terrasse avec vue sur les toits d'Arles, et un billard pour tuer le temps. Le tout au calme, qu'espérer de mieux ?

Hôtel de la Muette *(plan couleur B2,* ***14****) : 15, rue des Suisses. ☎ 04-90-96-15-39. • hotel.muette@wanadoo.fr • hotel-muette.com • Congés : vac de fév (zone B). Doubles avec douche et w-c ou bains 48-65 € selon saison. Parking payant. Wifi.* Posée sur une petite place, une ancienne demeure des XIIe et XVe s, dont les très accueillants propriétaires s'emploient constamment à améliorer le confort (clim, minibar, coffre-fort, sèche-cheveux dans toutes les chambres). Du bois, de la pierre et d'agréables chambres dans le genre rustico-provençal. Ambiance familiale d'une auberge de campagne. Petite terrasse sur la place.

De chic à plus chic

Mia Casa *(hors plan couleur par A3,* ***18****) : 10 B, rue Croix-Rouge. Dans la vieille ville. 📱 06-88-03-04-86. • info@miacasa-arles.com • miacasa-arles.com • Doubles 70-85 € selon taille, tri-*

ARLES

ple 100 €. Wifi. Simple, et pourtant plein de cachet. Dans une bâtisse de cette mignonne rue piétonne, Delphine a aménagé deux vastes chambres et une suite-appartement avec kitchenette, garnies d'objets chinés ici et là, de banquettes et commodes d'un autre temps, de souvenirs de voyages. Le parquet craque, les meubles sont parfois un peu branlants mais qu'importe, c'est un lieu d'atmosphère. La maîtresse de maison y accueille touristes et artistes – la salle de petit déj joue aussi les salles d'expo informelles –, et pourquoi pas des visiteurs qui seraient un peu des deux. Chaque chambre dispose d'ailleurs d'un bureau, au cas où, comme Delphine, Arles vous inspire...

Hôtel de l'Amphithéâtre *(plan couleur B2,* ***12****) : 5-7, rue Diderot. ☎ 04-90-96-10-30. • contact@hotelamphitheatre.fr • hotelamphitheatre.fr • ♿ Tte l'année. Parking payant à 5 mn à pied. Doubles avec douche et w-c ou bains, TV, 56-96 € selon confort et saison. Familiales 126-136 €. Wifi. Réduc de 10 % sur le prix de la chambre (nov-mars) sur présentation de ce guide.* Lové dans un bel hôtel particulier en pierres de taille, cet établissement abrite plusieurs types de chambres, plus ou moins vastes et récentes, toutes élégantes et confortables (clim, belles salles d'eau...). Les moins chères, tout de même plus basiques, seront bientôt rénovées. De l'autre côté de la ruelle, l'annexe dévoile de superbes chambres, sobres et contemporaines, où tons neutres et bois patiné mettent en valeur les pierres apparentes. Deux chambres et une suite profitent enfin d'une belle vue sur la ville. Petit déj sucré ou salé, au choix. Accueil d'une grande gentillesse.

Hôtel Le Calendal *(plan couleur B-C2,* ***16****) : 5, rue Porte-de-Laure. ☎ 04-90-96-11-89. • contact@lecalendal.com • lecalendal.com • ♿ Resto fermé de fin nov à Pâques. Snack ouv jusqu'à 21h. Doubles avec douche et w-c ou bains 79-169 € selon confort et saison. Plats 13,50-19 €. Le snack ferme à 21h. Parking municipal (payant) surveillé à 300 m. Internet et wifi. Sur présentation de ce guide, réduc de 10 % sur les soins au spa tte l'année, ou réduc de 10 % sur le prix des chambres 15 nov-15 déc et 15 fév-15 mars.* Incroyable tout ce qu'on peut trouver dans cet, à priori, petit hôtel ! Des chambres provençales, mignonnes comme tout, climatisées, dont certaines donnent sur les arènes, le théâtre ou les toits de la ville (avec terrasse pour les plus chères). Un petit jardin ombragé de micocouliers centenaires pour goûter, en été, des plats malins aux accents du pays. Un snack-cybercafé, ***Olipan,*** servant de bonnes pâtisseries maison, des glaces, des salades et des sandwichs aux goûts d'ici. Enfin, un espace bien-être avec hammam, salon de massage et bains à remous (avec vue sur les arènes !). Accueil pro mais extrêmement chaleureux. On a bien aimé, naturellement.

Le Belvédère *(plan couleur C2,* ***11****) : 5, pl. Voltaire. ☎ 04-90-91-45-94. • info@hotellebelvedere-arles.fr • hotellebelvedere-arles.fr • ♿ Tte l'année. Doubles avec douche et w-c 65-90 € selon confort et saison. Wifi.* Un hôtel à la mode d'aujourd'hui derrière une spartiate façade années 1950. Salon branché au rez-de-chaussée. Dans les étages, chambres d'une plus grande sobriété, résolument design, pas immenses mais d'un irréprochable confort. Les plus chères, plus vastes aussi, s'ouvrent sur un balcon côté place.

Chambres d'hôtes La Pousada *(hors plan couleur par A3,* ***18****) : 9, rue Croix-Rouge. 📱 06-74-44-39-77. • contact@lapousada.net • lapousada.net • Fermé 15 nov-15 mars. Doubles avec douche et w-c 95-115 € selon saison. Wifi.* Typique du quartier de la Roquette, une petite maison qui abrite quand même 3 chambres de belle taille. Élégant mélange de styles, très léché : murs enduits à la chaux, carreaux de ciment à l'ancienne au sol, mobilier ethnique et salles de bains design. Suivent un salon tout aussi soigné et une cour aussi minuscule qu'adorable pour le petit déj (bio). Cuisine à dispo.

Hôtel du Forum *(plan couleur B2,* ***19****) : 10, pl. du Forum. ☎ 04-90-93-48-95. • info@hotelduforum.com • hotelduforum.com • Congés : 20 oct-20 mars. Doubles avec w-c et douche ou bains 85-130 €. Parking payant selon saison. CB refusées. Internet et wifi. Réduc de*

ARLES

10 % sur le prix de la chambre sur présentation de ce guide. Très centrale mais pourtant calme, une institution locale, tenue par la même famille depuis 1921. Un hôtel ancien donc, avec un certain charme. Vastes chambres rafraîchies mais restées dans leur jus, très vieille France (ou vieille Provence ?), avec clim. Certaines, plus chères, s'ouvrent sur la place. Pour l'anecdote, Picasso fut longtemps un adepte de la chambre nº 2. Agréable piscine abritée et un billard, pour rester dans l'ambiance.

Où manger ?

De très bon marché à bon marché

|●| ***Comptoir du Sud*** *(plan couleur B3,* ***35****) :* *2, rue Jean-Jaurès. ☎ 04-90-96-22-17. ● cajtanne.montiel@orange.fr ● Service en continu 10h-18h. Fermé dim (et lun hors saison). Congés : de mi-janv à mi-fév et nov. Plat du jour 6,50 €.* Une coquette épicerie fine, où savourer sur place, perché sur un tabouret, tartine Poilâne et plat du jour. À emporter aussi, de bons sandwichs chauds, des gourmandises et autres grignoteries, à manger avec les doigts dans les petites rues du quartier. Produits frais.

|●| ***Cuisine de Comptoir*** *(plan couleur B2,* ***41****) :* *10, rue de la Liberté. ☎ 04-90-96-86-28. ● contact@cuisinedecomptoir.com ● Tlj sf dim (et j. fériés hors saison). Congés : 10 j. à la Toussaint et 2 sem à Pâques. Formule déj 10,50-12,50 €. Tartines 9-12 €. Carte 15,50 €. Wifi.* Cadre sympa, gentiment branché, bien pour les petites faims. Déco au design contemporain, soupe du jour et salades-tartines qui feront votre bonheur, qu'elles soient, selon l'humeur, de la mer, de la ferme, du jardin...

|●| ***Fad'oli & Fad'ola*** *(plan couleur B2,* ***32****) :* *44 bis-46, rue des Arènes. ☎ 04-90-49-70-73. ● yannbruyere@hotmail.com ● Tlj (sf dim en basse saison) 10h-minuit (10h-15h hors saison). Congés : janv-fév. Menus 12-18 €. CB refusées.* C'est avant tout une boutique qui vend des huiles d'olive (d'ici ou de Crête, d'Espagne...). Mais un petit guichet sur la rue permet d'y acheter de sympathiques sandwichs aux produits du pays, généreusement arrosés, justement, d'huile d'olive. Sushis également, une des proprios étant japonaise. Deux, trois petites tables, sur la rue ou en salle, pour ceux qui ne sont pas fanas du « à emporter ». Boutique en ligne également *(● fadoli.com ●).*

|●| ***La Mule Blanche*** *(plan couleur B3,* ***36****) :* *9, rue du Président-Wilson. ☎ 04-90-93-98-54. Fermé dim soir tte l'année ; lun, mar et mer soir hors saison. Plats 12-20 € ; salades 10-11 € ; carte 15-20 €.* C'est ici que stationnaient les charrettes, pour ferrer les chevaux. Dans cette ancienne maréchalerie, on vient reprendre des forces, en laissant sa voiture au parking, cette fois. L'endroit est animé et connu pour ses succulentes salades. Très agréable en été avec sa terrasse, face à l'Espace Van-Gogh.

|●| 🍸 ☕ ***Le Bar à Thym*** *(plan couleur B3,* ***30****) :* *60-62, rue de la République. ☎ 04-90-96-63-25. ● jmilhau@hotmail.fr ● Ouv lun-sam jusqu'à 19h. Plats 8,50-14 €.* Tranquillement déployée dans une ruelle piétonne, cette terrasse attire les habitués pour ses petits déj variés (formule 5-6 €), ses gourmandises maison, ses jus de fruits pressés et enfin ses salades et petits plats servis au déjeuner. Petite salle attenante.

De bon marché à prix moyens

|●| ***Le 16*** *(plan couleur B2,* ***42****) :* *16, rue du Docteur-Fanton. ☎ 04-90-93-77-36. Tlj sf sam-dim. Formule midi 14 €. Menu 21 €. Carte env 25 €.* Une courte carte, joliment complétée par des suggestions à l'ardoise – ou au miroir ! –, concoctées au gré du marché. Une cuisine de bistrot, simple et pourtant savoureuse, sûre de ses produits et qui ménage sa place au vin. Un bon gueuleton à déguster sans façons, dans une petite salle aux pierres apparentes prolongée d'une mignonne terrasse abritée sous une tonnelle feuillue. Service tout en douceur. Un regret tout de même, le pain, modèle cantoche.

|●| 🍸 ***Le Gibolin*** *(plan couleur A2-3,* ***31****) :* *13, rue des Porcelets. ☎ 04-88-65-*

ARLES

43-14. Tlj sf dim-lun. Menus déj 14-16,50 €, 27-32 € le soir. CB refusées. Un bistrot à vins qui ne se la raconte pas (y a qu'à voir la « deschienne » enseigne) tenu par un couple qui a quelques décennies d'expérience dans ce créneau. Épatante est la carte des vins. Épatants sont les petits plats de ménage, de région ou de bistrot. Sympathiques, enfin, sont la petite salle et sa terrasse, sur la rue piétonne.

I●I ***La Fée Gourmande*** *(plan couleur A3, **45**) : 3, rue Dulau. ☎ 04-90-18-26-57. Tlj sf dim soir, lun et mar (plus mer et jeu soir hors saison). Formules déj en sem 13-15 €. Carte env 25 €.* Elle est pas loin de la maison des ours de *Boucle d'or* cette adresse-là, avec son décor brocante et ses 4 tables où manger à toute heure de la journée, du petit déj au quatre-heures. Au déjeuner comme au dîner, la jeune cuisinière a, dans cette petite salle, des idées parfois dignes des grands. Jolie cuisine donc, jolie vaisselle (Limoges, siouplaît), prix aussi gentils que l'accueil. Et quand même quelques places supplémentaires l'été, en terrasse.

I●I ***La Bodeguita*** *(plan couleur B2, **48**) : 49, rue des Arènes. ☎ 04-90-96-68-59. • labodeguita.arles@gmail.com • Tlj sf dim et lun midis en saison (fermé dim-lun et mar-jeu midis hors saison). Tapas 3-3,50 €. Menu 28 €. Carte 20-30 €. Digestif offert sur présentation de ce guide.* Hors feria, la tauromachique Arles n'avait, étonnamment, pas de bodega. Oubli réparé avec cette bodega modèle réduit, devenue un point de passage obligé de la ville. Jusqu'à laisser largement déborder ses clients sur le trottoir. Au menu, tapas et cuisine du soleil.

I●I ***L'Autruche*** *(plan couleur A3, **33**) : 5, rue Dulau. ☎ 04-90-49-73-63. ♿ Tlj sf lun et dim (plus le soir mar-mer hors saison). Congés : janv. Formule le midi en sem 14 € ; menu 30 € ; carte 37 €.* Petit resto caché dans une rue piétonne en pente, avec vue sur l'Espace Van-Gogh, l'été, depuis la terrasse. Un de ceux, nombreux, qui tentent le pari de proposer une cuisine fraîcheur, jouant la carte des bons produits, du sourire et de la gentillesse, ce qui n'est déjà pas mal.

I●I ***Le Plaza – La Paillote*** *(plan couleur B2, **39**) : 28, rue du Docteur-Fanton. ☎ 04-90-96-33-15. • bognier@free.fr • Tlj sf mer-jeu midi (et le soir hors saison) ; fermé 16 janv-8 fév, 26 nov-7 déc. Formule le midi en sem 17 €. Menus 21-33 €.* Une institution locale reprise par un jeune chef qui nous régale avec ses entrées fraîches et goûteuses, et ses plats de tradition française comme provençale, joliment revisités. Terrasse agréable et ombragée.

I●I **La Comédie** *(plan couleur A3, **43**) : 10, bd Georges-Clemenceau. ☎ 04-90-93-74-97. ♿ Tlj sf dim-lun. Menu 18,80 € ; carte env 30 €.* Sympathique petite adresse où l'on vient se régaler de pâtes fraîches faites maison. Simple mais bonne cuisine méditerranéenne, traditionnelle et familiale, servie dans la décontraction et dans une salle mignonnette. Terrasse sur le boulevard, aux beaux jours.

I●I ***Le Jardin de Manon*** *(plan couleur C3, **40**) : 14, av. des Alyscamps. ☎ 04-90-93-38-68. Un peu à l'écart, en contrebas du bd des Lices. Tlj sf mar soir, mer (et lun hors saison). Congés : vac de fév et de la Toussaint. Formule midi 16 €. Menus 19 € (boissons comprises) en sem, puis 21,50-31 €.* Sympathique petite salle, dans l'esprit du Sud, mais surtout du temps, dans des tons chocolat craquants. Et, comme son enseigne l'indique, un petit patio verdoyant où s'installer l'été. Courte carte d'une cuisine au gré du marché, de terroir mais au goût du jour. Vaste choix de vins et un agréable rapport qualité-prix.

De prix moyens à chic

I●I ***À Côté*** *(plan couleur B3, **37**) : 21, rue des Carmes. ☎ 04-90-47-61-13. • contact@rabanel.com • Ouv mar-sam, midi et soir. Formule 29 €. Menu 37 €. Carte 30-50 €. Café offert sur présentation de ce guide.* Un resto gastro, un autre de fruits de mer (*L'Iode*) et enfin ce bistrot, les fourneaux de Jean-Luc Rabanel ont définitivement pris possession de la rue. Ici – à côté donc –, on se la joue faussement simple, toujours branché. Tables de bar, écrans plats et, au fond, un comptoir, qui cache à peine la cuisine où le chef virevolte entre poêles et casseroles. L'essentiel est dans l'assiette : superbes produits, délicieuses recettes de toujours, servies directement dans une poêle ou une cocotte. Des plats qu'on ne peut s'empêcher de saucer, et quelques inventions plus « zarbis » aussi, pas toujours réussies. Service pro, un peu trop. Petite terrasse dans la ruelle aux beaux jours.

Beaucoup plus chic

Le Cilantro *(plan couleur B3,* ***46****) : 29-31, rue Porte-de-Laure. ☎ 04-90-18-25-05. • contact@restaurantcilantro.com • Tlj sf sam midi (hors saison), dim et j. fériés ; fermé 1re quinzaine de janv et nov. Formules déj (en sem) 25-30 € ; menus 67-99 € ; vin au verre à partir de 5 €.* Au fond du couloir, une table d'aujourd'hui avec ses salles d'un design rigoureux, ouvertes sur une véranda presque zen. Le chef du *Cilantro* a fait son apprentissage au *Vaccarès*. Et à l'image, peut-être, des oiseaux migrateurs qui font halte en Camargue, il y a attrapé la bougeotte. Jérôme Laurent s'est posé dans les cuisines des plus grands avant de reprendre, en la transformant, la maison familiale. Mais ses envies d'ailleurs restent omniprésentes dans sa cuisine. Cet homme de talent fait simple mais très bon, au plus près du produit dans le menu du jour, et avec beaucoup d'imagination pour qui se délestera de quelques euros de plus. « Un voyage au bout du goût », pour lui emprunter une de ses formules fétiches.

Atelier de J.-L. Rabanel *(plan couleur B3,* ***47****) : 7, rue des Carmes. ☎ 04-90-91-07-69. • contact@rabanel.com • Tlj sf lun-mar. Résa conseillée. Menus 45-85 €.* Pressé, volubile, l'homme bio à la mèche rebelle a conçu son atelier culinaire noir, blanc et rouge de A à Z pour réaliser une cuisine fidèle à son éthique et à sa philosophie : « Planter, cueillir, créer, préparer, servir, mais sans jamais se répéter pourvu qu'au bout naisse une émotion. » Doigts, pailles, couverts, tous les ustensiles sont utilisés pour mettre en bouche la succession de tapas (15 à midi, 20 le soir, presque tous à base de légumes) aux goûts puissants. Une cuisine innovante, aussi forte de caractère et haute en couleur que ce Gascon épanoui en Camargue, où il vit aux rythmes de la nature et du potager de son complice Lionel.

Où dormir ? Où manger à Arles et dans les environs ?

Chambres d'hôtes Mas du Petit Fourchon : *13200* ***quartier Fourchon****. ☎ 04-90-96-16-35. À 10 mn du centre. • info@petitfourchon.com • petitfourchon.com • Suivre la direction de l'hôpital J. Imbert ; c'est fléché 30 m après (petit panneau vert sur la droite). Suivre ensuite le fléchage sur env 800 m. Fermé janv. Doubles avec bains 110-130 € selon saison. Familiales 140-150 €. Gîte (2 adultes + 2 enfants) 450-700 €/sem. Table d'hôtes (sur résa) 25 €. CB refusées. Internet et wifi. Café et 10 % de réduc sur la chambre (en mars et oct) offerts sur présentation de ce guide.* Impressionnant ! On quitte Arles en prenant les chemins de traverse, un grand portail, une sonnette, et c'est le choc. Un domaine de 40 ha, où l'on compte plus de chevaux que d'hommes, des moutons qui risquent d'être en vacances dans la Crau lors de votre passage, des terres qui s'étirent à perte de vue. Et encore, une piscine chauffée magnifique, une immense pelouse plantée de 22 platanes centenaires assurant la fraîcheur l'été – le proprio l'atteste, s'ils sont au moins 17, ces arbres créent un microclimat. Enfin, de belles et vastes chambres (dont une suite et une familiale), dotées de vieux meubles et de salles de bains en marbre, sises dans un mas du XVIIIe s. Frigo à dispo. Du calme, du confort. Pour l'animation, vous repasserez... par Arles, évidemment ! Bel accueil.

Le Boatel : *pont Van-Gogh. ☎ 04-90-98-72-11. • leboatel@leboatel.com • leboatel.com • À 5 mn du centre, le long du canal reliant Arles à Port-de-Bouc. Suivre la direction Port-Saint-Louis, prendre à gauche après le pont et suivre le fléchage. Fermé entre Noël*

ARLES

et le Jour de l'an. Resto ouv le soir mer-sam et dim midi et soir. Doubles avec TV, douche et w-c 80-110 € selon saison. Menus 17-36 € ; carte 30-45 €. À quelques encablures du vrai-faux pont Van-Gogh, une péniche, une vraie, posée à quai après avoir autrefois navigué sur les canaux du Nord. Pour la descendre si bas, il fallut la couper en deux. Longue d'environ 50 m, elle ne passait pas les écluses parisiennes... Chambres sobrement contemporaines, équipées de ventilos salvateurs – les hublots regardent le raz de l'eau mais ne s'ouvrent pas. Une adresse insolite donc, à réserver aux amateurs du genre. Question espace comme insonorisation, ces chambres restent des cabines. Bar-resto, jacuzzi, et terrasse pour lézarder au soleil sur le pont supérieur. Soirées spectacles tous les mois.

Où boire un verre ? Où écouter de la musique ?

Pour buller en terrasse, essayez celles des grands cafés du boulevard des Lices, comme le *Malarte* (où on peut également manger, et bien) notamment les jours de marché pour l'ambiance. Ou alors celles de la place du Forum (peut-être un poil trop touristiques).

L'Entrevue – Espace Le Méjean *(plan couleur A2,* **54***) : pl. Nina-Berberova. ☎ 04-90-93-37-28. • restau-lentrevue@orange.fr • Ouv tlj. Menu 14,50 €, carte env 20 €. Wifi.* Le resto-bistrot d'une des oasis culturelles d'Arles. La grande bâtisse de caractère abrite les bureaux de la maison d'édition Actes Sud, un cinéma d'art et d'essai, une galerie d'art, deux librairies (une généraliste, l'autre spécialisée environnement) et... un hammam *(tlj 9h-17h et le ven jusqu'à 22h pour les femmes. Lun, mer, jeu et sam 17h-22h pour les hommes).* Côté bistrot, ambiance également orientalo-provençale, avec une très sympathique terrasse sur la placette. Pour apaiser la faim, bonne cuisine du Maghreb.

Le Coffee Socks *(plan couleur A2,* **55***) : 17, rue Jouvène. ☎ 04-90-97-15-93. • lecoffeesocks@gmail.com • Tlj 12h-21h (minuit ven-sam). Conso à prix à peine majorés pour les non-adhérents à l'association. Wifi.* Un drôle d'appartement, où s'additionnent au hasard des pièces débridées un bar, une friperie, des jeux de société... et même une laverie, dans le fond ! Et il se passe souvent quelque chose (expo, concerts, soirée slam...) dans ce vrai lieu de vie à la déco naturellement décalée. Côté comptoir, des tapas, du thé, du café, de la bière et du pinard.

Paddy Mullins *(plan couleur A-B3,* **52***) : 5, bd Georges-Clemenceau. ☎ 04-90-49-67-25. • paddymullins@hotmail.fr • Ouv 7h-0h30. Internet et wifi.* Belle reconstitution de pub irlandais. Sympa, même s'il est toujours bizarre de se faire servir une pinte *avé l'assent.* M'enfin, une chope à la main, on y est aussi braillard que sous la brume gaélique. Concerts (rock, country, musique irlandaise...) le jeudi soir, scène ouverte tous les mardis. Grande terrasse sur le boulevard. Fait aussi resto le midi.

Le Tambourin *(plan couleur B2,* **53***) : pl. du Forum. ☎ 04-90-96-48-39. Ouv tlj en saison, jusqu'à minuit environ.* Le troquet des aficionados, pour siroter un jaune en terrasse, sous les platanes de la place du Forum. En salle, affiches de ferias, accent qui chante et corrida sur écran plat. On peut aussi y manger.

Le Tropical *(plan couleur B3,* **50***) : 28, rue Porte-de-Laure. ☎ 04-90-47-55-08. Tlj 10h30-2h en saison, slt le soir jeu-sam à partir de fin sept ; fermé de janv à mi-fév. Wifi. Café offert sur présentation de ce guide.* Toute petite salle à la déco... tropicale. Le paradis de la bière, sous une exotique terrasse couverte. On peut y caler une faim ; les tropiques d'aujourd'hui, mondialisation oblige, versent aussi dans la cuisine brasserie traditionnelle.

Cargo de Nuit *(plan couleur A3,* **51***) : 7, av. Sadi-Carnot. ☎ 04-90-49-55-99. • info@cargodenuit.com • cargodenuit.com • Ouv 21h-minuit les j. de concert (ven-sam et parfois certains autres soirs). Fermé juil-août. Entrée : 5-25 €.* Café-musique labellisé. Déco de cale de bateau, cocktails et bières à prix doux à boire au comptoir ou dans l'espace *lounge*. Grande salle (300 places) pour les concerts du week-end (blues, salsa, *world music*... programme disponible sur leur site).

Où acheter de bons produits ?

Charcuterie La Farandole : *11, rue des Porcelets. ☎ 04-90-96-01-12. Mar-sam 7h-12h30, 15h30-19h30 ; fermé fév.* Un haut lieu à visiter avec un cabas, pour faire provision de saucisson d'Arles, entre autres spécialités.

La Pâtisserie du Forum : *4, rue de la Liberté. ☎ 04-90-96-03-72. Mar-dim 7h30-19h30 (13h dim).* Si vous voulez faire la conquête d'une Arlésienne, quel que soit son âge, emmenez-la chez Pierre Boitel. Une référence. Également un espace salon de thé d'un autre temps *(ouvre à 16h).*

Soleileïs : *9, rue du Docteur-Fanton. ☎ 04-90-93-30-76. Ouv début avr-début nov, tlj 14h-18h30.* Des glaces et sorbets délicieux préparés par un glacier artisanal. Sans équivalent !

Le Mas de Rey : *route de Saint-Gilles. ☎ 04-90-96-11-84.* À 3 km d'Arles, au-delà du quartier de Trinquetaille, au milieu des vignes, un domaine typiquement provençal du XVIIe s. *Le Mas de Rey* est la propriété de la famille Mazzoleni, producteurs de vins à leur image, originaux et authentiques. Sur place, dégustation et table d'hôtes (sur résa).

À voir

Le centre ancien

ARLES

Stationnement difficile pour les voitures, le vieil Arles se visite donc à pied. On peut en faire le tour en une petite journée. Deux toutefois seront nécessaires si vous voulez visiter les musées, et beaucoup plus si vous vous attardez devant les 2 000 bâtiments classés de la ville, dont sept sont inscrits au Patrimoine mondial de l'Unesco ! Quatre circuits piétons sont balisés (*Arles Antique*, *Médiévale*, *Renaissance et Classique*, *Van Gogh*). Brochures disponibles à l'office de tourisme.
Pour les sites payants, plusieurs billets globaux sont proposés : *pass Avantage* (ts monuments et musées ; valable 1 an) 13,50 € ; *pass Liberté* (4 monuments + 1 musée valable 1 mois) 9 € ; réduc. Achat à l'office de tourisme ou dans le 1er site visité.

La place de la République (plan couleur B3) **:** *toilettes publiques à gauche de l'hôtel de ville.* On gagne cette place par la rue Jean-Jaurès (juste en face de l'office de tourisme). Marquée par un obélisque de granit provenant de l'ancien cirque romain, c'est la plus grande place de la vieille ville. Bel hôtel de ville, construit autour d'une tour du XVIe s sur des plans de Mansart. Si vous n'avez jamais vu de voûte... plate (ça existe ! et c'est même une vraie prouesse architecturale), pénétrez dans le hall ou salle des pas perdus.

Les Cryptoportiques (plan couleur B3) **:** *entrée par le hall de l'hôtel de ville. Tlj 9h-12h, 14h-18h (19h mai-sept, 17h fév). Entrée : 3,50 € ; réduc.* Encadrée de colonnades, une immense crypte de 90 m de long par 60 m de large à peine éclairée. L'eau suinte, les pas résonnent contre les parois humides... Brrr ! La construction date des années 30 (av. J.-C. !). Rien à voir donc avec un bar clandestin des années folles, il s'agissait en fait des fondations sur lesquelles était construit le forum. Des fondations utilisées au mieux ; on y trouve l'emplacement de réserves, voire de boutiques, on y discerne les conduites d'eau, les égouts. Idéal pour prendre le frais quand ça cogne trop dehors l'été.

L'église Saint-Trophime (plan couleur B2-3) **:** *à côté de l'hôtel de ville. Tlj 8h-12h, 14h-18h (15h-19h en saison).* Ancienne cathédrale, cette église romane est l'une des plus intéressantes de Provence. Admirez le portail qui, par sa richesse, contraste avec le dépouillement de l'intérieur. Nef impressionnante de hauteur, jalonnée de chapelles, dont seule celle des Rois reçoit la lumière grâce à ses larges vitraux. Du mobilier d'origine, envolé pendant la Révolution, ne subsistent que des tapisseries d'Aubusson sur les murs, qui racontent la vie de la Vierge. Un sarcophage paléochrétien en marbre (du IVe ou V^{e} s) sert de fonts baptismaux.

Le cloître Saint-Trophime (plan couleur B3) **:** *en sortant de l'église, accès par la cour de l'Archevêché. Tlj 9h-18h (9h-19h mai-sept ; 10h-17h fév) ; vente des derniers tickets 30 mn avt la fermeture. Entrée : 3,50 € ; réduc. Billet jumelé avec les Alyscamps : 5,50 €.* Particulièrement élégant avec ses minces colonnes coiffées de chapiteaux finement sculptés. Il fut construit entre les XIIe et XIVe s, ce qui explique que deux de ses galeries soient romanes, les deux autres gothiques. Bonne vue d'ensemble en montant sur la galerie supérieure. Dans les salles capitulaires, des tapisseries d'Aubusson retracent l'histoire de la première croisade. Les belles salles voûtées où les moines entreposaient les produits de leurs terres servent aujourd'hui à des expositions temporaires.

UN CHANTIER HORS DÉLAI

Le cloître Saint-Trophime mêle les styles et pour cause, il fut bâti en deux fois. À la fin du XIIe s, les travaux stoppent net. En effet, Saint Louis fait ériger Aigues-Mortes pour embarquer en croisade, les papes s'installent à Avignon et les comtes de Provence délaissent Arles pour Aix. Il faudra attendre deux siècles pour que les papes voisins ordonnent finalement de terminer le chantier. Un peu tard... Dès le siècle suivant, les chanoines abandonnent leur vie de reclus. Le cloître n'a dès lors plus d'utilité.

Prenez le temps d'arpenter les vieilles rues du centre, situées entre l'hôtel de ville, l'église Saint-Trophime et les arènes, puis entre le théâtre antique et les remparts. Quartiers oubliés des touristes, petites maisons qui offrent une foule de détails architecturaux à qui sait regarder...

Le théâtre antique (plan couleur B2-3) **:** *tlj 9h-18h (19h mai-sept ; 10h-17h fév) ; vente des derniers tickets 30 mn avt la fermeture ; fermé 1 sem mi-juil pour le festival des Suds. Rens au ☎ 04-90-49-36-74. Entrée : 6 € (billet couplé avec l'amphithéâtre) ; réduc. Vidéo explicative à l'entrée.* Il date des premières années du règne d'Auguste. À cette époque, Arles connaissait une grande prospérité, due à sa situation géographique, au carrefour des voies romaines reliant la vallée du Rhône à l'Italie et l'Espagne. Il semble qu'il pouvait recevoir près de 12 000 spectateurs. Les gradins ont été en partie restaurés, mais le pavage de l'orchestre est d'origine. De la scène, il ne reste plus que deux majestueuses colonnes corinthiennes, qui ont particulièrement fière allure. La *Vénus d'Arles,* conservée au Louvre, fut d'ailleurs trouvée parmi les vestiges de la scène et offerte en 1683 à Louis XIV pour les jardins de Versailles. Le théâtre a retrouvé sa vocation en accueillant les grandes manifestations estivales.

L'amphithéâtre (les arènes ; plan couleur B-C2) **:** *☎ 04-90-90-52-70 ou 04-90-49-36-86. Mêmes horaires que le théâtre antique. Ferme à 15h les mer et ven juil-août. Fermé pour la feria de Pâques (mi-avr), la Cocarde d'or (1 j. en juil), la feria du Riz (début sept) et la finale des As (1 j. en oct). Entrée : 6 € (billet couplé avec le théâtre antique) ; réduc.* Bien conservées grâce à leur transformation en forteresse lors des invasions sarrasines (elles abritaient tout un village, avec 200 maisons et 2 chapelles !), les arènes d'Arles comptent parmi les vingt plus grands amphithéâtres du monde romain. Elles pouvaient contenir plus de 20 000 spectateurs (il suffit de faire le tour des murs extérieurs pour être impressionné). Aujourd'hui, elles accueillent encore corridas et courses camarguaises. Mais leur état de conservation devenait problématique d'année en année. Leur rénovation, qui a commencé, constitue un des plus importants chantiers de ce siècle : trente millions d'euros et six ans de travaux pour une première tranche, permettant déjà un meilleur accueil du public, de nouvelles travées et un nouveau gradin mieux intégré.

Les thermes de Constantin (plan couleur B2) : *rue du Grand-Prieuré. Tlj 9h-12h, 14h-19h mai-sept (18h oct-janv et mars-avr ; 17h fév). Entrée : 3 € ; réduc.* Importants vestiges de thermes du IVe s, dont seule la partie chaude – caldarium et tepidarium - a été dégagée. Hypocauste (système de chaufferie) bien conservé. Piscine pavée de marbre, belle voûte en cul-de-four. Les ruines furent envahies au cours des siècles par des habitations, jusqu'à faire oublier l'existence même de ces thermes. Au XVIe s, des érudits locaux croient identifier ici les vestiges d'un palais de Constantin, qu'ils nomment « Palais de la Trouille », sobriquet parfois encore utilisé de nos jours. Rien à voir avec une légende de manoir hanté, le nom « trouille » vient du latin *trulus*, désignant un édifice circulaire voûté.

Le musée Réattu (plan couleur B2) : *rue du Grand-Prieuré. ☎ 04-90-49-35-23. • museereattu.arles.fr • Sur les quais du Grand Rhône. Tlj sf lun juil-sept 10h-19h ; oct-juin 10h-12h, 14h-18h30. Visites guidées mer et dim à 15h avr-oct ; 1er dim du mois à 13h30 et 15h tte l'année. Entrée : 7 € ; réduc ; gratuit pour les moins de 18 ans.* Cet ancien prieuré des chevaliers de l'ordre de Malte abrite, au rez-de-chaussée, une salle consacrée à la photographie (Man Ray, Brassaï...). Dans les étages, des œuvres contemporaines (toiles, sculptures, installations, photos, dessins) d'artistes aussi divers que Prassinos, Germaine Richier, Zadkine... se mêlent à des tableaux anciens, dont plusieurs de Jacques Réattu (1760-1833), peintre classique arlésien. Superbe portrait de Simon Vouet également. Le clou du musée enfin, 57 dessins réalisés en janvier 1971 par Picasso, qui en fit don à la ville. Âgé de 90 ans, « l'Espagnol », comme l'appelait Matisse, réalisait encore jusqu'à huit dessins dans la même journée. Atteint d'une frénésie créatrice, il couvrait de son trait les deux côtés de la feuille. Très beaux portraits de la mère de l'artiste, offerts par Jacqueline Picasso, et de Lee Miller en Arlésienne. Amusante galerie de portraits photo du peintre, dont *Picasso et les petits pains* de Doisneau.

Le Museon Arlaten (plan couleur B2-3) : *29-31, rue de la République, dans l'hôtel de Laval-Castellane. ☎ 04-90-93-58-11.* Le « panthéon de la culture provençale », créé en 1896 par Frédéric Mistral lui-même, se refait une beauté. Réouverture prévue pour février 2013.

Sur les pas de Van Gogh

L'office de tourisme a mis en place une visite guidée (à 17h juil-sept ; se rens sur le jour), « Sur les traces de Vincent Van Gogh », qui permet de mieux voir les lieux qu'il a peints et où il a vécu. Tarif : 6 €. Également un circuit piéton autonome (brochure à l'office de tourisme).

Van Gogh séjourna à Arles en 1888, au 2, place Lamartine, où il habita une maison de quatre pièces. Le musée d'Orsay, à Paris, possède une version du célèbre tableau intitulé *La Chambre,* celle que l'artiste décida de peindre un jour où le mistral était si fort qu'il était impossible de travailler à l'extérieur. Cette ville fut pour lui la révélation de la lumière du Midi. Il réalisa plus de 200 peintures et 200 dessins rien qu'à Arles. Malheureusement, on ne trouve plus aujourd'hui d'œuvres de Van Gogh dans cette cité, où l'on ne goûtait pas trop sa peinture. Chacun peut suivre, à son rythme, l'itinéraire balisé en centre-ville. On peut même pousser jusqu'au pont de bois de Langlois (dit pont Van-Gogh), qui, l'original ayant été détruit, a été transporté depuis Port-de-Bouc pour le plus grand bonheur des cars de Japonais. Touristes qu'on retrouvera sûrement à la terrasse d'un café naguère réputé qui s'est refait la façade façon tableau de Van Gogh, ou dans les escaliers de la « chambre de Vincent » (4 € la visite de la reconstitution, quand même...). Et si vous recherchez désespérément l'ancien hôtel de passe où Van Gogh offrit le lobe de son oreille à une prostituée, certains murmurent que ce serait l'*hôtel Rhodania,* qui abrite désormais d'autres originaux...

La Fondation Van-Gogh-Arles (plan couleur A2) : *35 ter, rue du Docteur-Fanton. En principe, ouv avr-juin, tlj 10h-18h ; juil-oct, tlj 10h-19h ; nov-mars, tlj 10h-17h. Attention cependant, la Fondation vient d'emménager. Elle ne devrait ouvrir ses portes qu'au printemps 2012. Entrée : 6 €.* La Fondation a créé en 1988, cent ans après l'arrivée du peintre à Arles, une « Maison des artistes » comme Van Gogh l'avait souhaité lui-même. Installée dans l'ancien bâtiment de la Banque de France, elle présente des œuvres d'artistes contemporains, réalisées en hommage au peintre et remises en dépôt à la Fondation. Ceux qui se retrouvent ainsi autour de lui, dans son « atelier du Midi », sont peintres, sculpteurs, photographes, poètes, écrivains. Entre autres : Bacon, César, Botero, Arman, David Hockney, Di Rosa... Également des compositeurs, tel Dutilleux, ou des couturiers, comme Christian Lacroix. Plus de 150 œuvres ont été réunies. Petit rappel : l'artiste le plus cher du monde ne vendit qu'un seul tableau de son vivant... En 2013, la Fondation devrait accueillir une expo exceptionnelle d'œuvres de Van Gogh.

L'Espace Van-Gogh (plan couleur A-B3) : *pl. Félix-Ray. Accès tlj jusqu'à 19h. ☎ 04-90-49-39-39.* Installé dans l'ancien hôtel-Dieu (remarquablement restauré) où séjourna Van Gogh, après sa dispute avec Gauguin. Le cloître, où glougloute une fontaine, est fleuri comme à son époque. L'ancien hôpital a été transformé en annexe de la faculté et abrite une bibliothèque-médiathèque, très réussie *(ferme plus tôt ; horaires variables).*

GAUGUIN, PEINTRE GÉNIAL, HOMME SORDIDE

D'abord agent de change, il décida de se consacrer entièrement à la peinture. Il partit à Copenhague avec son épouse danoise et ses cinq enfants. La misère venant, il abandonna sa famille pour s'installer avec ses copains, à Pont-Aven puis Arles. Enfin, départ pour la Martinique et escale finale aux Marquises. Là, il offrait la syphilis à toutes les très jeunes filles de rencontre...

Autour du centre ancien

Le quartier de la Roquette (plan couleur A2-3) : un quartier populaire un brin bohème des bords du Rhône, où l'on se plaît à flâner. Il a conservé son aspect du XVIIe s (et, du coup, pas mal de charme), quand Arles était un grand port fluvial et qu'y vivaient marins, pêcheurs et débardeurs. Peu d'hôtels particuliers à la différence des autres quartiers, mais de beaux ensembles de petites maisons de un à deux étages, aux mille et un détails architecturaux. Détour obligatoire par la coquette et fleurie rue Croix-Rouge, qui s'est récemment refait une beauté.

Le musée de l'Arles antique (hors plan couleur par A3) : *presqu'île du Cirque-Romain. ☎ 04-90-18-88-88. • arles-antique.cg13.fr • Tlj sf mar, 10h-18h ; nocturne jusqu'à 20h ts les 1er ven du mois. Fermé 1er janv, 1er mai, 1er nov et 25 déc. Entrée : 6 € ; réduc ; gratuit pour ts les 1er dim du mois. En longeant le Rhône, après le quartier de la Roquette (compter env 15 mn à pied depuis la pl. du Forum). Parking gratuit. Visite guidée le dim 15h (comprise dans le prix d'entrée).* On ne s'ennuie pas forcément dans les musées d'archéologie ! La preuve dans cette véritable « cité muséale », conçue par Henri Ciriani (un élève de Le Corbusier) selon une architecture novatrice et fonctionnelle, et qui doit être bientôt agrandie. Le musée a ouvert ses portes en 1995 au bord du Rhône, ce fleuve qui a tant contribué à l'histoire d'Arles. Dans un parcours thématique et chronologique très cohérent (ponctué de magnifiques maquettes), l'histoire de la ville, de ses monuments et de ses habitants se déroule comme dans un film. De récentes découvertes archéologiques ont permis d'enrichir les collections d'un certain nombre de pièces, parmi lesquelles le fameux buste de César, une statue de Neptune, un captif en bronze et un bel ornement nommé Victoire dorée.

ARLES

Dans cet immense espace sans cloison, on circule très facilement d'un thème à l'autre : l'eau, la navigation, le forum, la santé, les morts, le cirque, les dieux et héros... Ici, l'extraordinaire et le quotidien se côtoient dans une présentation dépouillée dont les couleurs, les lumières et les matériaux choisis par l'architecte ne sont qu'au service des œuvres et de l'information. Sachez que des spécialistes du monde entier viennent étudier les collections de ce musée, en particulier ses sarcophages qui n'ont rien à envier à ceux des musées du Vatican et du Louvre ! Les environs d'Arles ne sont pas négligés : les Alpilles, la Camargue et la Crau n'ont pas été oubliées par les archéologues. Stèles, linteaux, meules... décorés de scènes agricoles traduisent l'appartenance d'Arles au monde méditerranéen du blé, de l'huile et du vin. Une visite qui est le pendant indispensable à la découverte des monuments arlésiens, et qu'on peut compléter par celle du ***jardin Hortus*** *(entrée libre, mêmes horaires que le musée),* reconstitution unique en son genre d'un jardin-hippodrome d'après une description de Pline le Jeune. Un espace à la fois bucolique et pédagogique ; des jeux éducatifs à destination des enfants ponctuent les divers espaces thématiques.

Les Alyscamps *(hors plan couleur par C3)* **:** *tlj 9h-12h, 14h-18h (19h mai-sept ; 10h-17h fév). Entrée : 3,50 € ; billet couplé avec le cloître Saint-Trophime : 5,50 € ; réduc ; gratuit jusqu'à 12 ans. Visite guidée slt en juil-août, tlj sf mar, à 17h.* Le mot vient d'*Elysii Campi* (Champs-Élysées). L'allée est bordée de tombeaux à l'ombre des cyprès, et mène à une église romane (XIIe s) coiffée d'une tour lanterne octogonale. C'est le reste d'une nécropole aussi immense que célèbre (Dante l'évoque dans son *Enfer*) où, pendant quinze siècles, de nombreux chrétiens choisirent d'avoir leur sépulture. Pour expliquer le nombre de tombes – des milliers sur près de 2 km de long –, une légende tenace prétendait que Charlemagne avait livré ici bataille aux Sarrasins. L'allée actuelle, plus modeste, a été aménagée par les Minimes (ordre religieux) au XVIIIe s.

À faire

Le train des Alpilles : *17 bis, av. de Hongrie. ☎ 04-90-18-81-31. • letraindesalpilles.fr • Circule de juin à mi-sept, mer-sam ; départ de la gare d'Arles à 10h15 et 14h30 (de Fontvieille, départ à 11h20 et 16h20 – aller simple slt pour le départ de 16h20). A/R : 9,50 €/adulte ; réduc ; gratuit pour les moins de 7 ans.* Un autorail des années 1950 qui circule entre Arles et Fontvieille. À 20 km/h, on a le temps d'apprécier le paysage : rizières, champs de tournesols... Le train franchit le canal du Vigueirat, passe devant l'abbaye de Montmajour (arrêt possible). Petit Musée ferroviaire dans un bâtiment en face de l'ancienne gare d'Arles.

➢ ***Les berges du canal :*** *à env 15 mn à pied du bd Clemenceau (hors plan couleur par A3). Suivre la direction Port-Saint-Louis, puis tourner à gauche après le pont.* Pour s'échapper un peu de la ville, une gentille balade, à faire à pied comme à vélo. Les paisibles berges du canal, où mouillent une poignée de péniches, mènent jusqu'au vrai-faux pont Van Gogh, et jusqu'à Port-de-Bouc et la mer si vous les suivez jusqu'au bout...

Fêtes et manifestations

– ***Fête des Gardians :*** *1er mai.* Date anniversaire de la fondation de l'antique confrérie des *gardians de Saint-Georges* en 1512. Les gardians vont saluer la statue de Frédéric Mistral sur la place du Forum, et toute la journée est consacrée aux cérémonies (ne pas louper la messe des gardians sur le parvis de Notre-Dame-la-Major) et aux spectacles taurins et équestres des arènes. Tous les 3 ans, on élit la reine d'Arles (prochaine élection en 2014).

– ***Festival européen de la Photo de nu :*** *autour du 8 mai.* Succès grandissant pour ce festival récent. Expos dispatchées dans divers sites de la ville.
– ***Fête de la Saint-Jean :*** *fin juin.* Elle donne lieu, sur la place de l'Hôtel-de-Ville, à de nombreuses danses arlésiennes autour du feu et à une distribution de pain bénit au son du fifre et du tambourin.
– ***Pegoulado :*** *dernier ven de juin ou 1er juil.* Grand défilé folklorique. On parle beaucoup des Arlésiennes, avec leur fichu de dentelle blanche et leur coiffe, mais on les voit seulement pendant les fêtes folkloriques. Leur costume date du début du XXe s et sa mise en place est d'une complexité sans égale. Il nécessite des heures de préparation et de nombreuses épingles et rubans.
– ***Fête du Costume et Cocarde d'or :*** *1er dim de juil.* Pour cette occasion, les plus beaux costumes et les plus beaux rubans sont sortis des malles. Chatoyant défilé qui se termine par une fête au théâtre antique. Intronisation de la reine d'Arles (tous les 3 ans). Le lundi suivant se déroule une déjà ancienne (elle a été créée en 1930) et prestigieuse course à la cocarde.
– ***Rencontres d'Arles*** *(ex-Rencontres internationales de la Photographie) :* *de début juil à mi-sept. Rens : 10, rond-point des Arènes. ☎ 04-90-96-76-06. • rencontres-arles.com • Les rencontres ont lieu pdt la 1re sem de juil, mais les expos, elles, durent tt l'été, en général jusqu'à mi-sept.* Créées en 1970, notamment par le photographe arlésien Lucien Clergue et l'écrivain Michel Tournier, elles sont devenues un rendez-vous mondial où se côtoient tous les genres photographiques.
– ***Les Suds à Arles :*** *mi-juil. ☎ 04-90-96-06-27. • suds-arles.com •* C'est le grand festival des musiques du monde. Toute la ville bruisse des musiques de Méditerranée, d'Afrique et d'ailleurs. Outre les concerts, de nombreux stages musicaux sont organisés.
– ***Festival du Péplum :*** *dernière sem d'août. Rens : ☎ 04-90-93-19-55.* Pour assister à une projection de *Ben Hur* ou de *Spartacus* dans le théâtre antique...
– ***Feria du Riz :*** *2e w-e de sept.* Festival du cheval, corridas, bandas et bodegas. D'année en année, la petite sœur de la feria de Pâques (lire ci-dessous) gagne en importance. Le w-e suivant, les ***Prémices du riz,*** fête très appréciée des Arlésiens, célèbrent la récolte du riz en Camargue. Gigantesque corso dans les rues de la ville, dégustation de produits du terroir camarguais.

DU BON USAGE DE LA FERIA

La feria de Pâques à Arles marque traditionnellement le début de la saison taurine (la *temporada*) en France. C'est dire son importance. Des milliers d'*aficionados* privés de *toros* par l'hiver se rendent à Arles pour célébrer le retour du culte païen. La vieille ville devient intégralement piétonne, les hôtels sont pleins, les restaurants remplacent la carte habituelle par des menus spéciaux, les bandas (fanfares) envahissent les rues, tout comme les camelots, les marchands de kebabs ou de *churros* et... les pickpockets.

Logement

Si vous n'avez rien réservé au moins deux mois à l'avance, allez tenter votre chance à l'office de tourisme, qui tient une liste des chambres disponibles (y compris chez l'habitant) en temps réel. Mais à l'impossible nul n'est tenu, et vous pourrez fort bien devoir aller loger à 20 ou 30 km. Passez de toute façon à l'office chercher le guide sur la feria, indispensable pour organiser vos journées et surtout vos nuits.

Voiture et parking

Circulation interdite dans tout le centre-ville. Le parking des Lices est quasiment inaccessible. Une navette gratuite joint le parking du centre commercial (flèches « Parking Casino ») au centre-ville. L'office de tourisme vous donne un plan des autres parkings extérieurs et des navettes gratuites qui ramènent au centre. Une bonne idée consiste à se garer dans le quartier de Trinquetaille et à traverser le pont à pied. Doit-on préciser qu'il ne faut rien laisser dans les voitures ?

Dangers et enquiquinements

Comme tout grand rassemblement, la feria d'Arles attire, entre autres, une faune peu recommandable. Les plus grands risques viennent des pickpockets et des voleurs à la roulotte. Pas d'argent ostentatoire, pas de papiers, de portables, de chéquiers ou de cartes de paiement facilement accessibles. Essayez de prévoir vos retraits d'argent liquide dans la journée (nombreux cas de vols autour des distributeurs automatiques). Après minuit, l'alcool aidant, l'ambiance peut devenir moins agréable. Donc, prudence et courtoisie.

Manger pendant la feria

Un grand nombre de bars et restos se contentent d'offrir des platées de paella à des prix souvent rédhibitoires. Cuites et recuites de 11h à minuit sur des foyers en plein air, ces paellas sont une offense au riz camarguais et à l'hygiène. Préférez ceux qui offrent des menus « spécial feria », à des prix raisonnables : les restaurateurs se contentent de raccourcir leur carte pour répondre à la demande sans trop nuire à la qualité.

Les bodegas

Ouvertes par les associations taurines, ce sont des comptoirs qui peuvent être installés dans un local clos, sous chapiteau ou à l'extérieur d'un bistrot. Elles peuvent servir à boire jusqu'à 3h et ferment impérativement à 4h. C'est dans les bodegas (une vingtaine à chaque feria) que se retrouvent par affinités tous ceux qui font la fête, c'est là qu'on fait des rencontres sympathiques et qu'on s'amuse le plus : il y a les classiques *(L'École Taurine, La Muleta...)*, les branchées *(La Charcuterie...)*, les hispaniques... Difficile de les citer toutes, car elles changent de nom et d'emplacement, et vous aurez vite fait le tour.

Expositions, événements, lieux taurins

Il y en a des dizaines, bien évidemment. Dans les bars, les musées, les clubs taurins, artistes et fous de *toros* exposent leurs œuvres. Conférences, colloques permettent à tout le monde de parler *toro.* Même l'office de tourisme a du mal à suivre. Le mieux est d'acheter la presse régionale.
Certains soirs, place de la Mairie, retransmission de la corrida de l'après-midi sur écran géant, pour ceux qui n'ont pas pu y assister.

La Boutique des Passionnés : *14, rue Réattu. ☎ 04-90-96-59-93.* Un disquaire spécialisé dans les musiques latines, qui propose un bon rayon de livres et de vidéos tauromachiques. Fréquentes signatures et rencontres avec des écrivains ou des cinéastes taurins.

Les arènes

– ***Locations de places par courrier :*** *arènes d'Arles, BP 42, 13633 Arles Cedex. ☎ 0891-700-370 (0,25 €/mn).* • *contact@arenes-arles.com* • *arenes-arles.com* •
Une superbe ellipse de 14 000 places. Le coup d'œil est magnifique, mais il vaut mieux investir dans des places appelées « Tribunes » *(95 € environ)* ou « Premières » et « Toril bas » *(60-76 €).* Au-delà, on commence à être un peu haut pour saisir les nuances du jeu, ou alors apporter des jumelles. En revanche, tout en haut, sur les gradins *(autour de 33 € malgré tout),* on a une très belle vision panoramique.
À cette beauté du lieu Arles ajoute l'un des meilleurs orchestres d'arènes que nous connaissions, l'orchestre Chicuelo II, et l'on sait l'importance d'une bonne musi-

LA CAMARGUE

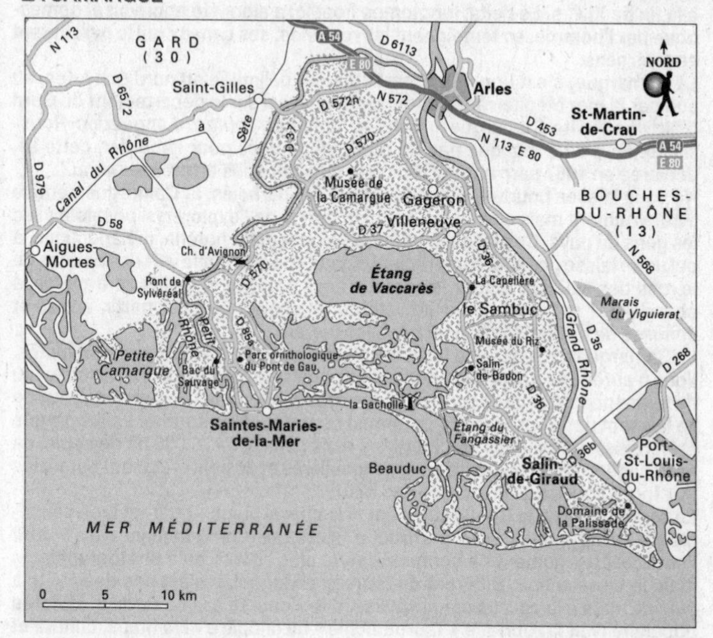

que dans le déroulement d'une corrida. Le public de la feria est un bon public, sérieux, attentif, même s'il réserve beaucoup d'indulgence aux toreros qu'il aime. Rien ne protégeant l'arène, pensez à emporter un pull (très important quand le vent se lève), un K-way et un chapeau si le soleil donne.
Avant ou après la course, les notables aiment bien être vus au village des Arènes où quelques sponsors, la mairie et le Conseil général offrent des cocktails façon Roland-Garros.

Itinéraires de feria

Le cœur de la feria reste la place du Forum et les rues adjacentes. Les alentours des arènes et le boulevard des Lices sont un peu trop livrés aux marchands de merguez pour être agréables. Plus populaires, plus jeunes, les alentours de la place Voltaire et de la rue de la Cavalerie ont leurs fidèles. C'est là qu'ont généralement lieu les *encierros* (lâchers de taureaux). En fait, il existe des dizaines d'itinéraires de feria. Suivez votre inspiration et vos amis du moment.

LE PARC NATUREL RÉGIONAL DE CAMARGUE

Bienvenue en Camargue, terre étrange, sinon étrangère aux yeux de ceux qui y mettent les pieds pour la première fois, sans connaître ses codes d'accès. Séparée du reste de la France par les deux bras du Rhône à son embouchure, cette terre venue d'ailleurs a été formée par les alluvions déposées au fil des

siècles, avant que l'endiguement ne permette au fleuve de trouver enfin un lit, à la fin du XIXe s. Le delta, longtemps hostile, a alors été apprivoisé, domestiqué par l'homme, en témoignent les roubines, ces canaux qui le parcourent en tous sens.
La Camargue, c'est une « île », parfaitement délimitée au nord par Arles, au sud par la mer Méditerranée et qui s'étend aussi sur le département du Gard (voir « La Petite Camargue », dans le *Guide du routard Languedoc-Roussillon*). Et, s'il ne manque pas de ponts ni de bacs pour l'aborder, cette île, déclarée en 1967 parc naturel régional, ne s'offre pas au premier venu.
Ne vous laissez pourtant pas rebuter par les barbelés, la Camargue peut se livrer vraiment mais à celui qui prend le temps de l'explorer, si possible avec les gens du pays. Ce plat pays paraîtra volontiers monotone, mélancolique, à qui ne se laisse pas aller à apprécier les jeux du soleil sur le vert des rizières ou le rose des salins, à quitter les grands axes pour les chemins de traverse, à abandonner sa voiture pour un vélo ou un cheval, ou pour partir, à pied et chaussé de bottes, s'enfoncer dans les marais.
La Camargue n'est pas une terre de folklore, mais de traditions bien vivantes. Vous n'aurez pas à aller loin pour voir apparaître un gardian à cheval, chapeau de feutre noir, chemise fleurie et foulard noué... Hommes comme taureaux ne se laissent pas apprivoiser d'un simple regard ou d'un sourire. La Camargue préfère ses moustiques aux touristes sans gêne. Ces 75 000 ha de sable, de marécages, d'étangs, de rizières, de roselières et de bois craignent autant les flux touristiques que la montée des eaux.
Le véritable roi de la Camargue n'est ni le cheval blanc – qu'il est indispensable de savoir monter pour partir ici à l'aventure – ni le flamant rose – dont l'envol est un moment de bonheur à vivre plus encore qu'à photographier –, mais le taureau noir. Différent du taureau espagnol, il n'est pas destiné à la corrida mais à la course camarguaise, dite « course à la cocarde », fête très populaire (voir la rubrique « Tauromachie » du chapitre « Hommes, culture et environnement » en début de guide).
Toutes les activités économiques de la Camargue sont réparties selon la salinité des terres, les plus basses – autour de l'étang du Vaccarès – étant consacrées à la riziculture et à l'élevage. Quant à la pêche, elle se pratique dans les étangs et les grands canaux, sur des barques à fond plat que les pêcheurs poussent avec leur « partègue » (sorte de perche). Si l'on trouve anguilles et mulets sur toutes les tables, la spécialité saintoise reste la pêche à la telline, petit coquillage plat cuisiné avec un peu d'ail et de persil ou en aïoli. Un régal...

Quelques conseils (toujours) utiles

La Camargue est un espace naturel protégé que chaque visiteur, qui en est aussi le gardien, doit être soucieux de préserver. Les animaux y sont véritablement sauvages, mais ils ont l'habitude des voitures. Pour bien les observer, roulez lentement ; par temps sec, n'hésitez pas à vous engager sur les pistes autorisées à la circulation (il existe une excellente carte IGN de la Camargue) mais n'en sortez pas, même et surtout en 4x4.

STAGES COMMANDO

Première ébauche de stages commando, les templiers venaient s'exercer ici, dans les marais hostiles. Aujourd'hui, en Camargue on ne joue plus à la guerre. Les seuls canons que l'on entend tonner sont des effaroucheurs, destinés à faire fuir les flamants roses qui picorent les rizières.

Lorsque vous voulez observer des animaux, arrêtez votre véhicule, n'en descendez pas et regardez depuis l'intérieur. Pour observer de près, laissez-le au loin (à 150 m des animaux), et approchez à pied très discrètement. Pour bien observer :

jumelles grossissant au moins 12 fois, 20 fois si possible. Pour photographier : pas de photo convenable sans un téléobjectif de 400 mm. La présence des oiseaux est liée à leurs cycles naturels. 350 espèces séjournent en Camargue à différentes périodes de l'année mais vous n'en verrez en abondance que d'août à mars, le printemps n'étant propice qu'à quelques oiseaux nicheurs. Les flamants roses restent, eux, toute l'année.
Puisqu'on parle de bestioles, celles que vous êtes sûr de rencontrer sont les... moustiques, particulièrement en forme du 15 mai au 15 juin et du 15 septembre au 1er novembre. Prévoir un bon antimoustique. Le sable de certaines plages du coin, comme Beauduc, abrite également parfois des vives, sympathiques poissons planqués dans le sable dont l'arête dorsale provoque de très... vives piqûres si l'on marche dessus. Sandales conseillées.

LE VACCARÈS

Carte Bouches-du-Rhône, A-B3

Arles, on l'oublie souvent, est la commune la plus étendue de l'Hexagone. Son territoire, qui se prolonge jusqu'à la mer (soit à 45 km du centre-ville), englobe une grande partie de la Camargue, dont le plus grand de ses étangs, le Vaccarès. Ce sont les Romains qui l'ont d'ailleurs baptisé ainsi (*Vaccarum Regio,* le « pays des Vaches »). Mais c'est surtout un lieu de prédilection pour les bêtes à plumes, car cet étang vaste (600 ha environ) mais peu profond (2 m au maximum), isolé de la Méditerranée par la digue à la mer, abrite des volatiles en pagaille : des plus faciles à repérer (canards, foulques et les inévitables flamants roses) aux plus discrets comme le rollier d'Europe.

➢ Quitter Arles par la D 570, oublier à gauche la D 36 qui file vers Salin-de-Giraud pour, quelques kilomètres plus loin, s'engager à gauche, sur la D 36B, direction Gageron, Villeneuve, hameaux de la commune d'Arles. Au-delà de Villeneuve, la route suit au plus près la rive ouest de l'étang. Si vous ne deviez suivre qu'une route en Camargue, que ce soit celle-là !

Où dormir ?
Où manger ?

De prix moyens à plus chic

Hôtel Longo Mai : *13200* **Le Sambuc.** *☎ 04-90-97-21-91. • jray 13200@aol.com • longomai.com • Sur la D 36 entre Arles et Salin-de-Giraud. Resto fermé le midi. Congés 1er nov-15 mars. Doubles 60 € avec douche, 70 € avec terrasse, 83 € avec douche et w-c ou bains. Familiale 107 €. ½ pension possible. Menus 24-30 €. Wifi. Apéritif offert sur présentation de ce guide.* Des chambres un peu à l'ancienne mais proprettes et pas désagréables, surtout celles avec une petite terrasse donnant sur la Camargue. Quelques-unes dans des bungalows également. Salle rustico-cossue, un peu à l'ancienne elle aussi, pour une très classique cuisine de pays. Le patron, ancien danseur, pourra vous raconter le Moulin Rouge, Line Renaud et les Folies Bergère. En pleine Camargue, ça ne manque pas de sel ! L'hôtel gère également un club hippique qui permet quelques belles balades le long du Vaccarès. Location de vélos.

Mas Saint-Bertrand : *route du Vaccarès, 13129* **Salin-de-Giraud.** *☎ 04-42-48-80-69. • mas-saint-bertrand.com • Sur la D 36C entre Salin-de-Giraud et le Vaccarès (c'est fléché). Congés : de mi-nov à mi-mars. Double avec douche et w-c 50 €. Familiales 60-70 €. Gîte 500 €/sem. Resto fermé le soir et mer. Assiettes camarguaises 10-14 €. Menu 22 €. Carte env 30 €. CB* *refusées. Café offert sur présentation de ce guide.* En pleine nature, un lieu très « nature » justement, débordant d'arbres. 3 chambres agréablement posées en rez-de-chaussée, côté jardin. Gîtes également. À table, des recettes de pays et de famille : tellines de Beauduc, gardianne de *toro,* riz (bio !) de Camargue. À apprécier sur une terrasse de bric et de broc ou, pour les jours plus frais, au coin de la cheminée de cette ancienne bergerie. Location de vélos.

La Telline : *route de Gageron,* **Villeneuve-Gageron.** *☎ 04-90-97-01-75 ou 00-76. Au bord de la D 36. Resto ouv tlj sf mar-mer et jeu midi. Double 110 €. Au resto, compter 37 € à la carte. CB refusées.* Côté resto, voilà une de ces adresses simples et bonnes dont ce coin de Camargue conserve le secret. Une vieille ferme, son paisible jardin, du poisson frais simplement grillé (turbot, anguilles...) et des tellines pour ne pas faire mentir l'enseigne. Très bons desserts. Un lieu rustique, intime (assez proche de la table d'hôtes, finalement), charmant, à l'image des propriétaires. Dans le mas attenant, ils ont aménagé 3 belles chambres, claires, tout confort (salles d'eau élégantes, clim, TV), contemporaines mais qui ont su garder le cachet des pierres et des poutres apparentes. La plus grande est presque une suite, avec salon séparé. Pour la sieste réglementaire, hamacs dans le jardin.

Mas du Petit Romieu : Villeneuve-Camargue. *Prendre la route de Salin-de-Giraud (D 36), puis à droite à 15 km (D 37) direction Albaron/Saintes-Maries, puis à gauche direction La Capelière. Prendre enfin la piste sur la gauche (fléché) et poursuivre pendant env 1,5 km. ☎ 04-90-97-00-27. • sntm@wanadoo.fr • petitromieu.camargue.fr • Doubles avec lits jumeaux 70 €, avec un grand lit (1 seule chambre) 80 €.* Paumé en pleine nature, au bout de la piste, entre roubines et jardin, ce petit mas ne paie pas de mine. Pourtant, une fois passé la porte, le cachet de l'ancien s'éclaire d'une rénovation réalisée sans faute de goût. Au rez-de-chaussée, grande salle à manger façon ripaille (le mas se transforme d'ailleurs en relais de chasse les week-ends à partir de fin août). À l'étage, belles et vastes chambres lovées sous la pente du toit, avec, dans celles à lits jumeaux, de drôle de cabines de douche façon kasbah. Accueil chaleureux du couple qui gère les lieux (le proprio vit à Marseille). Possibilité d'utiliser la cuisine.

Chez Bob : *mas du Petit-Antonelle, route du Sambuc,* **Villeneuve-Gageron.** *☎ 04-90-97-00-29. • jeanguy@restaurantbob.fr • Prendre la route de Salin-de-Giraud (D 36), puis à droite à 15 km (D 37) ; c'est à 2 km, le 1er mas à gauche. Tlj sf lun-mar. Résa obligatoire. Menu unique 43 € midi et soir.* Cette désormais institution se mérite : il faut d'abord réserver, c'est obligatoire ; ensuite, il ne faut pas manquer cette maison discrète. Tonnelle, terrasse sous les arbres où se dandinent des loupiotes, meubles qui sentent presque la cire en salle. Et *Chez Bob,* le feu dans la cheminée n'est pas là uniquement pour créer l'ambiance ! Il sert à préparer côte de taureau, carré d'agneau, magret de canard grillé... qui viennent prendre la suite des anchoïades et autres charcutailles. Une adresse où la convivialité flirte avec la gourmandise.

À voir. À faire

La Capelière : *à 20 km d'Arles par la D 36 ; au bord du Vaccarès, entre Villeneuve et Salin-de-Giraud. ☎ 04-90-97-00-97. • reserve-camargue.org • ♿ (pour certains postes d'observation). Avr-sept, tlj 9h-13h, 14h-18h ; oct-mars, tlj sf mar 9h-13h, 14h-17h ; fermé 25 déc et 1er janv. Entrée : 3 € ; réduc ; gratuit pour les moins de 12 ans.* Centre d'informations de la réserve nationale de Camargue, doté de quelques panneaux très instructifs pour mieux cerner les réalités économiques et écologiques de la Camargue d'aujourd'hui, et les nombreux conflits d'intérêt qui en découlent (pour info, un incendie criminel a détruit ce centre en 1979...). On peut s'y procurer un plan des balades à faire dans la réserve. À voir également : aquariums, coupes géologiques... Sentier de découverte (1,5 km, soit 45 mn de balade)

LA CAMARGUE

à travers des paysages typiques de la Camargue, jalonnés de panneaux explicatifs et de quatre observatoires pour apercevoir les oiseaux (discrets quand il y a foule...).

Salin-de-Badon : *sur la rive du Vaccarès, quelques km après La Capelière. Accès (3 € ; réduc) sur résa auprès du centre de La Capelière. Billet valable du lever au coucher du soleil.* Au cœur de la réserve nationale, dans un site très protégé dont l'accès est réglementé (jauge de visiteurs quotidiens). On croise donc beaucoup moins de monde qu'ailleurs le long des 4,5 km de sentiers aménagés à travers une ancienne saline royale. Des conditions plus favorables à l'observation de la faune locale. Panneaux explicatifs le long du parcours. Possibilité de loger dans un gîte au confort très sommaire.

La digue à la mer : construite entre 1857 et 1858, cette digue sépare le marais du Vaccarès de la Méditerranée. Elle a fait perdre au Vaccarès son fonctionnement naturel, empêchant la mer de remonter dans l'étang. Accès automobile (par une piste pas mal défoncée) possible jusqu'au parking de la Gacholle. Ensuite, possibilité de suivre la digue à pied (ou à VTT) jusqu'aux Saintes-Maries-de-la-Mer. Compter 5h aller (voir le circuit de randonnée distribué dans les offices de tourisme) ; attention, ni eau ni ravitaillement en nourriture le long du parcours. Balade un peu éprouvante les jours de mistral. Prenez le temps d'observer les multiples animaux entre les étangs et la plage, comme le lézard des sables, le héron pourpré ou cendré, le ragondin (non, ce n'est pas un castor !)... Pour une balade plus courte, on peut emprunter, 2 km après le phare de la Gacholle, le chemin des Douanes, qui rejoint la plage à travers les dunes. Au phare, petit centre d'informations sur la réserve, avec expo sur le littoral *(ouv le w-e, j. fériés et pdt les vac scol, 11h-17h).*

➢ D'autres circuits de randonnée sont détaillés dans un topoguide disponible auprès des offices de tourisme d'Arles et de Salin. Attention, il n'existe pas de sentiers balisés en Camargue et, entre rizières, marais et étangs, la région se révèle vite labyrinthique. Carte IGN au 1/50 000 indispensable, donc.

SALIN-DE-GIRAUD

(13129) 3 000 hab. *Carte Bouches-du-Rhône, B3*

L'arrivée dans le bourg provoque un petit choc : n'étaient les platanes, on se croirait dans le Nord, au milieu des corons ! Maisons de brique toutes identiques, allées tirées au cordeau... Une cité ouvrière construite à la fin du XIXᵉ s par les entreprises salinières et chimiques pour loger dans ce coin paumé une main-d'œuvre venue de toute l'Europe : Italiens en nombre, puis Grecs (il y a même une petite église orthodoxe toute blanche au bout du bourg), Espagnols, Turcs... Les salines sont désormais les plus étendues d'Europe.

Adresse utile

Office de tourisme : *dans les anciens bâtiments Solvay. ☎ 04-42-86-89-77. Ouv tlj avr-sept 10h-13h, 15h-19h.*

Où dormir ? Où manger ?

Les Saladelles : *4, rue des Arènes. ☎ 04-42-86-83-87. • lessaladelles@hotmail.fr • Doubles avec lavabo 29,50 €, avec douche et w-c ou bains 48-57 € ; menu 13,50 € le midi en sem et le soir pour les pensionnaires ; autres menus 20-26 €. Internet et wifi.* Un genre d'auberge de campagne en ville, si l'on peut dire. Grande salle à l'ancienne ou terrasse, pour une généreuse cuisine traditionnelle additionnée des inévitables spécialités locales (gardianne, pavé de taureau, tellines...). Chambres modestes, mais spacieuses, fraîches, et profitant même d'un petit charme rétro. Bon accueil.

Où acheter du vin ?

Caves du Domaine de l'Isle Saint-Pierre : *sur l'île du même nom. Suivre le fléchage (depuis la D 35 entre Mas-Thibert et Port-Saint-Louis) et, surtout, s'annoncer. ☎ 04-90-98-70-30.* Des vins remarquables d'équilibre, produits par la 3e génération d'une famille de viticulteurs : Patrick et Marie-Cécile Henry.

À voir. À faire

➢ **Le petit train salinier :** *départ du point de vue des salins à 14h30, 15h30 et 16h30. Rens : ☎ 04-42-86-70-20 ou 04-90-18-41-20 (office de tourisme). Tarif : 7 € ; réduc ; gratuit pour les moins de 4 ans.* Parcours dans les salines puis visite de l'écomusée du sel, qui évoque en quelques vitrines (et un petit film) l'histoire du sel et de son exploitation à Salin-de-Giraud.

DANS LES ENVIRONS DE SALIN-DE-GIRAUD

Les salines : *à 2 km de Salin, un point de vue aménagé permet d'avoir une... vue d'ensemble du site.* Comment cela fonctionne-t-il ? Entre mars et septembre, l'eau pompée de la mer circule dans les bassins de décantation, parcourant ici plus de 50 km de canaux. Lorsque la concentration de 260 g par litre est atteinte, le sel commence à se déposer sous l'effet de l'évaporation. Selon le niveau de décantation, les bassins couvrent toute une gamme de tons : bleus, blancs, violacés... À la fin du cycle, le sel est récolté et mis en pyramides, que l'on appelle les « camelles ». Ces véritables montagnes de sel sont les seuls reliefs du delta du Rhône !

Le domaine de la Palissade : *route de la Mer. ☎ 04-42-86-81-28. À 10 km de Salin-de-Giraud par la D 36. Ouv tlj oct-mai 9h-17h ; tlj juin-sept 9h-18h. Fermé 1er janv, 1er mai, 11 nov et 25 déc, ainsi que lun-mar de mi-nov à fin fév. Entrée : 3 € ; gratuit pour les moins de 12 ans. Balades pédagogiques à cheval tlj avr-oct sur résa. Loc de jumelles.* C'est l'une des premières acquisitions du Conservatoire du littoral en Camargue. Un des derniers espaces à n'avoir été que peu exploité par l'homme. Plus de 700 ha de paysages emblématiques à parcourir à travers plusieurs sentiers de découverte. Petite expo dans le bâtiment d'accueil, ancien rendez-vous de chasse : oiseaux naturalisés, herbiers, aquarium. Promenades à cheval également.

La plage de Piémanson : *accès par la D 36 depuis Salin-de-Giraud.* Longue (25 km) plage de sable typique de cette côte. Attention, la baignade est dangereuse. Les caravanes des Arlésiens installées à même le sable voisinent avec des naturistes. À voir, mais un peu *cheap.* Certaines plages ne sont accessibles qu'en pénétrant dans des propriétés privées. L'idéal est donc de se faire inviter par des employés des salines. Tentez votre chance auprès de la jeunesse qui fréquente par exemple le *Café des Sports* à Salin-de-Giraud.

La pointe de Beauduc : *à 17 km de Salin, ni très bien indiquée ni vraiment facile d'accès. Traverser le bourg en direction de Faraman, puis prendre une petite route sur la gauche. Quelques km plus loin commence une piste pleine d'ornières et de cailloux. Compter 1h de trajet (si vous ne rencontrez pas de bouchons, fréquents l'été) et un véhicule plutôt solide...*

Au passage, allez jeter un coup d'œil à l'*étang du Fangassier,* un havre de douceur et de beauté qui s'offre juste derrière la *cabane des gardes flamants.* D'avril à mi-juillet, ces gardes surveillent les 10 000 couples de flamants roses qui évoluent avec grâce et volupté dans cette vaste étendue d'eau. C'est la période de la nidi-

fication. Les futurs parents construisent un monticule en forme de cône et y déposent sur le sommet leur unique œuf, qu'ils couveront à tour de rôle pendant un mois. Les naissances ont lieu quasiment en même temps, ce qui permet à la colonie d'installer un système de crèche, où seules quelques dizaines de parents assurent la surveillance de plusieurs milliers de jeunes. N'hésitez pas à questionner les gardes, qui sont une mine d'informations sur la Camargue et ses échassiers mystérieux. Enfin, vous arriverez doucement jusqu'à la *plage de Beauduc,* située à l'extrême sud de la Camargue. Par sécurité, mieux vaut stationner à l'entrée de la plage, non loin de la station de pompage.
Les anciens surnommaient Beauduc « la fin du monde », à cause de ses cabanons rapiécés de tôle et de planches rongées par le sel et le temps, noyés parmi les carcasses de camions et de bus rouillées. Quelques habitants y vivaient à l'année, sans eau ni électricité, en toute liberté et... illégalité. En novembre 2004, les pelleteuses ont emporté une grosse quinzaine de cabanons dont *Chez Juju,* une institution où, depuis des années, on se régalait de tellines à l'aïoli et de daurades grillées... Les cabanonniers (et certains élus locaux) ont dénoncé la « destruction d'une tradition », la « négation d'un art de vivre ». Plusieurs centaines de cabanons subsistent néanmoins toujours à Beauduc. Pour combien de temps, mystère...

Les marais du Vigueirat : *☎ 04-90-98-70-91. ● marais-vigueirat-reserves-naturelles.org ● Depuis la grande Camargue, traverser le Grand Rhône par le bac de Barcarin (fléché depuis Salin ; renseignez-vous pour les horaires ; tarif : 4,50 € l'aller) ; prendre ensuite la D 35 vers Arles, puis la D 24 direction Saint-Martin-de-Crau ; au centre du hameau de Mas-Thibert, suivre le fléchage discret ; 1 km de petite route, 2 km de piste, vous êtes arrivé ! Et vous êtes encore sur le territoire de la commune d'Arles ! Fermé de déc à mi-janv.* Plus de 1 000 ha, soit l'un des plus grands domaines acquis dans la région PACA par le Conservatoire du littoral. Exposition estivale (entrée gratuite), atelier ludique de confection de bouquets et de papier végétal *(juil-août. Tarif 8 € ; 6 € jusqu'à 17 ans).* Avril-septembre : buvette et petite restauration bio. Location de jumelles.
Plusieurs balades sont proposées, avec ou sans guide :

➢ *Le sentier des cabanes : accès tlj du lever au coucher du soleil. ♿ Entrée libre (achat du petit guide – facultatif – 3 €).*
À travers d'anciens canaux de rizières, un sentier sur pilotis jalonné de petites cabanes où découvrir la sensation de marcher dans les roseaux, reconnaître les animaux grâce à leurs excréments (avec un crottomètre !)... Livret-jeux plein de devinettes. Mine de rien, on y a appris qu'il n'y a que les femelles moustiques qui piquent, que seules les cigales mâles chantent (pour séduire les femelles, bien sûr)... Pédagogique !

Visites guidées

➢ *Sentier de la Palunette : tlj avr-sept à 10h30, 12h30 et 15h30. Tarif : 6 € ; 3 € pour les 6-17 ans.* Une courte visite pour apprendre à observer et se familiariser avec la Camargue.

➢ *Randonnées nature : le dim à 13h en fév-mars et oct-nov. Résa obligatoire. Tarif : 15 € ; ½ tarif pour les 6-17 ans. Durée : 4h. Prévoir de bonnes chaussures.* Balade de 6 km dans le marais accompagnée d'un naturaliste. Tours et observatoires permettent de voir sans être vu de nombreux oiseaux : plus de 280 espèces ont été recensées sur le site (soit la moitié environ du nombre total d'espèces recensées en France !).

➢ *Visite guidée nature : avr-sept les mar, jeu, ven et dim à 10h et 15h ; départs supplémentaires en juil-août le mer à 10h et 15h. Résa obligatoire. Tarif : 12 € ; ½ tarif pour les 6-17 ans.* Même programme que la randonnée, mais en plus court (2h).

➢ *Balade en calèche : avr-sept, mar-dim et j. fériés (tlj juil-août) 10h-12h, 15h-17h ; oct-mars, mer et dim et j. fériés 14h30-16h. Sur résa. Tarifs : 15 € ; ½ tarif pour les 6-17 ans ; gratuit pour les moins de 6 ans.* Balade de 2h à travers des espaces naturels protégés, au rythme des chevaux.

➢ *Démonstration de pêche à l'écrevisse : juil-sept dim et mer (plus lun juil-août) 9h30-12h. Sur résa. Tarifs : 12 €, ½ tarif pour les 6-17 ans.*

Le musée du Riz : *rizerie du Petit-Manusclat,* ***Le Sambuc.*** *Au bord de la D 36, en remontant vers Arles. ☎ 04-90-97-29-44. • museeduriz.fr • ♿ (sf 1er étage). Visites guidées, mars-nov, le mar à 9h, 11h, 14h et 16h ; juil-août les mar et jeu ; pour les autres j. et déc-fév, slt sur résa. Entrée : 6 €.* Tout sur l'histoire du riz et de sa culture... Ce n'est pas le delta du Mékong, mais presque ! Petit musée rassemblant outils, machines et documents, imaginé par Robert Bon, riziculteur amène et amoureux de la vie. Dégustation : riz salé le matin, sucré l'après-midi ! Boutique de produits du terroir. Si vous avez emporté un petit pactole, vous pouvez même séjourner chez lui, dans un des mas les plus charmants du pays.

RIZ AMER

Le riz est cultivé dans le sud de la France depuis le XIIIe s. Mais si Henri IV avait exigé de Sully qu'il développe la riziculture en Camargue, les rizières ne s'y sont vraiment étendues qu'au cours de la Seconde Guerre mondiale. Dès le début du conflit, l'État français avait recruté de force des paysans indochinois pour remplacer, notamment dans les poudreries, les Français mobilisés. Le gouvernement de Vichy profita ensuite, pour faire face à la pénurie alimentaire, du savoir-faire de cette main-d'œuvre en l'employant au développement des rizières de Camargue. Une main-d'œuvre très, très bon marché (pas vraiment payée en fait...) et souvent maltraitée.

SUR LA ROUTE DES SAINTES-MARIES-DE-LA-MER

LA CAMARGUE

➢ La ligne de bus Cartreize Arles-Saintes-Maries-de-la-Mer dessert tous les sites situés sur la D 570.

Le musée de la Camargue : mas du Pont-de-Rousty. *☎ 04-90-97-10-82. • parc-camargue.fr • Sur la D 570, à 12 km d'Arles et 27 km des Saintes. Avr-sept, tlj sf mar 9h-12h30, 13h-18h ; oct-mars, tlj sf mar 10h-17h ; fermé janv et 25 déc, 1er mai. Entrée : 4,50 € ; réduc ; gratuit pour les moins de 18 ans.* Installé dans une ancienne bergerie. Espace consacré à la viticulture locale. Exposition d'images qui témoignent de la Camargue du début du XXe s. Reconstitution d'un bout d'étable avec ses bottes de foin. Mais aussi et surtout, évocation des activités traditionnelles à travers une foule d'objets : jarres à *cachat* (fromage pétri fermenté et très piquant), cassot pour castrer les chevaux (ouille !), souliers à clous pour pêcher dans les étangs côtiers, fourche coudée (bigot) du salinier... Petite librairie.
➢ Ensuite, si vous voulez savoir à quoi ressemble une grande propriété agricole camarguaise, un sentier de découverte de 3,5 km (1h30 à 2h ; accès libre) traverse les terres cultivées, les pâturages et le marais du mas de Rousty. Départ derrière le musée.

Le château d'Avignon : *sur la D 570. ☎ 04-90-97-58-60. Tlj (en principe) sf mar avr-oct ; nov-mars, ouv ts les ven et un dim par mois ; fermé le 1er mai. Visite guidée ttes les heures 10h-18h en été, 17h hors saison (18 pers max : prévoyez un peu d'attente...). Visite libre (audioguide) possible. Entrée : 3 € ; réduc ; gratuit pour les moins de 18 ans. Accès gratuit au parc.* Très bel ensemble classique du XVIIIe s, aménagé en 1893 en pavillon de chasse par Louis Prat-Noilly, riche négociant en vin marseillais. Beau mobilier d'époque, inévitables tapisseries d'Aubusson et des Gobelins... Immense parc (pique-nique interdit).

Le parc ornithologique du Pont-de-Gau : *4 km avt les Saintes, sur la route nord venant d'Arles. ☎ 04-90-97-82-62. • parcornithologique.com • Tte l'année, 9h (10h en hiver)-coucher du soleil ; fermé le 25 déc. Entrée : 7 €. Billets valables tte la journée ; réduc ; gratuit pour les moins de 4 ans.* Sur 60 ha, 7 km de sentiers ponctués de panneaux thématiques (circuits de 1, 3 et 7 km) s'enfoncent dans les roselières, marais... où batifolent en liberté des centaines d'oiseaux (flamants roses, canards, aigrettes, hérons...). Au gré des saisons, on peut y découvrir toutes les espèces présentes en Camargue. Un site tourné vers la conservation et la sensibilisation à la protection de la nature.

Le bac du Sauvage : *env 6 km avt les Saintes, sur la D 85 (fléché), dont il relie les deux rives. Fonctionne jusqu'à 20h l'été, 18h30 l'hiver, avec une pause au déjeuner.* Pour franchir le Petit Rhône et rejoindre Aigues-Mortes et la petite Camargue, ce pittoresque petit bac est presque une institution, que même les chevaux empruntent.

SAINTES-MARIES-DE-LA-MER

(13460) 2 509 hab. *Carte Bouches-du-Rhône, A3*

Célèbres pour leur pèlerinage gitan, les Saintes-Maries montrent peut-être bien l'été le plus mauvais profil de la Camargue, celui des restos attrape-touristes et des balades à cheval qui préfèrent aux étangs les bords de routes. Pourtant, même si les Saintes sont proches de la saturation en pleine saison, il suffit de faire quelques pas le long de la digue à la mer pour découvrir une Camargue préservée. Et la création du parc naturel, en 1967, qui englobe les Saintes-Maries, a heureusement permis d'éviter que le vieux village blanc serré autour de son église fortifiée connaisse le sort de nombre de ses voisins du littoral languedocien...
Mais rien n'est gagné, de gros nuages noirs se sont accumulés depuis quelques années sur le parc, qui peine à se défendre contre la croissance du tourisme, les appétits des grands propriétaires terriens et les guéguerres politiques...

➢ La Maison du parc étant fermée, contacter son point info au musée de la Camargue, au ☎ 04-90-97-10-40.

Comment y aller ?

Prenez le temps de vivre en suivant de petites routes offrant de jolies vues et de beaux paysages.

➢ La ***D 36B,*** comme à l'aller si vous avez lu notre chapitre « Le Vaccarès » (on ne s'en lasse pas !). Prendre ensuite la D 37 pour rejoindre, en longeant toujours le Vaccarès, la route Arles-les Saintes.

➢ Dite ***route de Cacharel*** (c'est un oiseau et non une marque chic), la ***D 85A*** va de Pioch-Badet aux Saintes-Maries. L'idéal, hors saison, pour arriver dans la ville.

Bus Cartreize *(depuis Arles) :* arrêt « La Brise » (camping) ou « Razeteurs », en plein centre.

Adresse et info utiles

Office de tourisme : *5, av. Van-Gogh. ☎ 04-90-97-82-55. • saintesmaries.com • Ouv tlj, tte l'année.* Bonnes adresses, bons plans. Propose notamment une escapade en Camargue hors saison, le temps d'un week-end. Cabines téléphoniques. *Le petit train* des Saintes-Maries part juste devant.

– ***Marché :*** *sur la pl. des Gitans les lun et ven.*

Où dormir ?

Il est impératif de réserver lors des vacances scolaires. Venez hors juillet-août si vous voulez éviter les surprises désagréables. Mais n'attendez pas non plus l'hiver, les hôtels ne sont pas vraiment au top à ce moment-là !

Campings

⛺ ***La Brise :*** *rue Marcel-Carrière. Arrêt de bus Cartreize « La Brise ». ☎ 04-90-97-84-67. • info@camping-labrise.fr • camping-labrise.fr • ♿ Fermé de mi-nov à mi-déc. Forfait emplacement pour 2 avec tente et voiture env 13-21 € selon saison. Mobile homes 309-761 €/sem. Internet.* Plus d'un millier d'emplacements, vous n'y serez pas tout seul en saison... sans compter les moustiques ! Emplacements pas forcément très ombragés. Bien équipé en revanche : frigos, supérette, snack, coffres à la réception... Tennis à proximité. 2 piscines. La plage est tout près.

⛺ ***Le Clos du Rhône :*** *route d'Aigues-Mortes. ☎ 04-90-97-85-99. • info@camping-leclos.fr • camping-leclos.fr • ♿ À 2 km par la D 38, route d'Aigues-Mortes. Ouv avr-fin oct. Forfait emplacement pour 2 avec tente et voiture 14-24 € selon saison. Loc de bungalows, tentes améliorées avec électricité et mobile homes 317-1 417 €/sem. Résas (dès janv-fév) pour juil-août. Wifi.* Entre le Petit Rhône et la mer. Plus petit que *La Brise,* plus cher aussi, il profite d'une ambiance plus familiale et tranquille. Confortable, mais ça manque d'ombre. Piscine chauffée. Snack-bar, épicerie, laverie. Centre équestre juste à côté.

LA CAMARGUE

Prix moyens

🏠 ***Hôtel Méditerranée :*** *4, rue Frédéric-Mistral, dans la zone piétonne. ☎ 04-90-97-82-09. • hotelmediterranee@wanadoo.fr • mediterraneehotel.fr • Fermé 15 nov-26 déc. Doubles avec douche, w-c et TV 48-55 € selon confort (clim ou pas) et saison. Familiales 70-90 €. Garage payant. Réduc de 5 % sur le prix de la chambre (oct-15 mars) sur présentation de ce guide.* Un tout petit hôtel, propre, bien tenu, avec des fleurs, des plantes partout. Petit patio (sur lequel donnent 4 des chambres) et salle de petit déj aux faux airs de cottage anglais. Chambres coquettes, avec parquet et plafond lambrissé. Clim dans certaines.

🏠 🍴 ***Le Mas des Colverts :*** *route d'Arles. ☎ 04-90-97-83-73. • masdescolverts@gmail.com • masdescolverts.com • À 1,5 km des Saintes, par la D 570 en venant d'Arles. Studios pour 2 avec kitchenette avec douche et w-c, TV, 53-58 € selon saison ; doubles 44-48 €. Également un appart pour 4 pers 80-90 €/nuit et 495-595 €/sem. Table d'hôtes sur résa 24-32 €. CB refusées.* Dans un mas camarguais entouré d'étangs, un gîte tout simple, tout bon, où vous pouvez, le matin, déjeuner dans le jardin, les pieds dans l'eau au milieu de canards, poules d'eau, foulques et hérons. Chambres et studios proprets et tout équipés, tous avec terrasse. Le proprio mène sa croisade pour la défense de la vraie cuisine camarguaise à travers les stages qu'il organise ici. Nombreuses autres activités comme la pêche, le VTT, la découverte de petits coins secrets de la Camargue... Loue également un appart en ville, à deux pas de la mer.

🏠 ***Hôtel Le Mirage :*** *14, rue Camille-Pelletan. ☎ 04-90-97-80-43. • lemirage@camargue.fr • lemirage.camargue.fr • Fermé de mi-oct à début avr. Doubles avec douche et w-c ou bains, TV 53-65 € selon saison. Parking payant. Wifi.* Dans une grande maison blanche années 1950. C'était d'ailleurs un cinéma de 1953 à 1963 (quelques affiches le rappellent dans l'escalier). Chambres simples, avec brasseur d'air. Matelas un peu mous tout de même. Préférer celles à l'étage, côté cour. Gentil jardin.

🏠 ***Hôtel Le Galoubet :*** *26, route de Cacharel. ☎ 04-90-97-82-17. • info@hotelgaloubet.com • hotelgaloubet.com • À l'entrée du village, au bord des étangs. Fermé 5 janv-15 fév. Doubles avec douche et w-c ou bains, TV 58-77 € selon saison. Familiales 80-90 €. Parking clos gratuit. Internet et wifi. Apéritif offert sur présentation de ce guide.* Petit hôtel moderne et bien aménagé, avec clim. Chambres un peu standardisées mais de bon confort, assez vastes pour les plus chères. Grande piscine. Une adresse sérieuse.

De chic à plus chic

Mas des Rièges : *route de Cacharel. ☎ 04-90-97-85-07. • hoteldesrieges@wanadoo.fr • hoteldesrieges.com • Fermé de mi-janv à mi-fév et de mi-nov à mi-déc. Resto fermé en sem hors saison. Doubles avec douche ou bains, w-c, TV 69-109 € selon taille et saison. Familiales 87-108 €. Menus 19-35 €. Parking gratuit. Wifi. Réduc de 10 % (en basse saison) sur présentation de ce guide.* Au bout d'une digue, dans les étangs. Mas typique, joliment décoré, du salon aux petites chambres. Leur terrasse donne sur un jardin, lui aussi mignon et bien aménagé. Salles de bains très olé (olé !). Piscine, centre de remise en forme... Calme garanti.

Hôtel Mangio Fango : *route d'Arles, quartier Pont-Blanc. ☎ 04-90-97-80-56. • mangio.fango@wanadoo.fr • hotelmangiofango.com • ♿ À 800 m du centre-ville, sur la D 570. Resto fermé le midi sf dim en hte saison ; fermé mer soir hors saison. Hôtel ouv tte l'année, sf 8 janv-8 fév. Doubles avec bains et TV 110-180 € selon saison. ½ pens souhaitée pdt les w-e prolongés et en août 66 €/pers. Petit déj 17 € ! Menus 38-48 €. Parking gratuit. Internet et wifi. Apéritif offert sur présentation de ce guide.* Un mas moderne et accueillant dont les chambres, claires et spacieuses, donnent sur les étangs et les marais pour les plus chères, sur la piscine chauffée ou le jardin pour les autres. Chacune a une terrasse privée, un lit douillet et un minibar. Jacuzzi. Cuisine terre-mer remarquable, respectueuse des produits et des saveurs, à savourer dans la salle chaleureuse ou englouti sous les palmiers de la terrasse.

Où manger ?

Aux Saintes, les assiettes sont malheureusement plus touristiques que gastronomiques.

De bon marché à prix moyens

Casa Romàna : *6, rue Joseph-Roumanille. ☎ 04-90-97-83-33. • christian.etienne0946@orange.fr • Tlj sf lun et mar midi. Congés : 6 janv-6 fév. Menus 17,50-19,50 €. Café offert sur présentation de ce guide.* On a le droit de manifester une certaine réticence devant cette terrasse dans une rue définitivement trop touristique. Pourtant, après avoir proposé des pizzas, ce petit resto revient à une cuisine traditionnelle. Et le cuisinier, fort de nombreuses années de métier, trousse gentiment quelques plats de région à prix d'amis.

Où dormir ? Où manger dans les environs ?

Prix moyens

Le Mas de Pioch : *route d'Arles, 13460 **Pioch-Badet.** ☎ 04-90-97-50-06. • contact@manadecavallini.com • masdepioch.com • À env 10 km au nord des Saintes-Maries. Congés : déc-janv. Résa conseillée. Doubles avec douche ou bains, w-c, 44-56 €, sans ou avec TV. Familiales 65-85 €. Wifi. Réduc de 10 % sur le prix de la chambre hors w-e fériés et pour des séjours de 2 nuits min sur présentation de ce guide.* Niché au creux d'une pinède-jardin dans un joli cadre propice à la détente, cette bâtisse abrite de vastes chambres, repeintes chaque année. Le matin, les oiseaux se chargent du réveil, puis le petit déj se prend au bord des massifs fleuris plantés dans de vieilles barques. Puisqu'on est dans une manade, la balade à cheval s'impose, avant d'aller plonger dans la grande piscine légèrement ombragée. Bref, un excellent rapport qualité-prix, seulement perturbé par la proximité de la route.

Chambres d'hôtes Le Mazet du Maréchal-Ferrant : *petite route du Bac. ☎ 04-90-97-84-60 ou 📱 06-16-18-80-83. • babethandre@aol.com • chambresdamis.fr • À 4 km du centre par la D 85. Fermé janv. Double avec bains 75 € ; familiale 110 €. Parking intérieur.* Dans ce mazet sympa comme tout, envahi par les plantes et les objets chinés, on est reçu à la bonne franquette. Les 3 chambres, plus ou moins grandes, pleines de gaieté et de clarté, s'ouvrent sur une petite terrasse privée et sont équipées d'un frigo et d'un micro-ondes. On peut aussi vous prêter de quoi faire votre tambouille.

Plus chic

Hôtel de Cacharel : *route de Cacharel. ☎ 04-90-97-95-44. • mail@hotel-cacharel.com • hotel-cacharel.com • À env 5 km du centre par la D 85A. Tte l'année. Résa conseillée. Double avec douche et w-c ou bains 130 €. Assiettes campagnardes 21 €, servies jusqu'à 20h. Parking clos gratuit. Internet. Apéritif offert sur présentation de ce guide.* Un chemin de terre mène à cette adresse à histoire(s), ouverte depuis 1955. Une ancienne manade, d'un calme évident, restée dans son jus. Plutôt qu'un hôtel de luxe, un lieu d'atmosphère. Plusieurs chambres, de bon confort mais aménagées à l'ancienne (brasseur d'air), offrent une vue assez somptueuse sur les étangs, lieu de tournage de *Crin-Blanc* (un film dont le fondateur de cet hôtel fut partie prenante). Sur des nappes à vieux carreaux, dans une salle à l'imposante cheminée, on s'attable pour un vrai casse-croûte (jambon cru, saucisson, fromage de chèvre...). Superbe panorama depuis la tour attenante. Piscine. Chevaux.

Manade des Baumelles : *les cabanes de Cambon. ☎ 04-90-97-84-37 ou 06-13-36-75-59. • contact@manade-des-baumelles.com • Accès par la route d'Aigues-Mortes. Ouv slt le midi sur résa. Menu 45 €. CB refusées. Apéro, café et digestif offerts sur présentation de ce guide.* Du vrai de vrai, et convivial en plus. Seulement, faut avoir du temps devant soi. Départ à 10h30. On grimpe sur le chariot pour visiter la manade, on boit un coup avec les gardians devant les anciennes écuries restaurées, puis l'on se retrouve pour déjeuner autour d'une grande table, à moins que le temps incite plutôt à rester en terrasse. Petites entrées camarguaises, suivies de côtes au feu de bois, daube de taureau, petit chèvre et dessert, vin compris. Et si un événement se déroule sur la manade (triage pour une course camarguaise, vaccination du bétail...), on en profite. On peut aussi suivre la visite sans rester déjeuner. Compter alors 25 €/pers.

– Voir aussi nos bonnes adresses en Petite Camargue gardoise dans le *Guide du routard Languedoc-Roussillon.*

À voir

L'église Notre-Dame-de-la-Mer : *tlj sf dim pdt les offices, 10h-12h30, 14h-19h. Accès au toit tlj 10h-20h en été, horaires restreints hors saison : 2 € ; gratuit pour les moins de 6 ans.* Extérieur typique de l'église d'un village dont les parages ne furent pas toujours pacifiques, d'où la nécessité de fortifications. Bel et sombre intérieur roman en pierres de couleurs variées, dans les tons verts. Descendre dans la crypte qui contient une curieuse statue représentant Sara couverte de bijoux. La chapelle haute, où se trouvent les châsses des saintes, est malheureusement fermée au public (quelques reliques de sainte Sara ont été volées en juillet 2009). Grimpez sur le toit de l'église tel un hussard, pour découvrir la vaste plaine environnante. Jolie vue sur la vieille ville, le port, la mer, sur toute la Camargue. Autour de l'édifice, jolie placette squattée par les terrasses de cafés.

Le musée Baroncelli : *rue Victor-Hugo, à deux pas de l'église. ☎ 04-90-97-87-60. Ouv juil-août 15h-18h30. Entrée : 2 € ; réduc.* Collections réunies par le marquis Folco de Baroncelli (1869-1943), grand défenseur des traditions camarguaises : mobilier provençal du XVIIIe s, costume d'Arlésienne, scènes de la vie gardiane, dioramas sur la faune de la région...

À faire

Les plages : belles et longues plages de sable de part et d'autre du village. Plage naturiste à 6 km vers l'est (en suivant le chemin de la digue à la mer donc).

➢ **Randonnées :** la balade le long de la digue à la mer peut se faire au départ des Saintes-Maries (voir plus haut le chapitre « Le Vaccarès »). Une autre belle balade pousse jusqu'à Méjanes (30 km, soit 8h aller-retour) : départ de la route de Cacharel, à droite juste avant le mas de Cacharel ; 3 km de route, puis une piste qui suit la digue des Cinq-Gorges le long de l'étang du Vaccarès.

➢ **VTT :** plusieurs circuits autour du village. Descriptifs gratuits disponibles à l'office de tourisme ou chez les loueurs. *Le Vélociste : 8, pl. Mireille. ☎ 04-90-97-83-26. Le Vélo Saintois : 19, av. de la République. ☎ 04-90-97-74-56. Tarif : env 15 €/j.*

➢ **Équitation :** ce ne sont pas les propositions qui manquent dans le coin (« lever de soleil avec petit déj » ou « coucher de soleil avec apéro sur la plage »). *Pour connaître les centres sérieux, contactez l'Association de tourisme équestre : ☎ 04-90-97-10-40. Contactez également l'office de tourisme pour avoir la liste de leurs adhérents.*

➢ **Promenades en bateau :** *compter 12 €. Rens à l'office de tourisme.* De mi-mars jusqu'à mi-septembre, quatre bateaux, dont un à aubes, remontent le Petit Rhône jusqu'au bac du Sauvage. Les départs se font soit de port Gardian (centre-ville), soit d'une route longeant la mer, vers l'ouest, à 2 km des Saintes, directement à l'embouchure du Petit Rhône.

Fêtes et manifestations

– **Pèlerinages :** d'abord la légende ; chassées de Judée, « les » Marie (Jacobé, sœur de la Vierge, et Salomé, mère des apôtres Jacques le Majeur et Jean), accompagnées de Sara, leur servante originaire d'Égypte, Lazare (le ressuscité !), Marthe, Marie Madeleine et Maximin, débarquent vers 40 apr. J.-C. sur ce rivage. Marthe part régler son compte à la Tarasque, Marie Madeleine poursuit sa pénitence dans la Sainte-Baume, Maximin se met au boulot à Aix et Lazare à Marseille. Les deux Marie, plus âgées, s'installent avec leur servante en Camargue. À leur mort, les fidèles placent leurs reliques dans l'oratoire qu'elles avaient fait construire à leur arrivée.
Chacune des (désormais saintes) Marie a droit à son pèlerinage : Marie Jacobé le 25 mai et Marie Salomé le dimanche le plus proche du 22 octobre. Rite immuable depuis 1448 : l'après-midi du premier jour, les châsses sont descendues de la chapelle haute dans le chœur. Le lendemain, les statues des deux saintes sont menées en grande procession jusqu'au rivage, accompagnées des gardians à cheval et d'un groupe d'Arlésiennes.
– **Pèlerinage gitan :** *24 mai.* Les gitans ont fait de Sara, la servante, leur sainte patronne (jamais reconnue par l'Église...). Si l'on retrouve les traces de leur pèlerinage sur des cartes du XIIe s, c'est Folco de Baroncelli qui, en 1935, obtint de l'évêque d'Aix que les gitans ne soient plus obligés de célébrer leur sainte en catimini. Désormais, la statue de Sara est, comme celles des deux saintes, conduite à la mer en procession, accompagnée de milliers de gens du voyage

D'OÙ VIENS-TU GITAN ?

Ces familles nomades arrivèrent en Europe dès le XVe s. Originaires d'Hindoustan et chassés par les Mongols, elles migrèrent en Bohême (Bohémiens) et en Allemagne (Zigeuner, d'où Tziganes). Quant au terme « gitan », il vient de l'égyptien puisque pendant longtemps, on les crut originaires de ce pays.

venus de toute l'Europe. Grande fiesta gitane après la procession. Une fête à ne pas manquer, même si elle n'attire plus les foules comme autrefois : là aussi, les temps changent.
– ***Journée à la mémoire du marquis de Baroncelli :*** *26 mai.* En souvenir du défenseur des gardians et des gitans (1870-1943), qui abandonna son palais d'Avignon pour une manade en Camargue. *Abrivado* et *bandido* dans les rues du village, jeux de gardians et courses de taureaux dans les arènes.
– ***Fête votive :*** *mi-juin. Abrivado,* course camarguaise, bal.
– ***Festival du Cheval :*** *mi-juil.* Pendant 3 jours, le cheval est roi, sur fond de flamenco : son et lumière, championnat de France de *horse-ball, abrivado,* concours de Doma Vaquera, démonstrations de cavaliers professionnels, *novillada,* corrida et *pégoulado.*
– ***Festo Vierginenco :*** *fin juil.* On doit à Mistral cette fête du costume qui honore les jeunes filles de 15 ans prenant pour la première fois le costume et le ruban d'Arlésienne. Après la messe en provençal, *abrivado* suivi de la bénédiction des taureaux et des chevaux dans l'arène. Grand défilé en fin d'après-midi. Spectacle dans les arènes.
– ***Feria Biou y toros :*** *mi-août.* Pendant 4 jours se mêlent tradition camarguaise et tauromachie espagnole : courses camarguaises, *abrivado, cabestria,* corrida.
– ***Festival d'Abrivado :*** *11 nov.* Journée de clôture de la saison estivale, avec enchaînement de 11 *abrivados* sur un parcours qui va de la plage aux arènes.

LA PLAINE DE LA CRAU

SAINT-MARTIN-DE-CRAU

(13310) 11 500 hab. *Carte Bouches-du-Rhône, B2*

Entre Arles et l'étang de Berre, à l'ouest de Salon-de-Provence (nom récent qui a remplacé d'ailleurs celui de Salon-de-Crau) s'étend sur 55 000 ha la plaine de la Crau. Ce milieu naturel unique en son genre est parcouru l'hiver par des troupeaux de moutons. En été, c'est un quasi désert bêtes et bergers sont partis se mettre au vert en Savoie ou en Dauphiné (la fameuse transhumance, qui se fait désormais en camion).
Au XVIe s, à la suite des travaux d'irrigation entrepris par Adam de Craponne, le paysage a commencé à se transformer : une Crau verte et irriguée, monotone avec ses cultures maraîchères et fruitières, s'est développée au nord, entre Arles et Saint-Martin-de-Crau et dans les environs de Salon.
Pour retrouver l'âme de la Grande Crau, il faut, depuis le bourg-rue de Saint-Martin-de-Crau, « capitale » de ce petit pays, piquer vers le Rhône par la D 24. Autour du bucolique étang des Aulnes s'étend la « vraie » Crau, plane à perte de vue, couverte d'une végétation rase (le *coussous*), plantée çà et là de jas (bergeries).
Ce sont les derniers vestiges (11 500 ha) de ce milieu naturel steppique, où plusieurs espèces d'oiseaux ont trouvé un ultime refuge, mis à mal depuis août 2009, quand une canalisation de l'oléoduc qui traverse la plaine s'est rompue, entraînant le déversement de 4 700 t de pétrole brut, qui ont imbibé 5 ha de cet écosystème unique en Europe. La dépollution entreprise au lendemain de la catastrophe se prolonge encore aujourd'hui, et il est trop tôt pour évaluer ce qui restera irréparable.

Au bout de la plaine, la zone portuaire de Fos : d'immenses tuyères qui barrent l'horizon, l'odeur du pétrole qui vous prend les narines et quelques taureaux qui paissent, indifférents à la noria des semi-remorques... Il est temps de faire demi-tour.

Adresse utile

Office de tourisme : *av. de la République. ☎ 04-90-47-98-40. • ville-saint-martin-de-crau.fr • Lun-ven (mer mat slt) ; fermé sam-dim (ouv sam mat l'été).*

Où manger ?

Saint'M - Restaurant Cosmopolite : *av. de la République, à côté de l'office de tourisme. ☎ 04-90-47-32-45. Fermé dim et lun soir. Menu du jour 16,50 €.* Ce resto de femmes sert une cuisine du jour, fraîche, comme à la maison, sympathique à défaut d'être savoureuse, et qui se conclut par de jolis desserts. Au choix, salle de bistrot modernisée, tapissée de portraits aquarelles de jazzmen, ou terrasse sous un platane, au bord de l'avenue. Les jeudi et vendredi soir, l'adresse se transforme en bar à vins, avec tapas.

À voir

L'écomusée de la Crau : *bd de Provence. ☎ 04-90-47-02-01. Dans une ancienne bergerie, à 50 m de l'église. Tlj sf dim 9h-12h, 14h-18h. Fermé à Noël. Entrée gratuite.* Pour tout savoir sur la protection de la Crau, la faune, la flore, le climat, le pastoralisme... Un espace « rétromusée » reconstitue un village d'antan, avec les échoppes des différents artisans. Petite librairie. C'est aussi ici que l'on s'acquitte du droit d'entrée pour l'observatoire ornithologique de la réserve de Peau-de-Meau, où l'on peut suivre un sentier d'interprétation de 5 km environ (3 €).

Les marais du Vigueirat : *accès par la D 35 depuis Saint-Martin-de-Crau.* Voir « Dans les environs de Salin-de-Giraud ».

Fête

– ***Le Temps des Aulnes :*** *fin juil. ☎ 04-90-47-09-99.* Dans le domaine de l'Étang des Aulnes, concerts et spectacles de danse gratuits, classiques comme contemporains.

LES ALPILLES

Prolongement (géo)logique du Luberon, étirée entre Salon-de-Provence et Tarascon, la chaîne des Alpilles doit son nom à un relief tourmenté. Entre pics et oliviers, ce paysage superbe concentre ses villages les plus célèbres autour des Baux-de-Provence et de Saint-Rémy. C'est là que Dante a placé l'entrée des enfers, au pied du village des Baux où vivaient naguère les sorcières, comme on le racontait autrefois aux petites Mireille.

Aujourd'hui, ceux pour qui « l'enfer, c'est les autres » se diront, dans la foule qui embouteille Les Baux en été ou qui se presse dans les rues de Saint-Rémy guettant l'apparition d'une star de la TV, qu'il est temps de fuir. La création d'un parc naturel régional des Alpilles devrait cependant permettre de réguler un peu l'affluence.

En attendant que tout se mette vraiment en place, il ne reste que deux solutions pour profiter sereinement de la région : nous suivre sur les petites

routes environnantes, ou revenir hors saison, pour profiter de la lumière et d'un climat assez exceptionnels.

➢ En attendant l'ouverture de la Maison du parc, à Saint-Rémy, pour tout rens, contacter l'administration du Parc : *10-12, av. Notre-Dame-du-Château, 13103 Saint-Étienne-du-Grès.* ☎ *04-90-54-24-10.* ● *parc-alpilles.fr* ●

LA VALLÉE DES BAUX

Carte Bouches-du-Rhône, B2

Sur près de 6 300 ha, entre la chaîne des Alpilles au nord et la Crau au sud, la vallée des Baux offre la plus grande densité d'oliviers du Sud de la France (290 000 arbres). « Nous sommes les premiers producteurs français d'huile d'olive », vous dira-t-on par ici, non sans fierté.

MOURIÈS (13520)

Bourg provençal classique avec son cours ombragé de platanes et son marché typique. Comme Maussane, son proche voisin, Mouriès doit sa réputation à l'huile d'olive protégée par une AOC, tout comme deux variétés d'olives locales. La « salonenque », cassée et aromatisée, récoltée de septembre à novembre, qui fait la fierté de la vallée des Baux, et la noire « grossane » cueillie piquée au sel en décembre. Mouriès est ainsi la première commune oléicole de France.

Adresse utile

🛈 ***Office de tourisme :*** *2, rue du Temple.* ☎ *04-90-47-56-58.* ● *mouries.fr* ● *En été, tlj sf dim-lun.*

Où dormir ? Où manger ?

Campings

⛺ ***Le Devenson :*** *route de Férigoulas.* ☎ *04-90-47-52-01.* ● *camping-devenson@orange.fr* ● *camping-devenson.com* ● *À 1,5 km du bourg. Prendre la petite route direction Arles à la sortie du village. Ouv Pâques-sept. Emplacement pour 2 avec voiture et tente 18,40 €. CB refusées.* Un camping à taille humaine, vraiment tranquille, paumé en pleine nature entre pins et oliviers. Emplacements gravillonneux, dispersés sur des restanques. Sanitaires vieillots mais propres. Camp strictement non fumeur, on est en zone à fort risques d'incendies. Piscine, boulodrome, terrain de volley.

⛺ ***Camping à la ferme Les Amandaies :*** *chemin de Saint-Paul.* ☎ *04-90-47-50-59. À env 3,5 km du village, en direction d'Aureille par la D 17. Prendre à droite le chemin du Cossoul (fléché), juste après l'embranchement pour Aureille. Ouv de mi-mars à mi-oct. Emplacement pour 2 avec voiture et tente 12 €. CB refusées.* Isolé à l'écart des grands axes, ce minicamping disperse sa demi-douzaine d'emplacements dans l'herbe et sous les arbres, entre le corps de ferme en pierres sèches et les champs. Frigo, lave-linge.

Prix moyens

🍽 ***Le Vieux Four :*** *73, av. Pasteur.* ☎ *04-90-47-64-94.* ● *contact@le-vieux-four.com* ● ♿ *Au centre du village. Fermé lun tte l'année, dim soir hors saison et mar midi juil-août. Congés : 3 sem en janv. Menu déj (en sem) 18 € ; autres menus 25,50-38,50 € ; carte 44 €. Parking. Wifi. Café offert sur présentation de ce guide.* Pour proposer ses produits de région rigoureusement sélectionnés, *le Vieux Four* s'est choisi un cadre exceptionnel. Les longues voûtes de cet ancien moulin à huile s'habillent d'une déco stylisée, et s'ouvrent sur une belle terrasse installée dans la cour. Une présentation soignée donc, presque trop, à l'image des plats qui, tout à leurs beaux atours, en oublient parfois de faire chanter leur terroir. Service souriant mais atmosphère un peu guindée.

Où dormir dans les environs ?

Hôtel Mas de l'Étoile : *av. Saint-Roch, 13930* ***Aureille.*** *☎ 04-90-59-92-85. • contact@masdeletoile.com • masdeletoile.com • À 8 km à l'est de Mouriès par la D 17. Tte l'année. Doubles 36 € avec lavabo ; 44-46 € avec douche ou bains, w-c et TV. Parking gratuit. CB refusées. Wifi. Réduc sur le petit déj sur présentation de ce guide.* Une adresse de derrière les platanes, un peu hors norme, atypique. Une maison sans âge, mangée par les plantes, emplie des œuvres du maître des lieux, artiste contemporain plus qu'hôtelier. Chambres très, très modestes, mais à ce prix-là dans les Alpilles... Petit ruisseau et vue sur les champs d'oliviers sur l'arrière.

MAUSSANE-LES-ALPILLES (13520)

Fontaine, lavoirs, platanes centenaires... Maussane cultive ses allures de tranquille bourg provençal. Dans les bistrots de la rue principale, on sait encore ne pas faire la différence entre une star de ciné et un gars du pays ! Jolie petite balade à faire pour rejoindre Maussane depuis Mouriès : suivre la D 24 et, vers le village du Destet, prendre à gauche, direction Maussane-Les Baux (D 78). La forêt disparaît alors pour céder la place au massif rocheux des Baux. Un petit col offre une jolie vue sur la plaine.

Adresses utiles

Office de tourisme : *route de Saint-Rémy, à l'entrée du camping. ☎ 04-90-54-33-60. • maussane.com • Tlj en été ; fermé l'ap-m sam et dim en basse saison.* Plan du village, infos sur les activités et balades alentour.

– **Épicerie :** *en plein centre sur l'av. des Baux, face à la place.* Prix très honnêtes.

Où dormir ? Où manger ?

Camping

Camping municipal Les Romarins : *route de Saint-Rémy (D 5). ☎ 04-90-54-33-60. • camping-municipal-maussane@wanadoo.fr • Fléché depuis le centre. Ouv 15 mars-15 oct. Forfait emplacement pour 2 adultes et 1 enfant, avec tente et voiture 14,50-21 € selon saison. Loc caravane 255-281 €/sem. Internet.* À deux pas du centre, ce camping confortable installe ses vastes emplacements sur de l'herbe touffue, à l'ombre de mûriers platanes. Boulodrome, lave-linge, petite bibliothèque. Piscine municipale accessible en haute saison ; également un tennis à proximité.

De bon marché à prix moyens

Le Petit Maussanais : *35, av. de la Vallée-des-Baux. ☎ 04-90-54-38-92. • lepetitmaussanais@live.fr • Tlj le midi lun-ven ainsi que le soir ven-sam. Fermé dim. Congés : 15 j. début déc. Menu du jour unique 14 € le midi, 18 € le soir. Wifi.* Petite adresse restée populaire, idéale pour le midi grâce à sa belle terrasse ombragée. S'il fait frisquet, salle rustique garnie d'objets d'hier et des inévitables nappes à carreaux rouges et blancs. Cuisine familiale genre blanquette de veau. Bonne ambiance.

Les Magnanarelles : *104, av. de la Vallée-des-Baux. ☎ 04-90-54-30-25. • hotel.magnanarelles@wanadoo.fr • hotel-magnanarelles.com • Resto fermé lun, mar midi et jeu midi. Congés : de mi-nov à mi-mars. Doubles avec TV 68-72 € selon confort et saison. Familiale 116 €. Menus 18-35 €. Parking* *payant. Internet. Café offert sur présentation de ce guide.* Au cœur du village, cette maison provençale toute pimpante abrite une entreprise familiale qui tourne rond. Jolies chambres, contemporaines. Terrasse agréable à côté de la piscine pour une cure de soleil, et chef sympathique, à l'image de sa cuisine.

|●| ***La Place :*** *65, av. des Baux. Sur la place du village. ☎ 04-90-54-23-31. • restaurant-laplace@hotmail.fr • Ouv tlj en saison ; fermé mar-mer oct-mars. Formules 23-34 €.* Au bord de la fontaine, à l'ombre des platanes de la place du village, cette élégante terrasse sert d'écrin à une cuisine de l'instant, présentée sur une carte qui se lit d'un coup d'œil, variant selon les produits du jour. Du frais, rien que du frais, honoré par une chef passée par l'*Oustau de Baumanière,* qui sait moderniser sans les trahir les saveurs de Provence. Jolie sélection de vins, servis aussi au verre. Et, pour terminer, des desserts tout en légèreté. Service un peu longuet en revanche. Si le temps se gâte, petite salle aux lignes épurées.

De chic à plus chic

⌂ |●| ***L'Oustaloun :*** *pl. de l'Église. ☎ 04-90-54-32-19. • info@loustaloun.com • loustaloun.com • ♿ (pour le resto). Tlj sf mer-jeu ; fermé pdt les vac de fév (zone B) et 20 nov-17 déc. Doubles avec douche et w-c ou bains, TV, sèche-cheveux, 62-89 € selon saison. Familiales 85-95 €. ½ pens possible. Formule 16 € et menu 27 € (le midi) ; autre menu 36 €. Carte 30-37 €. Parking gratuit selon dispo. Wifi. Café offert sur présentation de ce guide.* La façade du XVIIIe s de cette petite auberge provençale typique est en parfaite harmonie avec la place du village. Vous dormirez sous d'authentiques poutres du XVIe s dans une petite dizaine de chambres qui mêlent charme de l'ancien et couleurs d'aujourd'hui. Et, à table, sous de solides voûtes de pierre, vous pourrez faire une cure d'huile d'olive du pays en goûtant aux spécialités locales. L'été, service sur la place. Accueil sympathique.

⌂ ***Chambres d'hôtes Le Mas des Marguerites :*** *chemin de la Pinède. ☎ 04-90-54-20-48. • contact@mas-des-marguerites.com • mas-des-marguerites.com • ♿ Accès fléché depuis le centre. Doubles 90-130 € selon confort et saison. Parking privé gratuit. Wifi.* Dans un quartier résidentiel, une grande villa flanquée d'un jardin avec piscine. Pour ceux qui voudraient l'accueil dynamique et souriant d'une maison d'hôtes et le côté pratique de l'hôtel. Vastes chambres climatisées, plaisantes et indépendantes.

Où dormir ? Où manger dans les environs ?

Prix moyens

⌂ ***Chambres d'hôtes Le Mazet des Alpilles :*** *route de Brunelly, 13520* ***Le Paradou.*** *☎ 04-90-54-45-89. • lemazet@wanadoo.fr • alpilles.com/mazet.htm • À 2 km à l'ouest par la D 17 ; fléché depuis Le Paradou. Double avec bains 60 €. Internet.* Sur une jolie petite route, la D 78E, que nous vous conseillons d'emprunter pour rejoindre Fontvieille, un agréable mazet, toujours fleuri, avec 2 chambres d'hôtes, mignonnettes et climatisées. Le grand jardin, idéal pour se reposer, est à disposition des hôtes pour y pique-niquer (frigo à disposition). Bel accueil.

Plus chic

⌂ |●| ***Du Côté des Olivades :*** *chemin de Bourgeac, 13520* ***Le Paradou.*** *☎ 04-90-54-56-78. • ducotedesolivades@wanadoo.fr • ducotedesolivades.com • ♿ Sur les hauteurs, entre Maussane et Le Paradou (très bien fléché depuis Maussane). Tte l'année. Fermé lun. Doubles avec douche et w-c ou bains, TV, 102-178 € selon confort et saison. Petit déj 17 € ! Formule déj 28 €. Menus 38-65 €. Parking. Wifi. Réduc de 10 % sur la chambre (5 janv-31 mars et nov-24 déc) sur présentation de ce guide.* Si les 15 suites du contemporain *Hôtel B Design* sont hors de prix, ce mas charmant ouvert sur un paysage de tout repos propose, côté *Olivades,* des chambres plus abordables, avec terrasse. Une poignée de tables permet aussi d'y savourer une cuisine de femme qui met à l'honneur des produits d'une qualité aussi incontestable que leur fraîcheur. Des plats d'une évidente simplicité mais d'une précision exemplaire. Également une des plus grandes piscines d'ici et de plus loin. Et un espace bien-être (payant). Pour un coup de folie...

Où acheter de bons produits ?

Moulin Jean-Marie Cornille : *rue Charloun-Rieu. ☎ 04-90-54-32-37. Juin-sept, lun-sam 9h30-18h30 (dim 11h-18h) ; oct-mai, lun-sam 9h30-18h.* C'est en fait la coopérative oléicole de la vallée des Baux. Une fois cueillies, les olives arrivent directement au moulin où elles sont broyées par les vieilles meules de pierre, comme autrefois. La pâte obtenue passe ensuite sous la presse hydraulique, puis une centrifugeuse sépare le mélange d'huile et d'eau qui s'est écoulé. L'huile produite est la fameuse « huile d'olive vierge obtenue par première pression à froid », appelée aussi « fruitée noire ». En vente sur place, avec savons, confitures, miel...

Confiserie et boutique Jean Martin : *10, rue Charloun-Rieu. ☎ 04-90-54-30-04. Tlj sf dim et lun mat : en été, 9h30-12h, 14h30-18h ; en hiver, 9h30-12h, 14h-18h.* Ici, on est confiseur de père en fils depuis 1920. Si l'entreprise est devenue florissante, la première activité du confiseur consiste toujours à travailler ce fruit qu'est l'olive, dont il doit enlever l'amertume pour le rendre mangeable. Mais les Martin ont plus d'une recette dans leur sac, et vous allez craquer pour les soupes, les ristes d'aubergines, ratatouilles, anchoïades, etc.

Moulin du Mas des Barres : *petite route de Mouriès. ☎ 04-90-54-44-32. Tlj 9h-12h, 14h-18h30.* Ce moulin à huile, tenu par la famille Quenin, est très apprécié des Américains, ce qui ne devrait pas vous faire fuir pour autant. Dégustation et vente de produits régionaux.

À voir

La Petite Provence du Paradou : *75, av. de la Vallée-des-Baux. ☎ 04-90-54-35-75. ♿ Sur la commune du* ***Paradou,*** *à la sortie de Maussane. Tlj 10h-12h, 14h-18h30 (en continu jusqu'à 19h juil-août ; 10h-12h, 14h-18h, janv-fév). Entrée : 5 €.* Une curiosité « de taille » : ce site touristique – traversé par des vestiges de l'époque romaine – reconstitue en miniature la vie traditionnelle au début du XXe s à travers plus de 400 santons formant, au milieu d'oliviers centenaires, l'une des plus grandes crèches de la planète. Tout ce petit monde est reproduit comme si le temps s'était arrêté sur le boulanger cuisant son pain, les lavandières se racontant des histoires... Prenez le temps d'admirer les finitions (8 000 h de travail tout de même... Les soirées d'hiver sont longues en Provence). Animation spéciale de Noël pour découvrir les crèches et les treize desserts. Jeu découverte pour les enfants.

FONTVIEILLE (13990)

Gros bourg provençal où les touristes s'arrêtent surtout pour le moulin de Daudet (qui n'est pas vraiment le moulin de Daudet, d'ailleurs...). Oubliant, depuis l'église, de se glisser par la Grand-Rue dans le cœur du village, où se cache notamment l'étonnant quartier du Planet : une ancienne carrière de pierre où les maisons se sont nichées dans les excavations. Pour la petite histoire, c'est à Fontvieille que Van Gogh a vendu, de son vivant, sa seule et unique toile, à la sœur du peintre belge Eugène Boch.

Adresses utiles

Office de tourisme : *5, rue Marcel-Honorat. ☎ 04-90-54-67-49. • fontvieille-provence.com • Tlj sf dim ; de mi-juin à mi-sept : tlj et mat j. fériés.*

■ ***Moulin du Mas Saint-Jean :*** *route de Saint-Jean. ☎ 04-90-54-72-64. • moulinstjean.com •* Un moulin familial qui organise des visites guidées du domaine oléicole et du moulin à huile *(lun-ven, tél avt).*

Où dormir ? Où manger ?

Campings

⛺ ***Les Pins :*** *rue Michelet. ☎ 04-90-54-78-69. • campingmunicipal.lespins@wanadoo.fr • Ouv avr-fin sept. Forfait emplacement pour 2 avec tente et voiture env 13 €.* Bien ombragé puisque situé, comme son nom l'indique, dans une pinède. Coin aussi plaisant que tranquille. Vastes emplacements, herbeux pour la plupart. Laverie, ping-pong, boulodrome. La piscine municipale (ouv juil-août) est à deux pas, le centre pas bien loin à pied. On peut le rejoindre par un chemin coupant entre les pins.

⛺ ***Saint-Gabriel :*** *mas Ginoux, route de Fontvieille. ☎ 04-90-91-19-83. • contact@campingsaintgabriel.com • campingsaintgabriel.com • À 9 km au nord-ouest par la D 33.* Voir « Où dormir ? » à Tarascon.

De prix moyens à chic

🏠 🍽 ***Hostellerie de la Tour :*** *3, rue des Plumelets. ☎ 04-90-54-72-21. • bounoir@wanadoo.fr • hotel-delatour.com • Dans une rue tranquille, à peine à l'écart du centre. Fermé de nov à mi-mars. Doubles avec douche et w-c, clim, TV 70-73 € selon taille. Menu 27 €, slt le soir. ½ pension possible. Petit déj 10 €. Parking. Wifi.* Dix chambres de plain-pied, joliettes et confortables, se sont installées à l'arrière de cette belle maison en pierres sèches, autour du mignon jardin et de sa piscine. Les moins chères sont un peu étroites, toutes s'allongent d'une petite terrasse privée. Au resto, cuisine traditionnelle. Accueil simple, et sympa.

🍽 ***Le Bistrot Mogador :*** *route de Maussane, château d'Estoublon. Par la D 17 de Fontvieille à Maussane, c'est indiqué sur la gauche juste avt la D 33 vers Saint-Rémy. ☎ 04-90-96-22-40. • info@lapetitemaisondecucuron.com • Ouv tlj en juil-août ; fermé mar et mer le reste de l'année. Menu 29 €.* En accord avec les propriétaires du château d'Estoublon – un immense domaine oléicole –, le chef étoilé de Cucuron a repris les commandes de la cuisine du *Bistrot de Mogador.* Il met en place une carte de bistrot changeant toutes les semaines, et proposant terrines, salades et charcuterie, mais aussi des plats canailles servis en cocotte ; un terroir revisité ! La salle du restaurant est installée dans une immense salle voûtée du château, avec d'énormes tonneaux en guise de tables. Avant de repartir, pensez à acheter la merveilleuse huile d'olive du domaine...

🍽 ***Le Patio :*** *117, route du Nord. ☎ 04-90-54-73-10. Tlj sf mer et jeu midi en saison ; mer et dim soir hors saison. Fermé pdt vac de fév (zone B) et de la Toussaint. Formule déj 19 € ; menus 29-42 €. Café offert sur présentation de ce guide.* Dans une ancienne bergerie du XVIIIe s aux murs actualisés de quelques toiles contemporaines. Une grosse cheminée, un agréable patio ombragé, et une belle cuisine d'aujourd'hui, qui suit les saisons et travaille les produits du pays. Une spécialité, le lapin, pour varier de l'agneau.

À voir. À faire

Les moulin et musée Alphonse-Daudet : *à 500 m de l'office de tourisme (fléché). Mieux vaut monter à pied, sur le site le parking est payant (3 €). ☎ 04-90-54-60-78. Fermé janv. En saison 9h-18h ; hors saison 10h-12h, 14h-17h. Entrée : 3,50 € ; enfants 7-12 ans : 2,50 €.*

Phare du tourisme de Fontvieille, l'ancien moulin Saint-Pierre, classé depuis 1935 moulin Daudet, fut bâti en 1814 et tourna jusqu'en 1915. Alphonse Daudet n'y a évidemment jamais vécu ni, contrairement à la légende, écrit ses célèbres *Lettres de mon moulin.* Il aurait en revanche prétendu l'avoir acquis dans un acte de vente imaginaire et, surtout, ce moulin à vent planté au bout d'une longue allée de pins ressemble beaucoup à celui qu'il décrit dans *Le Serment de Maître Cornille*. Au 1er étage, présentation du fonctionnement du moulin. Au sous-sol, modeste musée-boutique réunissant quelques souvenirs de l'écrivain.

➢ Au départ du moulin, un ***sentier*** fléché à travers la garrigue permet de découvrir quelques-uns des lieux de l'écrivain : d'autres moulins à vent, le cabanon Coudière et le Trou du Renard qui ont inspiré *La Chèvre de monsieur Seguin.* Le château de Montauban enfin, grosse maison bourgeoise fin XVIIIe-début XIXe s où séjournait Daudet quand il quittait Paris pour Fontvieille, est ouvert au public en saison (à partir de 10 h). Il abrite 4 petites expos sur Fontvieille, les Arlésiennes, les santons et Daudet, pour changer. Bref, du 100 % folklore. Renseignements au moulin ou à l'office de tourisme.

➢ Du château de Montauban démarre un autre circuit, partant à la découverte des quartiers anciens du village. Il est jalonné de reproductions d'œuvres de Léo Lelée, un peintre provençal ami de Mistral. Descriptif gratuit disponible à l'office de tourisme.

➢ ***Le train des Alpilles :*** un autorail des années 1950 (ou un train à vapeur, selon les jours) qui relie Fontvieille à Arles via l'abbaye de Montmajour. Voir le chapitre « Arles ».

À voir dans les environs

L'aqueduc et le moulin de Barbegal : *à 2 km au sud-est de Fontvieille par la D 33, puis à gauche (fléchage « Aqueduc ») ; prendre le petit sentier à droite, juste après le passage de l'aqueduc.* Cinq minutes de marche mènent au site, ruines d'un impressionnant moulin à eau vertical du IVe s. Superbe point de vue sur la plaine. Bordé d'oliveraies, l'aqueduc dont on longe les vestiges servait à amener l'eau qui, en tombant, actionnait seize meules en pierre de lave. Elles pouvaient moudre leurs 20 kg de blé à l'heure. C'est le seul moulin du genre connu dans le monde romain.

L'abbaye de Montmajour : *à 4,5 km de Fontvieille en direction d'Arles (arrêt de bus « Cartreize »). ☎ 04-90-54-64-17. Mai-juin, tlj 9h30-18h ; juil-sept, tlj 10h-18h30 ; oct-avr, tlj sf lun 10h-17h. Dernière admission 45 mn avt la fermeture. Fermé 1er janv, 1er mai, 1er et 11 nov, 25 déc. Entrée : 7 € ; réduc ; gratuit pour les moins de 25 ans.*

Un lieu exceptionnel, où la nature s'harmonise parfaitement avec l'architecture. Au début, il n'y eut que quelques ermites, puis des moines, qui asséchèrent les marais et entreprirent la construction de l'abbaye. Commencée au XIIe s, elle ne fut jamais réellement achevée. Au XVIIIe s, une partie des bâtiments s'effondre, mais on les reconstruit encore plus somptueux pour le cardinal de Rohan et pour les laïcs qui, peu à peu, avaient remplacé les bénédictins. Lors de l'affaire du collier de la reine, le roi fait fermer l'abbaye. Elle est vendue à la Révolution à une chiffonnière qui, n'ayant pas de quoi acquitter la somme, va la dépouiller entièrement de ses trésors. Un marchand de biens la rachète à son tour et la loue en parcelles à des métayers. Le peintre Réattu et des habitants d'Arles la sauvent et la restaurent, avant qu'elle ne devienne propriété de l'État.

On découvre d'abord l'ensemble roman, très riche : l'église haute jamais achevée, deux travées seulement ayant été réalisées sur les cinq prévues, puis l'église basse. Le cloître est probablement l'un des plus émouvants de Provence, avec salle capitulaire et réfectoire attenants. Puis on pénètre dans le bâtiment Saint-Maur, dont Pierre Mignard, neveu du peintre, a achevé la construction en 1713. Enfin, on visite la chapelle Saint-Pierre, en partie souterraine. Le tout est dominé par la masse imposante du donjon rectangulaire. Van Gogh, séduit par la grandeur et la beauté de cette abbaye, alla souvent en faire des dessins.

Fêtes et manifestations

– ***Foire aux chevaux :*** *2e dim de mars.* Démonstrations équestres dans les arènes.
– ***Fête des Moulins :*** *2e w-e d'avr.* Marché du terroir, groupes folkloriques, concours de taille d'olivier...
– ***Saint-Pierre :*** *1er w-e d'août.* Fête traditionnelle du village avec bals et concert, paella, courses camarguaises et spectacle taurin.
– ***Fête Daudet :*** *2e dim d'août.* Messe en provençal sous l'allée des pins, défilé en costumes traditionnels. Danses au moulin.
– ***Fête du club taurin :*** *fin août*. Course camarguaise, *encierro, abrivado*, bodega et *peñas.*
– ***Foire aux santons :*** *début nov.* Marché de Noël également.

LES BAUX-DE-PROVENCE

(13520) 443 hab. *Carte Bouches-du-Rhône, B2*

Un site unique, classé parmi les Plus Beaux Villages de France. Une forteresse jaillie de la garrigue dont on ne sait plus différencier les rochers du bâti. Des murailles qui s'illuminent, s'embrasent lorsque le soleil se couche. Du château en nid d'aigle, un panorama qui embrasse le pays d'Aix, la montagne Sainte-Victoire, qui court jusqu'aux Cévennes. Un vrai choc esthétique !
Choc aussi lorsque l'on découvre la route d'accès élargie à l'extrême pour servir de parking (évidemment payant), la foule qui, du printemps à l'automne, encombre les ruelles tout autant que les étals des boutiques de souvenirs... C'est sûr, si vous arrivez en plein été, au milieu du flot cahotant qui s'engouffre aux heures chaudes dans la rue principale, vous n'aurez qu'une envie : repartir ! Venez plutôt y passer une fin d'après-midi et un début de soirée, vous n'en apprécierez que plus l'instant présent. C'est que, même si le village tente de faire évoluer son image en accueillant événements culturels et résidences d'artistes, les Baux sont, comme tous les grands sites, victimes de leur succès.

UN PEU D'HISTOIRE

La naissance de la cité des Baux est lointaine. La légende voudrait que Balthazar, l'un des Rois mages qui suivaient l'étoile du Berger, ait rencontré ici la bergère de ses rêves. Toujours est-il que les particularités géographiques et géologiques du rocher ont tôt fait d'attirer les stratèges, et ce sont les Ligures qui s'en emparent les premiers cinq siècles avant notre ère. Dans leur langue celtique, *bau* signifie « rocher escarpé », et la cité leur doit donc son nom. Bien dressée sur cet éperon dénudé entouré par deux vertigineux précipices, elle abrita cette « race d'aiglons, jamais vassale » chantée par Frédéric Mistral.
Réunie à la couronne de France, la baronnie va se révolter contre Louis XI qui réagira en démantelant carrément la forteresse. Il faudra attendre les travaux de restauration entrepris par le connétable Anne de Montmorency, à la Renaissance, pour que Les Baux retrouvent vie et vigueur : c'est alors que furent édifiés nombre d'hôtels particuliers à l'architecture élégante et raffinée, que l'on peut toujours admirer et parfois même visiter.
Devenu fief protestant, le château sera démantelé en partie, cette fois par Richelieu, qui n'était pas non plus vraiment accommodant. Pour finir, Les Baux deviendront marquisat... pour les Grimaldi. Le roi Albert de Monaco est ainsi l'actuel petit

marquis des Baux. Peut-être est-ce à cause d'eux que, depuis 1945, les célébrités de la planète s'y rendent chaque année, suivies de millions de touristes...
Au XIXe s, le site avait déjà tapé dans l'œil de Pierre Berthier et de Prosper Mérimée. Géologue, le premier y identifie en 1821 une roche qu'il nommera... bauxite. Le second fut à l'origine des premiers travaux de restauration du village, continués après la Seconde Guerre mondiale par André Malraux et Raymond Thuiller, ancien maire et fondateur de l'*Oustau de Baumanière* (l'hôtel très chic et à prix choc des Baux). Ils se poursuivent aujourd'hui avec l'embellissement du plan du château.

Adresse utile

Office de tourisme : *maison du Roy. ☎ 04-90-54-34-39. • lesbauxdeprovence.com • À l'entrée du village, dans une maison du XVIe s. Tlj, tte l'année.* Compétents, accueillants et disponibles malgré la foule. Carte des randonnées pédestres de la région à disposition.

Où dormir ? Où manger ?

De bon marché à prix moyens

Chambres d'hôtes Le Mas de l'Esparou : *route de Saint-Rémy. ☎ 04-90-54-41-32. 06-70-80-01-76. • lesparou-lesbaux.com • Prendre la D 5 vers Maussane ; 1er chemin à gauche après le rond-point de la gendarmerie. Double avec douche ou bains, w-c, 72 €.* Dans une maison récente, isolée au milieu des pins et des oliviers, chez un couple qui ne se prend pas la tête : lui peint, elle fait des confitures. Bref, chacun fait ce qu'il veut, il y a la piscine, la vue exceptionnelle sur la chaîne des Alpilles et des chambres bien sûr, vastes, simples et fraîches, s'ouvrant toutes sur une terrasse. Accueil adorable.

Hostellerie de la Reine Jeanne : *Grand-Rue. ☎ 04-90-54-32-06. • marc.braglia@wanadoo.fr • la-reinejeanne.com • Dans le village. Fermé de début janv à mi-fév. Resto fermé le soir de mi-nov à mi-déc. Doubles avec douche 50 €, avec douche ou bains et w-c, TV 56-70 €, selon saison. Familiale 100 €. Au resto, formule 15 €. Menus 22-33 €. Parking municipal gratuit pour les clients de l'hôtel. Internet. Café offert sur présentation de ce guide.* Quel bonheur, une fois les touristes disparus, de se retrouver dans cette vieille maison rénovée avec malice, dans des chambres agréables et personnalisées, dont certaines offrent une vue plongeante sur le val d'Enfer... Les plus chères ont une terrasse. Bar-restaurant bien pratique et surtout bien placé, avec une carte régionale variée. Accueil sympa.

Le Café des Baux : *rue du Trencat. ☎ 04-90-54-52-69. 06-20-63-70-14. • cafedesbaux@live.fr • Dans le haut du village, à 50 m de l'entrée du château, sur la gauche. Ouv tlj fin mars-début nov. Grandes salades avec produits fumés maison 18 €. Menus 28,50-34,50 €. Apéro offert sur présentation de ce guide.* Un vrai bon restaurant-glacier, qui propose une cuisine traditionnelle adaptée au climat et à la situation haut perchée. Belle terrasse dans la cour (brumisateurs à midi). Salon de thé-glacier l'après-midi. Pour terminer sur une note sucrée, faites confiance au chef, il est champion de France du dessert.

De chic à beaucoup plus chic

Chambres d'hôtes Le Prince Noir : *rue de Lorme. ☎ 04-90-54-39-57. • contactez-nous@leprince-noir.com • leprincenoir.com • Congés : déc-fév. Double avec douche et w-c 95 € ; suite et appart 145-176 €. Wifi.* Du troglodyte très tendance. Remontez la Grand-Rue jusqu'au château, tournez sur votre gauche dans la rue des Fours, grimpez encore quelques escaliers, sonnez et laissez-vous guider. Vous entrez dans un autre univers, coloré, fantaisiste, chaleureux. Plus de bruit, car on est juste en dessous de la roche, dans la plus haute bâtisse de la cité. Et quelle vue ! Plus qu'une caverne de Cro-

Magnon, vous voilà dans un vrai nid d'aigle ! De toutes les terrasses, les privées comme la commune, le panorama est à couper le souffle : les toits des Baux et, au-delà, le massif et le ciel.

La Benvengudo : *vallon de l'Arcoule (D 787). ☎ 04-90-54-32-54. • reservations@benvengudo.com • benvengudo.com • À 1 km du village sur la D 78 (c'est fléché, sur la droite). Doubles avec douche et w-c ou bains, TV, 105-205 € selon confort et saison. Menus 25 € (midi slt)-45 €. ½ pens possible. Wifi.* Dans un cadre encore très nature, une ancienne bastide avec une oliveraie (production en vente sur place), des pins, un grand jardin paisible agrandi d'un verger, où le cuisinier vient piocher ses produits. Au choix, des chambres typées « Provence d'antan » côté jardin, ou plus contemporaines (et plus chères) côté bastide. Toutes sont très confortables et s'ouvrent sur une terrasse ou un balcon. Au resto, cuisine consciencieuse proposant des plats du jour autour de la piscine à midi et un vrai menu le soir. Accueil très pro. Tennis, VTT à disposition et boulodrome pour la touche locale.

La Riboto de Taven : *vallon de la Fontaine, le val d'Enfer. ☎ 04-90-54-34-23. • contact@riboto-de-taven.fr • riboto-de-taven.fr • ♿ Sur la D 27, au pied de la citadelle. Resto ouv slt le soir, fermé mer. Congés : nov-mars. Doubles avec douche et w-c ou bains et TV, 180-200 € selon saison ; suites troglodytiques 300 €. Menu 55 €. Wifi.* Une belle adresse, avec des suites troglodytiques de luxe, quelques chambres moins chères dans le mas, et une terrasse magnifique où dîner si vous êtes en fonds. Niché sous le rocher de la sorcière, le restaurant reste le meilleur endroit pour oublier le monde et les hommes, charmé par la cuisine simple et parfumée du chef. Menu unique, qui change tous les jours en fonction du marché. Joli jardin et piscine.

À voir. À faire

La visite du village des Baux s'effectue à pied, en se garant sur un parking payant, à l'entrée (les mange-fric exigent leur ration de 8h à 20h, impossible d'y échapper). Compter 5 €, que vous restiez 5 mn ou la journée... ; 1 € de moins quand on stationne un peu plus en contrebas.

➢ ***Petit circuit pour visiteurs pressés :*** dès le passage de la porte Mage, rendez-vous à la *maison du Roy* (qui abrite l'office de tourisme). Évitez la foule dans la Grand-Rue en tournant tout de suite à droite, dans la rue Porte-Mage, vers la place Louis-Jou. Arrêt possible dans l'ancien hôtel de ville, transformé en petit *musée des Santons* (entrée libre ; quelques jolies pièces dont des figurines napolitaines). En contrebas se dresse la *porte Eyguières.* Belle vue sur le val d'Enfer. Les plus courageux la franchiront pour descendre vers le *vallon de la Fontaine,* où se cache un charmant pavillon Renaissance, dit « de la reine Jeanne ». Les autres se contenteront de suivre la rue de la Calade qui débouche sur la place Saint-Vincent, bordée par l'hôtel des Porcelets - belle demeure de la fin du XVIe s devenue *musée Yves-Brayer* -, la *chapelle des Pénitents-Blancs* (XVIIe s) et l'*église Saint-Vincent* (lire ci-dessous). Par la rue de l'Église, puis la rue Neuve, on arrive Grand-Rue. Sur la droite, l'*hôtel de Manville,* actuelle mairie, accueille des expos temporaires. Expos également juste en face, dans les vestiges d'un ancien temple protestant dont seule émerge une étrange fenêtre portant l'inscription calviniste « *Post tenebras lux* ». En descendant la Grand-Rue vers la porte Mage, on se réfugiera dans la maison du XVe s qui abrite la *fondation Louis-Jou.*

L'église Saint-Vincent : intéressant portail roman, chapelles creusées dans le rocher. La sobre nef sert de décor à la célèbre messe des bergers de la nuit de Noël, avec cérémonie du pastrage et crèche vivante sur fond de chants provençaux. Les vitraux modernes de Max Ingrand sont un cadeau du prince Rainier de Monaco.

Le musée Yves-Brayer : *pl. Saint-Vincent. ☎ 04-90-54-36-99. • yvesbrayer.com • Tlj 10h-12h30, 14h-17h30 (18h30 avr-sept). Fermé mar oct-mars ; congés de janv à mi-fév. Dernière admission 30 mn avt la fermeture. Entrée : 5 € ; réduc ; gratuit pour les moins de 18 ans.* Consacré tout entier à ce peintre figuratif (1907-1990) amoureux des Baux. Huiles, aquarelles, dessins, gravures, lithographies. Si vous voulez vous faire une idée de son style, les fresques de la chapelle voisine sont de sa main (accès gratuit). Expos temporaires également.

La Fondation Louis-Jou : *Grand-Rue. ☎ 04-90-38-34-28 ou 04-90-54-34-17. • perso.wanadoo.fr/fondationlouisjou • Sur rdv. Entrée : 3 € ; réduc ; gratuit pour les moins de 7 ans. Visite guidée.* Abrite l'œuvre gravée de Louis Jou (qui termina ses jours ici, en 1968), ainsi que des gravures de Dürer et de Goya, des incunables, des reliures anciennes... Collection exceptionnelle, assez dure toutefois, cela dit si vous vous baladez en famille. De l'autre côté de la rue, l'atelier, avec ses presses à bois.

Le château : *à l'extrémité de la rue du Trencat, taillée à même la roche par les Romains. ☎ 04-90-54-55-56. • chateau-baux-provence.com • Ouv 9h-20h30 en été (18h30 au printemps) ; 9h-18h l'automne (17h l'hiver). Entrée : avr-sept 8 € (7,50 € hors saison) ; réduc ; gratuit pour les moins de 7 ans. Billet jumelé avec le théâtre antique d'Orange : 13,50 € ; réduc. Audioguide.*
Dans l'hôtel de la tour de Brau du XVIe s (aujourd'hui la billetterie), deux maquettes permettent de mieux comprendre comment se présentait la forteresse aux XIIIe et XVIe s. La chapelle Saint-Blaise (XIIe s) accueille un spectacle audiovisuel intitulé « La Provence vue du ciel » qui vous transportera vers les plus beaux monuments et paysages de Provence. Juste à côté, exposition de machines de siège médiévales grandeur nature : baliste, trébuchet, bélier, etc. Des tirs à la catapulte, maniement des armes, tir à l'arc et à l'arbalète ont lieu tous les jours d'avril à septembre. Vous pourrez même être sollicité pour prêter main-forte ! Nombreuses animations tout au long de l'année d'ailleurs : journée des peintres, concerts, mariages médiévaux, véritables camps moyenâgeux, spectacle de fauconnerie équestre, dresseurs d'ours, scènes de la vie quotidienne, assaut du château (23-25 septembre, spectaculaire !)...
Ensuite, il suffit d'errer sans but sur ce vaste balcon naturel (7 ha quand même), surplombant la vallée et s'ouvrant sur un panorama exceptionnel jusqu'à la mer, avec en fond de décor, les Alpilles. Grimpez ensuite les marches (un peu raides) qui mènent aux ruines portant encore beau de l'ancien château : massif donjon du XIIe s, tour Sarrasine, colombier rupestre... Vue évidemment sublime.

En dehors du village

Carrières de Lumières : *route de Maillane. À 400 m du village.* L'ex-Cathédrale d'Images se refait une beauté et s'agrandit, avant une réouverture prévue sous son nouveau nom courant 2012. Le principe devrait cependant rester le même : les murs, sols et plafonds d'immenses salles souterraines (anciennes carrières de calcaire qui ont servi de décor au film mythique de Cocteau, *Le Testament d'Orphée*) servent d'écran géant.

Poursuivre la route vers Saint-Rémy et s'arrêter sur le parking des carrières de Sarragan, les dernières carrières de taille en exploitation aux Baux (visite interdite). Du parking, la ***vue sur Les Baux*** est magnifique. À quelques mètres, vente de vins régionaux dans les caves de Sarragan *(☎ 04-90-54-33-58).*

Le val d'Enfer : *au pied des Baux.* Forêt d'arbres et d'éperons rocheux, un site assez impressionnant, même vu d'en bas. Maisons troglodytiques et quelques hôtels-restaurants fameux...

LA ROUTE DES VINS DE LA VALLÉE DES BAUX

Courant de Fontvieille à Saint-Rémy, l'AOC Baux-de-Provence reconnaît la qualité de rouges de garde et rosés de fourchette élaborés sur sept villages et 250 ha de vignes. Profitez de votre passage aux Baux pour découvrir, à la sortie du village, le *mas Sainte-Berthe,* qui bénéficie d'une vue imprenable sur la citadelle, ou encore le *mas de la Dame,* dont la façade immortalisée par une peinture de Van Gogh en 1889 a aujourd'hui disparu... mais que les héritières de cet ancien domaine du XVIIe s ont conservée sur l'étiquette maison !
En prenant les chemins de traverse pour rejoindre Saint-Rémy, vous aurez d'autres occasions de découvrir ces vins tanniques, si typiques, dont le prix, hélas, ne cesse de grimper...
Difficile à priori de trouver un point commun entre le tout petit domaine Hauvette – 5 ha de vigne où Dominique Hauvette fait tout elle-même – et le *château d'Estoublon,* connu pour ses vins et ses huiles d'olive, qui fait même bistrot aujourd'hui, ou encore avec le *château Romanin,* cathédrale de pierre et de béton que certains iraient presque visiter un pendule à la main, tant le lieu semble inspiré.
Le point commun, c'est bien sûr le vin – rouge et rosé donc, mais aussi blanc –, produit à l'aide des technologies les plus sophistiquées dans certains cas, mais toujours en respectant un savoir-faire traditionnel. Ce n'est pas un hasard si la majorité des domaines ont choisi une méthode de culture biologique, favorisée par le mistral et un écosystème préservé.

➢ ***Circuit dans le vignoble : mas Sainte-Berthe,*** *aux Baux.* ☎ *04-90-54-39-01.* Accueil, dégustation. ***Mas de la Dame,*** *aux Baux.* ☎ *04-90-54-32-24.* Accueil, dégustation. ***Château Romanin,*** *à Saint-Rémy, sur la D 99.* ☎ *04-90-92-45-87.* Visite, dégustation. ***Domaine Terres Blanches,*** *près de Saint-Rémy sur la D 99.* ☎ *04-90-95-91-66.* Accueil, dégustation. ***Mas de Gourgonnier,*** *à Mouriès.* ☎ *04-90-47-50-45.* Dégustation. ***Domaine Hauvette,*** *près de Saint-Rémy.* ☎ *04-90-92-03-90. Slt sur rdv...*

SAINT-RÉMY-DE-PROVENCE

(13210) 10 007 hab. *Carte Bouches-du-Rhône, B2*

Presque la ville provençale type, avec ses vestiges romains et son boulevard circulaire ombragé de platanes, enserrant les zigzagantes ruelles du centre ancien rendues aux piétons l'après-midi. Une cité attachante donc, la plus connue des Alpilles, et qui le fait parfois payer au prix fort !
Serait-ce parce que Nostradamus (1503-1566) y est né ? Parce que Van Gogh passa ici la dernière année de sa vie (sauf les 2 derniers mois) ? Qu'il y a peint 150 de ses toiles les plus fulgurantes ? Ou parce qu'on peut espérer croiser aux terrasses des bistrots quelques *people* mêlés aux artistes et aux figures locales ? Ce qui est certain en tout cas, c'est que Saint-Rémy est devenu au fil du temps un gentil clone provençal de Saint-Germain-des-Prés, revendiquant la plus grande concentration d'ateliers d'artistes et de galeries d'art du Sud de la France. Une ville douce à vivre hors saison, mais qui change de visage dès les premiers beaux jours...
➢ En voiture, garez-vous sur les parkings périphériques (fléchés). Pour info, les boulevards font le tour (sans blague !), mais dans un seul sens.

Adresses et info utiles

Office de tourisme : *pl. Jean-Jaurès. ☎ 04-90-92-05-22. • saintremy-de-provence.com • Tte l'année, lun-sam ; également dim et j. fériés mat Pâques-fin sept.* Organise d'intéressantes visites guidées : « Dans les rues de Saint-Rémy », « Itinéraire Van Gogh » ou les encore plus originales « À la découverte des hiboux grands ducs ». Si vous avez l'intention de visiter plusieurs sites, demandez le *pass* valable pour le monastère Saint-Paul-de-Mausole, le musée Estrine et le musée des Alpilles.

Location de vélos et VTT : *Télécycles. Loc slt par tél (☎ 04-90-92-83-15) avec livraison à domicile tlj ; ou Vélo Passion, ZA de la gare (☎ 04-90-92-49-43).*

Intermarché : *à la sortie du bourg, route de Maillane.* Celui-là, même s'il est l'un des plus chers de France, on ne résiste pas à l'envie de vous l'indiquer puisqu'il vous donnera certainement l'occasion de rencontrer des *people* le nez dans les tomates. En villégiature dans les environs de Saint-Rémy, ils y passent tous faire leurs courses.

– **Marché :** *mer, pl. de la République et rues adjacentes.* Un marché très orienté sur l'art de vivre provençal (nappes, jolis paniers et quelques bons produits) qui sent bon le fenouil, l'olive et la Provence en général.

Où dormir ?

Campings

Pégomas : *3, av. Jean-Moulin. ☎ 04-90-92-01-21. • contact@campingpegomas.com • campingpegomas.com • ♿ À 5 mn à pied du centre-ville. Ouv mars-oct. Forfait emplacement pour 2 avec tente et voiture 21 € en hte saison. Mobile homes 200-500 €/sem. Internet, wifi. Bouteille de 50 cl de vin de pays offerte sur présentation de ce guide.* Le plus proche du centre. Accueil sympa, de l'ombre, de la verdure, et quelques touffes d'herbe pour planter sa tente. Sanitaires chauffés. Piscine, snack, lave-linge, boulodrome. À proximité, tennis, pêche et escalade.

Mas de Nicolas : *av. Plaisance-du-Touch. ☎ 04-90-92-27-05. • camping-masdenicolas@nerim.fr • camping-masdenicolas.com • ♿ À 800 m du centre, à côté du stade. Ouv de mi-mars à mi-oct. Forfait pour 2 avec tente et voiture 14,50-21,50 € selon saison. Loc de mobile homes (4-5 pers) et chalets 270-710 €/sem selon taille et saison. Wifi.* Construit en amphithéâtre, avec de vastes emplacements herbeux et ombragés. Blocs sanitaires nickel. Piscine et ensemble balnéo avec spa, hammam, etc. Billard, baby-foot, barbecue, laverie. Loc de vélos. Gardiennage nocturne.

Monplaisir : *chemin Monplaisir. ☎ 04-90-92-22-70. • reception@camping-monplaisir.fr • camping-monplaisir.fr • ♿ En arrivant à Saint-Rémy, prendre la direction Maillane (D 5). Ouv début mars-Toussaint. Forfait pour 2, 15-25,80 € selon saison. Loc de chalets et mobile homes 350-710 €/sem. Wifi.* À 1 km du centre, en pleine campagne, un petit camping-jardin familial soigneusement entretenu. Emplacements herbeux et ombragés, délimités par des haies. Sanitaires récents. Calme et repos assurés. Snack (juillet-août), piscine, boulodrome, épicerie (produits du terroir), bibliothèque. Le GR 6 passe à proximité.

Camping à la ferme du Vieux Chemin d'Arles : *vieux chemin d'Arles. À env 2 km du centre ; prendre dir St-Étienne-du-Grès en sortant de Saint-Rémy vers le Glanum. ☎ 04-90-92-27-22. • campingstremy@free.fr • campingstremy.free.fr • Forfait pour 2 12 €. CB refusées.* Isolé en pleine nature au bord d'une petite départementale, ce mini-camp ombragé s'est installé dans l'herbe grasse, sur une exploitation maraîchère. Petite épicerie garnie des produits de la ferme, pain frais le matin. Congélateurs à dispo, branchement électrique. Accueil chaleureux.

De prix moyens à chic

Hôtel L'Amandière : *av. Théodore-Aubanel. ☎ 04-90-92-41-00. • hotel-amandiere@wanadoo.fr • hotel-amandiere.com • ♿ À 700 m du centre-ville,*

LES ALPILLES

direction Noves. Doubles avec douche et w-c ou bains, 68-70 €. Familiale 85 €. Parking gratuit. Wifi. Apéro offert sur présentation de ce guide. Grosse maison aux couleurs et parfums du Midi, longée par un sympathique jardin avec, au bout, une piscine. Chambres spacieuses, sobres, calmes et confortables, dotées de salles de bains récemment rénovées et d'une terrasse ou d'un balcon. Copieux petit déj. Atmosphère plutôt jeune, accueil charmant.

Hôtel de la Caume : *route de Cavaillon. ☎ 04-90-92-43-59. • hoteldelacaume@orange.fr • hoteldelacaume.com • À 2 km du centre. Congés : de janv à mi-mars. Doubles avec douche et w-c ou bains, TV, 52,50-80 € selon type de chambre. Parking gratuit. Wifi. Remise de 5 % sur le prix de la chambre pour un séjour de 5 nuits sur présentation de ce guide.* Ce petit établissement familial est le moins cher des hôtels de Saint-Rémy. Pas vraiment au centre, certes, et en bord de route. Les chambres sont proprettes, situées au calme côté jardin (parfois avec terrasse) ou équipées de double vitrage côté route. Petite piscine, ping-pong.

Hôtel Van Gogh : *1, av. Jean-Moulin. À 5 mn à pied du centre, direction Cavaillon. ☎ 04-90-92-14-02. • vangoghhot@aol.com • hotel-vangogh.com • Doubles 69-85 € selon type de chambre. Parking gratuit. Wifi.* Dans une longue bâtisse récente, des chambres simples et plutôt grandes au confort suffisant. Les moins chères, sans vue, sont situées dans un bâtiment annexe. Les plus chères se rafraîchissent à la clim. Piscine. Un plan sans surprise.

Hôtel Canto Cigalo : *8 A, chemin Canto-Cigalo (BP 3). ☎ 04-90-92-14-28. • hotel.cantocigalo@wanadoo.fr • cantocigalo.com • À 800 m du centre par la D 99 direction Cavaillon, puis fléchage. Résa conseillée. Doubles avec douche et w-c ou bains, 61-88 € selon type de chambre et saison. Parking gratuit. Wifi.* Pour échapper à l'agitation du centre, cet hôtel familial situé au cœur d'un grand jardin propose une vingtaine de chambres coquettes et de belle taille, équipées d'un minibar, et de la clim côté sud. Piscine et vue sur les Alpilles. Accueil d'une vraie gentillesse.

Le Chalet Fleuri : *15, av. Frédéric-Mistral. ☎ 04-90-92-03-62. • le.chalet.fleuri@orange.fr • hotel-lechaletfleuri.com • En sortant de la ville, direction Maillane, à 300 m du centre historique. Congés : de janv à mi-fév. Doubles avec douche et w-c ou bains, TV satellite 64-115 € selon confort et saison. Familiales 88-125 €. Parking fermé gratuit. Internet et wifi.* Hôtel 3 étoiles installé dans une très balnéaire villa du début du XXe s. La rénovation des chambres, repeintes en moderno-provençal, leur ôte tout charme, dommage. Elles donnent cependant sur un jardin un peu hors du temps. Calme garanti... Lits *king size,* clim et piscine chauffée.

De plus chic à beaucoup plus chic

Hôtel Sous les Figuiers : *3, av. Taillandier. ☎ 04-32-60-15-40. • hotel.souslesfiguiers@wanadoo.fr • hotel-charme-provence.com • Congés : 14 janv-15 mars. Doubles avec douche et w-c 77-87 € ; avec bains, terrasse et jardin privatif 155-168 € selon saison. Familiales 145-190 €. Petit déj 12 €. Parking gratuit. Internet et wifi. Boisson offerte sur présentation de ce guide.* Un petit hôtel de charme qu'on pourrait vite confondre avec une maison d'amis. 13 chambres, presque toutes cachées au fond du jardin, et donnant pour certaines sur une terrasse-jardinet rien qu'à soi ! Les figuiers ont bien un siècle, les meubles de la patine et les bibelots une histoire... Piscine. Stages de peinture pour les amateurs.

Hôtel Gounod : *18, pl. de la République. ☎ 04-90-92-06-14. • contact@hotel-gounod.com • hotel-gounod.com • Fermé nov-mars. Doubles 145-230 € en hte saison, petit déj compris. Wifi.* C'est dans cet hôtel, ancien relais de poste, que Charles Gounod se retira en 1863 pour composer une des œuvres majeures de son répertoire : *Mireille.* Inspirée par cet hôte, la déco, aussi baroque que lyrique, vous laissera parfois sans voix ! Chambres à peine plus sobres, toutes différentes et volontiers exubérantes, bourrées de charme en tout cas. Si les moins chères sont parfois un peu sombres et étroites, d'autres, plus chères, donnent sur le joli jardin et sa piscine où lézardent des transats. Beau petit déj provençal. Quelques petits trucs à grignoter au déjeuner. Et l'après-midi, salon de thé, avec tartines provençales, gâteau maison, glaces artisanales, cocktails de fruits frais... Accueil impeccable.

Hôtel Le Mas des Carassins : *1, chemin Gaulois. ☎ 04-90-92-15-48. • info@hoteldescarassins.com • masdescarassins.com • Fermé fév et 2 premières sem de déc. Doubles standard avec bains, TV, 99-140 € selon saison ; petit déj inclus. Familiale 160 €. Table d'hôtes en sem 32 €. Parking fermé la nuit. Wifi. Apéritif offert en hte saison et réduc de 10 % sur la chambre en basse saison, sur présentation de ce guide.* Un hôtel de charme, aménagé dans une ancienne demeure familiale construite en 1854, non loin des monuments romains et du cloître Saint-Paul-de-Mausole. Chambres au top du confort, avec vue sur les Alpilles depuis les étages. Service de restauration légère le midi, dîner le soir pour les résidents. Immense jardin arboré (1 ha tout de même), creusé de 2 piscines (une mesure de précaution en cas d'incendie ?). Convivialité, sérénité, hospitalité : tout pour plaire.

Où dormir dans les environs ?

Hôtel Les Mazets de Marie de Jules : *450, av. du 8-Mai, 13630* **Eyragues.** *☎ 04-90-94-25-63. • hotel-mariedejules@wanadoo.fr • hotel-mariedejules.com • À 5 km au nord de Saint-Rémy par la D 571 ; à Eyragues, suivre le fléchage sur 1 km sur la route du Clos-Serein. Doubles avec douche et w-c, TV 85-108 € selon saison. Familiale 168 €. Parking clos gratuit. Wifi.* Au calme, une dizaine de petites maisons récentes (voilà les mazets !) qui font cercle autour d'un jardin où trône une superbe piscine. Chambres spacieuses, à la sobre déco *old school* d'inspiration provençale. Toutes s'ouvrent sur une terrasse sous les frondaisons. Accueil très, très chaleureux.

Chambres d'hôtes Le Mas des Figues : *vieux chemin d'Arles. ☎ 04-32-60-00-98. 06-08-42-77-76. Résa au 04-75-41-55-96. • masdesfigues@wanadoo.fr • masdesfigues.com • Labellisé Tourisme et Handicap. À 3,5 km du centre. Congés : nov-mars. Doubles avec douche ou bains et w-c 100-200 € selon confort et saison, petit déj en sus (plusieurs formules 15-23 € !). Table d'hôtes sur résa 28 €. Parking privé. Internet et wifi. Réduc de 10 % sur le prix de la chambre sur présentation de ce guide.* Dans une ancienne bergerie restaurée avec goût, Anne-Marie et Philippe, plasticien, se sont inventé une retraite tranquille, à l'abri de la foule et en harmonie avec ce que la nature possède de meilleur. Très belles chambres fermières situées dans la maison principale. Superbe piscine. Philippe, qui a repris en main le domaine agricole entourant la propriété (les animaux sont tous là), l'a transformé en jardins qu'il a, entre autres, couverts de roses. Il se fera aussi un plaisir de vous raconter, au-delà des figues, lavandes, olives et autres truffes, l'histoire de tous ces légumes anciens auxquels il a redonné vie avec passion, et dont il vous fera apprécier les plaisirs gustatifs si vous souhaitez partager un repas. Accueil sincère.

Où manger ?

De bon marché à prix moyens

Mistral Gourmand : *12, av. Durand-Maillane. ☎ 04-90-92-14-65. • mistralgourmand@yahoo.fr • Tlj sf sam midi et dim-lun (slt dim en été). Résa conseillée. Formule 12 €. Menu déj 19 € ; carte 30 €.* Minuscule salle d'humeur bistrotière pour une adresse façon resto de copains. Cuisine comme à la maison, fraîche et sincère. Sympathique carte des vins.

Bistrot Découverte : *19, bd Victor-Hugo. ☎ 04-90-92-34-49. Tlj ; fermé le soir en basse saison. Congés : janv. Formule déj 16 € et menu 29 € ; carte 40 €.* Petite salle design et terrasse analogue. Simple et agréable cuisine méditerranéenne d'aujourd'hui, évoluant au gré du marché. Salade du jour pour garder la ligne. Le service fait dans la décontraction, mais une foule de petits détails indiquent qu'on a, ici, appris pas mal de trucs dans de grandes maisons. D'ailleurs, si on vous dit que le patron a été élu meilleur sommelier de Londres en 1999, vous aurez peut-être envie de descendre jusqu'à sa cave à vin.

Saveurs de Provence : *8, bd Gambetta. ☎ 04-90-95-33-38. • jp@saveursdeprovence.net • ♿ Tte l'année, fermé le midi lun-mar hors saison. Menus 16 € (midi)-33 €.* Une petite salle, quelques tables pressées sur le trottoir en bord de boulevard et, surtout, une cuisine provençale généreuse et à prix raisonnables, en particulier si l'on opte pour l'un des trois aïolis et autant de bouillabaisses.

Le Carré des Gourmets : *5, av. de la 1re Division-France-Libre, dans la zone d'activités. ☎ 04-90-26-47-08. ♿ Ouv mar-dim 11h-22h non-stop en saison ; 11h-15h, 18h30-22h le reste de l'année. Formule 8,60 €.* Doublé d'une épicerie fine, ce resto rapide d'un nouveau genre se fournit chez des entreprises agroalimentaires de la région, pour garnir ses sandwichs, soupes et salades de taureau et riz de Camargue, agneau de Crau, huile d'olive des Baux-de-Provence, fleur de sel des Salins... On peut conclure par une pomme au four ou une tartelette et, côté liquides, va pour une limonade à la cerise ou à la lavande, ou un *fada cola* pourquoi pas... Tout ça à déguster dans un cadre contemporain taupe et lavande. La malbouffe des fast-foods a du souci à se faire : la Provence contre-attaque ! Dommage que l'établissement soit situé à l'écart, dans une zone d'activités. En même temps, quoi de plus normal pour un fast-food...

Taberna Romana : *4, av. Marius-Girard. ☎ 04-90-92-65-97. • contact@taberna-romana.com • À l'entrée du site de Glanum (il faut s'acquitter du droit d'entrée pour aller au resto : 7 €). Tlj 10h-18h30 pour boire un verre, sinon slt le midi. Fermé oct-fin mars. Assiettes-repas 12-18 €, plat du jour 12 € ; menus 17-28 €.* On pourrait craindre le piège à touristes, mais non... Vrai bistrot romain où l'on vous propose un menu aux saveurs antiques (*fegatum*, sardines sauce alexandrine...). Avec un verre de *mulsum* – vin romain rouge au miel et aux épices – en guise d'apéritif, on se laisserait volontiers aller à une petite sieste. En repartant, vous pourrez préparer vos prochaines orgies en achetant sauces et produits gourmands maison !

LES ALPILLES

De prix moyens à plus chic

Grain de Sel : *25, bd Mirabeau. ☎ 04-90-92-00-89. • jean-philippe.garcia@wanadoo.fr • ♿ Fermé mar-mer. Congés : 2e quinzaine de nov. Assiettes-repas 27-29 € ; carte 50 € env. Brunch le w-e.* Un des lieux « mode » de la ville. Cadre design et clientèle habillée en conséquence, très chic décontracté. La décoration des assiettes participe au plaisir des yeux avant celui des papilles. Cuisine de région et de marché, expressive et inventive, à découvrir dans de grandes assiettes de dégustation (7 plats cuisinés) qui font tout un repas, ou à la carte. Terrasse sous la glycine pour l'été.

Ô Caprices de Mathias : *chemin de la Croix-des-Vertus, domaine Métifiot. ☎ 04-32-62-00-00. • mathiashenkeme@yahoo.fr • À 5 mn du centre. Passer devant les arènes, suivre direction « Métifiot ». Tlj sf mer-jeu. Congés : 3 sem en janv, 1 sem en nov. Formule le midi sf dim 19 € (mise en bouche, entrée, plat, dessert, verre de vin et café). Menus 29-40 €. Carte 45 €. Wifi. Café offert sur présentation de ce guide.* Mathias Henkeme a quitté sans regrets le *Carlton* à Cannes, l'*Oustau de Baumanière* et la cuisine minuscule des *Ateliers de l'Image* pour aller s'isoler, avec sa femme, dans ce lieu bordé de champs d'oliviers où l'on respire le grand air des Alpilles. Il y élabore une cuisine très personnelle, en harmonie avec le pays et les saisons. Mathias fait partie de ces jeunes chefs qui soignent la forme sans négliger le fond, ses créations puisant dans un fonds régional inépuisable (agneau, taureau, olive...). Terrasse avec vue panoramique sur les Alpilles.

Chez Xa : *24, bd Mirabeau. ☎ 04-90-92-41-23. Tlj sf mer. Fermé fin oct-fin mars. Menu unique 28 € ; carte*

25-30 €. On vous reçoit ici comme dans un appartement d'hier. Terrasse sur la rue, pour qui préfère l'ambiance de la ville d'aujourd'hui. On y déguste, dans les deux cas, de bons produits d'ici, épicés parfois d'une petite dose d'exotisme. Qualité inégale toutefois, dommage.

De chic à plus chic

La Maison Jaune : *15, rue Carnot. ☎ 04-90-92-56-14. • lamaisonjaune@wanadoo.fr • En plein centre ancien. Tlj sf lun, et mardi midi tte l'année, ainsi que le soir mar et dim en basse saison. Fermé nov-janv. Formule midi 28 €. Menus 38-68 €.* Salle d'une sobre élégance. Aux beaux jours, tentez une table sur la terrasse donnant sur la jolie place Favier. Belle maison, belle cuisine dans l'esprit de la région. D'une grande stabilité.

Où manger dans les environs ?

Chez Gigi : *N 99, 13103* ***Mas-Blanc-des-Alpilles.*** *☎ 04-90-49-10-80. • chezgigi@wanadoo.fr • À 6 km à l'est par la D 99. Fermé dim-lun en saison ; dim soir, lun, le soir mar-jeu et sam midi hors saison. Formule déj en sem 13,50 €, menu 30 €. Carte 25-30 €. Internet.* Croisé la dernière fois dans une petite rue d'Arles, on retrouve ce couple québéco-niçois dans ce bistrot avec terrasse au bord de la nationale. Et, bonne nouvelle, ces deux-là n'ont perdu en route ni leur humour ni leur goût pour des plats de région, simples et généreux.

Le Pré Gourmand : *av. Marx-Dormoy, 13630* ***Eyragues.*** *☎ 04-90-94-52-63. • lepregourmand@orange.fr • ♿ À 7 km au nord de Saint-Rémy par la D 571. À la sortie d'Eyragues, en direction de Châteaurenard, sur la gauche. Fermé sam midi, dim soir (en basse saison) et lun. Congés : vac de fév et de la Toussaint. Menus 27-70 €. Terrasse non fumeurs.* Une grande et lumineuse salle résolument contemporaine, ouverte sur une vaste terrasse à l'ombre des canisses, face à un pré, fleuri l'été. Ici, on s'évade sans sortir de table, le chef nous offrant une « balade » gustative au rythme des saisons. Créative et remplie d'émotions, sa cuisine riche en saveurs comme en couleurs a le don de mettre la Provence en valeur. Le service, tout en gentillesse, sait proposer le bon accord mets-vins (belle sélection à la carte).

Où acheter de bons produits ?

Chocolats Joël Durand : *3, bd Victor-Hugo. ☎ 04-90-92-38-25. • chocolat-durand.com • Ouv tlj (fermé au déjeuner).* Des saveurs provençales uniques qui marient chocolat et thym, romarin, lavande, réglisse ou olives noires. On peut assister à la fabrication et goûter, si l'on a les mains propres. Pour rafraîchir la visite, chocolat glacé.

Le Petit Duc : *7, bd Victor-Hugo. ☎ 04-90-92-08-31. • petit-duc.com • Mar-sam 10h-13h et 15h-19h, dim 16h-18h.* Des douceurs aux noms évocateurs : lunes, cœurs du petit Albert, calissons multiples, « pastitilles » d'amour, oreilles de la bonne déesse. Vente en ligne sur le site internet.

Florame : *34, cours Mirabeau. ☎ 04-32-60-05-18. ♿ Tlj sf dim hors saison, 10h-12h30, 14h30-19h.* Lieu original qui, d'alambics en pièces rares, vous amène tout naturellement à une boutique d'où vous sortez, sourire aux lèvres, délesté de quelques billets en échange de baumes mystérieux et autres huiles essentielles.

Confiserie Lilamand : *5, av. Albert-Schweitzer. ☎ 04-90-92-12-77. • contact@lilamand.com • Tlj sf dim-lun.* Depuis plus de 100 ans, une véritable caverne d'Ali Baba pour les amateurs de fruits confits colorés et luisants. Bons calissons également.

Moulin du Calanquet : *vieux chemin d'Arles. ☎ 04-32-60-09-50. • moulinducalanquet.fr • À 4,5 km de Saint-Rémy. Prendre la direction Tarascon, sur la D 99, puis à gauche direction Les Baux (D 27) ; tourner à gauche au 2e carrefour. Tlj avr-déc ; fermé dim janv-mars.* Petite entreprise familiale qui a redonné à la ville sa place dans l'oléiculture, qu'elle avait perdue avec la disparition des derniers moulins en 1956. Visite instructive, accueil sympathique et dégustation possible. Très bon choix de produits (huiles, tapenades...). Petite boutique en ville également *(8, rue de la Commune. ☎ 04-32-60-09-50).*

Plusieurs domaines viticoles sur la colline, entre Saint-Rémy et Eygalières (voir plus haut « La route des vins de la vallée des Baux »).

À voir

La vieille ville

Quittez les boulevards noyés sous les terrasses (et la circulation automobile) pour vous glisser dans les ruelles de la vieille ville au caractère médiéval encore marqué. Anciens hôtels particuliers, fontaines, tourelles... Ouvrez l'œil.

L'église Saint-Martin : un clocher du XIVe s sur un édifice du XIXe s. Un peu mastoc. À l'intérieur, exceptionnel buffet d'orgues polychrome qui sert pour les concerts du Festival Organa de juillet à septembre.

Le musée des Alpilles : *1, pl. Favier. ☎ 04-90-92-68-24. Janv-fév et nov-déc, 14h-17h ; mars-juin et sept-oct, 10h-12h, 14h-18h ; juil-août, 10h-12h30, 14h-19h ; fermé lun, dim (sf le 1er du mois) et certains j. fériés. Entrée : 3,10 € ; réduc ; gratuit pour les moins de 18 ans et pour ts le 1er dim du mois.* Installé dans l'*hôtel Mistral-de-Montdragon,* un bel édifice Renaissance : élégante cour intérieure, escalier à vis. L'exposition permanente permet, à l'aide de peintures, ex-voto, outils et photos, de comprendre les paysages actuels de la région et les hommes qui les habitent. Géologie, exploitation du sous-sol, activités agricoles, costumes et fêtes traditionnels... Fréquentes expositions temporaires.

Le musée Estrine-Présence Van-Gogh : *8, rue Estrine. ☎ 04-90-92-34-72. Dans le centre. Tlj sf lun mai-sept 10h-12h30, 14h-19h (ouv en continu mer avec visite guidée gratuite à 15h) ; mars-avr et oct-nov 10h30-12h30, 14h-18h. Fermé l'hiver. Entrée : 3,20 € ; réduc. Entrée gratuite pour ts le 1er dim du mois. Attention : le musée devrait fermer ses portes courant 2012 pour agrandissement. Réouverture prévue en 2013.* Le musée est installé dans un bel hôtel particulier (encore !) du XVIIIe s ayant appartenu aux Grimaldi. Chaque année, il accueille une nouvelle expo didactique, évoquant l'une des facettes de l'œuvre de Van Gogh à travers des photos de tableaux et un petit film (30 mn) réalisé pour l'occasion. À voir également, une expo permanente consacrée au peintre Albert Gleizes, l'un des fondateurs du cubisme, qui termina sa vie à Saint-Rémy. Enfin, des expos temporaires.

Le plateau des antiques

À 1 km au sud de Saint-Rémy, ce site archéologique d'importance fait face au merveilleux paysage naturel des Alpilles. Les fouilles ont permis de dégager d'importants vestiges d'une ville créée au IVe s av. J.-C. autour d'une source vénérée par une peuplade celto-ligure, les Glaniques. La petite cité de Glanon ne tarda pas à faire du business avec les négociants de Massalia, donc à subir l'influence grecque. La conquête romaine transforma Glanon en Glanum, ville qui connut son apogée sous le règne d'Auguste. Mais, snobée par les voisines plus puissantes comme Arles, la ville dépérit dès le Ier s apr. J.-C., avant que les invasions barbares ne la rayent définitivement de la carte à la fin du IIIe s.

Un itinéraire de visite restreint permet aux personnes handicapées d'accéder au site. Parking payant.

Les antiques : *av. Van-Gogh. Accès libre.* Cette appellation regroupe l'*arc de triomphe* et le *mausolée des Jules* qui trônaient à l'entrée de la ville romaine de

Glanum. L'arc de triomphe, élevé vers 20 av. J.-C., marquait, semble-t-il, le passage d'une voie romaine. S'il a subi des ans l'irréparable outrage, ses frises particulièrement délicates restent bien conservées. Le mausolée élevé à la mémoire d'une grande famille de l'époque est, globalement, en excellent état. Ne pas manquer les quatre reliefs allégoriques du socle, avec des scènes de chasse et des combats d'amazones.

Glanum : *av. Van-Gogh. ☎ 04-90-92-23-79. • glanum.monuments-nationaux.fr • Avr-sept tlj sf lun en sept, 9h30-18h30 ; oct-mars 10h-17h sf lun. Fermé 25 déc, 1er janv, 1er mai, 1er et 11 nov. Entrée : 7 € ; réduc ; gratuit jusqu'à 25 ans. Visites guidées gratuites tlj ; se rens le mat pour le jour même.* Toutes les époques de la ville antique réapparaissent lors de la visite : sanctuaire gaulois autour de la source (le bassin est bien visible), deux maisons grecques analogues à celles de Délos... mais l'ensemble reste romain. Les vestiges des thermes, du forum enfin dégagé, des maisons et des temples donnent une idée de ce qu'était une petite ville de l'époque. Le site manque d'ombre en été : y aller dès l'ouverture donc, ou en fin d'après-midi pour profiter de la plus belle lumière.

Le monastère de Saint-Paul-de-Mausole : *av. Van-Gogh, BP 39. ☎ 04-90-92-72-61. (sf étage). Avr-sept, 9h30-19h ; oct-mars, 10h15-17h15 ; fermé janv-fév. Entrée : 4 € ; réduc ; gratuit pour les moins de 12 ans et pour les pers handicapées.* Un ancien prieuré où les moines accueillaient à leur façon les aliénés. La Révolution l'a transformé en maison de santé à vocation psychiatrique, ce que le lieu est toujours. Après la crise de démence d'Arles (la fameuse oreille coupée offerte à une prostituée), Van Gogh avait décidé de suivre un traitement à Saint-Paul. Il y restera un an, de mai 1889 à mai 1890. Au début de l'internement, les sorties lui étant interdites, il planta son chevalet dans le jardin. En l'espace d'un an, il réalisa plus de 150 peintures et de nombreux dessins. C'est à Saint-Rémy qu'il conçut, entre autres, ses *Champs d'oliviers* tourmentés et sa fameuse *Nuit étoilée*. Il quitta Saint-Paul afin de retrouver son frère qui voulait le rapprocher de lui et espérait mieux le faire soigner à Auvers-sur-Oise : il partit donc vers le nord, où il mit fin à ses jours, deux mois après son arrivée.
La visite permet de découvrir un agréable cloître roman des XIe-XIIe s (jolis chapiteaux historiés). Chapelle tout aussi sobrement romane. Boutique dans la salle capitulaire. Dans l'escalier roman, intéressante exposition des œuvres réalisées par les patients de la maison de santé, où l'art-thérapie est utilisé comme méthode de soin. À l'étage, on peut voir la reconstitution de la chambre de Van Gogh et une toute petite expo sur la psychiatrie au XIXe s. Un film raconte l'histoire du monastère et dévoile les lieux de prédilection du peintre.

À faire

➢ ***Promenade dans l'univers de Vincent Van Gogh :*** depuis 2003, année commémorative du 150e anniversaire de la naissance de Van Gogh, un itinéraire piéton en liberté (1,5 km) relie le site archéologique de Glanum au centre-ville. Il est illustré par une vingtaine de panneaux en lave émaillée, reproduisant ses œuvres et disposés à proximité des paysages et des sujets qui l'ont inspiré. Évidemment, Saint-Rémy a, ici ou là, pas mal changé depuis.

➢ ***Randonnées pédestres, cyclistes ou équestres dans les Alpilles :*** l'office de tourisme édite un dépliant (2 €) proposant des itinéraires cyclotouristes et 5 circuits pédestres accessibles à tous, au départ de Saint-Rémy. ATTENTION : comme dans tous les massifs du département, du 1er juin au 30 septembre, en raison des risques d'incendie, les randonnées sont soumises à réglementation : la veille de toute balade, appeler le ☎ 0811-201-313 (prix d'un appel local) pour connaître les conditions d'accès au massif.
Pour les locations de vélos, voir « Adresses et info utiles ».

Fêtes et manifestations

– ***Fête de la Transhumance et fête de la Brocante :*** *le mat du lun de Pentecôte.* Une fête restée encore dans son jus, où les moutons défilent devant les hommes politiques (une fois n'est pas coutume) et qui se termine par un grand repas sur le plateau.
– ***Fêtes de la Route des artistes :*** *un dim par mois en mai, juin, août, sept et oct.* Une centaine d'artistes sélectionnés (peintres, sculpteurs...) exposent et vendent leurs œuvres dans le centre ancien. Une bonne occasion de les découvrir.
– ***Marché des créateurs :*** *ts les mar 1er juil-15 sept, 19h-23h30, sur la pl. de la Mairie.* Réunit une quarantaine d'artisans, de la mode à la gastronomie.
– ***Festival Organa :*** *de juil à sept. Rens au ☎ 04-66-59-47-34.* Concerts d'orgues à la collégiale Saint-Martin, donnés par les meilleurs organistes mondiaux.
– ***Feria provençale :*** *le w-e du 15 août.* Pas de mise à mort, seulement des *abrivados, bandidos, encierros,* courses camarguaises, courses à la cocarde...
– ***Fête traditionnelle de la Caretto Ramado :*** *le mat du 15 août.* Tirée par 50 chevaux harnachés et pomponnés, une charrette fleurie, décorée de fruits et de légumes, traverse la ville...
– ***Festival de Jazz :*** *3 j. en sept. • jazzsaintremy.free.fr •* Concerts gratuits en journée, payants le soir.
– ***Petit marché du Gros Souper :*** *le dernier w-e avt les fêtes.* Ce petit marché de Noël tire son nom du repas traditionnel du 24 décembre.

DANS LES ENVIRONS DE SAINT-RÉMY-DE-PROVENCE

EYGALIÈRES *(13810)*

À l'orée du massif des Alpilles, dominé par un rocher planté de pins et d'une Vierge (joli point de vue sur le massif), Eygalières est un petit village coquet et paisible, où vieilles pierres et feuillages s'entremêlent. Il tire son nom de la VIe légion romaine qui quitta Arles pour s'installer ici. On les comprend : entre amandiers, oliviers et vignes, ce petit havre de paix leur fournit de nombreuses ressources. Au Moyen Âge, des roitelets construisirent successivement leurs châteaux au cœur de la cité, avant qu'elle ne passe entre les mains des comtes de Provence. Mais, endetté, l'un d'entre eux vendra la ville... à ses habitants. Et pour fêter l'heureux événement, ils élevèrent un beffroi et son horloge, dont les restes sont encore visibles à l'entrée du village.

Où dormir ? Où manger à Eygalières et dans les environs ?

Camping

Camping Les Oliviers : *av. Jean-Jaurès. ☎ 04-90-95-91-86. • campinglesoliviers13@gmail.com • camping-les-oliviers.com • Ouv avr-sept. Forfait pour deux 14 €. Loc de caravanes et studios (2-4 pers) 25-43 €/j.* En plein cœur du village – donc à deux pas des commerces –, ce mignon petit camping égrène ses 30 emplacements le long d'une allée bordée d'oliviers. Boulodrome, location de vélos, aire de jeux pour les enfants. Calme garanti.

De prix moyens à chic

Chambres d'hôtes du Contras : *chemin du Contras. ☎ 04-90-95-04-89 ou 06-19-01-28-77. • pernix.maurice@orange.fr • chambre-hote-eygalieres.fr • À env 5 km au nord-est d'Eygalières par la D 24B puis à gauche la D 74A pdt 3,5 km ; fléchage à droite en fin de parcours. Dans l'autre sens, en arrivant de Plan d'Orgon, c'est fléché au rond-point. Fermé 15 oct-15 fév. Doubles* *avec douche et w-c 55-60 €. Wifi. Apéro offert sur présentation de ce guide ; pour 4 nuits, un produit du terroir ; au-delà, une balade en calèche.* En pleine campagne, une ferme, avec des chambres claires et simples, et un petit déj servi aux beaux jours à l'ombre d'un vieux mûrier de Chine. Pas de table d'hôtes, mais il est possible de pique-niquer (frigo et micro-ondes à dispo). Accueil chaleureux et authentique.

🍽 ***Sous les Micocouliers :*** *traverse Montfort. ☎ 04-90-95-94-53. • souslesmicocouliers@laposte.net • souslesmicocouliers.com • ♿ Dans le village. Fermé dim soir et lun. Congés : janv. Formules déj (en sem) 18 et 22 € ; menu 29 € ; à la carte, compter 35-40 €. Vins au verre à partir de 5 €.* Petite table décontractée chic comme on sait en ouvrir dans ce pays. L'idéal est, bien sûr, de s'installer à l'ombre des fameux arbres sur la grande terrasse-jardin. C'est de l'auberge de sa grand-mère, où officiait également sa mère, que le chef tient sa passion pour la cuisine. Passé par quelques (très) grandes maisons, il offre tout à la fois des plats de saison aux saveurs du monde et du moment, et des classiques provençaux. Service efficace.

🏠 🍽 ***Le Mas du Capoun :*** *27, av. des Paluds, 13940* ***Mollégès.*** *☎ 04-90-26-07-12. • lemasducapoun@orange.fr • masducapoun.fr • ♿ À 6 km au nord-est d'Eygalières. Congés : de mi-fév à mi-mars et de fin oct à mi-nov. Resto tlj sf mar soir, mer tte la journée et sam midi. Doubles avec douche et w-c ou bains, TV, AC 95-105 €, petit déj compris. Menu déj (en sem) 16 € ; autre menu 33 €.* Une de ces adresses étonnantes que le vent vous apporte, vous incitant à aller découvrir ce joli village retapé par des amoureux du soleil venus souvent, comme c'est le cas ici, des brumes du Nord. Bel accueil, belle maison. Les chambres, toutes de plain-pied, sont dotées de tout le confort et indépendantes, avec terrasse et parking privés. Piscine. Au restaurant, si vous n'avez pas réservé, vous risquez de ne pas trouver de place, aussi bien à midi, pour un petit menu-fraîcheur épatant, que le soir, où les plats sont autant d'invitations gourmandes se moquant des frontières. Du goût, des parfums d'ici et d'ailleurs. Du grand art.

🏠 🍽 ***La Bastide d'Eygalières :*** *chemin de Pestelade. ☎ 04-90-95-90-06. • contact@hotellabastide.com • labastide.com.fr • ♿ À 1,5 km par la D 24B (route d'Orgon) ; bien fléché sur la droite. Resto sur résa nov-mars. Doubles avec douche et w-c ou bains, TV, 84-152 € selon confort et saison. Salades le midi 9,50-16,50 € en saison. Menus le soir 26-38 €. Wifi.* Perdue au milieu des pins et des oliviers, au cœur d'un jardin qui ressemble à un petit bout de garrigue, une bastide (pardi !) rénovée sans y perdre son cachet (poutres apparentes, murs blanchis à la chaux...). Jolies chambres dans l'esprit du pays, garnies d'un beau mobilier en bois noble. À table, salades en terrasse l'été, et bonne cuisine traditionnelle provençale, volontiers bio. Piscine, évidemment.

À voir

👁👁 ***Le vieux village :*** ce n'est pas Les Baux, mais le village a un charme certain, et un paquet de touristes en moins. Grimper jusqu'aux ruines du château par la rue de la République et la rue de l'Église, bordées de maisons anciennes rénovées et mangées par la végétation. Du sommet, vue sympathique sur les Alpilles et la vallée de la Durance. Superbe au coucher du soleil.

👁 ***Le jardin de l'Alchimiste :*** *mas de la Brune. ☎ 04-90-90-67-67. Tlj en mai 10h-18h, 1er juin-1er dim d'oct tlj 15h-18h. Fermé le reste de l'année. Entrée : 7 € ; réduc. Visite guidée sur résa 9 €.* Au pays de Nostradamus il manquait un lieu magique, à la hauteur des rêves que les alchimistes ont de tout temps inspirés aux hommes. Suivez le guide ou laissez-vous porter par les symboles, les formes, les couleurs, assez facilement identifiables, et tentez de trouver par vous-même l'issue du labyrinthe (on vous souhaite de réussir...). Vous ne sortirez pas forcément plus sage de ce merveilleux jardin (classé « Jardin remarquable » depuis 2002), mais plus apaisé. C'est du moins ce qu'ont voulu apporter à leurs contemporains les propriétaires du mas de la Brune, château du XVIe s devenu hôtel au charme intemporel, où vous pourrez séjourner si vous avez trouvé le moyen de transformer le plomb en or.

La chapelle Saint-Sixte : *à 2 km par la D 24B direction Orgon.* Bâtie au XIIe s sur une petite colline où l'on se réunissait pour des rites païens. On y célèbre tous les mardis de Pâques une messe en provençal et on y perpétue le rite de l'eau. Le jour des fiançailles, le futur marié boit de l'eau de source des mains de sa fiancée : s'il ne l'épouse pas dans l'année, il meurt. Mieux vaut réfléchir !

SAINT-ÉTIENNE-DU-GRÈS *(13103)*

Sortir de Saint-Rémy direction Glanum, puis prendre la deuxième rue (av. Darbaud) à droite. Belle balade jusqu'à Saint-Étienne-du-Grès en prenant le ***vieux chemin d'Arles,*** cette vieille route qui reliait Saint-Rémy à Arles, une des plus belles et des plus mal indiquées, car ceux qui y habitent, dans un cadre de verdure exceptionnel, n'ont pas envie d'avoir trop de visites. Prenez du temps, roulez lentement, admirez les arbres au passage, les essences les plus diverses créant ici une atmosphère de sérénité exceptionnelle.

Où dormir ? Où manger ?

De prix moyens à chic

Chambres d'hôtes Le Moulin de la Croix : *28, av. Notre-Dame-du-Château. ☎ 04-90-49-05-78. 06-61-30-03-92. • moulindelacroix@orange.fr • moulindelacroix.com • Fermé nov. Double avec douche et w-c 65 € ; familiale 75 €. Parking. CB refusées. Wifi. Réduc de 10 % sur le prix de la chambre (déc-mars) sur présentation de ce guide.* Un peu compliqué à trouver, ce vieux mas : dirigez-vous vers la chapelle qui pointe au-dessus du bourg ; quand vous arrivez devant un jardin un peu fouillis où est plantée une drôle de cabane, arrêtez-vous ! Accueil très, très cool. 3 chambres mignonnettes. Petit déj (bio) servi dans une grande salle aux couleurs ocre, qui met du soleil au cœur, les jours où l'on ne peut pas profiter du jardin.

Hôtel Mas Vidau : *impasse André-Vidau. ☎ 04-90-47-63-71. • anraffy@wanadoo.fr • masvidau.free.fr • Tlj. Doubles avec douche ou bains et w-c 50-96 € selon chambre et saison. Wifi.* Au pied des Alpilles, découvrez le charme d'un mas provençal datant de 1870, entièrement rénové par un des descendants de cette grande famille d'agriculteurs liée depuis toujours à la vie du village. Cette belle bâtisse dispose d'une piscine cachée, et d'un jardin aromatique. 8 chambres aux noms évocateurs (la « Sieste », la « Pastis » ou encore la « Tamaris ») joliment décorées. Couleur, fraîcheur, bonheur, la devise de la maison, semble-t-il.

Chambres d'hôtes Le Presbytère en Provence : *chemin des Capellans. ☎ 04-90-49-09-11 ou 06-99-01-20-61. • le-presbytere@wanadoo.fr • lepresbytereenprovence.com • À la sortie du bourg, direction Tarascon, à gauche juste avt le rond-point. Fermé de mi-nov à fév. Doubles avec douche, w-c et TV 70-85 € selon saison. Parking. CB refusées. Internet et wifi.* Les Templiers avaient fondé ici une commanderie. Le château a disparu, restent une chapelle (convertie en chambre) et une partie des bâtiments conventuels. Ancienne ferme, la maison accueille aujourd'hui 5 belles chambres d'hôtes. Des objets chinés un peu partout ont donné une nouvelle vie à cette demeure déjà peu banale.

Le Garde-Manger : *31, av. de la République. ☎ 04-90-49-08-37. • restaurant@legarde-manger.fr • Tlj sf mer soir, sam midi et dim. Formule déj 18 €, menu 22 €. Wifi.* Une table où tout, du pain au dessert, est fait maison, et où la carte, très sucrée-salée, suit le soleil et les saisons. Une cuisine saine

LES ALPILLES

et savoureuse tout à la fois. Salles colorées et terrasse abritée. Bon petit vin de pays au pichet.

Achats

Magasin d'usine Les Olivades : *chemin des Indienneurs. ☎ 04-90-49-18-04. À côté du camping. Tlj sf dim.* Pour les amateurs de tissus provençaux, petit magasin avec pas mal de choix : vêtements, tissus au mètre, foulards, nappes et objets décoratifs. Un peu moins cher qu'en magasin. Un bon exercice de style, c'est le cas de le dire, avant la visite du musée Souleiado, à Tarascon (voir plus loin).

TARASCON (13150) 12 991 hab. *Carte Bouches-du-Rhône, B2*

Petite ville universellement connue pour son Tartarin et sa Tarasque, l'effroyable bête légendaire, sorte de dragon à pattes d'ours qui hantait les marécages voisins il y a plus de mille ans. Si les touristes pressés ne visitent que son château, Tarascon recèle néanmoins, derrière sa rangée d'immeubles reconstruits après les bombardements de 1944, de vieux quartiers pleins de charme. Les fêtes de la Tarasque, fin juin, redonnent quant à elles couleurs et sourires à une ville en plein devenir.
En attendant que cette petite ville récolte les fruits de vrais efforts engagés (mais à quand un centre-ville piéton ?) pour accueillir au mieux le visiteur curieux, le sympathique carnet d'adresses de Tarascon en fait une intéressante base arrière pour visiter les environs proches, d'Avignon à Arles, de Nîmes aux Alpilles.

Adresse et info utiles

Office de tourisme : *Le Panoramique, av. de la République. ☎ 04-90-91-03-52 ou 22-96. • tarascon.org • Lun-sam ; également dim mat en été.* Distribue gratuitement des itinéraires de randonnée dans la Montagnette, de circuits de visites thématiques intramuros et propose un « rallye Tartarin » pour les enfants à travers les rues de la ville.

– **Marchés :** *mar mat, cours Aristide-Briand et av. de la République. Un vrai marché provençal. Également marché méditerranéen ven mat sur la pl. du Marché.*

Où dormir ?
Où manger ?

Campings

Saint-Gabriel : *mas Ginoux, route de Fontvieille, quartier Saint-Gabriel. ☎ 04-90-91-19-83. • contact@campingsaintgabriel.com • campingsaintgabriel.com • À 5 km par la N 570, puis à gauche vers Saint-Rémy. Ouv fév-nov. Forfait emplacement pour 2 avec tente et voiture 18 € en hte saison. Mobile homes 350-580 €/sem selon saison. Wifi.* À la campagne, dans un joli cadre verdoyant autour d'un ancien relais de poste. Bien équipé et ombragé. Location de mobile homes et gîte. Snack en juillet-août. Piscine.

Tartarin : *route de Vallabrègues. ☎ 04-90-91-01-46. • campingtartarin@wanadoo.fr • campingtartarin.fr • À 300 m du centre-ville, pas loin du château. Ouv 1er avr-30 oct. Forfait emplacement pour 2 avec tente et voiture env 18,40 € en hte saison. Loc de mobile homes. Wifi.* Au pied du château et au bord du Rhône, un camping ombragé et bien équipé. Fait aussi snack-bar-pizzeria. Animations (soirées dansantes, karaoké...). Piscine.

Très bon marché

Auberge de jeunesse : *31, bd Gambetta. ☎ 04-90-91-04-08. • tarascon@*

fuaj.org • À 15 mn à pied de la gare. Fermé de début oct à mi-mars. Réception fermée entre 10h et 17h30. Carte FUAJ obligatoire et vendue sur place ; env 12,70 € la nuit (draps compris), 3,60 € le petit déj. À l'orée du centre ancien, dans une vieille maison provençale. Tomettes et poutres dans la salle à manger, qui font toujours leur effet sur les routards étrangers ! 65 places dans des dortoirs de 4 à 12 lits, sommaires mais bien tenus. Cuisine à disposition. Excellent accueil et bonne ambiance familiale.

De bon marché à prix moyens

Hôtel du Viaduc : *9, rue du Viaduc. ☎ 04-90-91-16-67. • hotel-du-viaduc@orange.fr • hotelduviaduc.com • Tlj sf dim. Doubles avec douche 37-40 €, avec douche et w-c 42-45 € ; familiales 50-85 € (jusqu'à 5 pers). Menus 14-22,50 €. Parking privé gratuit comme le garage à vélos et motos. Wifi. Un petit déj/chambre et par nuit offert oct-mars sur présentation de ce guide.* À proximité de la gare, un petit hôtel avec des chambres simples mais mignonnes et régulièrement rénovées. Familial, propre, sympa. On peut même prendre son petit déj sur la terrasse, ou dans le jardin. Resto.

Lilie la Fourmi : *14, bd Itam. 06-62-25-55-93. Tlj midi et soir en saison ; slt le midi lun-ven hors saison. Fermé pdt vac de Noël. Formule 13 €. CB refusées.* Ici, la carte mais aussi la déco changent au fil des saisons. En salle comme sous la tonnelle côté boulevard, Lilie vous sert avec le sourire des plats d'ici et d'ailleurs, inspirés le matin par les trouvailles du marché. Quelques desserts originaux aussi. Soirées en saison estivale ou sur réservation.

Hôtel-restaurant Le Provençal : *12, cours Aristide-Briand. ☎ 04-90-91-11-41. • jll.leprovencal@orange.fr • leprovencal-tarascon.com • (resto). Au centre, sur le cours principal. Resto fermé dim-lun ; hôtel ouv tte l'année. Doubles avec douche et w-c 44-49 €. Formule (en sem) 9 € ; menus 18-28 €. Wifi.* Derrière une façade années 1950, un petit hôtel-restaurant familial sans histoires. Chambres rénovées au fur et à mesure, simplement confortables (certaines donnant sur une cour tranquille). Cuisine toute simple à partager avec des ouvriers.

De prix moyens à chic

Hôtel des Échevins : *26, bd Itam. ☎ 04-90-91-01-70. • contact@hotel-echevins.com • hotel-echevins.com • Congés : nov-mars. Doubles avec douche ou bains, w-c et TV 66-76 € ; familiales 85-95 €. Petit déj 10 €. Parking privé payant. Wifi.* Dans une imposante maison du XVIIe s : vieille pierre, escalier monumental, de l'allure plus que du charme. Chambres sobres et nettes.

Chambres d'hôtes Rue du Château : *24, rue du Château. ☎ 04-90-91-09-99. • ylaraison@wanadoo.fr • chambres-hotes.com • Fermé fin oct-fin mars. Doubles avec bains 85-95 € ; pour 2 nuits min en été. Wifi.* Derrière la lourde porte en bois, une cour intérieure fraîche et verdoyante invite à poser ses bagages et à boire un verre, avant de monter découvrir les chambres, aménagées avec intelligence et sensibilité. Des chambres aux couleurs pastel, avec des objets qui invitent à la rêverie, au voyage... Demandez, si c'est possible, celle qui est mansardée, un petit bijou, ou bien encore, la chambre côté patio (climatisée).

Hôtel de Provence : *7, bd Victor-Hugo. ☎ 04-90-91-06-43. • hoteldeprovence@wanadoo.fr • hoteldeprovencetarascon.fr • Tte l'année. Doubles avec bains et TV 69-85 € selon confort et saison ; familiale 95 € ; suite 105 €. Internet et wifi.* Chambres spacieuses et climatisées dans une demeure du XVIIIe s à laquelle les propriétaires actuels ont rendu vie et couleurs. Certaines donnent sur une grande terrasse. Une demeure d'hôtes plus qu'un hôtel traditionnel, servie par un accueil qui n'a rien de banal. Tout, du salon aux bibliothèques gorgées de livres, invite à la détente.

Où boire un verre ?

🍷 ***Méo Bistro :*** *1, pl. de la Gare. ☎ 04-90-91-47-74. • mise.en.oeuvre@wanadoo.fr • Ouv mar-sam midi et soir et dim soir.* Un concept original, au carrefour de la décoration, de la confection en ameublement et du café-salon. Ce dernier, avec sa décoration baroque contemporaine, est un lieu propice à la détente, côté jardin surtout, autour d'un verre et de quelques tapas.

Où acheter, où grignoter de bons produits ?

La Tarasque : *56, rue des Halles. ☎ 04-90-91-01-17. Tlj sf lun 6h30-13h, 15h-19h30.* Quelques bons chocolats inspirés de la tradition locale, comme la Tartarinade, la Tarasque ou les « Bésuquettes de Tartarin ». Coin salon de thé pour grignoter salé-sucré.

À voir

Le château du roi René : *☎ 04-90-91-01-93. Ouv juin-sept, tlj 9h30-18h30 ; oct-mai, tlj 9h30-17h. Entrée : 7 € ; réduc ; gratuit pour les moins de 12 ans. Possibilité de visites guidées sur résa.* Posé sur un rocher baigné par le Rhône, ce château a été voulu par Louis II de Provence à la fin du XIVe s. L'édifice a été achevé au milieu du XVe s pour le roi René. Cette forteresse imposante abrite, en fait, un très bel édifice de style gothique et Renaissance, peut-être l'un des plus beaux de Provence. La visite débute par la basse cour. Dans les bâtiments des communs a été transportée l'apothicairerie (1742) de l'ancien hôpital : boiseries d'origine et riche collection de faïences. On accède au logis seigneurial (façades richement décorées et percées de fenêtres à meneaux) par la cour d'honneur. Jardin médiéval avec plantes aromatiques, simples... Au fond, la chapelle des Chantres, traversée par une clôture flamboyante. À droite, un superbe escalier à vis grimpe vers les appartements qui s'étendent sur deux étages face au Rhône. Magnifiques plafonds à caissons d'époque. Dans la chambre du roi, étonnantes latrines qui surplombent le fleuve. Depuis la terrasse, superbe point de vue sur le mont Ventoux, les abbayes de Frigolet et de Montmajour.
Sous la tour de l'Horloge, la salle des Galères où, pour une fois, les graffitis sont à l'honneur avec les dessins de galères exécutés par les prisonniers... Il y a même le graffiti d'un évêque.
Pour bien voir le château, passer à Beaucaire, la sœur siamoise (voir le *Guide du routard Languedoc-Roussillon*) par le pont sur le Rhône, et revenir, après avoir fait tout le tour de l'interminable bassin beaucairois.

La collégiale royale Sainte-Marthe : face au château. Gothique, mais quelques parties romanes subsistent, dont l'ample portail sud (sur lequel les révolutionnaires de 1789 se sont un peu passé les nerfs...). À l'intérieur, intéressante collection de tableaux religieux des XVIIe et XVIIIe s (Carle Van Loo, Mignard). Dans la crypte, un mausolée du XVIIe s abrite le sarcophage de sainte Marthe du IIIe s qui est... vide : les reliques de la sainte ont été « égarées » au XIIe s !

La vieille ville : toujours gardée par trois grosses tours, elle présente un caractère médiéval encore marqué. Rues tortueuses et pittoresques, abritant de vieux et beaux immeubles particulièrement intéressants. Entrez dans ce centre ancien par la rue du Château (face au château, bien sûr), qui traverse l'ancien ghetto juif de la ville et croise quelques hôtels particuliers. À son débouché sur la place du Marché, l'*ostal del commun,* hôtel de ville du XVIIe s, à la façade débordante de décorations. On peut, aux heures de bureau, grimper l'escalier, jusqu'à la salle des Consuls (plafond à la française, vieux bancs de bois...). Tournez ensuite à droite dans la pittoresque rue des Halles, bordée de vieilles maisons à arcades du XVe s. Place Frédéric-Mistral, ***ancien cloître des Cordeliers*** (milieu du XVIe s), qui accueille, outre des expos temporaires, un petit espace consacré à la gloire locale, Tartarin *(tlj sf dim 10h-12h, 14h-18h30 ; 14h-19h en juil-août ; entrée gratuite).*

Le musée Souleiado : *39, rue Charles-Demery. ☎ 04-90-91-50-11. Lun-sam 10h-12h30, 14h30-19h. Fermé dim et j. fériés. Entrée : 7 € ; réduc.*
Musée consacré aux célèbres tissus provençaux. Très émouvant dans son style, créé sur les lieux mêmes de l'entreprise familiale. Un véritable patrimoine de l'étoffe provençale, constitué notamment d'innombrables planches à imprimer (plus de 40 000). En suivant la visite, vous réussirez peut-être à percer les secrets de fabrication des célèbres indiennes (voir le chapitre « Hommes, culture et environnement » en début de guide) et comprendrez mieux l'utilisation de ces étoffes au travers des traditions populaires provençales. Belle collection de piqués (non, ce n'est pas ce que vous imaginez) et surprenant ensemble d'objets religieux et populaires. Une salle est exclusivement consacrée aux *santibelli,* des statuettes en terre cuite hautes d'une quarantaine de centimètres, représentant des figures religieuses ou païennes. Très populaires au XIXe s, elles seraient arrivées jusqu'à nous par le biais de vendeurs italiens. Prenez du temps pour tout voir.
– Belle boutique à l'entrée, pour renouveler votre garde-robe et votre cadre de vie.

LA FOLIE DES « INDIENNES »

Ces cotons imprimés, fabriqués en Inde, arrivèrent en France dès le XVIIe s. Fort abordables et aux couleurs vives, ils eurent un tel succès qu'ils affaiblirent les manufactures royales, les soyeux lyonnais et firent disparaître le lin breton. Colbert dut les interdire. Les tissus provençaux en sont, aujourd'hui, les dignes héritiers.

Fêtes et manifestations

– ***Foire aux fleurs :*** *w-e de Pentecôte.* Un grand rendez-vous depuis plus de 30 ans.
– ***Fêtes de la Tarasque :*** *dernier w-e de juin.* C'est le roi René qui institua, en 1474, les jeux de la Tarasque pour célébrer la victoire de sainte Marthe (d'un simple signe de croix !) sur le terrible dragon qui dévorait tous ceux qui osaient s'aventurer sur les rives du fleuve. Tartarin et la Tarasque défilent de concert. Spectacles équestres et taurins, bodegas, feux d'artifice.
– ***Les Médiévales :*** *3e w-e d'août.* La vie quotidienne au Moyen Âge, comme si vous y étiez !
– ***Fête des Vendanges :*** *début oct, pdt 3 j.* Défilés de confréries bacchiques, marché des produits du terroir et du vin.
– ***Marché aux santons et marché de Noël :*** *dernier w-e de nov.* Dans les rues du centre-ville, des santons et tout ce qu'il faut pour préparer un Noël dans la tradition provençale. Le marché de Noël débute fin novembre.

DANS LES ENVIRONS DE TARASCON

BEAUCAIRE (30300)

Ici, il suffit, comme dans la chanson, de passer le pont pour que commence une nouvelle aventure. De l'autre côté du Rhône, une des villes les plus attachantes du département du Gard attend votre visite. Mais là, sans vouloir vous pousser à la consommation, vous devrez acheter le *Guide du routard Languedoc-Roussillon* pour en savoir plus.

ENTRE RHÔNE ET DURANCE, PAR LES CHEMINS DE LA MONTAGNETTE

Petite balade entre Tarascon et Avignon, à travers les anciennes plaines du Rhône, riches d'alluvions. C'est la vraie campagne provençale, avec ses haies de cyprès, ses cultures maraîchères et ses villages tranquilles. À découvrir du sommet de la Montagnette, un massif dont le nom peut faire sourire, mais où il fait pourtant bon aller se ressourcer au calme. Avec ses collines calcaires aux crêtes claires et aux falaises grises, la Montagnette peut présenter une image un peu rude contrastant avec celle de la plaine cultivée ; fausse impression qui disparaît rapidement quand on part (hors période estivale) sur les chemins chers à Mistral, qui sentent toujours aussi bon le thym et le romarin. Un Frédéric Mistral d'ailleurs omniprésent dans le secteur : de l'abbaye Saint-Michel-de-Frigolet où il fit ses études, à Maillane où il repose sous un étonnant tombeau.

SACRÉ PINARD

À la chapelle Saint-Marcellin de Boulbon, on célèbre le 1er juin une drôle de cérémonie, la procession des bouteilles. Tous les hommes du bourg (la procession est interdite aux femmes) se rendent à la chapelle, une bouteille de vin à la main. Après la messe, les bouteilles sont bénites (pour une fois que ce n'est pas l'eau...), et tout le monde y va de son petit verre. Ce « vin bénit » était autrefois réputé pour avoir des vertus médicinales, chaque maison en gardait ainsi précieusement une bouteille jusqu'à la fête de l'année suivante. Allez, bois un coup, ça ira mieux...

BOULBON (13150)

Joli village au caractère médiéval encore très marqué, serré au pied des murailles d'un imposant château.

Où dormir ? Où manger ?

Hôtel La Bergerie de Manon : *domaine du Colombier. ☎ 04-90-43-86-65 ou 80-86. • reservation@bergeriemanon.fr • bergeriemanon.com • À 2 km au sud du village, par la D 35. Doubles avec douche et w-c 75-95 € en hte saison. Menu déj (en sem) 13,50 €, autres menus 22-38 €.* Au resto, bonne cuisine de région dans une grande salle bardée de bois, digne d'un chalet alpin avec sa grosse cheminée où rôtissent les viandes. Vérandas et belle terrasse pour retrouver le Sud. Côté hôtel, les chambres les plus agréables s'installent dans de petits bungalows disséminés dans un joli jardin. Piscine.

Où boire un verre ? Où grignoter sur le pouce ?

Côté Vins : *2, rue Font-de-Bernard. ☎ 04-90-93-27-95. • info@cote-vins.com • Tlj sf dim-lun. Mar-ven 15h30-19h30, sam 9h30-12h30, 15h30-21h30 et sur résa.* Plus qu'une cave à vin, un salon de vin... installé dans une belle salle voûtée en pierres apparentes. Apéro-comptoir selon vos envies et humeurs du moment : vin au verre accompagné d'assiettes de charcuterie et fromage. Sinon, tirez du sac vos petites provisions, installez-vous et achetez la bouteille qui fera chanter votre pique-nique. Une adresse maligne.

L'ABBAYE SAINT-MICHEL-DE-FRIGOLET

De jolies petites routes grimpent dans la Montagnette. Et voilà que surgit de la forêt de pins le... château de la Belle au bois dormant, revu et corrigé par Walt Disney. Hautes tours coiffées de flèches, créneaux, mâchicoulis, tout y est ! C'est en fait à une communauté de Prémontrés que l'on doit la construction, en 1866, de cette étonnante église abbatiale néogothique. L'abbaye existe, elle, depuis le XIIe s.
Son nom vient de *farigouleto* (« thym », en provençal). On y prie Notre-Dame-du-Bon-Remède, car les moines de l'abbaye de Montmajour qui asséchaient les marais locaux, vers l'an 1000, étaient atteints de paludisme et venaient s'y refaire une santé tout en priant. Le climat était sain (il l'est toujours). Anne d'Autriche y fit une halte en 1632 pour demander un fils. C'est comme cela que nous avons hérité de Louis XIV en 1638...
Attention : vols à la roulotte (très) fréquents sur le parking extérieur.

Où dormir ? Où manger ?

Le Fournil de la Montagnette : *abbaye de Frigolet, 13150* ***Tarascon****.* *☎ 04-90-90-54-45. Tlj sf lun-mar. Menu du jour 14,50 €, menu de l'abbaye 25 €.* Dans l'ancienne boulangerie de l'abbaye. Un décor sobre mais contemporain, une atmosphère sereine et bucolique.

Hostellerie Saint-Michel : *abbaye de Frigolet, 13150* ***Tarascon****.* *☎ 04-90-90-52-70. • hotellerie@frigolet.com • frigolet.com • Fermé le midi lun-mar. Fermé de mi-nov à mi-mars. Double avec douche et w-c 73 €, petit déj compris. Menu 16 €.* Précisons tout de suite qu'il ne s'agit pas de l'hôtellerie monastique (elle existe aussi), mais d'un hôtel-resto classique installé dans l'enceinte de l'abbaye. Chambres spacieuses, rénovées dans le style provençal. Cuisine servie dans l'ancien réfectoire, devenu pièce de musée (superbe entrée), ou dans le jardin. Pour finir, une petite *gourmandise du Père Gaucher* ou une glace à la liqueur de Frigolet est de rigueur !

Où dormir ? Où manger dans les environs ?

Chambres d'hôtes du Mas de Gratte Semelle : *route d'Avignon (par la D 970), 13150* ***Tarascon****.* *☎ 04-90-95-72-48 ou 06-08-70-12-24. • thecla.masgrattesemelle@wanadoo.fr • grattesemelle.com • À 3 km de l'abbaye et à 6 km de Tarascon par la D 970. Tte l'année sur résa. Doubles avec bains et TV 90-120 €. Table d'hôtes sur résa 35 €.* En pleine nature, une authentique ferme du XVIe s. Napoléon y fit une halte lorsqu'il accompagna Joséphine à l'abbaye de Frigolet dans le but de solliciter un enfant à Notre-Dame-du-Bon-Remède. Étape sympa et, surtout, accueil de grande qualité. Thécla vous proposera, en plus de ses agréables chambres d'hôtes, une délicieuse cuisine exhalant tous les parfums de la Provence. Petite piscine. Et si vous cherchez où passer Noël dans la plus pure tradition, vous serez aussi le bienvenu.

À voir. À faire

L'ensemble de l'abbaye et les églises sont librement accessibles (hors jours de clôture). *Rens sur • frigolet.com • ou au ☎ 04-90-95-70-07.*

Le cloître et les bâtiments monastiques : *possibilité de visite guidée dim à 16h10. Tarif : 4 € ; réduc ; gratuit pour les moins de 11 ans.* Le cloître est de style roman (XIIe s). Sa construction est massive et peu lumineuse, car il supporte une terrasse. Visite guidée passionnante qui donne des points de comparaison avec les douze autres cloîtres romans de la région. Vous ne regretterez pas votre obole.

Admirez la crèche en bois d'olivier : il a fallu gratter et poncer deux tonnes de bois pour fabriquer les quinze personnages.

L'église Saint-Michel : *tlj 7h-12h, 14h-19h.* Du XIIe s, elle est évidente de simplicité.

Boutique à l'entrée de l'abbaye : ☎ *04-90-95-70-07.* Elle propose à la vente des produits fabriqués par les moines depuis leur installation ici au XIXe s. Des sirops (une grosse vingtaine de parfums dont certains étonnants comme la châtaigne) et des liqueurs dont celle des Prémontrés qu'on ne confondra pas avec la liqueur de Frigolet, inventée par le révérend père Gaucher et popularisée par Daudet, qui est, elle, distillée à Châteaurenard.

➢ **Balade dans la Montagnette :** *accès réglementé (1er juin-30 sept et les j. de grand vent), rens au ☎ 0811-201-313 (prix d'un appel local).* Une boucle balisée (3h10 via Boulbon et le San Salvador) pour découvrir la Montagnette. Paysages de garrigue, échappées vers les Alpilles, le Luberon et le Ventoux.

➢ **VTT :** *même réglementation saisonnière que pour les randos pédestres.* Deux circuits de 8 et 45 km à travers la Montagnette.

Fête et manifestation

- **Grande fête traditionnelle :** *lun de Pâques.* Messe en provençal, suivie d'une fête avec danses en costumes folkloriques et jeux gardians.
- **Messe de minuit :** pour Noël évidemment. Très belle. Cérémonie du « pastrage » (offrande de l'agneau nouveau-né).

BARBENTANE *(13570)*

Bâti sur le flanc nord de la Montagnette, un vieux village provençal typique, avec sa place ombragée de platanes.

Adresse utile

Office de tourisme : *Le Cours.* ☎ *04-90-90-85-86.* • *barbentane.fr* • *Lun-sam.* Propose plusieurs circuits de petite randonnée.

Où dormir ?

Hôtel Castel-Mouisson : *chemin sous les Roches, quartier Castel-Mouisson.* ☎ *04-90-95-51-17.* • *castel.mouisson@wanadoo.fr* • *hotel-castelmouisson.com* • *À 1,5 km du centre du village ; accès fléché sur la droite depuis la D 77, direction Rognonas. Congés : de mi-oct à mi-mars. Double avec douche, w-c et TV 67 € ; familiale 71 €. Parking. Internet et wifi. Apéritif offert sur présentation de ce guide.* Dans une maison provençale flanquée d'une tourelle et jouissant d'une vraie tranquillité, derrière son vaste jardin planté d'arbres. Chambres toutes simples mais confortables. Celles du rez-de-chaussée ont une terrasse. Accueil discret mais chaleureux et ambiance d'une maison de famille. Piscine.

À voir

Le vieux village : quelques ruelles aux pavés disjoints dominées par la tour Anglica, donjon du château épiscopal construit vers 1365, restauré au XVIIIe s. En face de l'église (XIIe-XIIIe s, mais la flèche date de... 1983), une vieille maison forte du XVe s, dite « des Chevaliers ». La Grande-Rue aboutit à la porte Calendale, du XIVe s.

Le château : ☎ *04-90-95-51-07. Visites guidées (45 mn) Pâques-Toussaint, tlj sf mer (tlj juil-sept), 10h-12h, 14h-18h ; fermé nov-fin mars. Entrée : 7,50 € ; réduc.* Construit en 1674, c'est un bel exemple de château classique. Surnommé « le Petit Trianon du Soleil » (si vous voyez le genre !). À la fin du XVIIIe s, Balthazar de Puget, marquis de Barbentane, s'est chargé de la déco intérieure avec quelques idées rapportées d'Italie, où il avait été ambassadeur : pièces pavées de marbre de carrare, stucs... Épargné par la Révolution, le château a conservé son mobilier d'origine Louis XV et Louis XVI. Terrasses à l'italienne là encore, parc planté de platanes plusieurs fois centenaires. De l'allure, pas à dire. Au fait, le château est toujours habité par les Barbentane. Épargné par la Révolution qu'on vous dit...

MAILLANE *(13910)*

Un petit village provençal charmant et tranquille, qui ne ressemble pourtant à aucun autre aux yeux des admirateurs du « grand » Frédéric Mistral, « restaurateur de la langue et de la culture provençales », fondateur du félibrige (voir la rubrique « Langue régionale » en début de guide), qui y vécut de longues années. Face à face sur la place du village, deux beaux spécimens de bistrots !

Adresse utile

■ **Office de tourisme :** *av. Lamartine.* ☎ *04-32-61-93-86. • cc-rhonealpilles durance.fr • Ouv lun-ven.*

Où dormir ?

Chambres d'hôtes Le Mas de la Christine : *chemin du Mas-des-Gantes.* ☎ *04-90-95-79-49.* 📱 *06-61-77-86-73. • masdelachristine@orange.fr • masdelachristine.com • À 3,5 km à l'écart du village (c'est fléché). Ouv de fév à mi-déc. Double avec douche et w-c 70 € ; triple 90 €. CB refusées. Wifi. Apéritif offert sur présentation de ce guide.* Dans un mas de famille, tranquille, à la campagne. 5 chambres à la déco qui raconte le pays ; certaines de plain-pied, d'autres sous une belle charpente, toutes indépendantes et climatisées. Piscine et petite cuisine d'été.

LES ALPILLES

À voir

Le musée Frédéric-Mistral : ☎ *04-90-95-84-19. Tlj sf lun et j. fériés : avr-sept 9h30-11h30, 14h30-18h30 ; oct-mars 10h-11h30, 14h-16h30. Visites commentées. Entrée : 4 € ; réduc.* Mistral a vécu de 1855 à 1876 dans la maison dite « du Lézard » (juste en face), où il a écrit quelques-unes de ses œuvres les plus célèbres, dont *Calendal*. Ce musée est installé dans la maison que le poète fit construire et habita de 1876 jusqu'à sa mort, en 1914. La veuve de l'écrivain y est restée jusqu'en 1943. La maison a été restaurée tout en conservant la décoration d'origine. Intérieur modeste, typique du XIXe s. Souvenirs personnels et livres, évidemment. Des textes de l'écrivain que l'on retrouve dans le jardin, resté en l'état. Mistral repose au cimetière de Maillane. Son étonnant tombeau est tel qu'il l'avait voulu, une reproduction du pavillon de la reine Jeanne aux Baux.

GRAVESON *(13690)*

Un vieux village qui se réveille doucement, en découvrant avec surprise qu'il ne manque pas d'attraits pour retenir les touristes. Promenez-vous à l'ombre des platanes du mail, traversé par une roubine (petit canal), admirez la porte fortifiée de l'église romane. Bref, prenez le temps de vivre...

Adresse et info utiles

Office de tourisme : *cours National. ☎ 04-90-95-88-44 ou 04-90-95-88-74 (mairie ; hors saison). • graveson-provence.fr • Tte l'année, tlj. En hiver, tlj slt l'ap-m.*

Marché paysan : *pl. du Marché, ven mai-oct 16h-20h.* Visite obligatoire, cabas en main. Vous trouverez rarement réunis autant de bons producteurs locaux. De quoi faire un superbe pique-nique : des salades, saucissons d'Arles, fromages de chèvre, vins bio, fruits de saison, confitures savoureuses du « fada de la figue » et autres douceurs.

Où dormir ? Où manger ?

Camping

Les Micocouliers : *445, route de Cassoulen. ☎ 04-90-95-81-49. • micocou@free.fr • micocou.free.fr • À 1 km de Graveson. Ouv 15 mars-15 oct. Forfait emplacement pour 2 avec tente et voiture 21 € en hte saison. Mobile homes 370-620 €/sem selon saison. Wifi.* Il faudra attendre encore un peu pour avoir vraiment de l'ombre. Mais il y a de vastes emplacements, une piscine et un superbe accueil. Lac à 3 km.

De prix moyens à chic

Chambres d'hôtes Le Mas Ferrand : *7, av. Auguste-Chabaud. ☎ 04-90-95-85-29 ou 06-12-93-41-21. • info@le-mas-ferrand.com • le-mas-ferrand.fr • Dans le village. Tte l'année. Double 70 €, suites (2-4 pers) 80-130 €. Appart loué à la sem 770-910 €. Wifi.* Dans une vieille maison de famille, avec les photos du grand-père qui vous surveille, et de grands et vieux lits provençaux pour bercer vos rêves. L'accueil est extra, le petit déj mémorable. Joli petit parc, avec fontaine.

Hôtel Le Mas des Amandiers : *112, impasse des Amandiers. ☎ 04-90-95-81-76. • hotelmasdesamandiers@wanadoo.fr • hotel-des-amandiers.com • À 2 km en campagne, en prenant l'ex-N 570 (direction Avignon). Congés : 15 oct-15 mars (ouv sur demande). Doubles avec douche et w-c ou bains, TV, 67-85 €. Menus 14 € (midi)-43 €. Wifi.* Entre le motel et le mas provençal, cet hôtel est une adresse à retenir, tout comme les chambres, prises d'assaut aux beaux jours : les prix sont raisonnables, les lieux agréables, la piscine accueillante et le sourire du propriétaire garanti. Resto (indépendant) où il n'y a que l'accueil qui soit emballant. Dommage...

Hôtel Le Cadran Solaire : *5, rue du Cabaret-Neuf. ☎ 04-90-95-71-79. • cadransolaire@wanadoo.fr • hotel-en-provence.com • Dans le village. Tte l'année (sur résa nov-mars). Doubles avec douche et w-c ou bains 68-110 € selon confort. Suites (4 pers) 145 €. Parking gratuit. Wifi.* Coup de cœur pour cet ancien relais de poste du XVIe s, devenu un amour de petit hôtel, calé au calme, derrière un jardin ombragé. Chambrettes pleines de charme, climatisées.

Chambres d'hôtes Domaine de Fontbelle : *4134, ancien chemin d'Arles (D 80). ☎ 04-90-90-53-67. • fontbelle@wanadoo.fr • fontbelle.com • De Graveson, suivre le fléchage du musée des Arômes ; la maison est un peu plus loin, sur la droite. Doubles avec douche ou bains, w-c, 76-95 € selon saison ; suites 150-175 €. Plateau-repas 12 € le midi, table d'hôtes 25-35 €. Parking privé. Wifi.* En pleine campagne, dans un mas du XVe s, des chambres et des suites avec de l'allure. Un souci du détail jusqu'à la déco de la petite piscine, autour de laquelle on peut vous servir un plateau-repas l'été. Une foule de petites attentions (disques et bouquins à disposition) et une ambiance familiale et cool.

Plus chic

Hôtel Le Moulin d'Aure : *quartier Cassoulen, route de Saint-Rémy. ☎ 04-90-95-84-05. • reception@hotelmoulindaure.com • hotel-moulindaure.com • Accès par la route de Saint-*

Rémy-de-Provence (D 5). Resto fermé de mi-oct à mi-mars et lun midi sf juil-août ; hôtel ouv tte l'année sf janv. Doubles avec douche (pour la plupart hydromassantes) et w-c ou bains, TV, 98-200 € selon confort et saison. Formule midi 25 €. Menus 39-65 €. Parking gratuit. Internet, wifi. Un havre de paix perdu dans un parc de 14 000 m² de pins et d'oliviers. Les cigales chantent, c'est ce qu'elles font le mieux, la piscine vous attend, c'est ce que vous avez de mieux à faire. Chambres d'un vrai confort et pleines de charme. Resto aux couleurs – et aux saveurs – méditerranéennes, pour dîner en terrasse, à deux pas de la piscine.

Où acheter de bons produits ?

Les Figuières du mas de Luquet : *713, chemin du Mas-de-la-Musique. ☎ 04-90-95-72-03. Tlj (sf dim hors saison) 9h-12h, 14h-18h ; de mi-juin à fin sept, 8h30-11h30, 15h-19h. Visite de l'exploitation, sam à 17h juil-sept sur rdv.* Depuis plus de 30 ans, Jacqueline et Francis Honoré sont les rois de la figue. Si vous les avez manqués sur le marché, allez découvrir leur verger (plus de 150 variétés) et leurs succulentes productions, sucrées ou salées.

À voir

Le musée Auguste-Chabaud : *cours National. ☎ 04-90-90-53-02. (partiel). Juin-sept, tlj 10h-12h, 13h30-18h30 ; oct-mai, l'ap-m slt. Fermé 25 déc et 1er janv. Entrée : 4 €.* Sur les cimaises, une soixantaine d'œuvres de ce peintre et sculpteur nîmois (1882-1955), longtemps installé dans un mas au pied de la Montagnette (son principal sujet d'inspiration). Chabaud ne s'est jamais revendiqué d'une des grandes écoles de l'art contemporain, ce qui lui vaut d'être aujourd'hui nettement moins connu que les Derain, Matisse ou Vlaminck, aux côtés desquels il exposait à New York en 1913. Une œuvre à découvrir donc, de ses toiles de jeunesse, post-impressionnistes, peintes alors qu'il effectuait son service dans l'infanterie coloniale, à ses dernières œuvres proches de l'expressionnisme. Ateliers plastiques et cycles de conférences, ainsi que des visites guidées nocturnes. Un circuit permet également de retrouver, au hasard des rues du village, quelques reproductions en lave émaillée des tableaux du peintre.

Le musée des Arômes et du Parfum : *petite route du Grès. ☎ 04-90-95-81-55. • museedesaromes.com • (pour la moitié des collections). À la sortie du village, au sud par la D 80 (c'est fléché). Tlj 10h-12h, 14h-18h ; en juil-août 10h-19h. Distillation les lun, mer, ven en juil-août à 16h ; à 15h 3 dim avt Noël. Entrée : 5,50 € (avec 10 mn de détente dans la « chi-machine ») ; réduc ; gratuit pour les moins de 12 ans.* Les anciennes caves de l'abbaye de Saint-Michel-de-Frigolet sont désormais dédiées aux arômes et aux senteurs provençales. Vous pourrez y admirer une très belle collection d'objets liés à l'histoire du parfum, vous offrir une balade au cœur du « Carré des Simples », jardin de plantes aromatiques en culture biologique, découvrir la boutique des arômes et la cour des alambics. Vous pourrez également profiter de l'espace « Aromacocoon » pour vivre un moment de bien-être et de détente *(tlj sur résa)*.

Vente d'huiles essentielles bio, eaux florales, parfums... et possibilité de grignoter bio à la *Cabane Bambou*.

Le jardin des Quatre-Saisons : *av. de Verdun. 1er avr-30 sept tlj 8h-20h (18h le reste de l'année). Accès libre.* Excellente initiative que ce grand jardin public qui se propose de replonger le visiteur dans le faste des jardins des bastides d'antan. Il faudra encore attendre un peu que les nombreuses espèces symbolisant les quatre saisons poussent plus pour apprécier ce jardin à sa juste valeur. Mais la balade est déjà agréable.

LE VAUCLUSE

ABC
DU VAUCLUSE

- *Superficie :* 3 566 km², soit le plus petit département de la région Provence-Alpes-Côte d'Azur.
- *Préfecture :* Avignon.
- *Sous-préfectures* : Apt, Carpentras.
- *Population :* 551 000 hab.
- *Densité :* 146 hab./km².
- *Plus Beaux Villages de France* : 7.
- *Communes les moins peuplées :* Saint-Léger-du-Ventoux, Lagarde-d'Apt et Sivergues (entre 25 et 30 hab.).

Le soleil chauffe à blanc les pierres des petits villages qui se réveillent chaque matin face au mont Ventoux. Les odeurs de genêt ou de lavande, le gargouillis d'une fontaine ou le craquètement des cigales saluent votre arrivée en Vaucluse, par une belle journée d'été.
Si vous craignez les grandes chaleurs et les migrations estivales, choisissez un autre moment pour découvrir ce joli petit pays. Le Vaucluse, en effet, est un des rares départements qui fassent rêver en toutes saisons, les chemins de l'olivier croisant ceux de la truffe en hiver, le printemps et l'automne étant propices aux week-ends prolongés dans des chambres d'hôtes qui se sont multipliées en dix ans...
Le Vaucluse tient son nom de l'un de ses plus beaux villages, Fontaine-de-Vaucluse, dont les habitations s'étendent dans une vallée profonde et close *(Vallis Clausa),* aux nombreux vallons et grottes dans ses alentours. L'un des nombreux « Plus Beaux Villages de France » rassemblés ici sur quelques dizaines de kilomètres... à vol d'oiseau : Gordes, Lourmarin, Venasque, Ménerbes, Ansouis, Roussillon et Séguret.
Marqué par la diversité et la grande beauté de ses paysages, la richesse de son patrimoine culturel et historique, le visiteur qui a la chance de découvrir le Vaucluse hors saison est d'ores et déjà conquis par cette terre propice aux activités de pleine nature qui devient, l'été venu, « Terre de Festivals », attirant depuis des années, d'Orange à Avignon et de Vaison-la-Romaine à Lacoste, les amateurs de théâtre comme ceux de musique lyrique du monde entier...
On ne compte plus les sites ayant acquis une notoriété nationale, voire internationale, ni d'ailleurs les produits qui font la richesse de ce terroir exception-

LE VAUCLUSE

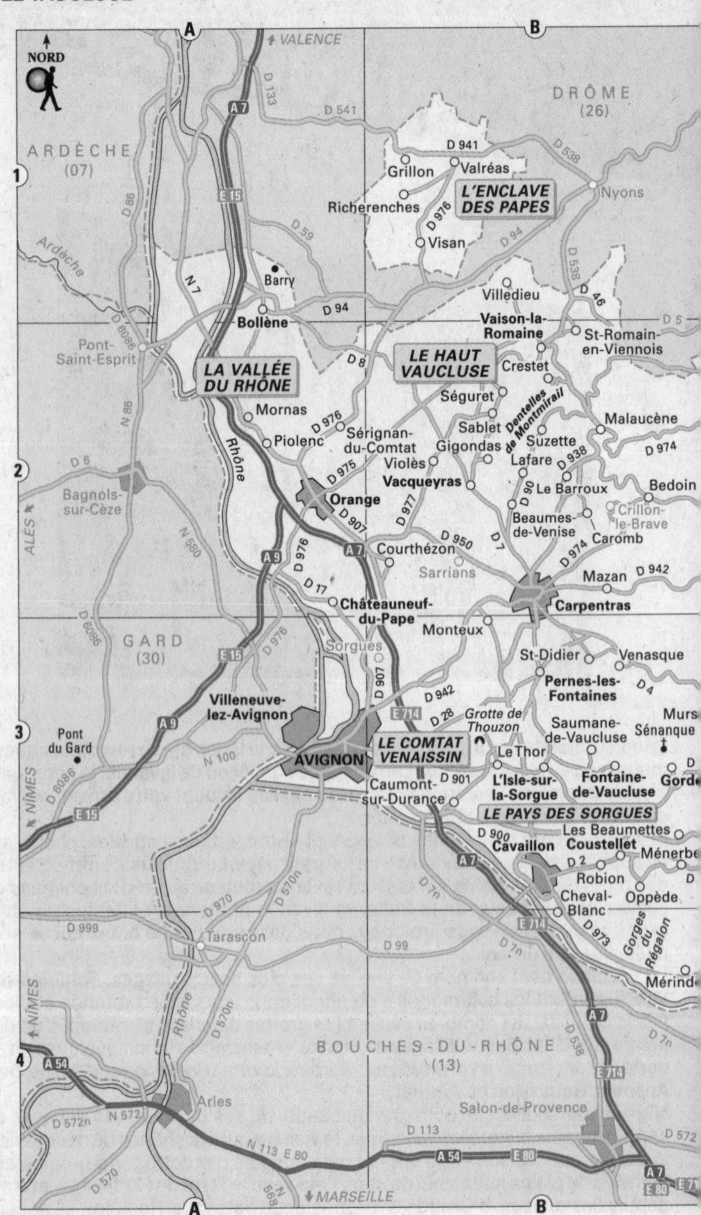

LE VAUCLUSE

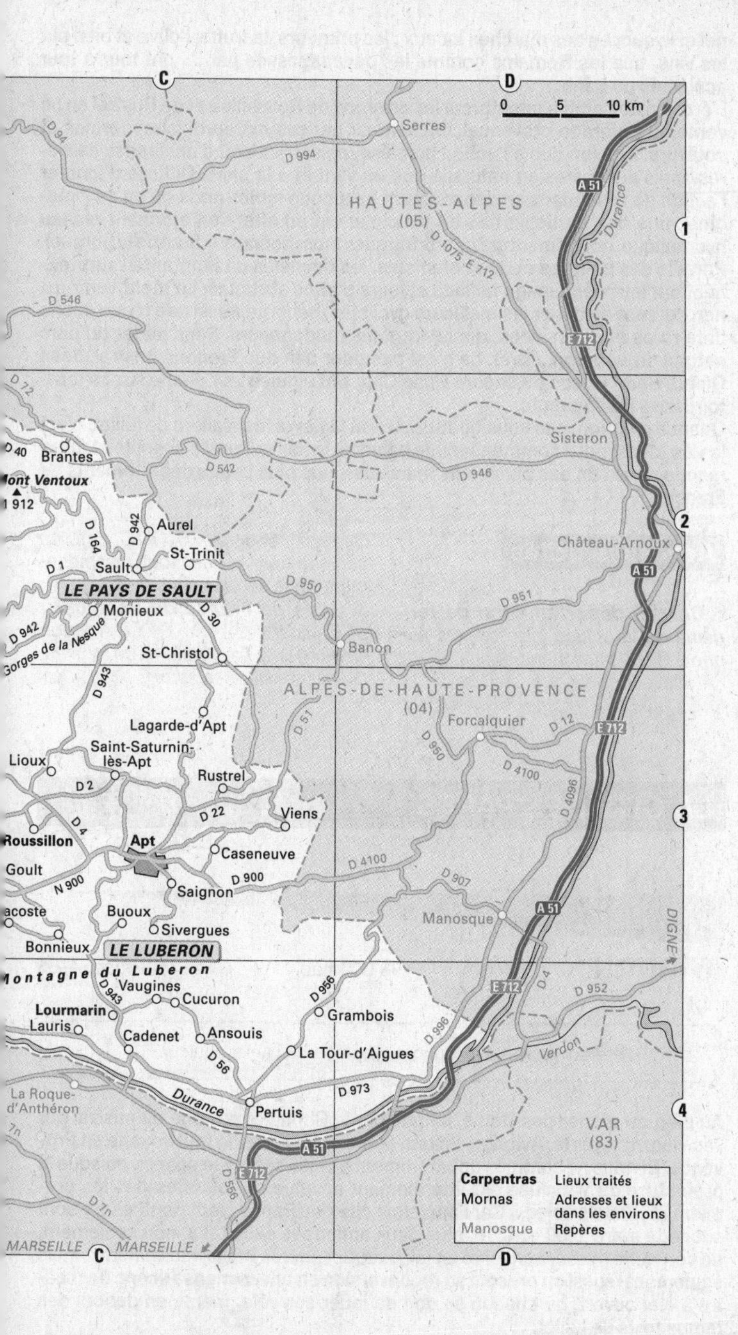

C
D
0 5 10 km
Serres
D 94
D 994
HAUTES-ALPES
(05)
A 51
Durance
D 1075 E 712
D 546
E 712
D 72
Sisteron
D 40
Brantes
D 542
D 946
Mont Ventoux
1 912
D 164
D 942
Aurel
St-Trinit
Château-Arnoux
D 1
Sault
LE PAYS DE SAULT
D 950
A 51
D 30
D 951
Monieux
D 942
Gorges de la Nesque
St-Christol
Banon
D 943
ALPES-DE-HAUTE-PROVENCE
(04)
D 51
Forcalquier
D 12
E 712
Lagarde-d'Apt
D 950
Saint-Saturnin-lès-Apt
D 4100
Lioux
Rustrel
D 4096
D 2
D 22
Viens
D 4
Roussillon
Apt
Caseneuve
Goult
D 4100
N 900
D 900
D 907
Saignon
Lacoste
Buoux
Manosque
A 51
Sivergues
DIGNE
Bonnieux
LE LUBERON
Montagne du Luberon
Vaugines
D 956
E 712
D 4
D 952
D 943
Cucuron
Lourmarin
Grambois
Lauris
Cadenet
Ansouis
D 996
La Tour-d'Aigues
Verdon
D 56
La Roque-d'Anthéron
Durance
D 973
Pertuis
VAR
(83)
A 51
E 712
D 556
D 7n
Carpentras
Lieux traités
Mornas
Adresses et lieux dans les environs
Manosque
Repères
MARSEILLE
MARSEILLE
1
2
3
4

LE VAUCLUSE

nel et le succès des marchés locaux : les primeurs, la truffe, l'olive et bien sûr les vins, que les Romains comme les papes, passés par là, ont tour à tour acclamés ou bénis.
L'érosion de l'ocre a transformé les environs de Roussillon et de Rustrel en un véritable Colorado provençal, enchanteur par ses extraordinaires formes et couleurs. Érosion due à l'action humaine, puisqu'il s'agit d'anciennes carrières, mais aussi érosion naturelle due au vent et à la pluie. Difficile d'ignorer l'action de l'eau, dans ce département beaucoup moins aride qu'on ne l'imagine : une des particularités du Vaucluse est en effet son étonnant réseau hydraulique, notamment grâce aux Sorgues (nom donné aux bras de la Sorgue). Paradis des peintres et des botanistes, les dentelles de Montmirail surprennent par leur découpage tailladé et leurs pentes abruptes. Le mont Ventoux, non content de défier les meilleurs cyclistes, héberge aussi une faune et une flore rares et diversifiées, qui raviront les randonneurs. Sans parler du parc naturel du Luberon... Bref, ce n'est pas pour rien que Frédéric Mistral, Jean Giono, Henri Bosco ou encore René Char ont aiguisé leur plume sur ce territoire hors du commun.
Quant à Avignon, que vous goûtiez ou non la fièvre festivalière de juillet, c'est la ville idéale pour commencer une balade à la fois culturelle, insolite et gourmande dans l'un des plus petits mais aussi des plus beaux départements de France.

Adresses utiles

Comité départemental de tourisme du Vaucluse (plan couleur Avignon B2) **:** *dans l'ancien palais de l'Archevêché, 12, rue Collège-de-la-Croix, BP 50147, 84008* **Avignon** *Cedex 01.* ☎ *04-90-80-47-00.* ● *provenceguide.com* ● Pour tout renseignement sur le département.

■ ***Gîtes de France du Vaucluse :*** *pl. Campana, BP 164, 84008* **Avignon** *Cedex 01.* ☎ *04-90-85-45-00.* ● *gites-de-france-vaucluse.com* ●

LA CITÉ DES PAPES

AVIGNON (84000) 93 600 hab. *Carte Vaucluse, A-B3*

Pour le plan d'Avignon, se reporter au cahier couleur.

Au pied du rocher des Doms, baigné par le Rhône et protégé du mistral par ses vieux remparts, Avignon est une étape obligatoire de tout voyage en Provence. Et nous ne sommes apparemment pas les seuls à le penser, puisque la préfecture du Vaucluse est littéralement envahie de touristes dès les premiers rayons de soleil... Car l'ancienne cité des Papes (sept pontifes s'y sont succédé entre 1309 et 1376, plus deux antipapes ensuite) a, non seulement, de son riche passé, conservé un joli bouquet de très beaux monuments, mais également réussi au présent sa reconversion en une immense scène de théâtre à ciel ouvert, où chacun se doit de jouer son rôle, même en dehors des temps forts de juillet.

À l'image de son Festival mondialement connu, Avignon est une ville *in* et *off*. Hors des remparts et de ses 13 000 habitants qui vivent essentiellement du tourisme, plus de palais ni d'hôtels particuliers, mais des quartiers pavillonnaires à l'urbanisation anarchique, des petites cités où les gamins qui jouent au foot à l'ombre des tours n'ont jamais vu le palais des Papes...

UNE INQUISITION ANTI-PAPALE

Les tribunaux d'inquisition furent créés par le Vatican. Et pourtant, Philippe le Bel, qui n'avait peur de rien, condamna le pape Boniface VIII pour satanisme, prévarication, apostat, crime et un peu pour sodomie. Heureusement, quand la sentence tomba, le pape était mort... depuis 7 ans.

UN PEU D'HISTOIRE

Sept papes se sont succédé ici de 1309 à 1376. Mais pourquoi quitter Rome et venir s'installer à Avignon ? C'est que de graves troubles agitaient en ce temps-là la Cité éternelle. Et puis, le Comtat venaissin, voisin de la ville d'Avignon (qui appartient, quant à elle, à l'époque à Charles II d'Anjou, un vassal du pape) était propriété pontificale depuis 1274... Et Grégoire X était tombé sous le charme de la Provence, qu'il avait traversée en revenant d'un Concile... Toujours est-il que la construction du palais ne démarra, en fait, que sous le troisième pape, à savoir Benoît XII, en 1335. Ce fut alors l'édification du premier palais, ou palais Vieux, sur le palais épiscopal de son prédécesseur, Jean XXII. Clément VI, le successeur de Benoît XII, fait ensuite construire le palais Neuf, dont la construction s'achève en 1351 et vient compléter le premier ouvrage. Bien évidemment, la cité devient l'une des plus prospères d'Europe. Son architecture s'enrichit considérablement, se développant jusqu'à Villeneuve-lez-Avignon, où Innocent VI fonde une chartreuse. La bibliothèque pontificale, que fréquentait assidûment Pétrarque, était alors la plus riche d'Europe. Le dernier pape, Grégoire XI, décida de retourner à Rome en 1376. Il mourut en 1378 et le Grand Schisme qui divisa l'Église catholique éclata en septembre, six mois après sa mort : deux papes reconnus uniquement par la France, l'Espagne et le royaume de Naples (Clément VII et Benoît XIII) s'entêtèrent à vouloir rester en Avignon ; ce qu'ils firent jusqu'en 1403, date à laquelle Benoît XIII laissa la place au représentant de Jean XXIII qui, contraint par deux sièges successifs, abandonna définitivement le palais en 1411. À partir de ce moment-là, l'édifice ne fut plus occupé que par des légats (et vice-légats) du pape, jusqu'en 1791, année de réunion du comtat à la France.

Adresses et infos utiles

Office de tourisme *(plan couleur B3)* **:** *41, cours Jean-Jaurès. ☎ 04-32-74-32-74. • avignon-tourisme.com • En sem 9h-18h (19h pdt le Festival), dim et j. fériés 9h45-17h (slt dim mat hors saison), infos et vente en ligne.* Demander le guide touristique d'Avignon, bien fait, ainsi que le plan « Avignon Passion » détaillant 4 itinéraires en ville, les horaires des musées, des visites, etc., sans oublier la carte *pass* (gratuite) qui donne droit à des réductions dans tous les musées et les sites touristiques. Tableau avec disponibilités du jour dans les hôtels. Enfin, l'office organise de passionnantes visites « Découverte de la ville », thématique et départ selon saison, se renseigner. Billetterie pour excursions, monuments et musées d'avril à octobre.

– Point d'information touristique, également, dans les Halles (pl. Pie), ven-dim 10h-13h, et gare TGV en saison.

✉ **Poste** *(plan couleur B3)* **:** *cours Président-Kennedy. ☎ 36-31 (gratuit depuis un poste fixe). Lun-ven 8h30-18h et sam 9h-16h.*

Gare Avignon TGV *(hors plan couleur par A3)* **:** *quartier de Courtine, à*

4 km au sud du centre. Infos et résas : ☎ 36-35 (0,34 €/mn). • sncf.com • TGV directs pour Marseille, Toulouse, Lyon, Genève, Paris (et Roissy-Charles-de-Gaulle), Nantes, Rennes, Rouen, Strasbourg, Metz, Lille et Bruxelles. Il existe bien sûr un bus qui assure la navette avec le centre-ville : rapide et économique.

***Gare SNCF Avignon Centre** (plan couleur B3) : bd Saint-Roch. ☎ 36-35 (0,34 €/mn). • sncf.com •* Trains régionaux et également inter-cités, ainsi que quelques TGV pour Paris et même un Eurostar direct pour Londres en été.

***Gare routière** (plan couleur B3) : 5, av. Monclar. ☎ 04-90-82-07-35.* Desserte des communes avoisinantes. Renseignements à l'office de tourisme.

✈ ***Aéroport** (hors plan couleur par D3) : Avignon-Caumont, à 8 km au sud-est de la ville. ☎ 04-90-81-51-51. • avignon.aeroport.fr • Accessible par le bus n° 21.* Eu égard au succès du TGV, il n'y a plus (pour le moment) de vols entre Paris et Avignon. Mais renseignez-vous, ça pourrait changer... En revanche, nombreux vols pour... l'Angleterre, avec les compagnies *Fly Be* et *Jet 2* !

■ ***Parkings :*** la circulation est difficile et les places de stationnement rarissimes intra-muros à l'exception des parkings souterrains payants du palais des Papes, des Halles, Jean-Jaurès et du parking de l'Oratoire, porte de l'Oulle *(compter env 12 €/24h)*. Moralité, mieux vaut se garer, même hors saison, à l'extérieur des remparts. Nombreuses places gratuites, mais attention, vols à la roulotte assez fréquents. De plus, tout le monde se gare un peu n'importe comment, vous pouvez vous retrouver coincé entre deux voitures. Heureusement, il existe 2 parkings surveillés non payants : le parking des Italiens (porte Saint-Lazare) et le parking de l'île Piot, tous deux reliés au centre par une navette de bus gratuite. Plan des parkings à l'office de tourisme.

■ ***Baladine :*** à part le classique réseau de bus *(☎ 04-32-74-18-32. • tcra.fr • ; env 1,20 € le ticket)*, pour circuler en centre-ville, réputé pour ses rues étroites, Avignon a mis en place un système de transport en commun plutôt original : la *Baladine,* économique et écologique car tout électrique. La mini-navette suit un itinéraire en boucle et s'arrête où et quand vous voulez. *Compter 0,50 €/trajet (ou 4 € le carnet de 10 tickets). • tcra.fr • Lun-sam 10h-13h, 14h-18h.*

■ ***Vélo Pop :*** un système de vélos en libre-service 24h/24 avec une vingtaine de stations. *Infos : ☎ 0810-456-456 (prix d'un appel local). • velopop.fr •* Forfaits 1 jour ou 1 semaine avec la première demi-heure gratuite puis 1 € la demi-heure, plus le coût d'accès au service (1 à 3 €).

■ ***Vélo-Cité :** 📱 06-37-36-48-89. • velo-cite.fr • Le cyclopousse avignonnais coûte 2 € du km/pers (plus 2 € de frais de résa intra-muros et 3 € extra-muros). Moins cher avec abonnement. Forfait touristique à 16 € pour 2 pers pour découvrir la ville en 30 mn.*

■ ***Location de vélos, scooters et motos : ProvenceBike,** 7, av. Saint-Ruf. ☎ 04-90-27-92-61. • provence-bike.com • À 400 m de la gare routière.* ***Scooters et motos :** Holiday Bikes, 52, bd Saint-Roch. ☎ 04-90-27-92-61.*

■ ***Marché des Halles :** tlj sf lun pl. Pie.* Marché couvert abritant une quarantaine de producteurs régionaux. Le samedi matin, à 11h, sauf en août, « la petite cuisine des Halles » : démonstrations de recettes de chefs avec dégustation à la clé.

Où dormir ?

Attention, en juillet, les tarifs sont plus élevés qu'indiqué ici et les réservations indispensables, Festival oblige ! Hors saison, en revanche, le coût des chambres a tendance à baisser. Vous pouvez même vous offrir 2 nuits pour le prix d'une dans une trentaine d'établissements, de novembre à mars dans le cadre de l'opération « Bon week-end à Avignon ». Sur le même principe, l'offre inclut également 2 visites guidées de la ville ou 2 visites de monuments pour le prix d'une. Toutes les infos sur *• bonweekendavignon.com •*

Campings

Pratique, ils sont tous sur l'île de la Barthelasse au nord-ouest du centre *(plan couleur A1)*. Les deux premiers bénéficient d'une jolie vue sur le pont d'Avignon et le palais des Papes (très beau au soleil couchant).

⛺ 🏠 ***Camping – Auberge de jeunesse Le Bagatelle :*** *25, allée Antoine-Pinay, île de la Barthelasse.* ☎ *04-90-86-30-39.* • *camping.bagatelle@wanadoo.fr* • *campingbagatelle.com* • ♿ *Ouv tte l'année. Compter 22,60 € en hte saison pour 2 pers avec tente et voiture. Réduc de 10 % sur présentation de ce guide. Quant à l'auberge, elle compte 150 lits, répartis en chambres de 2 à 7 personnes (de 18 € en dortoir à 49-68 € en chambre double, petit déj compris ; possibilité de ½ pension).* Également des chambres familiales. Location de vélos, épicerie, resto et borne Internet. Juste à côté, grande piscine *La Palmeraie (accès env 10 €/pers ; réduc enfants)* avec bar-resto et glacier.

⛺ ***Les Deux-Rhône :*** *151, chemin de Bellegarde, île de la Barthelasse.* ☎ *04-90-85-49-70.* • *contact@campingavignon.com* • *campingavignon.com* • ♿ *Ouv tte l'année. Compter 15 € en hte saison. CB refusées. Loc de bungalows de toile et de mobile homes 290-490 €/sem. Wifi.* Emplacements plutôt bien ombragés. Resto-bar, piscine, location de vélos, salle de jeux, machine à laver et sèche-linge.

⛺ ***Parc des Libertés :*** *4682, route de l'Islon, île de la Barthelasse.* ☎ *04-90-85-17-73.* • *parcdeslibertes@wanadoo.fr* • *parcdeslibertes.fr* • ♿ *Fermé 15 sept-Pâques. Forfait emplacement pour 2 avec tente et voiture 15,50 €. Loc de chalets 6 pers 280-380 €/sem, plus 23 € de frais de dossier.* Camping de 5 ha assez ombragé mais modestement équipé (snack-bar, terrain de jeux mais pas de laverie). Accès direct aux rives du lac et à ses activités nautiques. C'est le moins cher du secteur.

⛺ ***Le Grand Bois :*** *1340, chemin du Grand-Bois, lieu-dit La Tapy, 84130* ***Le Pontet.*** ☎ *04-90-31-37-44.* • *campinglegrandbois@orange.fr* • *campinglegrandbois.webeasysite.fr* • ♿ *À 8 km au nord-est d'Avignon-centre en direction de Vedène. Ouv de mi-mai à mi-sept. Emplacement pour 2 avec tente et voiture 20 €. Réduc de 5 % sur le séjour sur présentation de ce guide.* Pour nos lecteurs motorisés, plutôt moins de monde pendant le Festival que dans les autres campings. Une grosse centaine d'emplacements herbeux et bien ombragés, séparés par des haies. Pas mal de petits services : machines à laver, supérette, dépôt de gaz, jeux pour les enfants et prêt de vélos. Côté loisirs : piscine, ping-pong, volley et pétanque. Accueil sympa.

⛺ Pousser, sinon, jusqu'au ***Camping Flory :*** *à 9 km d'Avignon, 385, route d'Entraigues, 84270* ***Vedène.*** ☎ *04-90-31-00-51.* • *infos@campingflory.com* • *campingflory.com* • ♿ *Ouv 15 mars-30 sept. Compter 21 € pour 2 pers en hte saison. Loc de mobile homes et bungalows toilés pour 2-6 pers (220-660 €/sem ; beaucoup moins cher hors saison).* Ombragé car au cœur d'une pinède, bien équipé et propre. Snack et animations en juillet-août. Piscine. Bon entretien général et bon accueil, pour lequel les sympathiques propriétaires ont même reçu deux trophées, c'est dire !

Auberge de jeunesse

Voir aussi le *Camping – Auberge de jeunesse Le Bagatelle,* ci-dessus, qui possède beaucoup de lits !

🏠 ***Auberge de jeunesse Résidence Espace Europe*** *(DECLIC ; plan couleur A3,* ***2****) :* *2, rue Paul-Mérindol.* ☎ *04-90-16-40-20.* • *declic84accueil@fr.oleane.com* • *declicpourtoit.com* • ♿ *Compter 21,34 €/pers ; ajouter 2 € par séjour pour les draps et 1,50 €/pers et par nuit si vous n'êtes pas adhérent ; sinon, carte annuelle 11-16 € valable dans les autres AJ de la LFAJ et de l'UIAJPF (voir* • *aubergesde-jeunesse.com* •*). Wifi.* Ce foyer de jeunes travailleurs propose toute l'année 5 chambres pouvant accueillir 2 à 5 personnes. Confort basique et sans charme mais ce n'est pas cher et l'entretien est correct. Évitez si possible les chambres n°s 111 et 211, un peu bruyantes car côté rue. Toutes avec douche et w-c, frigo et micro-ondes. Petite cuisine collective très rudimentaire mais si vous logez ici vous avez droit à une réduction au resto d'insertion voisin, *Équilibre* (voir « Où manger ? »). Machine à laver (à jetons), parking gratuit et station *Vélo Pop* à proximité.

Prix moyens

Hôtel Saint Roch *(plan couleur A3, **14**) : 9, rue Paul-Mérindol. ☎ 04-90-16-50-00. • contact@hotelstroch-avignon.com • hotelstroch-avignon.com • Doubles 58-70 €. Wifi. Une boisson sans alcool offerte sur présentation de ce guide.* Situé au calme, à quelques encablures du centre historique, dans un quartier moderne, cet ancien hôtel particulier, transformé en hôtel de tourisme, propose une petite trentaine de chambres. La plupart donnent sur le beau jardin, véritable raison de séjourner ici, où il fait bon prendre le petit déjeuner ou bouquiner dans un transat. Chambres récemment rénovées (clim), avec un mélange de décoration contemporaine, de pierres apparentes et de mobilier ancien.

Splendid Hôtel *(plan couleur B3, **3**) : 17, rue Agricol-Perdiguier. ☎ 04-90-86-14-46. • splendidavignon@gmail.com • avignon-splendid-hotel.com • Fermé 15 nov-15 déc. Doubles avec douche et w-c 58-62 € selon saison et confort ; également 3 studios avec kitchenette 75-95 €. Wifi. Petit déj offert sur présentation de ce guide.* Petit hôtel familial aux chambres agréables, avec une déco rouge et jaune, plutôt bien équipées pour le prix : salles de bains assez récentes, TV et clim pour les plus chères. Comme souvent à Avignon, escalier un peu raide pour accéder aux derniers étages. Petit déj servi à volonté.

Hôtel Mignon *(plan couleur B2, **5**) : 12, rue Joseph-Vernet. ☎ 04-90-82-17-30. • reservation@hotelmignon.fr • hotel-mignon.com • Fermé janv. Doubles avec douche et w-c 49-65 € selon saison. Internet, wifi. Réduc de 10 % (nov-fév) sur présentation de ce guide.* Un petit 1-étoile qu'on aime bien pour ses chambres, certes petites (surtout les salles de bains), mais assez... mignonnes, bien tenues et plutôt confortables dans l'ensemble (TV, double vitrage et clim). Les n°s 6, 11 et 17, donnant sur l'arrière, ont été rénovées récemment et sont particulièrement sympas. Tout comme l'accueil, d'ailleurs.

Hôtel Boquier *(plan couleur B3, **1**) : 6, rue du Portail-Boquier. ☎ 04-90-82-34-43. • contact@hotel-boquier.com • hotel-boquier.com • Doubles 50-70 € selon confort et saison. Réduc dans un parking fermé à 400 m. Internet et wifi.* Un petit hôtel bien entretenu, dans une ancienne maison du XVIIIe s, à deux pas du centre, des remparts, de la gare. Les proprios, adorables au demeurant, ont entrepris une rénovation progressive de leur hôtel et les chambres qui ont déjà bénéficié de ce coup de jeune sont très agréables. Déco personnalisée, certaines sur le thème des voyages (chambres *africaine, indienne, marocaine*), d'autres sur un thème plus régional. Un excellent rapport qualité-prix.

Chic

Hôtel de Garlande *(plan couleur B2, **9**) : 20, rue Galante. ☎ 04-90-80-08-85. • hotel-de-garlande@wanadoo.fr • hoteldegarlande.com • Accès en voiture par la porte de la République face à la gare SNCF ; ouverture de la borne par simple appel. Congés : janv. Doubles 78-109 € (hors Festival) ; compter 119 € pour 4 pers. Internet et wifi. Un petit déj/chambre et par nuit (nov-mars) offert sur présentation de ce guide.* Dans une vieille maison du centre, à l'ombre du clocher de l'église Saint-Didier. Chambres climatisées avec une jolie déco personnalisée et TV satellite mais de tailles et d'allures très variables (n'hésitez pas, si vous le pouvez, à aller les voir pour choisir ou à vous rendre sur le site). Les plus grandes, et donc les plus chères, ont un petit coin salon. Bon rapport qualité-prix et bon accueil.

Hôtel Le Magnan *(plan couleur C3, **10**) : 63, rue du Portail-Magnanen. ☎ 04-90-86-36-51. • magnan@wanadoo.fr • hotel-magnan.com • Ouv tte l'année. Près des remparts (facile pour se garer). Doubles 59-89 € selon saison. Wifi.* À la limite des remparts, une maison moderne qui se révèle plutôt agréable une fois la porte franchie, avec son patio de verdure qui apporte fraîcheur et tranquillité. Demander une chambre donnant sur le patio plutôt que côté rue (moins sympa malgré le double vitrage). Chambres rénovées, bien tenues et équipées de bains ou douche et TV. Accueil correct.

Chambres d'hôtes L'Anastasy, chez Olga Manguin *(hors plan couleur* *par A1,* ***11****) : 817, chemin des Poiriers, sur l'île de la Barthelasse. ☎ 04-90-85-55-94. • lanastasy@wanadoo.fr • ♿ Depuis le pont, prendre à droite ; au grand rond-point, suivre la direction de l'église, continuer sur 3 km et tourner à gauche, c'est à 200 m à gauche. Compter 76-96 € pour 2, petit déj en sus (11 €). Table d'hôtes 30 € tt compris, sur résa ; repas gratuit pour les enfants. CB refusées.* Ceux qui ont suivi un jour, émus, les cours de cuisine d'Olga Manguin ont pris l'habitude de venir se refaire une santé, de temps à autre, quand l'une des 5 chambres se libère dans ce très joli mas, repaire d'artistes et de gourmets. Chambres sobres et fraîches avec une décoration très artistique et des tableaux partout. Piscine et jardin en bonus.

Hôtel de Blauvac *(plan couleur B2,* ***8****) : 11, rue Bancasse. ☎ 04-90-86-34-11. • blauvac@aol.com • hotel-blauvac.com • Doubles 72-87 € selon taille et saison (ajouter 10 € pdt le Festival). Internet, wifi. Réduc de 10 % sur le prix de la chambre (nov-mars) sur présentation de ce guide.* Dans une rue étroite du centre historique, l'ancien hôtel particulier du marquis de Blauvac a conservé quelques traces de son passé : élégante rampe de fer forgé dans l'escalier, arcades de pierre ici ou là... Chambres où la déco sobrement contemporaine fait bon ménage avec les vieilles pierres. Toutes avec salle de bains rénovée, climatisation et double vitrage.

Hôtel Colbert *(plan couleur B3,* ***6****) : 7, rue Agricol-Perdiguier. ☎ 04-90-86-20-20. • contact@avignon-hotel-colbert.com • avignon-hotel-colbert.com • Fermé de nov à mi-mars. Doubles 78-90 € selon saison. Wifi.* Un petit hôtel aux chambres décorées dans les tons chauds avec du mobilier de brocante, récemment rénovées pour certaines. Toutes avec AC et écran plat. Agréable petite terrasse intérieure pour se détendre et superbe salle de petit déj pour bien commencer la journée.

Plus chic

Hôtel Bristol *(plan couleur B3,* ***7****) : 44, cours Jean-Jaurès. ☎ 04-90-16-48-48. • contact@bristol-avignon.com • bristol-hotel-avignon.com • ♿ À 200 m de la gare SNCF et presque en face de l'office de tourisme. Doubles 90-108 € selon confort et saison ; petit déj-buffet 12 €. Parking payant. Wifi. Réduc de 10 % (hors juil) pour tte résa directement faite auprès de l'hôtel sur présentation de ce guide.* Un bon gros hôtel de ville, moderne et plutôt chic. Demander les chambres rénovées, au style contemporain agréable, plutôt que les anciennes, moins gaies et au même prix. Toutes climatisées et équipées de literie neuve, double vitrage, minibar, TV. Bon accueil.

Résidence La Madeleine *(hors plan couleur par B3,* ***12****) : 4, impasse des Abeilles. ☎ 04-90-85-20-63. • lamadeleine84@numericable.fr • madeleine-avignon.com • À 200 m de la gare SNCF, à hauteur du n° 25 de l'av. Monclar. Ouv tte l'année. Chambres, studios et appartements 2-4 pers, 50-150 € selon saison et surface ; loc à la sem aussi. CB refusées. Parking privé payant. Wifi. Réduc de 10 % sur la chambre (sf juil) sur présentation de ce guide.* Pour le calme plus que pour le charme du quartier. Formule de résidence intéressante répartie sur deux maisons, essentiellement en studios et en appartements (avec TV, clim, kitchenette). Quelques chambres en dépannage ou en appoint des locations. La déco est sobre, et la maison reçoit pas mal de soleil. Accueil très sympa. Piscine privée.

Résidence Autour du Petit Paradis *(plan couleur C2,* ***17****) : 5, rue Noël-Biret. ☎ 04-90-81-00-42. • contact@autourdupetitparadis.com • autourdupetitparadis.com • ♿ au rez-de-chaussée. Compter 100-115 €/nuit et 550-750 €/sem pour 2 pers selon confort et saison ; 115-150 €/nuit et 650-950 €/sem pour 4 pers. Loc slt à la sem en juil et 2 nuits min en août.* Au cœur de la vieille ville, cette petite résidence, installée dans une maison du XVIIe s avec patio, loue 7 studios pour 2 personnes, 1 duplex et 3 deux-pièces pour 2 adultes et 2 enfants. L'ensemble a été rénové récemment et s'avère assez fonctionnel à défaut d'être toujours spacieux. Tous les hébergements ont douche, w-c, clim réversible, kitchenette, écran plat (TNT) et prise Internet. Bon accueil.

Chambres d'hôtes La Banasterie *(plan couleur C1, **15**) : 11, rue Banasterie. ☎ 04-32-76-30-78. 📱 06-87-72-96-36. • labanasterie@labanasterie.com • labanasterie.com • Compter 100-170 € pour 2 selon confort et saison. Internet et wifi.* 2 chambres et 3 suites dans une superbe demeure avignonnaise du XVIe s. Déco de charme où le raffinement est poussé à l'extrême... Atmosphère intemporelle et intimiste : murs ocre, vieilles pierres, marbre, enduits chaulés, bougies, guirlandes... qui sont autant de petits détails qui participent à la mise en scène et à la mise en joie. Pensez à réserver longtemps à l'avance car ce petit paradis à deux pas du palais des Papes est fortement convoité, l'on s'en doute !

Villa de Margot *(plan couleur C1, **13**) : 24, rue des Trois-Colombes. ☎ 04-90-82-62-34. • reservations@demargot.fr • demargot.fr • Doubles 95-200 € selon saison ; compter 200-240 € pour 4 pers. Internet, wifi.* Située à côté de la chapelle des Pénitents-Noirs et au pied du jardin des Dombs. On pénètre d'abord dans une cour-jardin puis dans une belle demeure en pierre de taille cachée dans la ruelle. Celle-ci abrite 5 chambres propres et cosy (si l'on excepte les moquettes un peu *cheap*, seul bémol à nos yeux), dont une avec terrasse privée et vue sur un bout du palais des Papes. Copieux petit déj maison. Accueil souriant.

Très chic

Hôtel Cloître Saint-Louis *(plan couleur B3, **16**) : 20, rue du Portail-Boquier. ☎ 04-90-27-55-55. • hotel@cloitre-saint-louis.com • cloitre-saint-louis.com • Doubles 260-340 € selon confort et saison (mais promos fréquentes sur le site) ; petit déj 16 €. Parking payant. Wifi.* Dans un sublime bâtiment du XVIIe s, l'ancien noviciat des Jésuites pour être plus précis, ont été aménagées 80 chambres de haut standing (c'est un 4-étoiles !). Une partie d'entre elles ont été imaginées par l'architecte Jean Nouvel. Certains pourront trouver la confrontation des époques et des couleurs un peu trop audacieuse, les autres adoreront... L'ensemble, de toute façon, respecte l'austérité et la sobriété des lieux, tout en adoptant une allure résolument contemporaine. Restaurant, piscine, solarium, salle de sport et parkings... Idéal pour un coup de folie ! Et, pratique : le bureau du Festival se trouve là...

Où manger ?

Pendant le Festival, la plupart des restaurants sont ouverts tous les jours (mais malheureusement pas à toute heure !). Pendant cette période, certains proposent même des menus spéciaux. Pour un grignotage léger, signalons *Planétalis* au 5, rue Galante *(tlj sf dim 11h30-17h)* qui propose des salades, sandwichs, pâtes et diverses formules, en partie à base de produits bio.

De bon marché à prix moyens

Le Caveau du Théâtre *(plan couleur B3, **32**) : 16, rue des Trois-Faucons. ☎ 04-90-82-60-91. • lecaveau.duthea tre@wanadoo.fr • Tlj sf sam midi et dim. Congés : 15 j. fin août. Formule déj 10 € ; menus 18-30 €. Apéritif maison offert sur présentation de ce guide.* 2 salles intimistes et très coquettes, dont l'une sous verrière et à dominante rouge. Terrasse en saison. Une cuisine inventive, à partir de bons produits régionaux du style canard au pain d'épices. Du vin, et de l'excellent (c'est une cave à vin) ! Un accueil et un service gentils comme tout.

L'Ami Voyage... en Compagnie *(plan couleur B2, **21**) : 5, rue Prévot. ☎ 04-90-87-41-51. Ouv slt 12h-14h ; en été, tlj jusqu'à 14h45 plus le soir 19h-22h45 ; fermé dim-lun et j. fériés. Congés : 3e sem de juin et 3 sem en août. Plat du jour 9,20 € (13 € en été) ; repas env 15 €.* On peut venir à tout moment de la journée boire un verre et s'intéresser à ce qui fait le succès de la maison (les livres, bravo !). Sinon, bonne pioche le midi autour d'une carte courte et appétissante.

Au Tout Petit *(plan couleur C2, **35**) : 4, rue d'Amphoux. ☎ 04-90-82-38-86. • vivien@autoutpetit.fr • Tlj sf dim-lun* *(ouv tlj pdt le Festival). Formules déj 11 € et soir 16 € ; menus 17-25 €. Apéritif maison offert sur présentation de ce guide.* La salle est minuscule, d'où le nom, mais le décor est moderne, avec tables en fer forgé et chaises tressées. À l'image de cette cuisine contemporaine à base de produits frais, d'herbes et d'épices, concoctée par Sly, le cuistot. La carte change tous les 2 mois mais on y retrouve à coup sûr le tartare de bœuf et le duo de chocolat et caramel au beurre salé. Tout petit certes, bon et pas cher assurément !

I●I ***AOC*** *(plan couleur B2,* ***22****) : 5, rue Trémoulet. ☎ 04-90-25-21-04. • aoc-avignon@orange.fr • Tlj 12h-14h, 18h-minuit. Formule du midi 12,50 € ; carte 20 €.* Une cave-bar à vins qui a tout de suite trouvé sa clientèle. Un cadre qui colle au produit (comptoir sympa, tables en Formica, murs rouges) et des petites assiettes pour accompagner la dégustation des découvertes vineuses du mois... ou vice versa. Tartare de viande d'Aubrac coupée au couteau, os à moelle ou encore poisson du jour. Et devant le succès rencontré, la maison a ouvert une succursale à Villeneuve-lez-Avignon (2, pl. Victor-Basch)...

I●I ***Le Pili*** *(plan couleur B3,* ***23****) : 34, pl. des Corps-Saints. ☎ 04-90-27-39-53. • soleiljack@gmail.com • Fermé dim midi, sf juil. Formules à partir de 8,80 € avec vin et café ; menu 13,50 €. Limoncello offert sur présentation de ce guide.* Petite salle à la déco colorée avec une terrasse sur la jolie place et une autre à l'arrière, côté jardin, pour prolonger l'été. Four à pizza bien en vue, histoire de réchauffer l'atmosphère les jours gris. Pizzas croustillantes à souhait à se mettre sous la dent. Service amène et petite cuisine à prix corrects. On peut prolonger le plaisir et la soirée au bar voisin des *Célestins*...

I●I ***Cuisine & Comptoir*** *(plan couleur B3,* ***24****) : 21, pl. des Corps-Saints. ☎ 04-90-82-18-39. • contact@cuisinetcomptoir.fr • Ouv tlj à midi et le soir ven-sam. À midi, plat du jour 10 € et formule 14,80 € ; ven et sam soir, formules 26 € et menu 30 €. Brunch le dim (10h30-16h) 20 €.* Resto très sympa avec un décor brocanto-contemporain tout en profondeur, et une cuisine donnant sur la salle. Plats simples à base de bons produits – noix de Saint-Jacques et poisson breton de petits bateaux, bœuf bio – très scrupuleusement exécutés, à des tarifs justes, avec pour finir des gâteaux remarquables réalisés par un pâtissier passé chez Hermé. Belle terrasse à l'ombre des platanes de la place. Le midi, couverts et accessoires entièrement biodégradables (bois, palmier) plus vertueux que réellement pratiques, mais bon, un corps sain, ça se mérite !

I●I ***Chez Ginette & Marcel*** *(plan couleur B3,* ***36****) : 25-27, pl. des Corps-Saints. ☎ 04-90-85-58-70. • ginette-marcel@orange.fr • ♿ Tartines midi-22h30 (l'hiver), 11h-minuit (l'été). Fermé 22 déc-2 janv. Formules à midi en sem 6,20-10,80 €. Carte env 12 €. Wifi. Apéritif maison ou café offert sur présentation de ce guide.* Sur une des places les plus authentiques d'Avignon, le temps semble s'être arrêté ici depuis 1900. Dans un pseudo-décor d'épicerie d'antan (mais néanmoins charmant) avec étagères chargées de bric-à-brac, ou sur la place, en terrasse sous le bel arbre, on vient déguster pour trois francs six sous de copieuses tartines chaudes ou froides plutôt originales : aux trois fromages et aux poires, au saumon fumé et raifort, etc., le tout agrémenté d'une salade dont vous aurez choisi la vinaigrette. Rien de rare, mais le cadre est idéal en été... mais vous ne serez pas seul(s) !

I●I ***Équilibre*** *(plan couleur A3,* ***2****) : 2, rue Paul-Mérindol. ☎ 04-90-84-14-06. Au rez-de-chaussée de la Résidence Espace Europe. Tlj sf sam midi, dim et j. fériés ; hors saison le soir lun-mer sur résa. À midi, assiettes 8-12 € ; le soir, formule 16 €. Menu dégustation (7 plats) 25 € le sam soir. Café gourmand « équilibre » offert sur présentation de ce guide.* Cette jolie salle contemporaine rouge comme le piment cache une petite terrasse ombragée au cœur d'un centre d'insertion où des jeunes viennent s'essayer aux métiers de la restauration. Résultat : un service fort aimable, qui s'essaie à être pro tout en étant perfectible (c'est le but), et une cuisine à base de fruits et légumes bio, fraîche et au goût du jour. Seul bémol : ce n'est pas toujours assez copieux. Allez quoi, l'équilibre d'accord, le régime, non !

De prix moyens à plus chic

|●| **Le Grand Café** *(plan couleur B1, **33**) : la Manutention, cour Maria-Casarès. ☎ 04-90-86-86-77. ♿ Derrière le palais des Papes, juste à côté du cinéma* Utopia. *Tlj sf dim-lun (tlj pdt le Festival) ; fermé 2 sem en janv et 1 sem début août. Résa conseillée le soir (et impérative pdt le Festival). Menu déj 18 € ; menu-carte 28 €.* Grands miroirs sur fond de faux marbres et de grisailles en trompe l'œil, grandes tentures chamarrées, tables de bistrot et banquettes en moleskine : un lieu qui a une âme et qu'on adore ! La terrasse, au pied du palais des Papes, est l'une des plus belles d'Avignon. Cuisine néoprovençale avec une petite touche italienne, d'une belle régularité et sans esbroufe, pleine de soleil et de saveurs : terrine de chèvre frais et asperges, tarte aux olives de Nyons, tajine d'agneau aux abricots, poisson *a la plancha*... Un coup de cœur.

|●| **L'Épicerie** *(plan couleur B2, **25**) : 10, pl. Saint-Pierre. ☎ 04-90-82-74-22. Entre le palais des Papes et le quartier piéton. Tlj sf dim et mer nov-déc. Congés : janv-fév. Résa conseillée, surtout l'été. Formule déj en sem 15,50 € et carte 30-38 €. Apéritif maison offert sur présentation de ce guide.* Ici, on déjeune ou on dîne, en toute tranquillité et en terrasse, sur le parvis de l'église Saint-Pierre, un lieu préservé et hors du temps. Très beau cadre où l'on vous servira une bonne cuisine du Sud, colorée et parfumée. Assiettes généreuses et ensoleillées du style croquant de petits légumes au chèvre frais ou dos de cabillaud en croûte d'herbes.

|●| **La Ferme** *(hors plan couleur par A1, **26**) : 110, chemin des Bois, île de la Barthelasse. ☎ 04-90-82-57-53. • info@hotel-laferme.com • ♿ À 5 km au nord-ouest du pont Daladier par la D 228 ; près de la ferme Jamet (accès fléché). Fermé midi. Congés : 18 déc-20 janv. Menus 25-42 €. Wifi. Digestif offert sur présentation de ce guide.* Dans cette ancienne ferme qui semble perdue en rase campagne sur la grande île de la Barthelasse (10 km de long !), on vous accueillera autour de la cheminée, dans une salle avec murs de pierre et grosses poutres au plafond. Une cuisine à l'image de la maison : simple et bien tournée avec, toute l'année, du foie gras cuit au sel et de l'agneau en croûte de noisettes. Piscine (pour les clients de l'hôtel, car il y a aussi des chambres à 78-97 €, si l'île vous plaît) et parking privé.

|●| **Restaurant Brunel** *(plan couleur B1, **30**) : 46, rue de la Balance. ☎ 04-90-85-24-83. • restaurantbrunel@wanadoo.fr • ♿ Tlj sf dim juin-juil plus lun le reste de l'année ; parfois fermé pdt les fêtes de fin d'année. Le midi, formules 20-30 € (sf sam) ; le soir, formules 32,50 €.* Avant ou après la visite du palais des Papes, on vient dans la ruelle se restaurer chez *Brunel* d'une salade de l'été, d'un plat de pâtes à toutes les sauces (aux gambas et calamars, aux cèpes, au pistou), d'un poisson du jour d'une belle fraîcheur ou d'une viande au goût franc et massif. Des plats simples qu'Antoine Tamekloe transforme par ses combinaisons inédites, son sens des saveurs. Terrasse, pour qui ne peut se passer du soleil ou du regard des autres.

|●| **Basilic Citron** *(plan couleur B2, **29**) : 4, pl. de la Principale. ☎ 04-90-85-98-85. • contact@basilic-citron.com • Tlj sf dim, lun soir et soir des j. fériés (ouv tlj pdt le Festival). Formule 15 € café compris tlj à midi, menu 28 € ; carte 35-40 €. Apéritif offert sur présentation de ce guide.* On aime sa belle terrasse qui, comme son voisin, s'étale face à la jolie chapelle des Pénitents-Blancs. Parfait pour déguster la sympathique formule du midi à prix très raisonnable. Sinon, pas mal de tartares à la carte, idéal pour se rafraîchir les sens. Le soir, dans la belle salle balinaise, des plats plus étudiés et concoctés selon les préceptes d'Escoffier, l'inventeur du « suprême de poulet George Sand » et de la « crêpe Suzette »... Bon accueil.

|●| **La Fourchette** *(plan couleur B1-2, **27**) : 17, rue Racine. ☎ 04-90-85-20-93. • restaurant.la.fourchette@wanadoo.fr • Fermé w-e et j. fériés. Congés : 3 sem en août. Résa indispensable. Le midi, formules 26-28 € ; menu 32 €.* Des prix serrés pour un cadre élégant et, surtout, une cuisine bien travaillée signée Philippe Hiély : caillette de pieds de

veau, brandade de morue, souris d'agneau braisée, et meringue au pralin en dessert, entre autres classiques plébiscités par les Avignonnais de tous âges. Vins à prix raisonnables.

Piedoie *(plan couleur B3,* ***38****) : 26, rue des Trois-Faucons. ☎ 04-90-86-51-53. • t.piedoie@gmail.com • Fermé mar-mer hors Festival. Congés : 10 j. début fév et 2e quinzaine d'août. Formule midi en sem 14 €. Menus 18 € (sf sam soir, dim et j. fériés)-29 €. Apéritif offert sur présentation de ce guide.* Déco sage de bistrot chic avec pierres apparentes. Cuisine de marché et de saison, riche en couleurs, en saveurs (et en légumes !). La spécialité de la maison est la pastilla de pigeon (et non de pied d'oie) au foie gras. Accueil adorable. Thierry Piedoie a laissé son second en cuisine pour aller se mettre au vert à Entraigues, mais il continue de surveiller de près sa première adresse avignonnaise. Belle petite sélection de vins au verre, au pichet ou à la bouteille.

Le Numéro 75 *(plan couleur D3,* ***31****) : 75, rue Guillaume-Puy. ☎ 04-90-27-16-00. • numero75.brunel@wanadoo.fr • ♿ Tlj sf dim (hors Festival). Fermé pdt les fêtes de fin d'année. Formule midi en sem 16-18 €. Menus 30 € (déj)-34,50 €. Apéritif offert sur présentation de ce guide.* Robert Brunel, qui possède aussi un restaurant à son nom près du palais des Papes (voir plus haut), a investi avec sa brigade, comme une troupe du *off*, cette ancienne maison Pernod dont la cour intérieure attire les amoureux de l'été. Très beau cadre, sous les arbres, côté jardin, même si on le paye un peu, pour une cuisine méditerranéenne qui ramène la fraîcheur à travers un menu-carte malin évoluant avec les saisons. Quand le soleil pâlit, on se réfugie entre les vieux murs, à qui une bonne fée a redonné vie et couleurs sur fond de musique jazzy.

L'Essentiel *(plan couleur B2,* ***28****) : 2, rue Petite-Fusterie. ☎ 04-90-85-87-12. • restaurantlessentiel84@live.fr • Tlj sf dim et mer ; bar à tartines ouv ts les midis, sf mer et dim (en juil, ouv dim). Le midi, formule 17 € ; menus 28-39 €. Côté tartines, compter 10-11 €. Café offert sur présentation de ce guide.* Une salle épurée qui peut paraître un peu froide, une jolie cour intérieure et une carte gourmande et savoureuse, bien dans l'air du temps. Tandis que sa femme, en salle, accueille avec simplicité et sourire, Laurent Chouviat, en cuisine, applique sa technique, rodée dans les grandes brigades, pour atteindre lui aussi une belle simplicité. Sans même parler du foie gras de canard accompagné de sa confiture d'olives noires et d'écorces de citron, on y apprécie les cuissons précises, le respect du produit, la présentation soignée, les recettes équilibrées... Équation quasi parfaite ! Et c'est bien l'essentiel...

Le Moutardier *(plan couleur B1,* ***34****) : 15, pl. du Palais-des-Papes. ☎ 04-90-85-34-76. • info@restaurant-moutardier.fr • ♿ Formule déj 25 € et menus 34-48 €.* Emplacement en or, en face du palais des Papes. À l'intérieur, une longue fresque évoque d'ailleurs la carrière du moutardier (du pape). Une des tables les plus courues de la haute ville, travaillant les produits du terroir avec le soin des grandes maisons, mais dans un esprit plus contemporain (en proposant par exemple les accords mets-vins). Terrasse assez magique sur la place aux beaux jours.

Hiély-Lucullus *(plan couleur B2,* ***39****) : 5, rue de la République. ☎ 04-90-86-17-07. • contact@hiely-lucullus.com • Tlj sf mer, jeu midi et sam midi. Formules déj 19-25 € en sem et menus-carte 29-60 € le soir et le w-e. Café offert sur présentation de ce guide.* Une des grandes tables de la ville, la plus ancienne surtout, qui a retrouvé une nouvelle jeunesse, grâce aux jumeaux les plus bouillonnants d'idées de la région. Non, pas les Pourcel, mais les frères Azoulay qui, après avoir repris *Le Saule Pleureur* à Monteux (voir plus loin dans « Le Comtat venaissin ») ont redonné des couleurs à cette adresse presque centenaire. Parquet qui craque, service irréprochable, musique douce et les classiques de la maison, comme les pieds et paquets, la marmite du pêcheur ou encore le baba au vieux rhum.

Où boire un verre et grignoter sur le pouce ?

La place des Corps-Saints *(plan couleur B3)* est une de nos places préférées pour boire un verre à l'ombre, par exemple au bar des *Célestins,* devant lequel viennent se produire des petits groupes musicaux de temps à autre.

🍸 |●| ***Bistrot Utopia*** *(plan couleur C1,* ***41****) : la Manutention, 4, rue des Escaliers-Sainte-Anne. ☎ 04-90-82-65-36. • antoyne84@hotmail.com • Tlj 12h (14h le w-e)-24h. Congés : Noël et 1er janv.* À l'entrée du cinéma d'art et d'essai *Utopia.* Dans un décor tendance, sous une verrière, quelques tables au coude à coude le long d'un vieux comptoir. Et derrière, une salle propice aux discussions d'après-film, avec ses banquettes de velours rouge et son sombre plancher en bois. Clientèle inévitablement un peu intello, mais accueil très cool. Tartines grillées, sandwichs pour les petites faims. La porte d'à côté, sinon, est celle du *Grand Café* (voir « Où manger ? »).

🍸 |●| ***Mon Bar*** *(plan couleur C1-2,* ***42****) : 17, rue Portail-Mathéron. ♿ Tlj 7h-20h (dim 13h) sf 1re quinzaine d'août. Plat du jour 8,90 €.* Bien sûr, il ne s'agit pas du poisson, mais d'un bar de quartier pur jus (depuis 1933 !), où l'enseigne, la déco, le patron et les habitués qui philosophent au comptoir semblent avoir été figés pour l'éternité quelque part au tournant des années 1940-1950... Vieux zinc, vieilles photos et affiches. Terrasse en saison.

Où danser ?

♫ ***Le Red Zone*** *(plan couleur C2,* ***43****) : 25, rue Carnot. ☎ 04-90-27-02-44. • manager@redzonebar.com • redzonedjbar.com • Tlj sf dim-lun en basse saison, 21h (22h hte saison, dim-lun et j. fériés)-3h.* Un des bars-clubs les plus courus de l'ancienne cité des Papes. Chaque soir, un thème différent : R & B, salsa, soirée bœuf, étudiante et DJ (house, dance, hip-hop...). De quoi, en principe, contenter les plus exigeants. Clientèle plutôt jeune.

♫ ***L'Esclave Bar*** *(plan couleur B1,* ***44****) : 12, rue du Limas. ☎ 04-90-85-14-91. • esclave@wanadoo.fr • Tlj sf dim 23h30-7h. Consos env 5-8 €. Réduc de 1 € sur la conso sur présentation de ce guide.* Petite boîte homo, mais hétéros bienvenus. Juste un bout de piste en fait, avec quelques petits escaliers menant à des recoins coquins au 2e étage. Tendance *house* et *trance* la plupart du temps, show transformiste le mercredi. Vous voilà prévenu !

♫ ***Les Ambassadeurs*** *(plan couleur B2,* ***45****) : 27, rue Bancasse. ☎ 04-90-86-31-55. Jeu-sam à partir de 23h30.* Une boîte branchée qui propose un peu de tout sur le plan musical. Clientèle de trentenaires, quadras et au-delà...

À voir

La découverte du vieil Avignon, secteur sauvegardé le plus vaste de France (14 ha !), peut demander du temps : des ruelles tortueuses qui cachent des églises méconnues, des placettes à l'italienne, une foule d'hôtels particuliers... Mais une (grosse) journée peut suffire pour voir l'essentiel. Plutôt que de classer les monuments selon une quelconque échelle de valeurs, forcément subjective, nous vous avons concocté une petite balade urbaine, en boucle, au départ des remparts. À ce sujet, on vous conseille de vous inscrire auprès de l'office de tourisme à l'une des visites guidées thématiques proposées. Passionnant, que l'on se contente de survoler les cinq siècles d'histoire de la ville ou que l'on souhaite approfondir un sujet.

Si vous voulez vous attaquer aux musées, procurez-vous la carte *pass* (gratuite et valable 15 jours et pour les membres d'une même famille jusqu'à 5 personnes), sorte de passeport culturel qui, pour le prix d'entrée d'un premier musée au tarif normal, donne droit à des réductions de 10 à 50 % dans tous les autres monuments et musées d'Avignon (et même de Villeneuve-lez-Avignon !), y compris pour les visites guidées. Un conseil : commencez par la visite du Musée lapidaire, c'est le moins cher !

De la gare à la place de l'Horloge

Les remparts : c'est la première image qu'offre Avignon à ses visiteurs. Longs de presque 5 km, ils étaient jalonnés de 39 tours et percés de 7 portes principales. Même si les fossés servent aujourd'hui de parking sur-fréquenté, même si Viollet-le-Duc lui a donné, ici ou là, un aspect un peu artificiel, la vieille muraille du XIVe s impressionne toujours.

Le Musée lapidaire (plan couleur B3) **:** *27, rue de la République. ☎ 04-90-85-75-38. Tlj sf lun 10h-13h, 14h-18h. Entrée : 2 € ; réduc.* Installé dans une ancienne chapelle du collège des jésuites. Beau décor pour présenter une partie des collections archéologiques du musée Calvet constituée de pièces grecques, étrusques et romaines, souvent remarquables, et de nombreux objets de la vie quotidienne. Les objets sont exposés dans 5 chapelles différentes. Pas bien grand, mais vaut le coup d'œil.

La rue Joseph-Vernet (plan couleur B2-3) **:** la rue la plus chic de la ville, avec ses boutiques de luxe et ses élégants salons de thé. Avec une belle régularité s'y succèdent les façades d'hôtels particuliers des XVIIe et XVIIIe s. Au n° 35, par exemple, avec l'hôtel de Barbier-Rochefort et de Raousset-Bourbon, ou, juste en face, l'hôtel de Suarez-d'Aula (« collège moderne de jeunes filles », annonce une vieille inscription !). Accolée, la chapelle de l'Oratoire, qui date de la première moitié du XVIIIe s, est un peu grisonnante. La rue Joseph-Vernet et la rue des Lices doivent leur tracé original au fait qu'elles suivent celui des anciens remparts médiévaux qui correspond peu ou prou à la ville romaine (on sait que le forum se situait place de l'Horloge, tandis que du côté de la Manufacture, on trouvait les thermes et l'amphithéâtre).

Le musée Requien (plan couleur B2) **:** *67, rue Joseph-Vernet. ☎ 04-90-82-43-51. Tlj sf dim-lun, 1er mai, Noël et Jour de l'an, 10h-13h, 14h-18h. Entrée gratuite.* Tout petit musée d'histoire naturelle qui, en quelques vitrines, évoque toute l'histoire du Vaucluse... et même du monde ! Belle collection de fossiles, troncs silicifiés de palmiers trouvés à Rustrel, cristaux géants de gypse, ours du Ventoux naturalisé, etc. Intéressantes explications sur la naissance de l'ocre et sur le phénomène de Fontaine-de-Vaucluse, entre autres.

Le musée Calvet (plan couleur B2) **:** *65, rue Joseph-Vernet. ☎ 04-90-86-33-84. • musee-calvet-avignon.com • Tlj sf mar 10h-13h, 14h-18h. Entrée : 6 €, audioguide inclus ; réduc.* On pénètre par une très belle cour restaurée dans ce superbe bâtiment du milieu du XVIIIe s, abritant le legs d'Esprit Calvet (1810), ainsi que les donations de l'antiquaire Marcel Puech. Au rez-de-chaussée, la *salle des maîtres du Nord* expose des peintures flamandes, hollandaises et allemandes des XVe-XVIIIe s avec, entre autres, Bruegel l'Ancien *(Cortège d'une noce paysanne)* et Bruegel le Jeune *(Kermesse villageoise, Parabole des aveugles)*. Signalons également *Portement de Croix* d'après Dürer et *Carrefour aux abords d'un village* de Dubois pour sa jolie lumière. Trois salles du rez-de-chaussée sont entièrement consacrées à la peinture avignonnaise, avec deux peintres passés à la postérité : Simon de Châlon pour la Renaissance et Nicolas Mignard pour la période baroque. Concernant le premier, ne pas manquer la belle *Sainte Parenté,* restaurée à 80 %, ou encore l'*Adoration des bergers*. Pour le second, intéressant *Autoportrait* ainsi qu'une série de tableaux grand format représentant *Saint-Michel écrasant les anges rebelles, La Vierge, La Pietà, L'Archange Gabriel*... Dans la galerie Puech, jolie série de sculptures en marbre blanc, ornements du tombeau de saint Jacques de Chabanne en albâtre et un beau Saint-Longin sur son cheval en bois polychrome du XVIIIe s. Quant à la *salle d'art moderne (Victor-Martin),* elle présente une passionnante collection d'art moderne : signalons, entre autres, le *buste de Paul Claudel en jeune romain* réalisé par sa sœur Camille, le *Portrait de Rignault* signé

Valadon, *Sur le zinc* de Vlaminck, *Jour d'hiver* de Bonnard, de nombreux Soutine et de très beaux Laure Garcin (*La Baigneuse,* 1928, ou encore l'étonnante *Pensée inasservie pendant l'Occupation...*). On y trouve aussi des peintres liés à la Provence, moins connus mais très intéressants, comme Chabaud *(Nu bleu),* Gleizes, Bourdil ou encore Ambrogiani... Jetez un œil à la *salle de la Méridienne* qui abrite quatre médaillons représentant les saisons et une collection d'orfèvrerie du XVIIIe s juste à côté.
La belle *galerie Vernet,* à l'étage, expose une série de bustes en plâtre et des toiles de la famille Parrocel, célèbre famille d'artistes qui a essaimé du Var en Avignon et même en Autriche et en Italie. Belle série de Vernet illustrant des atmosphères terrestres et maritimes. Voir aussi son *Mazeppa aux loups.* Également la sensuelle *Baigneuse endormie* de Chassériau, le *Site d'Italie* de Corot, la terrifiante *Question* de Laugée, la *Mort de Joseph Bara* de David, une *Nature morte* de Manet, un *Portrait de jeune fille* de Géricault ou encore l'*Église de Moret* de Sisley. Pour le clin d'œil, en partant, ne manquez pas d'en jeter un au tout petit portrait de Nostradamus (né à Saint-Rémy-de-Provence), réalisé par son fils.

*** ***La collection Lambert-en-Avignon, musée d'Art contemporain*** *(plan couleur B3)* **:** *5, rue Violette (hôtel de Caumont). ☎ 04-90-16-56-20. • collectionlambert.com • ♿ En juil-août, tlj 11h-19h ; le reste de l'année, tlj sf lun 11h-18h. Entrée : 7 € ; réduc.* Yvon Lambert, grand marchand d'art, a confié à la Ville d'Avignon quelque 350 œuvres de sa collection, en vue d'une future donation. Une sélection est exposée pendant quelques mois chaque année. Le reste du temps, place à d'intéressantes expos temporaires montrant les travaux d'artistes américains et européens (art minimal, conceptuel, *land art*). Un ensemble exceptionnel allant des années 1960 à 2000, présenté ici sous toutes ses formes : peintures, sculptures, installations, vidéos, photographies... Ensemble très bien aménagé et livret-guide remis à l'entrée pour suivre plus facilement les différentes expositions. Parfois, des forums et rencontres avec le public, histoire d'en faire un lieu permanent de créativité. Agréable librairie. Restaurant.

** ***Le musée Louis-Vouland*** *(plan couleur A2)* **:** *17, rue Victor-Hugo. ☎ 04-90-86-03-79. • vouland.com • Tlj sf lun 14h-18h ; 12h-18h pdt les expositions estivales. Fermé fév. Entrée : 6 € ; réduc sur présentation de ce guide.* Ce bel hôtel particulier, construit à la fin du XIXe s, abrite une prestigieuse collection d'arts décoratifs rassemblée par son propriétaire, Louis Vouland, un Avignonnais qui avait fait fortune dans la charcuterie et le commerce colonial. Du salon à la salle à manger, tout ou presque est resté en l'état. Les pièces, réaménagées et éclairées comme au fil des heures qui passent, nous laissent imaginer l'esprit de ce collectionneur étonnant. Le sieur Vouland avait un goût prononcé pour les XVIIe et XVIIIe s : faïences de Moustiers et de Marseille comme de Delft (joli porte-montre), délicates statuettes en porcelaine de Saxe, fauteuils d'époque 1720 et 1730 garnis de tapisseries de Beauvais qui évoquent les fables de La Fontaine, superbe bahut Renaissance à deux corps, en noyer, du XVIe s, grandes tapisseries d'Aubusson et des Gobelins... On a un petit faible pour le salon chinois, avec ses vases et ses potiches époque Ming.

* ***La place de l'Horloge*** *(plan couleur B2)* **:** avec ses cafés aux vastes terrasses, c'est le centre névralgique d'Avignon, surtout pendant le Festival. Sur la façade du théâtre, la statue de Molière observe tout ça d'un air dubitatif. À l'angle de la place et de la rue de la République, glissez-vous dans l'élégante cour du palais du Roure, construit en 1469, qui fut le foyer du félibrige, et abrite un amusant petit musée :
– *Musée d'Arts et Traditions populaires (palais du Roure) : 3, rue du Collège-du-Roure. ☎ 04-90-80-80-88. Visite possible mar à 15h ou sur rdv. Tarif : env 4,60 € ; réduc.*
– Dans la rue de Mons, joli hôtel de Crochans (XIVe s) qui abrite la *Maison Jean-Vilar* (voir plus loin « Le Festival d'Avignon. Tout savoir sur le Festival »).

Autour du palais des Papes

Le palais des Papes *(plan couleur B1-2)* **:** ☎ *04-90-27-50-00.* ● *palais-des-papes.com* ● *Ouv tlj 9h-19h de mi-mars à oct (20h juil et début sept ; 21h août) ; tlj 9h30-17h45 nov-fév et 9h-18h30 début mars. Entrée en hte saison (mars-oct env) : 10,50 € pour le palais seul (plus 2 € en cas d'expo temporaire estivale) ; réduc ; 13 € pour le palais et le pont Saint-Bénezet ; réduc. Compter 2 € de moins hors saison. Audioguide (en 9 langues) inclus et indispensable.*
Photos interdites dans les chambres peintes. Attention, un nouveau parcours de visite et une scénographie multimédia seront proposés à compter du printemps 2012, entraînant *quelques changements dans notre description des lieux.*
Avec près de 600 000 visiteurs annuels, c'est l'un des monuments les plus visités de France. Pour la partie historique des lieux et donc de la cité des Papes, reportez-vous à la rubrique « Un peu d'histoire » en tête de ce chapitre. Haut lieu de l'histoire européenne médiévale, cet édifice détient un triple record : c'est le plus grand palais gothique d'Europe (15 000 m² de surface !), le seul qui ait jamais été construit pour un pape en dehors de Rome, et le chantier le plus rapide de son époque (moins de 20 ans). C'est aussi l'un des plus magnifiques exemples d'architecture gothique du XIVe s. Derrière une apparente unité, on peut en fait distinguer deux grandes parties : le palais Vieux et le palais Neuf. Prenez d'abord le temps d'admirer la *cour d'honneur* (même si, en saison, les gradins gâchent un peu le plaisir !). Sur ces 1 800 m² se déroule depuis 1947, en juillet, le célébrissime Festival de théâtre. Jean Vilar n'y croyait pas au départ et disait de la cour : « C'est un lieu théâtral impossible. » Et pourtant...
Les maquettes que l'on découvre au *musée de l'Œuvre (salle du Trésor Bas),* permettent d'imaginer les jardins qui entouraient le bâtiment et la ménagerie peuplée d'animaux exotiques et d'oiseaux de pays lointains... Dans la *salle de Jésus* et la *salle du Consistoire,* plusieurs maquettes présentent les différentes étapes de construction du palais. Arrêtez-vous dans la *chapelle Saint-Jean* qui abrite un superbe décor de fresques signé Mateo Giovannetti (école de Sienne du XIVe s), et notamment les représentations de saint Jean-Baptiste et saint Jean l'Évangéliste. Un coup d'œil au cloître Benoît XII et on passe dans l'immense *salle du Grand-Tinel* (48 m de long sur 10 m de large), où les papes donnaient de fastueux banquets. Parfois, des pierres précieuses ou des perles étaient glissées dans les saucières, comme autant de cadeaux reçus par celui qui avait la chance d'être servi au bon moment ! Le pape mangeait seul sur une estrade pour marquer sa nature quasi divine et si un roi était présent parmi les convives, on surélevait encore l'estrade... Autre curiosité, la reproduction d'une proba, pièce d'orfèvrerie en corail d'où pendaient des fossiles, qui vient nous rappeler que les papes eux aussi avaient leur grigris ! Les probas, agitées au-dessus des plats, étaient censées déceler la présence éventuelle de poison. Que d'intrigues peut-on imaginer dans ce palais où sont aujourd'hui jouées nombre pièces de théâtre !
Au 3e étage de la *tour des Papes* (que l'on appelle aussi parfois *tour des Anges*), on traverse d'abord la *chambre de Parement,* antichambre du pape – on y donnait les audiences particulières – avant d'arriver à la chambre à coucher du souverain pontife, avec son sol en petits carreaux vernissés et ses riches décors profanes. Non loin de là, dans la *tour de la Garde-Robe* (palais Neuf), élevée par Clément VI, on découvre la petite mais assez réjouissante *chambre du Cerf* – le cabinet de travail du pape –, ornée de scènes de chasse et de cueillettes, où l'on observe l'introduction de la 3e dimension (regardez les lapins) ; on y découvre aussi un étonnant vivier en perspective inversée et en aplat (afin de montrer les poissons !) qui représente sans doute le *piscarium* pontifical d'Avignon, où l'on sait que 1 922 brochets et 143 carpes furent déposés entre septembre 1333 et avril 1334. Remarquez qu'il n'y a aucune scène religieuse (sans doute Clément VI aspirait-il à un peu de fantaisie...). Plafond en mélèze à la française. On continue la visite en passant par la *sacristie nord* (copies en plâtre de statues et de gisants : inutile de chercher, il n'y a

aucun tombeau de pape) et la *grande chapelle* (52 m de long), qui accueille régulièrement des expositions en saison. Plus loin, la *chambre du Camérier,* le plus proche collaborateur du pape en matière de finances mais qui tomba en disgrâce à partir de 1348, et la *chambre des Notaires* avec une frise du XVIIIe et des portraits des souverains pontifes. Montez jusqu'à la terrasse des Grands dignitaires (tour de la Gâche), pour profiter du panorama ; café-terrasse sur place. Puis, pour conclure la visite, on découvre la belle *loggia* et la *fenêtre d'Indulgence* (de laquelle le pape donnait sa triple bénédiction à la foule réunie), offrant un très beau point de vue sur la cour d'honneur.

UNE CUISINE VRAIMENT HOTTE

Ne manquez pas, au fond de la salle du Grand-Tinel du palais des Papes, la « cuisine haute » construite par Clément VI en 1342, dont l'originalité est, sans jeu de mots, cette immense « hotte » pyramidale de 18 m, vraiment impressionnante. Pour l'anecdote, en redécouvrant cette pièce au XIXe s, certains pensèrent qu'il s'agissait... d'une salle de torture. Dans un sens, oui, mais surtout pour la gent animale, puisqu'à l'occasion du couronnement de Clément VI, on y prépara 118 bœufs, 1 023 moutons, 60 porcs, 1 195 oies, 1 500 chapons, 7 428 poulets... et 50 000 tartes.

– *Pour en savoir plus :* « Palais secret » *(sam 12h30 et dim 10h30 sept-mai),* visite privilégiée des salles du palais habituellement fermées ; « Démons & Merveilles » *(sam 17h30 de mi-nov à mi-fév),* visite nocturne en famille contant les animaux légendaires et familiers du palais. Également une visite de la ville et du Palais, « Avignon au temps des papes », axée sur la vie quotidienne au Moyen Âge *(mar et dim avr-juin et août-oct ; départ de l'office de tourisme). Sur résa :* ☎ *04-90-27-50-00.*
Dégustation de vin à la ***Bouteillerie du palais des Papes.*** Celle-ci propose des dégustations (à partir de 2 € le verre ou formule dégustation de 3 vins différents à 6 €) et met en vente une bonne cinquantaine de côtes-du-rhône AOC, sélectionnés et à prix départ-cave. *En accès libre (tlj, tte l'année).*

⁂ ***Le musée du Petit-Palais*** *(plan couleur B1) :* ☎ *04-90-86-44-58.* • *petit-palais.org* • *Tlj sf mar, 1er janv, 1er mai et 25 déc 10h-13h, 14h-18h. Entrée : 6 € ; réduc.* Installé dans le palais des archevêques, un bel édifice du XIVe s qui contient aujourd'hui une magnifique collection de primitifs italiens provenant de la collection Campana. Après une salle exposant une collection de chapiteaux sculptés et de colonnettes géminées, on découvre quelques merveilles des écoles vénitienne, florentine, siennoise, de l'école des Marches, soit plus de 300 œuvres en tout qui permettent, aux côtés de Carpaccio, Giovanni Di Paolo, Botticelli (une Vierge d'humilité offrant son sein), de retracer le parcours artistique du Moyen Âge à la Renaissance... De plus, le musée propose, selon un calendrier précis, toute une série de visites guidées (sauf en été), autour d'une œuvre, d'un thème... Sublime et passionnant ! Également des expositions temporaires.

⁂ ***La cathédrale Notre-Dame-des-Doms*** *(plan couleur B1) : horaires d'ouverture irréguliers, env 8h-18h (19h été) ; fermé dim mat ; entrée laissée à votre (immense) générosité.* Le plus vieil édifice religieux de la ville, reconstruit au milieu du XIIe s. Immanquable avec la statue étincelante de la Vierge, que le XIXe s a cru bon de percher au sommet du clocher. Ample nef, romane à l'origine, à laquelle une galerie a été ajoutée au XVIe s. Dans le chœur, siège en marbre blanc du XIIe s qui a reçu le séant des papes d'Avignon. Une chapelle voisine de la sacristie abrite le tombeau de Jean XXII (1345). Trésor.

⁎ ***Le jardin du rocher des Doms*** *(plan couleur B1) :* site préhistorique puis oppidum celto-ligure, c'est le lieu de naissance d'Avignon. Aujourd'hui, c'est un jardin public agrémenté d'un grand bassin où il fait bon se poser. Agréable promenade et belle vue sur le Rhône, la Barthelasse (plus grande île fluviale de France avec

700 ha). Et, par beau temps, le Ventoux. Allez lire l'heure au cadran solaire analemmatique (c'est votre ombre qui marque l'heure).

Du « pont d'Avignon » aux ponts sur la Sorgue

Le pont Saint-Bénezet *(plan couleur B1)* **:** ☎ *04-90-27-51-16.* • *avignon-tourisme.com* • *Horaires identiques à ceux du palais des Papes (voir plus haut). Visite avec audioguide de 30 mn : 5,50 € (4,50 € en basse saison) ; 15 € avec le palais des Papes (2 € de moins hors saison) ; réduc.*
Plus connu sous le nom que lui donne la chanson « Sur le pont d'Avignon, on y danse, on y danse... ». Une chanson à laquelle est consacré un espace entier, dans le châtelet qui protégeait l'accès à la ville au sortir du pont. À noter qu'on ne dansait pas « dessus » (c'était réservé à la circulation) mais « dessous ». Édifié au XIIe s, le pont d'Avignon est l'ouvrage le plus ancien construit sur le Rhône entre Lyon et la Méditerranée. Détruit partiellement en 1226, il est reconstruit et compte alors 22 arches. Mais les caprices du Rhône causeront encore plusieurs fois sa ruine, jusqu'au XVIIe s, où il est définitivement abandonné. La visite des vestiges du pont, et en particulier de ses deux chapelles, dont une donne joliment sur l'eau, permet de découvrir une page essentielle de l'histoire d'Avignon mais aussi la légende du fondateur de l'édifice, saint Bénezet, et l'origine de sa chanson qui a fait le tour du monde.
En sortant, à droite, possibilité de suivre les remparts jusqu'au rocher des Doms, à moins que vous n'ayez envie de faire une balade en bateau (voir plus loin « À faire »).

La rue Banasterie *(plan couleur B2-C1)* **:** depuis le rocher des Doms, une volée de marches conduit à la rue principale d'un quartier paisible qui fut celui des Banastiers (artisans vanniers) avant de devenir, aux XVIIe et XVIIIe s, celui de la haute bourgeoisie. Au pied de l'escalier, petite *chapelle des Pénitents-Noirs* *(ouv en saison ven-sam 14h-17h).* La rue Banasterie cache quelques beaux hôtels particuliers comme, au n° 17, la *maison Gracié-de-Vinay* du XVIIe s, ou l'*hôtel Madon-de-Château-Blanc* au n° 13. Tout au bout, l'*église Saint-Pierre* *(ouv slt jeu-sam 14h-17h),* dont on pourra détailler la superbe façade gothique (XVIe s) au non moins superbe portail et le très élancé clocher du XIVe s.

La chapellerie Mouret *(plan couleur B2)* **:** *20, rue des Marchands.* ☎ *04-90-85-39-38.* Dans la zone piétonne. Première et unique chapellerie de France à être classée par les Monuments historiques. Cette boutique a su intégralement conserver son décor d'origine datant de 1860 (style Louis XVI). Chapeau bas !

L'église Saint-Didier *(plan couleur B2)* **:** *accès tlj 9h30-18h.* Édifiée au XIVe s, c'est un joli exemple d'église gothique méridionale (peu d'ouvertures, pour cause de mistral toujours gagnant !). Façade d'une belle simplicité. Nef unique terminée par une abside pentagonale. Dans la première chapelle à gauche, somptueuses fresques datant du XIVe s, tout en émotion et couleur, représentant une *Descente de Croix* et une bouleversante *Pamoison.* Dans la chapelle de droite (n'oubliez pas d'appuyer sur l'interrupteur), bas-relief en marbre représentant le *Portement de Croix,* du XVe s, commandé par le roi René et d'un joli manichéisme : si la Vierge respire la bonté, les centurions (surtout celui placé à l'extrême gauche) ont franchement des mines patibulaires. Pour finir, dans le chœur, autel avec tombeau en enfeu et de belles fresques du XVIIe s. Sur la place, une inscription sur une façade XVIIIe s rappelle que se tenait là le « marché au bois et cocons ».

À deux pas de l'église (dans la rue du Laboureur), jetez un coup d'œil à la façade de l'***ancienne Livrée Ceccano,*** désormais médiathèque municipale. La médiathèque est une ancienne livrée... À l'intérieur, dans l'ancienne salle d'apparat, on trouve de somptueuses fresques datant du XIVe s. Anibal Ceccano était originaire d'Italie, ce qui explique la présence de trompe-l'œil, de faux marbres et l'usage de la perspective... On a là un bel exemple de gothique tardif, revu dans le goût italien.

Le musée Angladon *(plan couleur B3) : 5, rue Laboureur. ☎ 04-90-82-29-03. • angladon.com • Ouv tte l'année sf lun (et mar en hiver) 13h-18h. Entrée : 6 € ; réduc.* Un des plus jolis musées qui soit ! Installé dans un hôtel particulier du vieil Avignon, il nous convie à une double et passionnante visite. Les plus grands artistes des XIXe et XXe s y sont représentés : Van Gogh, Cézanne, Degas, Daumier, Sisley, Picasso, Foujita, Modigliani... Ces chefs-d'œuvre ont appartenu au couturier parisien Jacques Doucet (1853-1929), célèbre collectionneur et grand mécène dont les héritiers, Jean et Paulette Angladon-Dubrujeaud, ont habité cette demeure ouverte au public en 1996. Quelle chance de pouvoir admirer ce qui fut la passion d'une vie ou du moins ce qu'il en reste. Car un des traits de caractère « amusant » de Doucet, et que l'on découvre ici avec intérêt, c'est de vouloir systématiquement posséder ce qu'il y avait de plus beau... Ainsi, au cours de sa vie, il se passionna tour à tour pour la porcelaine chinoise, l'art médiéval, la peinture du XVIIIe s, etc. Il eut à chaque fois LA plus belle collection... Qu'il revendait une fois qu'il avait atteint son but, avant d'en commencer une autre. La dernière grande passion de sa vie fut l'art « contemporain ». Et beaucoup des grands artistes cités plus haut connurent la gloire grâce à ce mécène génial qui ne se fiait qu'à son goût. Dans les photos de son intérieur typiquement Art déco, on reconnaîtra, accrochées au mur, les célébrissimes *Demoiselles d'Avignon,* c'est tout dire ! Après la visite de la collection moderne exposée au rez-de-chaussée, on découvre à l'étage un authentique intérieur d'amateurs d'art contenant des œuvres du Moyen Âge au XVIIe s et une suite de salons du XVIIIe s. Organise une fois par an une très belle expo temporaire.

La rue du Roi-René *(plan couleur B-C2) :* étroite et cernée par de sombres et hautes façades d'hôtels particuliers du XVIIe s. Remplacez la chaussée et les trottoirs étroits par un canal, et vous êtes à Venise. À la fin du XVIIe s, on oubliera l'Italie pour se tourner vers Paris. Fin du côté théâtral, la vie se déroulera à l'abri des regards, derrière un porche et, plus tard encore, entre cour et jardin.

La rue des Teinturiers *(plan couleur C-D3) :* petite rue pavée adorable, tranquille hors saison, qui change complètement de physionomie pendant le Festival. Bourrée de charme avec sa rivière qui part de Fontaine-de-Vaucluse pour arriver jusqu'ici, ses roues à aubes, les passerelles sur la Sorgue pour gagner l'entrée des maisons. Son nom vient des fabricants d'indiennes installés dans le quartier au XVIIIe s.

SEPT ASSEZ (DIT LA BALEINE)

Au cœur de la rue des Teinturiers, la chapelle des Pénitents-Gris abrite la dernière confrérie parmi les sept qui existaient à Avignon. Pour les amateurs d'ésotérisme, une anecdote : « sept » est, paraît-il, un chiffre magique, Avignon a donc de la chance, son nom comprend sept lettres, on y entre par sept portes, la ville est divisée en sept paroisses et a connu sept papes !

Le Festival d'Avignon

Une ville complètement métamorphosée : des milliers d'affiches qui grimpent à l'assaut des lampadaires, la place de l'Horloge envahie d'une foule si dense qu'il est difficile de s'y frayer un chemin, la place du Palais qui renoue avec son passé médiéval entre saltimbanques, jongleurs, gratouilleurs de guitare et bateleurs, le tout dans une ambiance bohème, un brin intello mais surtout très bon enfant. Le Festival assure à Avignon un ***mois de juillet d'anthologie*** ! Pas loin de 1 100 spectacles, plus de 900 compagnies, 116 000 spectateurs pour le Festival lui-même et 650 000 pour le Festival *off.* Il n'y en avait que 4 818 (dont 1 828 invités) en 1947, quand tout a commencé.

In ou *off*, mode d'emploi

– Tout d'abord, il faut savoir que les fidèles sont nombreux à Avignon et qu'ils ont leurs habitudes. Beaucoup viennent chaque année la même semaine et descendent dans le même hôtel. Beaucoup d'hébergements sont donc réservés d'une année sur l'autre. Ce qui fait qu'en mars-avril, il est déjà TRÈS difficile de trouver une chambre en ville. Mais on vous conseille d'insister, car loger au cœur du Festival est la seule manière d'en profiter à plein...
– Car ici, on va au théâtre du matin tôt au soir tard. Les spectacles s'enchaînent sans temps mort, dans un rythme effréné. Il y en a pour tous les goûts, dans tous les styles... Du comique one-man-show, au théâtre classique ou expérimental, en passant par le cabaret et le mime... Rien qu'éplucher le programme prend des heures (palpitant mais stressant !). Mais à Avignon, le spectacle est aussi (et peut-être surtout) dans la rue. Les troupes sont si nombreuses qu'elles doivent en faire des tonnes pour émerger et attirer le spectateur. Résultat, chaque distribution de tracts est déjà un spectacle en soi, auquel le badaud assiste ébahi et heureux.
– Si vous restez plusieurs jours et surtout si vous avez l'intention d'assister à plusieurs représentations, sachez qu'il existe une carte d'abonnement pour le *off*. Elle coûte 14 € et est nominative. Elle donne droit à 30 % de réduction à tous les spectacles du *off* (et même dans certains théâtres privés tout au long de l'année, à travers toute la France), autant dire qu'elle est vite amortie.

Tout savoir sur le Festival

■ ***Bureau du Festival d'Avignon*** *(plan couleur B3)* **:** *20, rue du Portail-Boquier.* ☎ *04-90-27-66-50 (administration) ou 04-90-14-14-60 (infos et billetterie en saison).* ● *festival-avignon.com* ● Programme du *in* disponible dès le mois de mai et ouverture des locations en juin.

■ ***Avignon Festival et Cies – Le Off :*** *64, rue Thiers.* ☎ *04-90-85-13-08.* ● *avignonleoff.com* ● Programme du *off* disponible sur le site internet ou sur commande.

■ ***La Maison Jean-Vilar*** *(plan couleur B2)* **:** *8, rue de Mons, montée Paul-Puaux.* ☎ *04-90-86-59-64.* ● *maisonjeanvilar.org* ● *Ouv tlj pdt le Festival (sf 14 juil), 10h30-13h, 14h-18h. Sinon, mar-ven 9h-12h, 13h30-17h30, sam 10h-17h. Fermé en août. Pour certaines expos temporaires, un droit d'entrée est demandé.* Pour tout savoir du Festival et de son fondateur : pièces filmées, interviews de metteurs en scène... Également 25 000 livres, textes de pièces et revues en consultation libre. Nouvelle installation permanente autour de Jean Vilar depuis juillet 2011.

Un peu d'histoire

Septembre 1947 : ***Jean Vilar,*** directeur du Théâtre national populaire (TNP) de Chaillot, a cédé à l'insistance de ses amis, le poète René Char et Christian Servoz, éditeur des *Cahiers d'arts* : il joue, dans la cour d'honneur du palais des Papes, trois pièces en complément de la prestigieuse expo d'art contemporain qu'ils ont organisée dans la grande chapelle. La Semaine des arts, qui prendra le nom de Festival l'année suivante, est née.
Vilar, homme de gauche, partisan d'un théâtre civique, semble avoir trouvé l'endroit idéal où amener « au plus grand nombre, et aux moins bien pourvus d'abord, le pain et le sel de la connaissance ».
De 1951 à 1962, le TNP de Vilar a le monopole de la programmation théâtrale du Festival, revisitant des classiques populaires avec une mise en scène plus dépouillée, dans des décors réduits à leur plus simple expression : plusieurs Shakespeare, un *Cid* dont ***Gérard Philipe*** donne la première en 1951, assis, une jambe plâtrée suite à une mauvaise chute.
Autour de Vilar, toute une nouvelle génération de comédiens (***Alain Cuny, Maria Casarès, Michel Bouquet, Germaine Montero...*** et une toute jeune femme,

Jeanne Moreau), qui dorment chez l'habitant, font la fête sur l'île de la Barthelasse... Des instants figés pour l'éternité par les photos d'***Agnès Varda...*** baby-sitter des enfants Vilar.
À partir des années 1960, le Festival s'ouvre à d'autres troupes, dont celle de ***Planchon,*** à d'autres formes d'expression : la danse avec ***Maurice Béjart*** et son *Ballet du XXe s,* le cinéma avec la première mondiale de *La Chinoise* de ***Godard*** en 1967.

Un festival, des festivals

Au début des années 1970, c'est l'explosion du Festival *off* – le festival « parallèle » – d'où sortiront ***Zingaro*** ou le ***Royal de Luxe.***
Les années 1980 écriront également quelques belles pages de l'histoire du théâtre : le *Mahâbhârata* de ***Peter Brook*** dans l'exceptionnel décor de la carrière de Boulbon, l'aube qui se lève au terme des 12h du *Soulier de satin* monté par ***Antoine Vitez, Ariane Mnouchkine*** et sa trilogie shakespearienne sous influence japonaise, la magique *Tempête* d'***Alfredo Arias...***
La fin du XXe s a vu l'animation se partager entre le Festival *in* (ou Festival proprement dit), proposant environ 40 spectacles dans une vingtaine de lieux, et le Festival *off,* complémentaire du premier, avec des spectacles montés par plus de 600 compagnies dans plus d'une centaine d'endroits.
Si le Festival *in* reste, en ce début du XXIe s, naturellement le plus en vue et le plus prestigieux, avec un invité d'honneur chaque année, désormais, il forme toujours un tout avec l'autre, plus amateur mais nécessaire à la révélation de nouveaux talents.

À faire

➢ ***Avignon sur Rhône :*** grâce au tourisme fluvial, le fleuve a retrouvé sa place dans la vie locale. Plusieurs bateaux pour des croisières d'une demi-journée, ou plus si affinités.
Avignon en bateau : une expérience intéressante, de mai à septembre, comprenant la visite du pont Saint-Bénezet avec audioguide et une balade en bateau sur le Rhône, le long des rives d'Avignon et de Villeneuve (45 mn).
Quant à la navette fluviale (écologique et gratuite), au pied du pont, elle vous emmènera à la promenade aménagée sur les berges du Rhône (les allées Pinay) sur l'île de la Barthelasse. Départ du quai de la Ligne. *Fonctionne d'avr à déc : avr-juin (sf 1er mai) et sept tlj 10h-12h30, 14h-18h30 ; juil-août tlj 11h-21h. En hiver, se renseigner à l'office de tourisme.* Les vélos sont autorisés à bord.
➢ ***Avignon à vélo :*** l'office de tourisme tient à votre disposition plusieurs circuits et balades à effectuer à vélo de ville ou à VTT, notamment sur l'île Piot et l'île de la Barthelasse.

VILLENEUVE-LEZ-AVIGNON

(30400) 12 098 hab. *Carte Vaucluse, A3*

Ville la plus orientale de la région Languedoc-Roussillon, et déjà on y respire l'ambiance de la Provence. Assise au bord du Rhône, appuyée à des collines, Villeneuve-lez-Avignon a trop longtemps vécu à l'ombre d'Avignon. Mais aujourd'hui, grâce à la métamorphose de la Chartreuse en centre de création ouvert aux artistes, la rive droite a retrouvé une sorte d'autonomie culturelle. Son patrimoine historique est exceptionnel. Autre avantage : les hôtels d'Avignon sont souvent complets en été, surtout pendant le Festival. À Villeneuve, on trouve encore de la place.

UN PEU D'HISTOIRE

Entre Villeneuve et Avignon, il y a le Rhône, frontière naturelle et historique. À Villeneuve, on était en royaume de France. En Avignon, c'était le domaine des papes et des cardinaux. À l'origine de Villeneuve, la tombe de Casarie, une sainte femme, fille d'un roi wisigoth, morte en 586 apr. J.-C. C'est sur sa tombe que fut érigée l'abbaye Saint-André, que l'on aperçoit aujourd'hui, juchée sur son rocher, et qui donne une allure de forteresse andalouse à ce nid d'aigle du mont Andaon.
Conscient de l'intérêt stratégique de la ville, terre française face à Avignon, Philippe le Bel fit édifier un donjon au débouché du pont Saint-Bénezet, et fortifia l'abbaye Saint-André. Au XIVe s, après l'installation des papes dans la ville d'en face, Jean le Bon et Philippe VI de Valois en firent le symbole de la puissance royale face au palais des Papes. L'âge d'or de Villeneuve coïncide avec celui de la cité des Papes. De riches cardinaux s'installèrent dans de somptueux palais, les « livrées cardinalices », dont le musée Pierre-de-Luxembourg est un superbe exemple. La Chartreuse date du XIVe s. Elle est construite autour d'une « livrée cardinalice » ayant appartenu à Étienne Aubert, plus connu sous le nom d'Innocent VI, le pape amoureux de Villeneuve.
Mais la Révolution marquera la fin de cette splendeur liée à la puissance de l'Église et le retour de la cité à une vie plus modeste comme faubourg d'Avignon... Le temps a passé, aujourd'hui Villeneuve revit et savoure même plus que jamais cette vie préservée, fière de ses beaux quartiers, sur les hauteurs.

Adresses utiles

Office de tourisme : *pl. Charles-David. ☎ 04-90-25-61-33. • villeneuvelezavignon.fr/tourisme • Près d'un grand parking. Ouv tlj sf dim hors saison.* Accueil dynamique. Liste d'hébergements en tout genre. En juillet-août, l'office organise des visites guidées de la cité médiévale, les mardi et jeudi, ainsi que des balades nocturnes aux flambeaux. De plus, tout le long de l'année, des visites à thèmes sont proposées, programme sur demande.

■ **Les Taxis Villeneuvois :** *pl. Jean-Jaurès. ☎ 04-90-25-88-88. Face à la mairie.*

■ **Piscine :** *chemin Saint-Honoré. ☎ 04-32-70-08-56. À proximité du camping, au nord du fort Saint-André.*

Où dormir ? Où manger ?

Camping

Camping municipal de la Laune : *chemin Saint-Honoré. ☎ 04-90-25-76-06. • campingdelalaune@wanadoo.fr • camping-villeneuvelezavignon.com • ♿ Au pied du flanc nord du fort Saint-André. De l'office de tourisme, prendre la direction Sauveterre ; c'est à env 1 km, sur la droite. Le bus no 11 pour Avignon s'arrête au début du chemin Saint-Honoré. Fermé de mi-oct à avr. Nuit pour 2 avec tente et voiture env 17 € en saison.* Calme et bien ombragé, avec beaucoup d'espace entre les emplacements. Terrain plat recouvert de gravier. Sanitaires impeccables. Petit snack. Soirées à thèmes. Piscine.

De bon marché à prix moyens

Centre de rencontres internationales du pont d'Avignon YMCA : *7 bis, chemin de la Justice. ☎ 04-90-25-46-20. • ymca-avignon@wanadoo.fr • ymca-avignon.com • ♿ Pour y aller, reprendre la direction Avignon et tourner à droite au niveau du pont du Royaume (direction Les Angles), au rond-point tourner à gauche ; le chemin de la Justice se trouve 300 m plus loin. Congés : 20 déc-4 janv. Compter 22-38 €/pers selon confort et saison, petit déj en sus (5 €). Repas 13-30 €. Wifi. Un petit déj/chambre offert sur présentation de ce guide.* Chambres 1-4 lits avec ou sans sanitaires. Perché au sommet, un ensemble de bâtiments ressemblant à une clinique (ce qu'ils étaient d'ailleurs). La piscine, le bar et la vue fabuleuse sur la cité des Papes, le Rhône, le mont Ventoux et la tour Philippe-le-Bel en font une auberge fort sympathique.

Les Jardins d'été de la Chartreuse : *dans le cloître Saint-Jean. ☎ 04-90-15-24-23. • restaurant@chartreuse.org • Dans la chartreuse (accès libre). Ouv tlj juin-sept. Menus et carte 17 € le midi et 27 € le soir. Plat du jour 9 €. Wifi. Apéritif offert sur présentation de ce guide.* Jardins monastiques du XIVe s, belle terrasse ombragée, une autre panoramique. Bucolique le jour, romantique le soir, en tout cas charmant au possible. Idéal pour boire un verre ou pour une agréable dînette en amoureux.

Plus chic

Chambres d'hôtes : *chez Mme Bruno Eyrier, 15, rue de la Foire. ☎ 04-90-25-44-21. • christiane.cabeza@wanadoo.fr • homeprovencal.com • En plein centre, à 1 mn de l'église collégiale et de la mairie. Ouv tte l'année. Résa conseillée. Compter 80 € pour 2.* Dans cette ancienne magnanerie du Grand Siècle, un escalier avec une rampe en fer forgé dessert 5 chambres et 3 studios, tous aménagés avec goût. On est ici entouré des souvenirs et des ancêtres de la famille Eyrier, dont les tableaux ornent les murs de la cage d'escalier. On a bien aimé la chambre no 1 avec son lit à baldaquin, sa cheminée en bois sculpté, son plafond à la française (peinture d'époque). Possibilité de faire le petit déj soi-même (boulangerie à deux pas). Pratique, le parking dans la cour privée.

Les Jardins de la Livrée : *4 bis, rue Camp-de-Bataille. ☎ 04-90-26-05-05. • la-livree@numericable.fr • la-livree.fr • Au cœur de la ville. Resto fermé dim soir et lun (plus soir mar-ven hors saison). Congés : vac scol de fév et de la Toussaint. Compter 60-105 € pour 2, petit déj compris. Formule déj 16 € et menus 26-34 €. CB refusées (resto slt). Wifi. Réduc de 10 % sur le prix de la chambre à partir de 3 nuits consécutives (sf juil) sur présentation de ce guide, offre non cumulable.* Maison assez récente où il fait bon séjourner, hiver comme été. 4 chambres d'hôtes joliment décorées et confortables, dont 2 avec vue sur le fort. Dans le jardin se trouve une belle piscine, réservée aux hôtes. Resto, en revanche, ouvert à tous, avec une terrasse en été et une salle à manger avec cheminée aux premiers frimas. Cuisine du marché sans frime le midi, tandis que le soir, on met les petits plats dans les grands et les pieds (de mouton) dans les paquets.

Hôtel de l'Atelier : *5, rue de la Foire. ☎ 04-90-25-01-84. • hotel-contact@hoteldelatelier.com • hoteldelatelier.com • Juste au début de la rue, bien situé. Congés : janv. Résa conseillée en hte saison. Doubles 89-129 € selon taille ; petit déj offert en juil. La 1re nuit, un petit déj offert pour un petit déj payé sur présentation de ce guide.* Central et dans une maison du XVIe s, des chambres superbes, meublées à l'ancienne, toutes différentes. Une adresse de charme, calme et confortable. Beau salon avec cheminée, ainsi qu'un patio fleuri pour le petit déj et une terrasse sur les toits. Un bon rapport qualité-prix, vraiment.

À voir

Un *pass* culturel gratuit propose des réductions dans les monuments de Villeneuve (sauf les jardins de l'abbaye de Saint-André) et d'Avignon, à partir du 2e lieu visité. Sinon, vous pouvez prendre le « passeport pour l'Art » pour la Chartreuse, le fort, le musée et la tour (11 €).

La Chartreuse de Villeneuve-lez-Avignon : *au cœur de la ville, au pied du versant ouest du mont Andaon, qui porte le fort Saint-André. Entrée principale : rue de la République. ☎ 04-90-15-24-24. • chartreuse.org • Avr-juin, tlj 9h30-18h30 ; juil-sept 9h-18h30 ; août 9h-19h30 ; oct-mars, sem 9h30-17h et w-e 10h-17h. Dernière entrée 30 mn avt la fermeture. Fermé 1er janv, 1er mai, 1er et 11 nov et 25 déc.*

Entrée : 7,50 € ; réduc sur présentation de ce guide ; gratuit moins de 18 ans. Différentes formules de visite sont proposées : visites individuelles (45 mn) ; visites guidées sur demande, 1 sem à l'avance ; visites pour les personnes non voyantes ; visite « chocolat », « hiver », « fraîcheur », « printemps »... Nouveauté courant 2012 : un audioguide « participatif ».

D'Innocent VI, pape d'Avignon, qui le fonda au XIVe s, à Pierre Boulez et Patrice Chéreau qui y donnèrent des spectacles pendant le Festival d'Avignon, ce haut lieu est consacré à l'esprit et à la création. Il captive ceux qui viennent s'y ressourcer. Au XVIIIe s, ce fut le plus riche et, avec ses trois cloîtres, le plus vaste monastère de chartreux de France : 1,6 ha d'un seul tenant sur la rive droite du Rhône. À la Révolution, les moines durent l'abandonner. La plupart des bâtiments furent vendus à des particuliers et l'on compta jusqu'à 300 habitants. Découvert en 1834 par Mérimée, classé par l'État en 1905, le monument abrite désormais dans ses murs le CNES (Centre national des écritures du spectacle), mais également des spectacles et des expos tout au long de l'année.

Grâce à des bourses de séjour, des écrivains de théâtre et artistes de théâtre vivant peuvent y résider afin de mener à terme leur travail. Ils sont logés individuellement dans les anciennes cellules des moines. Cette initiative a redonné vie à ce patrimoine endormi depuis deux siècles. En outre, le CNES organise les *Rencontres d'été* (spectacles, concerts, expos, conférences...).

Au cours de la visite, vous verrez tour à tour le tombeau du pape Innocent VI, le petit et le grand cloître, le cloître Saint-Jean et son collecteur d'eau, les cellules des moines où la vie contemplative des chartreux est bien représentée, la chapelle des fresques peintes par Matteo Giovannetti (restaurées en 2011).

Le fort Saint-André : *☎ 04-90-25-45-35. Tlj sf certains j. fériés, 10h-13h, 14h-17h (18h 15 mai-15 sept). Entrée : 5 € ; réduc ; gratuit jusqu'à 25 ans.* Perché au sommet du mont Andaon et entouré d'une extraordinaire ceinture de murailles, on dirait un château fortifié sorti d'un désert castillan. Construit sur l'ordre du roi de France Philippe le Bel, entre 1362 et 1368, pour protéger le petit bourg Saint-André qui existait sur le mont Andaon. Mais aussi et surtout pour affirmer la puissance du roi face aux terres de la papauté et de l'Empire (romain germanique), de l'autre côté du Rhône. Vue admirable sur Avignon et la vallée du Rhône.

Toujours dans l'enceinte du fort, on peut visiter les somptueux ***jardins à l'italienne de l'ancienne abbaye de Saint-André,*** désormais propriété privée et classés parmi les 100 plus beaux de France. *☎ 09-60-45-84-74. • abbaye-saint-andre.com • Tlj sf lun 10h-12h30, 14h-17h (18h en hte saison). Entrée : 5 € ; réduc ; gratuit jusqu'à 13 ans. Visite patrimoniale le 1er dim du mois (10 €) à 11h sur résa (06-71-42-16-90) ; compter 1h30 pour la visite des bâtiments abbatiaux et 30 mn pour les jardins.*

Le musée Pierre-de-Luxembourg : *rue de la République ; à 50 m de la collégiale Notre-Dame. ☎ 04-90-27-49-66. Avr-sept, tlj sf lun et j. fériés, 10h-12h30, 14h-19h ; oct-mars (mais fermé en fév) 10h-12h, 14h-17h30. Entrée : 3,10 € ; réduc.* Le musée abrite, outre des tableaux provençaux des XVIIe et XVIIIe s, quelques chefs-d'œuvre : au rez-de-chaussée, *La Vierge en ivoire* (XIVe s), taillée dans une défense d'éléphant ; et surtout, au 1er étage, *Le Couronnement de la Vierge* (XVe s), superbe retable d'Enguerrand Quarton.

La tour Philippe-le-Bel : *av. Gabriel-Péri, sur la route d'Avignon. ☎ 04-32-70-08-57. Avr-sept, tlj sf lun et j. fériés, 10h-12h30, 14h-18h ; oct-mars (mais fermé déc-fév) 10h-12h, 14h-17h. Entrée : 2,10 € ; réduc.* Achevée en 1307, elle commandait l'accès du fameux pont Saint-Bénezet. « Sur le pont d'Avignon, on y danse, on y danse... » Très belle vue de la terrasse du dernier étage, accessible par un remarquable escalier à vis. La tour est éclairée le soir. Le rez-de-chaussée constitue un lieu d'expositions temporaires.

L'église collégiale Notre-Dame et son cloître : *rens pour les horaires auprès de l'office de tourisme. Entrée libre.* Construite en 1320 par le cardinal Arnaud de Via, neveu du pape Jean XXII. Superbe autel de marbre de 1745 avec un Christ gisant. Le cloître est adossé au flanc nord de la collégiale.

À faire

➢ ***Les sentiers de la plaine de l'Abbaye :*** d'agréables promenades le long du contre-canal du Rhône ; dépliant offert par l'office de tourisme.

Festival

– ***Villeneuve en Scène :*** pendant le Festival d'Avignon, Villeneuve n'allait pas rester les bras croisés. La ville a donc créé son propre festival de théâtre itinérant, mais qui fait partie intégrante du festival *off* d'Avignon (mise en place d'une navette pour la circonstance)... Il s'agit ici plutôt de théâtre musical, d'humour et de cirque : une vingtaine de troupes se produisent chaque année, en plein air ou sous chapiteau. Parallèlement, la ville (la Chartreuse plus précisément) accueille quelques spectacles du *in*.

QUITTER VILLENEUVE-LEZ-AVIGNON

➢ ***En train :*** *gare SNCF d'Avignon. ☎ 36-35 (0,34 €/mn). • sncf.fr •* Avignon-Paris en TGV : 2h40.
➢ ***En bus n° 11 pour Avignon :*** *arrêt près de l'office de tourisme, à deux pas de l'entrée de la Chartreuse.* 4 bus/h en moyenne. Durée : env 15 mn.
➢ ***En vélopop pendant le festival :*** *station devant l'office de tourisme.*

LE LUBERON

On prévoit d'y passer quelques jours ou une semaine, puis un mois ou deux... certains choisissent même de s'y installer pour le reste de leur vie, accrochés à ce massif qui s'étire sur 80 km d'ouest en est, de Cavaillon à Manosque. Une barrière presque infranchissable, sauf par la combe de Lourmarin.
Au sud, des pentes douces qui s'alanguissent dans la vallée de la Durance. Au sommet, une étroite et rectiligne suite de crêtes qui culmine à 1 125 m avec le Mourre-Nègre. Plus au nord, la montagne dégringole vers une vallée où serpente le Calavon descendu d'Apt : pentes abruptes, vallées presque secrètes et superbes villages perchés qui semblent se narguer, de promontoire en promontoire. Pour être géographiquement correct, voilà le Luberon !
Toutefois, le tourisme en a fait une microrégion qui déborde largement du massif, englobant des villages des monts du Vaucluse comme Gordes ou Roussillon, devenus pour certains l'emblème même du Luberon. Et le territoire du parc naturel régional créé en 1977 couvre même une partie de la Haute-Provence...
Au passage, petite précision toujours utile si vous voulez être dans le coup (vous verrez...) : on prononce « Lubeuron » et non « Lubairon », même si la polémique agite encore de temps à autre presse locale et comptoirs de bistrots.
Ajoutons à cela le classement du territoire par l'Unesco Réserve de biosphère, l'air ayant eu longtemps la réputation d'être ici un des plus purs d'Europe, ce qui n'exclut pas certains pics de pollution en plaine, en plein cœur de l'été.

QUAND Y ALLER ?

Le printemps permet d'échapper aux foules et aux chaleurs parfois étouffantes de l'été. N'y allez toutefois pas trop tôt. Les températures sont parfois encore un peu fraîches et, malgré les 2 800 heures d'ensoleillement annuelles, vous n'échapperez pas à quelques averses... Sans oublier le mistral, quand il joue à vous mettre les nerfs à vif ! Mais le réveil de la nature dessine de somptueux paysages. Les arbres en fleurs, aux couleurs blanc et rose tendre, contrastent doucement avec le gris clair des roches et des murets de pierre qui retiennent la terre et accueillent l'herbe dans un dégradé de tons verts. Le soleil chauffe la pierre des vieux villages, joue sur les ocres des collines écorchées et magnifie de sa lumière le panorama qui récompense les randonneurs, cyclistes ou simples promeneurs.
L'automne est également une saison très agréable (la température moyenne en octobre est de 18 °C) : là encore, paysages somptueux, camaïeu de roux, de jaune et de rouge écarlate dans les vignes et forêts, champignons (et chasseurs...) dans les sous-bois.

LE LUBERON À PIED ET À VÉLO

➢ ***À pied :*** le Luberon ne se livre vraiment qu'aux marcheurs. Attention aux grosses chaleurs de l'été et au manque d'eau (prévoyez toujours un chapeau et une gourde). Beau réseau de sentiers avec, entre autres, 3 GR (les n°s 4, 6 et 9), dont les variantes – les GR 92 et 97 – permettent de faire la traversée et le tour du Luberon. Pour se repérer, il y a les cartes IGN série verte n° 67 (au 1/100 000) et série « Top 25 » n°s 3142, 3242, 3243, 3342 (au 1/25 000). ATTENTION : en été, l'accès au massif est limité et variable selon les jours en fonction des risques d'incendie. Avant toute randonnée, il faut absolument téléphoner à la préfecture : ☎ 0811-201-313 (prix d'un appel local). Amende jusqu'à 750 € en dehors des jours autorisés ! Accès autorisé en général entre 5h et midi sauf si vous êtes en compagnie d'un guide agréé.
Plusieurs structures organisent des randos accompagnées, notamment :

■ ***Cèdres :*** *contacter Claude Lopez, 76, rue Calade, 84240* ***La Tour-d'Aigues.*** *📱 06-01-84-77-06. • cedres-luberon.com •* Une équipe d'accompagnateurs en montagne munis du brevet d'État et réunis autour d'une sensibilité naturaliste. Tous les « classiques » du Luberon (Colorado provençal, forêt des Cèdres, vallon de l'Aiguebrun...) mais aussi des sorties à thèmes (géologie, vigne et vin, pierre sèche) et des randos plus longues. Certains circuits sont ouverts aux enfants et d'autres peuvent être en partie adaptés aux personnes handicapées.

➢ ***À vélo :*** les petites routes du Luberon sont propices aux balades à vélo. Mais attention, ça grimpe ! Pour les plus sportifs, un circuit « Autour du Luberon » (Cavaillon-Apt-Forcalquier-Manosque, avec retour par Beaumont-de-Pertuis et Lourmarin) a été balisé par le parc. Long de 236 km (un cycliste moyen peut le faire en 1 semaine-10 jours), il évite soigneusement les grands axes et emprunte des petites routes agrémentées de panneaux d'informations. Un groupement de professionnels (hébergements variés, accompagnateurs, loueurs de vélos, taxis...) proposent des prestations sur la base d'une charte de qualité : sur demande, votre itinéraire est concocté, vos bagages vous suivent, des étapes et des sites vous sont proposés. Pour tout renseignement :

■ ***Vélo Loisir en Luberon :*** *203, rue Oscar-Roulet, 84400* ***Robion.*** *☎ 04-90-76-48-05. • veloloisirluberon.com •*
■ **Luberon Biking** propose également des locations de vélos (type VTC, VTT, tandems, vélos de route et vélos enfants) avec différents points relais pour récupérer son vélo (L'Isle-sur-la-Sorgue, Roussillon, Pernes-les-Fontaines et Avignon) ou la possibilité de se le faire livrer, ainsi que des sorties accompagnées. *Ttes infos : ☎ 04-90-90-14-62, 📱 06-43-57-58-89. • luberon-biking.fr •*

PARC NATUREL RÉGIONAL DU LUBERON

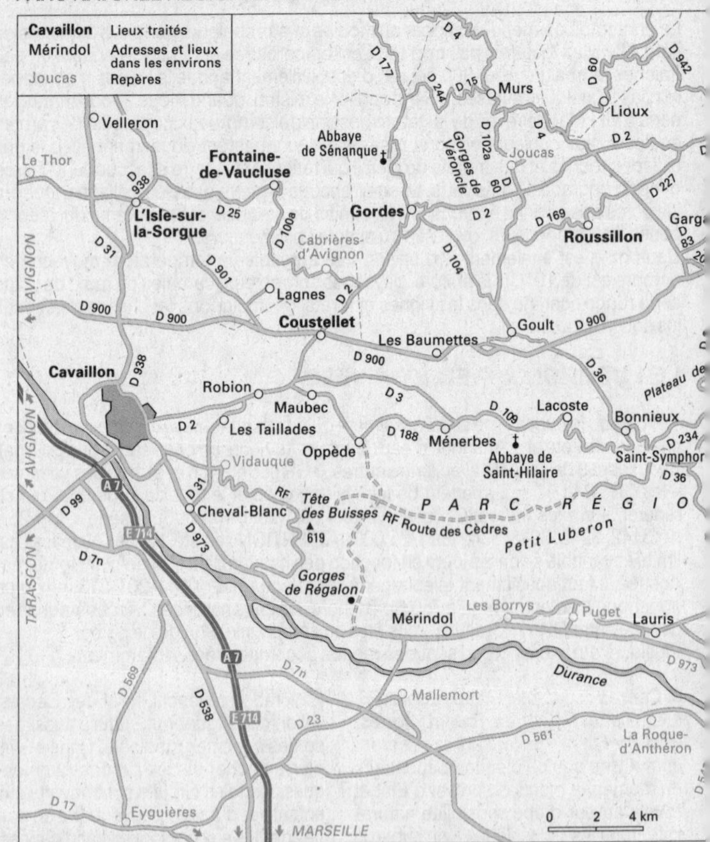

ENTRE DURANCE ET LUBERON

CAVAILLON (84300) 25 058 hab. *Carte Vaucluse, B3*

Cette petite ville, porte d'entrée du Luberon à la sortie de l'autoroute, mérite mieux que l'image un peu « courge » (le melon étant, comme chacun sait, le roi des cucurbitacées) qu'on s'en fait généralement. Ville de tradition maraîchère, Cavaillon est posée au cœur d'une plaine entre la Durance et le Coulon, au pied de la colline Saint-Jacques, petit morceau oublié par le massif du Luberon. C'est une ville tranquille, très provençale avec ses places ombragées, où s'étalent les terrasses de cafés et défilent les corsos, aux premiers beaux jours. D'importants travaux ont été réalisés sur le cours principal.

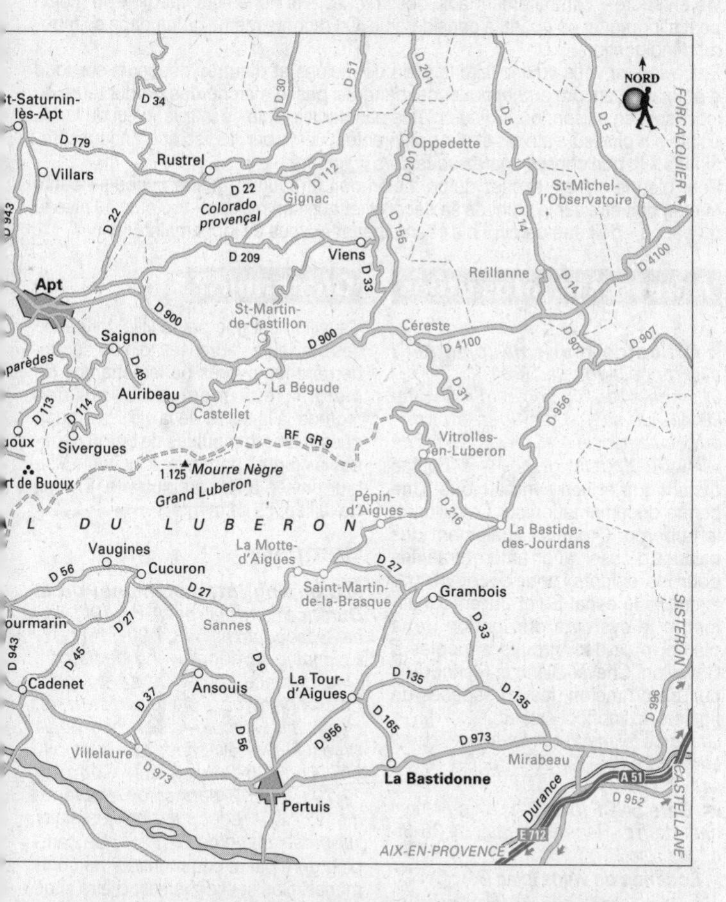

Désormais, de larges trottoirs bordés d'un cours d'eau laissent plus de place aux promeneurs et aux terrasses de restaurants, et de nombreuses animations (marchés, fêtes...) sont organisées dans le centre-ville commerçant.

LE MELON DE CAVAILLON

Venu d'Inde, le melon a su trouver autour de Cavaillon, dès le XVe s, un terroir propice à son développement, avec un climat chaud et ensoleillé. Sa réputation n'est plus à faire aujourd'hui, même si les puristes préfèrent le *galia*. C'est bien simple, le *cavaillon* est le roi des melons. Il n'y a qu'à voir les prix qu'il atteint sur certains marchés parisiens ! Aucun autre fruit ne suscite un tel engouement. Il était déjà apprécié par Mazarin, le duc de Guise et par les papes avignonnais (ce sont eux qui ont favorisé sa culture). Sans parler d'Alexandre Dumas, qui offrit l'ensemble de son œuvre à la bibliothèque de Cavaillon en échange d'une rente de douze melons par an ! Cantalou, charentais (le plus connu), verdau, canari... on les retrouve partout. C'est qu'un melon, c'est tout de suite le goût des vacances et du soleil. Pau-

vre en sucre – contrairement aux idées reçues – et richement vitaminé, le melon peut s'ingurgiter en quantité considérable. On raconte même qu'un pape en mourut d'indigestion !
En saison, si vous voulez faire le plein de melons et d'autres douceurs sur fond d'ambiance encore authentique, ne manquez pas le marché des producteurs du jeudi soir, en saison, ou, si vous n'êtes pas dans le coin ce jour-là, celui du lundi, éclaté sur plusieurs places et dans différentes rues, pour respecter d'antiques traditions. Un bon conseil : garez-vous hors du centre !
Pour bien le choisir, sachez qu'un melon doit être lourd, que le pécou (la petite queue) doit être sur le point de se décoller, et que son parfum – toujours au niveau du pécou – doit être perceptible et engageant. À vous de jouer maintenant !

Adresses et infos utiles

Office de tourisme *(plan A2) : pl. François-Tourel. ☎ 04-90-71-32-01. • cavaillon-luberon.com • Ouv tte l'année lun-sam (sf sam ap-m en hiver) ; ouv également le mat dim et j. fériés en juil-août et pdt les grands w-e.* Équipe dynamique et lieu sympathique. Une bonne documentation sur Cavaillon et le Luberon. Organise également des balades d'observation nature (gratuites pour les enfants) pour découvrir par exemple le canal Saint-Julien qui alimente le système d'irrigation de la plaine, plus des circuits agricoles à Cavaillon, Cheval-Blanc et Mérindol (la culture du melon, les 20 espèces de figuiers, les abricotiers, etc.).

✉ **Poste** *(plan A2) : pl. François-Tourel. Lun-ven 8h30-12h15, 13h30-17h30 ; sam 8h-12h.*

Gare SNCF *(plan B2) : av. du Maréchal-Joffre. Rens et résas : ☎ 36-35 (0,34 €/mn).*

Location de vélos *(plan B1) : Cyclix, 166, cours Gambetta. ☎ 04-90-78-07-06.*

– ***Marchés hebdomadaires :*** *le plus intéressant a lieu le jeu soir d'avr à mi-oct, 17h-19h30, pl. du Clos.* C'est un marché de producteurs, à ne pas manquer car très authentique et à prix abordables. *Sinon, le marché habituel a lieu le lun mat, dans tt le centre.*

– ***Plateau Ratatouille :*** *3, quartier Les Girardes. 06-20-84-43-55. Sur la route de L'Isle-sur-la-Sorgue, à droite. Tlj sf dim (et sam ap-m hors saison).* En direct du producteur, de quoi se faire une bonne rata avec les produits locaux sans se faire envoyer dans les choux ni passer pour une courge. Livraison possible.

Où dormir ?

Cavaillon est une petite ville qui cache ses meilleures adresses loin du centre, derrière les cyprès ou les champs de melons, eux-mêmes abrités des regards, à la sortie de la ville, par quelques vilains immeubles de béton poussés là comme pour mieux inciter le visiteur pressé à filer au plus vite. Eh oui, Cavaillon, ça se mérite...

Camping

Camping intercommunal de la Durance *(hors plan par A-B2, **10**) : 495, av. Boscodomini. ☎ 04-90-71-11-78. • camping.cavaillon@wanadoo.fr • camping-durance.com • De l'A 7, sortie Cavaillon, tourner à droite après le pont, c'est avt le Mercure-Ibis en longeant la Durance. Ouv avr-sept ; réception ouv 9h-12h, 14h-20h en été. Compter 12,70 € pour 2 pers selon emplacement. 8 % de réduc sur le prix journalier sur présentation de ce guide.* Un camping géré par la communauté de communes. Son seul défaut est d'être situé à proximité d'une zone artisanale sans pouvoir éviter un relatif bruit de fond dû à la route. Mais il vient d'être repris en main par Joana, d'origine hollandaise, très accueillante. Emplacements assez ombragés, séparés par des haies. Accès gratuit à la piscine intercommunale et aux tennis voisins en été. Aire de stationnement et de vidange pour les camping-cars. Location de chalets, de mobile homes et de bungalows toilés. Snack-bar, plus supermarché à proximité.

Prix moyens

Hôtel Toppin *(plan B1, **12**) : 70, cours Gambetta. ☎ 04-90-71-30-42. • resa@*

CAVAILLON

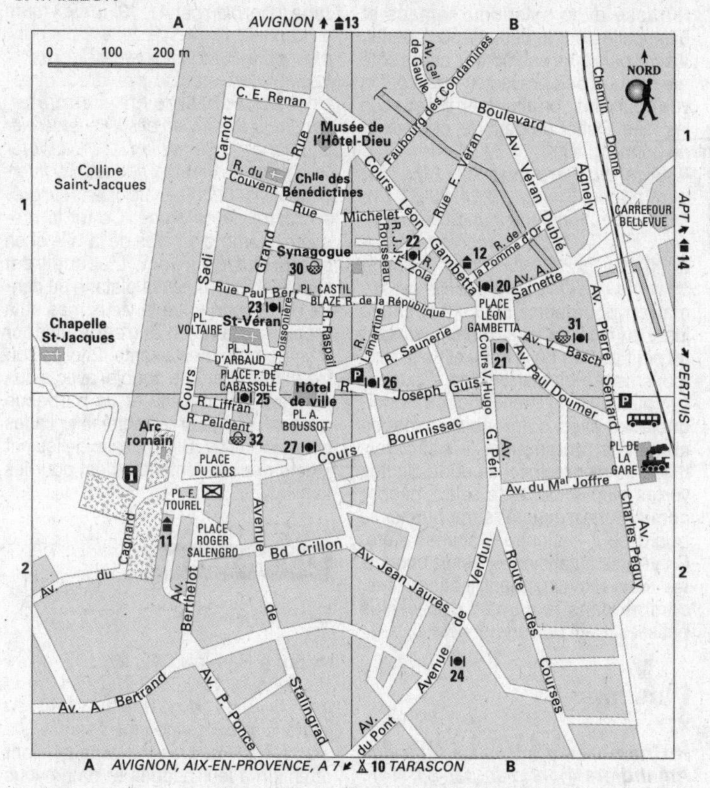

■ **Adresse utile**

Office de tourisme

Où dormir ?

10 Camping intercommunal de la Durance
11 Hôtel du Parc
12 Hôtel Toppin
13 Chambres d'hôtes Le Mas du Platane
14 Chambres d'hôtes Le Mas des Amandiers

Où manger ?

20 La Cuisine du Marché
21 David & Louisa
22 Carte sur Table
23 La Régalade
24 Restaurant Jean-Jacques Prévôt
25 Le Pantagruel
26 Côté Jardin
27 Sol e Pan

Où acheter des douceurs au melon ? Où grignoter sur le pouce ?

30 L'Étoile du Délice
31 Maison Jarry
32 Le Clos Gourmand

hotel-toppin.com • hotel-toppin.com • Doubles 45-70 €. Internet, wifi. Un petit déj/chambre offert sur présentation de ce guide. « Les Toppin d'abord », comme on dit par ici, l'hôtel portant toujours le nom d'une lignée de cuisiniers réputés dans la région. Repris par un couple jeune et sympathique, le plus ancien hôtel de Cavaillon cache, derrière une façade un peu rude, une déco sympa (lustres étonnants) et une grande terrasse avec solarium, hamacs et balancelle pour la détente ou l'apéritif. Visitez plusieurs chambres : celles côté rue sont un peu bruyantes, mais ont la vue pour elles ; on aime bien celles sous les toits. Buffet du petit déj copieux et de bonne qualité.

Hôtel du Parc *(plan A2, **11**) : 183, pl. François-Tourel. ☎ 04-90-71-57-78. • reception@hotelduparccavaillon.com • hotelduparccavaillon.com • Doubles 62-72 € selon saison. Parking payant sur la place. Wifi.* Belle grosse maison bourgeoise du XIXe s, située juste en face de l'arc romain, jouxtant un petit parc (d'où le nom) et l'office de tourisme. Ambiance familiale et accueil sympathique. À l'intérieur, déco croquignolette, avec d'agréables espaces communs, notamment le patio, terrasse de pierres fraîches et de plantes vertes bienvenue, et le salon, décoré comme chez mamie, sans oublier le billard pour les longues soirées d'été. Chambres à l'ancienne, assez coquettes mais moyennement insonorisées, comme dans la plupart des vieilles bâtisses. Petit déj fort honnête.

Plus chic

Chambres d'hôtes Le Mas des Amandiers *(hors plan par B1, **14**) : 1539, chemin des Puits-Neufs. ☎ 04-90-06-29-60. • bb@mas-des-amandiers.com • mas-des-amandiers.com • D'Avignon, prendre la route d'Apt et tourner vers Petit-Palais. Depuis Cavaillon, suivre la route de Lagnes. Congés : nov-fév. Compter 77-99 € pour 2. CB refusées. Animaux non admis. Wifi. Apéritif maison ou café offert sur présentation de ce guide.* Jolies petites routes menant à ce joli mas du XVIIIe s, demeure pleine de charme où se retrouvent les amoureux du calme et de la peinture (des stages sont organisés). L'Alsacien Jean-Claude Lorber a installé son atelier au rez-de-chaussée et vous pourrez suivre ses cours, si vous le désirez. Piscine protégée, jardin agréable, salon très confortable. Table d'hôtes à base de produits souvent bio et de vieux légumes oubliés.

Chambres d'hôtes Le Mas du Platane *(hors plan par A1, **13**) : 2890, route de Lagnes. ☎ 04-90-78-29-99. • noel.maurel@wanadoo.fr • lemasduplatane.free.fr • De Cavaillon, prendre la direction de Fontaine-de-Vaucluse, continuer sur 3,5 km et suivre le dernier chemin à droite avt la D 22. Compter 90 € pour 2. Animaux non admis. Internet et wifi. Apéritif et café offerts sur présentation de ce guide.* Ce fut la première chambre d'hôtes de la ville et on comprend pourquoi. L'accueil est excellent et l'immense platane au centre de la cour, entre le vieux mas et la piscine, gratifie d'entrée le visiteur d'une ombre bienfaisante. 2 jolies suites et une chambre double, avec à disposition une cuisine et un barbecue dans la cour pour les soirées grillades occasionnelles. Billard, salle de jeux et jouets pour les enfants. Idéal pour les familles.

Où manger ?

Bon marché

Sol e Pan *(plan A2, **27**) : 13, cours Bournissac. ☎ 04-90-78-06-54. Tlj sf mar 7h-19h30 ; dim jusqu'à 13h. Plat du jour 8 €, salades et formules sandwichs env 5-7 €.* Pour les routards qui font attention à leur budget, et on ne vous envoie pas sur de la qualité vaguement moyenne, sandwichs mous et compagnie... Non, ici, on met du soleil dans le pain, les sandwichs sont frais, tout comme les salades, et on sert même un bon petit plat du jour sur la terrasse ou dans le joli décor de bistrot. Idéal aussi pour vos pique-niques. Du pain, donc, mais aussi des *fougassettes*, des navettes et de bons gâteaux.

Voir aussi la ***Maison Jarry*** dans « Où acheter des douceurs au melon ? Où grignoter sur le pouce ? ».

De prix moyens à plus chic

La Cuisine du Marché *(plan B1, **20**) : 13, pl. Gambetta. ☎ 04-90-71-56-00. • restaurantlacuisinedumarche@orange.fr • Tlj sf dim-lun soir et certains* *j. fériés. Le midi, formule 11,50 € et menu 13 €, puis menus 19-30 €. Apéritif maison offert sur présentation de ce guide.* Un resto qui a connu les grandes heures de cette ville naguère bourgeoise, et d'où l'on a une bien jolie vue sur la place et la fontaine en étoile. Un conseil : venez tôt en saison si vous voulez goûter la fraîcheur des produits et notamment... du melon. Dans l'assiette, une jolie cuisine de marché, il va sans dire, mais aussi des spécialités de toujours comme les encornets farcis, le pavé de taureau et, en saison, l'aïoli ou la daube... Bref, ici, on est sûr d'avoir les deux pieds (paquets, bien sûr) en Provence.

|●| ***La Régalade*** *(plan A1,* ***23****) : 28, rue Poissonnerie. ☎ 04-90-76-15-71. Tlj sf dim, lun soir, mar et j. fériés. Formules 9-15 €. Carte env 15-22 €. CB refusées. Digestif offert sur présentation de ce guide.* Un vrai remède contre le spleen que cette ancienne épicerie fine transfigurée en resto-cave à vin sorti d'un rêve de petite fille des années 1950-1960. Mireille a chiné longtemps pour trouver ces fauteuils, affiches, pubs et disques vinyles qui donnent à ce refuge, ensoleillé même les jours de grisaille, une atmosphère bien particulière. Cuisine de marché, travaillée à l'humeur, et des assiettes bien nourrissantes, à déguster en écoutant un vieux disque, près du bar où se retrouvent les habitués, ou dans sa seconde salle, accueillante, avec ses lampions d'un éternel 14 Juillet. Petite terrasse l'été, qui ranime ce coin du vieux Cavaillon.

|●| ***Carte sur Table*** *(plan B1,* ***22****) : 35, rue Flaubert. ☎ 04-90-78-15-27. • cartesurtable_84@yahoo.fr • ♿ Tlj sf dim-lun. Formules déj 16 € en sem, puis 28 €.* Une table nouvelle, en plein cœur de la ville, proche de la synagogue et blottie à l'angle de ruelles étroites et calmes : en été, une vigne vierge donne de la fraîcheur à la terrasse, et le reste de l'année, la salle lumineuse et élégante est là pour vous accueillir. Tenu par un jeune couple passionné, ce restaurant propose une carte qui devrait évoluer au fil des saisons. Seul en cuisine, le chef propose des plats qui vont à l'essentiel, côté goût, mais qui portent la marque des grandes maisons où il est passé : cuissons précises, travail sur les textures, les saveurs. Excellent accueil, très souriant, et belle carte des vins.

|●| ***Le Pantagruel*** *(plan A1-2,* ***25****) : 5, pl. Philippe-de-Cabassole. ☎ 04-90-76-11-98. • lepantagruel@orange.fr • ♿ Tlj sf dim-lun. Formule en sem 16 € avec un verre de vin ; menus 23-50 €.* Une adresse qui fut tour à tour maison de l'évêque et maison close, ce qui explique le panneau à l'entrée : « Pour éviter toute discussion, il est défendu de causer à table. » Rassurez-vous, désormais vous pouvez parler, l'éloignement des tables permet d'échapper aux conversations des voisins, en terrasse comme en salle, y compris devant la monumentale cheminée. Cuisine de terroir d'aujourd'hui du style agneau à la ficelle farci au chèvre frais. Résultat, c'est simple, bon, parfumé, sans sophistication mais avec une pointe d'originalité, pour mieux vous surprendre, tout comme la couleur de la façade. Avis aux amateurs(trices), le chef a écrit un livre de recettes et donne des cours de cuisine.

|●| ***Côté Jardin*** *(plan B1,* ***26****) : 49, rue Lamartine. ☎ 04-90-71-33-58. • cotejard@club-internet.fr • Fermé dim et lun soir, plus mar soir hors saison. Le midi, formules 13-15 € ; menus 25-32 € ; carte 34 € env.* Derrière la façade étroite, une salle fraîche aux murs clairs et, au fond, un petit jardin intérieur, havre de paix bercé au son d'une fontaine glougloutante. Sympa pour déguster en toute tranquillité une cuisine du moment, aux accents du Sud évidemment, changeante et réalisée avec bonheur par l'un des fils Toppin, soit la 3e génération aux fourneaux. On y retrouve notamment l'agneau, les anchois, les épices... et le melon, con !

|●| ***David & Louisa*** *(plan B1,* ***21****) : 92, pl. Gambetta. ☎ 04-90-78-21-17. • louisaetdavid@wanadoo.fr • Fermé dim hors saison. Le midi, formule 13 € ; menu 18 € ; carte 30 € env.* Salle couleur chocolat et ambiance douce le soir, pour déguster la cuisine de l'ancien chef de la maison Gouin. Bons produits, tarifés à prix fort le soir, plus doux au déjeuner. Et belle carte de vins, avec un bon

choix au verre. La terrasse, à ce carrefour qui tend à devenir le nouveau cœur de Cavaillon, peut paraître bruyante. Comme tout le monde parle fort, ici, faites de même !

De plus chic à beaucoup plus chic

Restaurant Jean-Jacques Prévôt (plan B2, **24**) : *353, av. de Verdun. ☎ 04-90-71-32-43. • contact@restaurant-prevot.com • Tlj sf dim-lun non fériés (dim midi ouv en saison). Formule bistrot le midi 25 € ; menus 45-90 €. Une tranche de melon confit offerte sur présentation de ce guide.* Il aura fallu des années pour qu'on ose mettre un pied dans cet antre du melon cuisiné de toutes les façons. Trop impressionnant, trop cher, trop... Mais voilà qu'à l'heure où d'autres s'endormiraient sur leurs cagettes, J.-J. Prévôt, l'homme au chapeau, qui travaille du melon comme d'autres des herbes ou des épices, joue au jeune chef, se remet en question, fait de sa salle-musée un bistrot rigolo, à midi, et ouvre une terrasse, bienvenue, à l'écart de la rue. Sa cuisine, toujours créative, s'assagit, ou du moins se simplifie ; on apprécie plus les saveurs et on s'amuse tout autant. Bravo, M. Prévôt.

Où acheter des douceurs au melon ? Où grignoter sur le pouce ?

L'Étoile du Délice (plan A1, **30**) : *57, pl. Castil-Blaze.* On y vend de délicieuses *melonettes* (ganaches au melon), mais aussi des pâtes de fruits, des tartelettes au melon et de la brioche au melon. Au cas où vous auriez oublié que vous étiez à Cavaillon...

Maison Jarry (plan B1, **31**) : *39, av. Victor-Basch.* Une autre pâtisserie proposant, entre autres produits dérivés du melon, meringues, berlingots, gâteau Saint-Jacques et « cigale » (melon confit macéré à l'anis dans une pâte d'amande). Belle déco dans l'air du temps qui mêle couleurs pop et mobilier ancien, très agréable. Fait aussi salon de thé : on peut y prendre un bon petit déj et surtout se régaler le midi d'une salade gourmande originale, de quiches vraiment bonnes. Terrasse abritée sur la placette, pour savourer une glace, sinon. Service tonique et patronne exubérante !

Le Clos Gourmand (plan A2, **32**) : *8, pl. du Clos.* On y vend du pastis au melon, de la limonade au melon, de la confiture de melon, et des fruits confits, entre autres.

À voir

L'arc romain (plan A2) : *sur la pl. du Clos, près de l'office de tourisme.* Il a été déplacé ici au XIXe s. Les Romains l'avaient construit au Ier s, au cœur de la ville antique.

La cathédrale Saint-Véran (plan A1) : *avr-sept lun-ven 8h30-12h, 14h-18h (14h-17h sam sf événement) ; oct-mars lun-ven 9h-12h, 14h-17h et sam ap-m. Fermé dim et j. fériés.* Consacrée au XIIIe s par le pape Innocent IV, elle garde son caractère roman. Nef à six travées et voûtes en berceau brisé. Remarquez, à droite de l'entrée, le squelette grimaçant qui orne le cénotaphe de J.-B. de Sade. Dans la chapelle Saint-Véran, une toile de Mignard (1657) représente ce saint patron de la ville enchaînant la Couloubre, monstre qui, dit-on, terrorisait la région... Un peu plus loin, l'autel Saint-Éloi, où l'artiste a représenté les fruits et légumes produits sur le territoire de Cavaillon, avec, en bonne place, le divin melon ! Dans la chapelle César-de-Bus, bel ensemble en bois doré du XVIIe s. Accolé à la cathédrale, cloître plein de charme et de fraîcheur.

La synagogue (plan A1) : *rue Hébraïque. ☎ 04-90-71-73-81. Mai-sept, tlj sf mar, 9h30-12h30, 14h-18h ; hors saison, tlj sf mar et dim, 10h-12h, 14h-17h. Visite guidée ttes les heures. Entrée : 3 €, billet jumelé avec le musée de l'Hôtel-Dieu ;*

réduc ; gratuit pour ts le 1er dim du mois et pour les moins de 12 ans, les étudiants et les demandeurs d'emploi.
Considérée comme l'un des joyaux de l'art judaïque français, la synagogue de Cavaillon traduit bien la double culture juive et provençale propre aux juifs du pape. Elle est inscrite dans la *carrière* qui était le lieu de résidence, désigné par les papes, des communautés juives du Comtat venaissin. Alors que les communautés sont chassées, au XVe s, du royaume de France, les papes les accueillent sur leurs terres et les protègent. Toutefois, ils les obligent à vivre, dès 1453, dans des rues fermées la nuit, leur interdisent tous les métiers sauf ceux de la brocante, de la fripe et de l'usure, et leur imposent un signe distinctif... Reconstruite à la fin du XVIIIe s, la synagogue arbore un décor inspiré de la Provence d'alors, élégant et riche, qui a été remarquablement restauré en 1986. Les lustres proviennent de la première synagogue, dont il ne subsiste que l'ancienne tourelle d'escalier et les portes du tabernacle présentées dans le Musée judéo-comtadin.
L'organisation de la synagogue, à la fois lieu de prières, de réunions publiques et école des garçons, est spécifique au Comtat venaissin : les femmes se réunissent au rez-de-chaussée, dans la boulangerie, les hommes à l'étage. Sur la tribune, s'installent le rabbin et les hommes les plus influents de la communauté, notamment pour la lecture de la Torah. Une place importante est accordée au prophète Élie ; en témoigne la présence du fauteuil sur un ensemble de nuages.
À l'intérieur de l'ancienne boulangerie, le Musée judéo-comtadin retrace l'histoire de la communauté hébraïque de Cavaillon : Torah du XVIIe s, amulettes, livres de prières...
La communauté, qui comptait quelque 200 personnes au XVIIe s, fonctionnait comme une république autonome avec ses règles, ses chefs et l'interdiction de se mélanger avec les chrétiens. Ses membres, devenant citoyens français à la Révolution, se sont dispersés. La communauté a réduit au XIXe s jusqu'à disparaître au XXe s. La synagogue a été classée Monument historique en 1924.

Le musée de l'Hôtel-Dieu *(plan A1)* **:** *porte d'Avignon. ☎ 04-90-71-73-81. Fléché depuis le centre-ville. Ouv 2 mai-sept 14h-18h, sf mar, mêmes tarifs que la synagogue ; les billets sont jumelés pour ces 2 sites.* Installé dans la chapelle (1775) de l'ancien hôtel-Dieu. On y trouve donc des objets de l'ancienne pharmacie de l'hôpital : mortiers, pots à onguents en faïence et en verre. Également une intéressante collection archéologique : vases, bijoux et armes du Néolithique trouvés dans les grottes du Luberon, stèles funéraires gallo-grecques et gallo-romaines, bel ensemble de céramiques sigilées, statuaire (dont une belle tête d'Agrippine du Ier s apr. J.-C.), monnaies gallo-romaines et autel médiéval de la cathédrale. Expos temporaires en relation avec les collections des musées et le patrimoine de la ville.

À faire

La colline Saint-Jacques *(plan A1)* **:** partant de la place du Clos, un sentier vous mène jusqu'en haut de ce monticule par un escalier du XVe s. Au sommet, la romane *chapelle Saint-Jacques,* construite au XIIe s. Beau panorama. Sentier de découverte aménagé par le parc du Luberon et sentier forestier.

Fêtes et manifestations

– **Festival Sciences & Fictions :** *la 1re quinzaine de mars, sur 4 j., à Cavaillon, Cheval-Blanc, Mérindol et Les Taillades.* Ce nouveau festival tente de répondre à une excellente question : qui de la science ou de la fiction inspire l'autre ? Rencontres de scientifiques, créateurs, auteurs et inventeurs. Plus des balades nature, tables rondes et ateliers.

– ***Corso :*** *jeu ap-m de l'Ascension et sam soir suivant.* Défilé de chars (confectionnés selon la technique du « bouillonnage »), etc.
– ***Melons en fêtes :*** *le w-e précédant le 14 juil.* Grands banquets populaires, dégustation dans la rue, intronisation dans la confrérie des chevaliers de l'ordre du Melon de Cavaillon et expos de dessins, tableaux, archives, recettes de cuisine : 2 jours pour fêter dignement le roi des cucurbitacées.
– ***Rencontres cinématographiques :*** *fin août.* Autour d'un thème ou d'un réalisateur.

DANS LES ENVIRONS DE CAVAILLON

CAUMONT-SUR-DURANCE (84510)

À 9 km de Cavaillon et à 10 km d'Avignon, un village quelque peu oublié des circuits touristiques, qui a choisi de résister au béton envahisseur. Alors qu'un projet immobilier devait se réaliser sur un terrain en contrebas des vestiges d'une riche villa romaine du Ier s de notre ère, des fouilles ont mis au jour des aménagements exceptionnels.

Où dormir ?

La Bastide des Amouriers : *117, chemin de Saint-Estève. ☎ 04-90-03-39-31. • labastide@lesamouriers.com • lesamouriers.com • De Caumont, direction Velleron (D 1) puis à droite. Compter 65-80 € pour 2 pers selon saison et 95-110 € pour 4 pers, petit déj inclus.* Malgré la belle bâtisse XIXe s qui les abrite, les 4 chambres d'hôtes sont simplement décorées et n'ont pas le charme fou de certaines vieilles pierres du secteur. Mais l'atout de cette Bastide, c'est surtout l'accueil enjoué de la famille lyonnaise qui tient les lieux, le grand parc de 2 ha avec son étang et sa piscine et le prix vraiment raisonnable pour la région. Également un gîte à louer. Un bon rapport qualité-prix.

Le Posterlon : *3, rue du Posterlon. ☎ 04-90-22-21-20. 06-60-83-93-71. • grosjean.pascal@wanadoo.fr • posterlon-provence.com • Derrière l'église. Compter 100 € pour 2, 160 € pour 4 et 35 €/pers, petit déj inclus, si la maison est louée entièrement.* Une superbe maison de maître du XVIIe s en pierres de taille, qui fut un temps la maison du curé, un lieu où le mot « temps » prend tout son sens. Tout y est patiné jusqu'à la moelle : l'escalier dont les marches dessinent des vagues et des courbes à faire tanguer un moussaillon, jusqu'à cette cave qui tient lieu de... boutique, quasi surréaliste (pour ne pas dire la cave d'Ali Bobo !). Il faut dire que la déco *Côté Sud* donne un côté magazine de mode aux 5 chambres (3 suites et 2 doubles). Excellent, de Patricia et Pascal. Petit jardin avec piscine au pied du rempart. Le charme intégral ou l'invention du glamour rustique !

À voir

Le Jardin romain : *impasse de la Chapelle (à la sortie du village). ☎ 04-90-22-00-22. • jardin-romain.fr • Juin-sept tlj 10h-12h30, 15h-19h ; hors saison, 14h-18h, sf mar. Congés : déc-janv. Entrée : 3,10 € ; réduc.* Fleuron de ce jardin romain reconstitué de 12 000 m², un bassin d'agrément unique en Gaule, long de 65 m, dont le fond est composé d'un assemblage de plus de 50 000 briquettes d'argile cuite, allant du brun foncé au jaune pâle. Rien de comparable n'a été trouvé depuis Pompéi. Tout autour, huit jardins thématiques ont été recréés, auxquels il faudra un peu de temps pour donner vraiment l'illusion d'un jardin béni des dieux. Des dieux ici chez eux, chacun veillant sur sa parcelle, ce qui devrait apprendre aux enfants (et aux grands) comment se déroulait autrefois la vie au quotidien dans une riche villa.

CHEVAL-BLANC (84460)

La plus longue commune du Luberon (10 km de long) est pourtant un village que l'on traverse souvent trop vite, à seulement 5 km de Cavaillon. L'office de tourisme de Cavaillon y organise pourtant des circuits autour de l'agriculture et de l'irrigation, où l'on apprend que le canal Saint-Julien (soit le plus vieux canal d'irrigation de Provence) et ses « filioles » fonctionnent en circuit fermé, ce qui permet de réalimenter les nappes phréatiques, particulièrement au cœur de l'été... On y a également ouvert un ***espace Tourisme, création et terroir*** qui permet de découvrir le talent de jeunes créateurs installés dans la région et de déguster et acheter de nombreux produits de terroir. ☎ *04-90-04-52-94. Tte l'année, mar-sam. Autres points d'accueil sur les communes voisines des Taillades et Mérindol.*
ATTENTION : l'accès aux ***gorges de Régalon*** est réglementé, et susceptible d'être totalement ou partiellement interdit selon les saisons, pour raisons de sécurité. Renseignez-vous à l'office de tourisme de Cavaillon ou Cheval-Blanc. Le secteur est classé « Réserve naturelle » car c'est un haut lieu de la paléontologie. Amende garantie en cas de non-respect des règles.

Où manger ?

|●| ***L'Auberge de Cheval Blanc :*** *481, av. de la Canebière.* ☎ *04-32-50-18-55.* ● *contact@auberge-de-chevalblanc.com* ● ♿ *Sur la D 973, en direction de Pertuis. Tlj sf lun, sam midi et dim soir ; juin-sept tlj sf lun midi. Menu 23 € avec boisson (le midi en sem) ; menus-carte 28-69 €. Digestif offert sur présentation de ce guide.* Un nom d'opérette qui cache un vrai tempérament de chef et une des tables les plus intéressantes du pays. Un lieu où l'on prend son temps, notamment aux beaux jours, à la fraîche, côté patio ou côté jardin près de la petite fontaine. Sinon, belle salle climatisée, avec juste quelques touches de couleur sur fond de décor blanc et gris plutôt neutre. Les vraies touches de folie créatrice se glissent dans les plats savoureux préparés par le chef, rencontres étonnantes de saveurs, de parfums et de terroirs.

MÉRINDOL (84360)

Dominé par un émouvant village abandonné, ce gros bourg de la vallée de la Durance, où le parc a mis en place l'observatoire ornithologique du Luberon, reste dans les mémoires pour avoir été la capitale des vaudois (on y trouve d'ailleurs un mémorial et un centre d'études vaudois). Aujourd'hui s'y déroule un sympathique *marché nocturne,* chaque mercredi de mi-juillet à fin août. Signalons également le *moulin à huile Boudoir,* logé dans un ancien temple, qui vend son huile d'olive bio les jeudi et samedi matin.

Les vaudois en Luberon

Rien à voir avec des citoyens suisses du canton de Vaud à la recherche de résidences secondaires. L'histoire est plus tragique. À la fin du XIIe s, un marchand lyonnais du nom de Pierre Valdo, qui prêchait le retour aux sources de la foi chrétienne et le rejet d'une bonne partie des rites catholiques, fit école. Excommuniés, ses disciples appelés « vaudois » émigrèrent dans toute l'Europe, dans le Piémont notamment. De nobles piémontais ayant acheté des terres dans le Luberon, certains descendants de vaudois vinrent s'y fixer.
Ralliés à la Réforme en 1532, après la rupture de Luther avec Rome, les vaudois subissent alors les pires persécutions. La plus sanglante est menée par Jean Meynier, baron d'Oppède, en avril 1545. Au nom de Dieu et... d'intérêts plus personnels

(il souhaitait agrandir son domaine), le baron et ses hommes rayèrent de la carte de nombreux bourgs et villages, exterminant 2 000 personnes et envoyant 600 vaudois aux galères. Les rares survivants réussirent à gagner à nouveau le Piémont, où ils firent souche dans les « vallées vaudoises ».
Un circuit mis en place par l'office de tourisme permet de combiner, chaque jeudi matin d'avril à octobre, *la visite du site vaudois et celle du moulin à huile voisin du XVIe s : 3 €. ☎ 04-90-72-88-50, sur résa.*

Où dormir ? Où manger ?

Camping

Camping et gîte d'étape des Argiles : *☎ 04-90-72-81-02. • alain.gariston@wanadoo.fr • sejour-en-luberon.fr • En venant de Cavaillon, 3 km avt Mérindol, sur la D 973, suivre les flèches. Au départ du sentier pour les gorges de Régalon, à cheval entre les deux communes. Ouv avr-sept. Forfait 15 € pour 2 avec tente ; 18 €/pers en dortoir ; double 65 €. Repas possible env 24 €. CB refusées. Internet et wifi. Apéritif maison offert sur présentation de ce guide.* Reprise par les enfants, la ferme est toujours aussi accueillante et propose 25 emplacements pour camper (sous les cerisiers !) dans un bel environnement. Également un petit gîte d'étape de 10 lits avec douche, bacs à vaisselle et coin cuisine. Belle piscine aussi, donnant sur la colline. Location de vélos.

Prix moyens

La Bastide de la Roquemalière : *quartier Sabatier. ☎ 04-90-72-86-72. • roquemaliere@wanadoo.fr • calmenature.com • À 1 km de Mérindol (accès fléché depuis la D 973). Congés : 1 sem après Noël. Compter 65 € pour 2. Table d'hôtes 25 €, vin compris. Apéritif et café offerts sur présentation de ce guide.* Un peu isolé au milieu des pins, dans un environnement assez sauvage, un joli mas abritant des chambres originales et très coquettes, toutes différentes les unes des autres. Petit déj sous le chêne aux beaux jours. Piscine et terrain de boules. Excellent accueil. On peut vous préparer des pique-niques à emporter pour vos randos (le propriétaire est un randonneur passionné).

L'Âne sur le Toit : *16, rue des Cigales. ☎ 04-90-72-24-10. En haut du village. Tlj sf lun midi et mar midi en juil-août, mar soir et mer de sept à juin. Formule 2 plats 25 €, menu-carte 30 €.* Un nouveau restaurant au nom évocateur, qui propose une cuisine d'aujourd'hui, raffinée, pleine de saveurs : une pointe d'épices du monde sur fond de bons produits du terroir. Service dans le jardin ombragé ou dans la jolie salle voûtée. La carte des vins met à l'honneur les domaines voisins, et les menus suivent le fil des saisons, sans tricher. Accueil chaleureux.

LE SUD-LUBERON

LAURIS (84360)

On aperçoit de loin le vieux village, perché sur un éperon rocheux au pied duquel coule la Durance. Quelques belles maisons et fontaines anciennes, ainsi qu'une tour du XIIIe s témoignent de la prospérité médiévale du bourg. Marché des producteurs et artisans locaux tous les samedis.

Adresse utile

Office de tourisme : *cour du Château. ☎ 04-90-08-39-30. • lauris.tourisme@orange.fr • Ouv lun-ven et sam en saison.*

Où dormir ? Où manger ?

Prix moyens

Gîte d'étape et chambres Le Mas de Recaute : *chemin de Bonnieux. ☎ 04-90-08-29-58. • masderecaute@caprando.com • cap-rando.com/gite.php • À 3 km de Lauris, sur la route de Roquefraîche (accès fléché). Ouv tte l'année. Nuit en dortoir 20 €/pers ; double avec douche et w-c 58 €, petit déj inclus. Dîner en table d'hôtes 20 €. Wifi. Apéritif offert sur présentation de ce guide.* Relais pouvant accueillir 15 randonneurs équestres et pédestres dans une propriété en pleine nature. Dortoirs et chambres convenables, simples mais bien tenus. Organise des randonnées à cheval ou à pied de 1 à 7 jours dans le Luberon.

Plus chic

Chambres d'hôtes La Maison des Sources : *chemin des Fraisses. ☎ 04-90-08-22-19. • contact@maison-des-sources.com • maison-des-sources.com • En allant vers Lauris depuis la D 973, prendre la 1re à gauche et continuer sur env 700 m. Doubles 92-95 €. « Dortoir des nonnes », chambre pour 4 pers, 150 €. Wifi. Apéritif maison offert sur présentation de ce guide.* Une solide et élégante bastide du XVIIIe s, bâtie à flanc de colline. Chambres à l'ancienne qui ne manquent pas de cachet ! Également un jardin et une très jolie terrasse.

À voir

Le jardin conservatoire des plantes tinctoriales : *sur les terrasses du château. ☎ 04-90-08-40-48. • couleurgarance.com • Ouv 15 mai-oct, tlj sf lun.* Historien, botaniste et chimiste passionné, Michel Garcia a créé un jardin de plantes ayant toutes en commun un extraordinaire pouvoir colorant : la garance, bien sûr, dont le Vaucluse était le premier producteur au XIXe s, mais aussi bien d'autres, moins connues (pastel, indigotier, cosmos...), qui permettent d'évoquer les domaines de l'alimentation, de la cosmétique, de la teinturerie. Organise également des stages et des ateliers.

CADENET (84160)

Au pied d'une colline percée d'habitats troglodytiques, une petite bourgade très provençale, surmontée par les ruines fantomatiques d'un château médiéval. Passer de préférence un jour de marché, le lundi, toute l'année, pour le marché hebdomadaire, ou le samedi, quand le marché paysan bat son plein, de mai à octobre.

Adresse utile

Office de tourisme : *11, pl. du Tambour-d'Arcole. ☎ 04-90-68-38-21. • ot-cadenet.com • Ouv tlj sf dim et j. fériés.*

Où dormir ? Où manger ?

Chambres d'hôtes La Tuilière : *chemin de la Tuilière. ☎ 04-90-68-24-45. • clo@latuiliere.com • latuiliere.com • À la sortie du village (fléché à partir de l'église), en direction d'Ansouis (par la D 45). Compter 74-90 € pour 2 selon confort ; 3e nuit offerte nov-mars. L'été, table d'hôtes sur résa 24 €, apéritif et vin compris ; enfant 12 €. Wifi.* Grosse bastide du XVIIIe s classée « Gîte Panda », posée au milieu de 12 ha de vignes et d'arbres fruitiers. Si la maison est ancienne, les 5 chambres sont plutôt modernes (une avec baignoire, une autre avec kitchenette), agréables et bien décorées, dans des tons harmonieux. Grande propriété tout autour, avec petit chemin et piscine remplie d'une eau de forage de 100 ans d'âge... Cuisine de saison, familiale et provençale, autour des produits du potager, du verger, des vignes...

|●| **La Cour de Ferme :** *auberge La Fenière, route de Lourmarin. ☎ 04-90-68-11-79. • reine@wanadoo.fr • Tlj sf mer-jeu midi de mi-juin à mi-sept, plus jeu soir hors saison. Menu-carte 35 €.* Dans un irrésistible décor de ferme d'opérette, en contrebas de son restaurant gastronomique, Reine Sammut propose une cuisine de terroir tout en simplicité et saveurs, ce qui n'empêche en rien quelques délicatesses et un sacré tour de main. Le menu change tous les 15 jours. Les légumes, les herbes, les fleurs proviennent du potager et ce qui n'est pas produit sur place provient des meilleurs fournisseurs du pays.

À voir

La statue du tambour d'Arcole : *sur la pl. principale.* En novembre 1796, près de Vérone en Italie, André Estienne (né, bien sûr, à Cadenet) traversa la rivière à la nage (avec son tambour...) et fit croire, en battant la charge, que les Français prenaient les Autrichiens à revers. Ceux-ci s'enfuirent et l'armée de Bonaparte passa le pont, alors que le combat menaçait de s'éterniser.

L'église : *ouv en saison et sur rdv pour une visite commentée (gratuite) : ☎ 04-90-68-36-01 (Mme Drevet).* Beau clocher provençal, dont la souche carrée porte une tour octogonale. À l'intérieur, voir les fonts baptismaux, constitués par une moitié de cuve en marbre du IIIe s.

Le musée de la Vannerie : *La Glaneuse, av. Philippe-de-Girard. ☎ 04-90-68-24-44. ♿ (sf diaporama). De mi-mars à Toussaint, tlj sf mar, mer mat et dim mat, 10h-12h, 14h30-18h30. Entrée : 3,50 € ; réduc ; gratuit jusqu'à 12 ans.* La vannerie constituait l'activité principale de la région au début du XXe s (quelque 500 vanniers exportaient leur production jusqu'aux États-Unis). Reste le souvenir de leur savoir-faire à travers quelques outils, mais aussi quantité de berceaux, chapeaux, paniers, chaises, bouteilles, etc. Ateliers et démonstrations de vanneries (pour groupes).

VAUGINES *(84160)*

Tout petit et très joli village niché au pied du Luberon, avec son lot de maisons médiévales (la commanderie, la capitainerie) et une superbe église où Claude Berri a tourné la scène du mariage de *Manon des sources.*

Où dormir ? Où manger ?

L'Hostellerie du Luberon : *cours Saint-Louis. ☎ 04-90-77-27-19. • brun4@wanadoo.fr • hostelleriedulubern.com • Resto fermé mar midi et mer midi. Doubles 99-118 € ; ½ pens 69,50-74,50 €/pers. Menus 24-35 € ; carte env 34 €. Parking privé clos. Internet, wifi.* Un hôtel moderne et, pour tout dire, à l'architecture peu heureuse (mais cachée sous une épaisse végétation), situé au calme, à l'orée du village. Les chambres sont dans des tons estivaux et l'ensemble est plutôt coquet. Vaste et agréable salle à manger, pour une cuisine provençale dans la tradition... Jardin, piscine et sauna.

CUCURON *(84160)*

Au pied du Mourre-Nègre, point culminant (1 125 m) du Luberon. Joli village d'une belle homogénéité architecturale (Rappeneau y a tourné pas mal de scènes du *Hussard sur le toit*), où il fait bon flâner le nez en l'air.
Une petite pensée enfin pour Henri Bosco, qui aimait beaucoup l'endroit.

Adresse utile

Office de tourisme : *rue Léonce-Brieugne. ☎ 04-90-77-28-37. • cucuron-luberon.com • Ouv tlj, sf sam ap-m et dim hors saison.* Vous y trouverez tout renseignement sur Cucuron mais aussi sur Vaugines : hébergement, balades, randos, adresses de producteurs, etc.

Où dormir ? Où manger ?

Campings

Camping Le Moulin à Vent : *chemin de Gastoule. ☎ 04-90-77-25-77. • camping_bressier@yahoo.fr • avignon-et-provence.com • Du centre du village, suivre la route de Villelaure sur 1,5 km ; ensuite, c'est fléché. Ouv 1er avr-début oct. Résa vivement conseillée. Emplacement pour 2 avec tente et voiture 15 €. Loc de chalets et mobile homes (280-520 €/sem selon taille et saison). 5 % de réduc sur présentation de ce guide.* Un petit camping accueillant, ombragé, reposant et agréable. Proximité du parc du Luberon, et des GR 7 et 97.

Camping Lou Badareu : *route de l'Étang-de-la-Bonde. ☎ 04-90-77-21-46. • contact@loubadareu.com • loubadareu.com • Ouv début avr-début oct. Forfait emplacement pour 2 avec tente et voiture env 11,50 € en hte saison. Loc d'une caravane et de 2 mobile homes (180-370 €/sem).* Machine à laver, ping-pong, petite épicerie et même une cave à vin. 34 emplacements, plutôt vastes ; ensemble sympathique. Étang du GR 9 à proximité. Calme et ombragé. Bassin d'agrément où l'on peut se baigner.

Bon marché

Le Cercle : *cours Pourrières. ☎ 04-90-77-27-17. Tlj sf lun.* Une brasserie proposant des menus-snack à grignoter le midi en terrasse.

Gîte La Rasparine : *sur la route de La Tour-d'Aigues, à 1 km du village, juste à côté du camping Lou Badareu. ☎ 04-90-77-24-72. 06-03-00-10-29. • les.vadons@wanadoo.fr • domaine-les-vadons.com • Congés : 15 nov-30 mars. 18,30 € la nuit/pers ; 36,30 € en ½ pens. Un gîte de 25-30 pers. Apéritif offert sur présentation de ce guide.* Pour la baignade, on peut utiliser (si l'on est gentil) le bassin du camping *Lou Badareu* situé juste à côté.

De prix moyens à beaucoup plus chic

L'Arbre de Mai : *rue de l'Église. ☎ et fax : 04-90-77-25-10. Doubles 58 € (w-c sur le palier)-74 € ; ½ pens pour les clients.* Dans une grosse maison du XVIIe s, la bonne adresse populaire, conviviale et familiale. Chambres pour la plupart mignonnettes avec leur déco cosy, d'un confort de bon aloi. Toute simple mais bonne cuisine de terroir (brandade de morue, alouettes sans tête, daube, tian à la provençale). Accueil franc et sans chichis, pas toujours au goût de tout le monde, cela dit !

Hôtel de l'Étang : *pl. de l'Étang. ☎ 04-90-77-21-25. • hoteldeletang@wanadoo.fr • hoteldeletang.com • Doubles avec bains 70-75 € selon saison, petit déj 9 €. Internet et wifi.* Face au grand bassin rectangulaire bordé d'arbres creusé au Moyen Âge. Les 6 chambres n'ont pas de charme particulier, mais elles sont calmes, d'un très bon confort (TV, AC et minibar) et absolument impeccables. Quelques-unes donnent sur la place, la no 3 sur l'étang en question. À vous de choisir...

La Petite Maison de Cucuron : *pl. de l'Étang. ☎ 04-90-68-21-99. • info@lapetitemaisondecucuron.com • Tlj sf lun-mar. Menu déj 40 € puis menu 65 €.* Plus qu'une petite maison, on est ici à une grande table ! Le chef, Éric Sapet, modeste, qualifie sa cuisine de classique et ludique. On la trouve, nous, superbe et décomplexée. Jouant des harmonies entre terre et mer, se sentant aussi à l'aise avec les plumes qu'avec les écailles, ses plats se révèlent flatteurs aux narines, explosifs pour les papilles, laissant derrière eux une longue sensation de plaisir, à chaque bouchée renouvelée. La carte est délibérément courte mais renouvelée toutes les semaines. Terrasse.

À voir. À faire

Quelques opulentes demeures du XVIIIe s, une église du XIIIe s, un bel étang et un intéressant petit musée sont les principaux attraits de Cucuron. À voir encore, un moulin à huile, situé dans l'arrière-boutique d'une galerie de tableaux et d'artisanat.

Le musée Marc-Deydier : ☎ *04-90-77-25-02. Tlj sf mar mat 10h-12h, 15h-19h ; entrée libre.* On y découvrira, outre une collection archéologique (mausolée du Ier s), d'étonnantes plaques daguerréotypes de la fin du XIXe s.

➢ ***Sentier des vignerons :*** *se rens auprès de l'office de tourisme.*

Fête

– ***L'Arbre de mai :*** *sam suivant le 21 mai.* L'Arbre de mai est soigneusement choisi dans les alentours puis abattu à la hache. Un enfant (dit « l'Enseigne »), symbole de la jeunesse, s'y assied à califourchon, et l'arbre et son cavalier traversent les rues du village sur les épaules de solides gaillards jusqu'à la porte de l'église. L'arbre est ensuite dressé (on a pris la peine de faire descendre l'enfant, quand même...) devant l'édifice. Une fête colorée et populaire, à la fois païenne et chrétienne puisqu'elle célèbre le retour du printemps tout en rendant hommage à sainte Tulle, patronne de Cucuron, en remerciement de son intervention lors de l'épidémie de peste de 1720.

ANSOUIS (84240)

Splendide village (figurant parmi les Plus Beaux Villages de France) perché sur une colline, au pied de son château. Celui-ci fut, des siècles durant, propriété d'une des grandes familles de Provence, les Sabran, dont l'Église a béatifié deux membres, Elzéar IV de Sabran et son épouse Delphine de Signes. Après une longue querelle opposant les héritiers du château, celui-ci a été vendu à un couple d'Aixois passionné de vieilles pierres. Quant au vicomte de Sabran-Pontevès, maire d'Ansouis, il continue d'affirmer sa différence : si son village est toujours l'un des seuls de France où l'on ne fête pas le 14 Juillet, c'est uniquement en raison de la proximité dans le temps de la fête votive, et pour des raisons budgétaires, bien sûr... Les feux d'artifice n'en partent que de plus belle, une semaine plus tard !

Adresse et info utiles

Office de tourisme : *pl. du Château.* ☎ *04-90-09-86-98.* • *tourisme-ansouis.com* • *Ouv tlj en saison.* Très accueillant. Pensez à y récupérer le plan-circuit du village.

– ***Marché :*** *le dim mat.*

Où manger ?

La Closerie : *bd des Platanes, au cœur du village.* ☎ *04-90-09-90-54.* *Tlj sf mer-jeu et dim soir. Fermé janv. Menu déj (en sem) 23 € ; menu gourmand 36 € ; carte 55 €.* Un petit resto tenu par un jeune couple qui travaille seul, comme souvent aujourd'hui, elle en salle, d'une grande efficacité, lui en cuisine, d'une belle précision. Jolie vaisselle, fleurs fraîches, linge de table de qualité. Cuisine de saison, subtile dans ses goûts comme sa préparation. La spécialité du chef est le carré d'agneau rôti en cocotte avec les légumes du moment. Bel accueil.

Les Moissines : *Grand-Rue, au cœur du village.* ☎ *04-90-09-85-90. Tlj 12h-19h sf mar hors saison ; service à tte heure. Congés : 15 oct-15 avr. Carte env 20 €. Café offert sur présentation de ce guide.* Idéal pour apaiser une fringale diurne, à la belle saison. Salades, tartes salées et omelettes. Agréable terrasse au pied du château donnant sur la vallée.

Où manger une glace ?

L'Art Glacier : ☎ *04-90-77-75-72. En juil-août, tlj 14h-23h30 ; en mai, juin et sept, mer-dim 14h-19h (jusqu'à 23h le sam en mai-juin) ; fermé en janv-fév ; se rens pour les horaires le reste de l'année.* Un glacier avec vue et terrasse ombragée, où gourmands et gourmandes se pressent pour goûter aux glaces à la violette ou à la lavande, ou encore aux glaces au miel de Provence ou aux calissons du Vaucluse.

À voir

Le château : *visite de Pâques à la Toussaint.* *06-84-62-64-34.* Après avoir été abandonné jusqu'en 1936, ce magnifique château fut pendant quarante ans habité par le duc et la duchesse de Sabran-Pontevès et leurs quatre enfants. Le château s'est refait une beauté grâce à eux, devenant la principale locomotive touristique du village. Après le décès de ses parents, le benjamin de la fratrie et par ailleurs maire d'Ansouis s'était installé ici avec son épouse et ses fils, au grand dam de sa sœur, la duchesse d'Orléans. Depuis 1973, les héritiers n'arrivaient pas à se mettre d'accord pour partager les biens de la famille, en premier lieu le château d'Ansouis. La justice a tranché et ce duel fratricide s'est terminé en 2008 par une vente à la bougie. Les rumeurs allèrent bon train sur la vente du château, certains habitants craignant que cette magnifique forteresse ne tombe dans les mains d'Américains, de princes saoudiens (on voyait déjà des dromadaires dans le parc !) ou bien encore de Pierre Cardin. C'était sans compter sur l'aide de sainte Delphine, la bonne fée du logis (si l'on peut dire !). La vente de cet édifice millénaire fut remportée par un couple d'Aixois et la visite du château peut continuer.
Forteresse purement défensive à l'origine (Xe s), le château a connu de nombreuses transformations aux XIIe et XIIIe s. L'élégant corps de logis principal date du XVIIe s. On y découvre un escalier monumental surmonté d'une voûte à caissons et des appartements aux charmantes gypseries (XVIIIe s) dont les fenêtres s'ouvrent sur les jolis jardins suspendus. L'occasion de parler boudoir, libertinage et vie de château en toute liberté. La visite non dénuée d'humour est en effet assurée par les nouveaux propriétaires aixois eux-mêmes.

Manifestation

– ***Les Botanilles en Luberon :*** *un dim mi-mai.* Conférences, expos, marché aux plantes, balades et ateliers, etc., toute une journée déclinée sur le thème des fleurs et des jardins...

PERTUIS (84120)

Entre Durance et Luberon, Luberon et Sainte-Victoire, Vaucluse et Bouches-du-Rhône, Pertuis est passée en 30 ans de 5 000 à 20 000 habitants. Anciens et nouveaux Pertuisiens se retrouvent en grande partie sur le marché, qui investit tout le centre-ville, haut lieu de convivialité le vendredi matin (et à la *Couscoussène* à midi, le meilleur couscous de la région !). Le reste du temps, Pertuis se révèle commerçante et riche en boutiques. Idéal pour faire quelques emplettes.
Parmi les rendez-vous annuels à ne pas manquer : foire aux fleurs en avril, festival de *big band* en août et salon des antiquaires en janvier.

Adresse utile

Office de tourisme : *pl. Mirabeau, Le Donjon. ☎ 04-90-79-15-56. • contact@tourismepertuis.fr • tourismepertuis.fr • Tlj sf dim ; fermé lun nov-mars.* Édite le vendredi matin un dépliant « carnet de rendez-vous du week-end » annonçant toutes les manifestations du week-end. L'office est à votre disposition pour vous aider à vous loger en chambres d'hôtes, hôtels ou meublés de tourisme.

Où dormir ?
Où manger ?

Camping

Camping Le Domaine des Pinèdes du Luberon : *av. Pierre-Augier. ☎ 04-90-79-10-98. • pinedes-luberon@franceloc.fr • campings-franceloc.fr • ♿ À la sortie de Pertuis (accès fléché depuis le centre-ville). Ouv de mi-mars à mi-oct. Compter env 25 €. Loc de mobile homes.* Un ancien camping municipal repris par le groupe *France Loc.* Les emplacements pour tentes se situent sous une sympathique pinède (on s'en serait douté) qui procure un bon ombrage. Sinon, emplacements séparés par des haies sous les chênes verts. Snack-bar et dépôt de pain en été. À proximité, piscine intercommunale et tennis (payants mais réduc pour les campeurs). Cela dit, quand vous viendrez, vous devriez bénéficier gratuitement de la nouvelle piscine du camping (avec toboggans et pataugeoire), ainsi que d'un trampoline et d'un ventre-glisse pour les enfants ! Également un club enfants et des animations estivales. Enfin, le GR 5 passe dans le coin.

De bon marché à prix moyens

Le Goût du Jour : *100, pl. Jean-Jaurès. ☎ 04-90-79-40-72. • goutdujour@aliceadsl.fr • Ouv mar-sam. Formule 13 €. Menu 28 € ; carte 35 €.* Gentille adresse à prix tout doux, idéale pour se poser après le marché. Dans deux jolies petites salles ou à l'étroit en terrasse (faut dire que le trottoir n'est pas bien large !), on découvre une cuisine légère et ludique, servie sous forme de verrines.

À voir

Le centre ancien : un centre qui se découvre le temps d'une flânerie jalonnée de panneaux, sur les pas de Mirabeau, l'enfant du pays. Sur le fronton de l'église Saint-Nicolas, un des plus beaux exemples de style gothique flamboyant et Renaissance en pays d'Aigues, vous découvrirez l'inscription « Liberté, Égalité, Fraternité »... Grand vent révolutionnaire dans une ville dont les armoiries sont une fleur de lys, privilège rare, que Pertuis a obtenu en raison de « la bonne et ancienne fidélité que les habitants dudit lieu ont toujours tenue et gardée envers les comtes de Provence ». Pertuis n'en est pas à une originalité près. Vous remarquerez que les cloches ne sont pas sur l'église, mais sur le donjon de l'ancien château, qui abrite désormais l'office de tourisme.

Le château Val-Joanis : *route de Cavaillon (D 973). ☎ 04-90-79-20-77. • val-joanis.com • Ouv tlj avr-oct et déc, 10h-19h ; lun-ven 14h-17h30 le reste de l'année. Visite guidée le jeu à 16h (et le w-e en saison), compter 4,50 €/pers, gratuit pour les moins de 16 ans.* Une célèbre propriété familiale viticole chère également aux amoureux des jardins. Outre les chais, on visite donc des jardins, classés « Jardins remarquables » et élus « Plus Beaux Jardins » en 2008. Les amateurs de beaux potagers seront particulièrement comblés. Ici, la nature est guidée, tuteurée, palissée et, pourtant, elle s'éclate dans une débauche de couleurs et d'odeurs. Un vrai bonheur ! Dégustation (gratuite) et vente de vins et d'huiles d'olive. Diverses manifestations ponctuent l'année comme le Festival du potager en juillet.

LA TOUR-D'AIGUES (84420)

Adresse utile

Office de tourisme : *Le Château. ☎ 04-90-07-50-29. ● souriredulubéron.com ● Ouv lun-sam.*

Où dormir ? Où manger ?

Hôtel-restaurant Le Petit Mas de Marie : *bd Saint-Roch, Le Revol. ☎ 04-90-07-48-22. ● lepetitmasdemarie@wanadoo.fr ● lepetitmasdemarie.com ● À env 1 km du village, sur la route de Pertuis. Resto réservé aux clients de l'hôtel en ½ pens, tlj de mi-mars à mi-oct ; fermé ven soir, sam-dim soir hors saison. Congés : fév et 15 j. à la Toussaint. Doubles 65-85 €, petit déj 10 €. Plateau-repas sur résa 15 € (midi en sem), ½ pens 61-79 €/pers. Wifi.* Hôtel situé à l'entrée de la ville, au bord d'un rond-point, mais qu'une déco chaleureuse et une végétation luxuriante ont su rendre agréable. Résultat, on a là un établissement classique et tranquille proposant un hébergement de qualité dans des chambres de style provençal (ça vous surprend ?). Au resto cuisine traditionnelle. Belle piscine.

Où manger dans les environs ?

L'Auberge du Grand Réal : *84120* ***La Bastidonne.*** *☎ 04-90-07-55-44. Juil-août, ouv tlj sf lun-mar et soir des j. fériés ; sept-juin, ouv le midi mar-dim et j. fériés, ainsi que le sam soir. Résa conseillée. Formules déj 12-18 €. Menus soir et w-e 22-26 €. Apéritif offert sur présentation de ce guide.* Ferme-auberge un peu particulière puisqu'il s'agit d'un CAT, autrement dit un Centre d'aide par le travail qui favorise l'insertion des personnes handicapées. Comme dans toute ferme-auberge, on y sert les produits de l'exploitation et une cuisine typiquement provençale : craspeou, pieds et paquets, cabri, légumes bio, fromages, etc. Une boutique où l'on peut se procurer ces mêmes produits complète l'ensemble. Une adresse fortement prisée des locaux, d'autant plus que le cadre est très agréable. Idéal en famille.

À voir. À faire

Le château : *☎ 04-90-07-50-33. ● chateaulatourdaigues.com ● Tlj sf dim et lun mat : 10h-13h, 14h30-18h avr-sept ; 10h-13h, 14h-17h le reste de l'année. Entrée : 4,50 € ; réduc ; gratuit pour les moins de 8 ans.* Véritable chef-d'œuvre de la Renaissance en Provence. Il mérite le détour, ne serait-ce que pour son portail sculpté qui se dresse comme un arc de triomphe romain. Le château doit aussi sa saisissante allure au fait qu'il fut en grande partie détruit par un incendie et qu'il s'élève telle une grande carcasse à ciel ouvert. Quelques salles ont néanmoins été épargnées. C'est ainsi que l'on visite le premier sous-sol, constitué d'un bel ensemble de caves voûtées aménagées pour abriter deux petits musées : le ***musée de la Faïence,*** qui expose vaisselle, carreaux, médaillons et autres pièces issues de fouilles, et la ***salle de l'habitat rural,*** qui présente les différents types d'habitations provençales (du cabanon à la bastide aristocratique), ainsi que la structure des villages de Provence. Le reste de l'espace est généralement occupé par des expositions temporaires (sujets très divers). De mi-juillet à mi-août, la cour d'honneur du château accueille un festival de danse, de théâtre et de musique.

Promenades guidées du château La Dorgonne : *du village, prendre direction Pertuis, puis à gauche Mirabeau. Faire 2,5 km, et c'est indiqué sur la gauche. Promenade guidée gratuite à travers le vignoble, tlj 9h-19h.* Ce domaine viticole qui travaille en biodynamie propose aux touristes de passage d'arpenter le vignoble, accompagnés par un petit livret explicatif qui raconte pédagogiquement les différentes phases du travail de la vigne. On se balade seul, à son rythme, la promenade prenant toute sa plénitude tôt le matin ou en fin d'après-midi. Après ce vagabondage vinicole, dégustation au caveau !

GRAMBOIS (84240)

Ancienne propriété des comtes de Forcalquier, un joli village perché qui fut le décor choisi par Yves Robert pour le tournage de *La Gloire de mon père*, de Pagnol (au cas où !). Belle petite place centrale agrémentée de quelques vieilles maisons et d'une mignonne église romane surmontée d'un élégant campanile et renfermant un beau polyptyque de 1519, œuvre rare de la peinture religieuse provençale du XVIe s. Faites quelques pas à travers les ruelles médiévales. Arrivé au niveau des vestiges des remparts, vous serez récompensé : la vue est superbe !

Adresse utile

Syndicat d'initiative : *rue de la Mairie. ☎ 04-90-08-97-45. • otsi-grambois@wanadoo.fr • grambois-provence.com • Se rens pour les horaires.*

Où dormir ?

Chambres d'hôtes Le Jas de Monsieur : *route de Beaumont-de-Pertuis. ☎ 04-90-07-55-17 ou 04-90-77-92-08. • lejasdemonsieur@wanadoo.fr • lejasdemonsieur.com • À 2,5 km de Grambois par la D 122, direction Beaumont-de-Pertuis (accès fléché). Compter 76-86 € pour 2, petit déj inclus. Gîte 5 pers 1000-1 400 €/sem. CB refusées. Verre de vin de pays offert sur présentation de ce guide.* Ce n'est pas que le jas de Monsieur soit avancé mais presque. Grande et élégante bastide du XVIIIe s, perdue en pleine nature, sur un plateau encore sauvage. À l'étage, les 3 chambres (pour info, la « Picasso » et la petite suite sont orientées plein sud...) ont ce style très distinctif des maisons de famille : draps brodés, bibelots, vieux meubles... Accueil d'une extrême gentillesse. Vastes salons pour prendre le frais ou potasser la documentation que Monique et Paul Mazel détiennent sur le Luberon. Grande terrasse, piscine, parc. Et une volonté affirmée d'offrir tout ça à des prix encore raisonnables.

LA COMBE DE LOURMARIN ET LE PETIT LUBERON

La combe de Lourmarin sépare non seulement le Petit et le Grand Luberon, mais surtout deux mondes qui se boudent depuis la nuit des temps : le Sud (Vaugines, Ansouis, Cucuron) et le Nord (Goult, Lacoste, Roussillon). Au sud, s'il faut en croire ses habitants, c'est là que vous trouverez le vrai beau temps, les prix encore décents, la vraie gentillesse ; au nord en revanche, les villages perchés les plus chic, et les prix choc. Bon, à vous de faire la part des choses.

LOURMARIN (84160)

Au débouché du seul passage à travers le Luberon, sur l'axe Marseille-Apt – soit à un emplacement stratégique –, Lourmarin pointe ses trois clochers (église, temple et beffroi) sur une petite colline face à son château, perché sur une autre butte. Abandonné au XIVe s, puis repeuplé par les vaudois, le village est aujourd'hui mignon tout plein et touristique en diable.

Laissez votre voiture se reposer sur un des parkings aménagés à proximité, et prenez le temps de flâner d'une vitrine à l'autre, le long d'une rue principale qui concentre galeries et boutiques d'artisanat, de boire un verre en terrasse chez *Gaby*, un café bien croquignolet, au *café de l'Ormeau* ou au *café de la Fontaine*, tout en grignotant un « croquant de Lourmarin », avant d'aller vous perdre dans des ruelles peu passantes, il y en a, même en pleine saison.
Pour les littéraires, l'office de tourisme a mis en place des circuits littéraires sur les pas d'Henri Bosco et Albert Camus (qui possédait une maison dans le village), promenades accompagnées sur rendez-vous.

Adresses utiles

Office de tourisme : *pl. Henri-Barthélemy. ☎ 04-90-68-10-77. • lourmarin.com • Ouv lun-sam. Promenades guidées individuelles (3 pers min) en juil-août : mar 10h « Sur les pas de Camus » et mer 10h « Sur les pas de Bosco ». Ou sur rdv le reste de l'année (3 pers min). Participation : 4 € ; réduc de 1 € sur présentation de ce guide.*

La cave coopérative de Lourmarin : *pl. Henri-Barthélemy (face à l'office de tourisme). ☎ 04-90-68-02-18. • lacavelourmarin@orange.fr • Tlj 9h (10h ven)-12h30, 14h30-19h.*

Où dormir ?

Hostellerie du Paradou-restaurant Le Bamboothaï : *route d'Apt. ☎ 04-90-68-04-05. • info@hotelparadou.com • hotelparadou.com • À la sortie immédiate de Lourmarin. Congés : 1er nov-20 mars. Doubles 72-160 € selon confort et saison. Formule midi hors w-e et j. fériés 15 €. Menus 29-38 €. Carte env 30-40 €. Internet, wifi. Kir offert sur présentation de ce guide.* Dans un cadre de verdure très agréable, quelques chambres relookées dans un esprit thaï : coloris soutenus, ambiance zen, douches à l'italienne et lits à baldaquin... Certaines ont vue sur une petite rivière et sa croquignolette cascade, d'autres disposent d'une petite terrasse privative. Belle piscine. Le restaurant *Bamboothaï*, dirigé côté cuisine par Meena et Niwat, fait partie de ces petits bonheurs qu'on découvre, sourire aux lèvres, en savourant un rosé d'Allen Chevalier. À côté des grands classiques, des plats originaux comme le « pad prik keng pramuk » (calamars à la pâte de piment douce et aux aubergines). Belle pergola pour attendre la nuit.

Où manger ?

Bon marché

Le Thé dans l'Encrier : *rue de la Juiverie (dans le vieux village). ☎ 04-90-68-88-41. • lethedanslencrier@gmail.com • Tlj sf dim-lun. Assiette composée avec dessert 12 €. Carte env 17 €. Wifi. Café offert sur présentation de ce guide.* Un salon de thé-librairie niché dans le secret d'une ruelle parallèle à la rue principale Henri-de-Savornin, qui vous amènera à replonger dans l'univers de la littérature régionale et internationale. Avec Giono, Bosco, Gide ou Camus comme compagnons, vous dégusterez des crumbles salés et sucrés en oubliant la fatigue des longues marches autour du village. Petite terrasse en été.

Prix moyens à plus chic

La Récréation : *15, rue Philippe-de-Girard. ☎ 04-90-68-23-73. • salarecree@wanadoo.fr • Tlj sf mer. Congés : 12 nov-12 déc. Résa fortement conseillée pour la terrasse. Menus 25-33 €. Apéritif offert sur présentation de ce guide.* Une jolie terrasse surélevée devant une maison bourgeoise qui propose de bons petits plats à base de bons produits (bio pour le menu le plus cher) et de viandes du terroir, depuis plus d'un quart de siècle. Après un petit caviar d'aubergine, goûtez donc à la gardianne de taureau ou au confit d'agneau.

Voir plus haut le restaurant de ***l'Hostellerie du Paradou :*** *Le Bambouthaï.*

À voir

Le château : *☎ 04-90-68-15-23. • chateau-de-lourmarin.com • Ouv tte l'année sf janv en sem (pour les heures de visite, mieux vaut téléphoner ou consulter le site internet). Entrée : 6 € ; 3,50 € pour les étudiants, 2,50 € pour les moins de 16 ans ; gratuit pour les moins de 10 ans. Plusieurs expos temporaires dans l'année. En avril, le château organise une fête de la Renaissance, voir dates sur le site internet.* Dominant l'entrée de la combe de Lourmarin, la splendide forteresse construite par les Agoult au XVe s et remaniée au XVIe s par ses héritiers dans un style Renaissance étonne par sa construction comme par la richesse et la diversité de son mobilier.

Abandonné après la Révolution, le château a été sauvé de la destruction totale, en 1920, par Robert Laurent-Vibert, un érudit lyonnais héritier de Pétrol-Hahn, qui y a créé une fondation pour artistes, une Villa Médicis provençale. Le château, maintenant propriété de l'Académie des sciences, arts et belles-lettres d'Aix-en-Provence, accueille chaque été de jeunes pensionnaires (musiciens, artistes), et de nombreux concerts (jazz et classique) sont donnés en soirée.

L'édifice se divise en deux parties : le château vieux du XVe s, avec sa tour en bossage, et le château neuf, construit au XVIe s et franchement Renaissance. Deux parties reliées par une haute tour abritant un prodigieux escalier à vis : ses 93 marches sont faites d'une seule pièce, depuis le cylindre permettant sa superposition centrale jusqu'à son extrémité constituant la pierre de façade. Dans les appartements, les belles pièces ne manquent pas : armoire Louis XIV provençale, table espagnole du XVIIe s, faïences d'Apt ou de Moustiers. Les amateurs remarqueront les gravures de Piranèse, au style romantique, voire baroque. Dans le salon de musique, des instruments provenant des palais impériaux chinois. Enfin, bizarre, bizarre, dans la salle d'apparat, la cheminée monumentale supportée par de grandes statues de style aztèque.

La ferme de Gerbaud : *campagne Gerbaud. ☎ 04-90-68-11-83. • plantes-aromatiques-provence.com • Avr-oct, visites à 17h mar, jeu et sam ; hors saison, slt dim à 15h. Entrée : 5 € ; gratuit pour les moins de 12 ans.* Quelque 6 ha de plantes aromatiques et médicinales. La visite vous apprend tout ou presque sur leur usage (en cuisine comme en pharmacie) et leurs propriétés. Agricultrice passionnée et soucieuse du respect de l'environnement, Paula propose également dans sa boutique huiles essentielles, herbes de Provence, miel, préparations aromatisées...

BONNIEUX *(84480)*

Village perché parmi les plus cotés, ne serait-ce que sur le marché de l'immobilier. Encore entourées par les remparts des XIIIe et XIVe s, les vieilles et belles maisons semblent grimper à l'assaut du clocher de l'église du XIIIe s. Petites balades sympathiques au hasard des ruelles en pente. De nombreuses personnalités y ont élu domicile, mais n'espérez pas trop les rencontrer dans le village, au cœur de l'été.

Adresse et infos utiles

Office de tourisme : *7, pl. Carnot. ☎ 04-90-75-91-90. Ouv tte l'année lun-sam.* Donne de nombreuses infos sur Bonnieux, bien sûr, mais aussi sur Buoux, Ménerbes et Sivergues, le tout avec un sens de l'humour parfois difficile à saisir. Accueil tonique.
- **Marché hebdomadaire :** *ven mat.*
- **Marché des potiers :** *dim et lun de Pâques.* Le rendez-vous d'une cinquantaine de potiers.

Où dormir ?

Camping

Camping Le Vallon : *route de Ménerbes. ☎ 04-90-75-86-14. • info@campinglevallon.com • campinglevallon.com •*

À env 500 m du village. Ouv de mi-mars à mi-oct. Emplacement pour 2 avec tente et voiture 18 € en hte saison. Yourtes 4-12 pers 50-60 €/nuit ou 300-350 €/sem selon taille et saison. Internet et wifi. Réduc de 10 % pour une semaine de loc en yourte sur présentation de ce guide. Un petit camping familial au creux d'une colline, avec vue sur le village. Plus ou moins ombragé mais très calme et l'accueil est vraiment hyper sympa. Originalité du lieu : on peut y louer des yourtes collectives. Parfait pour les randonneurs. D'ailleurs, le GR 92 passe dans le coin.

De plus chic à beaucoup plus chic

Chambres d'hôtes Les Trois Sources : *chemin de la Chaîne. ☎ 04-90-75-95-58. • les-trois-sources@wanadoo.fr • lestroissources.com • Ouv tte l'année. Prendre la D 194 direction Goult puis, au bout de 2 km, le petit chemin de terre à droite, juste après le domaine viticole de Château Luc. Compter 82-142 € pour 2 selon confort et saison ; suites familiales 164-204 €. CB acceptées. Wifi.* Grande ferme fortifiée, solitaire au milieu des vignes et des cerisiers. Très belles et vastes chambres de style rustique. Sol dallé, poutres massives et gros murs de pierre. Accueil simple et sympa. Petit salon avec livres, billard, piano et piscine privée à l'écart, au milieu des cultures.

Le Clos du Buis : *rue Victor-Hugo. ☎ 04-90-75-88-48. • le-clos-du-buis@wanadoo.fr • leclosdubuis.fr • ♿ Fermé 15 nov-1er mars, mais ouv pour les fêtes de fin d'année. Doubles 92-138 € selon saison. Table d'hôtes à la demande, 28 € boissons comprises. Internet, wifi. Parking privé fermé. Verre de vin offert sur présentation de ce guide.* Grande maison de pierre à l'entrée du village. 8 chambres confortables, harmonieuses et personnalisées. Le grand plus de ce petit hôtel de charme, ce sont ses espaces communs, notamment la véranda pour le petit déj, qui offre une vue magnifique sur la vallée. Fort agréable salon aussi, avec cheminée et piano. Petite cuisine équipée à disposition des clients. Dans le bout de jardin en contrebas, petite piscine près des figuiers qui bénéficie aussi de la vue. Excellent accueil.

Chambres d'hôtes Le Mas des Deux Puits : *ancien chemin de Lourmarin (D 232). ☎ 04-90-74-32-80. • md2p@wanadoo.fr • masdesdeuxpuits.com • Ouv tte l'année. Compter 90-105 € (voire 130 € pour la suite) pour 2. Gîtes 4 pers 640-940 €/sem. Internet, wifi.* Pour qui voudrait s'isoler, au milieu des champs de lavande, entre arbres fruitiers et chênes truffiers, face au Ventoux. Accueil chaleureux, 5 chambres confortables et bien aménagées, grande piscine et cuisine d'été à disposition. Cool... Également 2 gîtes à louer.

Où dormir dans les environs ?

Chambres d'hôtes La Baume d'Estellan : *84480* **Bonnieux.** *☎ 04-90-75-60-42. 📱 06-60-17-13-26. • verges.marie@orange.fr • luberon-news.com/baume-estellan • De Bonnieux, suivre la direction Lourmarin. À la sortie du village, prendre la 1re à gauche (direction Buoux). Faire 1,5 km. Immédiatement après l'étoile en fer forgé, prendre à droite. 2 chambres 80-85 € pour 2 pers, et 1 gîte loué à la nuit 110 (pour 2)-120 € (avec 2 enfants). Louable à la sem également. Internet et wifi. Apéritif maison offert sur présentation de ce guide.* La maison de Marie et Jacques est originale en diable, éclectique, étonnante. Ajoutons différente, architecturée, pleine d'amour et de fantaisie. C'est une ancienne bergerie, en partie troglodytique, où se mélangent avec bonheur la roche, le métal, les espaces vitrés, pas mal de trompe-l'œil, tout cela prenant place dans des volumes originaux, mis en valeur par quelques jolies toiles de Marie. À deux pas, un sympathique bassin pour une trempette de fin d'après-midi, avec quelques transats pour sécher au soleil en regardant la vallée. Au petit déj, confitures et gâteaux maison.

Chambres d'hôtes La Victorine : *lieu-dit Les Grosses-Vaines, 84480* **Bonnieux.** *☎ 04-90-04-07-25. 📱 06-*

63-16-82-20. • la.victorine@free.fr • la.victorine.free.fr • À 5 km du village ; accès par la N 900, en direction de Roussillon, au niveau du pont Saint-Julien ; suivre le fléchage, c'est la 2e maison à gauche. Ouv avr-oct. Compter 80-110 € pour 2 selon taille. Table d'hôtes le soir sur résa 26 €, tt compris. Pot de bienvenue offert sur présentation de ce guide. Une belle maison au milieu des vignes abritant 5 chambres au charme intemporel. La déco use de teintes douces et de matières actuelles, comme le béton ciré, ou empruntées à d'autres horizons, comme le *tadelakt,* tout en préservant l'esprit provençal. Terrasse privative pour chacune des chambres. Piscine et joli jardin pour lézarder au soleil.

Où manger ?

Prix moyens

Café de la Gare : *route de la gare. ☎ 04-90-75-82-00. À env 5 km du centre du village par la D 36 ; suivre la direction de la cave coopérative. Tlj à midi sf dim ; fermé 21 déc-31 janv. Menus 14-22 €. CB refusées.* Une institution luberonesque, avec sa grande salle garnie de fresques et sa sympathique terrasse au-dessus du jardin. Dans la tradition, le petit menu du midi (buffet d'entrées, plat du jour et dessert) continue de nourrir touristes avertis et travailleurs locaux. Le samedi, cuisine provençale traditionnelle. L'accueil est nature, le service reste efficace et l'ambiance tranquille.

Plus chic

Le Fournil : *5, pl. Carnot. ☎ 04-90-75-83-62. ♿ Au cœur du village. Tlj sf lun-mar hors saison, lun et sam midi en été. Congés : de début déc à fin janv. Le midi, plat du jour 14,50 € en sem, formules 22-27 €, le soir carte env 43 €.* L'adresse réputée du bourg. Terrasse bien agréable, sur une mignonne petite place, avec sa fontaine, devant laquelle tout le village défile. Les jours sans soleil, l'intérieur, qui a été entièrement creusé dans la roche, n'est pas mal non plus. Quant à la cuisine, elle est de saison et à l'image de la région. Malheureusement, les prix s'envolent au point de devenir quasiment inabordables le soir, surestimés même. Heureusement, le rapport qualité-prix reste plus correct le midi. Accueil inégal, mais les habitués s'en accommodent, jouez les blasés, vous aussi.

L'Arôme : *2, rue Lucien-Blanc. ☎ 04-90-75-88-62. • larome.restaurant@orange.fr • Tlj sf mer et jeu midi (plus jeu soir hors saison). Congés : 3 janv-mars. Menus 29-41 €, carte env 60 €.* Une salle en pierre qui conserve la fraîcheur et une terrasse de poche posée sur les marches de la ruelle. Des tables bien dressées et une cuisine maligne, sur fond provençal affirmé, ne serait-ce que pour plaire aux nombreux visiteurs étrangers. La carte évolue au fil des saisons et au gré des terroirs, en fait (porc noir de Bigorre confit au vin et aux épices). Pour qui ne craint pas les sensations fortes en bouche, une expérience originale. Pas donné, certes, d'autant qu'il n'y a pas de formule le midi, ce qui pourrait paraître assez prétentieux partout sauf à Bonnieux. Accueil souriant.

À voir

Le musée de la Boulangerie : *12, rue de la République. ☎ 04-90-75-88-34. • cg84.fr • Dans une vieille maison, en haut du village. Fermé 1er mai et 25 déc. Tlj sf mar, avr-juin et début sept-début nov 10h-12h30, 14h30-18h ; juil-août 10h-13h, 14h-18h ; le reste de l'année, se rens. Entrée : 3,50 € ; réduc.* Autour d'un four en grès du Second Empire (qui a fonctionné ici jusqu'en 1920), toute une collection d'instruments : pelle à enfourner, panouche, coup de buée (petit réservoir d'eau utilisé pendant la cuisson pour obtenir un pain à la croûte bien dorée), etc. Reconstitution d'un fournil et d'une cuisine provençale. Collections d'affiches et de gravures autour du pain, de moules à gâteau, à glace et à biscuit.

Le pont Julien : *à env 6 km en contrebas du village, sur la D 149.* Très joli pont romain qui enjambe de ses trois arches remarquablement conservées le Calavon. Remarquez les piles ajourées pour donner moins de prise à l'eau en cas de crue.

À voir. À faire dans les environs

L'Enclos des bories : *quartier Le Rinardas. 06-08-46-61-44. Avr-nov, tlj 10h-19h ; le reste de l'année sur rdv. Entrée : 5 € ; gratuit pour les moins de 12 ans.* Avec ses 4 ha, ce site est un bon complément à la visite des bories de Gordes. Le site y est beaucoup plus sauvage. Les bories en pierres sèches ont été laissées telles quelles, à demi ruinées et recouvertes de végétation. Elles sont aussi bien plus nombreuses... Aucune explication sur place mais on distingue bien les différentes périodes de construction. On peut par exemple observer des bories à meurtrières, souvenir de l'époque où les vaudois y avaient trouvé refuge. Tout au bout du parc, vous attend un panorama exceptionnel sur le village de Bonnieux.

La forêt de cèdres : *à 7 km au sud-ouest de Bonnieux par la D 36, tourner à gauche (fléché) au col.* Le cèdre de l'Atlas, implanté ici vers 1860, grâce à des graines récoltées dans le Moyen Atlas algérien, a semble-t-il trouvé la terre du Petit Luberon à son goût, puisque cette forêt est devenue une des plus belles cédraies d'Europe. Ces sous-bois, riches en chants d'oiseaux, dispensent une fraîcheur bienvenue lors des grandes chaleurs. Sentier de découverte (1h).

Manifestations

– **Festival de Musique classique :** *en juil, ts les dim 21h. Dans la vieille église.*
– **Semaine musicale :** *début août. Concert un soir sur deux dans la vieille église, à 21h.* Musique classique.

LACOSTE (84480)

Village perché dominé par les ruines (dont une partie a été restaurée) du château du marquis de Sade. Devenu écrivain, le divin marquis s'en est inspiré pour la description du château de Silling où se déroulent les « 120 journées de Sodome ». Son passage dans le village fut assez tumultueux et dura 7 ans, entre 1771 et 1778, date à laquelle sa conduite de mauvais chrétien lui valut d'être emprisonné à la Bastille. À sa mort, le château fut racheté par son concierge. André Bouer, ancien propriétaire, l'a restauré à son rythme pendant une quarantaine d'années. Et le château a continué de faire rêver. Les bédéphiles liront avec bonheur *Le Vampire de Lacoste,* de Savard, aux éditions Dargaud. Désormais, c'est le couturier Pierre Cardin qui en est l'heureux propriétaire. Et il continue d'investir dans le village, restaurant de nombreuses maisons, la boulangerie, une galerie d'art, un café... Et on parle de futures chambres d'hôtes. Par ailleurs, il organise dans les carrières du château un *festival de Musique* dirigé par Ève Ruggieri, la 2e quinzaine de juillet *(infos : ● festivaldelacoste.com ●).*

UN HOMME TROP LIBRE

Le marquis de Sade restera 28 ans captif. Il explorera toutes les sexualités et sera même condamné à mort par contumace. Il partira avec la sœur de sa femme, une chanoinesse. Mais à l'époque, bien d'autres écrivains étaient libertins. Lui, il proclame un athéisme absolu. Il refuse toute autorité. Ses écrits sont, en fait, plus subversifs qu'obscènes. Voilà pourquoi il effrayait tant le pouvoir.

*Rens à l'***office de tourisme** *(fait également poste), en haut du village. Ouv en sem (et sam mat, en été).* Parking paysager gratuit tout à côté.

Où dormir ? Où manger ? Où boire un verre ?

Café de France : *☎ 04-90-75-82-25. En plein centre. Ouv slt avr-oct ; resto : midi et soir en été, slt à midi hors saison. Doubles 37 € (lavabo et w-c sur le palier)-53 €. À midi, plat du jour 11 € et menu 15 € ; carte 25-30 €. CB refusées.* Ancien relais de poste où – dit-on – Henry Miller commença l'écriture de *Jours tranquilles à Clichy...* Chambres refaites à neuf. L'une d'entre elles dispose d'un balcon et quelques-unes offrent une belle vue sur la plaine, les villages fortifiés et le Ventoux au loin. Côté resto, agréable terrasse ombragée par des parasols où l'on sert quelques plats simples, des omelettes, des grillades, des salades...

Café de Sade : *pl. de l'Église. ☎ 04-90-75-82-29. • cafedesade@yahoo.fr • Tlj sf lun, et mar hors saison. Congés : déc. Formule 15 € le midi en sem, menu 18 €, carte 30 €. Internet, wifi. Apéritif offert sur présentation de ce guide.* Perché dans la partie haute du village, ce petit café vous rassurera tout de suite sur son nom tant le couple qui vous accueille derrière le joli zinc est tout sourire. Dans une petite salle en pierre, sobre et chic comme un défilé Cardin ou, encore mieux, en terrasse, on se sustente agréablement d'un buffet de hors-d'œuvre et d'un plat du jour compris dans la formule. Bien aussi pour boire un verre.

MÉNERBES *(84560)*

Village-forteresse, ancien bastion huguenot, Ménerbes s'étire en longueur sur un promontoire escarpé et en langueur à la belle saison, avec l'arrivée des premiers flots touristiques. Eh oui, c'est ça aussi Ménerbes... et ça « ménerbe », comme dirait un villageois aussi enrhumé que résistant. Beaucoup de charme, cela dit, pour qui prend le temps de se promener au long des rues, hors saison, et superbe panorama depuis le vieux château. Pas de grand hôtel ni de resto branché : les soirées y sont encore paisibles.

À voir

Le musée du Tire-Bouchon : *domaine de la Citadelle. ☎ 04-90-72-41-58. • domaine-citadelle.com • ♿ À 1,5 km en contrebas du village, sur la route de Cavaillon. Avr-oct, 9h (w-e 10h)-12h, 14h-19h ; nov-mars, ouv jusqu'à 17h, fermé dim. Entrée : 4 € ; réduc ; gratuit pour les moins de 15 ans.* Les mille et une façons de déboucher une bonne bouteille : plusieurs modèles uniques du XVIIe s à nos jours. Visite en complément de la cave, du grand chai, et pour finir dégustation des vins de la propriété.

La Maison de la truffe et du vin : *pl. de l'Horloge. ☎ 04-90-72-38-37. • truffe-vin-luberon.com • Entrée libre et dégustation gratuite. Compter 25 € pour un cours de dégustation le mer en été.* Au cœur du village, bel hôtel particulier du XVIIe s devenu lieu d'initiation aux techniques de la dégustation de vin ouvert à tous. Faites un tour dans les caves, espace d'information et de vente des crus régionaux. Il s'agit de la plus grande « cave-œnothèque » de la région et les vins y sont vendus au même prix que chez le producteur. Plusieurs événements tout au long de l'année : marché aux pains, vins et fromages de chèvre un dimanche en avril, Festival international Œnovideo fin juillet, atelier de découverte de la truffe en juillet, petit marché de la truffe à Noël, etc.

🍽 🍷 Pour prolonger le bonheur de l'instant, entre 12h et 17h, de juin à septembre, faites un tour côté jardin. Un restaurant et un bar à vins sympathiques vous y attendent. À la carte, omelette truffée et autres plats savoureux à base de ce délicieux champignon noir.

OPPÈDE *(84580)*

Deux villages pour le prix d'un : Oppède-les-Poulivets, village de la plaine qui revit aujourd'hui, avec ses artisans du goût, son bistrot sympa, et Oppède-le-Vieux. Dans le « club » des villages perchés du Luberon, ce dernier est peut-être celui auquel on a trouvé le plus de charme. Est-ce pour son ambiance de village abandonné (depuis le XIXe s), où voisinent ruines et maisons restaurées ? Ce qui est sûr, c'est que le goudron n'a pas encore gagné le village : les ruelles sont pavées ou encore en terre. Peu de commerces, à l'exception d'un café dont les chaises donnent sur l'adorable place du village. Accès facilité par l'ouverture d'un parking aménagé dans un jardin à la fois paysagé et payant, comme il se doit.

Où manger sur le pouce ? Où boire un verre ?

🍽 🍷 ***Le Café des Poulivets :*** *400, rue des Poulivets. ☎ 04-90-05-88-31. • cafe-des-poulivets@orange.fr • Ouv tlj à midi, sf dim hors saison. Congés : vac scol de fév (zone B) et de la Toussaint. Formule 11,90-13,90 €. CB refusées.* On prend vite l'habitude de se retrouver là, en terrasse, sous les platanes, du café du matin à l'assiette de tapenade qui accompagne l'apéro, en passant par l'aïoli du vendredi midi. Un lieu ouvert, sincère, simple et sympa. L'après-midi, pour le goûter, Nathalie prépare une tarte, un clafoutis. Pour les parties de cartes ou de pétanque, s'adresser à Christian.

Où acheter de bons produits ?

Les Artisanales en Provence : *la Bastide des Minguets. ☎ 04-32-52-17-85. Tlj 9h-19h ; hors saison 10h-12h, 14h-17h. Brunch mar, jeu et dim mai-sept, sur résa ; 18,50 €. Possibilité de restauration le soir.* Sur la route en redescendant d'Oppède-le-Vieux. Confiturier artisanal proposant plus de 50 variétés étonnantes de confitures : nectarines au gingembre, fraises-kiwis, melon-réglisse, pommes au safran et romarin, etc. Une qualité garantie et une association de saveurs unique. Dégustation après la visite de l'atelier. Le maître des lieux propose également des sirops de fruits et de plantes et des sorbets, à déguster sur place en terrasse.

Le Moulin à huile Mathieu : *370, route du Four-Neuf. ☎ 04-90-76-90-66. Tlj sf dim et j. fériés.* Chez les Mathieu, on est (et on naît) oléiculteurs de père en fils. Ici, on ne parle ni de fruité vert ni de fruité mûr, mais du « fruité noir ». Le fait de garder les olives au moulin quelques jours de plus permet d'obtenir des huiles plus souples, plus parfumées, un fruité plus évolué, plus volatil, et ce goût bien particulier de sous-bois, de champignons.

À faire

➢ ***Le sentier vigneron d'Oppède :*** balade à travers les cerisiers, les oliviers et surtout les vignes des environs d'Oppède. Demandez le petit plan au kiosque situé sur le parking un peu avant le village. Environ 1h30 de marche, ponctuée par des panneaux explicatifs qui permettent de comprendre un peu mieux le paysage observé, la vigne et le vin. Et si, au bout du parcours, vous n'y tenez plus, poussez donc jusqu'à la cave du Luberon à Coustellet. ☎ 04-90-76-90-01. Là, vous pourrez goûter le produit des cépages que vous aurez croisés.

ROBION *(84440)*

Un village que l'on traverse souvent trop vite pour repartir sur Cavaillon, qui n'est qu'à 5 km par la D 2. Belle église du XVe s, précédée d'une vaste place où glougloute une fontaine. Au-dessus du village, le cirque du Boulon, joli site naturel. Belle route sinon pour rejoindre à vélo Maubec, le village voisin, qui en réalité ne fait qu'un avec Robion.

Où dormir ? Où manger à Robion et dans les environs ?

Campings

Camping Les Cerisiers : *chemin de la Tour-de-Sabran, 454, route de Lagnes. ☎ 04-90-20-24-25. 06-88-39-08-59. • campinglescerisiers@free.fr • lescerisiers-luberon.com • À 3 km de Robion (accès fléché). Ouv avr-fin sept. Emplacement pour 2 avec tente et voiture 21,50 €. Loc de mobile homes 250-750 €/sem. CB refusées. Cadeau de bienvenue offert sur présentation de ce guide.* Camping bien équipé, avec piscine et pataugeoire pour les enfants, entouré de champs de pommiers et de cerisiers. L'accueil est très sympa. D'ailleurs, si vous êtes gentil, vous aurez peut-être droit à des cerises et confitures de cerises... Aquagym, sorties à vélo organisées deux fois par semaine en été, spectacles... Location de vélos et de tandems.

Camping municipal Les Royères du Prieuré : *52, chemin de la Combe-Saint-Pierre, 84660* ***Maubec.*** *☎ 04-90-76-50-34. • camping.maubec.provence@wanadoo.fr • campingmaubec-luberon.com • Ouv d'avr à mi-oct. Compter env 10 € pour 2 pers avec tente et voiture. Wifi.* Un petit camping familial au pied de la colline et du centre ancien de Maubec. Emplacements bien ombragés sur des terrasses séparées par des murets de pierres sèches. Loue également des mobile homes et un gîte.

De prix moyens à plus chic

Chambres d'hôtes Domaine de Canfier *(Catherine et Michel Charvet) : 260, route de L'Isle-sur-la-Sorgue. ☎ 04-90-76-51-54. • info@domainedecanfier.fr • domainedecanfier.fr • À 1 km de Robion, en direction de L'Isle-sur-la-Sorgue (D 31). Ouv tte l'année. Compter 81-102 € pour 2 selon confort et saison. Gîte 388 €, chauffage inclus ; 428 €/sem juin-sept (indisponible juil-août) pour 2 pers. Internet, wifi.* Vieux mas de famille, dont la partie la plus ancienne date du XVIIe s. 3 chambres champêtres et agréables, avec sanitaires privés, et une autre au 1er étage, avec douche et w-c séparés. Cuisine à disposition. Grande piscine pour se détendre. Et 12 ha d'oliviers et arbres fruitiers tout autour. Accueil chaleureux.

Chambres d'hôtes Au Bord du Temps : *chez Marthe et Henry Deneits, 65, chemin Moillet, quartier Bouteillier, 84660* ***Maubec.*** *☎ 04-90-76-48-44. • auborddutemps.free.fr • Entre Robion et Maubec, tt près du GR 6. Ouv Pâques-oct. Compter 84 € pour 2.* Après avoir longtemps initié le beau mouvement du *Ralenti du Lierre* (une autre belle adresse pas loin de là), les proprios ont pris sous leur aile ce joli mas, à l'abri des regards, qu'ils ont restauré avec infiniment de respect. Idéal pour qui recherche confort et sérénité, loin des regards et des convoitises des hommes pressés. *Au Bord du Temps* (celui qui est imparti à chacun de nous, en fait), un lieu précieux, rare. Petits déjeuners divins et très copieux. 2 chambres raffinées à la déco très « Provence joyeuse ». Piscine et vaste espace boisé tout autour.

La Bergerie : *75, chemin du Puits-de-Grandaou, 84660* ***Maubec.*** *☎ 04-90-76-83-95. • labergerie-maubec@orange.fr • Entre le camping et la place centrale. Tlj sf dim en été. Formules déj en sem 11,50 € jusqu'à 13h30, carte env 27 €. Apéritif offert sur présentation de ce guide.* L'ambiance ? Une terrasse en pierre bien ombragée donnant sur les vignes et le vieux village (avec souvent du mistral gagnant !) et de la bonne humeur distillée par un patron surnommé Nounours, originaire de Troyes dans l'Aube et jazzman à ses heures (chanteur et trompettiste, il organise des soirées jazz régulièrement)... Et dans l'assiette, nous direz-vous ? Eh bien, de grosses salades, des pizzas, des pâtes fraîches et des grillades, plus quelques plats provençaux pour faire bonne figure. Le tout est à l'image du patron, généreux et sans chichis.

Restaurant L'Escanson : *450, av. Aristide-Briand. ☎ 04-90-76-59-61. • info@lescanson.fr • Tlj sf mar et mer (ouv mer soir en été). Congés : 24-28 déc, 28 fév-7 mars, 2-6 juil. Menu déj (en sem) 23 € puis autres menus 28,50-42 € ; carte 50 € env. Digestif offert sur présentation de ce guide.* On pourrait passer facilement devant cette petite adresse, en retrait de la rue principale, sans la voir et filer directement sur Coustellet ou Ménerbes. Heureusement pour lui, ce petit resto bénéficie tout autant d'un bon bouche-à-oreille que d'une terrasse cachée, côté jardin, profitez-en. Côté cuisine, vous découvrirez un vrai talent de chef, formé dans les grandes brigades mais seul à jouer, au piano, une partition qui lui est propre. Son credo : rester simple et créatif à la fois, offrir du frais et du bon, à une clientèle qui en redemande, c'est bon signe.

Où acheter de bons produits ?

Confiturerie de La Roumanière : *pl. de l'Église. ☎ 04-90-76-41-47. • laroumaniere.com • Tte l'année, tlj sf dim et j. fériés ; fermé aussi le sam hors saison.* Une confiturerie artisanale qui offre la possibilité à de nombreuses personnes handicapées moteur de pouvoir travailler. Confitures doublement extra (elles sont fabriquées pour la plupart avec une proportion de 55 % de fruits) et d'une grande originalité. On a craqué pour les confitures de pastèques au citron et à la vanille... Visite de la fabrique sur simple demande.

À voir. À faire dans les environs

Le musée de la Lavande : *route de Gordes, 84220* **Coustellet.** *☎ 04-90-76-91-23. • museedelalavande.com • ♿ Mai-sept, ouv tlj 9h-19h ; le reste de l'année 9h-12h15, 14h-18h. Congés : janv. Entrée : 6 € (audioguides inclus) ; 4 € sur présentation de ce guide ; gratuit pour les moins de 15 ans.*
Chez les Lincelé, on est cultivateur et distillateur de lavande fine de père en fils depuis 4 générations. Ce joli musée, construit autour de leur collection d'alambics, est d'abord un moyen de promotion de la « vraie » lavande, protégée par une AOC, qu'on prendra bien soin de ne pas confondre avec le lavandin (voir le chapitre « Hommes, culture, environnement » en début de guide). Belle collection, donc, d'alambics en cuivre rouge de 1626 à nos jours, récupérés pour la plupart dans les Alpes-de-Haute-Provence. Devant chaque alambic, des panneaux explicatifs font découvrir toutes les techniques de distillation de la lavande : à feu nu, au bain-marie, à vapeur, à concrète (il n'existe plus que deux alambics à concrète dans le monde, dont celui-là), etc. Deux courts films documentaires : l'un sur la pousse de la lavande (5 mn) et l'autre (10 mn) sur la coupe et la distillation moderne de la lavande ; démonstration du processus (avec alambics) tous les jours en juillet-août sauf le samedi, devant le musée. Un peu cher quand même pour ce qu'il y a à voir, surtout si l'on considère qu'il s'agit aussi (ou avant tout) d'un outil promotionnel...

À la sortie, boutique de produits avec huiles essentielles, bouquets séchés, cosmétiques naturels, etc. Produits de qualité, cela dit, pour vous rassurer à la vue de certains prix.

➢ Ne pas manquer le ***marché paysan de Coustellet*** *(au carrefour des routes de Gordes, Cavaillon, Avignon et Apt, mer 17h-19h30, fin mai-sept, et dim mat début avril-fin déc).* Difficile d'imaginer cadre plus laid pour un marché du terroir, mais qu'importe le cadre pourvu qu'on ait la qualité. Très renommé dans la région, donc très touristique, il rassemble une centaine d'agriculteurs et de petits producteurs de 18 communes : les vendeurs y étalent leurs propres produits et vous disent tout sur leur origine, leur qualité, etc. Le marché accueille en saison des ostréiculteurs de l'étang de Tau. Une demi-douzaine d'huîtres au petit matin, à faire glisser doucement dans le gosier... Attention, il faut arriver tôt car il y a un monde dingue !

LES BEAUMETTES (84220)

Un petit village-rue, longtemps dépendant de Gordes (voir plus loin), sur la route d'Apt, mais désormais à l'écart de la N 900, déviation aidant. Une pause hors circuits touristiques donc, où l'on trouve quelques adresses sympathiques.

Où dormir ?

Au Ralenti du Lierre : *rue Principale. ☎ 04-90-72-39-22. • auralentidulierre@wanadoo.fr • auralentidulierre.com • Compter 83-98 € pour 2. Clim. Wifi. Animaux refusés.* Un nom pareil, il fallait déjà le trouver... C'est la maison d'hôtes de charme par excellence. Tout fut réalisé au départ avec soin, minutie, passion et, surtout, beaucoup de goût, des salons aux 5 chambres en passant par les espaces extérieurs. Et chaque année voit de nouveaux aménagements apporter leur contribution au bien-être général : un atelier d'artiste par-ci, une chambre familiale (avec cheminée du XVIIIe s) par-là, une piscine par là-bas...

Où acheter de bons fruits confits ?

Confiserie Saint Denis : *Z.A. plan des Amandiers, route d'Apt (N 900). ☎ 04-90-72-37-92. Tlj sf dim (tlj Toussaint-Noël) 9h30-12h, 14h30-19h. Visite de la confiserie sur rdv (souvent le ven à 17h).* En déménageant d'Apt aux Beaumettes, cette bonne confiserie à l'ancienne a pris ses aises, pour mieux servir les habitués. Mais elle n'a rien perdu de son savoir-faire, qui se transmet, comme un symbole, à travers les chaudrons dans lesquels, tout au long de l'année, Denis Rastouil travaille les fruits de saison. Des fruits confits qui, ici, ont une douceur extrême, comme ces fraises, ces clémentines, ces figues dont le parfum vous restera longtemps en bouche (oui, vous pouvez déguster ce qui est présenté sur le plateau). Accueil très sympathique qui sent bon la Provence éternelle.

GOULT (84220)

Un peu perché au-dessus de la D 900. Au pied d'un vieux château (qui ne se visite pas), un petit village qui ne manque pas de caractère, avec son église fortifiée et ses vieilles rues.

Où dormir ? Où manger ?

De bon marché à prix moyens

Chambres d'hôtes Le Mas Marican : *chez Maryline et Claude Chabaud. ☎ 04-90-72-28-09. En venant de Cavaillon, sur la D 900, au niveau de Lumières, prendre à droite la D 106 vers Lacoste, puis 1re à droite vers le quartier Marican. C'est la 1re ferme sur la gauche (fléché). Ouv avr-fin nov. Compter 54 € pour 2. Table d'hôtes (sf dim et j. fériés) 20 €. Wifi. Apéritif et café offerts sur présentation de ce guide.* La ferme, l'exploitation agricole, les champs de légumes. Une adresse simple, impeccable et confortable. Les 5 chambres sont petites, toutes avec sanitaires, mais à ce prix-là, c'est une aubaine, le sourire de Maryline en prime. Le repas est pris en commun dans la salle à manger familiale et la cuisine utilise les produits du jardin. Tomates farcies, ratatouille, aïoli, pêches à la verveine...

|●| ***Café de la Poste :*** *rue de la République.* ☎ *04-90-72-23-23.* ● *mariefrance.caltot@wanadoo.fr* ● *Sert le midi slt. Tlj, sf lun de fin oct à mi-avr. Menu 18-20 €, carte env 25 €.* Il a été récemment repris mais il y a toujours la belle terrasse sous les micocouliers, pleine comme un œuf chaque midi en été, la grande salle bistrot et le zinc, où s'accoudent les habitués, et les présentoirs à journaux avec les gazettes locales. Ambiance bon enfant, assez touristique l'été, pour une cuisine de bonne facture. Et si vous avez l'impression d'être déjà venu, normal : c'est ici que se rencontrent Adjani et Souchon dans le film *L'Été meurtrier.*

De plus chic à beaucoup plus chic

|●| ***Chambres d'hôtes Le Buisson :*** *à 1 km du village, sur la route d'Apt.* ☎ *04-90-72-43-19.* ● *info@le-buisson.com* ● *le-buisson.com* ● *Compter 76-136 € pour 2 selon confort et saison. Table d'hôtes sur résa certains soirs 40 €. Wifi. Apéritif maison offert sur présentation de ce guide.* Maison tenue par un couple d'Allemands, tous deux architectes au départ. Chambres mêlant avec succès le design et le rustique, qui font oublier l'environnement moins idyllique. Chacune a sa petite terrasse donnant sur l'arrière de la maison. Les plus chères sont étonnamment spacieuses. Très belles salles de bains. Magnifique salle à manger, salon avec bibliothèque et cheminée. Également une piscine à débordement.

|●| ***Auberge Le Fiacre :*** *quartier Pied-Rousset.* ☎ *04-90-72-26-31.* ♿ *À 3,5 km du village sur la D 900, direction Apt. Tlj sf mer (plus le soir lun-mar hors saison). Congés : 2 janv-10 fév. Formule déj 17 €, puis menus 28-43 €.* La bonne auberge familiale où l'on est accueilli avec joie et gentillesse. Les dames s'occupent de vous en salle, pendant que monsieur prépare une bonne cuisine provençale de saison, légère et inventive (ravioles de langoustines, pieds et paquets, tian de morue). À l'automne, place au gibier. Et l'été, on mange sous les tilleuls en écoutant les cigales. Réjouissant rapport qualité-prix du côté des menus. Vraiment une bonne adresse.

|●| ***Auberge de la Bartavelle :*** *rue du Cheval-Blanc.* ☎ *04-90-72-33-72.* ♿ *Ouv slt le soir, tlj sf mar-mer. Fermé de mi-nov à début mars. Menu-carte 41 €.* Dès la porte franchie, c'est toute la Provence qui explose dans ce restaurant. Murs jaunes et tissus provençaux, ambiance décontractée et chaleureuse. Pour un peu, on entendrait des grillons chanter dans la cuisine. En fait, ce sont les casseroles et les poêles qui crépitent sur le feu, où mijotent des plats traditionnels pleins de saveurs et de goûts typiques.

À voir. À faire

Le Conservatoire des cultures en terrasses : *accès par le chemin qui grimpe à gauche après l'église. Entrée gratuite.* Ces terrasses, qui forment comme un vaste amphithéâtre, constituent la réponse des paysans provençaux aux pluies diluviennes qui emportent les terrains en pente. Abandonnées, les cultures en terrasses ont pratiquement disparu de la région, sauf ici, où le parc a contribué à leur restauration.

➢ ***Circuit pédestre*** (avec panneaux explicatifs) de 1h environ pour découvrir tout ce qu'on peut faire avec de simples pierres sèches : murs de soutènement des terrasses (qui retiennent la terre mais laissent passer l'eau), citernes, bories... Ingénieux et finalement très esthétique.

LE PAYS D'APT ET LES MONTS DU VAUCLUSE

C'est un paysage bien différent qui vous attend, une fois passé Apt (passage plutôt difficile, les jours de marché !). Si des envies de solitude vous prennent, vous pouvez filer sur le plateau de Sault (voir plus loin) ou vous préparer à affronter les foules à Roussillon et surtout à Gordes, village devenu l'emblème même du Luberon alors qu'il fait partie des monts du Vaucluse. Mais aujourd'hui, le terme « Luberon » est plus vendeur, regardez pour vous en convaincre les vitrines des libraires et des boutiques. Et remettez à plus tard la visite de tout ce qui est à droite sur la carte d'une ligne verticale Pertuis-Apt (voir sinon le chapitre sur les Alpes-de-Haute-Provence), même si le parc naturel s'étend bien au-delà des limites territoriales du Vaucluse, comme on vous le confirmera à la maison du Parc, à Apt.

APT (84400) 11 170 hab. *Carte Vaucluse, C3*

Cité romaine, puis ville épiscopale au Xe s, Apt a perdu de sa superbe à cause de ces faubourgs sans âme que l'on est bien obligé de traverser avant d'atteindre le cœur du vieil Apt, bien plus charmant et... apte (désolé, on n'a pas pu s'empêcher !) à séduire le visiteur de passage. Elle dégage aussi une atmosphère qui tranche avec le reste du Luberon, sûrement liée à la présence des néos (pour néoruraux !) et autres babas que le pays d'Apt a attirés depuis les années 1970.

Il ne faut surtout pas rater le marché du samedi matin, qui s'étend dans tout le centre et où toute la région se retrouve, autour des couleurs et des senteurs de Provence. De temps immémoriaux, le marché a toujours été essentiel à la vie de tout le pays d'Apt, étroitement lié par le jeu des saisons, de la tradition, des coutumes et de l'habitude. Pour son ambiance et son authenticité, le marché d'Apt est labellisé Marché d'exception.

LA GOURMANDISE DES PAPES

C'est grâce au péché mignon des souverains pontifes que naît la production des fruits confits, dès le XIVe s. Le principe ? Remplacer l'eau des fruits par une solution sucrée. Le p'tit secret ? On les imbibe d'un gaz qui rend leur chair perméable au sucre et hop, on les plonge dans un liquide sucré. Plus fort que le pain béni, plus fort que l'hostie : le fruit confit. Merci, les Papes !

Adresses utiles

Office de tourisme intercommunal Luberon-Pays d'Apt *(plan A1) : 20, av. Philippe-de-Girard. ☎ 04-90-74-03-18. • luberon-apt.fr • Ouv tlj sf dim hors saison.* Bonne doc sur la ville et la région. Pour un petit trek urbain, demandez le petit dépliant *Apt à découvrir.*

■ ***La Maison du parc naturel régional du Luberon*** *(plan B1) : 60, pl. Jean-Jaurès, BP 122, 84404* ***Apt*** *Cedex. ☎ 04-90-04-42-00. • parcduluberon.fr • En principe, lun-ven 8h30-12h, 13h30-18h, et sam mat avr-sept, fermé j. fériés. Entrée libre.* Installée dans un hôtel particulier du XVIIe s, elle présente une vaste exposition permanente sur le Luberon. Et abrite un joli musée de géo-

APT

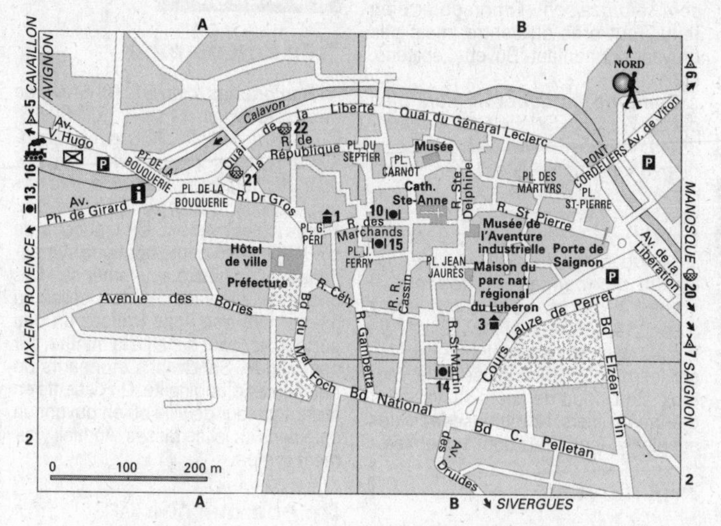

■ **Adresse utile**

- Office de tourisme intercommunal Luberon-Pays d'Apt

Où dormir ?

- 1 Hôtel du Palais
- 3 Le Couvent
- 5 Camping La Clef des Champs
- 6 Camping municipal Les Cèdres
- 7 Camping Le Luberon

Où manger ?

- 10 Pan'oramas
- 13 La P'tite Cuisine
- 14 Thym te Voilà
- 15 Au Platane
- 16 Chez Sylla

Où acheter des fruits confits ?

- 20 Aptunion
- 21 Confiserie Marcel Richaud
- 22 Confiserie Le Coulon

logie. Au printemps, elle organise en semaine des sorties buissonnières sur le terrain à la découverte de la flore, de la faune, du patrimoine et des richesses géologiques, et c'est gratuit ! Édite gratuitement un calendrier d'activités et un guide des balades et randonnées.

Où dormir ?

Campings

Camping La Clef des Champs (hors plan par A1, **5**) : *quartier des Puits, chemin des Abbayers. ☎ 04-90-74-41-41. • la-clef-des-champs2@wanadoo.fr • camping-luberon.com •* *À 3 km du centre-ville ; à la sortie d'Apt direction Cavaillon, tourner à droite direction Cité Saint-Michel, puis grimper en suivant le fléchage. Ouv 15 mars-15 oct. Compter 15,70 € pour 2 avec tente et voiture en hte saison. CB refusées.* Beau camping sur les hauteurs, au milieu d'un verger. Location de mobile homes ; piscine. Sanitaires nickel et accueil sympa. Le GR 9 passe dans le secteur.

Camping municipal Les Cèdres *(hors plan par B1, **6**) : av. de Viton, route de Rustrel. ☎ 04-90-74-14-61. • camping-les-cedres.fr •* *À 300 m du centre-ville. Ouv 15 fév-15 nov. Forfait emplacement pour 2 avec tente et voiture 9,20 €. Loc de bungalows toilés* *pour 5 pers (32-36 €/nuit ; 225-260 €/sem selon saison).* Ombragé et bien tenu. Tout près du centre, mais pas bruyant pour autant. Buvette, épicerie, infos.

⛺ ***Camping Le Luberon*** (hors plan par B1, **7**) **:** *av. de Saignon.* ☎ *04-90-04-85-40.* • *leluberon@wanadoo.fr* • *camping-le-luberon.fr* • ♿ *À 1,5 km d'Apt, par la route de Saignon. Ouv début avr-sept. Forfait emplacement pour 2 avec tente et voiture 24,10 €. Réduc de 5 % sur présentation de ce guide. Loue également des bungalows, des mobile homes et des maisonnettes jusqu'à 5 pers (190-880 €/sem ; loc à partir de 2 nuits min).* Dans la nature, avec vue sur les monts de Vaucluse et le Ventoux. Beaucoup de fleurs sauvages et d'arbres fruitiers. Nombreuses activités sur place ; 3 piscines dont 1 chauffée.

Prix moyens

🏨 ***Hôtel du Palais*** (plan A1, **1**) **:** *24, pl. Gabriel-Péri.* ☎ *04-90-04-89-32.* • *hotel-le-palais@wanadoo.fr* • *En face de la mairie. Congés : janv-mars. Doubles 52-54 €.* Pas de méprise sur l'enseigne ! Cet hôtel, installé dans une vieille maison du centre-ville, est à classer dans la catégorie « modeste ». Accueil plutôt agréable et chambres correctes, avec TV. Si vous êtes 4, en revanche, on vous conseille de prendre la suite, carrément luxueuse !

Plus chic

🏨 ***Le Couvent*** (plan B1, **3**) **:** *36, rue Louis-Rousset.* ☎ *04-90-04-55-36.* • *loucouvent@orange.fr* • *loucouvent.com* • *Ouv tte l'année. Compter 95-125 € pour 2 selon confort et saison. Apéritif offert sur présentation de ce guide.* Un ancien couvent du XIIe s que Marie et Laurent Pierrepont ont pris le temps de restaurer et d'aménager dans un esprit familial et convivial. Austérité et grand confort, beaux volumes et tons chauds tout à la fois. Si vous hésitez encore, sautez le pas : voilà l'endroit idéal pour faire une retraite, le temps d'un week-end ou d'une semaine. Un endroit décontracté, avec son jardin, sa terrasse autour de la piscine, au calme, en plein cœur de la ville.

Où manger ?

Très bon marché

🍽 ***Pan'oramas*** (plan B1, **10**) **:** *121, rue des Marchands.* ☎ *04-90-04-60-08. Ouv à partir de 9h30 (10h pour les sandwichs) tlj sf dim-lun et j. fériés. Ouv jusqu'à 19h hors saison et 20h en hte saison. Congés : 1 sem juil, 23 déc-3 janv. Sandwich env 4,50 €.* Un vrai coup de cœur que cette petite boutique sympathique qu'on hésite à nommer sandwicherie car elle vaut cent fois celles du même nom que vous trouvez un peu partout : ici, tout se fait à la minute, sur commande. Sandwichs étonnants de fraîcheur et d'originalité. On patiente en faisant un tour de ville ou en buvant un café dans de jolies tasses. Accueil vraiment sympa.

De bon marché à prix moyens

🍽 ***Chez Sylla*** (hors plan par A1, **16**) **:** *178, av. du Viaduc. À l'entrée ouest d'Apt, sur la D 900. Bien indiqué.* ☎ *04-90-74-95-80.* • *chezsylla@sylla.fr* • *Ouv lun-sam 9h-19h (18h30 hors saison) pour la dégustation et 12h-15h pour y déjeuner ; en janv-fév, fermé lun et mar midi. Le midi, formule 17 €. Carte 17 €. Café offert sur présentation de ce guide.* C'est une belle coopérative, présente ici depuis 1925, qui s'est considérablement modernisée au fil des années. Les vins sont divers et variés, et le travail réalisé est intéressant. La dégustation vaut le coup, mais on peut aussi y faire halte pour le déjeuner. Une petite faim vite comblée par l'assiette de fromages accompagnée d'une salade et de tranches de pains spéciaux. Tout est frais, bien présenté et servi avec une rare bienveillance.

🍽 ***Au Platane*** (plan B1, **15**) **:** *13, pl. Jules-Ferry.* ☎ *04-90-04-74-36.* • *petit-xavier@sfr.fr* • *Fermé mer et dim midi en saison ; dim-lun en basse saison. Le midi, formules 14-15,50 € puis menus 19 € (végétarien)-29 €. Wifi. Café offert sur présentation de ce guide.* On grimpe le petit escalier pour découvrir cette terrasse élégante et ombragée par de beaux mûriers platanes. Sans doute la belle surprise de la ville où l'on offre une cuisine sans complexe, sans chichis et au diapason des produits du marché. Et que voilà de la fraîcheur, des saveurs et du soleil dans les assiettes ! Gaspacho, duo de colino, tartare de saumon, mâtiné de petites joues de lotte, lasagnes aux épinards... Une cuisine sincère et légère mais sans rogner sur les portions. On se sent en confiance dans cette maison où le chef exprime un vrai tournemain. Et les prix attractifs attirent bien du monde, midi et soir.

|●| ***La P'tite Cuisine** (hors plan par A1, **13**) : à la Fondation Blachère, 384, av. des Argiles Z.I. ☎ 04-90-05-70-81. Ouv slt à midi, tlj sf sam-dim et j. fériés. Congés : Noël à fin janv. Plat du jour et assiettes 12 €, carte 24 €.* Un concept de « food gallery » à la Fondation Blachère, belle fondation d'art contemporain perdue au milieu d'une zone industrielle peu attirante. On oublie le monde extérieur une fois à l'intérieur : décor coloré et un peu fou, avec tables et chaises en métal de couleur, cubes à l'effigie d'Obama façon Andy Warhol, sans oublier la p'tite terrasse signée Matali Crasset. Livres d'art en consultation et boutique juste à côté. Carte volontairement restreinte avec dès les beaux jours le gaspacho, les salades et les tartines, plus un plat du jour très sain pour votre petite santé.

|●| ***Thym te Voilà** (plan B2, **14**) : 59, pl. Saint-Martin. ☎ 04-90-74-28-25. ● thymtevoila@freesurf.fr ● ♿ Tlj sf dim-lun. Congés : Noël-début mars. Formule 11,50 € l'été, sinon menus 20,90-25,50 €. Café offert sur présentation de ce guide.* Un restaurant sympathique, un peu caché, qui n'en a que plus de mérite d'exister, avec sa terrasse mignonne, sa salle chaleureuse et ses bons petits plats à base de vrais produits du terroir, aux saveurs d'ici et d'ailleurs : soupe au pistou, curry d'agneau et aubergines, lapin aux carottes et oignons rouges.

Où dormir ? Où manger dans les environs ?

De prix moyens à plus chic

🏠 |●| ***Relais de Roquefure** : quartier de Roquefure. À 1 km de la route principale. ☎ 04-90-04-88-88. ● hotel.restaurant@relaisderoquefure.com ● relaisderoquefure.com ● ♿ À 6 km de la ville en allant vers Cavaillon (suivre le fléchage). Resto fermé lun et le midi mar-ven. Doubles 57-84 €. Menu 26 €. Carte 35 €. Internet, wifi. Apéritif maison offert sur présentation de ce guide.* Au grand calme, dans un ancien domaine agricole tout en pierre. Chambres aux tons ocre dans le genre rustico-provençal. Piscine sur l'arrière et jardin. Accueil avenant et très souriant. Au resto, produits locaux, aux accents provençaux ; on regrette quand même les prix un peu élevés.

🏠 |●| ***Bergerie des Millanes** : Les Tourettes. ☎ 04-90-04-63-74. ● lesmillanes@laposte.net ● bergeriedesmillanes.net ● À partir de l'office de tourisme d'Apt, prendre la D 943 (direction Lourmarin) ; à 3,6 km, panneau sur la gauche et fléchage. Ouv tte l'année. Compter 76-90 € pour 2 selon saison. Table d'hôtes : menu 28 € sur résa. Apéritif offert sur présentation de ce guide.* Les chambres d'hôtes au décor gaudiesque qui donnent dans un patio arabo-andalou possèdent un vrai charme. Et grande terrasse ombragée face au Ventoux pour goûter une excellente cuisine méditerranéenne. Salle commune et bibliothèque de sciences humaines à disposition. Le territoire est vaste et sauvage avec la piscine un peu à l'écart. Nombreuses activités possibles, pour enfants ou adultes, en liaison avec l'association *Améthyste* : escalade, randonnées, parcours dans les arbres, parapente. Bien bête qui ne s'y arrête !

|●| ***La Petite École** : Le Chêne, à **Gargas** (à la sortie d'Apt). ☎ 04-32-52-16-41. ● sophiegoiran@orange.fr ● ♿ Tlj sf dim-lun ; hors saison fermé le soir dim-jeu et lun midi. Résa obligatoire en juil-août. Formule déj en sem 15 € et menus 19-38 €. Café offert sur présentation de ce guide.* Une école où on retourne volontiers pour partager des souvenirs gourmands : selon le sujet du jour, au tableau, papeton d'aubergine et tomates confites, feuilleté aux cèpes et escargots ou encore le poisson frais du jour. Pas besoin de sortir de l'école à la sonnerie pour se payer des glaces, celles qui sont maison sont excellentes, avec des parfums originaux : outre « la

meilleure glace café-vanille du monde » (hors sujet, pas d'emphase !), goûtez celles au thym, lavande, lait d'amande, betterave, concombre... En conclusion, la moyenne haut la main.

Ferme-Auberge Les Grands Camps : *bien fléché dans le village du Chêne,* **Gargas.** *☎ 04-90-74-67-33. 06-63-00-90-24. • bernardguichard84@orange.fr • Ouv slt dim midi et en juil-août mer soir et ven soir. Résa obligatoire. Menu 28 € avec apéro, 2 entrées de saison, volaille ou agneau, fromage de chèvre, dessert, café et vin ; 14 € pour les moins de 10 ans. CB refusées.* La ferme-auberge dans toute l'acception du terme ! Du bon, du traditionnel, du copieux, du goûteux, la plupart des ingrédients étant issus de l'élevage de la ferme. Selon la saison, pâtissons farcis au poulet ou à la pintade, collier d'agneau de la ferme aux asperges, rognonnade d'agneau farcie aux trompettes de la mort, etc. Et tout se passe gentiment, sous la tonnelle de la terrasse, le sourire aux lèvres... à l'ombre du saule pleureur (ça fait contraste !).

La Table de Pablo : *Les Petits-Clléments, 84400* **Villars.** *☎ 04-90-75-45-18. • restaurantlatabledepablo@orange.fr • Sur la D 124, à la sortie de Villars, en direction de Rustrel. Tlj sf mer midi en saison ; mer, jeu midi et sam midi hors saison. Congés : 31 déc-12 fév. Menu déj (en sem) 16 €, puis menus 28-50 €.* L'un des restos tendance du moment, autour d'Apt. Une intelligente cuisine provençale avec un zeste d'originalité et pas mal de savoir-faire. Des plats bien enlevés réalisés à base de beaux produits du terroir, sélectionnés avec rigueur. Le chef, jeune et passionné, travaille seul en cuisine et va à l'essentiel. Même la déco de la salle est épurée. Quant à sa compagne, sommelière de métier, elle s'occupe du service avec professionnalisme. Le menu du midi est d'un excellent rapport qualité-prix pour le pays. Carte de vins issus de l'agriculture raisonnée ou bio. Et aux beaux jours, agréable terrasse.

Le Sanglier paresseux : *au centre du village, 84750* **Caseneuve.** *☎ 04-90-75-17-70. Fermé dim soir et lun du 1er juin à fin août (dim soir et mer hors saison). Congés : 15 déc-20 janv. Menus 23-29 €.* Un nom qui fait sourire, mais qui a rendu célèbre dans tout le Luberon ce petit resto perché au cœur d'un village oublié. Un village qui vit désormais au rythme des allées et venues de ceux qui réservent à l'avance pour pouvoir profiter de la cuisine de Fabricio. Les hasards de la vie ont fait se rencontrer au Portugal ce Brésilien de San Paolo et une jeune Française en poste en Colombie, qui ont trouvé plus pratique de venir habiter près des parents de cette dernière, au nord d'Apt. Lignes modernes sur fond de tradition respectée : la cuisine du chef, passé chez *Bocuse* et au *Meurice* pour se former, est à la croisée de tous ces chemins parcourus au fil des ans. Parfumée, colorée, mais rigoureuse, dans ses cuissons comme dans sa présentation. À savourer l'été, en terrasse, pour profiter de la vue imprenable, ou à l'intérieur, près de la cheminée, dans une déco d'aujourd'hui. Service à la fois classe et gentil, à l'image de la maison.

Où acheter des fruits confits ?

Mme de Sévigné, en son temps, comparait la région d'Apt à un « vaste chaudron à confiture ». La ville reste aujourd'hui la capitale mondiale du fruit confit, classée Site remarquable du goût. Chacun de ses artisans se transmettant passion et savoir-faire de père en fils, chacun déclinant toutes les facettes de la confiserie : fruits confits égouttés (les plus courants), glacés (les plus connus) ou cristallisés au candi. Sans oublier les pâtes de fruits, calissons et autres gourmandises.

Aptunion *(hors plan par B1,* ***20****) : à 2 km d'Apt sur la N 100 (direction Avignon). ☎ 04-90-76-31-43. Lun-sam 9h-12h, 14h-18h. Visite possible de la fabrique sur résa et dégustation gratuite.* Fruits confits en vente directe de l'usine. Également des marrons glacés, des fruits à l'alcool ou encore des cerises au marasquin.

Confiserie Marcel Richaud *(plan A1,* ***21****) : 112, quai de la Liberté. ☎ 04-90-74-13-56. Ouv mar-sam. Fermé* *janv-mars.* Plus cher que le précédent, mais il faut comparer ce qui est comparable... Bref, une belle boutique où l'on vend d'excellents fruits confits. Fabrication artisanale et avec des fruits de saison, ce qui n'est pas le cas partout...

Confiserie Le Coulon *(plan A1,* ***22****)* **:** *24, quai de la Liberté. Non loin de la confiserie* Richaud. Bien bons fruits confits, de fabrication artisanale également.

– Une des autres célèbres confiseries du pays, la ***confiserie Saint-Denis,*** a émigré aux Beaumettes, vous l'avez peut-être aperçue sur la route, entre Cavaillon et Apt (voir plus haut). Accueil fort sympathique et parking sur place, si vous repassez par là en rentrant.

À voir

La vieille ville *(plan A-B1),* avec ses hôtels particuliers des XVIe et XVIIe s, la tour des remparts et le vieux quartier.

La cathédrale Sainte-Anne *(plan B1)* **:** *accès lun-ven, en saison 9h-12h, 14h30-18h (dim à partir de 14h30) ; visite guidée sur rdv au ☎ 04-90-09-61-71.* Édifiée aux XIe et XIIe s, agrandie au XIVe s puis remaniée au XVIIe s, la cathédrale-basilique d'Apt est une des plus anciennes de Provence. Siège de l'évêché jusqu'en 1801. Deux cryptes s'étendent sous la nef. La crypte supérieure (XIe s) ressemble à une église en miniature avec ses trois petites nefs (autel du Ve s) et son déambulatoire. La crypte inférieure (Ier s) se résume à un étroit couloir recouvert de dalles carolingiennes se prolongeant par une chapelle. Atmosphère... Chapelle royale construite en l'honneur d'Anne d'Autriche (venue remercier sa patronne pour l'arrivée de Louis XIV), remplie de reliques diverses, et trésor dans la sacristie.

Le musée de l'Aventure industrielle *(plan B1)* **:** *pl. du Postel. ☎ 04-90-74-95-30. ♿ En été, tlj sf mar et dim mat, 10h-12h, 15h-18h30 ; le reste de l'année, tlj sf mar, dim et j. fériés, 10h-12h, 14h-17h30. Entrée : 4 € ; réduc ; gratuit pour les moins de 16 ans. Plusieurs visites guidées 5 € en saison ; se rens.* Ce musée, installé dans une ancienne usine de fruits confits, retrace l'activité industrielle du pays d'Apt à travers ses trois ressources naturelles, l'ocre, l'argile et les cultures fruitières. L'ocre, pour la fabrication des pigments de couleur, l'argile pour les faïences et les céramiques architecturales comme les carrelages ou les tuiles, et les cultures fruitières pour la fabrication des fameux fruits confits. Ces petits trésors de bouche qui ont vu le jour ici grâce au climat, à la terre et au savoir-faire des artisans du pays, mais également aux souverains pontifes d'Avignon : Clément VI, pape gourmet, demandait chaque année une dîme de « 50 setiers de fruits confits ».

La Fondation Jean-Paul-Blachère : *384, av. des Argiles Z.I. ☎ 04-32-52-06-15. • fondationblachere.org •* L'entreprise Blachère, spécialisée dans la guirlande lumineuse, est célèbre dans le monde entier pour la qualité de ses illuminations. Son dirigeant, passionné d'art contemporain africain et mécène inspiré, a voulu cette fondation à proximité de ses locaux, afin de la rendre accessible à tous, à commencer par ses employés. Et on ne peut que vous encourager à quitter le centre-ville et à venir vous perdre momentanément dans cette zone industrielle pas franchement glamour. Les expos temporaires organisées par la fondation sont d'une qualité rare (et magnifiquement éclairées !). Elles accueillent les plus grands artistes actuels du continent africain et de la diaspora. Sur place, une boutique d'art et d'artisanat offre un bel aperçu du savoir-faire africain ; on y trouve par exemple de splendides bijoux à prix doux, certifiés « commerce équitable ». Également un petit resto branché pour le midi, *La P'tite Cuisine* (voir « Où manger ? »).

À voir dans les environs

Les mines d'ocres de Bruoux : *☎ 04-90-06-22-59. • accueil@minesdebruoux.fr • minesdebruoux.fr • Ouv mars-nov. En été, visite de 10h à 12h (ttes les 30 mn),*

14h et de 15h à 18h (ttes les 30 mn). Reste de l'année se rens. Entrée : 7,50 €, réduc. Il s'agit de la dernière carrière d'extraction d'ocre en activité. Les visites sont uniquement guidées et limitées à 18 personnes par groupe, il est donc important de réserver. Et pour ceux qui souhaiteraient découvrir le sentier des Ocres ou visiter l'ancienne usine de traitement, voir plus loin, à Roussillon.

Fête

– ***Luberon Jazz Festival :*** *en mai, autour du w-e de l'Ascension. Rens : ☎ 04-90-74-55-98.* Petit (mais créatif) festival.

DANS LES ENVIRONS D'APT

SAIGNON *(84400)*

À 4 km au sud-est d'Apt par la D 48. Village belvédère magnifiquement adossé à un rocher ; vue superbe sur la vallée d'Apt, le Luberon et les monts de Vaucluse. Jolie église romane et ruelles pleines de charme.

Où dormir ? Où manger ?

De prix moyens à beaucoup plus chic

■ ***Chambre de Séjour avec Vue :*** *au cœur du village de Saignon. ☎ 04-90-04-85-01. • info@chambreavecvue.com • chambreavecvue.com • Compter 90-110 € pour 2 ; gîte 2 pers 100-120 € (580-600 €/sem). Wifi. Apéritif offert sur présentation de ce guide.* Une demeure provençale qui réserve une fabuleuse surprise dès qu'on franchit le seuil de la porte d'entrée... On ne va pas tout vous détailler, ce serait dommage, mais sachez qu'ici tout est déjanté, terriblement décalé. En fait, vous entrez dans le monde de Kamila et Pierre, artistes dans l'âme... un peu mécènes et collectionneurs, qui cherchent à vivre – avec les autres (d'où la maison d'hôtes) – au contact de ce qui est beau, différent, dépositaire d'une charge émotionnelle. Le mieux, c'est que vous veniez vous rendre compte par vous-même.

■ |●| ***Auberge du Presbytère :*** *pl. de la Fontaine. ☎ 09-70-44-64-56. • reception@auberge-presbytere.com • auberge-presbytere.com • ♿ Au centre du village. Tlj (sf mer soir hors-saison). Congés : de mi-janv à mi-fév. Doubles 60 € (w-c sur le palier)-155 €. Formule déj en sem 20 €, menus 28-38 €. Carte 38 €. Internet, wifi. Apéritif maison offert sur présentation de ce guide.* Nouvelle direction, mais le presbytère n'a rien perdu de son charme (comme dirait Rouletabille), ni le jardin – d'hiver – de son éclat. Dans 3 vieilles maisons de village, 16 belles chambres personnalisées, toutes différentes les unes des autres au niveau de l'arrangement, du confort, de la taille et... du prix. Certaines, comme la « bleue », disposent d'une terrasse avec vue magnifique sur tout le Luberon. Bonne cuisine de saison, à base de beaux produits du marché.

SIVERGUES *(84400)*

À 12 km au sud d'Apt par la D 114. Ce hameau, l'un des plus beaux du Luberon, a la chance d'être au fond d'un cul-de-sac. Pas d'hôtel de luxe. Bref, autant de raisons qui font que peu de touristes s'y aventurent. Tant mieux ! Croquignolette église du XVIe s et très belle ferme d'alpage en haut du chemin avec une vue imprenable...

BUOUX (84480)

À 8 km au sud d'Apt par la D 113. Le village est surtout connu pour le vallon de l'Aiguebrun voisin. Des gorges creusées par l'une des rares rivières permanentes du Luberon. Vertigineuses falaises, paradis des grimpeurs depuis qu'Edlinger y a ouvert quelques voies. Pas mal de monde donc, dès les beaux jours. De l'entrée du vallon, on peut facilement grimper (à pied) jusqu'aux ruines du fort de Buoux (petit droit d'entrée). Démantelé par Louis XIV qui craignait que les huguenots s'y réfugient, il n'en reste pas grand-chose, mais le site est plutôt exceptionnel.

Où dormir ? Où manger ?

De bon marché à prix moyens

Auberge des Seguins : *au bout de la route.* ☎ *04-90-74-16-37 ou 19-89. • aubergedesseguins@gmail.com • aubergedesseguins.com • Ouv de mars à mi-nov. Hébergement en ½ pens : compter 38 €/pers en dortoir et 58 €/pers en chambre double. Au resto, assiette à midi en sem env 8 € et menu 24 €. Internet, wifi. Café offert sur présentation de ce guide.* Au bout (pour ne pas dire au Buoux) du monde, ce hameau de pierre transformé en petite hôtellerie campagnarde jouit d'une immense pelouse traversée par une rivière, et d'une piscine, le tout au pied d'une belle paroi rocheuse de 200 m de haut, comme sorti d'un rêve baba-cool des années 1960. En fait, le lieu appartenait déjà à la grand-mère en 1927... Aujourd'hui repris par sa petite-fille, du style décontractée et sans langue de bois, elle propose un dortoir de 19 places, impeccable, qui conviendra bien aux randonneurs, ainsi qu'une trentaine de chambres rustiques mais sympas, situées dans des petites maisons. Au resto, assiette de crudités à midi et truite du vivier le soir. Pour les sportifs, possibilité d'escalade dans le coin et, pour les archéologues en herbe, quelques grottes troglodytiques et traces préhistoriques...

Chambres d'hôtes La Sparagoule : *quartier de la Loube.* ☎ *04-90-74-47-82. • lasparagoule@orange.fr • perso.orange.fr/lasparagoule • Fermé janv. Compter 48 € pour 2. Gîte (dortoir de 4 pers) 13 €/pers.* Odile Malbec accueille tout son petit monde dans cette ancienne ferme, en chambre ou en dortoir. Grande salle avec poutres apparentes et cheminée. Chambres agréables, dispersées sur plusieurs niveaux dans une vénérable maison de village. Intime, sympa et très au calme.

L'Étape du Promeneur, Buvette-Restaurant : *vallon des Loubes, Les Mignons.* ☎ *04-90-04-60-21. Au bord de la petite route qui traverse le village. En saison, ouv tlj sf mar soir et mer, hors saison slt les w-e ; sinon écouter le répondeur. Plats à midi env 7-10 € ; menu complet le soir 18 €. Réserver 24h à l'avance. CB refusées.* Petite grignote le midi avec de belles omelettes, frites fraîches et salades diverses... Le soir, une formule imbattable, autour de l'agneau, du poulet ou de la pintade, plats dans lesquels interviennent en invité d'honneur la tapenade, le citron ou le curry. Le repas se partage entre convives sous la tonnelle où quelques tables s'égayent. Comme vous après ces augustes ripailles...

Plus chic

Domaine de la Grande Bastide : *à quelques centaines de mètres du village. Fléché depuis le centre.* ☎ *04-90-74-29-10. • cayla.bastide@wanadoo.fr • luberon-news.com/hebergement/chambres_d_hotes/la_grande_bastide • Ouv tte l'année. Compter 77-85 € pour 2. Wifi. Réduc de 10 % à partir de 3 nuits, sur présentation de ce guide.* La bonne grosse bastide comme on l'imagine, authentique vaudoise du XVIIe s. Des pièces spacieuses, aménagées par les proprios avec goût et simplicité. Panorama sur les champs de lavande et les chênes truffiers, et belle piscine en terrasse. On se sent bien par ici.

Grande cuisine équipée au rez-de-chaussée, à disposition des clients pour ceux qui veulent popoter sur place. Bien pratique.

LE PLATEAU DES CLAPARÈDES

Il s'étend entre Bonnieux et Apt, et on peut le traverser par la D 232. Vaste étendue dont l'altitude oscille entre 500 et 700 m. Peu peuplé, mais la terre est partout cultivée : cerisiers, champs de lavande ou de céréales qui dessinent un paysage en mosaïque. Des bergers l'arpentent en conduisant de gros troupeaux de moutons. Un peu partout, de petits monticules de pierres arrachées à la terre pour la rendre plus fertile (des « clapas », qui ont donné son nom au plateau) et des bories. Un site méconnu, très beau pourtant.

VIENS *(84750)*

À une quinzaine de kilomètres au nord-est d'Apt par la N 100, puis à gauche par la D 48 jusqu'à Saint-Martin-de-Castillon (joli et paisible village perché), et enfin la D 190. Très (très !) beau village, dont la partie ancienne a conservé son aspect de nid d'aigle médiéval : ruelles caladées (et sans les foules de Gordes), portes et tours, belles maisons anciennes et château Renaissance (ne se visite pas). Belle vue sur le Luberon et les monts de Vaucluse.

➢ Au départ du village, trois petits sentiers pour découvrir les bories du plateau de Caseneuve (voir également « Où dormir ? Où manger dans les environs d'Apt ? »). Dans les environs, belle petite rando à faire dans les gorges d'Oppedette.

Où dormir ? Où manger ?

Le Nouveau Relais de Saint-Paul : ☎ *04-90-06-03-85. • relaissaintpaul@gmail.com • hotel-relais-saint-paul.com • Au hameau de Saint-Paul, à 3 km du village. Hors saison, resto fermé lun, mar et mer midi. Doubles 50-80 €. Menu 19,80 €, carte 28 € env. Wifi. Apéro maison offert sur présentation de ce guide.* Une élégante bâtisse provençale disposant d'une vue imprenable sur les monts environnants. 11 chambres au calme, pour profiter de la douceur des lieux. Également un resto. Piscine.

Le petit jardin : ☎ *04-90-75-20-05. Le midi slt. Menu 13 € vin inclus.* Petit et unique bar-restaurant du village. En fait, une véritable institution, qui fait parler d'elle dans tout le Luberon, moins pour sa cuisine désormais que pour son voisinage. Cuisine provençale simple et savoureuse pourtant : flan de légumes au coulis de tomates, rôti de veau et pommes au four, fromage ou dessert. Corinne, la propriétaire, ne sert que le midi suite à une plainte pour nuisance sonore qui l'oblige à fermer sa terrasse où il faisait bon refaire le monde les soirs d'été. Mais le conseil municipal a voté une motion de soutien et 450 Viensois (sur 500 habitants) ont pris sa défense. Du jamais vu. Le voisin britannique a découvert, après Peter Mayle, les subtilités de l'art de vivre dans un petit village du Luberon au XXIe s !

RUSTREL *(84400)* *ET LE COLORADO PROVENÇAL*

À une dizaine de kilomètres au nord-est d'Apt par la D 22. Un petit village tranquillement provençal, surtout connu pour ses carrières d'ocre, bizarrement baptisées dans les années 1930 « Colorado provençal » par un certain Gabriel Jean. Qui n'avait jamais dû mettre les pieds au Colorado...

Adresse utile

Pour ttes infos touristiques, on peut s'adresser à la mairie le mat et le mer ap-m : ☎ 04-90-04-98-49.

Où dormir ? Où manger ?

Camping

Camping Le Colorado : *lieu-dit Notre-Dame-des-Anges. ☎ 04-90-04-90-37. • campinglecolorado@yahoo.fr • camping-le-colorado.com • Fermé de mi-oct à fin mars. Compter 13,80 € pour 2 en hte saison.* Un petit camping bien abrité dans la verdure et bien ombragé. Emplacements des tentes situés sur une butte en surplomb. Bon accueil.

Bon marché

Gîte d'étape Le Château : *en haut du village. ☎ 04-90-04-96-77. • chateau.rustrel@mac.com • homepage.mac.com/jmsca84 • Fermé janv-fév. Nuitée en dortoir 15 €/pers ; ½ pension 39 €/pers, vin compris. Apéritif offert sur présentation de ce guide.* Un vrai château (flanqué de 4 tours et tout et tout) du XVIIe s sert de cadre à ce gîte d'étape joliment décoré : murs peints à l'éponge, petites frises, etc. On a bien aimé le dortoir (8 places) du rez-de-chaussée, avec sa massive cheminée. Quant à l'appartement, c'est une super affaire ! D'autant qu'il offre une très belle vue sur la vallée. Lave-linge.

Prix moyens

Chambres d'hôtes Campagne Istrane : *☎ 04-90-04-92-86. • info@istrane.com • istrane.com • Du centre du village, prendre la direction d'Apt puis, au 1er rond-point, la 3e route à droite ; c'est à env 500 m, sur la droite. Compter 56 € pour 2.* Vieille ferme dans un tranquille coin de campagne, à deux pas du Colorado (provençal). 4 chambres toutes simples. Le petit déj, avec confitures maison et fromage ou jambon de pays, se prend sur la terrasse aux beaux jours, entre deux platanes centenaires. Petite source dans le jardin et chevaux dans les pâtures alentour.

À voir. À faire

Le Colorado : l'érosion autant que la main de l'homme (ces carrières d'ocre ont été exploitées depuis la Révolution) ont façonné ici un paysage au relief tourmenté, à l'apparence fantasmagorique : vallons aux contours extravagants, cheminées de fées pour équilibristes et une palette de couleurs exceptionnelle. Si le mot grec *okhra* désigne la « terre jaune », les ocres oscillent dans le coin du jaune pâle au rouge vif en passant par de multiples orangés avec, ici ou là, une veine de bleu et les taches vertes des pins.
Attention, la plupart de ces anciennes carrières appartiennent à des particuliers et sont aujourd'hui gérées par l'association ***Colorado Rustrel :*** *06-43-97-76-06. Parking payant 4 €/voiture et plan de 3 circuits pédestres offert.*
Petit conseil : l'ocre tache sérieusement. Pour nettoyer d'éventuelles (sinon inévitables !) taches : savon de Marseille et eau froide.

LAGARDE-D'APT (84400)

À une vingtaine de kilomètres au nord d'Apt par la D 22 puis la sinueuse D 34 qui livre, à chaque virage ou presque, un panorama somptueux sur le Luberon. Tout en haut, on débouche sur la plus petite commune du Vaucluse : une mignonne chapelle romane, deux ou trois maisons perdues au milieu d'un paysage, à 1 000 m d'altitude, déjà plus alpin que provençal. Austère mais superbe. Seule incongruité :

ce semblant d'autoroute qui traverse le hameau. Explication : on aborde ici le plateau d'Albion, où pointaient il y a encore peu quelques ogives nucléaires...

➢ En été, sentiers pédestres balisés à travers les champs de lavande *(rens au musée de la Lavande, à Coustellet, ☎ 04-90-76-91-23).*

Où dormir ?
Où manger ?

🏠 🍴 ***Ferme-auberge Les Esfourniaux :*** *Lagarde-d'Apt, 84400* ***Villars.*** *☎ 04-90-75-01-04. Accès fléché depuis Lagarde-d'Apt. Congés : dernière sem d'août. Compter 48 € pour 2, petit déj compris, ou 83 € pour 4 pers. Gîte 4 pers 45 €/nuit ou 300 €/sem. Formule déj 17 € ; repas complet sur résa 28 €, vin compris. CB refusées. Apéritif offert sur présentation de ce guide.* La plus haute (à 1 100 m d'altitude) et la plus ancienne des fermes-auberges du Vaucluse. Si le premier souci de cette exploitation n'est pas de faire joli, les 5 chambres sont coquettes et offrent un bon rapport qualité-prix. Toutes disposent de sanitaires (douche et w-c) séparés de la chambre par un rideau. Plats alléchants pour qui adore le genre rustique (agneau, daim, charcuterie et produits de la ferme).

🍴 ***Le Bistrot de Lagarde :*** *RD 34, 84400* ***Lagarde-d'Apt.*** *☎ 04-90-74-57-23. Fermé lun soir-mar en saison (en hiver, sur résa). Plateau casse-croûte en journée 14 €. Menu du jour le midi en sem 15 €. Menu-carte 23-32 € le soir et le w-e.* La route n'en finit plus de monter et de tourner depuis Apt, mais au moins vous n'êtes pas gêné par la circulation. Arrivé sur le plateau, vous vous demandez si vous ne rêvez pas en voyant tant de voitures garées devant une petite maison que des dizaines de panneaux solaires semblent prêts à mettre sous les feux de la rampe. Lloyd est passé chez *Marcon,* en Auvergne, où on l'avait découvert lorsqu'il s'occupait de son bistrot. Les locaux trouvent normal qu'il soit venu jusqu'ici, poussé par le vent et par Laëticia, sa compagne, qui vous accueille avec beaucoup de naturel. Variation sur fond de terroir, la cuisine ici est un vrai bonheur : le lapin sort du chapeau du chef en deux façons, l'agneau du pays est préparé avec un risotto d'épeautre aux herbettes. La suite, à vous de la découvrir.

À voir

L'observatoire Sirene : *sur la D 34, un peu après Lagarde-d'Apt en venant de Rustrel. ☎ 04-90-75-04-17. • obs-sirene.com • Observations sur rdv slt. Prévoir des vêtements chauds, car l'observatoire est situé à 1 100 m d'altitude. Visite de jour (groupe à partir de 10 pers) 10 € ; visites de nuit 15 € pour 2h en groupe, 50 € pour 4h en individuel, 8-15 ans ½ tarif ; festival des « fusées à eau » fin sept 5 €.* Une « nuit des étoiles » toute l'année, on ne peut rêver mieux ! Construit dans le cadre de la reconversion pacifique des installations militaires stratégiques françaises, l'observatoire bénéficie d'un ciel parmi les plus purs d'Europe, dans un lieu de nature protégée. La visite de jour comprend un petit exposé historique du dispositif nucléaire de la zone, une présentation complète des instruments et surtout, mais malheureusement selon la météo, une séance d'observation du soleil. On peut aussi y voir un télescope de 635 mm, un prototype étudié et construit pour les personnes handicapées moteur, très apprécié par tous ceux qui peuvent ainsi observer assis. Pour voir d'autres corps célestes (planètes, étoiles, galaxies, nébuleuses), c'est bien sûr le soir qu'il faut venir. Accueil formidable.

SAINT-SATURNIN-LÈS-APT (84490)

À 9 km au nord-ouest d'Apt par la D 943, joli bourg qui semble accroché à la roche. Grimpette conseillée jusqu'aux émouvantes ruines du village médiéval et du château, baignées par un lac minuscule créé au XVIIe s pour alimenter Saint-Saturnin en eau.

Où dormir ?
Où manger ?

🏠 ***Chambres d'hôtes du Mas de l'Escaillon :*** *M. et Mme Costa, quartier Damazian. ☎ 04-90-06-28-70. 📱 06-14-83-82-22. • gilles.costa@yahoo.fr • masdelescaillon.com • Du centre, route de Gordes (D 2) puis, 600 m à droite direction « Poterie Damazian », 100 m à droite, grimper sur 600 m, impasse au bout du chemin de terre. Doubles 65-98 € selon confort et saison. Remise de 5 % pour 2 nuits (15 oct-15 mars), sur présentation de ce guide.* C'est une bâtisse moderne mais elle reste dans le style de la région et offre surtout une vue imprenable sur le magnifique paysage entre Gordes et Apt. 3 chambres indépendantes et très différentes, « Automne » étant la plus petite mais la moins chère, « Printemps » et « Été » les plus agréables, cette dernière avec terrasse et la fameuse vue. Accueil souriant de Mme Costa.

🏠 |●| ***Hôtel des Voyageurs :*** *2, pl. Gambetta. ☎ 04-90-75-42-08. • hotel.rest.voyageur@orange.fr • voyageursenprovence.com • Resto tlj sf mer et jeu midi. Congés : 23 déc-4 janv et 24 oct-8 nov. Doubles 50-65 €. Menus 14,50 € à midi, puis 21-47 €. Café offert sur présentation de ce guide.* Un établissement avec juste quelques tables en terrasse et une salle champêtre aux murs couleur ocre et au plafond très provençal. Une adresse qui continue de faire le bonheur des voyageurs au fil des années. Les plats sont simples mais réalisés avec un sacré savoir-faire, pleins d'herbes et d'arômes. Médaillons de gigot d'agneau gratinés à la tapenade, parfait glacé à la lavande, nougatine aux fruits confits d'Apt... Mieux vaut toutefois ne pas être pressé, en haute saison. Également 10 chambres, certaines rénovées récemment.

|●| ***L'Estrade :*** *6, av. Victor-Hugo. ☎ 04-90-71-15-75. Tlj sf lun (plus dim soir et mar hors saison). Congés : déc-mars. Formule 13 € à midi en sem (sf j. fériés), le soir carte slt env 30 €. Apéritif offert sur présentation de ce guide.* Une petite estrade en bois, une petite salle sans fioritures et une petite équipe toute féminine aux manettes. On goûte ici une cuisine de bonne femme qui plaira bien aux hommes et aux gros appétits en général. Nombreuses viandes (entrecôte, côtes d'agneau, magret), accompagnées de bonnes patates et de légumes frais. Pour finir de se caler, s'il y en a ce jour-là, excellente tarte Tatin aux abricots. Petits vins au pichet très abordables.

Où acheter
de bons produits ?

🧺 ***Huile d'olive Maurice Jullien :*** *chemin du Moulin-à-Huile, route d'Apt. ☎ 04-90-75-56-24. Tlj sf dim et j. fériés, tte la journée Pâques-sept, slt l'ap-m le reste de l'année.* Charmante petite boutique où acheter une huile d'olive parmi les meilleures du Vaucluse. Elle est produite artisanalement, dans les règles de l'art, au moulin que l'on peut voir fonctionner de mi-novembre à fin décembre. Également du miel bio.

LIOUX (84220)

Tout petit village face à une falaise vertigineuse où nichent les rapaces (escalade interdite).

Où dormir ?
Où manger ?

🏠 |●| ***Auberge de Lioux :*** *☎ 04-90-05-77-52. Congés : janv-fév. Double avec douche et w-c 55 € ; 50 €/pers en ½ pens. Menu 16 €. Wifi. Apéritif offert sur présentation de ce guide.* Un hôtel assez récent, isolé au milieu d'une nature superbe. Quelques chambres de plain-pied, simples mais convenables, réalisées dans les tons blancs. Au resto, lapin basilic, colombo ou couscous aux tripes (!), pour amateurs de spécialités provençales ou... exotiques. Petite piscine très relaxante aussi, avec un jardin face à la falaise. Mais qui a bien pu autoriser la construction de l'horrible véranda en plastique ?

ROUSSILLON (84220) 1 162 hab. *Carte Vaucluse, C3*

Le village et le site se confondent, car les maisons sont aux couleurs des ocres extraites des carrières voisines depuis la fin du XVIIIe s. Toutes les maisons sont imprégnées de cette teinte que magnifie la lumière.
Jean Vilar avait surnommé l'endroit « Delphes la Rouge ». La légende dit que cette terre est rouge du sang de la belle Sermonde, épouse de Raymond d'Avignon, qui, ne pouvant survivre à son amant tué par son mari, se jeta du haut des falaises.
Promenez-vous dans le village (en choisissant votre heure, le lieu est éminemment touristique...), et ne ratez pas le panorama près de l'église, ni les rues donnant sur le val des Fées (falaises rouges à l'ouest). Terminez votre balade par les falaises érodées de la chaussée des Géants, rebaptisée désormais le sentier des Ocres (et non des Ogres, on finirait par s'y perdre doublement : prenez le chemin à l'est, quelques minutes à pied suffisent). Parking payant : 3 à 5 €, que l'on reste une heure ou la journée...

Adresse et info utiles

ℹ ***Office de tourisme :*** *pl. de la Poste. ☎ 04-90-05-60-25. • roussillon-provence.com • Ouv tte l'année lun-sam.* Petit circuit disponible pour découvrir le village de Roussillon.
– ***Marché hebdomadaire :*** *jeu mat.*

Où dormir ?
Où manger ?

Camping

⛺ ***Camping L'Arc-en-ciel :*** *route de Goult. ☎ 04-90-05-73-96. • campingarcenciel@wanadoo.fr • ♿ À 3 km du village. Ouv de mi-mars à oct. Forfait emplacement pour 2 avec tente et voiture 14,20 € env.* Bien situé sous les pins. Un 2-étoiles au très bon accueil. Piscine pour les enfants, location de VTT. Épicerie.

Prix moyens

🏠 ***Chambres d'hôtes chez Mme Cherel Lie :*** *La Burlière. ☎ 04-90-05-71-71. • mulhanc@hotmail.com • ♿ Dans la rue principale, entre la supérette Casino et l'école. Double (douche et w-c sur le palier) 48 €. Également une suite familiale 80 €. Wifi.* Chambres simples mais propres et claires, comme le reste du lieu. Certaines ont vue sur le village ou la vallée. L'ambiance est un brin bohème. Petite cuisine à disposition. Et les prix sont fort bas pour ce village.

🍽 ***Croq' la Vie :*** *la maison Tachella, pl. de la Mairie. ☎ 04-90-71-55-72. • croq.la.vie@orange.fr • Fermé lun sf en été, service 12h-15h. Congés : oct-mars. Assiettes 12-19 €, dessert env 7 €.* Cette splendide librairie dédiée à l'art, à la gastronomie, au tourisme et à la belle littérature, a ouvert une belle terrasse avec vue imprenable sur les collines du Luberon et le village de Roussillon, où l'on se régale de bonnes choses. Attention, peu de places, néanmoins. La simple lecture de la carte ne laisse pas présumer ce qui nous attend là-haut. À première vue, il s'agit de simples assiettes ou salades... En réalité, le tout est savamment cuisiné, très varié, copieux et soigneusement présenté. De vraies salades gourmandes, qui nourrissent son homme de façon raffinée. Service plus ou moins souriant, dommage...

Chic

Chambres d'hôtes Les Tilleuls : *chemin du Colombier. 06-31-18-40-56. • tilleulsroussillon@free.fr • tilleuls roussillon.free.fr • Du village de Roussillon, suivre la direction de Saint-Pantaléon par la D 169 ; 200 m après le croisement avec la route de Joucas, tourner à droite dans le chemin du Colombier : la maison se situe à 900 m sur la gauche. Compter 85-105 € pour 2, suivant la taille. Apéritif offert et réduc de 10 % sur présentation de ce guide, à partir de 3 nuits, hors période d'affluence (vac, w-e...).* Ce joli mas ancien, aux ocres d'origine, bénéficie d'un point de vue unique sur la campagne environnante, avec Gordes en toile de fond. Jean-Pascal (un ami de Philippe Gloaguen) a aménagé cette « maison d'architecte » en respectant l'esprit du lieu, sa simplicité et le rapport omniprésent avec la nature. Une belle pièce lumineuse se prolonge à l'étage en une agréable véranda, d'où la vue est remarquable. À l'extérieur, la cour dallée se donne des airs de patio à l'italienne. Plusieurs terrasses ombragées par les tilleuls et une belle piscine. Accueil de qualité. Une adresse où règnent calme, nature et volupté.

Plus chic

Hôtel-restaurant Le Clos de la Glycine : *pl. de la Poste. ☎ 04-90-05-60-13. • le.clos.de.la.glycine@wanadoo.fr • luberon-hotel.com • Doubles 110-180 € selon confort et saison, suites 165-270 €. Menus 35-50 €. Internet, wifi.* Cet hôtel chic dispense un accueil et un service d'une grande gentillesse, ce qui est déjà très appréciable dans un village aussi touristique. Une dizaine de chambres seulement, certaines côté village, les autres côté vallée, spacieuses et bien rénovées, dans un style agréablement contemporain, avec coin salon ou terrasse. Pour se restaurer le midi, terrasse intime sous la glycine où l'on se contente volontiers d'un plat quand le soleil cogne dur à cette heure-là. Sinon, resto plus cossu avec une très belle vue sur la vallée et les falaises pour une cuisine semi-gastro de bonne facture.

À voir. À faire

Ôkhra, le conservatoire des ocres et de la couleur : *sur la D 104 (direction Apt), à 1,5 km du centre. ☎ 04-90-05-66-69. • okhra.com • ♿ (partiel). Espaces « libres » ouv tlj (sf lun déc-janv) 9h-13h, 14h-18h (19h en juil-août) ; visites guidées tte l'année à 15h30 ; horaires supplémentaires selon saison. Fermé 25 déc et 1er janv, ainsi que 15 j. en janv. Entrée : 6 € ; réduc : 5 € ; billet couplé conservatoire et sentier des Ocres, compter 7 € ; gratuit pour les moins de 10 ans accompagnés.*

Installé dans l'ancienne usine Mathieu, un lieu « en or » pour tout savoir sur l'ocre, pigment naturel (issu d'un mariage de minéraux : kaolin, fer et quartz) tiré d'un sable qu'on extrait par ici depuis la fin du XVIIIe s. Ôkhra est une coopérative culturelle sur la couleur. La visite guidée vous fait découvrir les différentes étapes de l'extraction de l'ocre : lavage, décantation, carrelage, cuisson et enfin broyage. Mais, comme son nom l'indique, ce conservatoire veut aussi... perpétuer les savoir-faire traditionnels. Pour ce faire, la coopérative organise régulièrement des ateliers pratiques, de un à quinze jours, pour professionnels ou simples curieux, et des animations spéciales pour les enfants pendant les vacances. Au programme : apprentissage de l'utilisation de pigments dans des domaines aussi divers que l'industrie, l'art ou l'artisanat (enduits, émaillage, badigeon à la chaux...). Un parcours pédagogique permet de se familiariser avec tout ça ; les plus curieux suivront une visite guidée.

Également des expositions thématiques annuelles, une bibliothèque, un jardin des teinturiers, une librairie et un comptoir de vente de pigments naturels et artificiels. Un lieu intéressant à tous points de vue. On offre à tous les visiteurs des fiches techniques sur les pigments et leurs utilisations.

➢ ***Le sentier des Ocres :*** *départ du parking situé vers le cimetière. Ouv de mi-fév à mi-nov min : 9h-19h30 juil-août, fermeture plus tôt le reste de l'année. Entrée : 2,50 € ; gratuit pour les moins de 10 ans.* Deux sentiers de 900 m (soit 35 mn environ) et 1,3 km (soit 50 mn) permettent de se balader (en prenant son temps !) dans les anciennes carrières. Bonne introduction (ou complément) à la visite du conservatoire. Les parcours sont jalonnés de panneaux explicatifs, de passerelles, de bancs. Superbe et instructif (on vous rappelle toutefois que l'ocre est un puissant colorant, nos chaussures s'en souviennent...). Si d'aventure, vous vous tachiez, brossez et rincez à l'eau froide avec du savon de Marseille. Surtout pas d'eau chaude ou tiède, ça fixerait la couleur de façon indélébile !

ET POURQUOI OCRE ?

Dame Sermonde, épouse délaissée du seigneur local, tomba amoureuse d'un troubadour. Le mari vindicatif tua l'amant et servit le cœur du bien-aimé, lors d'un repas. Sermonde, apprenant cela (elle était végétarienne ?), se jeta du haut de la falaise. L'ocre est donc le sang de la dame bien trop triste pour vivre.

GORDES (84220) 2 089 hab. *Carte Vaucluse, B3*

Superbe village accroché à un promontoire escarpé sur lequel la lumière joue des tonalités différentes selon les heures. S'il a longtemps été délaissé, les peintres et intellos lui ont redonné vie, et ses vieilles maisons ont aujourd'hui un aspect presque trop léché. Site le plus touristique du Luberon, Gordes peut devenir presque insupportable d'avril à septembre. Impossibilité de stationner sans être aussitôt ponctionné de 3 €, ruelles emplies de foules pas vraiment discrètes... Mieux vaut fuir Gordes l'été venu, ne serait-ce que pour ne plus subir l'accueil plein de suffisance dans des établissements qui se mettent à augmenter leurs prix sans que les prestations ne suivent. « L'attrape-cœurs » vire à « l'attrape-touristes » ! Toutefois, visiter Gordes au cœur de l'hiver et aller se protéger du mistral au petit café du *Cercle républicain* réconcilie avec le village... Mais quelle que soit la saison, vous repartirez sans doute avec le souvenir saisissant de votre première arrivée à Gordes, surtout si vous venez de Roussillon. La vue sur le village qui s'offre depuis la route est des plus spectaculaires. On y aperçoit, non sans émotion, les vestiges de cultures en terrasses, du temps où Gordes n'était qu'un joli village vivant modestement...

Adresse utile

ℹ ***Office de tourisme :*** *le château. ☎ 04-90-72-02-75. • gordes-village.com • Ouv tlj. Visite guidée de Gordes, mar-ven à 17h en été, 2,50 €.*

Où dormir ? Où manger ?

S'il est encore possible de se loger à Gordes et dans ses environs proches sans envisager le casse du siècle, les restos en revanche sont souvent beaucoup (beaucoup !) trop chers pour ce qu'ils proposent.

Camping

⛺ ***Les Sources :*** *route de Murs. ☎ 04-90-72-12-48. • campingdessources@wanadoo.fr • campingdessources.com • ♿ À 2 km du village, sur la D 15 direction Murs. Fermé oct-mars. Compter 22 € pour 2 avec tente et voiture en* *hte saison. Réduc de 5 % sur présentation de ce guide.* En pleine nature, bien ombragé dans sa chênaie et dominant la vallée. 100 emplacements dont 60 réservés à la location de mobile homes, chalets et bungalows. Piscine, minigolf, tir à l'arc (en saison) et location de vélos. Petite restauration sur place.

Prix moyens

Chambres d'hôtes chez Alain Gaudemard : *Les Bouilladoires. ☎ et fax : 04-90-72-21-59. En montant vers Gordes, à 2 km des Beaumettes et 3,5 km de Saint-Pantaléon, aux lieux-dits Les Martins et Les Bouilladoires. Congés : nov-mars. Compter 43-52 € pour 2 selon confort ; également un gîte pour 4 pers 285-325 €/sem selon saison. Réduc de 10 % à partir de 4 nuits sur présentation de ce guide.* Sur une exploitation agricole. La maison n'a pas le charme de ses voisines de Gordes, mais voilà un joli coin de campagne. Chambres toutes simples, mais pour le prix, on ne va pas se plaindre.

Le Vieux Rouvre, chez Marielle Peyron : *lieu-dit Les Martins. ☎ 04-90-72-24-15. • marielle-peyron@orange.fr • Ouv tte l'année. Compter 52 € pour 2. Réduc de 10 % à partir de 3 nuits consécutives (oct-mars) sur présentation de ce guide.* Un des premiers « logements chez l'habitant », ouvert depuis plus d'un quart de siècle et récemment repris par la fille de la maison. L'endroit a gardé son côté authentique de véritable maison d'hôtes et propose toujours 4 chambres aux noms de couleurs, avec accès à une petite cuisine, dans une dépendance de la ferme, au milieu des vignes. Plutôt rustique, donc. Jardin et terrasses où prendre le soleil.

Plus chic

Chambres d'hôtes Le Mas des Oliviers : *Les Coucourdons, près de* **Saint-Pantaléon** *(à 5 km). ☎ 04-90-72-43-90. 06-82-57-41-06. • mas-des-oliviers@club-internet.fr • masdesoliviers.fr.st • Accès par un chemin qui part de la D 104 à 100 m de l'église du village (suivre le fléchage). Fermé 20 déc-1er fév. Compter 79-88 € pour 2. Appartements 2-4 pers 300-860 €/sem. Wifi. Une bouteille de vin offerte sur présentation de ce guide à partir de 2 nuits.* 3 chambres et 2 appartements décorés dans le style provençal (pierre du pays, tissus de couleurs chaudes), avec TV. Chaque chambre est indépendante et dispose d'une terrasse individuelle. La piscine est un peu plus bas (la maison est construite sur le flanc d'une colline), donnant sur la vallée. Ping-pong, jeu de boules et possibilité de barbecue.

Auberge de Carcarille : *route d'Apt, Les Gervais. ☎ 04-90-72-02-63. • info@auberge-carcaril.com • auberge-carcarille.com • ♿ À env 2 km de Gordes par la D 2 direction Joucas. Resto tlj sf ven hors saison. Doubles 70-112 € ; grand petit déj-buffet 12 €. Formule déj en sem 19 €, menus 31-50 €. Internet, wifi.* Chaleureuse auberge aux chambres agréables et de bon confort, avec terrasse ou balcon, certaines récemment rénovées. Salle à manger dans le genre élégant et cuisine de terroir fort honnête. Piscine.

Beaucoup plus chic

Le Mas de la Sénancole – Restaurant L'Estellan : *hameau Les Imberts. Hôtel : ☎ 04-90-76-76-55. Resto : ☎ 04-90-72-04-90. • gordes@mas-de-la-senancole.com • mas-de-la-senancole.com • ♿ À 5 km de Gordes par la D 2. Resto tlj en saison, sf dim soir et lun de nov à fin mars. Congés : janv-7 fév. Doubles 99-233 € selon confort et saison. Petit déj 13 €. Formule et menu 19-25 € au déj ; 35-49 € midi et soir.* Belles chambres au confort optimal (TV, minibar) et à la déco très couleur locale. Également des chambres familiales agrémentées d'une petite terrasse à l'étage. Beau jardin avec piscine extérieure chauffée. Bien sûr, tout cela a un prix mais la prestation inclut l'accès au sauna, au jacuzzi et au hammam. Le restaurant, situé au milieu d'un jardin arboré, propose une cuisine méditerranéenne de qualité.

Hôtel Le Mas des Romarins : *route de Sénanque, lieu-dit L'Enclos. ☎ 04-90-72-12-13. • info@masromarins.com • masromarins.com • ♿ Con-*

gés : 3 janv-3 mars et 15 nov-15 déc. Doubles 99-200 € selon confort et saison. Menu slt le soir 30 € (tlj sf mar, jeu et dim). Apéritif offert sur présentation de ce guide et 10 % sur la chambre en basse saison. Un hôtel au charme discret mais bien réel qui ne cherche pas à jouer dans la même cour que les grands, mais qui les vaut bien, niveau prestations. Vue extraordinaire depuis la bonne douzaine de chambres et depuis la terrasse, où les heureux résidents se retrouvent, en haute saison, pour un repas aux chandelles tout simple et tout bon.

Hôtel Le Gordos : *route de Cavaillon. ☎ 04-90-72-00-75. • mail@hotel-le-gordos.com • hotel-le-gordos.com • À 1 km de Gordes par la D 2. Congés : nov-mars. Doubles 124-222 € selon saison et type de chambre. Internet, wifi. Apéritif offert sur présentation de ce guide.* Belle bâtisse sur la route qui mène à Gordes (en venant de Coustellet). L'intérieur est chaleureux et les chambres, la plupart de plain-pied avec terrasse, sont confortables, climatisées et décorées dans le style provençal. Chambres communicantes pour les familles. Le joli jardin, le patio-terrasse pour le petit déj et la piscine en font un lieu très agréable l'été. Location de vélos.

Chambres d'hôtes Le Moulin des Sources : *hameau Les Gros. ☎ 04-90-72-11-69. 📱 06-03-70-94-27. • contact@le-moulin-des-sources.com • le-moulin-des-sources.com • De Gordes, D 2 direction Coustellet et à gauche sur la D 207 puis 2e route à droite et à gauche ; de Coustellet, direction Gordes, à la sortie des Imberts à droite vers Les Gros, faire 1 km et encore à droite ; la maison se trouve face au temple. Doubles 105-190 € selon saison. Wifi. Apéritif offert sur présentation de ce guide.* Dans un magnifique hameau, un superbe moulin à huile du XVIIe s, entièrement restauré, et de quelle façon ! On peut notamment voir le vieux puits et l'eau qui coule encore sous les fondations... Très belle piscine pour se rafraîchir tout en flemmardant, un bouquin à la main, avant de le laisser choir pour mieux faire la sieste. 4 chambres et 1 suite aux couleurs de la région : « Ocre », « Sienne », « Ardoise », « Garance » et « Céladon », toutes plus apaisantes les unes que les autres après un bon bain de soleil. De plus, une adresse chic bien planquée !

À voir

Le village : une balade un peu sportive (ça monte et ça descend !) mais agréable (hors saison...) dans ses ruelles caladées (au sol pavé de galets, quoi). Vieilles maisons, dont l'aumônerie Saint-Jacques, ancienne auberge qui accueillait les pèlerins en chemin pour Compostelle, et, ici ou là, de surprenants panoramas sur le Luberon. On peut même désormais découvrir l'envers du décor en visitant les ***« caves du palais Saint-Firmin »*** *(📱 06-27-86-27-31),* rue du Belvédère : si les gens vivaient en surface, autrefois, l'industrie et l'artisanat se développaient sous les fondations des maisons. Visite passionnante de ce petit musée installé dans les caves et découverte d'un *moulin à huile seigneurial* qui a probablement fonctionné jusqu'à la Révolution. *Tlj en été 10h30-19h (18h hors saison ; fermé mar). Entrée : env 5 € ; réduc et tarif famille.*

Le château et le musée Pol-Mara : *tlj tte l'année (sf 25 déc et 1er janv) 10h-12h, 14h-18h. Entrée : 4 € ; réduc ; gratuit pour les moins de 10 ans.* Château fort classé construit à partir du XIe s mais considérablement remanié à la Renaissance : de cette époque datent un escalier à vis, petite merveille d'ingéniosité, la grande salle avec plafond à la française et une superbe cheminée elle aussi classée, deuxième de France par ses dimensions. Les appartements accueillent 200 toiles de Pol Mara, peintre d'origine flamande qui a vécu au village jusqu'à sa mort, en 1998. Du pop art érotique !

Le village des bories : *à 4 km au sud-ouest de Gordes (accès fléché). Rens : ☎ 04-90-72-03-48 (mairie). • gordes-village.com • Tlj 9h-20h au plus tard,* *suivant la saison. Entrée : 6 € ; réduc ; gratuit pour les moins de 12 ans.* Un village déserté depuis longtemps par ses habitants ! Vous avez sûrement déjà vu certaines de ces habitations en pierres sèches qui parsèment la Haute-Provence. Trois mille constructions de ce type, édifiées sur le principe de la fausse voûte en encorbellement, existent rien que dans le Ventoux, le Luberon et la montagne de Lure. Ici, regroupées en hameau, elles semblent tout droit sortir de la préhistoire, même si elles ont été construites du XIVe au XIXe s et abandonnées il y a 150 ans. Ruelles, bergerie, cuve à vin et fouloir, magnanerie (pour les vers à soie), etc., ont été restaurés à partir des années 1950. Dans la borie qui servait d'habitation, on en apprend un peu plus sur le mode de vie des paysans : mobilier réduit à sa plus simple expression (de simples cavités aménagées dans les murs pour ranger la vaisselle). Le village présente également des documents d'archives évoquant le Gordes d'autrefois, ainsi qu'une expo de photos sur les constructions en pierres sèches réparties dans le monde. Le village des bories, classé Monument historique, est l'un des sites les plus visités du Vaucluse.

Le musée de l'Histoire du vitrail et du verre et la visite du moulin des Bouillons : *☎ 04-90-72-22-11. ♿ Après le village des bories, sur la route de Saint-Pantaléon (D 148). Ouv avr-oct tlj sf mar, 10h-12h, 14h-18h. Entrée pour chaque musée : 5 € ; pour les deux : 7,50 € ; réduc.*
Le musée de l'Histoire du vitrail et du verre présente une belle collection de précieux objets égyptiens, grecs et romains qui vient, d'entrée, témoigner de l'épopée verrière du Bassin méditerranéen. On découvre l'évolution du vitrail du Moyen Âge à nos jours, ainsi que celle des outils des verriers.
Dans un genre différent, ne manquez pas, en sortant, la visite du vieux moulin à huile d'olive (XVIe s), instructive et ludique à la fois, si vous suivez les conseils de la guide. À ne pas manquer, un impressionnant pressoir de bois : 10 m de long et 7 t ! Expo sur l'huile d'olive et toutes ses utilisations. Collection de lampes à huile, jarres, amphores. Histoire du savon de Marseille.

DANS LES ENVIRONS DE GORDES

L'ABBAYE DE SÉNANQUE

Un lieu magique, à ne pas manquer. À 2 km au nord de Gordes, par une route escarpée qui, une fois le haut de la montagne franchi, vous livre une vue superbe sur l'abbaye nichée dans un creux de verdure, noyée dans la lavande en saison.

L'abbaye : *☎ 04-90-72-05-72. • senanque.fr • Se renseigner pour les horaires car visite guidée slt, limitée à 50 pers ; les horaires dépendent de l'affluence et de la vie du monastère (par exemple, il n'y a jamais de visite le dim mat) ; calendrier précis sur le site internet. Fermé 15 j. en janv, le 25 déc et le Vendredi saint. Entrée : 7,50 € ; réduc.* Un lieu hors du temps, qui ne s'ouvre qu'aux visites accompagnées (mieux vaut réserver), pour mieux préserver la vie contemplative des moines, que la fièvre touristique avait quelque peu perturbés durant les précédentes décennies. Fondée en 1148, cette abbaye est évidemment l'un des plus beaux édifices de l'ordre cistercien, avec un impressionnant dortoir, une sublime église (évidemment d'un extrême dépouillement) et un bien joli cloître. Vous n'y serez pas tout seul en saison !
Importante librairie et magasin de vente de produits monastiques.

LES GORGES DE LA VÉRONCLE

À 4 km à l'est de Gordes par la D 2. Accès au parking fléché (discrètement) à gauche. Un sentier remonte ces gorges creusées par la Véroncle entre Murs et Gordes. Compter cinq grosses heures si vous voulez faire toute la balade. Site somptueusement sauvage, mais où subsistent des traces encore bien visibles d'une certaine industrialisation : une dizaine de moulins à farine, en ruine ou réhabilités, jalonnent les gorges.

MURS (84220)

À 10 km de Gordes, par une route sinueuse offrant de belles vues, un village de caractère totalement perdu dans la nature et qui a vu naître Crillon le Brave, compagnon d'armes d'Henri IV. Château du XIIe s (privé...). Parfait pour une étape à l'abri des grandes migrations estivales.

Où dormir ? Où manger ?

Camping

Camping municipal Les Chalottes : ☎ 04-90-72-60-84. • camping@communedemurs-vaucluse.fr • *À 1,8 km de Murs (accès fléché). Ouv de début avr à mi-sept. Forfait emplacement pour 2 avec tente et voiture 10,50 € env. CB refusées.* Aire de camping en pleine nature, perdue au milieu des pins sur les hauteurs de Murs. Juste quelques sanitaires, mais très bien tenus. Piscine à 1 km.

Prix moyens

Chambres d'hôtes Les Hauts de Véroncle : Les Chalottes. ☎ *04-90-72-60-91. • hauts.de.veroncle@orange.fr • hauts.de.veroncle.free.fr • Au centre du village, face à la mairie-école, prendre la petite rue (raide et étroite) qui descend ! Congés : 30 nov-1er mars. Compter 65 € pour 2 (chambres pour 3 et 4 pers également 91 €). Table d'hôtes 27 €, tt compris. Apéritif maison et café offerts sur présentation de ce guide.* Petite maison de pierre, complètement isolée, au débouché des gorges de la Véroncle. 3 chambres de plain-pied sur le jardin, simples, sans ornements particuliers. Une adresse à l'ambiance familiale. Cuisine provençale à base de produits du terroir.

Hôtel Le Crillon : *au village.* ☎ *04-90-72-60-31. • contact@lecrillon-luberon.com • lecrillon-luberon.com • Resto tlj sf lun, plus mar hors saison. Congés : 28 nov-11 fév. Doubles 75-105 € selon confort. Menus 16,90 € (le midi en sem) et 25,90-56 €. Internet, wifi. Café offert sur présentation de ce guide.* On entre par le joli bar coloré dans cette vieille poste restaurée où les anciens tapent encore le carton. Chambres coquettes et pas trop petites, dans un style qui marie aimablement l'ancien et le contemporain. Petit déjeuner agréable, avec confitures maison. En salle ou sur la terrasse ombragée par la glycine, on vous servira une cuisine provençale de bonne facture mais aussi des assiettes froides, des salades ou des tartes salées en dehors des heures de service. Accueil très courtois.

LE PAYS DES SORGUES

FONTAINE-DE-VAUCLUSE

(84800) 610 hab. *Carte Vaucluse, B3*

Cette source, la fameuse fontaine du nom, qui jaillit d'une impressionnante barrière rocheuse fermant la vallée (*vallis clausa*, d'où... Vaucluse), est la plus

importante source résurgente de France... et même la 5e mondiale, avec 630 millions de m³ chaque année ! Un site naturel exceptionnel et un village, Vaucluse, pas peu fier d'avoir donné son nom au département. Mais aussi une fréquentation touristique de masse, en été, avec comme conséquence des prestations à la baisse, des magasins de kitcheries le long du chemin qui mène à la source, et des parkings payants à partir de 10h (venez avant !)... Aujourd'hui, Pétrarque, pour pleurer la belle Laure emportée par la peste, choisirait sûrement de venir quand les touristes sont repartis, ou même hors saison...

Adresse utile

🛈 ***Maison du tourisme :*** *résidence Jean-Garcin. ☎ 04-90-20-32-22. • otidelasorgue.fr • (pour connaître la hauteur de la Sorgue en ligne !) Ouv tlj. Visite guidée l'été, le lun mat : 4 €.* Outre les infos habituelles (hébergement, etc.), vous trouverez ici tous les conseils nécessaires et les topos gratuits pour les 3 randos qui partent de la commune. Excellent accueil.

Où dormir ? Où manger à Fontaine et dans les environs ?

Des restos partout, qui, tous, proposent la truite comme spécialité. Très fréquentés le dimanche midi par les gens de la région. De qualité banale et sensiblement égale, mais le charme de ceux situés au bord de l'eau n'est pas négligeable. Autre solution, économique, bucolique (et sans risque !) : prévoir le pique-nique, et s'installer sur la petite île (accès par le jardin du musée Pétrarque).

Camping et aire de camping-cars

Camping Les Prés : *aux Prés, évidemment. ☎ 04-90-20-32-38. 📱 06-09-71-53-49. ♿ À deux pas du village, sur la route touristique de Gordes. Ouv de mi-mars à oct. Emplacement pour 2 avec tente et voiture env 16,80 €.* Une quarantaine d'emplacements au calme, dans un cadre verdoyant agrémenté du cours sonore (trop, au goût de certains) de la rivière. Lave-linge, buvette, barbecue. Piscine. Sanitaires pas impeccables, dommage.

– Pour les ***camping-cars,*** signalons une aire de stationnement et de vidange à l'entrée du village, le long de la Sorgue.

Bon marché

Hôtel Font de Lauro : *chemin de la Gaffe, 84800* ***Plan-de-Saumane.*** *☎ 04-90-20-31-49. • lafontdelauro@hotmail.fr • Ouv de la sem avt Pâques à fin sept. Entre Fontaine-de-Vaucluse et Saumane, sur la gauche. Doubles 30-42 € ; 70 € pour 4 pers. Wifi. Boisson de bienvenue offerte sur présentation de ce guide.* Un petit hôtel de campagne tout simple, à l'architecture sans charme, mais vous ne trouverez jamais moins cher dans le secteur ! En plus, c'est calme. Chambres avec w-c extérieur ou avec douche et w-c. Piscine. Bon accueil d'Édith.

De prix moyens à plus chic

Auberge La Figuière : *chemin de la Grangette. ☎ 04-90-20-37-41. • franck.tamisier@wanadoo.fr • lafiguiere.fr • Tlj sf lun et mar midi hors saison. Fermé 20 déc-1er fév. 3 chambres d'hôtes ttes simples 60 € pour 2. Formule déj 15 € en sem, menus 23-33 €. Café offert sur présentation de ce guide.* Sur le chemin du gouffre, dans un havre de verdure à l'abri de la foule, une vieille maison de village qui n'a pas à se forcer pour jouer la carte de la tradition. Belle terrasse au calme, où l'on dîne bercé par le bruit de la fontaine et des ventilos brumisateurs, en été. Cuisine traditionnelle. Spécialité de truffes que le patron va lui-même ramasser... Et pour les amoureux du coin, quelques chambres bien agréables.

Restaurant Philip : *chemin de la Fontaine. ☎ 04-90-20-31-81. Ouv le* *midi avr-sept ; le soir 21 juin-31 août. Congés : oct-mars. Menus 26-46 € (dim pas de carte, menu obligatoire, sf côté snack). Résa impérative, surtout si vous voulez déjeuner au bord de l'eau.* C'est le dernier restaurant avant le gouffre, l'un des plus vieux aussi, idéalement placé, au point qu'on se méfierait un peu si les anciens ne vous le recommandaient. Eux, malins, y viennent le soir, en été, une fois les touristes partis. Terrasse fort agréable surplombant le fil de l'eau. On se régale simplement d'une truite à l'unilatérale, des écrevisses du vivier ou d'un carré d'agneau de pays parfumé au romarin. Petite restauration possible côté snack, le midi.

De plus chic à beaucoup plus chic

Hôtel des Sources : *Château-Vieux. ☎ 04-90-20-31-84. • hoteldessources@wanadoo.fr • hoteldessources.com • Depuis la colonne (au centre du village), passer le pont, c'est à 50 m sur la droite. Doubles 85-130 € selon taille et confort ; chambres pour 4 pers également 165-190 €. Parking gratuit. Wifi. Animaux non admis.* Certaines chambres donnent sur la rivière. Confort simple et convenable, avec sanitaires, TV et téléphone. Un établissement un peu à l'ancienne, comportant une vaste salle à manger classique, aux immenses baies vitrées avec vue sur la rivière. Le grand parc ombragé contribue à donner à l'ensemble une sérénité de bon aloi. Accueil sympathique.

Hôtel du Poète : *☎ 04-90-20-34-05. • contact@hoteldupoete.com • hoteldupoete.com • ♿ Fermé 1er déc-1er mars. Doubles 75-310 € selon confort et saison ! Petit déj buffet... 17 €. Internet, wifi.* Aménagé dans un ancien moulin, un hôtel baigné de tous côtés par la rivière, aussi charmant que son nom le laisse entendre. Chambres d'un excellent confort avec AC, TV satellite, minibar. Magnifique salle de petit déj avec terrasse au bord de la rivière. Jacuzzi original dans le petit parc, sous un kiosque de verre. Amateurs de romantisme et de tranquillité, vous serez comblés ! Piscine au cœur du jardin, en terrasse. Parking à l'intérieur de l'hôtel.

À voir. À faire

La source : *à 10 mn à pied du village. Accès gratuit.* La Sorgue de Vaucluse jaillit du fond du gouffre de la Fontaine. Comment ? On sait depuis peu qu'elle provient d'un bassin souterrain de 1 100 km² récupérant les eaux du mont Ventoux, des monts de Vaucluse et de la montagne de Lure. Et dire qu'on la voit couler à Avignon...

On a pu explorer en plongée ce bassin jusqu'à 308 m de profondeur, mais pas encore au-delà... Sur les 630 millions de m³ de débit annuel moyen, le débit atteint parfois 80 m³/s. Auquel cas le niveau de l'eau se situe là où les figuiers sont accrochés sur les roches ! Si vous y êtes un jour où le débit dépasse les 20 m³/s, l'eau franchit la vasque souterraine et forme une cascade qui vaut le coup d'œil. En tout état de cause, c'est l'une des sources les plus abondantes du monde, qui ne s'est jamais tarie et qui coule en permanence, même au plus chaud de l'été. On dit même que sa température à 13 °C ne varie jamais. Elle a d'ailleurs donné naissance à un type de source... la « source vauclusienne », pardi !

➢ Les marcheurs pourront prendre, sur la route principale de Gordes, le GR 6 qui permet de rejoindre l'*abbaye de Sénanque,* puis *Gordes* ; promenade toutefois assez longue (5h de marche juste pour y aller !), et se renseigner en été sur les risques d'incendie (chemins éventuellement fermés). La maison du tourisme fournit également des topos pour 2 autres randonnées.

Le musée-bibliothèque Pétrarque : *rive gauche de la Sorgue. ☎ 04-90-20-37-20. • cg84.fr • Ouv début avr-vac de la Toussaint, tlj sf mar 10h-12h, 14h-18h (17h à l'automne) ; juin-sept 10h-12h30, 13h30-18h. Entrée : 3,50 € ; gratuit pour les moins de 12 ans. Billet jumelé avec le musée d'Histoire : 4,60 €.* Tout petit musée :

très joli mais un peu cher pour ce qu'il y a à voir, dommage. Le site est éminemment romantique. Tombé dans l'oubli après le départ de Pétrarque, il ne fut d'ailleurs redécouvert qu'avec les romantiques. On y évoque le séjour du poète-humaniste italien dans la *vallis clausa,* de 1337 à 1353, sa rencontre avec Laure à Avignon... au travers de dessins et estampes du XVIe au XIXe s. On peut aussi y voir d'anciens ouvrages (XVIIIe et XIXe s) contenant les œuvres de Pétrarque et de « pétrarquistes ». Toute petite collection d'art moderne autour des écrits de René Char : lithos de Braque, dessins de Giacometti, Picasso...

L'église Notre-Dame-Saint-Véran : *en principe ouv tlj.* Mignonne petite église de style roman provençal (XIIe s), construite à l'emplacement d'un ancien temple païen et ignorée des touristes qui se ruent vers la source. À l'intérieur, une cuve baptismale du XIIe s, retaillée, moulurée et surmontée d'un gracieux crucifix de procession du XVIIIe s forment un bel ensemble. À voir aussi, la statue de sainte Anne en bois polychrome du XVe s et quelques vestiges d'édifices anciens : colonne romaine, fragments de frises carolingiennes...

L'écomusée du Gouffre : *chemin de la Fontaine. ☎ 04-90-20-34-13. Ouv 1er fév-15 nov, tlj 10h-12h, 14h-18h (9h30-19h30 juin-sept). Entrée : 5,50 € ; réduc. Visite guidée.* Une visite vivante et pédagogique, assurée par des spéléologues passionnés. Pour tout savoir sur l'origine et les différentes explorations de la fontaine. Reconstitution (grandeur nature) de toutes sortes de grottes sur la planète. Belle collection de stalactites et autres cristallisations rassemblées par le spéléologue Norbert Casteret.

Musée d'Histoire Jean-Garcin : 1939-1945, l'Appel de la Liberté : *chemin du Gouffre. ☎ 04-90-20-24-00. Avr-oct et pdt les vac scol de la Toussaint, ouv tlj sf mar, 10h-12h, 14h-18h (10h-18h juin-sept) ; mars, nov et déc, ouv slt le w-e. Entrée : 3,50 € ; réduc. Billet jumelé avec le musée Pétrarque : 4,60 €.* Ce musée est dédié à Jean Garcin, autrement dit le colonel Bayard qui fut le chef des groupes francs de la région R2, avant de devenir jusqu'à sa mort maire de Fontaine-de-Vaucluse. À travers une muséographie originale, quelque 10 000 pièces et documents évoquent au rez-de-chaussée la vie quotidienne pendant l'Occupation. On y aborde des thèmes « légers » comme la mode (avec des sacs à main en carton, les chaussures à semelles de bois), l'alimentation, le rationnement, le système D (ah, l'art de faire des frites avec les épluchures de pomme de terre !), la propagande pétainiste, les loisirs, les spectacles... Au 1er étage, présentation de la Résistance en Vaucluse, de la déportation, de l'idéal de liberté qui animait les hommes et les femmes de cette période noire au travers de films, de revues, de manuscrits et d'œuvres de peintres comme Matisse, Picasso et Miró. Le tout émaillé de textes splendides, d'une forte intensité poétique. Le dernier étage est consacré à René Char, compagnon de résistance de Jean Garcin. Un grand et beau musée, qu'on se le dise !

L'écomusée du Santon et des Traditions de Provence : *pl. de la Colonne. ☎ 04-90-20-20-83. • musee-du-santon.org • Tlj 10h-20h en été, 10h-18h hors saison. Entrée : 4 € ; réduc enfants.* Pour découvrir les secrets de la fabrication des santons et une collection exceptionnelle de plus de 2 000 personnages et automates. Une soixantaine de crèches... de Provence, évidemment, dont la plus petite crèche connue : 39 personnages qui tiennent dans une coquille de noix ! Elle s'est évidemment fait une place dans le *Guiness des records.*

Le moulin à papier : *galerie Vallis-Clausa, chemin de la Fontaine. ☎ 04-90-20-34-14. Ouv tte l'année (sf 2e-3e sem janv), juil-août 9h (10h dim et j. fériés)-19h20. Entrée gratuite.* Si les moulins de L'Isle-sur-la-Sorgue produisaient du tissu, quant à ceux de Fontaine-de-Vaucluse étaient entièrement consacrés au papier. Voici le dernier vestige d'une industrie papetière qui a existé ici depuis au moins le XVe s. La dernière usine a fermé ses portes en 1968. Reste cette ancienne papeterie transformée en boutique (très touristique, évidemment), mais où l'on peut encore voir

fonctionner le fouloir à papier mû par une roue à aubes. Pour ceux qui connaissent le Puy-de-Dôme, c'est un peu la petite sœur du *musée Richard-de-Bas* à Ambert.
– Tant que vous êtes dans la galerie, profitez-en pour jeter un œil à l'atelier du souffleur de verre et aux galeries d'art. Ou succombez au péché de gourmandise chez les fabricants de tapenade, de berlingots ou encore de tuiles aux amandes...

➢ ***Descente de la Sorgue en canoë-kayak : Kayak-Vert,*** *juste après l'aqueduc.* ☎ *04-90-20-35-44.* 📱 *06-88-48-87-71.* • *canoe-france.com* • Tenu par Michel Mélanie, un passionné investi dans la protection et la sensibilisation à l'environnement. Descente de la Sorgue (accompagnée), de Fontaine-de-Vaucluse à L'Isle-sur-la-Sorgue (compter 2h30), tous les jours de début avril à fin octobre. Également un petit parc aquatique pour les tout petits *(Nestor Le Castor)* et un resto de grillades sur place *(A Qui Sian Ben)*. Également possible avec ***Canoë Évasion,*** *à* ***Lagnes,*** *qui se situe, en fait, chemin de la Coutelière, sur la D 24, à côté du camping.* ☎ *04-90-38-26-22. Offre les mêmes prestations.*

DANS LES ENVIRONS DE FONTAINE-DE-VAUCLUSE

Saumane-de-Vaucluse : *à 4 km au nord par la D 57, une petite route qui traverse littéralement le rocher sur la fin.* Petit village au pied d'un château du XVe s joliment dressé sur un éperon rocheux *(visite le jeu en été à 17h)*. Il a appartenu à Baudet de Sade, parent du divin marquis (encore lui !), ce dernier y ayant séjourné également... Jolie vue sur les Alpilles depuis le chevet de l'église romane Saint-Trophime. Pisciculture et jardin floral, pour se rafraîchir.

L'ISLE-SUR-LA-SORGUE

(84800) 20 000 hab. *Carte Vaucluse, B3*

Enlacée par les bras de la Sorgue, cette ancienne bourgade de pêcheurs au charme fou, construite au XIIe s sur pilotis, n'échappe pas à l'appellation de « Venise comtadine », c'est-à-dire du Comtat venaissin, dont elle fut longtemps la ville principale. Ici, les gondoles s'appellent *nego-chin* (littéralement les « noie-chiens » !), nom qu'il est toujours bon de replacer dans la conversation quand on évoque les vieilles barques à fond plat que les pêcheurs ressortent en juillet et le temps d'un marché flottant, en août. La cité a toujours attiré du beau monde, des papes en Avignon, dont c'était le vivier, au Roi-Soleil lui-même, jusqu'aux touristes d'aujourd'hui, ne serait-ce que pour l'abondance miraculeuse de sa célèbre voisine, dont la source a maintenu jusqu'à ce jour le nom de la gare ferroviaire : L'Isle-Fontaine. Naissent alors des manufactures de tissu et de soie ainsi qu'un ghetto juif, la *carrerra,* dont les membres devaient (déjà) porter un chapeau de couleur jaune... De ce passé manufacturier, il ne reste aujourd'hui que la fameuse lainière Brun de Vian-Tiran, réputée pour sa qualité haut de gamme.
Une promenade le long des quais vous permettra de découvrir des quartiers toujours bien délimités par corporation (pêche, manufactures, antiquités), des maisons pourvues de terrasses qui bordent l'eau, et surtout de vieilles roues à aubes qui tournent toujours, entretenues pour la gloire, rythmant la vie de cette ville-île. Autrefois, 70 roues donnaient leur force motrice à diverses activités artisanales, qu'une promenade guidée vous fera découvrir. La vieille ville cache maisons Renaissance et hôtels particuliers, ainsi que la superbe église Notre-Dame-des-Anges, à l'exubérante déco intérieure, caractéristique du baroque provençal.

LA VILLE DES BROCANTEURS ET DES POÈTES

L'Isle-sur-la-Sorgue est surtout connue comme la ville des antiquaires et des brocanteurs, la 2e en France : en 30 ans, leur nombre est passé de 1 à... 350 ! Un succès qui accompagna la floraison des résidences secondaires dans le Luberon. La première foire fut organisée en 1965 et le premier village d'antiquaires fut créé en 1978. Depuis, neuf autres « villages » se sont regroupés autour de la gare et le long de l'avenue des Quatre-Otages. Ouvert tous les week-ends 10h-19h, ils s'accompagnent des inévitables marchés à la brocante, le dimanche, auxquels il faut ajouter deux foires annuelles (à Pâques et le 15 août), regroupant quelque 1 000 exposants venus des quatre coins de l'Europe (voire au-delà), et deux plus petites à la Pentecôte et à la Toussaint. Ajoutez à cela un nombre croissant de galeries d'art, éparpillées dans toute la ville : neuf sont ouvertes toute l'année. Voir pour plus de détails la brochure le *Guide des Antiquaires*, édité chaque année par l'office de tourisme.

Un conseil tout de même, surtout si vous n'êtes pas spécialiste : gare aux coups de cœur ! En effet, un bon nombre de rééditions, de récup' détournées, etc., se mêlent aux authentiques antiquités... C'est joli, certes, mais la cote n'est pas la même ! Longtemps, les prix ont été délirants. On a même vu dans une vitrine un couple d'éléphants en rotin (vendus autrefois chez Pier Import !) « estimés » à 680 € ! Pour corriger cette mauvaise pratique et cette image écornée, les autorités locales ont mis en place un label et une charte de qualité qui implique que des experts contrôlent les prix pratiqués. Mais soyez tout de même très vigilant... L'Isle-sur-la-Sorgue est célèbre par ailleurs auprès des intellectuels et des amoureux des mots au sens large, pour être la ville où naquit en 1907 le poète René Char, dont le père fut maire de la ville. Son inspiration s'est souvent imprégnée des lieux qu'il a connus ici : la Sorgue, le Ventoux... Dommage que personne n'ait songé en temps utile à préserver sa maison natale d'une issue fatale et que le fonds qui lui était consacré au musée qui porte son nom ne soit plus exposé...

Adresses et infos utiles

Office de tourisme : *pl. de l'Église. ☎ 04-90-38-04-78. • oti-delasorgue.fr • Ouv lun-sam et dim mat.* Installé dans un ancien grenier public du XVIIIe s. Bonne documentation sur la ville (guide intercommunal gratuit) et la région en général. Si vous êtes venu pour chiner, demandez le *Guide des antiquaires.* Visites guidées de la ville tous les mardis (juillet-septembre), 10h-12h ; compter 4 €. Pour les cyclistes : randos accompagnées, fiches gratuites de circuits à vélo et brochure *Escapades à vélo* avec une liste de prestataires de services.

– ***Vins de pays :*** *au domaine de la Gasqui, chez Jean Feraud, à la sortie du village. ☎ 04-90-38-01-28. Lun-sam, 9h-12h, 14h-19h.* À voir d'abord, à boire ensuite. Lieu étonnant, caché dans les collines, que cette bastide du XVIIIe s à peine touchée par la modernité, habitée par une famille hors du commun.

– ***Parkings :*** celui du Portalet, gratuit la journée mais pas surveillé et celui de la poste, gratuit et surveillé. Idéal, le dimanche notamment : le parking de la Petite Vitesse, à la gare (tout près du quartier des antiquaires).

– ***Marchés :*** jeudi matin, marché traditionnel. Marché provençal le dimanche matin, un des plus vivants de Provence. Ne manquez pas le marché flottant *(1er dim du mois d'août 9h-13h)*, sur un bras de la Sorgue. Ni surtout celui du Petit Palais, le samedi matin, de mars à décembre. Un des plus authentiques du pays, qui regroupe tous les producteurs locaux, à la sortie du village (direction Robion). Également un marché paysan le lundi soir, à la gare en été.

– ***Calendrier des fêtes :*** le demander à l'office car elles sont nombreuses, notamment le *Festival de la Sorgue* en juillet et la *Fiesta des Quais* au mois d'août, plus les deux foires internationales (brocante et antiquités) à Pâques et le 15 août.

Où dormir ?

Camping

⛺ ***La Sorguette :*** *871, route d'Apt. ☎ 04-90-38-05-71. • sorguette@wanadoo.fr • camping-sorguette.com • ♿ À 1,5 km du village sur la N 900. Ouv de mi-mars à mi-oct. Forfait emplacement pour 2 avec tente et voiture 21,50 € en hte saison. Loc de mobile homes et bungalows 50-60 € (2 nuits min) et 392-714 €/sem selon saison. Internet, wifi. 5 % de réduc sur présentation de ce guide hors saison.* Sur les bords de la Sorgue, au milieu de la verdure, un camping plutôt chic avec toutes sortes d'animations (musicales, sportives...) en été. Loue également tipis et yourtes. Canoë, rando, ping-pong, pêche, etc. Location de vélos (chère). Piscine municipale à 2 km.

Bon marché

🏠 ***Hôtel Les Terrasses du Bassin :*** *2, av. Charles-de-Gaulle. ☎ 04-90-38-03-16. • corinne@lesterrassesdubassin.com • lesterrassesdubassin.com • Un peu avt le rond-point de Carpentras sur la gauche. Doubles 46-70 €. Wifi.* Joliment situé, en plein centre-ville et au-dessus d'un bras de la Sorgue, ce petit hôtel dispose de 8 chambres rénovées au goût du jour, avec douche ou bains, w-c, clim et TV. Le tarif varie en fonction de la taille de la chambre et de la vue (demandez-en une sur la Sorgue). Fait aussi resto.

🏠 ***Le Cours d'Eau :*** *15, esplanade Robert-Vasse. ☎ et fax : 04-90-38-01-18. Doubles 40-45 € selon saison.* Petit hôtel-bar-PMU sans fioritures, sur la place principale de la ville, proposant 6 petites chambres basiques, avec double vitrage, douche et w-c (et même la TV pour certaines). Pas le grand luxe mais c'est pas ruineux. À l'arrière du bar, quelques tables donnent sur un bras de la Sorgue, agrémenté d'une roue à aubes.

De bon marché à prix moyens

🏠 ***Chambres d'hôtes Le Pont des Aubes :*** *M. et Mme Aubert, 189, route d'Apt. ☎ 04-90-38-13-75. 📱 06-89-14-54-68. • lepontdesaubes@yahoo.fr • lepontdesaubes.com • Double 75 €. Gîtes 2 pers 380-460 €/sem. Remise de 10 % à partir de 7 nuitées, hors juil-août, sur présentation de ce guide.* Patrice et Martine vous accueilleront avec le sourire dans cette jolie bâtisse posée dans un vaste jardin donnant sur la Sorgue. De plus, la maison est proche du centre mais à l'abri de la foule. 2 chambres à l'étage, dont une côté Sorgue, avec une déco à la bonne franquette très sympathique. Également quatre gîtes sur le domaine. Le petit déj, copieux, avec gâteaux et confitures maison (plus des crêpes provençales !), se prend dans la belle grange restaurée avec pierres apparentes et baie vitrée en fer forgé.

🏠 ***Hôtel Les Névons :*** *205, chemin des Névons (tt près du centre). ☎ 04-90-20-72-00. • info@hotel-les-nevons.com • hotel-les-nevons.com • Congés : de mi-déc à fin janv. Doubles 56-90 € selon confort et saison. Internet, wifi.* Un hôtel au look béton, mais qui se soigne. Préférez les nouvelles chambres, spacieuses, en bordure de Sorgue. Petit déj très copieux avec des confitures maison de toutes sortes. Piscine et solarium au dernier étage avec vue imprenable sur la ville.

Chic

🏠 🍽 ***La Prévoté :*** *4 bis, rue Jean-Jacques-Rousseau. ☎ 04-90-38-57-29. • contact@la-prevote.fr • la-prevote.fr • Resto ouv tlj sf lun midi, mar-mer midi (plus mer soir hors saison). Congés : 24 fév-10 mars et 14 nov-11 déc. Doubles 110-195 €. Le midi en sem, formule 26 € et menus 39 € puis autres menus 57-70 €. Wifi. Apéritif maison offert et remise de 10 % sur la chambre hors w-e et j. fériés sur présentation de ce guide.* Très belle demeure cachée derrière l'église, dans une petite rue médiévale, avec une cour intérieure et un bras de rivière qui passe sous le restaurant. 5 chambres de charme, luxueuses et simples à la fois, très confortables. Resto très agréable. Menus inventifs, plats joliment présentés. Également un bar à vins avec dégustation de vin au verre. Couple dynamique et accueillant. Tout pour plaire.

Où dormir ? Où manger dans les environs ?

Camping

⛺ ***Camping La Coutelière :*** *route de Fontaine-de-Vaucluse (D 24),* ***Lagnes.*** *☎ 04-90-20-33-97. • info@camping-lacouteliere.com • camping-lacouteliere.com • Ouv d'avr à mi-oct. Compter 22 € pour 2 pers en hte saison. Wifi.* Un camping familial à taille humaine au bord de la Sorgue. Bien ombragé. Également des locations de mobile homes, bungalows et toiles bengali. Aire de services pour camping-cars. Épicerie, dépôt de pain, snack-bar. Piscine. Animations estivales. Pour ceux qui voudraient s'y essayer, baptêmes de trapèze volant à proximité !

De plus chic à beaucoup plus chic

🏠 ***Mas de Cure-Bourse :*** *120, chemin de Serre. ☎ 04-90-38-16-58. • masdecurebourse@wanadoo.fr • masdecurebourse.com • À env 5 km du centre. Prendre la route de Cavaillon, puis celle de Caumont ; à 900 m du centre de L'Isle-sur-la-Sorgue, tourner à gauche et suivre le fléchage. Congés : 1er-15 janv. Doubles 89-129 €, petit déj 10 €. Wifi. Apéritif maison offert sur présentation de ce guide.* Ce mas, entouré de champs et de vergers, est un ancien relais de poste du XVIIIe s rénové avec beaucoup de goût. Jolies chambres, meublées à la provençale et équipées de TV. Fait aussi resto. Salle à manger égayée d'une grande cheminée.

🏠 ***La Bastide Rose :*** *chez Mme Salinger, 99, chemin des Croupières, 84250* ***Le Thor.*** *☎ 04-90-02-14-33. • contact@bastiderose.com • bastiderose.com • Du Thor, direction Avignon, sortie Intermarché, prendre à droite la bretelle du pont, au stop à gauche direction Velleron puis encore à gauche sur 1 km. Fermé de début janv à mi-mars. Doubles et suites 150-340 €. Sur résa (📱 06-32-64-83-17), formule déj 25-30 € et dîner 40 €.* Salinger, ça vous évoque quelqu'un ? Non, pas l'écrivain mystérieux de *L'Attrape-Cœur,* il s'agit là du conseiller de Kennedy qui vécut ici jusqu'à sa mort. Poppy, son épouse, a transformé la belle propriété familiale en maison d'hôtes et accueille ses « invités » avec chaleur. Très beau parc égayé de sculptures contemporaines et doté d'une petite île au bord d'un bras de la Sorgue. Cette bastide du XVIIIe s, qui produisait de la farine et du papier avant de devenir une marbrerie, abrite désormais 5 chambres et 3 suites, belles et spacieuses, vraiment très agréables. Également un cottage à louer. Piscine. Et pour les curieux ou les férus d'histoire, un petit musée raconte la campagne de JFK vue par son conseiller...

🏠 🍽 ***Le Mas des Grès :*** *route d'Apt (D 901), 84800* ***Lagnes.*** *☎ 04-90-20-32-85. • info@masdesgres.com • masdesgres.com • ♿ Fermé 15 nov-15 mars (sf sur résa). Doubles 80-180 € selon confort et saison. Petits déj 11-13 €. ½ pension souhaitée le w-e et en saison 75-150 €/pers. Menus 20 € (le midi en été) et 35 €. Internet et wifi. 10 % sur le prix de la chambre à partir de 6 nuits, sf juil-août, sur présentation de ce guide.* Un mas où flottent dans l'air l'accent suisse mélangé à des parfums de cuisine provençale, où l'accueil est débonnaire, la chambre sans prétention, la piscine accueillante (et bientôt chauffée pour prolonger la saison...). On y mange une cuisine de saison et de terroir pas compliquée, du style beignets de fleurs de courgette, aïoli et lapin à l'ail. Également des cours donnés par le chef mais avec de forts accents suisses, vous êtes prévenu ! En tout cas, ici, les enfants sont vraiment les bienvenus.

🍽 ***Chez Udo – L'Auberge du Marché :*** *276, rue du Jas, 84740* ***Velleron.*** *☎ 04-90-20-18-31. • udophilipp@wanadoo.fr • ♿ Ouv tlj sf lun et slt le soir en juil-août. Formule et menu déj 18-25 € en sem ; 38-85 € le soir. Pas de carte. Apéritif offert sur présentation de ce guide.* Bienvenue dans l'antre de cet « écrivain-maître queux », comme aime à se définir cet autodidacte germanique passionné de cuisine. Comme un pro, il compose avec génie et poésie... D'un rien, Udo l'Enchanteur fait un tout... Il choisit ses légumes avec un soin scrupuleux et aime dénicher chez ses amis producteurs des variétés ignorées, voire oubliées. Ça tombe bien, il est situé juste en face du marché ! Mais au fait, qu'est-ce qu'on mange ? Tiens, par exemple, de la quenelle de salpicon de homard ou encore un simple (apparemment !) sandwich de coing et foie gras poêlé... On déguste tout cela, installé dans le salon-salle à manger de ce qui était sa maison particulière. Pour preuve, l'impressionnante bibliothèque, emplie d'ouvrages consacrés à la période napoléonienne, l'autre marotte d'Udo... Jolie terrasse dans le jardin.

Où manger ?

De bon marché à prix moyens

|●| **Bella Vita :** *1, rue Ledru-Rollin. ☎ 04-90-38-13-74. • meva4@orange.fr • ♿ Tlj sf dim soir et lun. Congés : janv et 2 sem en oct. Formule 17 € (¼ de vin compris) ; carte 20 € env. Apéritif maison ou café offert sur présentation de ce guide.* Petite terrasse sous les platanes en face de l'église. Petite cuisine familiale à l'italienne, d'un bon rapport qualité-prix. Tiramisù et glaces maison, italiennes évidemment, pour les amateurs.

|●| **Bistrot de l'Industrie :** *2, quai de la Charité. ☎ 04-90-38-00-40. • bistrotdelindustrie@orange.fr • Tlj sf mar, plus lun soir hors juil-août. Formule le midi 12,90 € (pizza ou salade + dessert). Carte env 25 €. Wifi. Café offert sur présentation de ce guide.* Vieille enseigne à l'accueil plutôt sympathique. Quelques tables sur les bords de la Sorgue aux beaux jours, même s'il est difficile de faire abstraction du rond-point et du garage (d'où le nom du bistrot ?). On mange ici une cuisine tout à fait honnête, à prix modique. Point fort sur les salades mais surtout sur les pizzas qui sont réellement délicieuses.

|●| **La Guinguette :** *au Partage-des-Eaux. ☎ 04-90-38-10-61. • contact@laguinguette.com • Accès fléché depuis le rond-point vers Carpentras. Tlj sf lun (ouv tlj mai-août). Congés : de mi-déc à mi-janv. Menu déj en sem 15 €, menu 19,80 € puis menu-carte 23 €.* Coquette guinguette et vaste terrasse à l'ombre d'un gros platane donnant sur le... partage des eaux, que quelques téméraires s'amusent à traverser à pied. Reposant le midi quand il fait chaud. À part ça, bons petits plats provençaux, friture de poissons, grillades. Fait aussi bar et glacier en journée. Concerts certains soirs en saison.

|●| **L'Alambic :** *11, chemin du Pont-de-la-Sable. ☎ 04-32-61-17-63. • contact@lalambic.fr • ♿ Tlj sf dim soir et lun (plus dim midi hors saison). Formule et menu déj 12-15 €, puis menus 22-28 €, carte env 30-35 €. Digestif offert sur présentation de ce guide.* Située dans une sorte de complexe avec parking à la sortie du centre-ville, cette adresse cache une agréable terrasse donnant sur le flot impétueux de la Sorgue, où il fait bon se restaurer d'une bonne petite cuisine, jeune et dans le coup. À l'intérieur, un décor assez métallique où se déroulent chaque week-end des petits concerts et des soirées festives qui permettent que, le soir, hors saison surtout, L'Isle ne soit pas... déserte.

De prix moyens à chic

|●| **Café Fleurs :** *9, rue Théodore-Aubanel. ☎ 04-90-20-66-94. • contact@cafefleurs.com • Tlj sf mar-mer. Fermé 3 sem en janv. Le midi, menu 23 €, sinon menus 39-56 € ou carte env 48 €. Café offert sur présentation de ce guide.* Une adorable terrasse inondée de vigne vierge, le long de la Sorgue, à l'orée du quartier des antiquaires. Idéal pour déguster une excellente cuisine semi-gastro, tout ce qu'il y a de plus fraîche et de saison. Ne manquent plus que Proust et sa madeleine... Quel charme !

|●| **L'Oustau de l'Isle :** *147, chemin du Bosquet. ☎ 04-90-20-81-36. • contact@restaurant-oustau.com • Route d'Apt, tourner à droite face au Pain d'Antan. Tlj sf mar-mer (slt le midi en été). Congés : 3 sem en janv-fév et nov-déc. Formule déj 17 €, menus 28-38 €.* À l'abri dans une grande cour discrète, une salle chic égayée de grandes projections numériques sur toiles de lin : on y retrouve ainsi *Mona Lisa* ou des détails agrandis de personnages féminins de Modigliani. Atmosphère feutrée de familles endimanchées qu'un person-

nel lui aussi féminin viendra agrémenter de sourires jocondesques, si vous savez lui répondre. On déguste-là une cuisine gastronomique sage mais vraiment bien réalisée pour un rapport qualité-prix très réussi.

Plus chic

IOI ***Le Vivier :*** *80, cour Fernand-de-Peyres (à la sortie, direction Fontaine-de-Vaucluse). ☎ 04-90-38-52-80. • info.levivier@wanadoo.fr • ♿ Tlj sf lun. Congés : 3 sem vac de fév-mars, 1 sem fin août. Menus 30 € (midi sem, plus le soir en hiver) puis 48-75 €. Wifi.* Un nom et un lieu qui trompent leur monde, pour un resto que le bouche à oreille a vite placé dans le peloton de tête du pays des Sorgues. Il faut dire que le chef excelle dans le mélange des saveurs et des parfums, par exemple dans le foie gras à l'anguille fumée ou le pithiviers de pigeon aux cèpes et foie gras. Salle très design et petit salon pour boire un verre en attendant d'avoir une table, pourquoi pas en terrasse au bord de l'eau. Beau choix de vins régionaux à prix convenable.

Où grignoter ? Où boire un verre ?

IOI 🍷 Une flopée de ***jolies terrasses*** fleurit à la belle saison entre les stands d'antiquaires et au bord de la Sorgue. Elles ont en commun une déco étudiée, dans l'esprit « brocante » (forcément), et une cuisine toute simple, genre tarte, salade, plat du jour... À vous de flâner et de trouver au feeling celle qui vous plaît...

IOI 🍷 Signalons également le vénérable ***Café de France,*** face à la collégiale, pour son décor XIXe s immortalisé par le grand photographe Willy Ronis ; et pour sa terrasse ombragée bien agréable. Enfin, le ***Caveau de la Tour de l'Isle*** *(12, rue de la République ; ☎ 04-90-20-70-25)* propose de sympathiques assiettes de fromage à déguster autour de bons crus régionaux. Vieux bar à l'arrière et grande fête annuelle en juin qui occupe tout l'espace de la rue !

À voir. À faire

👁👁 ***La vieille ville :*** si vous avez un peu de temps, quittez le quartier des antiquaires et partez à la découverte de ce joli patrimoine provençal, de la collégiale avec son bel intérieur baroque (lire ci-dessous), des canaux, du quartier des pêcheurs, du quartier juif et de son ancien ghetto... En chemin, vous verrez de nombreux hôtels particuliers, ainsi que quatorze roues à aubes qui jalonnent la ville et tournent toujours au rythme de la rivière, notamment dans la rue Jean-Théophile surnommée « la rue des roues » !

👁👁 ***La collégiale Notre-Dame-des-Anges :*** *entre la pl. de la Liberté et la pl. F.-Buisson.* Consacrée en 1672 par l'évêque de Cavaillon, monseigneur Jean-Baptiste de Sade, presque aussi sulfureux que le fameux marquis... son fils. Façade de type jésuite avec cadran lunaire. À l'intérieur, surprenante décoration baroque à l'italienne datant du XVIIe s, que l'on doit à l'architecte avignonnais François de Royers de la Valfrenière. Notez les rambardes en fer forgé qui proviennent de la synagogue de la ville (détruite), les 11 chapelles latérales qui correspondent à 11 confréries locales et abritent des toiles de Mignard et Parrocel. Enfin, recomptez à loisir les 222 têtes d'anges qui accompagnent les personnages peints représentant le mystère de la Trinité et qui donnent son sens au nom de la collégiale.

👁👁 ***Centre d'art Campredon :*** *20, rue du Docteur-Tallet. ☎ 04-90-38-17-41. En hte saison, mar-dim 10h-13h, 14h30-18h30 ; en hiver, mar-sam 10h-12h30, 14h-17h30. Entrée : 6,30 € ; réduc.* L'ancien musée Campredon a été joliment rénové pour recevoir des expositions temporaires consacrées à l'art moderne et contemporain. Malheureusement, le fonds permanent consacré à René Char lui-même n'est plus exposé dans le musée. Librairie présentant une large sélection d'ouvrages de René Char et de documents, sur le poète ou sur son œuvre.

Le musée du Jouet et de la Poupée ancienne : *26, rue Carnot. ☎ 04-90-20-97-31. 06-09-10-32-66. En saison, tlj sf lun, 11h-18h (ouv slt sam-dim 14h-17h hors saison). Entrée : 3,50 € ; réduc.* Au détour d'une rue piétonne, un lieu pour la nostalgie, ouvert par une passionnée, dont la maison ne pouvait plus contenir tous ses trésors amassés au fil des ans. Des oursons aux soldats de plomb, des poupées en celluloïd aux boîtes à musique et aux jeux de société, un petit voyage dans le temps pour petits et grands enfants.

Le musée de l'École d'autrefois : *espace Saint-Antoine, 54, chemin de l'école de Saint-Antoine. ☎ 04-90-38-10-07. Mar-ven 13h30-17h30, sam 10h-12, 13h-18h. Entrée : 3 €.* Une poignée de bénévoles réunis autour d'un président dynamique anime ces locaux, qui n'ont rien de traditionnel en soi, mais renferment pourtant l'âme des écoles d'autrefois. Découvrez notamment la seule machine à lire existant au monde, avec des roues de charrette, un exemplaire loufoque des années 1930. Dictée à l'encre violette une fois par mois (1er samedi à 15h) ; 2 €.

➢ **Descente de la Sorgue en canoë-kayak : CCKI,** *à La Cigalette. ☎ 04-90-38-33-22.* Club de canoë-kayak sous forme associative qui propose cours, stages et descente de la Sorgue (durée 2h).

DANS LES ENVIRONS DE L'ISLE-SUR-LA-SORGUE

La grotte de Thouzon : *☎ 04-90-33-93-65. • grottes-thouzon.com • À 3 km au nord du Thor sur la D 16 (accès fléché). Ouv avr-oct tlj 10h-12h, 14h-18h (non-stop juil-août jusqu'à 18h) ; dernière visite 30 mn avt la fermeture. Entrée : 8,30 € ; réduc ; gratuit pour les moins de 5 ans.* Découverte en 1902, c'est la seule grotte naturelle du département ouverte au public ; 45 mn de visite guidée le long du lit d'une ancienne rivière souterraine. Tables de pique-nique.

LE COMTAT VENAISSIN

On se croirait quelque part en Toscane, quand le climat se fait douceur, s'il n'y avait, derrière ces fermes isolées au milieu de champs entourés de canaux, la silhouette reconnaissable entre toutes du mont Ventoux, géant débonnaire veillant sur les villes et villages de son piémont.
Le pays de Carpentras, du Ventoux et du Comtat venaissin a été classé Pays d'art et d'histoire. Ce label prestigieux implique une forte dynamique culturelle et patrimoniale avec des visites guidées à thèmes de Carpentras bien sûr, mais aussi de tous les villages du Comtat (Malaucène, Venasque, Caromb, Modène, Mazan, jusqu'à Gigondas, Beaumes-de-Venise...).

Adresse et info utiles

Service Culture et Patrimoine de la communauté d'agglomération Ventoux-Venaissin : *hôtel de la COVE, 84200* **Carpentras.** *☎ 04-90-67-69-21. • provence-ventouxcomtat.com •* Coordonne les initiatives des onze communes qui composent ce Pays d'art et d'histoire. Vous pouvez aussi vous renseigner auprès des offices de tourisme concernés. Compter 4-6 € pour les visites-découverte (supplément en cas de transport). Elles abordent des thèmes aussi variés que la poésie, les dominicains, l'archéologie, les jardins et les plantes, le vignoble, le patrimoine religieux ou industriel... Ou bien elles s'attachent tout simplement à un monument, à un centre-ville. Certaines sont organisées pour les handicapés et d'autres pour les enfants, se renseigner.

PERNES-LES-FONTAINES

(84210) 10 700 hab. *Carte Vaucluse, B3*

À 5,5 km au sud de Carpentras par la D 938, l'ancienne capitale du Comtat venaissin ressemble encore peu ou prou à ce qu'elle était au XVe s. Pas mal de charme, vraiment, avec ses vieilles murailles baignées par la rivière, ses tours et portes médiévales, et les glouglous de la quarantaine de fontaines qui lui ont donné son nom.

Adresse et info utiles

Office de tourisme : *pl. Gabriel-Moutte. ☎ 04-90-61-31-04. • tourisme-pernes.fr • Ouv tlj sf sam ap-m et dim hors juil-août. Visite de la ville passionnante mar à 10h en été (3 €), visite thématique mer à 10h en été (3-6 €) et dépliant « le circuit des fontaines ».*

– **Marché agricole :** *début avr-fin sept, mer 18h-20h.* Sympathique marché à ne pas manquer.

Où dormir ? Où manger à Pernes et dans les environs ?

Prix moyens

Chambres d'hôtes La Maison de Baptiste : *79, av. du 11-Novembre. ☎ 04-90-66-47-44. • jerome.laurent2@club-internet.fr • maisondebaptiste.fr • Doubles 50-60 €. Internet, wifi.* À deux pas du centre, une maison et une hôtesse de caractère. Vous oublierez vite l'environnement du quartier une fois à l'intérieur de cette sympathique maison où personne ne se prend la tête. 2 chambres spacieuses, très coquettes, grand jardin, accueil familial, tout pour plaire.

Auberge de la Camarette : *439, chemin des Brunettes. ☎ 04-90-61-60-78. • aubergecamarette@hotmail.fr • domaine-camarette.com • De l'office de tourisme, direction Mazan, faire env 1 km et tourner à gauche après le canal (panneau). Fermé dim soir lun et mar midi (plus mar soir hors saison). Congés : 15 j. début janv, 15 j. fin nov. Doubles 75-95 €. ½ pens 107 €/pers. Formule 16 € à midi mer-ven ; menu 32 €. Résa nécessaire. CB refusées. Remise de 10 % en cas de ½ pension, sur présentation de ce guide.* Sur l'ancien domaine du marquis de Camaret, une charmante ferme du XVIIe s où l'on élevait jadis des vers à soie. Aujourd'hui, la famille Gontier produit des vins de pays et du côtes-du-ventoux, notamment des rosés, ainsi que de l'huile d'olive AOC. Excellent accueil à la boutique, où la viticultrice en chef vous fera goûter la production sans vous pousser à la consommation. Mettez-vous ensuite à table dans la jolie courette, ombragée et au calme, afin de goûter la jolie cuisine semi-gastro d'Hugues Marrec. Rien de prétentieux, d'ailleurs il joue la carte de la modestie, mais tout est d'une grande fraîcheur et d'une grande honnêteté. La formule du midi comprend plat, dessert, verre de vin et café tandis que le menu inclut 3 verres de vin maison. Et puis, si vous décidez de passer la nuit ici, les 2 chambres d'hôtes sont vraiment impeccables !

Au fil du Temps : *51, pl. Louis-Giraud. ☎ 04-90-30-09-48. • aufildutempsresto@hotmail.fr • Ouv tlj juil-août. Tlj sf mar avr-juin, mar-mer de sept à fin mars. Formule 19,50 € le midi en sem. Menus 28-35 €.* Julien Drouot a quitté San Francisco pour Pernes et une vie plus douce. Le glouglou de la fontaine, la devanture en bois, la lumineuse petite salle du resto, la déco sobre et l'atmosphère feutrée invitent à déstresser. D'autant plus que la cuisine est à l'image du lieu et de l'homme : gastro mais pas trop, franche, très nature, à base de vrais bons produits locaux et régionaux, que l'on retrouve côté épicerie fine. On vous conseille de déguster le porc du Ventoux sur place, avec des légumes bio du pays. Bel accueil.

De plus chic à beaucoup plus chic

Hôtel-restaurant Le Mas de la Bonoty : *chemin de la Bonoty. ☎ 04-90-61-61-09. • infos@bonoty.com • bonoty.com • Resto fermé lun-mar. Congés : 9 janv-11 fév et 6 nov-9 déc. Doubles 70-90 €, petit déj compris. Compter 71-84 €/pers en ½ pens. Sinon, le midi en sem, menus 22 €, puis 30-68 €. Wifi. Apéritif ou petit déj offert ou réduc de 10 % sur le prix de la chambre hors saison à certaines périodes, sur présentation de ce guide.* À l'extérieur de Pernes, sur la route de Mazan. Une petite route mène jusqu'à ce mas de pierre perdu dans la campagne. Plus que pour les chambres, aux noms de fleurs mais plutôt traditionnelles, on vient ici savourer une excellente cuisine de saison. Le chef met en valeur, dans de magnifiques assiettes peintes par le propriétaire, le meilleur du terroir vauclusien. Pas mal de foie gras et de poisson au programme. Belle terrasse en bordure d'une jolie piscine.

Hôtel L'Hermitage : *614, route de Carpentras. ☎ 04-90-66-51-41. • hotel-lhermitage@wanadoo.fr • hotel-lhermitage.com • Sur la D 938 direction Carpentras. Fermé de mi-nov à début mars. Doubles 72-95 € selon saison. Wifi.* Dans une très belle maison bourgeoise cachée au fond d'un parc. Chambres de style un peu ancien mais non dénuées de charme, loin s'en faut. Certaines peuvent accueillir 3-4 personnes. Accueil sympa et pas du tout guindé. Piscine.

LE COMTAT VENAISSIN

À voir

La tour Ferrande : un véritable trésor caché (XIIIe s), visitable l'été avec l'office de tourisme *(en sem 10h, 2 €)*. Superbes fresques médiévales remarquablement conservées. Une bande dessinée géante contant l'histoire chevaleresque de Charles d'Anjou. Un grand moment d'émotion.

Les musées pernois : au détour des ruelles, encore tranquilles, vous serez charmé par les façades des 14 hôtels particuliers que compte le village et par la visite de la *maison Fléchier*, bel hôtel particulier du XVIIe s qui abrite le *musée des Traditions comtadines*. Entrée gratuite, tout comme pour la *Maison du Costume* et le *Magasin drapier*, surprenante boutique d'un autre âge qui a conservé sa devanture et son mobilier d'époque.

Le vieux Pernes : prenez le temps de découvrir les quelque 40 fontaines de ce village attachant, dominé par la tour de l'Horloge, ancien donjon des comtes de Toulouse. En redescendant, jetez un œil sur la vieille halle, la porte Notre-Dame, son pont et sa chapelle.

Fêtes

- **Folklories :** *3e w-e de juil.* Folklore de tous les pays.
- **Font'arts :** *1er ou 2e w-e d'août. • fontarts.com •* Festival de théâtre et de musique de rue.
- **Fête du Patrimoine :** *ne la manquez pas le 3e w-e de sept 2012 !* Organisée tous les 4 ans, elle mobilise toute la ville, dont la population se remet à vivre comme il y a 150 ans. On ressort les costumes d'autrefois, les vieux outils, les anciens vélos, les charrues.

DANS LES ENVIRONS DE PERNES-LES-FONTAINES

SAINT-DIDIER (84210)

Saint-Didier est une charmante bourgade, entre Pernes et Venasque, qui cache quelques trésors pour les amateurs d'insolite. Dont un ***écomusée des Appeaux*** (place de la Poste) qui fait la joie des petits et des grands pour son caractère ludique et pédagogique. Jean Raymond perpétue la tradition familiale en créant de petits sifflets imitant le chant des oiseaux. Visite de l'atelier, diaporama, expos (*☎ 04-90-66-13-13. • appeaux-raymond.com •*).

Où manger ?

L'Autre Côté du Lavoir : *impasse du Lavoir. ☎ 04-90-66-15-60. • lautre-cote-du-lavoir@wanadoo.fr • Dans la rue principale. Tlj sf mar et mer midi. Congés : 24 oct-12 fév. Menus 25-29 €.* Dans une ancienne grange bordée d'un jardin, tout à côté d'un ancien lavoir (on s'en serait douté !). Fraîche, belle et bonne cuisine de terroir. Goûtez-donc la tarte Tatin de tomates tout en profitant de la terrasse aux beaux jours.

Où déguster et acheter des gourmandises ?

Silvain Frères, paysans nougatiers : *pl. de la Poste. ☎ 04-90-66-09-57. • nougat-silvain-freres.fr • Tlj 10h-12h, 15h-19h. Visites commentées le mat à partir de 10h les mar et jeu juil-août et le mer le reste de l'année.* Cette petite entreprise familiale fabrique le meilleur nougat que vous dégusterez peut-être dans ce pays. Entrez dans le magasin d'exposition, ici on vous fait déguster sans hésitation. Les deux frères Silvain possèdent leurs ruches, leurs vergers et leurs recettes familiales, et ils vous proposent de découvrir leur pays et leurs produits à travers un diaporama. Jetez ensuite un œil sur la salle de fabrication avant d'aller à l'espace glacier, entre patio et tonnelle, déguster les sorbets maison.

VENASQUE (84210)

À 7 km de Pernes, perché sur l'un des premiers contreforts des monts de Vaucluse, un autre village labellisé « Plus Beau Village de France ». Centre géographique de l'ancien Comtat venaissin (auquel, fin linguiste, vous avez déjà deviné qu'il a donné son nom), Venasque, c'est vrai, a du charme. Grâce à un arrêté municipal de 1967, le village a conservé une belle homogénéité architecturale. De ses remparts, il ne reste que les tours appelées, à tort d'ailleurs, « sarrasines ». Et depuis un autre arrêté municipal de 1951, le nom du village ne prend plus d'accent sur le « e », qu'on se le dise ! Deux temps forts sinon à ne pas manquer : la ***fête de la Cerise,*** début juin, et la ***Journée artisanale*** le week-end du 15 août.

Adresse utile

Office de tourisme intercommunal : *Grand-Rue. ☎ 04-90-66-11-66. • tourisme-venasque.com • Début avr-fin oct, tlj sf lun mat et dim mat.* Bonne documentation sur la région et petits guides (vendus) de circuits de randonnée et d'escalade.

Où dormir ? Où manger ?

Prix moyens

Chambres d'hôtes Le Mas de Kaïros : *à 500 m du village. ☎ 04-90-66-63-82. • josysalvi@aol.com • masdu* *kairos.com • Fermé de début nov à mi-mars et quelques j. par-ci par-là. Résa conseillée. Compter 55-90 € pour 2. CB refusées. Wifi. 10 % sur le prix de la chambre offerts sur présentation de ce guide.* 2 chambres et 2 suites dans un environnement qui invite déjà à la détente et au bien-être. 2 terrasses, dont l'une avec une vue sur tout le village, pour le petit déj. Josy Salvi est une hôtesse charmante, discrète, aux petits soins pour ses hôtes. Belles promenades aux alentours, à moins que vous ne préfériez lézarder dans le jardin ou buller dans le jacuzzi.

Plus chic

■ ***Maison de charme La Fontaine :*** *pl. de la Fontaine. ☎ 04-90-60-64-05. • contact@maisondecharme-venasque.com • maisondecharme-venasque.com • Doubles 115-125 €, petit déj maison compris. Parking privé 5 €. Wifi.* On accède par la boutique de décoration du rez-de-chaussée à cette belle bâtisse en pierre située au cœur du village. D'accord, ce n'est pas tout à fait la maison près de la fontaine, chère à Nino Ferrer, mais les 4 suites offrent un bon confort et un bon rapport qualité-prix pour une famille. Toutes avec chambre lit *king size,* salle de bains, salle à manger avec petite cuisine, salon avec cheminée et fauteuils convertibles (pour des enfants), TV, clim et terrasse (sauf la *Suzette*). La déco est un mélange de contemporain et de vieilles pierres bien agréable, frais et reposant. Accueil courtois.

À voir

👁👁 ***Le baptistère :*** *pl. du Presbytère, à gauche du grand porche de l'église. ☎ 04-90-66-62-01. Tlj 9h15-13h, 14h-18h (17h hors saison). Fermé 14 déc-3 janv. Entrée : 3 € ; réduc ; gratuit pour les moins de 12 ans.* Ce baptistère a été construit au VIe s (ce qui en fait un des plus anciens édifices religieux de France) sur les vestiges d'un temple antique. À l'intérieur (imprégné d'une belle lumière et d'une atmosphère toute particulière), d'antiques colonnes de marbre font bon ménage avec les chapiteaux mérovingiens. Au centre, emplacement d'une cuve baptismale à huit côtés.

👁 ***L'église Notre-Dame :*** en majeure partie des XIIe et XIIIe s. Belle porte principale. À l'intérieur, cette église abrite une Crucifixion qui est un vrai trésor : anonyme de l'école d'Avignon (1948).

👁 ***Les remparts et les tours dites « sarrazines »*** de construction médiévale sur fondations gallo-romaines. Beau panorama avec table d'orientation sur le mont Ventoux et la plaine du Comtat venaissin.

CARPENTRAS (84200) 29 000 hab. *Carte Vaucluse, B2*

Capitale – anciennement – fortifiée du Comtat venaissin, Carpentras abrite encore la porte d'Orange, seul vestige des remparts. Mais l'origine de la ville remonte à cinq siècles avant notre ère. Propriété de la papauté à partir de 1274, elle s'enrichit de beaux monuments du XVIIe au XIXe s. Auparavant, elle fut la capitale de la tribu des Méminiens.

LA FIN DES GHETTOS JUIFS

Il fallut attendre le courageux édit de Tolérance de 1787 pour que les juifs puissent enfin résider en France. Auparavant, ils étaient reclus dans le Comtat venaissin qui appartenait au pape. À cette époque, la friperie était pratiquement le seul métier qui leur était autorisé. Ce vent de liberté sera accentué par la Révolution.

Carpentras reste célèbre pour avoir été la terre d'élection des communautés juives chassées du royaume de France par Philippe le Bel. Elles se réfugièrent sur les terres du pape, et la cité conserva jusqu'au XIXe s un quartier juif, ghetto dans lequel s'entassaient un millier de personnes sur une rue de 80 m de long. La synagogue, dont les parties basses datent du XIVe s et la salle du culte du XVIIIe s, est toujours en activité et accueille, chaque année, l'important Festival des musiques juives.

Adresses et infos utiles

ℹ ***Office de tourisme*** *(plan A-B2)* **:** *97, pl. du 25-Août-1944.* ☎ *04-90-63-00-78.* • *carpentras-ventoux.com* • *Ouv tlj sf dim ap-m en été (dim tte la journée hors saison). Avr-oct, visites guidées du patrimoine sur résa (4 €). Également visites gratuites d'atelier de fabrication du berlingot pdt les vac scol.* Le circuit découverte du centre ancien, jalonné de lutrins, incite à la flânerie. Jeu découverte « Jouer, c'est visiter les trésors de Carpentras », pour les familles. Dépliant disponible. Ainsi que la liste des hébergements.

Gare routière *(hors plan par A3)* **:** *pl. Terradou. À deux pas de l'office de tourisme (à l'angle de la rue Terradou et de l'av. Wilson).*

✉ ***Poste*** *(plan B2)* **:** *rue d'Inguimbert.*

Location de vélos : *Provence Vélos Location,* ☎ *04-90-60-28-07.* Entreprise sympathique qui a multiplié les points de chute sans ramasser de gamelle !

– ***Le marché :*** si vous êtes à Carpentras un vendredi matin, ne manquez sous aucun prétexte le marché provençal, classé « Marché d'exception », qui s'étend dans tout le centre ancien (plus de 300 forains). Également un marché de producteurs d'avril à septembre 17h-19h, square de Champeville (face à l'office de tourisme).

– Ne ratez pas non plus le ***marché aux truffes :*** *fin nov-fin mars, ven mat, pl. Aristide-Briand.* ***La truffe fait son festival****, 1er w-e de fév.*

– ***Brocante et puces :*** *dim 10h-18h.*

Où dormir à Carpentras et dans les environs ?

Camping

Lou Comtadou *(hors plan par A-B3,* ***10****)* **:** *881, av. Pierre-de-Coubertin (route de Saint-Didier).* ☎ *04-90-67-03-16.* • *info@camping loucomtadou.com* • *campingloucomtadou.com* • *Ouv 1er mars-fin oct. Compter 24,50 € pour 2 avec tente et voiture en hte saison.* Camping bien équipé, assez bien ombragé, à deux pas de la piscine et du complexe sportif. Quelques mobile homes et bungalows à louer.

De prix moyens à plus chic

Hôtel L'Univers *(plan A2,* ***11****)* **:** *pl. Aristide-Briand.* ☎ *04-90-63-00-05.* • *univershotel@aol.com* • *hotel-univers.com* • *Ouv tte l'année. Doubles 45-48 € selon confort. Wifi. Réduc de 10 % sur le prix de la chambre en juil-août sur présentation de ce guide.* Face à l'office de tourisme, un hôtel tout simple mais très pratique. Une vingtaine de chambres spacieuses et rénovées, très prisées des randonneurs ; certaines donnent sur un carrefour un peu bruyant.

Chambres d'hôtes La Maison Pointue *(hors plan par A3,* ***15****)* **:** *373, av. J.-F.-Kennedy.* ☎ *04-90-34-94-28.* 📱 *06-78-23-42-36.* • *maisonpointue@sfr.fr* • *maisonpointue.fr* • *Vers la gendarmerie et Lafarge. Doubles 65-75 € ; réduc à partir de la 4e nuit. Internet, wifi. Apéritif offert sur présentation de ce guide.* Comme son nom l'indique, on la repère à son double toit qui lui donne ce petit air pointu. Passé outre l'environnement un peu austère, cette jolie maison restaurée cache un jardin intime à l'arrière. À l'intérieur, 3 chambres tout juste rénovées par le couple de proprios soucieux de bien faire, dont 2 ont mezzanine et terrasse privée. Joli mélange d'ancien et de contemporain, notamment la mignonne cuisine-véranda donnant sur la pièce à vivre. Bref, du bon goût partout. Il faut dire que madame pratique la peinture sur tissu.

Best Western Le Comtadin *(plan*

*A2, **12**) : 65, bd Albin-Durand. ☎ 04-90-67-75-00. • reception@le-comtadin.com • le-comtadin.com • ♿ (1 chambre). Doubles 80-130 €. Garage payant. Internet, wifi. Réduc de 10 % sur le prix de la chambre 1er janv-30 avr (sf Pâques et ponts) et 15 sept-10 déc sur présentation de ce guide.* Un hôtel intelligemment rénové, derrière sa façade XVIIIe s. Une vingtaine de chambres vraiment très confortables, avec TV, AC, double vitrage, minibar, coffre-fort... Préférez celles donnant sur le joli patio, tant qu'à faire. De plus, accueil sympa et agréable espace pour le petit déj (un peu cher toutefois).

Hôtel du Fiacre *(plan B2, **14**) : 153, rue Vigne. ☎ 04-90-63-03-15. • contact@hotel-du-fiacre.com • hotel-du-fiacre.com • Ouv tte l'année. Doubles 68-73 € ; petit déj 10 €. Wifi. Garage fermé (payant sf pour les vélos et les motos). Réduc de 10 % pour 1 nuit, 20 % pour 3 nuits consécutives sur présentation de ce guide.* Hep, cocher, laissez-nous donc dans cet ancien hôtel particulier du XVIIIe s ! Aujourd'hui, cet établissement en a conservé l'atmosphère, tout en se rénovant pour accueillir les voyageurs du XXIe s qui arrivent, harassés, dans leur voiture pas toujours climatisée. Heureusement, la plupart des chambres, confortables et calmes, donnent sur l'agréable patio, qui conserve la fraîcheur, tout comme les chambres ont conservé la nostalgie de l'ancien. Bel accueil de surcroît.

Chambres d'hôtes Bastide Sainte-Agnès *(hors plan par B1, **13**) : 1043, chemin de la Fourtrouse. ☎ 04-90-60-03-01. • contact@sainte-agnes.com • sainte-agnes.com • À 3 km du centre par la D 974 direction Mont Ventoux-Bédoin ; 300 m après avoir obliqué à gauche vers Caromb (par la D 13), à gauche de nouveau dans le chemin de la Fourtrouse. Compter 82-92 € pour 2 selon confort et saison ; petit déj 8 €. Gîte 4-5 pers 550-750 €/sem. Wifi. Apéritif offert sur présentation de ce guide.* À 5 mn de la ville mais déjà à la campagne, une belle bastide du XIXe s reconvertie en maison d'hôtes, avec 5 chambres claires et soignées, plus ou moins provençales mais toutes plaisantes. Les chambres *Pigeonnier* et *Grenier* sont les plus grandes et peuvent accueillir jusqu'à 4 personnes. Agréables et vastes espaces communs. Piscine au milieu du jardin.

Où manger ?

Prix moyens

Restaurant L'Univers *(plan A2, **11**) : 110, pl. Aristide-Briand. ☎ 04-90-63-30-13. Fermé sam (et ven soir, dim midi hors saison). Le midi, plat du jour 9,50 € et menu 14,50 € ; autres menus 20-28 €. Café offert sur présentation de ce guide.* La large terrasse en bord de route, somme toute banale, cache une bonne petite adresse, sympathique comme tout. Pour preuve, cette bien belle assiette provençale servie l'été, copieuse et fraîche, qui fait office de repas. Plat du jour simple et bien réalisé. Les autres menus ne sont pas en reste. Habitués et touristes de passage s'y retrouvent avec plaisir.

La Petite Fontaine *(plan A2, **20**) : 13-17, pl. du Colonel-Mouret. ☎ 04-90-60-77-83. • lapetitefontaine84@orange.fr • Tlj sf mer et dim. Congés : vac de fév et de nov. Formule déj en sem 15 € et menu-carte 25-27 €. Apéritif offert sur présentation de ce guide.* Ce resto, idéalement situé dans le quartier piéton, est un des endroits les plus accueillants de Carpentras, ce qui, on vous l'accorde n'est pas difficile. La petite terrasse, à côté de la fontaine glougloutante est particulièrement appréciable. Pour le reste, une honnête cuisine provençale qui cherche à sortir de l'ordinaire (terrine de foie gras au beaumes-de-venise, pieds et paquets à l'orange et cannelle...).

Chez Serge *(plan B2, **21**) : 90, rue Cottier. ☎ 04-90-63-21-24. • restaurant@chez-serge.com • ♿ Tlj. Menu 15 € à midi, sinon 32-49 €, carte env 45 €.* Serge est connu comme le loup blanc à Carpentras et on vient volontiers s'attabler dans sa courette animée (et souvent pleine !), ne serait-ce que pour la bonne ambiance qui y règne. Le menu du midi est fort honnête pour le prix mais la carte propose mieux, notamment l'hiver à l'occasion des soirées vins et truffes.

CARPENTRAS

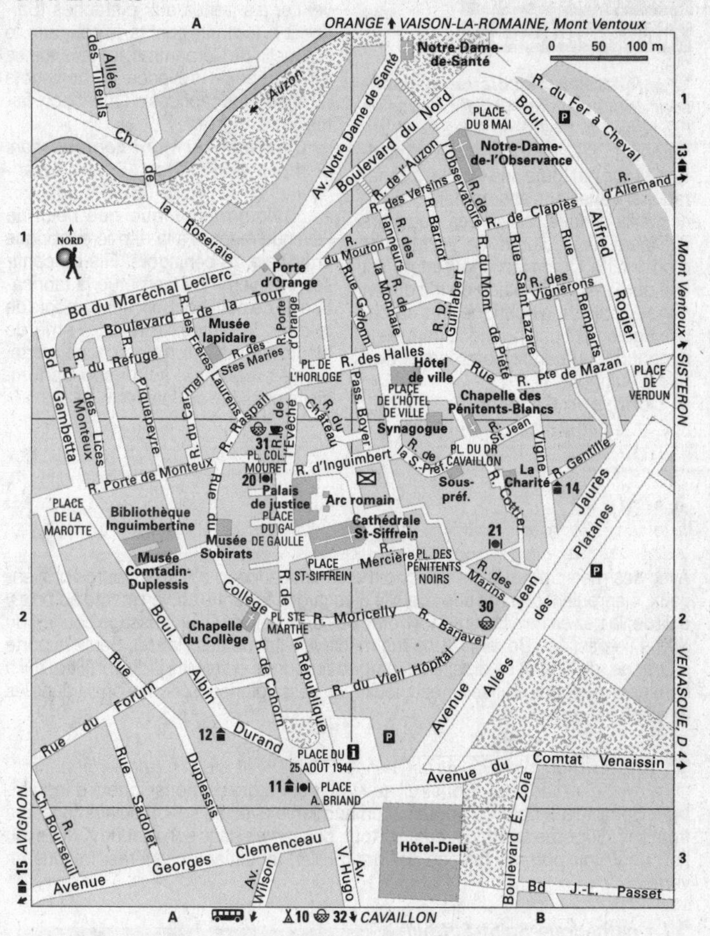

Adresse utile

- Office de tourisme

Où dormir à Carpentras et dans les environs ?

- 10 Lou Comtadou
- 11 Hôtel L'Univers
- 12 Best Western Le Comtadin
- 13 Chambres d'hôtes Bastide Sainte-Agnès
- 14 Hôtel du Fiacre
- 15 Chambres d'hôtes La Maison Pointue

Où manger ?

- 11 Restaurant L'Univers
- 20 La Petite Fontaine
- 21 Chez Serge

Où acheter des gourmandises ?

- 30 Confiserie Clavel
- 31 Pâtissier-chocolatier et confiseur Jouvaud
- 32 Confiserie du Mont Ventoux

Où acheter des gourmandises ?

Pâtissier-chocolatier et confiseur Jouvaud *(plan A2,* ***31****) : 40, rue de l'Évêché. ☎ 04-90-63-15-38. Tlj tte l'année sf 1er janv.* Une adresse magique, tenue par toute une famille (3 générations travaillent ensemble), qui sait accueillir et faire plaisir. Les douceurs rivalisent de couleurs, de parfums et d'originalité. Quant aux chocolats, c'est une pure merveille. Salon de thé ouvert dans un coin de la boutique, très agréable. Également une boutique (fermée le dimanche) au centre commercial *Cap Sud* à Avignon.

Confiserie Clavel *(plan B2,* ***30****) : 280, av. Jean-Jaurès. ☎ 04-90-29-70-39. Tlj sf dim.* Entre l'ardoise de Provence, les perles aux pistaches (Seigneur !), les fruits confits, le nougatin, le craquelin de Carpentras, les lavandines à la menthe de Provence, les berlingots ou encore les caprices d'Offenbach, faites votre choix.

Confiserie du Mont Ventoux *(hors plan par A-B3,* ***32****) : 1184, av. Eisenhower. ☎ 04-90-63-05-25. Ouv mar-sam.* Nom magnifique que celui de l'avenue menant à la dernière fabrique artisanale de berlingots. Fils de confiseurs, Thierry Vial perpétue la fabrication de ce petit bonbon, fier symbole de la cité : le fameux tétraèdre strié de blanc, de couleur rouge, jaune, verte, brune ou orange, selon son parfum. Visite possible de l'atelier.

À voir

Avec ses rues pittoresques qui, comme dans beaucoup d'autres bourgs provençaux, s'enroulent comme une coquille d'escargot, le centre ancien mérite qu'on s'y balade, le nez en l'air. Un vrai labyrinthe où l'on surprend ici un passage couvert du XIXe s (le passage Boyer), là une rue médiévale (la rue des Halles). Seule la porte d'Orange, du XIVe s, se dresse en rempart autour de cette ville jadis fortifiée, qui a conservé quelques édifices prestigieux d'un passé glorieux, comme on dit dans les livres d'histoire.

L'hôtel-Dieu *(plan B2-3) : pl. Aristide-Briand. Visites commentées (hebdomadaire avr-oct et vac scol).* Construit au XVIIIe s sur ordre de monseigneur d'Inguimbert. Somptueux pour un hôpital ! Immanquable avec sa spectaculaire façade à frontons. Superbe apothicairerie, surtout, conservée dans son état du XVIIIe s, où l'on peut voir pots en faïence de Montpellier, moustiers, clystères, ballons en verre...

La cathédrale Saint-Siffrein *(plan A-B2) : tlj. Visites commentées en saison.* Bel édifice dont la construction, étalée sur plusieurs siècles, explique l'aspect extérieur très composite. Le portail sud (dit « porte juive ») est surmonté de la célèbre « boule aux rats », une sphère sculptée qu'attaquent des rongeurs. Allusion à la peste dont la Provence a beaucoup souffert ? Ou au monde grignoté par le temps ? À l'intérieur, typique du gothique méridional, remarquez le magnifique ensemble en bois sculpté du XVIIe s qui orne le fond de l'abside.

LA PORTE JUIVE

Si les papes protégeaient « leurs » juifs, il n'empêche que tout était fait pour les convertir à la religion catholique. Sans grand succès d'ailleurs. Les enfants devaient suivre le catéchisme. Pour recevoir le baptême, les nouveaux convertis ne pouvaient pénétrer dans la cathédrale que par un accès particulier, la « porte juive ». Faut pas déconner non plus.

Les collections des musées de la ville ont toutes été rassemblées par Mgr d'Inguimbert, évêque de Carpentras (début XVIIIe s), au cours des vingt-cinq années qu'il a passées en Italie. Elles ont été complétées par d'autres donations mais sont inaccessibles au grand public.

Le musée Sobirats (plan A2) : *112, rue du Collège. Même nº de tél, même billet et mêmes horaires que le musée Comtadin-Duplessis.* Dans un ancien hôtel particulier du XVIIIe s qui, en recevant ce petit musée d'arts décoratifs, a gardé quelque chose de son atmosphère d'autrefois : une chaise à porteurs qui ne semble attendre que vous au pied de l'élégant escalier, des salons meublés Louis XVI et Empire, des tapisseries d'Aubusson ; également une belle bibliothèque du XVIIIe s, classée : la ***bibliothèque Inguimbertine.***

Le palais de justice (plan A2) : *visites commentées en saison.* Ancien palais épiscopal dans un style italien du XVIIe s. Au 1er étage, chambre d'apparat des évêques avec un beau plafond à la française. Salle des assises qui donnerait presque envie de passer devant un jury. La salle du tribunal correctionnel contient quelques cartouches intéressants représentant les villages du Comtat venaissin.

La synagogue (plan B1-2) : *pl. de l'Hôtel-de-Ville. Lun-jeu 10h-12h, 15h-17h ; ven jusqu'à 16h (ouv ttes les 30 mn). Fermé w-e et fêtes juives.* Construite au XIVe s, la plus ancienne de France. Au rez-de-chaussée, bains et piscines, dont la piscine primitive est remplie d'eau de source, conformément à la tradition. Le reste de l'étage est occupé par la boulangerie et les fours, encore en activité jusqu'au début du XXe s. Au 1er étage (seul espace ouvert à la visite), on trouve la salle de culte du XVIIIe s, richement décorée avec ses tabernacles, ses chandeliers à sept branches *(menorah)* et le fauteuil du prophète Élie.

L'arc romain (plan A-B2) : seul vestige d'époque romaine que l'on trouve dans la ville. Le décor représente deux captifs enchaînés à un trophée. Ils symbolisent le peuple dont Rome s'est rendue maîtresse.

Le musée Comtadin-Duplessis (plan A2) : *234, bd Albin-Durand. ☎ 04-90-63-04-92. Tlj sf mar et certains j. fériés 10h-12h, 14h-18h. Fermé oct-mars. Billet couplé avec le musée Sobirats : 2 €.* Au rez-de-chaussée, évocation de l'histoire du Comtat venaissin et de ses traditions populaires : monnaies et médailles papales, sceaux du Comtat, collection d'appeaux pour la chasse, coiffes et santons. Collection d'ex-voto. À l'étage, toiles d'artistes locaux : la gloire locale, Joseph-Siffrède Duplessis, grand portraitiste du XVIIIe s, Joseph Vernet, Évariste de Valernes, ami de Degas...

Manifestation

– **Trans'Art** : *tt l'été.* Une dizaine de festivals s'enchaînent (notamment à l'attention du jeune public) : projections de films, festival de musiques juives, de musique classique, lectures, conférences, spectacles de rue, théâtre, concerts...

DANS LES ENVIRONS DE CARPENTRAS

MONTEUX (84170)

À 5 km au sud-ouest de Carpentras. Dominé par sa haute tour médiévale, un gros bourg qui mérite qu'on se perde dans ses ruelles étroites et fraîches. En parlant de se perdre... Foi de routard, on n'a rarement vu une ville aussi mal fléchée !

Où dormir ? Où manger ?

Plus chic

Hostellerie Blason de Provence : *515, route de Carpentras. ☎ 04-90-66-31-34. • blasondeprovence@orange.fr • blason-provence.fr • À 1 km du village (en direction de Carpentras). Ouv tte l'année. Resto fermé sam midi. Doubles 90-110 €, petit déj compris. Formule déj (en sem) 16 € ; menus 25-40 €. Internet.* Belle bâtisse à la façade claire, agrémentée d'un jardin avec piscine et court de tennis. Les chambres, assez cossues, sont dotées de tout le confort nécessaire et plutôt bien insonorisées. Cuisine qui redore le blason de la Provence, à déguster côté jardin, en été, ou près de la cheminée, aux jours gris.

Le Saule Pleureur : *145, chemin de Beauregard. ☎ 04-90-62-01-35. • contact@le-saule-pleureur.fr • Suivre la direction d'Avignon et prendre la 4-voies ; accès fléché depuis la D 942, au niveau d'Althen (attention croisement dangereux). Tlj sf sam midi (plus dim soir et lun hors saison). Congés : 1re sem de janv. Résa impérative. Menu déj 25 € en sem, puis 45-85 €. Café offert sur présentation de ce guide.* Cadre épuré qui cache une vraie folie créatrice, côté cuisine. Laurent Azoulay est passé chez Chibois, Ducasse, Gagnaire, et réalise aujourd'hui une cuisine très personnelle. Le jeu commence dès l'amuse-bouche, avec un produit décliné sous toutes ses formes, et c'est parti pour un joli voyage au pays des saveurs. Des produits travaillés simplement, comme la tomate, la truffe, le homard, mais de façon originale, sur le fond comme dans la forme, pour que vous soyez sans cesse surpris, ici par une texture, là par un goût. Belle salle avec véranda et terrasse. Dommage que l'accueil (et l'attente) ne soit pas toujours à la hauteur.

MAZAN *(84380)*

À 7 km à l'est de Carpentras par la D 942. Gros bourg surtout connu pour ses carrières de gypse, les plus importantes d'Europe à ciel ouvert (45 ha), dont on tire du plâtre. Le marquis de Sade y a laissé un château (transformé en une hôtellerie 4 étoiles) et le souvenir des pièces de théâtre qu'il y présentait (tiens, pas de scandale pour une fois !). Au cimetière, curieuse allée de sarcophages des Ve et VIe s. Également un *musée communal d'Arts et Traditions,* ouvert de mi-juin à mi-septembre *(15h-19h sf mar)* ; entrée libre.

Adresses utiles

Office de tourisme : *83, pl. du 8-Mai. ☎ 04-90-69-74-27. • mazantourisme.com • Ouv tlj sf w-e hors saison, lun-sam été, également dim mat juil-août ; fermé les j. fériés et pour les fêtes de fin d'année.* Accès Internet.

Domaine « Terres de Solence » : *chemin de la Lègue. ☎ 04-90-60-55-31. • domaine@terres-de-solence.com • solence.fr •* Petit domaine produisant du vin biologique.

Où dormir ? Où manger ?

La Grange de Jusalem : *route de Malemort. ☎ 04-90-69-83-48. Fax : 04-90-69-63-53. Sur la D 163 en allant vers Malemort. Compter 75-85 € pour 2. Table d'hôtes le soir 28 € sans le vin, ouv aux non-résidents mais à 35 €.* Face au Ventoux, un mas familial placé sous le signe de la rose et de la sérénité. 4 chambres pleines de douceur, très rétro, avec tomettes anciennes, tissus du pays et petit déj servi sous la tonnelle, face aux vignes. Maryvonne du Lac partage son amour de la Provence avec ses hôtes, avec une rare générosité, et ses repas sont à son image. Tous les classiques provençaux dans votre assiette : pistou, aïoli, ratatouille, anchoïade, pissaladière, morue au vin rouge... Piscine d'eau salée. Atmosphère bohème. Une très belle adresse, pour un moment d'exception.

AUTOUR DU MONT VENTOUX

LE PAYS DE SAULT

Carte Vaucluse, C2

Un vaste plateau calcaire dominé par la ronde silhouette du Ventoux, où Giono venait souvent puiser la matière de ses romans. Toute une partie du Vaucluse qui reste encore méconnue. Et pourtant... Bleu du ciel, or des champs de blé ou d'épeautre, vert des chênaies, mauve des rangs de lavande, blanc des troupeaux de moutons ou des petits villages en pierre : une vraie toile impressionniste ! Pays de couleurs, le val de Sault est également un pays de senteurs. Outre l'épeautre (blé des Gaulois), on trouve par ici des nougats, des macarons, du miel de lavande... De quoi repartir avec quelques douceurs et quelques kilos en plus !

MONIEUX (84390) ET LES GORGES DE LA NESQUE

Porte d'accès au pays de Sault par la D 942, spectaculaire route en corniche. Ces gorges restent une énigme pour les scientifiques : l'eau aurait dû s'infiltrer dans ce plateau calcaire, plutôt que d'y couler en surface en creusant doucement ce vertigineux canyon. Ne manquez pas le panorama depuis le belvédère du Castelleras : un couple d'aigles niche, paraît-il, juste en face, dans le rocher du Cire. Deux balades (une de 2h aller-retour et une de 4h en boucle) vous font découvrir les gorges, de Monieux (ou du plan d'eau de Monieux pour la balade de 2h) à la chapelle Saint-Michel, cachée au fond des gorges. Également des chemins de grande randonnée.

Adresse et info utiles

Office de tourisme : *pl. Léon-Doux. ☎ 04-90-64-14-14. • ot-monieux.com •*
– Fête médiévale du Petit Épeautre : *1er dim de sept.*

Où dormir ?

Chambres d'hôtes Le Viguier : *84390* **Monieux.** *☎ 04-90-64-04-83. • le.viguier@wanadoo.fr • leviguier.com • ♿ Ouv tte l'année. Séjour truffes en période (déc-mars). Compter 60 € pour 2. Menu le soir 20 € tt compris. Apéritif maison offert sur présentation de ce guide.* Dans une exploitation agricole, au départ des gorges de la Nesque. 5 chambres avec douche et w-c. Tout simple et sans grand charme mais bon accueil et prix doux. Idéal pour un séjour en famille (certaines chambres peuvent accueillir 3 à 5 personnes).

SAULT (84390)

Perché sur un éperon rocheux dominant le val de Sault, ce gros village cache d'authentiques ruelles médiévales, quelques belles devantures de boutiques du début du XXe s, une *église romane* avec une nef du XIIe s et un étonnant *musée* traitant d'histoire naturelle, d'archéologie et... d'égyptologie *(ouv juil-août ; entrée libre).*

Adresses et infos utiles

Office de tourisme de la région de Sault : *av. de la Promenade. ☎ 04-90-64-01-21. • saultenprovence.com • Tlj sf dim hors saison.* Documentation très complète sur la région, topoguides pédestres, VTT et cyclotouristiques, cartes IGN, vente de brochures et livres thématiques.

@ ***Internet :*** *au* ***Café du Progrès,*** *rue de la République, et à la* ***Maison du Département,*** *rue Porte-Royale.*

■ ***La Ferme aux Lavandes :*** *route du Ventoux. ☎ 04-90-64-00-24.* Catherine Liardet vous propose, en juillet-août, la visite de l'exploitation, des champs et du jardin (sur inscription) ; compter 7 € pour une visite complète avec dégustation. Collection de plus de 200 variétés de lavandes.

– ***Marché hebdomadaire :*** *mer mat.* Depuis 1515 (!). Relativement important et animé de mai à septembre.

– ***Fête de la Lavande :*** *chaque année le 15 août.* Concours de coupe, défilés avec groupes folkloriques et attelages, Salon du livre, village des métiers d'art et grand repas champêtre.

Où dormir ?
Où manger ?

Camping

⛺ ***Camping municipal du Sault :*** *route de Saint-Trinit. ☎ 04-90-64-07-18. • campingsault@wanadoo.fr • mairie-sault-84.fr • À 2 km du village (accès fléché). Ouv de mi-avr à fin sept. Emplacement pour 2 avec tente et voiture env 11,90 €.* Dans une forêt de chênes et de cèdres, donc très ombragé. Piscine municipale et complexe sportif *(ouv slt juil-août)* juste à côté.

Prix moyens

🏠 ***Chambres d'hôtes La Bastide des Bourguets*** *(Claudine et Stéphane Jamet)* ***:*** *☎ 04-90-64-11-90. • bastidedesbourguets@hotmail.com • bastidedesbourguets.com • Direction Carpentras par les gorges de la Nesque/Monieux ; la maison est à 3 km à gauche. Ouv avr-sept. Compter 60 € pour 2.* Ancienne et superbe ferme tout en pierre, installée au milieu des champs de lavande. Au 1er étage, 4 chambres vastes, coquettes et colorées. Au petit déj, miel, confitures et gâteau maison. Pour vous détendre, une agréable piscine, sans oublier les trois ânes qui feront la joie des enfants. Accueil chaleureux.

🍽 ***Le Provençal :*** *rue Portes-des-Aires. ☎ 04-90-64-09-09. • restoleprovencal@orange.fr • Tlj sf lun soir et mar, sf juil-août. Fermé 10 nov-2 janv. Menu déj 11 € puis menus 16-22 € ; carte 25-30 €. CB refusées.* Au cœur du village, salle de style provençal précédée d'une petite terrasse ombragée. Belle cuisine, qui rassemble tous les produits de ce pays de cocagne : toast de chèvre fermier, cervelle d'agneau persillée, porc du Ventoux et gibier en saison.

🍽 ***Le Louvre :*** *pl. du Marché. ☎ 04-90-64-08-88. • antoine.scibona@wanadoo.fr • Fermé jeu midi. Formule et menu 13-18 € le midi en sem, autre menu 24 €. Relais motard. Wifi. Café offert sur présentation de ce guide.* Ce *Logis de France* a un bon goût d'autrefois avec sa salle à manger irrésistible et désuète au possible et sa copieuse cuisine de terroir. Aux beaux jours, superbe terrasse ombragée sur la place du village. Accueil enjoué.

Beaucoup plus chic

🏠 🍽 ***Hostellerie du Val de Sault et Restaurant Regain :*** *route de Saint-Trinit. ☎ 04-90-64-01-41. • enter@valdesault.com • valdesault.com • ♿ À 2 km du village (accès fléché). Resto fermé le midi lun-jeu hors saison. Compter 75-270 € pour 2 selon type de chambre. Formule le midi en sem 39 € ; menu 45 €. Parking privé. Apéritif maison offert sur présentation de ce guide.* Ce petit complexe hôtelier est un véritable havre de paix (c'est même un Relais du Silence !) : chambres spacieuses en bois d'une agréable sobriété (avec TV, petit salon et terrasse individuelle) et quelques suites très confortables au design contemporain. Belles chambres Provence-Asie sur 2 niveaux, pour les amoureux du voyage, avec vue sur le mont Ventoux, douche hydrojet, hammam et lit *king size...* Piscine, salle de gymnastique, jacuzzi, massage sur réservation. Et à 5 mn à pied, les plus solitaires pourront opter pour la maison *Yvette*. Côté cuisine, Yves, n'usant que de produits d'excellence, joue avec succès, et comme toujours avec décontraction, la carte de l'impro et du renouvellement permanent, « dans l'esprit de Provence ». Atmosphère familiale et sympathique.

Où acheter de bons produits ?

Nougaterie André Boyer : *pl. de l'Europe. ☎ 04-90-64-00-23. Ouv tlj tte l'année.* Cette très belle boutique propose, entre autres délicieuses spécialités, un excellent nougat au miel de lavande.

Maison de producteurs : *rue de la République. ☎ 04-90-64-08-98. Tlj de Pâques à mi-nov (hors saison, slt w-e et mer).* Coopérative agricole. Directement du producteur au consommateur : essence de lavande, miel de lavande, petit épeautre...

SAINT-CHRISTOL-D'ALBION (84390)

À 11 km au sud-est de Sault par la D 30. À l'extrémité du plateau d'Albion. Haut lieu de la spéléologie. Toute l'année, sur réservation, randonnée-géologie avec découverte du milieu souterrain. Accessible à tous. Gîte d'étape. *ASPA (Accueil spéléo du plateau d'Albion) : rue de l'Église. ☎ 04-90-75-08-33. • aspanet.net •*
Tout en haut de ce paisible village, ne manquez pas la très belle et romane ***église Notre-Dame-et-de-Saint-Christophe.*** Et prenez le temps de détailler tous les chapiteaux des colonnes du chœur, sculptés avec une extrême précision : feuillages et tout un bestiaire plus ou moins fantastique, comme les oiseaux de paradis, les sirènes-oiseaux qui soufflent dans des olifants...
– ***Foire aux agnelles et béliers des Préalpes du Sud :*** *1er dim d'août.*
Voir aussi, dans les environs, à 9 km au sud par la D 34, l'observatoire *Sirene* à Lagarde-d'Apt (voir plus haut, « Le pays d'Apt et les monts du Vaucluse ») et le château médiéval de Simiane-la-Rotonde, à 13 km à l'est, par la D 166 et la D 18 (voir plus loin le chapitre « Les Alpes-de-Haute-Provence »).

SAINT-TRINIT (84390)

À 9 km au nord-est de Sault par la D 950, ce village, au cœur même du plateau d'Albion, est entouré de champs de lavande et de magnifiques forêts. Il possède une église du XIIe s, bel échantillon de l'architecture romane de Haute-Provence. Quant au *bistrot de Saint-Trinit* (☎ 04-90-64-02-39), qui accueille sur sa terrasse les voyageurs (perdus ou pas) autour d'une bonne cuisine traditionnelle, il peut aussi les héberger dans ses deux chambres d'hôtes. Le cadre n'est malheureusement pas à la hauteur du paysage...
– ***Fête des Champignons :*** *2e dim d'oct.* Promenades, conférences, marché artisanal, repas champêtre...

À voir dans les environs

Ferrassières : petit village de la Drôme, historiquement rattaché au comté de Sault, au cœur des lavanderaies du plateau d'Albion.
– ***Fête de la Lavande :*** *1er dim de juil.*

AUREL (84390)

À 5 km au nord de Sault par la D 942, le village favori des peintres. Joli site : toits de tuile et murs de pierre comme accrochés à la pente. Largement aussi beau que certains villages perchés du Luberon, et sans la foule. En montant vers l'église, *atelier de poterie-céramique de Patricia Lechantoux, ouv tlj en saison, 10h-19h ; sur rdv hors saison. ☎ 04-90-64-05-63.*

🅸 Petit **Point info,** *près du Relais-Poste.*

À voir dans les environs

La vallée du Toulourenc : petit détour dans la Drôme. Après Montbrun-les-Bains et Reihanette, on retrouve le Vaucluse à Savoillans. Boulangerie au feu de bois, sentier botanique, fête de la randonnée en avril-mai.

BRANTES *(84390)*

Petit village en pierre perché sur un contrefort du Ventoux, étonnant d'authenticité et de charme ! Une balade idéale pour se mettre à l'abri du mistral, ou se rafraîchir au bord du Toulourenc, entre Saint-Léger et le hameau de Veaux. En décembre, « Brantes dans les étoiles », c'est pas mal non plus : illuminé et décoré comme pour un Noël d'antan, le village prend des allures de crèche provençale. Ateliers d'art, chocolats chauds et desserts de Noël un peu partout.

Où manger ?

La Poterne (café-galerie) : *☎ 04-75-28-29-13. • lapoternebrantes@aol.com • Avr-oct, tlj 11h-19h (23h mar-sam en juil-août). Compter 10-15 €.* Dans un cadre bucolique à souhait, tout en profitant du panorama sur le Ventoux et les Baronnies, vous vous régalerez de tartines, salades, omelettes au chèvre frais, gâteaux maison... Jus de fruits de saison pressé en direct (jus de fraise à tomber !). En été, soupe au pistou et bouillabaisse.

À voir

Le village médiéval et ses artisans d'art : surplombant la vallée du Toulourenc, face au versant nord du Ventoux, il se découvre surtout par la route de Montbrun-les-Bains et le col des Aires (la D 41). Le village a conservé pas mal d'authenticité. On y trouve un atelier de faïence (dans l'ancien château), mais aussi une couturière (des pièces uniques !), et une célèbre santonnière, Véronique Dornier (la dame aux « santons bleus »). Mignonne église que la municipalité laisse au maximum ouverte.

LE MONT VENTOUX

Carte Vaucluse, C2

Il domine la région du haut de ses 1 912 m. La végétation variée et étonnante n'est pas son moindre charme. La route monte en serpentant à travers les cèdres, les chênes verts et blancs, les hêtres, puis, plus haut, les sapins, les mélèzes qui laissent la place à la pierraille en approchant du sommet, où se dévoile un paysage quasi lunaire. De là-haut, vue extraordinaire et panoramique : des Alpes jusqu'à Notre-Dame-de-la-Garde par temps clair ! À faire, un classique : l'ascension pédestre du Ventoux de nuit pour arriver au sommet pour le lever du soleil. Magique !

Le climat est rude : les vents soufflent parfois à plus de 200 km/h (le record enregistré au sommet, en 1967, est de 320 km/h !), et il n'est pas rare que le col

soit fermé par la neige jusqu'après Pâques. Il y a d'ailleurs deux petites stations de ski sur les pentes du Ventoux : enneigement un peu capricieux, mais il est plutôt amusant de découvrir des chalets à la mode suisse à quelques kilomètres des mas provençaux.
Le mont et ses villages sont au cœur du Pays d'art et d'histoire du Ventoux et du Comtat venaissin. Pour plus de renseignements, se reporter au début de chapitre consacré au Comtat venaissin.

BEDOIN (84410)

Le bourg est niché au creux des premiers contreforts sud du Ventoux. Il se targue de posséder l'une des plus grandes forêts communales de France, qui s'étage de 350 à 1 910 m d'altitude et dans laquelle on trouve plus de mille espèces végétales différentes. D'ailleurs, une grande partie est classée « Réserve mondiale de la biosphère » par l'Unesco.
Bedoin est l'étape idéale pour les fous de vélo qui veulent se lancer à l'assaut de cette montée mythique qu'est celle du mont Ventoux, dont les pentes à près de 15 % sont terribles pour les jambes. C'est d'ailleurs l'une des étapes classiques du Tour de France. Victime du dopage (c'est désormais admis), le coureur cycliste Tom Simpson y a laissé la vie en 1967 ; les cyclistes amateurs abandonnent en souvenir quelques objets personnels au pied de sa stèle.
Les offices de tourisme de Bedoin, Sault et Malaucène ont installé sur leur façade des « vélodateurs », matériel qui permet de mesurer le temps réalisé pour l'ascension du Ventoux. Ce « carnet de col » est vendu par ces offices, de Pâques à novembre, les utilisateurs n'ont plus alors qu'à le composter au départ et à l'arrivée au sommet du Ventoux.

LE MUR DE LA PESTE

En 1720, la peste débarque à Marseille. Très vite, on décida de construire un mur de 2 m de haut et long de 27 km. Le but était de protéger les terres du pape de l'épidémie sévissant en Provence. Le mur passait par Gordes, Sénanque et Sisteron. Mille hommes armés protégèrent la ligne sanitaire, en vain. On trouve quelques vestiges du mur à Bedoin.

Adresse et info utiles

Office de tourisme : *espace Marie-Louis-Gravier, pl. du Marché. ☎ 04-90-65-63-95. • bedoin.org • Ouv tlj en juil-août. Hors saison, fermé sam ap-m et dim.* Visites guidées du village. Propose à la vente un topoguide des randonnées sur le Ventoux et des parcours cyclistes.
– **Marché :** *lun.* Producteurs de fruits, légumes, vins et fromages envahissent le cours et les places.

Où dormir ?
Où manger ?

Campings

Camping municipal de la Pinède : *chemin des Sablières. ☎ 04-90-65-61-03. • la-pinede.camping-municipal@wanadoo.fr • camping-municipal-la-pinede.new.fr • ♿ À 600 m du village, en direction de Crillon-le-Brave. Ouv 15 mars-31 oct. Compter 12,50 € pour 2 avec tente et voiture en hte saison.* Au milieu des pins ; la forêt est d'ailleurs une des plus vastes de France, et est partiellement classée au Patrimoine de l'Unesco. Accueil agréable. Buvette, piscine et tennis. Un bon camp de base pour ceux qui veulent attaquer le mont Ventoux à vélo ! Trois chalets à louer.

Camping Le Pastory : *route de Malaucène. ☎ 04-90-12-85-83. • lepastory@sfr.fr • camping-pastory.com • ♿ Ouv avr-sept. Emplacement pour 2 avec tente et voiture env 9 €. Réduc de 10 %, avr-juin et sept, sur présentation de ce guide.* Très accueillant et ombragé, avec vue sur le Ventoux. Location de mobile homes, douche payante. Possibilité de faire des barbecues. Camion-pizza le jeudi.

Prix moyens à plus chic

L'Escapade : *pl. Portail-l'Olivier. ☎ 04-90-65-60-21. • hotel@lescapade.eu • lescapade.eu • Au centre du bourg, juste à côté de l'office de tourisme. Tlj sf jeu et ven midi. Ouv tte l'année, sf 1 sem en oct, 2 en nov et 2 en janv pour le restaurant. Doubles avec douche et w-c 55-85 €. Formule 12 € (midi en sem), menus 19-25 €. Wifi.* Petit hôtel classique qui propose de jolies chambres, très soignées. L'ensemble est plutôt réjouissant. Au resto, cuisine traditionnelle provençale avec quelques recettes que l'on ne trouve pas ailleurs.

Hôtel des Pins : *chemin des Crans. ☎ 04-90-65-92-92. • hoteldespins@wanadoo.fr • hoteldespins.net • Au pied du Ventoux, en direction de Carpentras. Resto fermé le midi sf sam-dim. Hôtel fermé déc-fév, resto nov-fév. Doubles 60-105 € ; également des chambres pour 3-4 pers. Petit déj 10 €. Menus 28-40 €. Wifi. Apéritif offert sur présentation de ce guide.* Un hôtel un peu banal au premier abord, mais qui a su reprendre de belles couleurs et de la fraîcheur grâce à une jeune équipe dynamique et efficace. On peut aujourd'hui, sans hésiter, l'estampiller « hôtel de charme ». Chambres avec douche ou bains, joliment décorées, et où le goût méditerranéen et le sens du confort ne sont pas oubliés. Un bout de piscine en contrebas, quelques hamacs sous les pins et les chênes. Très prisé par de courageux (et fortunés) cyclistes qui se tapent le Ventoux. Ho... hisse ! Resto-terrasse bien agréable.

CAROMB *(84330)*

Bourg agricole perché sur l'un des derniers soubresauts du Ventoux, dont la spécialité est la longue figue noire. On s'y arrêtera aussi pour l'église du XIVe s, une des plus vastes du Vaucluse (construite hors les murs) et une des plus bruyantes : ses cloches s'entendent à une dizaine de kilomètres à la ronde. À l'intérieur, un orgue de 1702 et un triptyque de Grabuset.

Adresse utile

Office de tourisme : *64, pl. du Cabaret. ☎ 04-90-62-36-21. • ville-caromb.fr • Fermé dim, lun, mer (sf mer mat en été). Se rens pour les horaires.* Visites guidées en saison.

LE BARROUX *(84330)*

Dominé par un superbe (et plutôt colossal dans son genre) château fort privé, un autre joli village perché. Prenez le temps de vous promener dans les ruelles étroites, bordées de maisons anciennes. Pour les puristes, une abbaye... traditionaliste, le monastère Sainte-Madeleine, avec messe en grégorien le dimanche à 10h.

Où dormir ?
Où manger ?

L'Aube Safran – Maison d'hôtes : *450, chemin du Patifiage (route de Suzette). ☎ 04-90-62-66-91. • contact@aube-safran.com • aube-safran.com • Congés : nov-mars. Compter 145-165 € pour 2, petit déj compris ; suite 185 €. Table d'hôtes sur résa 45 €, vin compris. Internet, wifi. Apéritif et café offerts sur présentation de ce guide.* Une adresse de charme, magnifique tout simplement. Les chambres, très actuelles, sont vraiment superbes. Luxe et sobriété, simplicité et raffinement, art contemporain et vieilles pierres, design et authenticité se côtoient dans une secrète et parfaite alchimie. Un lieu pour se ressourcer, au milieu des pins et des arbres fruitiers, avec vue sur les Dentelles de Montmirail. Pour parfaire l'ensemble, une piscine à débordement et un jacuzzi. Mais l'originalité du domaine, vous l'avez deviné, c'est la célèbre fleur-épice réimplantée ici (le safran fut cultivé dans la région jusqu'au XIXe s, puis disparut). Ateliers culinaires, pour les fans. Table d'hôtes avec légumes maison et vin bio. Et du safran, forcément.

L'Entr'potes – le bar à vins du Gajuléa : *cours Louise-Raymond. ☎ 04-90-65-57-43. • philibert@gajulea.fr • Fermé lun, plus le dim soir hors saison. Menus 16 (midi en sem)-23 €. Carte 25-35 €. Café offert sur présentation de ce guide.* Michel Philibert, un ancien du *Saule Pleureur,* a ouvert à l'entrée de ce joli village, une table élégante et gastronomique. À l'étage, jouissant de la même vue panoramique sur la vallée, le bar à vins propose une carte canaille composée de grillades, andouillette crème-moutarde, salades...

Où acheter de bons produits ?

Frères Carme : *chemin de Chaudeyrolles. ☎ 04-90-65-13-60. 06-23-35-54-16. • frerescarme.com • En retournant vers Caromb par la D 13, prenez la petite route de montagne qui monte au lac du Paty sur votre gauche.* Nicolas et Sébastien vous accueillent tout simplement dans la propriété familiale nichée au cœur des collines du Paty. Dans leur ancien moulin à huile, vous pourrez déguster leurs vins, des côtes-du-ventoux rouges ou rosés à partir de 4,60 €. Leurs bouteilles sont finies à la cire et arborent de ce fait un côté chic. Paysans, ils proposent également leur huile d'olive maison, et en saison une cueillette dans les vergers de cerisiers... Accueil et cadre d'exception !

MALAUCÈNE (84340)

Joliment posé au pied de la face nord du Ventoux, un gros bourg très provençal avec son cours ombragé de platanes et les ruelles sinueuses de son centre ancien, où s'offrir une aimable petite balade à la fraîche.

Adresse utile

Office de tourisme : *pl. de la Mairie. ☎ 04-90-65-22-59. • ot-malaucene@wanadoo.fr • Ouv lun-ven et sam mat.* Très accueillant. Visites guidées le mercredi à 18h, visites en scène en saison. Montées nocturnes au mont Ventoux tous les vendredis soir en été.

Où dormir ? Où manger ?

Campings

Camping Le Bosquet : *à la sortie de Malaucène, sur la route de Suzette. ☎ 04-90-65-29-09 ou 04-90-65-24-89. • camping.lebosquet@wanadoo.fr • provence.guideweb.com/camping/bosquet/ • Ouv avr-sept. Emplacement pour 2 avec tente et voiture 15,60 €. CB refusées.* Petit camping aux emplacements bien délimités, avec piscine, snack-bar, ping-pong, jeux de boules et animations. Aquagym deux fois par semaine en été. Location de caravanes et de mobile homes. Belle vue sur le flanc ouest du Ventoux.

Plusieurs ***aires naturelles de camping,*** *contacter l'office de tourisme.*

De bon marché à prix moyens

Gîte d'étape et chambre d'hôtes La Ferme du Désert : *à 2 km de Malaucène (accès fléché) par la D 153 direction Beaumont-du-Ventoux. ☎ 04-90-65-29-54. • fermedudesert@hotmail.com • gite-fermedudesert.com • Ouv de mars à mi-nov. Dortoir env 16 €/pers sans draps ; chambre d'hôtes 60 € pour 2 ; gîte 4 pers 400 €/sem.* Un dortoir de 12 lits dans une petite maison de pierre, au milieu des vergers et des champs de tournesol, au pied du Ventoux. Et une chambre d'hôtes avec cuisine équipée, moustiquaire au-dessus du grand lit, divan coloré... Le tout sous un toit en pente avec poutres apparentes.

Gîte d'étape Les Écuries du Ventoux : *quartier des Grottes. ☎ 04-90-65-29-20. • legiteduventoux.com • À env 1,5 km de Malaucène. Prendre direction Beaumont-du-Ventoux. À droite au niveau des sapeurs-pompiers (mur rouge), puis tt droit à 300 m (fléché). Fermé 15 nov-1er mars. Nuitée 17 € (petit déj en sus 7 €). CB refusées.* Parfaitement au calme, tout simple, un gîte d'étape nickel, avec 9 petites chambres pouvant accueillir 2 à 5 personnes (capacité totale : 25 personnes) et une cuisine bien équipée à disposition. 2 blocs sanitaires plutôt bien entretenus. Terrasse sur le devant et espace gazonné.

De prix moyens à plus chic

Hôtel Domaine des Tilleuls : *route du Mont-Ventoux. ☎ 04-90-65-22-31. • info@hotel-domainedestilleuls.com • hotel-domainedestilleuls.com • ♿ Doubles 85-99 € selon confort et saison. Wifi. Parking fermé. Un petit déj/chambre offert de mi-mars à mi-oct sur présentation de ce guide.* Une vingtaine de chambres, toutes personnalisées et de très bon standing. Piscine au milieu d'un grand parc planté de tilleuls, platanes, frênes, cèdres et autres essences qu'il ne tient qu'à vous de découvrir, en paix. 12 000 m² pour qui recherche la tranquillité : ça devrait suffire. Petit magasin de déco.

La Chevalerie : *53, pl. de l'Église. ☎ 04-90-65-11-19. • contact@la-chevalerie.net • Fermé lun et dim soir, plus jeu soir hors saison ; janv-fév sur résa la sem. Formule déj 16,50 € ; menus 19,50-45 €. Apéritif offert sur présentation de ce guide.* Un ancien hôtel-restaurant avec une terrasse sur les remparts, dans un charmant jardin fleuri. Là, Philippe Galas met toute son énergie dans une carte courte mais saisonnière, faisant la part belle aux produits régionaux. Comme il ne travaille qu'à l'ardoise, ses plats changent souvent, même si certains sont presque devenus des classiques, comme le foie gras aux figues séchées, la caillette ou encore le râble de lapin farci aux escargots.

LE HAUT VAUCLUSE

LES DENTELLES DE MONTMIRAIL

Carte Vaucluse, B2

Ce célèbre site tire son nom de son massif de falaises calcaires déchiquetées qui surgit entre les arbres et la garrigue. Jolie fantaisie de la nature, les Dentelles, qui culminent à 734 m d'altitude, offrent, avec leurs parois verticales d'un gris argenté, un formidable terrain de jeu aux grimpeurs : quelque 580 voies d'escalade praticables douze mois par an ! Pour ceux qui préfèrent garder les pieds sur terre : 40 km de sentiers balisés (carte IGN *Top 25* n° 3040). Tout autour du massif, des petits villages surveillent les vignes qui mûrissent sous un soleil d'enfer. Leurs noms doivent immanquablement vous évoquer quelques souvenirs : Gigondas, Beaumes-de-Venise...

Le secteur fait partie intégrante du Pays d'art et d'histoire du Ventoux et du Comtat venaissin. Pour plus de renseignements, se reporter au début du chapitre consacré au Comtat venaissin.

BEAUMES-DE-VENISE (84190)

Petit village adossé à sa colline, dont les ruelles et les hauteurs ont leur petit cachet, Beaumes doit sa notoriété à ses côtes-du-rhône d'excellente qualité. À commencer par le célèbre muscat de Beaumes, le meilleur de France, qu'on se le dise ! Beaumes-de-Venise a d'ailleurs reçu le titre « Site remarquable du goût » pour ce suave breuvage. Délicieux à l'apéritif (et plus ou moins sec), il fait merveille avec le melon. Une bonne raison de rester un jour de plus dans la région !

Adresses et info utiles

Office de tourisme : *à la Maison des Dentelles, pl. du Marché. ☎ 04-90-62-94-39. • ot-beaumesdevenise.com • Ouv tte l'année lun-sam.* Exposition artistique permanente et produits artisanaux.

Cave des Vignerons de Beaumes : *228, route de Carpentras. ☎ 04-90-12-41-00. • beaumes-de-venise.com •* Possibilité de participer à une matinée de vendanges sur résa *(3 sam courant sept-oct)*, avec déjeuner à la coopérative.

Syndicat des vins de pays de Vaucluse : *quartier Ravel. ☎ 04-90-12-45-20. • vdp-vaucluse.com •* La véritable découverte de ce début de siècle : des vins de pays qui méritent une nouvelle reconnaissance.

– **Marché potier :** *1er dim de juil.* Journée des peintres potiers.

Où dormir ? Où manger ?

De bon marché à prix moyens

Gîte d'étape de l'Hermitage Notre-Dame-d'Aubune : *au pied de la colline. ☎ 04-90-65-00-54. Tte l'année, sur résa. Compter 15 €/pers.* 3 chambres de 4, 5 et 8 personnes. Pas de repas, mais cuisine et salle commune à disposition.

Auberge Saint-Roch : *av. Jules-Ferry. ☎ 04-90-65-08-21. • aubergesaintroch@orange.fr • auberge-st-roch.com • Tlj sf mer midi et jeu midi ; mer et jeu hors saison (sf résa et ½ pens). Congés : 1 sem fin juin-début juil et 1er-15 déc. Chambres 56-66 € pour 2 pers, petit déj inclus. Plat du jour 9,50 €, menus 19,50-33 €, carte env 40 €. Petit savon au muscat de Beaumes-de-Venise offert sur présentation de ce guide.* Des produits frais, bien cuisinés, comme le gigotin d'agneau, et juste quelques chambres pour le passage (certaines ont été rénovées récemment, comme la n° 1, ou le seront bientôt). Vin de pays dans les verres et paniers pique-nique pour les randonneurs. Si vous craquez pour les confitures maison au petit déj, vous pourrez repartir avec.

De prix moyens à plus chic

Chambres d'hôtes Thym et Romarin : *chez Chantal et Georges Péchiodat, rue Flandre-Dunkerque. ☎ 04-90-65-00-24. • gpechiodat@gmail.com • thym-romarin.com • À quelques mn du centre de Beaumes (prendre la rue qui longe le stade, faire 300 m, puis fléché à droite). Compter 60-90 € pour 2 selon saison. Table d'hôtes sur résa, 1 fois/sem, 32-35 € tt compris. Internet, wifi. Apéritif maison offert sur présentation de ce guide.* Une jolie maison néoprovençale qui a su masquer son côté récent (on aime bien les vieilles choses en Provence !) grâce à son agréable atmosphère et ses trois chambres de plain-pied, bien proprettes et soignées, décorées façon couleur locale. L'une d'elles peut accueillir une famille... mais il y a de fortes chances que les enfants préfèrent dormir dans l'adorable et minuscule roulotte (qui peut servir de chambre d'appoint pour les mômes quand les parents prennent une « vraie » chambre !). La piscine et la pelouse sur le devant jouent aussi leur petit rôle dans ce confort général.

Le Dolium : *pl. Balma-Vénitia, route de Vaison-la-Romaine (D 7). ☎ 04-90-12-80-00. • dolium@orange.fr • ♿ Fermé mer en saison ; mar soir, mer, jeu soir et dim soir hors saison. Congés : 15 déc-15 janv. Formule midi en sem 20 € ; menus 29-55 €. Cours de cuisine lun soir.* Jolie cuisine provençale pensée pour accompagner au mieux les vins de la coopérative de Beaumes, qui se révèlent d'ailleurs très abordables. Normal, vous êtes dans l'enceinte même de la cave, dans un amour de petit resto, aux couleurs très tendance, où l'on se retrouve entre vignerons le midi, entre amis le soir. Du travail soigné et savoureux, qui n'imite pas les grands mais qui fait beaucoup d'heureux. La carte change très souvent, signe d'un renouvellement permanent. En terrasse, cerné de jasmin, on oublie vite le parking, tout à côté...

Où dormir dans les environs ?

Au Détour du Chemin : *route de Vacqueyras, 116, chemin La Crôte, 84260* ***Sarrians.*** *☎ 04-90-65-41-01. 📱 06-66-23-44-08. • laurence_milan@hotmail.fr • detour-du-chemin.com • À l'entrée de Sarrians, en venant de Beaumes (fléchage discret ; faites attention en tournant). Ouv avr-sept. Loc à la sem slt 700-850 € selon saison, ménage et linge compris.* Cette adresse conviendra parfaitement aux couples d'amoureux sans enfants, que ce soit pour lézarder au bord de la piscine ou pour sillonner le vignoble. 2 charmantes petites chambres, décorées au goût du jour, dans un esprit loft ou atelier. Pas de table d'hôtes mais une kitchenette à disposition.

VACQUEYRAS (84190)

Charmant village aux ruelles étroites montant vers le mur d'enceinte du château. Beau clocher provençal au sommet d'une tour de garde du XIIe s. Pour découvrir le patrimoine viticole du village, itinéraire pédestre en 16 panneaux, évoquant aussi bien l'histoire, le climat, les cépages, l'architecture. Compter 2h30-3h pour flâner au gré des 8 km du parcours. Départ du centre du village.

Où camper ? Où manger dans le coin ?

Camping des Favards : *chez M. et Mme Barbaud, route d'Orange, 84150* ***Violès.*** *☎ 04-90-70-90-93 ou 94-64 (hors saison). • favards@free.fr • favards.com • De Violès, direction Orange sur 2 km. Ouv fin avr-début oct. Compter 15,80 € l'emplacement. Wifi. Réduc de 5 % sur présentation de ce guide.* Après le camping à la ferme, le camping à la vigne. Des emplacements impeccables de 100 et 200 m², plats et herbeux, avec des haies de séparation, le tout au milieu d'un domaine viticole de 20 ha avec vue sur les Dentelles de Montmirail. Assez peu d'ombrage, en revanche, dommage. Sanitaires, laverie automatique et barbecue à disposition... alimenté par des souches de vigne, évidemment ! Se balader sur le sentier pédestre et vigneron avant de déguster les vins du caveau familial. Location de caravanes, mobile homes et gîte. Piscine. Accueil très aimable.

Auberge La Tuilerie, Domaine du Grand-Père Jules : *786, chemin de la Tuilerie, 84150* ***Violès.*** *☎ 04-90-70-92-89. • xavier.henry2@wanadoo.fr • Tlj sf mar en été ; slt le w-e mars-juin. Fermé fév. Menu déj en sem 18 €, menu unique le soir 26 €. Résa nécessaire. Apéritif offert sur présentation de ce guide.* Chouette, encore une auberge de campagne sur un domaine viticole ! Là aussi, les propriétaires ont décidé d'exploiter à la fois leur site, bucolique, et leur savoir-faire, le vin (certifié bio), pour proposer en saison une formule du style ferme-auberge. Le principe est celui d'une table d'hôtes. On mange dans le jardin ombragé, au milieu des vignes, avec une petite vue sur les Dentelles. Atmosphère champêtre en diable, on se croirait dans un roman du XIXe s, service nonchalant inclus... ça commence par le kir accompagné de petites mises en bouche (tapenade, poichichade, etc.), ça continue avec deux petites entrées provençales bien fraîches, avant le plat de viande ou de poisson, enfin fromage et dessert, et le vin du domaine est inclus. C'est excellent, tout est maison, et franchement c'est le genre d'adresse qui réconcilie avec les régions touristiques si on était fâché !

|●| ***L'Éloge :*** *route de Vaison,* ***Vacqueyras.*** *☎ 04-90-62-64-81. • leloge@vigneronsdecaractere.com • À l'entrée du village. Tlj sf lun et mar ; fermé mer en hiver, tlj sf dim-lun en été. Formule midi 15 €, menus 27-35 €, carte 30-40 €.* C'est le restaurant chic de la *cave des Vignerons de Caractère*. On y pénètre par un sas d'aéroport avant de déboucher sur un drôle de décor de science-fiction : dans un grand espace aveugle, des petits salons délimités par des voilages, censés représenter les anciens foudres... Drôle d'endroit pour une rencontre mais, après tout, pourquoi pas ? La cuisine y est moins ovniesque que le décor, quoique délibérément contemporaine. Une cuisine gastro fraîche et bien enlevée, avec un petit festival de verrines et mises en bouche, symptômes de notre temps. Ici, nous dirons que la gastronomie accompagne les vins et non l'inverse. Évidemment, une visite des caves s'impose afin d'apprécier les crus mais aussi les efforts réalisés en matière d'environnement. Sachez que la maison utilise l'imagerie numérique afin de juger de la maturité de son raisin...

GIGONDAS (84190)

Les Romains avaient nommé le village *Jocunditas,* qui signifie « joie et allégresse ». Ils ne s'étaient pas trompés. Et les amateurs ne manqueront pas de faire, dans la joie et la bonne humeur, quelques dégustations de cet excellent cru, parmi les plus réputés des côtes-du-rhône. Il y a plus de 40 producteurs. Le village a conservé peu ou prou son aspect médiéval. À découvrir dans la partie haute : un cheminement de sculptures.

C'est d'ici, à notre humble avis, que vous aurez la plus jolie vue sur les Dentelles ; d'ailleurs, elles font partie du territoire communal. Mais que cela ne vous empêche pas de pousser jusqu'au col du Cayron, d'où vous aurez une vue impressionnante sur tout le massif.

➢ Quelques idées de randos : la roche du Midi (50 mn), le col d'Alsau (1h), la tour Sarrazine (1h30).

Adresses utiles

Office de tourisme : *pl. du Portail. ☎ 04-90-65-85-46. • gigondas.dm.fr • Ouv lun-sam et dim mat juil-août, sinon lun-sam.* Vous y trouverez la liste des producteurs viticoles, ainsi que des cartes de randos et topoguides.

■ ***Le Caveau du Gigondas :*** *juste à côté de l'office de tourisme. ☎ 04-90-65-82-29. Ouv tlj sf 2 sem en janv.* Le caveau, vitrine de l'AOC, propose au même prix qu'à la propriété les vins élaborés par les producteurs indépendants. Vente et dégustation sur place : bien pratique si vous n'avez pas le temps de sillonner le vignoble.

■ ***Gigondas – La Cave :*** *quartier des Blâches. ☎ 04-90-65-83-78. • cave-gigondas.fr • Ouv tlj.* La *Cave de Gigondas* est l'une des meilleures coopératives de la région. Mieux qu'une dégustation à la cave, rendez-vous directement au *Caveau des Gourmets,* pour un accord mets-vins (voir « Où dormir ? Où manger ? »).

Où dormir ? Où manger ?

De bon marché à prix moyens

☗ ***Gîte d'étape des Dentelles :*** *à l'entrée du village. ☎ 04-90-65-80-85. • contact@gite-dentelles.com • gite-dentelles.com • ♿ Congés : janv-fév. Compter 15-17 €/pers. Wifi.* Relais moderne et fonctionnel pour groupes de randonneurs, mais pas seulement. Sanitaires impeccables. 2 dortoirs de 13 places et 11 chambres à 2 lits. Coin cuisine équipé. Jeux de société et agréable terrasse à l'avant pour se relaxer après une rude journée de marche. École d'escalade, randos pédestres ou à VTT.

Carré Gourmand : *rue du Corps-de-Garde. ☎ 04-90-37-11-28. • carregourmand@hotmail.fr • Tlj sf lun-mar hors saison, slt mar moyenne saison, 10h-18h. Congés : 31 janv-15 mars. Assiettes env 7-9 €, compter 15 € à la carte. Café offert sur présentation de ce guide.* Une terrasse de poche, une petite salle du style bistrot et une courette minuscule à l'arrière, voilà pour le décor de ce salon de thé accueillant et plein de charme. Petite restauration raffinée, d'une grande fraîcheur, avec une assiette du style crumble de courgettes et chèvre frais ou une autre, idéale pour l'apéro du midi, avec caillette, tapenade et verre de gigondas. Également de délicieuses pâtisseries, des glaces artisanales sans colorant et un bon choix de café et de thé. Accueil souriant.

Le Caveau des Gourmets : *passage du Pot-Perché (pl. principale). ☎ 04-90-36-34-82. • gourmets@cave-gigondas.fr • Ouv tlj en saison 12h-15h30; 14 juil-31 août le soir également ; slt ven-dim et j. fériés hors saison. Congés : de mi-nov à fin fév. Formules déj 12-35 € (prix différents avec ou sans achat de vin). Apéritif et café offerts sur présentation de ce guide.* La cave coopérative de Gigondas s'est offert une belle vitrine en contrebas de la place du village. Elle propose une restauration aussi ludique que délicieuse, sur le principe de l'accord mets-vins, poussé ici à son paroxysme. Les menus comprennent 5 plats servis en verrines, aussi bien salées que sucrées, chaudes que froides. Chaque verrine est accompagnée de sa dose-dégustation de vin pour un accord parfait. Si la première gorgée est un peu frustrante (on la boit vite !), à la cinquième ou huitième, on se félicite que les verres soient si petits ! Service en terrasse et accueil chaleureux, assuré par les vignerons eux-mêmes.

SABLET (84110)

Passez à Sablet, bourgade verdoyante très prisée des écrivains pour son calme. Arrêtez-vous au caveau *Les Girasols* (☎ 04-90-46-84-33), sur la route de Vaison, pour déguster à toute heure des tartines aux saveurs provençales, avec un verre de vin de la propriété. Vente de vins et produits du terroir, sinon.
– **Fête du Livre :** *début juil.* Dédicaces, ventes, concours...

SÉGURET (84110)

Construit sur le flanc d'une colline rocheuse avec laquelle il se confond, c'est l'un des plus beaux villages de Provence, remis en valeur grâce à l'association *Les Amis de Séguret.* Ruelles pavées et poternes (passages couverts) ont été superbement restaurées ! Belle rando en boucle au départ de Séguret.

Où dormir ?
Où manger ?

Auberge-restaurant La Bastide Bleue : *route de Sablet. ☎ 04-90-46-83-43. • bastide-bleue@orange.fr • bastidebleue.com • ♿ À 500 m avt Séguret en venant de Sablet ou de Vaison. Resto ouv slt le soir, tlj en juil-août ; fermé mer en juin et sept ; mar-mer hors saison. Doubles 72-84 € selon saison, petit déj inclus. Formule 23 € ; menu-carte 27 €. Wifi. Café offert sur présentation de ce guide.* Située au pied du village, une très jolie maison provençale dotée de 7 chambres rénovées au goût du jour, dont quelques chambres familiales. Petit bémol, ce n'est pas toujours très lumineux ni assez ventilé. La jolie piscine au milieu des vignes compense un peu cette lacune. On mange dans une agréable salle ou sur la belle terrasse, typiquement provençale. Cela dit, la cuisine n'est pas passionnante. Accueil courtois.

Le Mesclun : *rue des Poternes. ☎ 04-90-46-93-43. • mesclunseguret@aol.com • Dans le village. Tlj sf lun (et mar hors juil-août). Fermé janv-fév. Résa conseillée. Formule 19 € le midi et menus 27-55 € (vin inclus pour ce dernier). Wifi.* Presque caché au fond d'une ruelle de ce superbe village, un restaurant alliant les charmes d'antan à la cuisine d'aujourd'hui. 2 petites salles l'une au-dessus de l'autre, rustiques et plaisantes, avec vue sur la plaine de Dieu. Par beau temps, on déjeune sur la belle terrasse. La carte, toute en couleurs et saveurs, avec quelques influences orientales de-ci, de-là, change à chaque saison. Une des meilleures adresses du pays. La maison possède aussi *Le Bateleur* à Vaison-la-Romaine.

En saison, la petite terrasse du salon de thé ***La Maison d'Églantine*** *(☎ 04-90-46-81-41 ; ouv tlj de Pâques au Jour de l'an, 12h-19h ; 14h-19h hors saison),* auprès de la fontaine vous tend les bras (une vraie carte postale !) ; idéal pour faire une pause et déguster une part de tarte ou une glace artisanale.

Fêtes

– ***Fête vigneronne :*** *3e dim d'août.*
– À Noël, ***messe provençale avec crèche vivante,*** appelée « Li Bergié de Séguret » *(sur résa auprès de la mairie ☎ 04-90-46-91-08).* Histoire d'attendre tranquillement les 13 desserts provençaux.

SUZETTE (84190)

Panorama, panorama, panorama ! D'abord en montant vers Suzette, à chaque détour de la route, apparaissent les Dentelles et la plaine du Rhône. Tout en haut, le Ventoux se dévoile face au col où s'est niché ce petit village.

Où dormir ?

Chambres d'hôtes Le Dégoutaud : *Suzette, 84340* **Malaucène.** *☎ 04-90-62-99-29. • le.degoutaud@wanadoo.fr • degoutaud.fr • À 2 km de Suzette (fléché), en redescendant vers Malaucène. Compter 68-72 € pour 2 selon saison ; 2 studios pour 4 pers 530-560 €/sem. Table d'hôtes sur résa 23 €. Internet et wifi. Apéritif offert sur présentation de ce guide.* Posé à 350 m d'altitude dans un décor de rêve, un superbe vieux mas autour duquel Pierre Marin cultive abricots, cerises, olives et quelques pieds de vigne. 3 chambres très réussies dans le style romantico-campagnard et entretenues avec constance. Enfin, charmante terrasse où se prend le petit déj. Le soir, on peut y déguster son marché les yeux perdus vers l'horizon... cuisine et barbecue à disposition. Accueil aussi chaleureux qu'authentique.

LAFARE (84190)

À quelques kilomètres de Beaumes par la D 90, Lafare est un joli petit village au cœur des Dentelles. Comme Gigondas, camp de base idéal pour se balader dans le massif. Une curiosité dans le coin : la Salette, rivière qui, comme son nom l'indique, est... salée.

Où dormir ?

Gîte d'étape : *pl. de la Fontaine. ☎ 04-90-82-20-72. • andre@charmetant.org • gitelafare.free.fr • Au centre du village. Ouv tte l'année, sur résa. Compter 15 €/pers.* 4 dortoirs de 5 lits superposés. Ni repas ni petit déj, mais cuisine à disposition. André est guide de haute montagne et organise des stages d'escalade dans les Dentelles, bien sûr, mais aussi dans le Verdon, les calanques de Marseille… Accueil chaleureux.

VAISON-LA-ROMAINE (84110) 6 200 hab. *Carte Vaucluse, B2*

Capitale celto-ligure, puis cité alliée à Rome, la ville conserve quelques beaux témoignages de cette époque : le théâtre, les ensembles thermaux… Vaison devint au IVe s le siège d'un évêché qui resta ici jusqu'en 1791. Elle fut également, aux Ve et VIe s, le siège de deux conciles. C'est grâce à celui de 529 que l'on chante le Kyrie à la messe le dimanche. Au XIIe s, les comtes de Toulouse prennent possession de la ville et décident d'entamer la construction d'un château qui la domine encore aujourd'hui sur la rive gauche de l'Ouvèze.
Au XIXe s, l'expansion démographique poussa les habitants à développer l'autre rive de Vaison. Mais c'est en 1907 que les premières fouilles ont attiré l'attention sur l'importance du site romain. On y découvre un vaste panorama de l'architecture du Ier et IIe s.
Aujourd'hui, la cité s'étend sur les deux rives de l'Ouvèze. Lieu plutôt fréquenté, Vaison est le troisième site touristique du département du Vaucluse mais n'a pas cédé – heureuse surprise – à la manie des parkings payants.

LE HAUT VAUCLUSE

Adresses utiles

@ *Office de tourisme :* *pl. du Chanoine-Sautel, BP 53. ☎ 04-90-36-02-11. • vaison-ventoux-tourisme.com • Ouv tlj sf dim hors saison. Internet.* Excellent accueil et bonne documentation. Borne interactive pour télécharger les circuits pédestres et à vélo (disponibles également sur *• escapado.fr •*). Écrans tactiles pour consulter.

Location de vélos : Intersport, *route de Nyons. ☎ 04-90-36-24-01 et* ***Cycle Chave,*** *route d'Avignon. ☎ 04-90-41-95-17. Fermé dim.*

Où dormir ? Où manger ?

Campings

Camping La Cambuse : *chez Martine Volpilhac et Pierre Brun, domaine de la Cambuse, route de Villedieu. ☎ 04-90-36-14-53. 06-31-61-89-81. • dom.lacambuse@wanadoo.fr • domainelacambuse.com • À 3,5 km au nord de Vaison par les D 51 et D 94. Ouv de mai à mi-oct. Compter 12 € pour 2 pers en hte saison. CB refusées.* Bienvenue à la ferme ? Oui, ou plutôt bienvenue à la vigne. Une aire naturelle de 25 places dans une pinède de 3 ha jouxtant les vignes des proprios. Emplacements en terrasses, plats et herbeux. Sanitaires récemment rénovés. Location de caravanes. Piscine. Vente de vin de pays et d'huile d'olive. Accueil à la bonne franquette, sympa et authentique.

Camping du Théâtre Romain : *quartier des Arts, chemin du Brusquet. ☎ 04-90-28-78-66. • info@camping-theatre.com • camping-theatre.com • Ouv de mi-mars à début nov. Compter 21,50 € pour 2 pers en hte saison. Loc de mobile homes 2-4 pers 240-650 €/sem selon saison.* Comme son nom l'indique, situé non loin du théâtre antique et à seulement 500 m du centre-ville. 75 emplacements séparés par des haies (plus ou moins ombragés, cela dit), le tout dans une ambiance assez tranquille de camping familial. Aire de services pour camping-cars. Piscine, location de VTT, pétanque, ping-pong et billard. Accueil correct.

Camping Carpe Diem : *quartier La Roussette. ☎ 04-90-36-02-02. • carpe-diem@franceloc.fr • camping-carpe-*

diem.com • À 2 km du centre par la D 938 direction Malaucène-Carpentras. Ouv de mi-mars à début nov. En juil-août, résa indispensable. Compter 30 € pour 2 avec tente et voiture en hte saison. Loc de mobile homes, chalets et bungalows (147-1 078 €/sem). Près de la route, mais environnement sympa, avec vue sur le Ventoux et les collines alentour. Déco romaine (!) et nombreuses animations estivales. Parc aquatique. Plaira bien aux familles à la recherche de loisirs.

De bon marché à prix moyens

■ ***Le Mas de la Combe :*** *chez M. et Mme Ditta, chemin de la Combe. ☎ 04-90-36-12-01. • masdelacombe@orange.fr • masdelacombe.pagesperso-orange.fr • À env 2 km au nord du centre-ville, par l'av. Gabriel-Péri puis, à droite, le chemin de Sainte-Croix et encore à droite à la patte d'oie. Chambre et studio 2 pers 65-70 €/nuit et 300-390 €/sem selon confort et saison ; gîte 5 pers 460-730 €/sem. Wifi. Apéritif ou café ou cadeau de bienvenue offert sur présentation de ce guide.* En surplomb du village, dans un grand jardin doté d'une piscine en terrasse avec une très belle vue au sud sur le village et les Dentelles. On ne dirait pas mais cette jolie maison en pierre du pays n'a qu'une trentaine d'années et elle ne dépareille vraiment pas dans le paysage. Ici, il y en a pour tous les budgets, de la chambre d'hôtes au gîte en passant par le studio. Tous sont impeccables, modernes et fonctionnels. Petit déj inclus pour la chambre d'hôtes. Charmant accueil de la famille Ditta et atmosphère tranquille.

■ ***Chambres d'hôtes Au Coquin de Sort :*** *1242, chemin de Saume-Longue. ☎ 04-90-35-03-11. 📱 06-07-42-03-57. • cokin2sor@orange.fr • aucoquindesort.com • Double 75 € ; 65 € à partir de 2 nuits. Wifi. Apéritif ou café offert sur présentation de ce guide.* Vous recherchez l'originalité ? Alors réservez dans cette maison d'hôtes tout droit sortie d'une B.D. ou d'un film fantastique pour adolescents comme on sait les faire aujourd'hui... Le couple de proprios orléanais a conçu 3 chambres vraiment étonnantes, mélange de coins et de recoins, de vieilles pierres et d'arrondis champignonnesques, avec un escalier en fer forgé par ici, un dos de lit dessiné comme une horloge par là, et puis des tas de détails que vous découvrirez par vous-même... Pour prolonger l'esprit bohème, il y a même une roulotte dans le jardin croquignolet, pouvant servir d'appoint pour les enfants... ou de chambre pour les couples très amoureux. Excellent petit déj et bon accueil de nos hôtes.

■ ***Hôtel Burrhus :*** *1, pl. Montfort (centre-ville). ☎ 04-90-36-00-11. • info@burrhus.com • burrhus.com • Congés : 16 déc-23 janv. Doubles 51-63 € selon confort et saison. Parking clos payant. Wifi. Réduc de 10 % hors Pâques, juil-sept, sur présentation de ce guide.* Situé en plein centre, ce charmant hôtel, égayé de murs ocre et de ferronneries, dispose d'une terrasse vraiment idéale pour prendre son petit déj en profitant de l'animation matinale d'une vraie place de Provence. Chambres toutes différentes, provençales, plus basiques ou à la déco carrément futuriste (et bientôt climatisées) ! Vous êtes chez des passionnés d'art contemporain (4 expos par an). Accueil aussi charmant que la maison.

■ ***Chambres d'hôtes Les Tilleuls d'Élisée :*** *chez Anne et Laurent Bagnol-Viau, 1, av. Jules-Mazeu, lieu-dit Le Bon-Ange. ☎ 04-90-35-63-04. • anne.viau@vaisonchambres.info • vaison-chambres.info • À env 500 m de la ville médiévale. Compter 65-70 € pour 2 selon saison. CB refusées. Wifi. Apéritif offert sur présentation de ce guide.* À deux pas de la cathédrale, au calme. Jeune couple discret mais sympathique qui a rénové avec soin cette bonne grosse demeure de famille. 5 chambres soignées et nickel, claires et au calme, dont 2 se partagent la même salle de bains, idéales pour une famille. Au petit déjeuner que l'on prend sous les tilleuls, confitures maison.

■ ***Chambres d'hôtes Un Petit Palais :*** *chez Nicole et Robert Lions, 58, av. Jules-Ferry. ☎ 04-90-65-34-82. 📱 06-61-76-11-72. • unpetitpalais@orange.fr • Doubles 65-100 € et suite 4 pers 130-145 € selon saison.* En plein centre de Vaison, bien cachée derrière son haut portail, cette maison bourgeoise avec jardin abrite, au rez-de-chaussée, une chambre spacieuse avec douche (non séparée de la chambre !) et w-c. À vrai dire, on a une préférence pour la suite à l'étage avec ses 2 chambres et sa salle de bains avec vue. Car il faut tout de même préciser que les chambres donnent sur le site archéologique de la Villasse... Des murs et des colonnes antiques au petit déjeuner, ça vous dit ? Bon accueil.

La Lyriste : *45, cours Taulignan. ☎ 04-90-36-04-67. • lalyriste@wanadoo.fr • Tlj sf lun (plus mer hors saison) 10h-12h, 19h-21h. Formule déj en sem 13,50 €. Menus 19-35 €.* Une petite table toute simple, discrètement située sur le cours Taulignan, avec une salle élégante et une terrasse jaune comme le soleil procurant une ombre bienvenue. Bonne cuisine régionale, avec des menus à thèmes assez originaux, du style « tout olive » ou « tout épices »... Bon accueil.

De plus chic à beaucoup plus chic

Chambres d'hôtes L'Évêché : *14, rue de l'Évêché, Haute-Ville. ☎ 04-90-36-13-46. • eveche@aol.com • eveche.free.fr • Résa impérative. Compter 78-140 € pour 2. Internet, wifi. Loc de vélos (4) offerte sur présentation de ce guide.* De belles chambres dans une partie de l'ancien évêché, une maison du XVIIe s qui a donc une âme, surtout avec ses bouquins empilés un peu partout. Les chambres les plus chères sont en réalité des suites et l'une d'elles dispose même d'un solarium. L'ensemble est tenu depuis près d'un quart de siècle par un couple charmant. TV pour le soir et jolie terrasse pour le petit déj.

La Fête en Provence : *pl. du Vieux-Marché, Haute-Ville. ☎ 04-90-36-36-43. • fete-en-provence@wanadoo.fr • hotellafete-provence.com • Fermé mer (plus mar soir hors saison). Studios et appartements pour 1-4 pers ; compter 75-105 € pour 2. Wifi.* Un bel endroit niché au cœur des vieilles pierres de la ville haute. Beaux appartements, bien arrangés, avec du mobilier en bois d'olivier, des sièges en cuir et des tentures qui tamisent agréablement la lumière du jour. Salon de thé dans la cour, en été. Piscine à deux pas, dans un cadre fort sympathique. Fait aussi resto.

Hostellerie du Beffroi : *rue de l'Évêché, Haute-Ville, BP 85. ☎ 04-90-36-04-71. • contact@lebeffroi.com • lebeffroi.com • Resto fermé mar et le midi en sem. Congés : hôtel de fin janv à fin mars et 22-26 déc, resto de fin oct à début avr. Doubles 76-150 € selon confort et saison. Menus 28-45 €. Garage payant. Wifi. Apéritif offert sur présentation de ce guide.* Dans la ville médiévale, une auberge très confortable installée dans 2 maisons des XVIe et XVIIe s, avec une chapelle, celle des Pénitents-Blancs, au (beau) milieu. Tout le charme de l'ancien (tomettes anciennes, boiseries et vieilles pierres, bibelots et meubles d'époque jusque dans les chambres) mais avec tout le confort qu'on attend aujourd'hui d'un 3-étoiles. Évidemment, tout cela a un prix... Piscine avec vue superbe sur Vaison.

Maison d'hôtes Le Jour et la Nuit : *quartier Le Plan. ☎ 04-90-65-55-23. • contact@journuitvaison.fr • journuitvaison.fr • De Vaison, direction A 7 Orange-Roaix par la D 975 ; au bout de 1 km, petite route à droite vers Le Plan, faire le tour de la propriété à droite et encore à droite. Doubles 90-125 € selon confort. Table d'hôtes sur résa 30 € tt compris.* Si vous aimez les contrastes, vous allez adorer ! Cette belle bâtisse en pierre du XVIIe s parfaitement restaurée au milieu des vignes et des abricotiers abrite 5 chambres contemporaines jusqu'à l'excès. Mais cela peut en amuser plus d'un. Couleurs flashy, portes coulissantes, douches et vasques design, on vous laisse découvrir le reste par vous-même ! *Le Jour et la Nuit*, oui, c'était bien trouvé. Excellent accueil.

Bistro du 'O : *rue du Château, dans le bas de la ville médiévale. ☎ 04-90-41-72-90. Tlj sf dim et lun midi. Le midi, menu 19 €, 28 € le soir (34 € avec 2 verres de vin et un café) ; carte 35 €.* Sous une voûte de pierre blanchie, cette jolie petite salle a été reprise par une équipe jeune et tonique qui s'applique dans le même répertoire néo-terroir épuré qui fit le succès du lieu, au temps du grand chef de Roaix. Plats goûteux, cuisine plaisante mais aux prix actuels. Excellent service et carte des vins étudiée. Pas de terrasse.

Où dormir dans les environs ?

Chambres d'hôtes Soleil et Ombre : *chez Agnès Brunet, rue de la Bourgade, 84110* ***Villedieu.*** *☎ 09-50-54-72-17. 06-60-90-65-68. • harz@free.fr • soleil-et-ombre.fr • À env 7 km au nord de Vaison par les D 51 et D 94. Ouv de mi-avr à fin oct. Double 60 € la 1re nuit puis 50 € à partir de la 2e. Internet, wifi. Apéritif offert sur présentation de ce guide.* Un charmant petit village provençal comme on l'imagine, avec un café sans âge dont la terrasse envahit la placette et, au fond, une terrasse-tonnelle pour se protéger de la chaleur accablante en été. C'est celle d'Agnès, une charmante mamie qui a toujours le sourire aux lèvres, même lorsqu'elle égare ses clés en rentrant des courses... 2 chambres colorées, spacieuses et en un mot impeccables. Et pas chères, qui plus est. Petit jardin clos à l'arrière, très mignon.

À voir

➢ L'entrée des fouilles, du musée et du cloître de la cathédrale est payante. Billet « tous monuments » valable 24 h : 8 € ; tarif jeunes et étudiants 3 € ; gratuit pour les moins de 12 ans. Audioguide gratuit (pour les individuels) pour l'ensemble des sites (y compris la visite de la ville médiévale). Horaires différents selon sites et périodes (rens à l'office de tourisme).

La ville romaine : ou du moins ce qui en a été dégagé, avec la vaste *villa de l'Apollon Lauré* au début du champ de fouilles du quartier de Puymin. Il s'agit d'un des plus beaux sites antiques qui soit, c'est en tout cas le plus grand site archéologique français ouvert au public. Des ruines de maisons construites par de riches propriétaires subsistent quelques éléments qui donnent une idée de leur splendeur d'antan. Et bien qu'une partie soit encore sous la rue, les dimensions sont particulièrement frappantes ! Une signalétique indique la nature des pièces d'habitation et des vues cavalières (croquis en trois dimensions) permettent d'imaginer les édifices en élévation.
– *Le théâtre,* de l'autre côté de la colline, est plus petit et moins bien conservé que celui d'Orange. Du haut de ses gradins, belle vue sur les collines. Remarquez la jolie corniche sculptée, dans la galerie souterraine qui dessert les gradins.
– Visitez le *musée Théo-Desplans,* notamment pour sa belle collection de statues impériales, dont celles de l'empereur Hadrien et de Sabine, son épouse, et pour les exceptionnelles mosaïques mises au jour dans la villa du Paon. Également des collections d'objets usuels.
– Le quartier de la *Villasse,* situé vers la cathédrale, est de loin la partie la plus impressionnante. On déambule dans les rues antiques, s'imaginant sans mal la vie trépidante qui régnait dans ces quartiers où les échoppes côtoyaient les villas fastueuses et les thermes. Même réduite à l'état de « plan », cette ville romaine dégage une atmosphère fascinante.

La ville romane : avec la *cathédrale Notre-Dame-de-Nazareth,* l'un des édifices romans les plus intéressants de Provence. Remarquez l'architecture octogonale de la coupole sur trompes. N'oubliez pas de voir le beau *cloître (entrée payante mais comprise dans le billet « tous monuments »),* puis allez jeter un coup d'œil à la *chapelle Saint-Quenin,* du XIIe s, à 300 m qui possède une abside triangulaire remarquable par sa forme et par la qualité du travail de la pierre. La nef date, elle, du XVIIe s.

La ville médiévale : passez le vieux *pont gallo-romain* sur l'Ouvèze. Le pont en lui-même vaut le coup d'œil, avec une seule arche de 17 m d'ouverture. Agréable

LE HAUT VAUCLUSE

promenade à travers les « calades » (rues pavées de galets) de la vieille ville où de nombreuses maisons ont été restaurées. Superbes façades Renaissance. Arrêtez-vous au pied de la porte fortifiée surmontée d'un beffroi, puis devant l'église, et, si vous êtes courageux, grimpez jusqu'au château. Passez aussi par la place du Vieux-Marché, la rue des Fours, le quartier de la Juiverie, etc. Arrêtez-vous à la *Halte Gourmande (rue des Fours ; fermé en sem oct-mars),* où vous trouverez toujours à boire et à manger, d'avril à septembre de 11h45 à 16h.

La ville provençale : nouveau cœur de ville avec la place Montfort entièrement réaménagée avec une esplanade piétonne, des fontaines, un canal d'eau vive et le chemin d'écriture...

Fêtes et manifestations

– ***Festival Brassens :*** *fin avr-début mai. 1 sem de concerts.*
– ***Semaine de Théâtre antique :*** *juil.* Festival de théâtre antique, moderne et contemporain inspiré... de l'Antiquité, évidemment. Conférences et forum.
– ***Festival Vaison Danses au théâtre antique :*** *10-26 juil. Loc : ☎ 04-90-28-74-74. Également un site : • vaison-danses.com •* Spectacles de danses. Théâtre et variétés, en été.
– ***Chœurs lauréats :*** *24 juil-1er août. • festivaldeschoeurslaureats.com • Dans la cathédrale romane Notre-Dame-de-Nazareth.* Le plus grand rassemblement européen de lauréats de concours polyphoniques.
– ***Choralies :*** *2-10 août, ts les 3 ans (attendre 2013).* Les chorales « À Cœur Joie » du monde entier se donnent rendez-vous pour le plus grand festival d'Europe. Pendant une huitaine de jours : ateliers, répétitions, concerts.
– ***Festival Au Fil des Voix :*** *9-12 août. • aufildesvoix.com •* Les grandes voix du monde.
– ***Rencontres gourmandes :*** *fin oct-début nov. • rencontres-gourmandes.com •* Animations, concours gastronomiques et dégustation de produits du terroir. Elles sont encadrées de la mi-octobre à la mi-novembre par le ***festival des Soupes.*** Élection de la meilleure soupe parmi toutes celles préparées dans la vingtaine de villages du pays ! *• soupes84.free.fr •*

DANS LES ENVIRONS DE VAISON-LA-ROMAINE

CRESTET (84110)

À 3,5 km au sud-est de Vaison-la-Romaine par la D 938. Village perché sur une crête, comme son nom l'indique. Plein de charme et de pittoresque, avec ses vieilles maisons de pierre à peine séparées les unes des autres par d'étroites ruelles interdites aux voitures. Du haut du village, à côté du château (ancienne résidence des évêques de Vaison), belle vue sur le Ventoux et les Baronnies. *Pour tt rens, s'adresser à l'office de tourisme de Vaison-la-Romaine : ☎ 04-90-36-02-11.*

Où dormir ?

Le Mas d'Hélène : *quartier Chante-Coucou. ☎ 04-90-36-39-91. • mas-helene@wanadoo.fr • lemasdhelene.com • À quelques km au sud de Vaison, par la D 938. Doubles 66-108 € selon saison, confort et vue. Au resto, carte env 33 €. Internet, wifi. Apéritif offert sur présentation de ce guide.* Une bâtisse moderne, rappelant vaguement les mas d'antan, avec une vue splendide sur la vallée. Tranquillité absolue, chambres fraîches et classiques, bien équipées, dans les bleus, jaunes et blancs. Rassurant plus qu'original. Cadre bourgeois et sans surprise. Belle piscine dans le fond avec transats.

L'ENCLAVE DES PAPES

Carte Vaucluse, B1

Une curiosité que cette enclave vauclusienne dans le département de la Drôme. Jolie carte de visite touristique, mais une situation qui entraîne quelques enquiquinements au quotidien. Imaginez simplement le planning des vacances quand vous avez plusieurs enfants, scolarisés à la fois dans le Vaucluse et dans la Drôme, soit dans deux zones différentes...
Vous connaissez l'histoire, et même l'Histoire ? Les papes, qui ne cessaient d'agrandir leur domaine et d'en tirer de substantiels revenus, s'étaient rendus propriétaires de Richerenches, Valréas, Visan puis Grillon. La réunion de ces villages constitua, dès cette époque, une « enclave » pontificale dans les terres du futur royaume de France. L'enclave des Papes était née. Elle le restera pendant un demi-millénaire, jusqu'à ce que la Révolution française lui impose un rattachement au département du Vaucluse...

VALRÉAS (84600)

Perchée sur une colline encore dominée par son donjon du XIIe s, la petite ville, qui fut une cité importante des États pontificaux, a encore de beaux restes avec ses vieux quartiers, la belle église romane de Notre-Dame-de-Nazareth au portail... gothique, la chapelle des Pénitents-Blancs datant du XVIe s, le château de Simiane, palais construit au XVe s puis remanié aux XVIIe et XVIIIe s, qui abrite désormais l'hôtel de ville. Et sinon, Valréas reste un bourg commerçant et assez peu touristique...

Adresse utile

@ *Office de tourisme :* *av. du Maréchal-Leclerc.* ☎ *04-90-35-04-71.* • *otvalreas.fr* • *Ouv tlj sf dim ap-m en été ; fermé sam ap-m et dim hors saison.* Borne Internet sur place.

Où dormir ?
Où manger ?

Chambres d'hôtes Domaine des Grands-Devers : *route de Saint-Maurice-par-la-Montagne, lieu-dit Les Françons.* ☎ *04-90-35-15-98.* • *phbouchard@grandsdevers.com* • *grandsdevers.com* • *À 6 km au sud de Valréas, sur la D 191, direction Visan. Pour 2, compter 65 € la 1re nuit, 57 € les suivantes. Table d'hôtes sur résa un soir sur deux, 22 € (boissons comprises). Un verre de « Doursanne » offert sur présentation de ce guide.* Paul-Henri Bouchard, viticulteur de son état, embrasse un vaste domaine viticole depuis sa solide demeure. Il vous y accueillera avec gentillesse, dans des chambres simples et confortables, toutes avec sanitaires. Les cigales dans les oreilles, la lavande plein les narines, une goutte de vin au fond du verre... on est plutôt bien. Propose des ateliers dégustation, en collaboration avec d'autres viticulteurs.

À voir

Un circuit piéton, fléché au départ de l'office de tourisme, *(audioguide 3 €)* permet de partir à la découverte des principaux monuments et hôtels particuliers.

Le musée du Cartonnage et de l'Imprimerie : *3, av. Maréchal-Foch.* ☎ *04-90-35-58-75.* ♿ *(pour l'exposition permanente au rez-de-chaussée). Tlj sf mar et dim mat, 10h-12h, 15h-18h (14h-17h en hiver). Entrée : 3,50 € ; réduc sur présentation* *de ce guide ; gratuit pour les moins de 12 ans.* Le cartonnage, c'est tout le processus de transformation de la feuille de carton en emballage. Ce musée, unique en France, retrace l'histoire de la fabrication des boîtes en carton à Valréas destinées à la parfumerie, la bijouterie, la confiserie, la pharmacie, etc. Vous saurez tout sur la fabrication et l'impression des célèbres boîtes à courant d'air inventées ici pour l'expédition des graines de vers à soie et souvent joliment décorées. Cette activité qui connut son essor au début du XXe s, et qui perdure, a permis l'industrialisation du cartonnage en France. Expositions temporaires et librairie-boutique.

Fêtes

– ***Nuit du Petit-Saint-Jean :*** *23 juin.* Depuis 1504 ! La Saint-Jean est ici fêtée dans le faste : roi d'une année, le Petit-Saint-Jean, un garçon de 3 à 5 ans, est couronné en grande pompe avant de conduire un cortège de quelque 400 personnages en costumes d'époque (hallebardiers, gardes pontificaux...) à travers toute la ville.
– ***Festival des Nuits :*** *juil-août.* Spectacles (musique et théâtre) et Salon de peinture au château de Simiane.
– ***Corso de la Lavande :*** *3 j. de festivités, 1er w-e d'août.*
– ***Valse des As :*** *2e w-e de sept ou au printemps.* Festival des spectacles de rue.
– ***Crèche traditionnelle :*** *de mi-déc à mi-janv.* Crèche provençale (santons anciens mesurant 80 cm pour certains).

GRILLON (84600)

À 4 km de Valréas. Le *quartier du Vialle,* à l'architecture typique d'un village féodal qui menaçait de tomber en ruine, a été « réhabilité » par un architecte. Et le mélange entre une architecture résolument contemporaine (verre et métal) et les vieilles pierres fonctionne étonnamment bien ! Maison des Trois-Arcs, maison Milon, maison du Boulanger : un cheminement signalétique permet de découvrir ces curiosités et trésors architecturaux.

RICHERENCHES (84600)

À 7 km de Valréas. Le vieux quartier est encore enclos dans l'enceinte d'une commanderie de Templiers fondée en 1136 (ce fut la première de Provence). On produisait ici tout ce qui était nécessaire aux expéditions de ces moines-soldats, à commencer par leurs destriers, suffisamment solides pour le chemin jusqu'à Jérusalem. Pour les amateurs de la *tuber melanosporum,* qui viennent parfois de fort loin en hiver, Richerenches est avant tout LE centre truffier le plus important du sud de la France et un des plus importants d'Europe.

Adresse et info utiles

Office de tourisme – La Commanderie templière : *pl. Hugues-de-Bourbouton. ☎ 04-90-28-05-34. • tourisme.richerenche@orange.fr • Ouv lun-sam. Pdt les horaires de fermeture, infos disponibles à l'épicerie du village.* La Commanderie, entièrement restaurée, accueille aujourd'hui un office de tourisme, des salles d'exposition (sur les Templiers, la truffe, etc.) et à l'étage, une belle maquette du site au Moyen Âge... Propose également tout un programme de visites guidées, de balades contées et nocturnes, de conférences, d'animations (Nuits théâtrales de l'enclave en juillet-août, Journées médiévales le 2e w-e d'août).
– ***Marché nocturne :*** *le mar à partir de 17h, fin juin-fin août.*

Où dormir ? Où manger ?

Chambres d'hôtes Ferme de la

Commanderie : *domaine de Bourbouton. ☎ 04-90-28-02-29. • fermecommanderie@wanadoo.fr • fermecommanderie.com • Ouv tte l'année. Compter 95-120 € pour 2. À l'écart de la maison, 4 petits chalets de bois à louer à la nuit (90-150 € pour 2 pers) ou à la sem (660 € pour 2-4 pers). Table d'hôtes sur résa 40 € tt compris. Animaux non admis. Internet, wifi. Remise de 10 % à partir de 2 nuits sur présentation de ce guide.* Cette maison de pierre du XVe s n'était plus que ruines. Jean-Marie et Françoise Guielmo en ont fait un lieu attachant : de vieux meubles qui sentent bon la cire, une cheminée où brûlent ceps et sarments, des chambres aussi charmantes que personnalisées. Belle piscine au milieu d'un jardin luxuriant et charmant, agrémenté d'un étang. À la table d'hôtes, cuisine provençale à base de produits de qualité. Vins des vignobles alentour. Piscine.

Fêtes et manifestations

– ***Marché aux fleurs :*** *1er dim de mai.* 80 exposants.
– ***Fête médiévale :*** *2e w-e d'août. Rens auprès du Comité des fêtes (☎ 04-90-12-79-56).* Danses médiévales, bal, marché, spectacles de rue, etc.
– ***Marché aux truffes :*** *le sam de mi-déc à fin fév 10h-13h, sur l'av. du Mistral et sur l'av. de la Rabasse, nom de la truffe en provençal.* Rabassaires et courtiers négocient cachés derrière les coffres des voitures. En parallèle, marché provençal traditionnel.
– ***Messe des truffes :*** *3e dim de janv.* Les panières ne se remplissent pas de monnaie, mais de truffes !

VISAN (84600)

La quatrième commune de l'enclave, réputée pour ses vins et son patrimoine. Haute terre des papes depuis 1344, cette place forte adossée à un amphithéâtre de collines chaudes et colorées domine la plaine. Rues sinueuses, bordées d'hôtels particuliers. Chapelle Notre-Dame-des-Vignes classée Monument historique. Une chapelle rurale de toute beauté.

Où dormir ?
Où manger ?

Chambres d'hôtes Le Château Vert *(Josiane et Christian Tortel) : 1351, chemin de Château-Vert. ☎ 04-90-41-91-21. • contact@hebergement-chateau-vert.com • hebergement-chateau-vert.com • De Visan, prendre la D 976 vers Valréas pdt 4 km, puis tourner à gauche au fléchage et faire encore 2 km. 5 chambres coquettes et colorées, 75 € pour 2. Table d'hôtes sur résa partagée en famille 25 €, côtes-du-rhône compris.* Au milieu de 55 ha de vignes, pâturages et chênes truffiers, croquignolet château avec deux tours crénelées dont les origines remontent au XIIIe s. L'adresse n'est pas vraiment branchée. Pour tout dire, l'atmosphère est très classique et pas jeune-jeune. Mais l'accueil est sincère et chaleureux et le petit déj particulièrement soigné. Belle piscine pour se détendre. Week-end « truffe » en décembre, janvier et février : visite du marché avec repas sur place, puis recherche des truffes sur le domaine avec le chien de la maison et, pour finir, on réalise les recettes de Josiane pour accommoder la truffe. Gentillesse et authenticité au rendez-vous.

LA VALLÉE DU RHÔNE

BOLLÈNE (84500) 14 130 hab. *Carte Vaucluse, A1*

Petite ville typiquement provençale qui connaît un développement économique impressionnant. La proximité du site nucléaire de Pierrelatte y est certainement pour quelque chose ! Mais Bollène – avec ses appellations côtes-du-rhône – se trouve aussi au départ de deux routes des vins et a toujours eu une riche production viticole et agricole.
Dommage que les faubourgs, banlieues et zones industrielles se développent à l'infini, au détriment du centre-ville où les commerces semblent péricliter. Dommage aussi que le patrimoine ne soit pas mieux mis en valeur. Le centre ancien, qui tient dans un mouchoir de poche, mérite néanmoins une balade. Au sommet de la colline du Puy, collégiale Saint-Martin du XIIe s, ruinée au cours des guerres de Religion mais restaurée au XVIe s. On raconte volontiers que les moines furent jetés du haut de la tour puis précipités dans le puits. Il faut aussi visiter l'ancien couvent des Ursulines, qui demeure un joyau d'architecture à travers les siècles. La ville voue une grande admiration à Louis Pasteur, qui a sa statue dans la rue portant son nom. Il a en effet séjourné à Bollène en 1882, pour étudier les maladies dont souffraient les porcs à l'époque.

Adresses et info utiles

Office de tourisme : *pl. de la Mairie. ☎ 04-90-40-51-45. • bollenetourisme.com • Ouv lun-sam.* Propose des visites guidées gratuites du centre ancien et du Barry en juil-août.
– *Point Information tourisme sortie péage A 7 Bollène : tlj juil-août.*
■ ***Centre de documentation provençale :*** *rue du Saint-Sacrement. ☎ 04-90-30-19-54. • documprovence.com • Ouv tte l'année : sam 14h30-17h30, les autres j. slt sur rdv.* Bibliothèque spécialisée. Également des cycles de conférences et des cours de provençal.
➢ ***Circuits cyclotouristes :*** Bollène a mis en place une dizaine de circuits qu'on peut faire à vélo dans les environs : vignoble, Tricastin. Fiches bien faites, disponibles gratuitement à l'office de tourisme.

Où dormir dans le coin ?

Si vous avez besoin de dormir à Bollène (par exemple pour faire une étape sur la route des vacances), la liste des hébergements est évidemment disponible à l'office de tourisme.

Chambres d'hôtes Mas Lou Geneste *(Patricia et Thierry Fernandez) : route de Suze. ☎ 04-90-40-01-07. • infos@lougeneste.com • lougeneste.com • Prendre l'A 7 sortie Bollène ; au rond-point, prendre direction Suze-la-Rousse/Nyons (D 994) pdt 5 km et la maison est fléchée à gauche (1 km après le panneau de sortie de Bollène). Compter 60-80 € pour 2. Gîte 11 pers 1 500-2 300 €/sem, 3 900 € pour 2 sem. Wifi. Réduc de 10 % sur le prix de la chambre en avr-juin sur présentation de ce guide.* Belle et ancienne ferme tout en pierre, du XVIIIe s. Atmosphère champêtre. Agréable parc avec piscine et un petit étang où chantent les grenouilles. Si vous avez des enfants, ils pourront jouer avec les deux garçons de la maison, sans oublier les deux chiens sympathiques. Accueil convivial et décontracté.

À voir

Le village troglodytique du Barry : *attention, le site est pour le moment fermé au public pour raison de sécurité ! Renseignez-vous à l'office de tourisme sur sa possible réouverture.* Sachez tout de même que « Barry » vient du nom d'origine celtique *barros,* signifiant « éperon rocheux ». Les habitations, abandonnées depuis la fin du XIXe s, ont été creusées à même la roche, un grès calcaire qui se travaille assez facilement. Pour éviter leur effondrement, les ouvertures ont souvent été étayées de pierres moins friables. Les habitations se composent généralement d'une pièce centrale, autour de laquelle sont disposées des sortes de cellules. Comme il n'y a évidemment pas de fenêtres, l'éclairage se faisait au moyen de lampes à huile.
Au sommet de la colline se trouvent des ruines médiévales fortifiées, disposées en fonction des défenses naturelles du lieu. Également un château fort, semble-t-il daté du XIIe s, mais détruit partiellement au XVIe s.

L'usine-écluse André-Blondel : *par la D 26 direction Valence, suivre le fléchage EDF.* Première usine hydroélectrique française, construite en 1952. Un impressionnant bâtiment posé en travers du canal de dérivation du Rhône de Donzère-Mondragon. Il est plus large que celui de Suez et fait 28 km de long. L'écluse est également la plus grande de France, avec ses 25 m de hauteur et ses 185 m de longueur. Elle détient un autre record, d'Europe celui-là, pour la vitesse de son remplissage.

Fête

– ***Polymusicales :*** *juil-août. Rens : ☎ 04-90-40-51-17.* Comme son nom l'indique, un festival à la programmation variée : musique classique, cabaret, rock, *world music,* spectacles de rue et apéro-jazz gratuits.

DANS LES ENVIRONS DE BOLLÈNE

MORNAS

Ce village fortifié au bas de la falaise, surmonté d'une forteresse en ruine bien visible depuis l'A 7 à 11 km au nord d'Orange fut une des étapes mythiques de la nationale 7. Le site est suffisamment joli pour que Mornas ne souffre pas trop de la « déviation »... À la différence de beaucoup de villes voisines qui offrent un spectacle désolant... Avis aux nostalgiques, la France de Trenet est bien morte ! Pendant les guerres de Religion, le baron des Adrets (capitaine huguenot) faisait jeter ses prisonniers du haut de la falaise sur les piques de ses soldats installés en bas !
➢ Des visites guidées et/ou animées sont proposées de mi-mars à mi-octobre : *tlj en hte saison, sinon se renseigner ; tarif : 6-8 € ; réduc. Rens et résas :* ***Les Amis de Mornas,*** *☎ 04-90-37-01-26. • forteresse-de-mornas.com •*
– Chaque année, le premier dimanche de juillet est consacré à un grand ***marché médiéval*** qui réunit artisans et passionnés du Moyen Âge. Reconstitutions et fêtes d'époque envahissent les rues du village.

ORANGE (84100) 30 630 hab. *Carte Vaucluse, A2*

Orange est un lieu de passage depuis la plus haute Antiquité. Et elle le fut jusqu'à l'arrivée de l'autoroute. Elle revit, chaque été, le temps d'un festival lyrique qui reste une des attractions majeures du Sud de la France : les Chorégies !

Colonie romaine fondée en 35 av. J.-C., elle a gardé du passage des premiers légionnaires un arc de triomphe tout à fait remarquable (superbement restauré) et un théâtre dont le mur de scène est resté dans un état de conservation exceptionnel. Évidemment, tous deux sont inscrits au Patrimoine mondial de l'Unesco. Le reste a disparu sous les coups successifs des Wisigoths et autres envahisseurs de tout poil. Après avoir été vassale du Saint Empire romain germanique au XIIe s, la cité appartint à la maison des Baux. En 1530, la principauté passa par héritage à la maison de Nassau.
C'est d'ailleurs cette famille d'Orange-Nassau qui finit de détruire les vestiges romains de la ville en utilisant les pierres pour construire une forteresse au XVIIe s, château qui fut rasé, sur ordre de Louis XIV, par le comte de Grignan (gendre de Mme de Sévigné) pendant une guerre qui l'opposait à Guillaume d'Orange. Fin de l'histoire et des pierres romaines. Dommage !
En outre, cette ville qui semblait couverte de poussière retrouve progressivement ses couleurs. Les maisons ont été repeintes, des voies piétonnes ont été créées ; le vieil Orange revit peu à peu. En cours de réalisation, un vaste projet de réaménagement des abords de l'arc de triomphe afin de relier véritablement celui-ci au centre-ville à l'aide d'espaces verts et piétons (des trottoirs de 5 m de large sont prévus !).
Changement de couleur : beaucoup ont vu rouge, en juin 1995, quand la ville bascula sous un régime de droite extrême (puisqu'on n'a pas le droit de dire l'inverse). Depuis, la mairie n'a cessé de changer d'étiquette, mais jamais de maire. La ville est belle et pleine de gens très sympathiques ; et, quelle que soit sa couleur politique, il serait dommage de la boycotter.

Adresses et infos utiles

Office de tourisme *(plan B2) : 5, cours Aristide-Briand. ☎ 04-90-34-70-88. • otorange.fr • Ouv tlj sf dim et j. fériés hors saison. En été, également une annexe pl. des Frères-Mounet (en face de l'entrée du théâtre antique ; plan A-B2).*

Poste : *679, bd Édouard-Daladier (plan B2) et 48, cours Aristide-Briand (plan A2).*

Maison de la Principauté : *15, rue de la République. Ouv tte l'année.* Expos temporaires de peintures, sculptures et artisanat.

Gare SNCF *(hors plan par B2) : av. Frédéric-Mistral. ☎ 36-35 (0,34 €/mn). • sncf.fr •* 2 TGV/j. en provenance de Paris desservent Orange.

Gare routière *(plan B2) : bd Daladier, à côté de la poste. ☎ 04-90-34-15-59. À env 1 km de la gare SNCF.* Pas de bureaux, juste un arrêt (achat des tickets à bord des cars). ATTENTION, il existe un projet de déménagement de la gare routière à la gare SNCF, alors renseignez-vous avant d'y aller...

– **Marchés :** *jeu mat, en centre-ville (parking difficile). Également un marché de producteurs, cours Aristide-Briand, de début juin à fin sept, mar 17h30-19h30.*

Où dormir ?

Bonne nouvelle ! Orange est une ville étonnamment abordable question hôtels. Une bonne raison de plus pour y séjourner ou y faire étape. La liste des hébergements est évidemment disponible à l'office de tourisme.

Camping

Camping Le Jonquier *(hors plan par A1,* **6***) : 1321, rue Alexis-Carrel. ☎ 04-90-34-49-48. • info@campinglejonquier.com • campinglejonquier.com • Au nord-ouest de la ville. Ouv début avr-30 sept. Forfait pour 2 avec tente et voiture 27 € en hte saison. Loc de bungalows toilés et de mobile homes 335-800 €/sem.* Jeux pour les enfants, tennis, minigolf, ping-pong, jeu d'échecs géant et piscine ; location de vélos. Malheureusement, peu ombragé.

De bon marché à prix moyens

Hôtel L'Herbier d'Orange *(plan A2,* **1***) : 8, pl. aux Herbes. ☎ 04-90-34-09-*

ORANGE

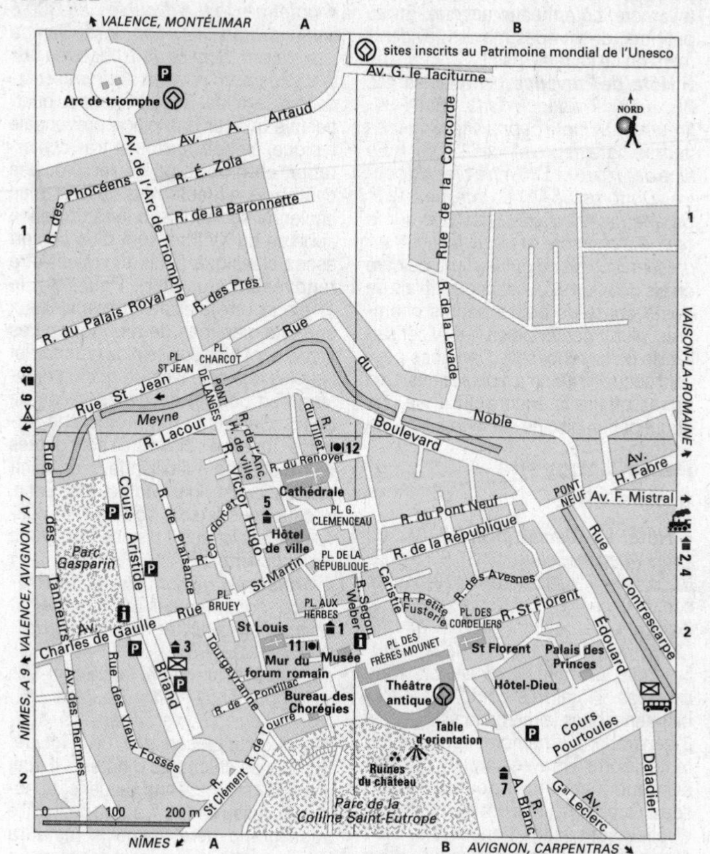

■ **Adresse utile**

- Office de tourisme

Où dormir ?

1. Hôtel L'Herbier d'Orange
2. Hôtel de Provence
3. Hôtel Le Glacier
4. Maison d'hôtes Justin de Provence
5. Hôtel Best Western Arène Kulm
6. Camping Le Jonquier
7. Hôtel Saint-Jean
8. Villa Aurenjo

Où manger ?

11. Le Forum
12. La Roselière

23. • info@lherbierdorange.com • lherbierdorange.com • Congés : fév, 15-30 oct. Doubles 50-55 € ; pour 3-4 pers 60-75 €. Petit parking privé payant. Internet, wifi. Remise de 10 % sur la chambre hors juil-août sur présentation de ce guide. Situé sur une petite place très provençale à proximité du théâtre antique. Récemment repris par un charmant couple de Bretons qui se met en quatre pour faire plaisir à sa clientèle. Les chambres sont en rénovation progressive. D'un peu désuètes, elles devraient devenir gaies et contemporaines. Également un petit jardin clos, à l'arrière, côté théâtre antique. Et, au petit déj, des crêpes maison, évidemment on ne se refait pas !

Hôtel de Provence *(hors plan par B2, **2**) : 60, av. Frédéric-Mistral. ☎ 04-90-34-00-23. • hoteldeprovence84@orange.fr • hoteldeprovence84.com • En face de la gare et à 10 mn à pied du centre. Doubles 55-70 €. Internet, wifi. Garage payant. Réduc de 10 % sur le prix de la chambre (sf 1er juil-19 août) sur présentation de ce guide.* Tenu de père en fils depuis 1923, cet ancien relais de poste abrite de belles petites chambres, plutôt confortables (TV, AC et salles de bains rénovées). Certaines peuvent accueillir jusqu'à 4 personnes. Une bonne affaire là encore. Et il y a une (toute petite) piscine sur le toit.

De prix moyens à plus chic

Hôtel Le Glacier *(plan A2, **3**) : 46, cours Aristide-Briand. ☎ 04-90-34-02-01. • info@le-glacier.com • le-glacier.com • Au centre-ville. Doubles 50-95 €. Garage clos payant. Internet et wifi. Réduc de 10 % sur le prix de la chambre (hors juil-août) sur présentation de ce guide.* Hôtel très confortable, très bien tenu, dans la même famille depuis 3 générations. Chambres toutes différentes, certaines avec parquet, d'autres avec moquette, mais toutes climatisées. Quelques-unes ont été renovées, et elles sont, dans l'ensemble, bien mignonnes et bien entretenues. Sans aucun doute l'un des meilleurs rapports qualité-prix d'Orange. D'ailleurs, les musiciens des Chorégies y sont souvent hébergés.

Hôtel Saint-Jean *(plan B2, **7**) : 1, cours Pourtoules. ☎ 04-90-51-15-16. • hotel.saint-jean@wanadoo.fr • hotelsaint-jean.com • Congés : 19 déc-4 janv. Doubles 70-85 €. Wifi.* Un hôtel pour vous rendre le séjour à Orange plus gai. Chambres qu'on découvre, surpris, sourire aux lèvres. Chromos anciens, détails insolites. Il y a même une chambre troglodytique. Très calme, côté cour.

Beaucoup plus chic

Hôtel Best Western Arène Kulm *(plan A2, **5**) : pl. de Langes. ☎ 04-90-11-40-40. • reservation@hotel-arene.fr • hotel-arene.fr • Doubles 85-300 € selon confort et saison. Wifi. Garage clos payant. Remise de 10 % sur le prix de la chambre nov-mars sur présentation de ce guide.* En plein cœur du quartier piéton, sur une place provençale typique, un hôtel calme et très confortable, en grande partie rénové. Les chambres situées dans l'aile la plus ancienne de la maison (une ancienne auberge du XVIIIe s) sont d'un confort assez classique (mais devraient être rénovées à leur tour). Pour info, le 1er étage a été refait avec des matériaux anti-allergies (pas de moquette). Les suites sont bien sûr les plus grandes (et les plus chères), avec de grands dressings en bois et de belles salles de bains. Certaines ont même une terrasse. Toutes les chambres sont dotées d'une douche à l'italienne, d'un minibar, de la clim, d'un coffre, etc. Enfin, lorsque vous serez là, vous devriez pouvoir bénéficier des 2 piscines (couverte et découverte) !

Maison d'hôtes Justin de Provence *(hors plan par B2, **4**) : chemin Mercadier, quartier des Crémades. ☎ 04-90-69-57-94. 📱 06-11-54-20-19. • contact@justin-de-provence.com • justin-de-provence.com • Doubles 110-180 € selon confort et saison. Wifi. Apéritif offert sur présentation de ce guide.* Un rêve de chambres d'hôtes... Il était une fois une ancienne bergerie, achetée par Justin en 1927, que la petite-fille dudit grand-père, Isabelle, restaura entièrement avec l'aide de son mari. En chinant à gauche à droite, en restaurant du vieux mobilier, en ajoutant du carrelage de Tarifa qui semble avoir toujours été là, Isabelle a su reconstituer un décor d'antan exceptionnel, mêlant l'ancien et le moderne « à l'ancienne » se fondant merveilleusement dans le tout. 5 chambres aux prénoms d'ancêtres, toutes très différentes, de la romantique à la suite avec lit à baldaquin et baignoire sur pattes, en passant par la chambre Art déco. Et puis, que dire du parc de 7 ha, du vieux bistrot reconstitué dans le jardin, de la superbe piscine intérieure, du hammam et du jacuzzi, tout cela en accès libre ? Que c'est un remarquable rapport qualité-prix-charme, crénom ! Enfin, côté accueil, Isabelle a le chic pour mettre les gens à l'aise. Quant à Philippe, son mari, il saura vous parler des vins de la région puisque c'est son métier.

Villa Aurenjo *(hors plan par A1, **8**) : 121, rue François-Chambovet. ☎ 04-90-11-10-00. • villa-aurenjo@wanadoo.fr • villa-aurenjo.com • À la sortie de l'autoroute, prendre centre-ville ; au 2e rond-point, direction Arc de triomphe ; 300 m après Intermarché, 1re à droite. Doubles 100-170 € et suites 190-260 €/nuit et 630-1 400 €/sem. Table d'hôtes sur résa : formule 15 € et menu 35 €. Internet et wifi.* Une authentique demeure de charme, avec parc, rivière, platanes et piscine, sauna, cela dit dans le désordre. Un grain de folie n'étant pas pour déplaire à l'hôtesse tonique qui gère cette maison où Van Gogh sert de trait d'union entre la Hollande et la Provence, terres d'attache des propriétaires.

Où manger ?

De prix moyens à plus chic

Le Forum *(plan A2, **11**) : 3, rue du Mazeau. ☎ 04-90-34-01-09. • fan-nys@live.fr • Tlj sf lun midi, mar midi et mer midi. Congés : 20-26 fév et 19 nov-4 déc. En saison, surtout le soir, résa conseillée. Formules 16-19 € le midi en sem, puis menus 24,50-38,50 €. Café offert sur présentation de ce guide.* À deux pas du théâtre, une petite salle intime et chic dans les tons rouge et blanc, où l'on est accueilli avec le sourire. Surprise, on y déguste une cuisine semi-gastro d'excellente tenue, basée sur les produits du terroir. Les menus changent à chaque saison, comme il se doit, mais vous devriez y retrouver le mi-cuit de foie gras au beaumes-de-venise et son chutney de raisins, ou encore la noix de ris de veau braisée au parmesan avec sa petite persillade.

La Roselière *(plan A2, **12**) : 4, rue du Renoyer. ☎ 04-90-34-50-42. Tlj sf dim-lun. Carte env 25 €. CB refusées.* Si le temps ne permet pas de manger dehors, laissez-vous entraîner à l'intérieur par la musique de Guidoni, Brel, Higelin ou Mahler... Déco vraiment hétéroclite, de bric et de broc ! Bien sûr, ce n'est pas cela qui nourrit. Difficile de vous mettre l'eau à la bouche car Fred, la patronne, qui a son caractère, change de carte comme d'humeur. Disons qu'elle pratique une cuisine de bistrot (du style filets de hareng, pied de cochon, andouillette), avec quelques détours exotiques de temps à autre (le colombo, par exemple). Une adresse qui fonctionne à l'humeur alors, si ce n'est pas votre cas, passez votre chemin !

Où dormir ? Où manger dans les environs ?

Mas Julien *: 704, chemin Saint-Jean, **quartier Clavin**. ☎ 04-90-34-99-49. • valere.carlin@bbox.fr • mas-julien.com • À la sortie d'Orange, direction Roquemaure. Compter 100-115 € pour 2, petit déj type brunch compris ; promo à partir de 3 nuits. Gîte 2 pers 700 €/sem. Table d'hôtes sur résa 28 €. Internet et wifi. Apéritif offert sur présentation de ce guide.* Un bien sympathique mas provençal perdu dans la campagne, à 10 mn du centre-ville, avec des chambres climatisées et agréables à vivre, un parc pour s'évader, un espace bien-être (balnéo, massages), une piscine pour s'ébattre (couverte en demi-saison) et un coin salon pour débattre, quand le temps n'est plus aux prolongations en terrasse ou dans le jardin. Valère étant un ancien restaurateur, sa table d'hôtes est très courue. Il organise même des séjours « Vin et chocolat » ou « Châteauneuf-du-Pape en VTT ».

Le Mas des Aigras – La Table du Verger *: chemin des Aigras-Russamp-Est. ☎ 04-90-34-81-01. • mas-des-aigras@orange.fr • masdesaigras.com • À la sortie d'Orange, direction Piolenc (4 km). En basse saison, hôtel et resto fermés lun-mer ; en moyenne saison, resto fermé le midi des lun, mer et sam. Congés : 19 déc-5 janv, 27 fév-14 mars, 25 oct-8 nov. Doubles 75-160 € selon saison. Menus 20 € le midi (en sem), puis 30-55 €. Wifi.* De belles chambres au calme, dans un mas isolé. Un des meilleurs chefs du pays, formé chez des étoilés célèbres, qui adore travailler les produits bio. Vous allez vous régaler. Jardin, piscine.

À voir

Pour partir à l'assaut des monuments et à la découverte du joli centre-ville, passez donc récupérer le petit circuit proposé par l'office de tourisme sur les traces des Romains et des Princes Nassau. Succinct en infos mais très bien fait (et gratuit).

***Le théâtre antique** (plan B2) : rue Madeleine-Roch. ☎ 04-90-51-17-60. • theatre-antique.com • Visite 9h30-16h30 en hiver, 9h30-17h30 mars et oct, 9h-18h avr-mai et sept, 9h-19h juin-août. Attention, dernier audioguide 1h avt la fermeture car c'est le temps nécessaire à la visite. Chasse aux Énigmes gratuite pour les 7-12 ans. Entrée avec audioguide : 8,50 € (en fin de journée, tarif spécial sans audioguide : 7,50 €) ; réduc et forfait familles ; gratuit pour les moins de 7 ans. Billet valable également pour le musée d'Art et d'Histoire.* Le théâtre le mieux conservé de l'Antiquité. Outre une excellente acoustique, le mur de scène est quasiment intact. Les corbeaux, pierres saillantes en haut de la façade, servaient à recevoir les mâts et cordages soutenant le velum, toile protégeant du soleil les spectateurs qui assistaient pendant de longues heures à des représentations uniquement diurnes d'une grande originalité. Le théâtre servit à la représentation des fameux mystères du Moyen Âge (un genre théâtral dont chaque représentation s'étendait souvent sur plusieurs journées), puis fut envahi par des maisons et des ruelles pendant les guerres de Religion. Il ne fut déblayé de tout cela, pour retrouver son vrai visage, qu'au XIXe s. Les gradins pouvaient contenir 8 000 à 10 000 spectateurs, répartis selon leur rang social ; les meilleures places se situaient au niveau de l'orchestre.
Le mur de scène, haut de 36 m, a perdu son riche placage de marbre, de colonnes et de mosaïques. Mais il a gagné en 2006 un toit de verre d'une conception audacieuse, étendant sur le monument une aile protectrice de 61 m de long et de plus de... 200 tonnes qui traverse la scène sans aucun point d'appui ! Une statue censée représenter l'empereur Auguste, remise en place en 1950, occupe toujours une niche centrale au-dessus de la porte destinée à l'entrée des artistes. Parcours multimédia (« Les Fantômes du théâtre ») à découvrir dans les quatre grottes situées derrière les gradins (inclus dans prix de la visite). Concerts et animations sont régulièrement organisés, dont le fameux festival des Chorégies d'Orange (voir plus loin « Fêtes et festivals »).

***L'arc de triomphe** (plan A1) :* jamais aucun triomphe ne fut commémoré ici. Qu'importe, voilà l'un des plus beaux monuments de la Gaule romaine. Construit au Ier s de notre ère, peut-être en l'honneur d'Auguste, il se situe en dehors des remparts romains, sur la voie dite d'Agrippa. L'arc fut fort endommagé, lorsqu'il servit de tour au Moyen Âge et qu'il était habité mais une restauration complète lui a changé sa physionomie. Par ailleurs, un réaménagement complet en cours des abords devrait rendre à cette entrée de la ville une image digne de son passé prestigieux...

***Le parc public de la colline Saint-Eutrope** (plan A-B2) :* il surplombe le théâtre (idéal pour écouter opéras et concerts !). Très beau panorama sur le Ventoux et les Dentelles de Montmirail, ainsi que (hum !) sur Marcoule (regardez la Dent, pas la centrale atomique).

***Le musée d'Art et d'Histoire** (plan A2) : rue Madeleine-Roch. ☎ 04-90-51-17-60. Tlj juin-août 9h15-19h ; janv-mars et oct-déc, 9h45-12h30, 13h30-16h30 (17h30 mars et oct) ; avr-mai et sept 9h15-18h. Fermeture des caisses 15 mn avt. Même billet d'entrée que le théâtre antique (8,50 €), ou 5,50 € pour le musée seul.* Un étonnant petit musée installé dans un hôtel particulier du XVIIe s. Le clou : un très bel ensemble de frises provenant du décor du théâtre et trois cadastres de la campagne orangeoise établis sur des plaques de marbre au cours du Ier s de notre ère. On obtenait ainsi un recensement précis des propriétés de chacun. Pour le reste, le musée aurait bien besoin d'un rafraîchissement. Expositions sur des thèmes différents chaque année.

Fêtes et festivals

– ***Journée médiévale :*** *un sam en juin.* Campement médiéval avec animations, combats, jongleurs...
– ***Orange se met au jazz :*** *fin juin. Rens : ☎ 04-90-51-57-57. Concerts gratuits en ville, à 21h ou 21h30.*
– ***Projection de films et concerts au théâtre antique :*** *projection de films sur écran géant avt ou après les Chorégies, selon années, sur 2 soirées. Si vous passez par ici à ce moment-là, ça vaut vraiment le coup ! Également des concerts de variétés tt l'été.*
– ***Chorégies :*** *de mi-juil à début août. Rens détaillés à l'office de tourisme et aux Chorégies, 18, pl. Silvain, BP 205, 84107 Orange Cedex. ☎ 04-90-34-24-24. • choregies.com •* L'acoustique du théâtre a très vite donné l'idée de l'utiliser à nouveau : en 1869 sont nées les *Chorégies d'Orange*. Fêtes pour comices agricoles au départ, elles ont accueilli, au fil des décennies, toutes sortes de spectacles en plein air, comportant ou non des chœurs. Depuis 1972, le festival s'est spécialisé dans l'art lyrique, produisant de véritables créations d'opéras entrés dans la légende du siècle : les Chorégies sont ainsi très vite passées du plan régional au plan international, de par la qualité des œuvres et des distributions choisies. À la différence d'Avignon, le festival s'étend dans le temps, avec une représentation par-ci par-là. Il est donc difficile de le suivre de bout en bout... Dommage ! De toute façon, les tarifs pratiqués n'incitent pas à la gourmandise lyrique... Aucune chance d'indigestion !
– ***Rencontres théâtrales :*** *mi-juil. Rens et résas : ☎ 04-90-51-57-57. Gratuit sur résa.* Auteurs et écrivains du répertoire français.
– ***Fête romaine :*** *8-9 sept. Rens : ☎ 04-90-51-17-60.* Dans le théâtre antique : campement romain, combats de gladiateurs, démonstrations, artisanat et animations. Gratuit pour les enfants déguisés.

DANS LES ENVIRONS D'ORANGE

PIOLENC *(84420)*

Traversé par l'ancienne nationale 7, qui a désormais son musée ici, Piolenc reste la capitale régionale de... l'ail.
– ***Fête de l'Ail :*** *dernier w-e d'août.*

À voir

Le château du cirque Alexis-Grüss : *N 7. ☎ 04-90-29-49-49. • alexis-gruss.com • À 6 km au nord d'Orange. Ouv début mai à mi-sept ; fermé mer en mai-juin, lun en juil-sept. En plus des animations (musée, ateliers, douche de l'éléphante, etc.), le cirque Grüss propose des spectacles le w-e à 16h et en sem à 11h (durée : 1h30).*

SÉRIGNAN-DU-COMTAT *(84830)*

L'Harmas est une raison majeure pour s'arrêter dans cette jolie bourgade dont les maisons en pierres chaudes se sont regroupées autour de l'église du XVIIe s, à la façade d'inspiration baroque italien. Mais la visite *(sur rdv)* de la cave coopérative n'est pas mal non plus, dans son genre. Bons vins de pays à découvrir. ☎ *04-90-70-04-22.*

À voir

L'Harmas de Jean-Henri Fabre : *route d'Orange. ☎ 04-90-30-57-62. • jhfabre@mnhn.fr • À 8 km au nord-ouest d'Orange par la N 7 puis la D 976 ; accès par le chemin du Grès depuis le « rond-point de la mante religieuse » puis grand parking devant. Avr-oct, tlj sf mer, sam mat et dim mat, 10h-12h30, 14h30-18h (17h en oct) ; juil-août tlj sf sam mat et dim mat 9h30-12h30, 15h50-19h. Entrée : 5 € ; réduc.* Nos amis japonais, entre autres, sont revenus par centaines rendre hommage à l'homme qui, encore méconnu chez lui, est devenu une star chez eux. Le célèbre naturaliste et entomologiste a vécu et travaillé 36 ans (de 1879 jusqu'à sa mort en 1915) dans cette maison bourgeoise baptisée « l'Harmas » (« terre en friche » en provençal). Une maison où Jean-Henri Fabre, un des esprits les plus curieux de son temps, avait laissé un peu de sa passion pour les plantes et les insectes. Après six ans de travaux, elle a retrouvé une nouvelle jeunesse ; l'entrée, la salle à manger et le cabinet de travail ont été reconstitués à l'identique. C'est en fait la première « maison de mémoire dédiée à un naturaliste du XIXe s et à l'histoire naturelle ». On découvre pêle-mêle une collection d'insectes et de papillons, une vieille affiche du film *Monsieur Fabre* de Henri Diamant-Berger, avec Pierre Fresnay, ses 600 aquarelles de champignons, un fabuleux herbier de 25 000 planches, des lettres reçues de Darwin, de Mistral, des recueils de poésie provençale et des partitions de musique écrites de sa main. Dans le jardin, plus de 500 espèces de plantes ont pris racine, et les végétaux ont évidemment été choisis d'après les souvenirs de Fabre.

Le Naturoptère : *juste en face de L'Harmas. ☎ 04-90-30-33-20. • contact@naturoptere.fr • ♿ Lun-mar et jeu-ven 9h-12h30, 13h30-17h, les autres jours 13h30-18h. Entrée : 5 € ; réduc ; gratuit moins de 7 ans. Billet couplé avec L'Harmas : 8 € ; réduc.* Une visite complémentaire à celle de L'Harmas mais qui conviendra surtout aux plus jeunes. Dans un bâtiment conçu selon des critères écologiques, c'est un centre culturel et pédagogique sur la nature avec de petites expos permanentes (espace Fabre, développement durable...) et d'autres temporaires. Voir le toit végétalisé avec 5 types de plantes grasses et le jardin en cours de culture (bandes à thème : tinctorial, textile, médicinal, toxique, aromatique...). Également des ateliers ouverts à tous avec du matériel d'observation tout neuf (sur résa).

Musée-atelier Werner Lichtner-Aix : *au centre du village. ☎ 04-90-70-01-40. • museelichtner-aix.com • Ouv d'avr à mi-oct 14h-18h, sf dim-mar et j. fériés. Entrée : participation libre.* Peintre, graveur et sculpteur allemand mort en 1987 à 48 ans. Berlinois tombé amoureux des couleurs de la Provence (qui lui donnera d'ailleurs son nom d'artiste, « Aix »), Werner Lichtner-Aix s'y installe en famille. Son atelier, resté en l'état, niché dans une jolie maison du village sur 3 niveaux, est aujourd'hui ouvert au public grâce à son épouse Monique. Huiles, aquarelles, gravures, lithographies, sculptures... On y découvre ses œuvres et le matériel qu'il utilisait, comme cette presse à eaux-fortes. Bonnes explications.

CHÂTEAUNEUF-DU-PAPE

(84230) 2 078 hab. *Carte Vaucluse, A2*

Entourée de villes de culture (Orange au nord, Avignon au sud), Châteauneuf-du-Pape offre une belle transition avec sa terre viticole hautement renom-

mée. Dominant de vastes vignobles, le bourg était protégé par un château construit au XIVe s, dont il ne reste que quelques ruines. C'était, en fait, la résidence champêtre des papes durant leur séjour dans la cité avignonnaise. Jean XXII, pape de son état, n'a pas seulement laissé un château. On lui doit également la réputation de ce vignoble qui jouit d'une situation exceptionnelle, d'un climat et d'un sol permettant une maturation parfaite du raisin. Exemple unique, le châteauneuf-du-pape résulte de l'assemblage de treize cépages différents, dont une majorité de grenache qui lui donne tout son corps.

L'AOC, obtenue en 1936, fut un soulagement et une victoire pour tous les vignerons des alentours, dont le nectar ne servait qu'à bonifier les bourgognes et les bordeaux. Une chance que certains se soient rendu compte des qualités de ce vin, aux bouteilles si caractéristiques frappées des armes papales.

Petite anecdote qui n'a rien à voir : en 1954, le maire de la commune prit un arrêté municipal qui interdisait le survol de sa commune aux... soucoupes volantes !

Adresse utile

Office de tourisme : *pl. du Portail. ☎ 04-90-83-71-08. • paysprovence.fr • Ouv lun-sam ; fermé mer oct-mai.* Vous y trouverez toutes les infos concernant la zone Rhône-Ouvèze (à savoir les villages de Bédarrides, Caderousse, Courthézon, Jonquières, Sorgues). En juillet-août visites guidées organisées, avec dégustation de produits locaux *5 € (gratuit moins de 16 ans).*

Où dormir ? Où manger ?

Hôtel-restaurant La Garbure : *3, rue Joseph-Ducos. ☎ 04-90-83-75-08. • garbure@orange.fr • la-garbure.com • Ts les soirs sf dim-lun hors saison. Congés : nov. Doubles 76-92 € selon taille. Menus 26-55 €. Garage privé clos. Wifi. Établissement entièrement climatisé. Apéritif maison et réduc de 10 % sur le prix de la chambre (oct-avr) sur présentation de ce guide.* Une adresse qui tient la route depuis une trentaine d'années. Terrasse et jardin, piscine et tennis à 100 m. On y mange une bonne cuisine de saison, aux saveurs et à l'accent du terroir. Pour dormir, une poignée de chambres toutes mignonnes et bien tenues.

Le Pistou : *15, rue Joseph-Ducos. ☎ 04-90-83-71-75. • charlotte.ledoux@aliceadsl.fr • Tlj sf dim soir et lun (plus soir mar-jeu hors saison). Congés : 1er-21 janv. Formule déj 13 €, menus 16-28 €.* À 50 m de la mairie, un petit bistrot gourmand où il fait bon se retrouver, en salle comme côté cour, à la fraîche, pour savourer une petite cuisine provençale pleine de trouvailles et de parfums. Pas mal de safran : dans les brochettes de noix de Saint-Jacques, dans la crème brûlée... Service attentionné et très sympathique. Quelques tables en terrasse côté rue.

Où acheter de bons produits ?

Bernard Castelain : *à 3 mn de Châteauneuf, sur la route d'Avignon. ☎ 04-90-83-58-90. • vin-chocolat-castelain.com • Tlj sf dim.* Dangereux artisan chocolatier... du moins pour les inconditionnels du chocolat. Pas bon marché, mais quelle finesse ! Goûtez au « palet des papes » et au « galet de Châteauneuf ». Visite possible de la chocolaterie et ateliers chocolat pour les plus gourmands !

Distillerie Blachère : *route de Sorgues. ☎ 04-90-83-53-81. Vente directe lun-ven mai-sept.* Fabricant de vieux marc de châteauneuf, mais également de liqueurs comme l'origan-du-comtat, qu'on retrouve dans les papalines, sirops et pastis.

Vinadéa : *8, rue du Maréchal-Foch. ☎ 04-90-83-70-69. • vinadea.com • Ouv tlj (sf 25 déc et 1er janv) 10h-12h30,*

14h-18h30 ; 10h-13h, 14h-19h en été. La maison des vins de Châteauneuf vous accueille sans réelle contrainte d'horaires, à la différence des vignerons, fermés le week-end pour la plupart. Vous y trouverez conseil avisé, choix quasi exhaustif et prix « serrés », puisque les vins sont vendus à prix départ-cave. Dégustation gratuite.

Le Petit Serre : *8, rue du Commandant-Lemaître. ☎ 04-90-83-74-41. Ouv tlj 9h-19h.* Cette petite épicerie fine, spécialisée dans les produits de terroir de qualité, est tenue par la dynamique Mme Serre. Vigneronne elle-même, elle vous fera partager ses coups de cœur, sans forcément vous orienter vers les flacons les plus chers. Là encore, les prix pratiqués sont les mêmes que chez les producteurs.

À voir

Le château des Papes : il ne subsiste aujourd'hui qu'un pan de mur, un donjon et une salle basse. Belle vue sur la vallée du Rhône. C'est ici que se tiennent les conseils de l'échansonnerie des Papes, confrérie bachique de Châteauneuf.

L'église Notre-Dame-de-l'Assomption : on ne connaît pas précisément sa date de construction, mais elle est probablement antérieure au milieu du XIIe s. Belle voûte romane en plein cintre.

La chapelle Saint-Théodoric : *ouv mai-oct en fonction des expos organisées.* C'est le monument le plus ancien de Châteauneuf. Elle date du Xe s. Elle se compose d'une nef terminée par une abside en cul-de-four. Récemment restaurée, on a découvert dans le chœur des fresques qui datent du Moyen Âge.

Le musée du Vin : *maison Brotte, av. Pierre-de-Luxembourg. ☎ 04-90-83-70-07. • brotte.com • ♿ sf mezzanine. En été, tlj 9h-13h, 14h-19h ; 9h-12h, 14h-18h hors saison. Entrée gratuite.* Apprendre et se divertir à la fois, tout un programme. Une visite pour tout savoir sur le vin, l'appellation d'origine contrôlée, le vignoble de Châteauneuf-du-Pape. Importante collection d'outils de vigneron : tonnellerie, fouloirs, beau pressoir du XVIe s et foudre du Moyen Âge. Musée climatisé. Comme tout vigneron qui se respecte, et qui est fier de son savoir-faire, la famille Brotte a souhaité terminer son musée par un caveau. Dégustation gratuite et commentée.

Fête

– ***La Véraison :*** *le 1er w-e d'août.* La véraison, début de la maturité du raisin, fait l'objet d'une fête populaire qui donne l'occasion de ripailler et de se costumer comme au Moyen Âge. Repas médiéval au village.

DANS LES ENVIRONS DE CHÂTEAUNEUF-DU-PAPE

COURTHÉZON

C'est le plus ancien village de France, dont l'origine connue remonte à 4 560 av. J.-C. environ, et aussi l'un des rares villages du Vaucluse à avoir conservé une grande partie de ses remparts du XIIe s. Plus prosaïquement, il doit aussi sa notoriété à... Michelle Torr qui l'a popularisé dans une des chansons de son répertoire (bon, d'accord, c'est pas forcément une référence !). Pour les amoureux du vin, quelques belles maisons : *La Janasse, 27, rue du Moulin. ☎ 04-90-70-86-29 ; Beaucastel,* la cave des frères Perrin ; ou encore le *domaine Paul-Autard, route de Châteauneuf. ☎ 04-90-70-73-15. Sur rdv de préférence.*

LES ALPES-DE-HAUTE-PROVENCE

ABC
DES ALPES-DE-HAUTE-PROVENCE

- *Superficie :* 6 925 km^2.
- *Préfecture :* Digne-les-Bains.
- *Sous-préfectures :* Barcelonnette, Castellane, Forcalquier.

- *Population :* 154 500 hab.
- *Densité :* 22 hab./km^2.

On allait autrefois dans les Basses-Alpes. Et puis, à l'image des Côtes-du-Nord commuées en Côtes-d'Armor, ces Alpes soi-disant basses sont devenues celles de Haute-Provence. Alpes, Provence : tout est dit ou presque de la diversité de paysages qu'offre ce département ; d'innombrables petites routes vous feront passer des villages provençaux pur jus du pays de Forcalquier ou de la vallée de la moyenne Durance à la haute montagne, du côté de Barcelonnette, des étourdissantes gorges du Verdon aux chromatiques champs de lavande du plateau de Valensole. Les couleurs et la lumière s'associent pour faire naître des paysages d'une beauté étourdissante. Là un clocher, dominant un village, prend des teintes d'or ; plus loin, une forêt de chênes fait naître un océan de verdure s'étirant jusqu'à l'horizon, quand ce n'est pas un lac qui prend des allures de mer tropicale bleu turquoise.

Entre Manosque et Sisteron, ces Alpes sont peut-être aussi les vraies gardiennes des traditions de la Provence profonde, la vraie. En tout cas, c'est ici qu'elles ont conservé le plus d'authenticité.

Enfin, ce département a su rester très nature puisque 50 % du territoire est en zone protégée : parcs naturels régionaux du Verdon et du Luberon, parc national du Mercantour et Réserve naturelle géologique de Haute-Provence.

Le ciel y est d'une clarté et d'une transparence sans égales, le plus clair d'Europe d'après les spécialistes du CNRS, qui ont installé un observatoire sur le plateau de Forcalquier. Bien sûr, ce ciel doit beaucoup aux vents qui soufflent encore ici avant de se bloquer, de se dissoudre sur le massif montagneux, mais aussi à l'absence de grandes métropoles. Digne-les-Bains, la préfecture, compte tout juste 17 000 habitants. Manosque, avec ses 24 000 habitants, est la plus grande ville du département.

LES ALPES-DE-HAUTE-PROVENCE

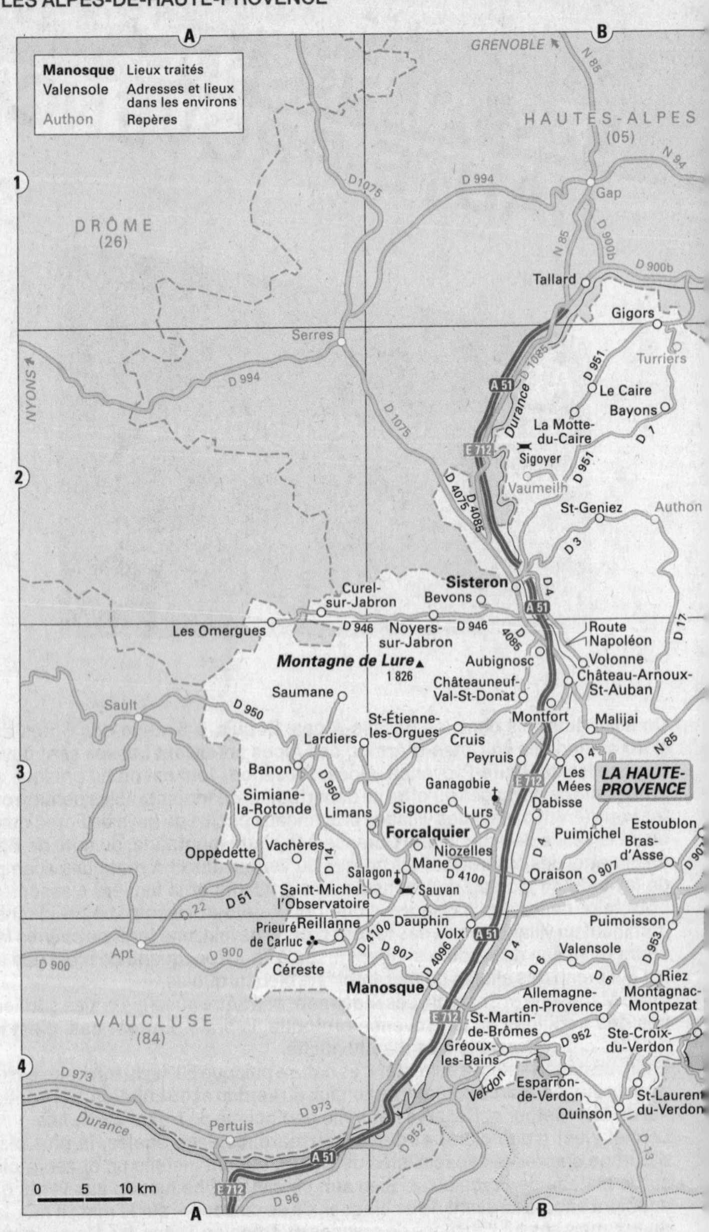

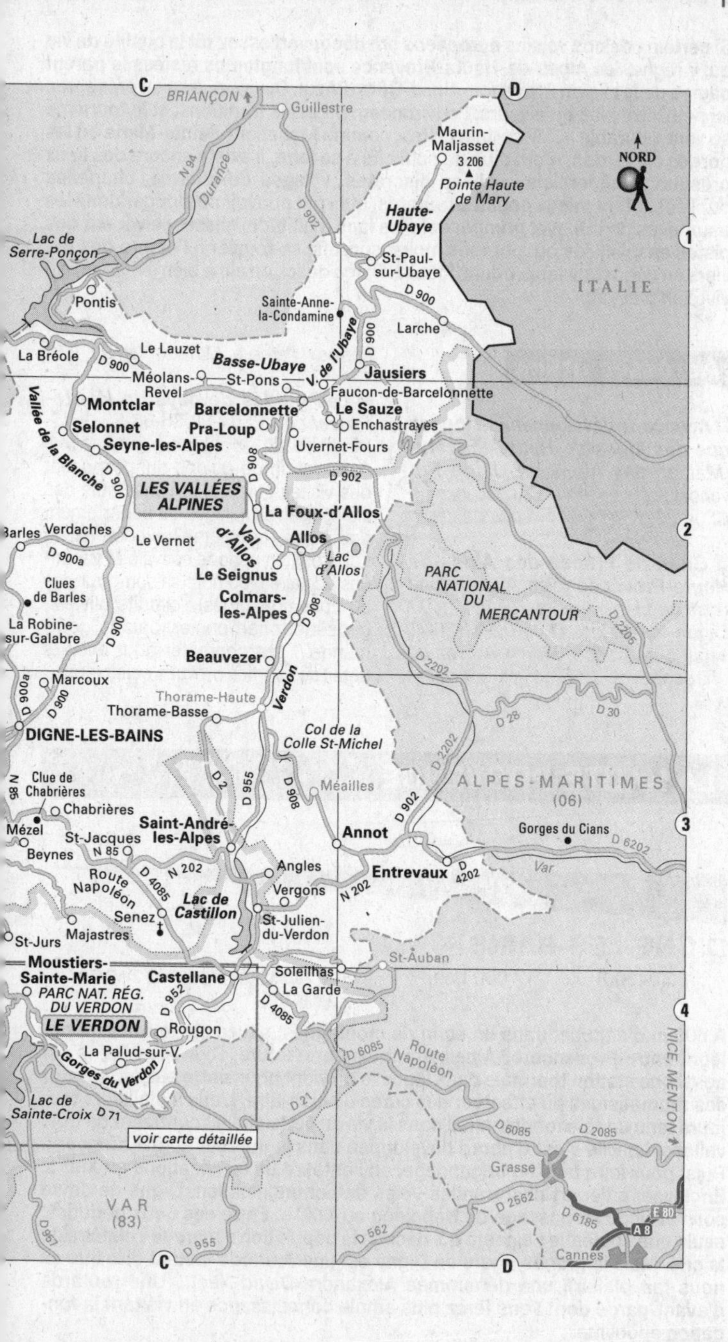
BRIANÇON
Guillestre
Maurin-Maljasset
3 206
Pointe Haute de Mary
NORD
Haute-Ubaye
St-Paul-sur-Ubaye
ITALIE
Lac de Serre-Ponçon
Pontis
Sainte-Anne-la-Condamine
Larche
La Bréole
Le Lauzet
Basse-Ubaye
V. de l'Ubaye
Jausiers
Méolans-Revel
St-Pons
Faucon-de-Barcelonnette
Montclar
Barcelonnette
Le Sauze
Selonnet
Pra-Loup
Enchastrayes
Seyne-les-Alpes
Uvernet-Fours
Vallée de la Blanche
LES VALLÉES ALPINES
La Foux-d'Allos
Barles
Verdaches
Le Vernet
Val d'Allos
Allos
Lac d'Allos
Le Seignus
PARC NATIONAL DU MERCANTOUR
Clues de Barles
Colmars-les-Alpes
La Robine-sur-Galabre
Beauvezer
Marcoux
Thorame-Haute
Thorame-Basse
Verdon
DIGNE-LES-BAINS
Col de la Colle St-Michel
Clue de Chabrières
Méailles
ALPES-MARITIMES
(06)
Chabrières
Mézel
Saint-André-les-Alpes
Annot
Gorges du Cians
St-Jacques
Beynes
Angles
Entrevaux
Var
Route Napoléon
Vergons
Lac de Castillon
Senez
St-Julien-du-Verdon
St-Jurs
Majastres
Moustiers-Sainte-Marie
Castellane
St-Auban
Soleilhas
La Garde
PARC NAT. RÉG. DU VERDON
LE VERDON
Rougon
La Palud-sur-V.
Gorges du Verdon
Lac de Sainte-Croix
voir carte détaillée
NICE, MENTON
Grasse
VAR
(83)
Cannes
LES ALPES-DE-HAUTE-PROVENCE

Si certains de nos voisins européens ont découvert assez tôt la qualité de vie qui y règne, les Alpes-de-Haute-Provence sont longtemps restées le parent pauvre de la région Provence-Alpes-Côte d'Azur. Du coup, on a su préserver, ici peut-être plus qu'ailleurs, l'environnement et les traditions, et le tourisme se veut « durable »... Si certains sites, comme Moustiers-Sainte-Marie ou les gorges du Verdon, n'ont plus de publicité à se faire, il existe encore des lieux presque confidentiels : vallées discrètes, villages de charme, chapelles oubliées... Tant mieux pour les routards, qui vont pouvoir se plonger dans les eaux vives de l'Ubaye, grimper vers les lacs d'altitude, glisser l'hiver sur des pistes ensoleillées ou, pour les moins sportifs, se régaler à l'ombre des oliviers en dégustant les produits locaux. Parce qu'ici, on aime bien évidemment vivre en plein air.

Adresses utiles

ℹ ***Agence de développement touristique des Alpes-de-Haute-Provence*** *(Maison des Alpes-de-Haute-Provence)* **:** *agence fermée au public, rens : ☎ 04-92-31-57-29. ● alpes-haute-provence.com ●*

■ ***Gîtes de France des Alpes-de-Haute-Provence*** *(plan A2,* ***1****)* **:** *rond-point du 11-Novembre, BP 201, 04000* ***Digne-les-Bains.*** *☎ 04-92-31-30-40. ● gites-de-france-04.fr ● Au rez-de-chaussée de l'office de tourisme, entrée à l'arrière. Ouv lun-ven 9h-12h, 14h-17h.*

■ ***Les guides de pays de Haute-Provence :*** *☎ 04-92-76-66-23. 📱 06-82-33-69-31. ● sabrinagdp@free.fr ●* Association de guides qui proposent des visites guidées de l'ensemble des sites, villes ou villages du département des Alpes-de-Haute-Provence (et du Luberon), en période estivale et vacances scolaires (ou hors saison pour des groupes constitués) : circuits oliviers, gypserie, charbonnier, balade gourmande... Les contacter pour avoir le détail des sorties prévues et les tarifs.

LA HAUTE-PROVENCE

DIGNE-LES-BAINS

(04000) 17 000 hab. *Carte Alpes-de-Haute-Provence, C3*

À 600 m d'altitude, dans un écrin de montagnes, située sur la route Napoléon, entre Provence et Alpes. Tranquille préfecture, Digne-les-Bains est aussi une station thermale dans laquelle on vient pour, entre autres, soigner ses rhumatismes ou effectuer des cures de bien-être. L'eau a d'ailleurs toujours tenu un rôle fondamental dans la vie de cette cité au confluent de trois vallées. La ville s'est d'abord développée dans le quartier actuel du bourg. Puis, pour faire face au brigandage, on l'entoure de fortifications au XIIIe s. Enclavée, à l'écart des grandes voies de communication, Digne ne devra son réveil qu'au passage de Napoléon au XIXe s. Entre ces deux périodes, seule une épidémie de peste qui décima la population a marqué l'histoire de la cité. Mais la grande figure de Digne est une routarde (autant dire que ça nous fait plaisir), une dénommée Alexandra David-Néel... Une routarde d'avant-garde dont vous ferez plus ample connaissance en visitant la fondation éponyme.

DIGNE-LES-BAINS

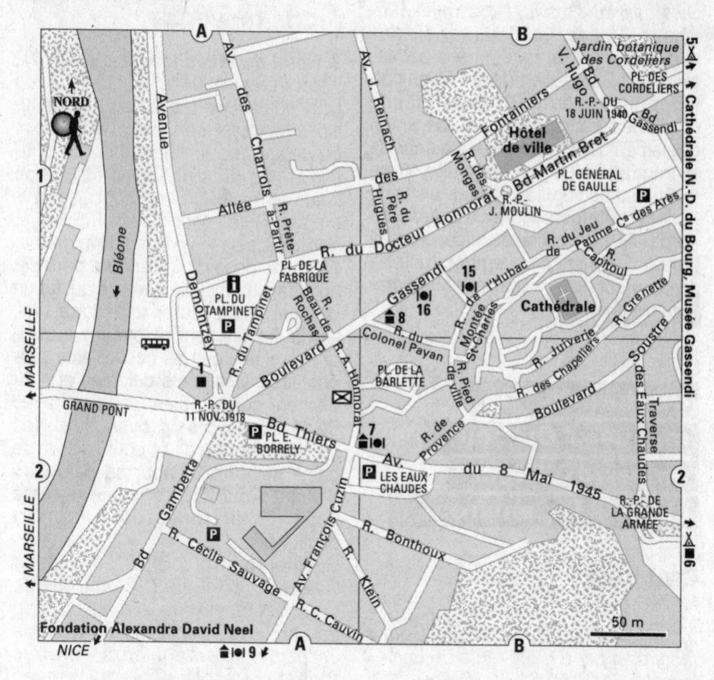

■ Adresses utiles

- 🅸 Office de tourisme
- 1 Gites de France des Alpes-de-Haute-Provence

Où dormir ? Où manger ? Où boire un verre ?

- 5 Camping Notre-Dame-du-Bourg
- 6 Camping des Eaux-Chaudes
- 7 Hôtel de Provence, Hôtel du Grand Paris
- 8 Hôtel Central
- 9 Chambres d'hôtes Les Oliviers et Hôtel & Pension Villa Gaïa
- 15 Le Resto du Coin
- 16 La Taverne

À faire

- 6 Les thermes de Digne-les-Bains

Comment y aller ?

La Région a mis en place, 4 fois/j., des liaisons en bus depuis la gare d'Aix TGV, en correspondance avec le TGV, ainsi qu'au départ de l'aéroport Marseille-Provence (4 fois/j. aussi). Achat du ticket possible à bord du bus (compter 13,10 € depuis Aix et 15,60 € depuis Marseille). Renseignements au ☎ 0891-024-025 ou 0821-202-203 (0,23 €/mn). Possibilité de rejoindre Nice par le train régional (train des Pignes ; voir plus loin « À faire »).

Adresse utile

🅸 ***Office de tourisme*** *(plan A1)* **:** *pl. du Tampinet, BP 201, 04001* ***Digne-les-Bains*** *Cedex.* ☎ *04-92-36-62-62.* ● *ot-dignelesbains.fr* ● *Ouv tlj 9h-12h, 14h-*

18h sf sam ap-midi et dim hors saison. Du 1er juil au 31 août, lun-sam 8h-19h, dim et j. fériés, 9h30-12h et 15h30-17h30. Cartes de randonnées pédestres et VTT au départ de la ville en collaboration avec l'IGN ainsi qu'une vingtaine de circuits à faire (payants). Également des cyclo guides autour de Digne gratuits (env 15-20 circuits) et une location d'audioguides pour la visite de la ville et autotours (clues de Barles, vallée de l'Asse), location de matériel de via ferrata. De mars à novembre, tous les 15 jours (sur résa), visite possible et gratuite de la ville.

Où dormir ? Où manger ? Où boire un verre à Digne et dans les environs ?

Campings

Camping Notre-Dame-du-Bourg *(hors plan par B1,* ***5****) : route de Barcelonnette. ☎ 04-92-31-04-87. • campingdubourg@orange.fr • campingdigne.com • À 1,5 km sur la route de Barcelonnette. Ouv avr-oct. Emplacement pour 2 avec tente et voiture 16 € en hte saison. Loc de mobile homes de 4 à 6 pers, 308-448 €/sem selon confort et saison, moins cher à partir de la 3e sem. CB refusées. Réduc de 10 % sur présentation de ce guide.* Une centaine d'emplacements, au bord d'une rivière. Plusieurs courts de tennis. Bien entretenu ; lac à 4 km.

Camping des Eaux-Chaudes *(hors plan par B2,* ***6****) : 32, av. des Thermes. ☎ 04-92-32-31-04. • info@campinglesauxchaudes.com • campingleseauxchaudes.com • À 2 km du centre, en direction de l'établissement thermal. Ouv avr-oct. Emplacement pour 2 avec tente et voiture 19,50 € en hte saison. Loc de mobile homes et de chalets 4-7 pers, 48-90 €/nuit selon confort et saison. Wifi.* Camping récent de 150 emplacements, doté de tout le confort moderne, au bord de la rivière dans le vallon des sources.

De bon marché à prix moyens

Hôtel de Provence *(plan A-B2,* ***7****) : 17, bd Thiers. ☎ 04-92-31-32-19. • contact@hotel-alpes-provence.com • hotel-alpes-provence.com • À quelques pas du centre ancien. Doubles avec douche et w-c ou bains, TV, 56-62 € selon confort et saison. Également, 2 chambres familiales pour 5 pers 106-116 €. Parking (quelques places) privé gratuit. Wifi.* Une dose d'atmosphère pour cet hôtel familial installé dans ce qui fut un couvent : vieil escalier, tomettes au sol, le tout entièrement rénové il y a quelques années par les accueillants propriétaires. Chambres colorées et simplement confortables, certaines avec de vieux meubles provençaux. Nos préférées sont la n° 14 pour sa salle de bains et la n° 16 pour sa baignoire d'angle. Pour l'apéro, petite terrasse sous les platanes. Bon rapport qualité-prix.

Hôtel Central *(plan B1,* ***8****) : 26, bd Gassendi. ☎ 04-92-31-31-91. • webmaster@lhotel-central.com • lhotel-central.com • Tte l'année (accès avec une carte de paiement hors horaires d'ouverture). Doubles 47 € avec lavabo ; 57-60 € avec douche et w-c, TV. Internet. Wifi.* Hôtel familial en étage, avec des petites chambres toutes simples, mais d'une irréprochable propreté. La plupart donnent sur la rue piétonne (le bar du rez-de-chaussée ferme tôt). À préférer donc aux trois orientées côté boulevard, qui peut être bruyant tôt le matin. Accueil dynamique et souriant.

Chambres d'hôtes Les Oliviers *(hors plan par A2,* ***9****) : 1, route des Fonts-Gaubert. ☎ 04-92-31-36-04. • desolivettes@orange.fr • À 6 km du centre-ville ; prendre la N 85 direction Nice, puis à droite la D 12 direction Les Fonts et le golf de Digne, après le minuscule tunnel sous la voie ferrée, c'est indiqué « chambres d'hôtes » sur la gauche. Fermé 30 oct-1er avr. Doubles avec douche et w-c ou bains 50-55 €.* Simple mais bien tenu. En pleine campagne, une ferme qui propose un gîte rural et 2 appartements au mobilier rustique et bien équipés, dans un environnement très vert et très calme, au pied du Cousson.

🍴 ***Le Resto du Coin*** *(plan B1, **15**) : 1, rue de l'Hubac. ☎ 04-92-36-10-20. • le restoducoin@voila.fr • Fermé dim soir (plus lun, mar soir et mer soir hors saison). Formules déj 11 et 14,50 €, env 20 € à la carte.* Une salle moderne, simplement mais chaleureusement arrangée, et dans l'assiette une bonne petite cuisine, carte courte. Le tout est préparé minute et ça se sent. Ne boudez pas un petit dessert, à moins qu'un café gourmand (avec 3 mignardises) ne suffise à votre bonheur... Service aimable et discret. Un bon rapport qualité-prix dès les formules déjeuner.

🍴 ***La Taverne*** *(plan B1, **16**) : 36, bd Gassendi. ☎ 04-92-31-30-82. Ouv tlj sf dim soir. Plat du jour 9 €, formules déj 13 et 14 €. Menu terroir 17 € (servi midi et soir).* Une grande salle d'allure plutôt contemporaine avec ses tons orange et ses meubles en bois foncé. Grande terrasse ombragée, bondée les week-ends aux beaux jours. Dans l'assiette une bonne cuisine provençale où poissons et légumes sont à l'honneur. Accueil sympathique.

De plus chic à beaucoup plus chic

🏠 🍴 ***Hôtel & Pension Villa Gaïa*** *(hors plan par A2, **9**) : 24, route de Nice. ☎ 04-92-31-21-60. • villagaia-digne@orange.fr • hotel-villagaia-digne.com • À 3 km au sud-ouest par la N 85 (route de Nice), fléché sur la droite. Ouv 15 avr-fin oct, restaurant fermé mer soir. Doubles avec douche et w-c ou bains 72-110 € selon confort et saison. ½ pens en chambre double, 75-90 €/pers. Repas 26 € slt le soir pour les clients de l'hôtel (fermé mer), de préférence sur résa. Internet, wifi. Apéritif offert sur présentation de ce guide.* Perdue dans une verdure rafraîchissante de 3 ha, une ancienne maison de cure datant de 1730, rénovée au XXe s. Acquise par le grand-père de l'actuel propriétaire dans les années 1950, cette bâtisse aux beaux volumes offre un cadre propice à la détente. Ses jolies chambres avec meubles de famille et vastes salles de bains donnent toutes sur le parc. Côté parties communes on a l'embarras du choix : 2 grands salons, bibliothèque ou terrasse. Charme désuet et calme, auquel tiennent vos hôtes : TV dans le salon uniquement, et couvre-feu (des entorses sont néanmoins tolérées, pas de panique !). Bon petit déj. Tout proche du train des Pignes si l'on veut partir en excursion. Pas de piscine mais un hammam au feu de bois.

🏠 🍴 ***Hôtel du Grand-Paris*** *(plan A-B2, **7**) : 19, bd Thiers. ☎ 04-92-31-11-15. • info@hotel-grand-paris.com • hotel-grand-paris.com • Resto ouv tlj sf midi lun-mer hors saison. Congés : 1er déc-1er mars. Doubles avec douche et w-c ou bains, TV satellite, 90-180 € selon confort et saison. Petit déj 17 €, cher ! Menu du marché (en sem) 26 €, autres menus 35-48 et 67 €. Parking privé payant. Internet. Wifi.* Lorsque les pensionnaires du couvent sont partis, le bâtiment du XVIIe s s'est voué à l'hôtellerie classieuse. Le côté un poil compassé de l'accueil ne doit pas vous effrayer. Les chambres sont belles, confortables et très joliment décorées, comme la n° 2, toute jaune avec sa terrasse et sa TV cachée dans un vieux meuble. Certaines vont même être rénovées très prochainement. Le chef prépare une cuisine dans la tradition provençale, mais qui n'oublie pas que l'on est au XXIe s ; des recettes éprouvées qu'il a su mettre à sa main. Les produits sont beaux, les assiettes tout autant, les saveurs agréables.

LA HAUTE-PROVENCE

À voir

★ ***La vieille ville :*** de la piétonne et commerçante rue de l'Hubac, grimpez par exemple la *montée Saint-Charles* : escaliers caladés, passages voûtés, vieilles maisons construites dans le rempart (on distingue encore deux tours des XIIIe et XIVe s), treilles et matous à la toilette... Un certain charme. On débouche sur la... maison d'arrêt, prison construite à l'emplacement de l'ancien château des Évêques, dont il reste le puits fortifié Saint-Charles. Quelques pas plus bas, la ***cathédrale Saint-Jérôme*** *(ouv juin-sept tlj 15h-18h, le reste de l'année, contacter la maison parois-*

siale au ☎ 04-92-32-06-48), du XVe s, son campanile provençal et sa façade classée Monument historique. Du parvis, le regard est inévitablement aimanté par l'impressionnante barre rocheuse qui ferme l'horizon, la *barre des Dourbes*. Également, ***Le musée départemental d'Art religieux.*** *Entrée gratuite.* Installé dans la cathédrale *Saint-Jérôme,* une vaste collection d'objets religieux : calices, ciboires et autres croix de procession richement décorées, santons puisqu'on est en Provence, et autres objets précieux. Ensuite, descendre la... montée Saint-Jérôme jusqu'à la minuscule *place du Marché* dont les boutiques forment un décor figé dans les années 1950. Pour mémoire, c'est ce quartier que Victor Hugo avait choisi comme cadre des premières pages des *Misérables.* Mais une HLM a remplacé l'évêché où Jean Valjean vole de l'argenterie à l'évêque qui l'a accueilli...

Le musée de la Seconde Guerre mondiale *(hors plan par B1-2)* **:** *pl. Paradis. ☎ 04-92-31-28-95. Ouv lun-ven en juil-août 14h-18h (17h30 ven). Le reste de l'année uniquement sur rdv le mer 14h-17h, 3 pers min. Visite gratuite, durée : env 30 mn. Association de bénévoles.* Dans un abri antibombardement creusé dans la roche, une petite exposition retraçant l'histoire et la vie durant cette période dans le département.

Le musée Gassendi *(hors plan par B1)* **:** *64, bd Gassendi. ☎ 04-92-31-45-29. • musee-gassendi.org • ♿ Avr-sept, tlj 11h-19h ; oct-mars 13h30-17h30 ; fermé mar, j. fériés et entre Noël et le Jour de l'an. Entrée : 4 € ; réduc ; gratuit pour les moins de 21 ans et pour ts le 1er dim du mois.*

Fondé en 1889, un musée à vocation encyclopédique (beaux-arts, histoire, sciences...) auquel une complète transformation il y a quelques années a donné un second souffle. La visite, qui se fait des étages vers le rez-de-chaussée, débute – logiquement – par la reconstitution du cabinet de travail du peintre et fondateur du musée, Étienne Martin. La salle suivante présente des peintures de paysages et quelques scènes d'intérieurs donnant l'image d'une Provence rurale et éternelle, celle du félibre Frédéric Mistral. Et même si certaines toiles gigantesques d'Étienne Martin (comme *Le Relais,* hyperréaliste avant l'heure) retiennent le regard, on baigne ici dans un redoutable conservatisme (Martin voyait dans son musée « un lieu de résistance de la tradition contre toutes les avant-gardes ») heureusement contrebalancé par *River Of Earth,* argile et cheveux mêlés, figée sur un mur entier par l'artiste contemporain Andy Goldsworthy. Parti pris de la conservatrice qui a voulu installer l'art contemporain dans les collections historiques et scientifiques du musée. Un espace est dédié au circuit des Refuges d'Art, parcours d'art contemporain en pleine nature d'Andy Goldsworthy (voir plus bas). Petite halte dans le cabinet de travail d'une autre gloire locale (le musée a d'ailleurs pris son nom), l'érudit humaniste Pierre Gassendi, qui nous invite à sa table pour écouter les cours que Michel Onfray lui a consacrés. Puis vient la collection d'art ancien (XVIe-début XIXe s), avec une intéressante muséographie : un accrochage thématique, des œuvres proches du visiteur, des cartons très didactiques (on vous explique même les techniques de rénovation des toiles), des murs d'un rouge profond. On y a distingué plusieurs *Académies d'hommes* de Van Loo, remarquables de technique, une très animée *Chasse au sanglier* de Stefano Della Bella, une adorable esquisse *(Concert champêtre)* de Watteau, les corps bizarrement désarticulés des jeunes garçons un rien ambigus du maniérisme, *Concert* ou *Sainte Cécile* d'un anonyme de l'école italienne du XVIIe s, la superbe composition de la *Vierge au missel* de Carol Maratta... Mais vous avez le droit d'avoir quelques autres petits coups de cœur, comme ce buisson de corail au centre de la salle, de l'artiste contemporain Hubert Duprat !

Après un herbier contemporain de herman de vries – dont l'horreur des hiérarchies entraîne son refus d'écrire son nom avec une majuscule –, la mezzanine présente un immense musée des terres du même artiste, une collection de 8 000 échantillons issus de ses voyages à travers le monde, ainsi que la magnétisante et tout aussi contemporaine *Tabula terra* du New-Yorkais Tom Shannon. Un bel escalier

permet ensuite de descendre vers les collections scientifiques. Là, une foule d'instruments plus (pendules, boussoles, baromètres) ou moins (pendule cosmographique, sphère de Magdebourg...) connus, dont, faute de comprendre vraiment le fonctionnement, on se contente d'apprécier la poétique accumulation.
Enfin, au rez-de-chaussée, les mystificateurs moulages et photographies d'hydropithèques du Catalan Joan Fontcuberta, installés dans une chapelle basse. Cette dernière voisine avec le grand cabinet de curiosités contemporain de Mark Dion, artiste américain. Juste à côté, dans la dernière chapelle, une intéressante collection de papillons est exposée en alternance avec des photos de Bernard Plossu.
Parcours *refuges d'art,* itinéraire alliant l'art contemporain et la sauvegarde du patrimoine rural et de la réserve géologique de Haute-Provence. 150 km d'itinéraires de randonnées sur les traces d'Andy Goldsworthy tout autour de Digne. *Rens au musée ou • musee-gassendi.org/refuges-d-art-andy-goldsworthy-œuvres.html •*

Le jardin botanique des Cordeliers (hors plan par B1) **:** *av. Paul-Martin. ☎ 04-92-31-59-59. De mi-mars à mi-nov, lun-ven 9h-12h, 14h-18h (15h-19h en juil-août). Entrée gratuite.* Dans l'enceinte du collège, agréable petite balade dans ce jardin paysager dont les végétaux sont regroupés selon leur usage médicinal, sensoriel, aromatique (inévitablement, vu la région, du thym, du romarin, de la lavande), culinaire et esthétique.

La cathédrale Notre-Dame-du-Bourg (hors plan par B1) **:** *à la sortie de la ville, direction Barcelonnette. ☎ 04-92-32-06-48. Juin-vac de la Toussaint (incluses), tlj 15h-18h (un peu plus tôt en oct) ; le reste de l'année, dim 15h30-16h30, ou sur rdv. Tél avt pour s'assurer des disponibilités des bénévoles.* Une des plus belles églises romanes de Provence. Des fouilles, entreprises depuis le milieu des années 1980 et toujours en cours, ont mis au jour les fondations d'édifices plus anciens (VIe et XIe s). L'église actuelle, édifiée entre 1200 et 1330, a été abandonnée à la fin du XVe s, quand la ville s'est déplacée sur la butte voisine. Usé mais toujours élégant, un portail d'inspiration lombarde, encore gardé par deux lions de pierre. À l'intérieur, on est frappé par l'ampleur et l'harmonie des quatre grandes travées du vaisseau unique. Vestiges de peintures murales des XVe et XVIe s. On peut reconnaître un *Jugement dernier* (des charbons ardents qu'un supplicié avale à la louche, un Belzébuth encore très dissuasif...), une *Annonciation,* le défilé des Vices et des Vertus, dans la tradition romane. Pour le reste, le mobilier d'origine ayant disparu pendant les guerres de Religion, la décoration a été confiée à des artistes contemporains : vitraux abstraits en verre soufflé et douze symboles de cuivre incrustés dans le sol.

La Crypte gallo-romaine : *tlj sf mar juin-sept, 10h-12h, 15h-18h. Entrée : 4 € ; gratuit pour les moins de 12 ans. Le reste de l'année uniquement sur rdv pour les groupes. Visite guidée par des bénévoles qui ont participé aux travaux de restauration, 2 ven par mois l'été, sur résa au ☎ 04-92-61-09-73 ou 31-67-77. Tarif : 5 €. Visite 1h30.* Pour déambuler dans les entrailles de ce qui fut le cœur de la cité antique de Digne où 20 siècles d'histoire s'empilent, se croisent et se succèdent.

La Fondation Alexandra-David-Néel (hors plan par A2) **:** *27, av. Maréchal-Juin. ☎ 04-92-31-32-38. • alexandra-david-neel.org • À 1,5 km à la sortie de Digne, sur la N 85 entre les deux grands ponts (attention, sur les pancartes, ne pas confondre la fondation avec le pont du même nom !), en face d'un salon de thé indien. Visites guidées slt, tlj à 10h, 14h et 15h30 précises, limité à 19 pers/visite. Compter 1h45. Entrée gratuite.*
Indispensable pour mieux cerner la personnalité de cette femme étonnante, née en 1868 d'un père huguenot et d'une mère catholique. Individualiste et d'une grande curiosité, elle quitte avant sa majorité le domicile familial, avec pour tout bagage une bicyclette, pour fuguer en Espagne... Après des études de langues orientales et de musique, elle part, à 23 ans, pour l'Inde, d'où elle revient fascinée. Elle y retournera à nouveau en 1896. Elle réussira à épouser en 1904 un homme très compréhensif (coureur de jupons à l'occasion) qui la laissera repartir en 1911 pour

18 mois... qui se transformeront en quatorze années, pendant lesquelles elle parcourt des milliers de kilomètres, traverse le Tibet à pied, vit deux mois dans la capitale interdite, Lhassa, où elle est la première Occidentale à séjourner. Le quatorzième dalaï-lama vint visiter la maison de la première bouddhiste de France à deux reprises (en 1982 et 1986).
En France, Alexandra David-Néel se prend d'amour pour la Provence et choisit Digne pour y bâtir, grâce aux droits d'auteur de son livre *Le Voyage d'une Parisienne à Lhassa* et une somme remise par un maharajah népalais, *Samten Dzong,* sa forteresse de la méditation, où l'on découvre la reconstitution d'un temple bouddhique, une vitrine avec quelques souvenirs de voyage, un ensemble de trois *mandalas* de sable très rare, le siège où elle dormait et d'où elle écrivait sur son bureau-table de camping. À 69 ans, elle repart pour l'Orient et la Chine... À 78 ans, elle rentre à Digne où elle écrit de nombreux livres. À 100 ans, elle fait renouveler son passeport, désireuse de repartir au Tibet... Mais elle meurt ici à 101 ans, le 8 septembre 1969, cédant l'ensemble de ses droits d'auteur à la Ville de Digne et ses collections d'objets au musée Guimet de Paris. Ses cendres et celles de son fils adoptif, le lama Yongden, ont été dispersées dans les eaux du Gange en 1973.
Une petite boutique pour tout savoir, et même découvrir un thé portant son nom et conçu par les établissements *Mariage Frères.*

Le Musée-Promenade *(réserve géologique) : parc Saint-Benoît. ☎ 04-92-36-70-70. • resgeol04.org • À 2 km du centre-ville, sur la D 900 ; passé le pont de la Bléone, c'est indiqué sur votre gauche. Juil-août, sem 9h-13h, 14h-19h, w-e 10h-12h30, 13h30-19h ; avr-oct, tlj 9h-12h, 14h-17h30 (16h30 ven) ; mêmes horaires hors saison, mais fermé les w-e et j. fériés. Entrée : 5 € ; réduc. Billet groupé avec le Jardin des papillons : 8 €. Se garer au parking en bas. Compter 15 mn de marche à travers les beaux sentiers pour accéder aux salles d'expo. Visite globale : env 2h.*
C'est un peu la vitrine de la Réserve géologique de Haute-Provence (voir plus loin le chapitre consacré à la vallée du Bès). Comme son nom l'indique, on s'y promène beaucoup. On accède au musée par différents sentiers aménagés de toute beauté : le « sentier de l'eau », où se succèdent cascades et mousse sauvage, celui des « cairns », curieuses sculptures naturelles en pierre réalisées par l'artiste Andy Goldsworthy, et le « sentier des remparts », offrant la plus jolie vue sur Digne et la vallée de la Bléone.
À l'intérieur du bâtiment du Musée-Promenade, on découvre une dizaine d'aquariums où barbotent de nombreuses espèces vivantes, pour certaines (comme les nautiles) survivantes de temps très anciens, des salles d'exposition très bien agencées qui retracent un monde vieux de plusieurs millions d'années. Une curiosité locale : les étoiles de Saint-Vincent, semblables à celles de la Madone d'Utelle, au-dessus de Nice, petits fossiles à cinq branches que les enfants ramassaient lors des pèlerinages. Vieilles de millions d'années, ces étoiles étaient montées en bijoux d'or ou d'argent au XIXe s. Exposition de nombreux autres fossiles et, pour les passionnés, de très bonnes et complètes publications sur la géologie dans cette région (collection « Une terre à découvrir »). Ne pas rater « Géodyssée, aventures en mer jurassique », un sous-marin reconstitué de salle en salle, à la rencontre des animaux qui peuplaient les fonds océaniques il y a 200 millions d'années, avec des films en images de synthèse.
Également une exposition retraçant l'histoire de la Pangée, lorsque la Terre n'était constituée que d'un unique continent, 250 millions d'années avant notre ère. Mise en perspective avec notre situation actuelle et l'évolution de notre planète dans 200 millions d'années, lorsque les continents ne formeront à nouveau plus qu'un : à quoi ressemblera la Terre et quels animaux la peupleront ?
Enfin, le ***Jardin des papillons*** où les représentants d'une centaine d'espèces typiques de la région se baladent en liberté, d'avril à septembre. *Visite guidée ; juin tlj sur résa, juil, tlj 11h, 14h30, 16h ; août tlj 10h, 11h30, 14h30 et 16h ; sept sur résa lun-ven. Slt pour les voir et surtout pour les identifier (sur rdv ☎ 04-92-31-83-34. 06-58-24-24-00. • proserpine.org •).*

À faire

Le train des Pignes : *chemins de fer de Provence, av. Pierre-Semard. ☎ 04-92-31-01-58. • trainprovence.com • Jouxte la gare SNCF. Circule tlj tte l'année. Achat du billet en gare ou dans le train. 4 départs/j. : 7h29, 10h55, 14h25 et 17h30. Compter 25 €/adulte ou 12 €/enfant (jusqu'à 12 ans) pour un aller-retour Digne-Entrevaux ; réduc ; gratuit pour les moins de 4 ans. Prévoir 2h jusqu'à Entrevaux, 3h30 jusqu'à Nice. Pas de résas, arriver au moins 15 mn à l'avance en saison.* On doit la ligne ferroviaire Nice-Digne à l'ingénieur dignois Alphonse Beau de Rochas, l'inventeur du moteur à quatre temps. En 1861, un an après l'annexion de Nice à la France, il propose en effet de relier le littoral à l'arrière-pays. Pour s'adapter aux contraintes du relief, les rails sont écartés de 1 m (au lieu de 1,40 m), ce qui permet des virages plus serrés. La ligne ouvre son premier tronçon entre Digne et Mézel en 1891, et atteint Nice vingt ans plus tard. Gros boulot : 25 tunnels, les 16 viaducs et les quelque 15 ponts métalliques qui rythment la ligne sur 150 km. Faites-vous plaisir, offrez-vous ce tortillard (néanmoins confortable) qui relie Digne à Nice à une allure de sénateur méridional... Même si vous ne l'empruntez pas jusqu'au bout, faites au moins le trajet Digne-Entrevaux, qui vous amènera à la limite des Alpes-Maritimes et vous permettra de traverser des paysages étonnants, de franchir rivières, gorges et montagnes pour vous arrêter dans des villages tranquilles où il fait bon boire un pastis, sur la place... Les arrêts les plus intéressants sont Annot, Entrevaux et Touët-sur-Var dans le département voisin. À l'aller, faire par exemple une halte dans la ville médiévale d'Annot à l'heure du déjeuner, puis reprendre le train dans l'après-midi et descendre à Entrevaux (station suivante). On a suffisamment le temps de visiter l'étonnante place forte avant de remonter dans le dernier convoi vers Digne (arrivée le soir). Ceux qui continueront jusqu'à Nice ne le regretteront pas. La ligne chemine le long du Var, dans une large et profonde vallée (jusqu'à Vésubie-Plan-du-Var). Peut-être encore plus impressionnant que le haut du parcours.

POURQUOI TRAIN « DES PIGNES » ?

Sa lenteur au début permettait aux passagers de descendre tout au long du chemin et à tout moment afin de ramasser « la pigne » mot d'usage courant pour désigner la pomme de pin dans le midi de la France, et qui nous vient du gascon la pinha, *Mais pour d'autres, son nom viendrait de la suie recouvrant les locomotives, les faisant alors ressembler aux fonds des marmites italiennes, les pignates.*

La route Napoléon : reliait l'île d'Elbe à Grenoble, une route historique qui traverse des paysages sublimes et des panoramas uniques. Elle relie aujourd'hui la Côte d'Azur aux Alpes via la Haute-Provence. De Digne, suivre le col de Corobin vers Chaudron Norante sur les traces du Rallye de Monte Carlo. • *route-napoleon.com* •

Les thermes de Digne-les-Bains (hors plan par B2, **5**) **:** *vallon des Sources. ☎ 04-92-32-32-92. • thermesdignelesbains.com • À 3 km au sud-est. Visite guidée jeu à 14h mars-août et nov. Congés : 1 sem à Noël. Forfait aromathérapie (10 mn/20 mn) 38-49,90 € ; séjour remise en forme 2-5 j., 139-599 €.* Lancez-vous dans l'aromathérapie, une évidence au pays de la lavande, qui devrait vous stimuler, ou essayez le modelage méditerranéen à l'huile d'olive ou aux pierres fraîches, ou encore le modelage tibétain au bol kansu. Tout nouveau, le hammam avec son espace détente : laissez-vous tenter par le forfait « étape orientale » avec gommage au savon noir, hammam, sauna et piscine à 34 °C.

Sports et loisirs

– **Via ferrata :** *départ du centre-ville, accès gratuit. Loc de matériel à l'office de tourisme (12 € pour un équipement complet). Encadrement par des guides sur demande (35-40 €), contacter l'office de tourisme ou le camping Notre Dame-du-Bourg au ☎ 04-92-31-04-87.*
– **Lacs des Ferréols :** *☎ 04-92-32-42-02. Accès par la N 85 direction Nice, fléché sur la droite, à la sortie de la ville. Accès libre.* Deux jolis plans d'eau, très bien aménagés, au bord de la Bléone. Baignade (surveillée de juin à début septembre) et plein d'activités annexes possibles en été : murs d'escalade, minigolf, beach-volley, trampolines, etc. Baptêmes de plongée.
– **Parapente :** *écoles professionnelles (baptême bi-place, stages...)* Hauts-les-Mains : *📱 06-62-21-69-33. • haut-les-mains.fr •* Yadelouest : *📱 06-64-29-85-24. • yadelouest.fr •*
– **Escalade :** *site de Courbons à 3 km de Digne, falaises équipées de plus de 100 itinéraires.*
– **Golf :** *57, route du Chaffaut. ☎ 04-92-30-58-00. • golfdignelalavande.com • À 6 km du centre-ville, par la N 85, puis fléché sur la droite après le lac des Ferréols. Ouv tlj.* Un golf de 18 trous en pleine nature, entouré de quelques champs de lavande. Parmi les plus beaux de France !
➢ ***VTT :*** 300 km de sentiers balisés pour 17 circuits de 7 à 33 km, de la balade familiale au parcours sportif, autour de Digne. Descriptif gratuit (avec locations et autres renseignements pratiques) disponible à l'office de tourisme. Également 2 parcours itinérants. Un classique : le circuit du Golf.

Fêtes et manifestations

– **Rencontres cinématographiques-Histoire du cinéma :** *mars et nov.* Compétition de courts métrages, rétrospectives de cinéastes confirmés et découverte de nouveaux talents.
– **Corso de la Lavande :** *1er w-e d'août.* Digne fête avec conviction (5 jours et 5 nuits !) l'odorante plante, emblématique de la région. Deux défilés de chars (dimanche après-midi et lundi en nocturne), bals, concerts, feux d'artifice, grosse fête foraine, etc. Le samedi, joutes musicales de fanfares de différents pays.
– **Foire de la lavande :** *5 j. pdt la 2de quinzaine d'août.* Vente de produits locaux, visites de distilleries de lavande, animations diverses.
– **Journées tibétaines :** *sept.* Organisées par la fondation Alexandra-David-Néel. Divers enseignements proposés par des maîtres, comme réaliser un mandala devant le public.
– **Rencontre internationale « Accordéon et culture » :** *mi-oct.* L'occasion de découvrir qu'accordéon ne rime pas forcément avec flonflons...
– **Fête de la Randonnée des 3 vallées :** *1er w-e d'oct. S'inscrire (bien à l'avance) au ☎ 04-92-32-05-05.* Ensuite, on choisit son itinéraire en fonction de son niveau et de ses envies.
– **Foire aux santons :** *en déc au village de Champtercier.*

DANS LES ENVIRONS DE DIGNE-LES-BAINS

LA VALLÉE DU BÈS

Prêt pour un voyage à travers le temps ? En suivant plein nord la D 900A depuis Digne, on traverse, avec la vallée du Bès, quelque 300 millions d'années de l'histoire de la terre. Voilà, sans conteste, le secteur le plus riche de la Réserve naturelle géologique de Haute-Provence. Créée en 1984 pour protéger les très nombreux sites géologiques et paléontologiques de la région, cette réserve est la plus grande du genre en Europe. Elle s'étend sur 2 300 km² et 59 communes dans les Alpes-de-Haute-Provence et le Var. L'extraction des fossiles y est, naturellement, interdite...

Où dormir ? Où manger dans le coin ?

Gîte de Flagustelle : *04140* ***Verdaches.*** *06-62-16-19-47. • contact@gite-flagustelle.com • gite-flagustelle.com • Au centre du village, derrière l'église. Congés : 21 avr-7 mai. Nuitée en dortoir 13 €/pers (draps compris), double 34 € ; petit déj 6 €. Dîner (sur résa) 16 €.* Dans la bien jolie vallée du Bès, un gîte de 18 places aménagé dans l'ancienne école. Alix, Patrick et leurs 3 enfants y ont posé leurs valises. Possibilité d'utiliser la cuisine (2 €) pour ceux qui ne veulent pas se mettre les pieds sous la table. Simple, propre et lumineux. Évidemment, autour, on trouve de quoi faire : sports d'eaux vives, randonnées... Pas mal de topoguides et de doc à votre disposition, et panier pique-nique sur demande (8 €). Alix et Patrick proposent aussi une rando bicyclette (et retour minibus) dans la vallée du Bès, de 30 km, 18 € adultes et 13 € enfants ; réduc famille de 4 pers. Sinon on peut également louer des vélos seuls.

À voir. À faire

La dalle aux ammonites : *à 2 km au nord de Digne, sur la gauche de la D 900A.* Site unique au monde, cette grande dalle de calcaire inclinée est un ancien fond marin où sont restés figés pour l'éternité près de 1 550 fossiles. Sur le lot, plus de mille ammonites, ces petits céphalopodes vieux de 200 millions d'années qui ont disparu en même temps que les dinosaures, il y a 65 millions d'années.

La Robine-sur-Galabre (04000) **:** *à une dizaine de km de Digne par la D 900A, puis la D 103.* Étrange paysage, sorti de la nuit des temps. D'amples collines de marne noire, à la rare végétation, ici appelées « robines », d'où, élémentaire mon cher Watson, le nom de ce tranquille village.

Lambertâne : *Le Château-Lambert, 04000* ***La Robine-sur-Galabre.*** *☎ 04-92-31-60-37. • lambertane.com • À 20 km de Digne, par la D 900A puis la D 103. Ouv tte l'année.* Une impressionnante route en cul-de-sac, à flanc de montagne ; c'est au bout, à 1 115 m d'altitude. Organise des randonnées avec ânes de bât dans la nature avoisinante, d'une demi-journée à plusieurs jours ; et visite pédagogique de l'élevage d'ânes. Bon point de départ pour la rando.

Le site de l'ichtyosaure : *à 9 km au nord de Digne par la D 900A ; parking sur la gauche, puis accès à pied (compter 45 mn aller par un sentier balisé).* Agréable petite randonnée le long du lit d'un torrent, puis sous les frondaisons d'une chênaie, pour atteindre au flanc d'un plateau le squelette fossilisé de ce reptile marin, conservé à l'endroit même où il a été découvert.

Les empreintes de pas d'oiseaux : *un peu plus loin sur la D 900A.* Un autre site remarquable de la vallée du Bès : les empreintes de p'tits zoziaux conservées dans le sable sur lequel ils ont gambadé, il y a vingt millions d'années. Balade facile à faire en pleine forêt domaniale du Bès.

Les clues de Barles : *en continuant la D 900A vers Barles.* Étroites et tortueuses gorges creusées dans la roche par le torrent. Là encore, plein de curiosités géologiques pour qui prendra la peine de s'arrêter. Après la clue du Péouré traversée en tunnel, la source de Fontchaude. Sur la gauche, de l'autre côté du torrent, on distingue nettement le fossile d'une... sirène (hydropythèque, pour faire savant) : le crâne humain, la queue de poisson... Info ou intox ? La visite du musée Gassendi à Digne apporte la réponse. On arrive ensuite à la dernière et fameuse clue de Barles. Un à-pic magnifique, couvert de végétation avec la rivière aux eaux claires qui coule au fond.

***Barles** (04140) : encore et toujours sur la D 900A, à la sortie des gorges.* Village à 1 000 m d'altitude, qui marque la première frontière entre la Provence et les Alpes. Les maisons sont plus massives et moins hautes, elles prennent des airs anguleux, les toits se couvrent d'ardoise pour se protéger du froid. Premier exemple d'architecture alpine.
– À la sortie du village vers le nord, la *maison de la Géologie (☎ 04-92-35-09-34)* présente l'histoire de la vallée dans ses rapports avec les hommes : ressources minérales, matériaux de construction, etc.

➢ De Barles, on peut, par l'agréable et bucolique col de Maure, rejoindre la vallée de la Blanche (voir le chapitre qui lui est consacré). Sinon, en redescendant vers Digne par la D 900, une petite halte s'impose à ***Marcoux,*** village agréable et fleuri au printemps qui abrite une belle église romane tardive, avec un très beau maître-autel en bois sculpté du XVIIe s. La route est très belle. L'idéal est de faire la boucle en montant par la D 900A et en redescendant par la D 900.

LA VALLÉE DE L'ASSE

À une quinzaine de kilomètres au sud-ouest de Digne. Petite vallée paisible. Ceux qui veulent y être en deux tours de roues emprunteront la célébrissime route Napoléon (N 85) direction Nice, puis la D 907. Ceux qui préfèrent les itinéraires bis (voire ter) et la vérité historique (c'est par là que Napoléon est passé) grimperont la D 20 vers le col de Corobin. Jolie route de montagne (c'est un des terrains de jeux du rallye de Monte-Carlo) et beaux panoramas sur le massif des Dourbes. Après le col, la route rejoint la N 85 à Norante.

LE VOL DE L'AIGLE

Quittant l'île d'Elbe, Napoléon débarque à Golfe-Juan en mars 1815, avec près d'un millier d'hommes. La progression du convoi vers la capitale est pénible, l'Aigle voulant éviter de traverser la Provence, acquise aux royalistes. L'hiver et le relief épuiseront les troupes. À Gap, Napoléon fera don d'une somme pour que des refuges soient désormais construits au niveau des cols. Certains sont aujourd'hui des hôtels. La N 85, baptisée « route Napoléon » en 1932, ne recouvre que partiellement le trajet qu'il a emprunté.

Adresse utile

Point info tourisme : *pl. Pierre-Foray, 04270* ***Estoublon.*** *☎ 04-92-34-46-53. • asse-tourisme.com • Juin-sept Mar-sam, 9h30-12h30, 15h-18h.*

Où dormir ? Où manger ?

Camping

La Célestine : *Les Palus, D 907, 04270* ***Beynes.*** *☎ 04-92-35-52-54. • info@camping-lacelestine.com • camping-lacelestine.com • Sur la D 907, à la sortie de Mézel, sur la droite, direction Estoublon et Riez. Ouv mai-sept. Emplacements pour 2 avec tente et voiture 15-18 € en hte saison. Loc de mobile homes 480 €/sem.* En pleine campagne et joliment « paysagé ». De la verdure et du confort. Grand plan d'eau en guise de piscine.

Bon marché

Hôtel-restaurant de la Place : *pl. Victor-Arnoux, 04270* ***Mézel.*** *☎ 04-92-35-51-05 (hôtel) et ☎ 04-92-35-58-10 (resto). Au cœur du village. Tlj sf mer pour l'hôtel et lun (plus dim soir hors saison) pour le resto. Congés : nov. Doubles avec douche et w-c 38-48 €.*

Formule 12,50 €. Menus env 22-26 €. Digestif maison offert sur présentation de ce guide. Une sympathique adresse de village. Un bar d'habitués, provençal en diable avec sa terrasse sous les platanes. Juste au-dessus, 7 chambres toutes simples et superbement entretenues, avec un petit charme ancien qui vaut bien l'étape. À deux pas, le resto : terrasse ombragée et fleurie, et une bonne et généreuse cuisine de tradition. Équipe jeune et très accueillante, service à l'unisson.

La Toupinelle : *pl. Saint-Nicolas, 04270* **Bras-d'Asse.** *☎ 04-92-34-41-25. • la.toupinelle@wanadoo.fr • Fermé en janv et (slt pour le resto) le mar. Chambre double 49 €. Menus 16-22 et 25 €.* Encore un sympathique bistrot de pays, ou l'on déguste, sous la tonnelle, une délicieuse cuisine concoctée avec des produits frais, de saison et de la région ; tout ça pour le plus grand plaisir de nos papilles. À l'étage, 4 chambres simples, tout confort et très joliment décorées, aux noms charmants de « romarin », « serpolet », « marjolaine »... qui font une très bonne halte.

Chez Mamette : *route Nationale 85 (plus connue sous le nom de route Napoléon), 04270* **Chabrières.** *☎ 04-92-35-52-05. À 15 mn de voiture de Digne et 5 mn de Mézel, juste après les clues de Chabrières sur le bord de la nationale à gauche en venant de Digne. Ouv tlj sf mer. Menus 13 et 22 €.* Excellente cuisine de bistrot plutôt traditionnelle et les gens le savent ! Belle terrasse à l'ombre de la tonnelle, isolée de la route par des arbustes, vite remplie aux heures de pointe ! Sinon, reste la petite salle tout simplement sympathique. Très bon accueil.

À voir

La clue de Chabrières : *sur la N 85, vers* **Barrême.** La route se glisse entre de vertigineuses murailles calcaires. Paysage magnifique, impressionnant et encore sauvage. Si vous redescendez ensuite la vallée vers Mézel, l'aller-retour s'impose. En effet, les vues, différentes dans les deux sens, sont toujours de toute beauté.

Mézel *(04270) :* *sur la D 907.* Un village typique comme on les aime, discret, avec ses petites places, sa longue rue principale jalonnée de maisons anciennes et de belles portes de bois, et ses chapelles, dont l'une est dotée d'une bien grosse horloge, certainement pratique dans le passé quand on travaillait aux champs. Également, une distillerie traditionnelle.

Beynes *(04270) : de Mézel, prendre la D 907, direction Riez, puis la 1re à gauche.* Une toute petite route, étroite et sinueuse, à laquelle personne n'a jugé bon de donner un numéro, conduit à travers champs et forêts jusqu'à cet adorable petit village perché. Un de ces petits mondes de tuile et de pierres sèches, oubliés des touristes, dont les Alpes-de-Haute-Provence ont le secret. Compter une bonne demi-heure pour grimper là-haut. Intéressant de faire la route, uniquement si l'on poursuit par la balade à pied jusqu'en haut du village !

Majastres *(04270) : de Mézel, prendre la D 907, direction Riez ; à 2,5 km, prendre à gauche la D 17 sur 17 km.* Si vous avez le temps, ou si vous souhaitez faire une des rando qui part de Majastres, voici une route pleine de charme, très tortueuse qui vous mènera, vers un village au bout de nulle part.

Le vieux Bras-d'Asse *(04270) : à une quinzaine de km au sud-ouest de Mézel par la D 907.* Dominant Bras-d'Asse, classique bourgade provençale, des ruines qu'on croirait sorties d'un film d'épouvante. Il faut y grimper pour découvrir l'envers du décor. Depuis 1979, une association belge redonne vie à ce village que ses habitants avaient déserté au milieu du XIXe s, préférant les terres plus riches de la vallée. L'église et plusieurs maisons ont été rénovées.

LA VALLÉE DE LA MOYENNE DURANCE

Rivière de montagne, aux sautes d'humeur autrefois redoutées (Frédéric Mistral la jouait gagnante dans le tiercé des grands fléaux de la Provence avec le mistral et le... parlement), la Durance a, au fil des siècles, creusé dans les Alpes du Sud un large et long couloir. De la voie domitienne d'hier à l'autoroute d'aujourd'hui, beaucoup se contentent d'emprunter cette voie de passage naturelle pour descendre plus au sud ou grimper plus au nord. Nous vous invitons plutôt à y musarder, d'églises oubliées en jolis villages perchés.

MALIJAI (04350)

Sur les rives de la Bléone, juste avant sa rencontre avec la Durance. Gros bourg provençal dont le château, construit en 1770, s'est fait une petite place dans la grande histoire. Napoléon y a en effet passé la nuit du 4 au 5 mars 1815. Bel exemple d'architecture classique. Les pièces du rez-de-chaussée, qui accueillent désormais la mairie, présentent un élégant ensemble de gypseries, typiques de la région : cartouches, trumeaux... *Visite possible (non guidée) aux horaires d'ouverture de la mairie (lun-ven 9h-12h, 13h30-17h30 ; 17h ven). Rens au ☎ 04-92-34-01-12 (mairie). • malijai.com •* On peut aussi se dégourdir les jambes dans le (petit) parc à la française.

CHÂTEAU-ARNOUX-SAINT-AUBAN (04160)

Petite ville (c'est quand même la troisième du département !) dans un joli site au bord de la Durance, dominé par la tour d'un pittoresque château Renaissance qui abrite aujourd'hui la mairie. Centre toutefois un peu perturbé par le passage de la nationale. Aux portes de Château-Arnoux, Saint-Auban, « ville nouvelle » créée au début du XXe s autour d'un pôle industriel. La commune compte également sur son territoire le deuxième plus important site ornithologique de la région PACA après la Camargue. Un sentier balisé de 10 km permet de le découvrir à pied ou à vélo.

Adresses utiles

ℹ ***Office de tourisme Val de Durance :*** *dans la vieille ferme de Font-Robert, le long de la N 85. ☎ 04-92-64-02-64. • valdedurance-tourisme.com • Ouv tlj sf dim (et sam hors saison), 9h30-12h30, 14h30-18h30.*

– ***Théâtre Durance :*** *Les Lauzières, BP 39. ☎ 04-92-64-27-34. • theatredurance.fr •* Un jeune théâtre à la programmation ambitieuse et éclectique : musique, théâtre, danse, cirque... pour petits et grands. Accueille également des artistes en résidence.

Où dormir ? Où manger dans le coin ?

🏠 🍽 ***La Magnanerie :*** *N 85, Les Fillières, 04200* ***Aubignosc.*** *☎ 04-92-62-60-11. • lamagnanerie04@wanadoo.fr • la-magnanerie.net • ♿ À 3 km au nord-ouest de Château-Arnoux par la N 85. Tlj sf mer soir en basse saison, dim soir et j. fériés. Doubles avec douche et w-c ou bains, TV satellite, 65-75 €, avec salon pour les plus chères. Menus 19 € (EPD, en sem)-43 €, 23 € (sam soir et dim midi). Wifi. Apéritif maison offert sur présentation de ce guide.* Un hôtel-restaurant de qualité dont les chambres colorées joliment décorées et d'un vrai confort viennent d'être rénovées. Côté resto, une grande salle au cadre design, lumineuse le jour ou plus intime en soirée, mêlant harmonieusement les matières et les couleurs. La carte, qui change tous les deux mois, affiche une cuisine régionale revisitée, moléculaire diront certains, à base de produits de producteurs locaux, le plus souvent bio. Personnel jeune et prévenant pour une clientèle d'habitués mais aussi de curieux, venus tenter l'expérience grâce au premier menu (servi en semaine), véritable aubaine pour son très bon rapport qualité-prix. L'été, agréable terrasse sur l'arrière.

VOLONNE *(04290)*

À 2,5 km au nord de Château-Arnoux, sur la rive gauche de la Durance. Un îlot médiéval qui a su préserver tout son charme, notamment dans le quartier de Vière. Des deux tours perchées au sommet du village, belle vue sur la vallée de la Durance. Enfin, un château du XVIIe s, siège aujourd'hui de la mairie, dont le grand escalier recèle un très beau décor de gypseries de style maniériste, classé Monument historique.

MONTFORT *(04600)*

Serpentant entre de bien vieilles maisons de pierre, des ruelles, qui se transforment vite en escaliers, grimpent vers un château du XVIe s. Peut-être bien le plus spectaculaire des villages perchés au-dessus de la Durance. Sympathique panorama sur la vallée, avec les rochers des Mées en fond de tableau, franchement superbes quand ils sont éclairés, les nuits d'été.

À voir dans les environs

L'église Saint-Donat : *accès par la D 496, puis la D 101 ; petit parking à gauche après le 1er pont.* Un semblant de sentier grimpe en 5 mn à travers une chênaie vers cette belle église, rare vestige du premier art roman méridional. Construite au XIe s à l'endroit où saint Donat s'était retiré en ermite au VIe s après avoir évangélisé la montagne de Lure. Imaginée comme une basilique modèle réduit, avec trois portes pour faciliter l'accueil des pèlerins. Des grilles interdisant l'accès à l'édifice, on peut découvrir la séduisante sobriété de la nef et du chœur, prolongé par trois absides lors des journées du Patrimoine, au moment du pèlerinage annuel effectué par les Montfortains le premier ou deuxième week-end de septembre (groupes folkloriques, messe) ou par le biais des guides de Pays *(☎ 04-92-76-66-23).*

LES MÉES *(04190)*

Petite ville provençale avec tous les attributs du genre : façades pastel, clocher à campanile d'une église du XVIe s, bistrots qui étirent leurs terrasses sous les platanes et quelques vestiges d'un passé de cité fortifiée. Mais l'intérêt principal des Mées, ce sont ces incroyables rochers gris, curieusement découpés par l'érosion, qui dominent d'une bonne centaine de mètres la ville et la campagne environnante. Cette impressionnante fantaisie géologique a évidemment une origine légendaire. Il s'agirait de moines, pétrifiés par saint Donat pour avoir regardé avec une certaine concupiscence (sinon une concupiscence certaine) de belles prisonnières mauresques. Les rochers ont depuis hérité du surnom de « Pénitents des Mées » et, effectivement, peuvent évoquer une procession de moines encapuchonnés. Belle balade balisée pour les approcher de plus près (descriptif gratuit du circuit disponible au syndicat d'initiative).

Adresse utile

Syndicat d'initiative : *bd de la République. ☎ 04-92-34-36-38. • lesmees04.com • Ouv lun 14h-19h, mar-ven, 10h-12h30 et 15h-19h ; sam 9h-12h30.*

LA HAUTE-PROVENCE

Où dormir ? Où manger aux Mées et dans les environs ?

De prix moyens à plus chic

🏠 🍽 ***Chambres d'hôtes Campagne du Barri :*** *quartier La Croix. ☎ 04-92-34-36-93. • olga.mancin@wanadoo.fr • guideweb.com/provence/bb/campagne-barri • À 1 km au nord-est des Mées par la D 4 (route de Digne) ; c'est fléché sur la gauche. Ouv tte l'année (sur résa de nov à mi-mars). Double avec douche ou bains et w-c 57 €. Gîte (2-3 pers) 200-280 €/sem. Repas du soir sur résa dim 17 € ; également un repas léger le midi 10 €. Wifi. Piscine. Réduc de 10 % sur le prix de la chambre de mi-sept à mi-mars sur présentation de ce guide.* Une grande maison bourgeoise du XVIIIe s, toute rose, au calme et entretenue avec soin par la charmante Olga Mancin, qui lui a redonnée une âme après plus de 50 ans d'abandon. Un salon avec un papier peint de 1794, des meubles anciens, des tomettes partout... Belles chambres personnalisées spacieuses et confortables, donnant sur le jardin ombragé, ses chaises longues et le rocher des Pénitents. Également une chambre dans un petit cabanon. Cuisine familiale à base de produits du jardin. Accueil adorable.

🏠 ***Chambres d'hôtes Les 3 Grains :*** *à* ***Dabisse,*** *à 8 km au sud des Mées, le long de la D 4. ☎ 04-92-34-33-25. 📱 06-60-25-20-13. • milletmh@wanadoo.fr • lestroisgrains.free.fr • À la sortie de Dabisse quand on vient des Mées, bastide un peu en retrait sur la gauche, juste à côté du restaurant* Le Vieux Colombier. *Double 67 €. Spa. Wifi. Apéritif offert sur présentation de ce guide.* Cette belle demeure cossue de la fin du XIXe s a bénéficié d'une jolie restauration. Ses 3 chambres spacieuses possèdent chacune une déco et un charme particuliers : romantique avec son drapé qui sépare le lit du reste de la pièce pour la « Parpaïoun », mur en galets de la Durance pour la « Dindouleto » et baignoire dans la chambre pour la « Nymphéa ». Petit salon accessible aux hôtes, jolie cuisine d'été à disposition à côté de la piscine et accueil extra.

🍽 ***La Marmite du Pêcheur :*** *bd des Tilleuls. ☎ 04-92-34-35-56. • christophe.roldan@wanadoo.fr • ♿ À la sortie de la ville, direction Digne ; au pied des Pénitents. Tlj sf mar-mer. Formule 20 €, menus 34 et 50 €. Une coupe de muscat offerte avec le dessert, sur présentation de ce guide.* Un resto de la mer au cœur des terres. Déco dans les tons orangés et chocolat pour une cuisine de qualité qui sait tirer le meilleur des produits de la Méditerranée et de ses rivages. Quelques viandes également pour les carnivores.

🍽 ***Le Vieux Colombier :*** *04190* ***Dabisse.*** *☎ 04-92-34-32-32. • snowak@wanadoo.fr • À 6 km au sud des Mées, le long de la D 4. Fermé dim soir, mer, et mar soir en basse saison. Congés ; 1re quinzaine de janv. Formules midi en sem 16 € (plat du jour et café gourmand) et 20 €. Menus, retour de marché 26 €, puis 38 et 49 €.* De cette grande bâtisse en bordure de route, ancien relais de poste du XIXe s, on ne soupçonne guère les délices du cadre – belle salle cossue avec cheminée, poutres au plafond, agréable et grande terrasse à l'ombre des marronniers – et de la table. Sylvain Nowak s'appuie sur des valeurs sûres. Produits nobles parfaitement maîtrisés, tradition légèrement revisitée. La carte change selon le marché et l'humeur du chef, tandis qu'en salle madame assure un service efficace. Une adresse à la qualité constante.

PEYRUIS *(04310)*

Les ruines perchées d'un château, une vieille église au clocher gardé par des gargouilles, des ruelles jamais rebaptisées depuis le Moyen Âge qui longent des maisons des XVIe et XVIIe s, des fontaines qui glougloutent, d'acharnées parties de pétanque sur la place centrale inévitablement ombragée de platanes... Bref, une jolie petite ville provençale, qui, si elle était chez les voisins du Luberon, perdrait sûrement vite authenticité et tranquillité...

Où dormir ? Où manger ?

Les Galets : *quartier Pont Bernard, 04310* ***Peyruis.*** *☎ 04-92-35-27-68. • aubergelesgalets@orange.fr • aubergelesgalets.com • Sur la N 96, un peu avant Peyruis, sur la gauche en venant de Forcalquier. Chambres doubles 59-109 €. Menu 25 €. Wifi.* Impossible de rater la façade rouge de ce petit hôtel. Tout beau, tout neuf, une excellente étape pour sillonner le coin. Dix chambres au confort moderne et aux noms évoquant des bois exotiques ou des voyages. Très jolie déco différente dans chaque chambre, déclinée en accord avec son nom... Préférez les chambres sur l'arrière, même si les deux sur la nationale sont très bien isolées. Très bonne cuisine au restaurant (réservé aux clients), le patron est l'ancien second de *La Marmite du Pêcheur* aux Mées.

À voir à Peyruis et dans les environs

Le prieuré de Ganagobie : *☎ 04-92-68-00-04. Accès par la N 96 direction Manosque puis, à 7 km, prendre à droite une petite route pittoresque et sinueuse (la D 30) ; c'est indiqué. Tlj sf lun 15h-17h. Entrée libre.* Sur un magnifique plateau planté de chênes verts d'où la vue porte jusqu'aux sommets alpins enneigés. Compter environ 10 mn de marche depuis le parking pour rejoindre le monastère. Le premier monastère a été fondé au milieu du Xᵉ s et offert par l'évêque de Sisteron à l'abbaye de Cluny. Les bâtiments restaurés au XVIIᵉ s abritent, aujourd'hui encore, une communauté monastique, des bénédictins venus de l'abbaye de Hautecombe sur les rives du savoyard lac du Bourget. Seule se visite l'église, qui date du XIIᵉ s. Superbe portail aux voussures festonnées. Les douze apôtres se serrent sur le linteau, sous un tympan où trône un Christ en majesté. Intérieur d'une très (très !) grande sobriété. Inévitablement, le regard est attiré vers l'abside, pavée d'une remarquable mosaïque, du XIIᵉ s également. Une rénovation a redonné tout leur éclat aux carreaux blancs, noirs, roses et rouges. Nette influence orientale (les croisés avaient apparemment ramené quelques idées de déco) pour ces monstres fabuleux enveloppés d'entrelacs. Une illustration originale de l'éternelle lutte contre les forces du Mal (toutes les scènes regardant vers l'est figurant, à priori, le Bien). Ceux qui veulent prolonger leur halte, peuvent emprunter l'un des sentiers aménagés autour du monastère. Celui qui mène aux remparts de Villevieille, par exemple, est une balade facile de 4 km.

Muséum des Insectes du Monde : *1 bis, chemin des Cigales, 04310 Peyruis. ☎ 04-92-32-69-38. • museumdesinsectesdumonde.com •* Petit musée entomologique de plus de 20 000 sortes d'insectes et arachnides du monde entier. Panneaux didactiques, pour mieux comprendre.

LURS *(04700)*

Un village à l'architecture harmonieuse (et à la rénovation peut-être un peu trop poussée...) dominant, avec superbe, la vallée de la Durance. Ancienne résidence des évêques de Sisteron du XIIᵉ s à la Révolution, mais peu de traces subsistent de leur passage. Le village, déserté par ses habitants, a d'ailleurs failli disparaître avant que Giono, au lendemain de la Seconde Guerre mondiale, ne le fasse découvrir à Samuel Monod, alias Maximilien Vox, un des maîtres français de la typographie. Dans son sillage, d'autres typographes, des graphistes... s'installeront au village où se tiennent chaque été, depuis 1955, des rencontres internationales rassemblant des professionnels de l'imprimerie. Au bout du village, la promenade des Évêques, jalonnée de quinze oratoires, conduit à une petite chapelle (environ 20 mn aller-retour). Belle vue sur la campagne environnante.

Où dormir dans les environs ?

Chambres d'hôtes Chante Oiseau : *domaine des Clots, 04300* ***Sigonce.*** *☎ 04-92-75-24-35. • info@chanteoiseau.com • chanteoiseau.com • À 6 km au nord-ouest de Lurs par la D 116 ; à Sigonce, prendre à gauche, à l'entrée du village, c'est indiqué. Tte l'année. Doubles avec douche et w-c 80-90 €. Également 5 gîtes 2-8 pers (capacité groupe 40 pers), 650-1 800 €/sem selon saison. Ou encore une cabane dans un arbre pour 4 pers, 125 €/nuit. Wifi.* Dans un cadre enchanteur, une maison (et ses dépendances) joliment restaurée pour voir la vie au calme. Un ample saule pleureur à l'entrée, un jardin fleuri où gazouillent les oiseaux, une grande terrasse, des chambres aménagées avec goût et une belle piscine.

ORAISON *(04700)*

Rive gauche de la Durance, au pied du plateau de Valensole. Au printemps, les champs de tulipes en fleur aux alentours déclinent une belle féerie de couleurs. Cette petite ville tranquille s'anime joyeusement lors de son marché hebdomadaire. Au hasard de rues qui, curiosité locale, portent les noms de morts des deux guerres mondiales, on découvrira une église gothique et romane du XVIIe s, un pont roman, un château de style Renaissance, les courses de lévriers et de chevaux, un lac où faire trempette... Pasteur est venu y étudier les vers à soie. Et pour les amateurs de courses automobiles, c'est ici qu'Ari Vatanen, le célèbre champion, a décidé de poser ses valises loin de sa Finlande natale... et ce n'est certainement pas par hasard !

Adresse et info utiles

Office de tourisme : *pl. du Kiosque. ☎ 04-92-78-60-80. • oraison.com • Lun-sam, et dim mat juil-août, 9h-12h30 et 15h-19h. Le reste de l'année 9h-12h30, 14h-17h30, fermé dim.* Accueil souriant. Intéressantes visites guidées de la ville tous les vendredis sur réservation ; départ à 10h devant l'office. Également des visites guidées botaniques tous les jeudis de mai à septembre sur réservation, et de nombreux circuits de randonnée, tous niveaux, de 50 mn à 4h.

– **Marché :** *mar mat sur les places du centre-ville.*

Où camper ?

Les Oliviers : *chemin de Saint-Sauveur. ☎ 04-92-78-20-00. • camping-oraison@wanadoo.fr • camping-oraison.com • ♿ À 500 m, un peu en surplomb d'Oraison. En venant de Manosque, indiqué sur la gauche à l'entrée du village. Tte l'année. Réserver l'été. Compter 16 € en hte saison pour 2 avec une tente. Loc de mobile homes pour 4 pers, 250-580 €/sem selon saison. CB refusées. Piscine. Wifi. Réduc de 5 % sur le séjour hors juil-août sur présentation de ce guide.* Petit camping familial bien entretenu au milieu des... oliviers, donc bien ombragé. Emplacements spacieux. Belle vue sur la montagne de Lure et la nature environnante. Snack, coin épicerie avec produits régionaux, pain et viennoiseries maison, huile fabriquée à partir de la récolte des olives du camp... Terrains de pétanque, ping-pong, volley, etc. Animations en été. Accueil vraiment sympa de Christophe, qui vous donnera plein de bons conseils pour profiter du coin.

MANOSQUE (04100) 24 000 hab. *Carte Alpes-de-Haute-Provence, B4*

Cette ville médiévale, anciennement clôturée par des remparts, est aujourd'hui, et avant tout, la ville de Jean Giono. Il la décrit notamment dans *Jean le*

Bleu ; la nuit, dit-il, « la ville ne respirait plus que par ses fontaines ». La campagne alentour, surtout, a contribué à inspirer ses œuvres. La municipalité en profite aujourd'hui pour développer le livre et la lecture sous la forme d'un programme qui a pour nom « Manosque, ville du Livre », profitant de la présence de libraires et d'auteurs, enfants du pays, comme Pierre Magnan, un de nos préférés, qui nous a fait aimer et découvrir cette région à travers les aventures du commissaire Laviolette, ou comme René Frégni que vous pourrez rencontrer, avec un peu de chance, en train de prendre son café, sous les platanes, place de l'Hôtel-de-Ville.
Manosque est également la ville la plus peuplée du département. Si vous venez le samedi matin, jour de marché, ou si vous déambulez rue Grande, en recherchant les traces du passage de Giono, vous vous en rendrez vite compte. Plutôt agréable, le cœur de ville est réservé en grande partie aux piétons.

LES PETITES ANECDOTES DE L'HISTOIRE DE MANOSQUE

L'histoire de Manosque est marquée par quelques anecdotes qui ont traversé les siècles. C'est par exemple à Manosque qu'a échu, en 1495, le triste privilège de connaître les premiers cas de syphilis, maladie ramenée par des Provençaux qui venaient de guerroyer (entre autres amuseries, apparemment...) en Italie. Cette même année, la population emmenée par les pères Carmes et les franciscains se livre à un véritable pogrom en attaquant les habitations des juifs manosquins... En 1516, c'est l'épisode le plus connu, qui a longtemps valu à la ville le surnom de « Manosque la Pudique » : François Ier, de retour de la bataille de Marignan (quelle année déjà ?), s'arrête à Manosque. Les consuls décident de lui offrir les clés de la ville et chargent de la mission une très jolie jeune fille. Le regard appuyé que lance le roi à la demoiselle ne laissant aucun doute sur ses intentions, la jeune fille, qui ne veut ni désobéir au roi ni se compromettre, décide de se défigurer. Elle se lacère le visage, expose ses blessures à des vapeurs de soufre...

Adresses utiles

Office de tourisme *(plan B2)* **:** *16, pl. du Docteur-P.-Joubert. ☎ 04-92-72-16-00. • manosque-tourisme.com • Ouv lun-sam, 9h-12h30 et 14h-18h30 et dim mat en hte saison 10h-12h.* Visites guidées (payantes) du centre historique : juillet-août, 1 fois par semaine. Grand office, à l'accueil disponible. Espace boutique et billetterie.

Manobus : *service de transports urbains gratuits. 4 lignes très pratiques pour se déplacer vers les quartiers éloignés du vieux centre. Rens • manobus.fr •*

Où dormir à Manosque et dans les environs ?

Campings

Camping Les Ubacs *(hors plan par A2,* **5)** **:** *av. de la Repasse. ☎ 04-92-72-28-08. • campinglesubacs@ville-manosque.fr • ♿ À la sortie de la ville (suivre la direction Apt, puis le fléchage). Manobus n° 3. Ouv avr-sept. Emplacement pour 2 avec tente et voiture env 12,70 € en hte saison. Loc de mobile homes pour 4 à 8 pers, 290-560 €/sem. CB refusées. Piscine.* Une centaine d'emplacements tout équipés, ombragés, sur 4 ha. Pétanque, piscine, jeux pour les enfants. Lac à 8 km. Une bonne base pour explorer la vallée de la Durance et le parc naturel du Luberon.

Oxygène *(hors plan par B2,* **6)** **:** *Les Chabrands-Villedieu, 04210* **Valensole.** *☎ 04-92-72-41-77. • sarloxygene@libertysurf.fr • camping-oxygene.com • À 10 km au nord-ouest de Manosque par la D 907 puis la D 4 direction Oraison. Ouv de mi-avr à mi-sept. Emplacement pour 2 avec tente et voiture 19 € en hte saison. Emplacements pour caravanes mais pas de loc. CB refusées.* Un camping de bon confort avec une belle piscine, une salle de sport, de l'ombre et des sanitaires bien entretenus. Un point de chute agréable pour sillonner la région.

De bon marché à prix moyens

Auberge de jeunesse *(hors plan par A1,* ***7****) : parc de la Rochette. ☎ 04-92-87-57-44. • manosque@fuaj.org • À 800 m du centre-ville. Bus n° 1 ou 2, arrêt La Rochette. Manobus n° 4. Réception 7h-12h, 17h-21h. Congés : nov-mars. Nuit 7 € en tente, 13,35 €/pers en dortoirs et 34 € pour une double ; petit déj 4,10 €. Internet.* Une maison récente au cœur d'un parc de loisirs (piscine à 50 m de l'AJ, tennis à 100 m) sur les hauteurs de la ville. Une soixantaine de places dans des chambres de 2 à 8 lits avec ou sans lavabo. Cuisine à disposition. Laverie. Boulodrome, barbecue. Soirées au coin du feu.

Hôtel du Terreau *(plan A2,* ***8****) : 21, pl. du Terreau. ☎ 04-92-72-15-50. • hotelduterreau@wanadoo.fr • hotelmanosque.fr • En centre-ville. Résa (à l'avance) conseillée. Fermé 25 déc-15 janv. Doubles avec douche et w-c ou bains, TV, 40-68 € selon confort. Grand parking juste en face. Wifi.* À l'orée du centre ancien, une petite adresse fréquentée par nombre d'habitués qui apprécient comme nous ses chambres mignonnes et confortables, récemment rénovées dans le style provençal. Demander plutôt celles du 3e étage, avec une belle vue sur les montagnes au loin. Super accueil, décontracté et perpétuellement souriant.

Chambres d'hôtes Un jardin en Ville *(hors plan par B2,* ***9****) : 8, av. de la Libération. ☎ 04-92-71-17-40. 06-83-32-27-02. • jardinenville@yahoo.fr • chambres-provence.monsite.orange.fr • Tte l'année. Réserver l'été. Double 55 €. Wifi.* Donne sur un petit rond-point mais avec des doubles vitrages efficaces. Charmante maison de 1930, dans laquelle vos hôtes accueillants ont aménagé 4 chambres simples et fraîches (dont une suite avec 2 chambres), bien agréables pendant les grosses chaleurs. Pas de table d'hôtes mais une cuisine à disposition. Petit déj servi dans le jardin aux beaux jours.

De prix moyens à beaucoup plus chic

Chambres d'hôtes La Bastide de l'Adrech *(hors plan par A2,* ***10****) : av. des Serrets. ☎ 04-92-71-14-18. • contact@bastide-adrech.com • bastide-adrech.com • À la sortie sud de la ville, direction Pierrevert-Apt, puis au rond-point du Crédit agricole, direction clinique Toutes Aures, ensuite c'est indiqué à droite et continuer toujours tt droit jusqu'à l'autre pancarte à droite. Doubles avec douche et w-c ou bains 68-78 €. Repas env 26 €. Wifi.* Ce couple-là tenait autrefois un restaurant. Ils ont fait un autre choix de vie, se sont lancés dans une autre aventure : sauver de l'abandon une imposante bastide du XVIIe s, posée dans un coin de campagne aux faux airs de Toscane. Et permettre à d'autres de partager le charme de ces vieilles pierres, dans 5 superbes chambres (dont une pour 4 personnes). Les chambres toutes ravissantes sont parfois séparées des salles de bains par un simple rideau... mais ça fait partie du charme des lieux. Également 2 gîtes (4-6 places) vraiment très jolis. Enfin, des formules week-ends pour découvrir les produits locaux, avec visite chez l'agriculteur ou l'éleveur et cours de cuisine.

Chambres d'hôtes Les Monges *(hors plan par A2,* ***5****) : 3627, route d'Apt. ☎ 04-92-72-68-41. • lesmonges.com • Prendre la direction Apt, Avignon par la D 907, puis 3 km après le panneau de sortie de Manosque, c'est indiqué sur la gauche. Ouv avr-oct. Chambres doubles 60-75 €. Également un gîte pour 4 pers, 580-880 €/sem, selon saison.* Ferme du XVIIe s entièrement restaurée par ses actuels propriétaires, plantée sur un promontoire et dominant la campagne. Les 5 chambres, habillées dans des tissus et des teintes très actuels, portent toutes des noms de fleurs et en possèdent la couleur dominante dans la déco. Les salles de douche sont également très bien imaginées et décorées. Pas de table d'hôtes, mais l'on peut utiliser la cuisine

MANOSQUE

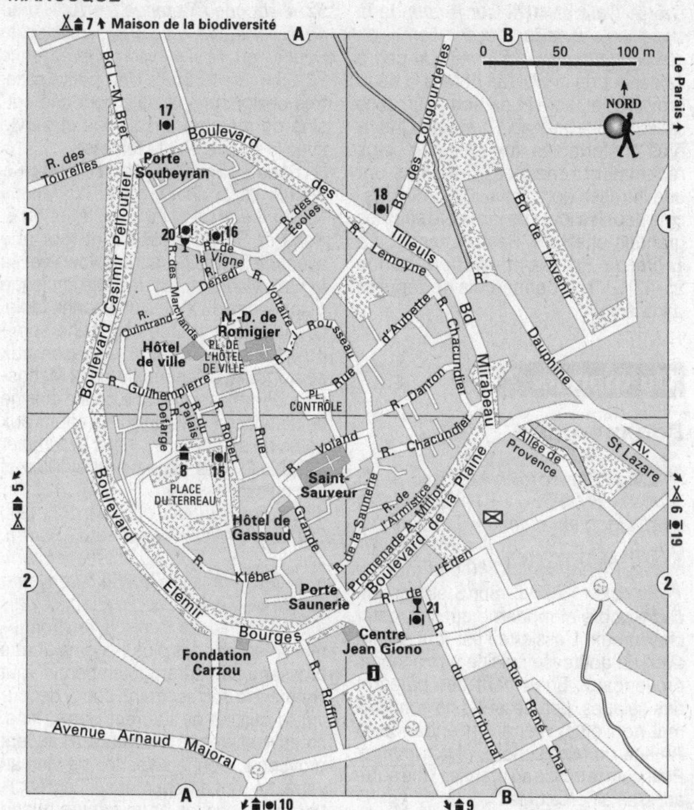

■ **Adresse utile**

- Office de tourisme

Où dormir ?

- 5 Camping Les Ubacs et chambres d'hôtes Les Monges
- 6 Oxygène
- 7 Auberge de Jeunesse et hôtel le Pré Saint-Michel
- 8 Hôtel du Terreau
- 9 Chambre d'hôtes Un jardin en ville
- 10 Chambres d'hôtes La Bastide de l'Adrech

Où manger ?

- 15 L'Aïgo Blanco
- 16 L'Antidote
- 17 Le Bonheur Fou
- 18 Sens et Saveurs
- 19 Le Forum

Où boire un verre ?

- 20 Café du Coin
- 21 Café de la Poste

ou le coin près de la piscine, là ou se prend le petit déj lorsqu'il fait beau ! Excellent accueil.

***Hôtel Le Pré Saint-Michel** (hors plan par A1, 7) : 435, montée de la Mort-d'Imbert. ☎ 04-92-72-14-27. • info@presaintmichel.com • presaintmichel.com •* *À 2 km à la sortie de la ville, route de Dauphin (c'est fléché depuis le centre). Ouv tte l'année. Doubles 65-90 € selon saison et confort, avec douche et w-c ou bains, TV satellite,* *clim, Internet, wifi. Parking gratuit dans l'hôtel. Café et 10 % sur le prix de la chambre, offerts sur présentation de ce guide du 1er oct au 31 mai.* Un peu à l'extérieur de la ville, un hôtel à la déco provençale sobre et de bon goût. Jolie salle de déjeuner au 1er étage. Chambres confortables aux salles de bains récemment rénovées. Certaines ont une terrasse donnant sur le jardin. Piscine pour les jours de farniente sous les grandes chaleurs. Resto attenant, *La Table du Pré Saint-Michel,* menus 25-42 €. Très bonne cuisine réputée dans le coin.

Où manger ?

Bon marché

I●I ***L'Aïgo Blanco*** *(plan A2,* ***15****)* **:** *3, pl. du Terreau. ☎ 04-92-75-61-83. ● restaurant@aigoblanco.com ● Tte l'année. Ouv tlj, 10h (8h sam)-16h, 18h30-minuit. Plat du jour 10,80 € et formule 17 € ; carte 15-20 €.* Sur 3 étages, un cadre sobre et moderne qui sait rester chaleureux. L'assiette l'est tout autant avec sa goûteuse cuisine aux accents provençaux. Également des pâtes et des salades. Les desserts ne sont pas mal non plus. L'endroit tendance, à l'image du fond sonore, plutôt *lounge*. Petit coin terrasse au premier. Une autre adresse à Forcalquier.

De prix moyens à plus chic

I●I ***L'Antidote*** *(plan A1,* ***16****)* **:** *pl. Marcel-Pagnol. ☎ 04-92-76-54-81. ● restaurant-antidote@wanadoo.fr ● Fermé mer et dim soir. Congés : 1 sem en fév, 1 en oct et 1 en déc. Formules 15-18 €. Menus 25-36,50 €. À la carte compter 25 €.* Dans le centre, une bonne petite adresse tenue par un jeune couple. Elle, officie avec une discrétion attentionnée dans la mignonne salle aux tons provençaux. Lui, concocte une cuisine du Sud fine et inventive. Produits frais, juste cuisson des poissons, et délicieux desserts. Bref, un antidote qui a fait ses preuves ! Terrasse en été.

I●I ***Le Bonheur Fou*** *(plan A1,* ***17****)* **:** *11 bis, bd des Tilleuls. ☎ 04-92-87-77-52. ● lebonheur@orange.fr ● ♿ À l'orée de la vieille ville, à deux pas de la porte Soubeyran. Tlj sf mer soir et jeu. Menus 22-25 € ; carte 35 €.* Une petite salle, très design, gris et noir, pour une cuisine de marché, ensoleillée et servie avec le sourire. Petite terrasse.

I●I ***Sens et Saveurs*** *(plan B1,* ***18****)* **:** *43, bd Tilleuls. ☎ 04-92-75-00-00. Menus 15 et 20 € le midi, puis 27, 36 et 50 €.* *Sens et Saveurs* est avant tout une aventure familiale, Laurent Nowak et sa femme Marie ont fait de cette ancienne magnanerie du XVIIe s une bonne table. Grande salle voûtée et cuisine semi-ouverte pour le décor. Terrasse aux beaux jours, à l'entrée du vieux Manosque. Dans l'assiette, une bonne cuisine un tantinet créative, le chef a appris aux côtés de son père, au *Vieux Colombier* à Dabisse. Des plats bien travaillés et des cuissons justes.

I●I ***Le Forum*** *(hors plan par B2,* ***19****)* **:** *341, av. du Moulin-Neuf, Bât Le Forum. ☎ 04-92-75-02-96. ● brasserie-leforum.fr ● Ouv lun-jeu 7h-18h ; ven-sam 7h-1h. Menus 18, 19 et 20 € le midi, puis à la carte, 20-25 € min.* L'environnement n'est pas des plus sexy, mais cette brasserie au cadre contemporain vaut vraiment le déplacement, pour y découvrir la cuisine de Laurent Barré : fine, créative et pleine de saveurs, à l'accent provençal. Bonne sélection de vins au verre. Le tout à déguster sur l'agréable terrasse, sous les brumisateurs quand la chaleur est intense. L'été, tapas (lun-jeu).

Où boire un verre ?

🍷 I●I ***Café du Coin*** *(plan A1,* ***20****)* **:** *20, rue Soubeyran, angle pl. M.-Pagnol. ☎ 04-92-72-10-13. Ouv tlj sf dim, 7h-21h et plus quand il y a des soirée spéciales. Plats du jour 8-10 €.* Belle terrasse sous les platanes de la charmante place Pagnol, bien agréable pour le petit déj ou plus tard dans la journée pour boire un verre. Également une petite salle à l'intérieur pour les jours gris. Très bon accueil du jeune Maxime et beaucoup d'habitués. Petite restauration et soirées tapas le vendredi.

Café de la Poste *(plan B2,* **21***) : rue Reine-Jeanne (en face de la poste !). ☎ 04-92-72-69-02. • cafedelaposte.com • Ouv tlj sf dim. Plat du jour 10,90 €, formules 16,50 et 19 €. Internet, wifi.* Encore un endroit sympa pour boire un verre, se donner rendez-vous ou encore grignoter à toute heure. Grande terrasse ombragée et salle inspirée des brasseries à l'intérieur. Soirée à thème, concerts, expos... Tous les vendredi et samedi, « aïoli provençal » (18 € ; préférable de réserver). Service jeune et avenant.

Achats

Le Moulin de l'Olivette : *rond-point de l'Olivette. ☎ 04-92-72-00-99. • moulinolivette.fr • À la sortie de la ville, direction Sisteron par la N 96. Lun-sam 8h-12h30, 13h30-19h15 (14h-18h30 en hiver).* Pour goûter et acheter l'huile d'olive de Manosque dans cette maison fondée en 1928.

L'Occitane-en-Provence : *Z.I. Saint-Maurice. À la sortie de la ville, route de Valensole/Gréoux-les-Bains. Visite (1h) gratuite de l'usine, lun-ven mat sur inscription (obligatoire) à l'office de tourisme (☎ 04-92-72-16-00). • loccitane.com • Boutique et musée ouv tlj sf dim et j. fériés, 10h-19h.* Une usine, son musée et sa boutique pour découvrir les dessous de la fabrication de cette gamme de produits provençaux qui ont fait le tour du monde, et qui véhicule – à sa façon – l'image de la Provence sur la planète. Pour les amateurs, les prix à la boutique sont inférieurs de 10 % par rapport à ceux pratiqués dans les boutiques l'Occitane !

À voir

Le vieux Manosque

Derrière des boulevards « périphériques » qui suivent encore le tracé des anciens remparts, une vieille ville, provençale dans l'âme, où il faut se laisser aller dans un quasi-labyrinthe de rues et d'andrones (ces ruelles qui ne permettaient que le passage d'un seul homme), de placettes où il fait bon s'arrêter pour boire un verre ou lire un livre, les bouquinistes ne manquant pas.

La porte Saunerie *(plan A-B2)* **:** elle garde l'entrée de la vieille ville. Construite au XIVe s, elle doit son nom aux entrepôts de sel qui se trouvaient autrefois à côté. Sous cette porte sont représentées les armoiries de la ville : « L'écusson aux quatre mains », chacune d'elles représentant l'un des quatre quartiers médiévaux qui auraient composé la ville initiale.

La rue Grande *(plan A1-2)* **:** arrêtez-vous au n° 23 pour admirer l'***hôtel de Gassaud*** (actuel presbytère), l'un des plus beaux hôtels particuliers de la ville, dans lequel Mirabeau fut placé en résidence surveillée en 1774 pour dettes. Les fanas de ***Giono*** savent qu'au 9, rue Grande, on peut voir la maison de « Jean le Bleu », où se trouvaient également l'atelier de repassage de sa mère et la cordonnerie de son père. Passez par ***l'église Saint-Sauveur,*** bel orgue de 1625 et superbe campanile en fer forgé construit en 1725 par Guillaume Bounard de Rians (un des plus ouvragés et des plus anciens de Provence). Au débouché de la rue Grande, sympathique place de l'Hôtel-de-Ville. Remarquable façade dudit hôtel de ville, d'un classicisme caractéristique du XVIIIe s. À l'intérieur, bel escalier et gypseries, et au 1er étage (accessible aux heures d'ouverture de la mairie) une série d'aquarelles raconte l'histoire de Manosque.

L'église Notre-Dame-de-Romigier *(plan A1)* **:** *visite en dehors des offices religieux 10h-18h.* D'origine romane, avec un portail Renaissance, elle abrite une des plus anciennes Vierges noires de France, Notre-Dame-du-Romigier (*roncier* en provençal, la légende voulant qu'elle ait été découverte, au VIe s, sous un buisson d'épines). Statue de bois d'une facture un peu primitive, affichant un sourire bizarre.

Un superbe sarcophage paléochrétien des IVe et V^e^ s en marbre de Carrare sert d'autel. À voir encore, la belle croix de cimetière en pierre du XVIe s, le baptistère, l'orgue de 1850.

La porte Soubeyran *(plan A1)* **:** voûte et base du XIVe s, campanile construit en 1830 par Beauchampt d'Apt. Sa forme rappelle l'enceinte de la vieille ville (en poire). La rue Soubeyran qui y mène suit l'ancien chemin de ronde des remparts.

Autour du centre ancien

La Fondation Carzou (plan A2) **:** *dans la chapelle du Couvent-de-la-Présentation, 7-9, bd Élémir-Bourges. ☎ 04-92-87-40-49. • fondationcarzou.fr • Ouv lun-sam, 9h-12h et 14h-18h ; fermé j. fériés et pdt les vac de Noël. Entrée gratuite.* En 1984, la Ville de Manosque fait restaurer l'église. Carzou, peintre d'origine arménienne que l'on ne peut taxer d'incorrigible optimiste, mettra 7 ans à représenter l'Apocalypse, reprenant les thèmes d'une exposition de 1957 sur les angoisses du monde actuel. À voir, comme témoignage.

Le centre Jean-Giono (plan A-B2) **:** *3, bd Élémir-Bourges. ☎ 04-92-70-54-54. • centrejeangiono.com • ♿ (rez-de-chaussée). Oct-mars, mar-sam 14h-18h ; avr-sept, mar-ven 9h30-12h30, 14h-18h, sam 9h30-12h, 14h-18h ; ouv dim juil-sept. Entrée : 4 € ; réduc.* Dans une belle bâtisse provençale de la fin du XVIIIe s. Exposition permanente « Jean Giono ou le cœur de Noé », pour ceux qui ne connaîtraient pas l'œuvre de l'écrivain. Organise également des expositions et des balades littéraires, individuelles ou en groupe. Bibliothèque, vidéothèque, librairie, stages, rencontres avec des comédiens, écrivains, etc. Expositions temporaires, telles que « La Maison d'enfance de Jean Giono ».

Un peu plus loin

Le Paraïs (maison de Giono ; hors plan par B1) **:** *à hauteur du 190, montée des Vraies-Richesses. Entrée libre.* Une petite allée conduit à cette maison. Giono vécut de 1930 jusqu'à sa mort à *Lou Paraïs*. Joli jardin d'où l'on domine toute la ville. L'association *Les Amis de Giono* y assure une visite le vendredi 14h30-17h (sa bibliothèque, son bureau). *Prendre rdv par tél (le mar ou le ven 14h-17h) au ☎ 04-92-87-73-03. • amis.jean.giono@tiscali.fr •*

La Thomassine, Maison de la biodiversité (hors plan par A2) **:** *route de Dauphin, chemin de la Thomassine. ☎ 04-92-87-74-40 ou 04-90-04-42-00. • parcduluberon.fr • ♿ (salle d'expos, salle vidéo et sanitaires). Direction Dauphin et à gauche juste avt l'hôtel-restaurant* Le Pré Saint-Michel *; chemin de la Thomassine pdt 2 km, puis à droite à 700 m. Juil-sept : mar-sam 10h30-13h, 15h-18h30 ; visite guidée à 10h30 et 16h30 (durée 1h). Oct-juin : slt mer 10h-12h30, 14h-16h30 ; visite guidée à 10h30 et 15h. Tarif : 4 € ; gratuit pour les moins de 18 ans.* Dans ce site de 68 ha bénéficiant d'un microclimat particulier par sa douceur, une promenade originale et pédagogique dans l'extraordinaire diversité du monde végétal qui accompagne la vie d'un homme au quotidien. Vous pourrez découvrir, à 10 mn du centre de Manosque, un verger conservatoire de plus de 500 variétés fruitières traditionnelles, un potager de variétés légumières anciennes, différents jardins à thèmes (des roses, des osiers, des figuiers, des légumes oubliés), une terrasse en prairies fleuries... Et profiter d'un réseau de captage d'eau, d'une salle d'exposition, d'une aire de pique-nique...

La colline du Mont-d'Or : *à 3,5 km au nord-est de la ville.* Du sommet avec sa « tour » (pans de mur d'une tour du château des comtes de Forcalquier, dont dépendait Manosque), on découvre un magnifique panorama : la vieille ville en forme de poire et ses toits patinés, le ruban du canal bordé de cultures et de vergers, parallèle à la Durance, vastes horizons s'étendant sur le Luberon, le pic de Sainte-Victoire, la Sainte-Baume, le Haut-Var, le mont d'Aiguines surplombant les gorges du Verdon, les premiers sommets des Alpes. Les terrasses ont été réhabilitées et les oliviers remis en culture. Mais les oliveraies étant privées, certains exploitants ne permettent pas de les traverser.

La colline de Saint-Pancrace : *à 2 km au sud-ouest de la ville (suivre le fléchage « chapelle de Toutes-Aures »).* Une autre colline (en celte, Manosque signifie d'ailleurs « habitants des collines ») coiffée d'une longue chapelle d'origine romane, où l'on se rend encore en pèlerinage. Joli panorama de ses 466 m d'altitude. Un petit sentier autour du thème de l'olivier a été aménagé sur la colline et le GR 4 passe par là. Depuis plus de 250 ans, chaque lundi de Pâques, une grande fête y est organisée, la Saucissonnade. L'occasion de profiter des premiers beaux jours pour un pique-nique en famille.

Fêtes et festivals

- ***Rencontres cinéma de Manosque :*** *fin janv. Rens au service culturel de la mairie : ☎ 04-92-70-34-07.* Une équipe de passionnés, découvreurs de talents, organise ces rencontres « Du réel à l'imaginaire », attirant chaque année des cinéastes de continents différents.
- ***Festival Musiks à Manosque :*** *20-25 juil.* La rencontre des musiques plurielles à ciel ouvert, sans bourse délier.
- ***Rencontres Giono :*** *3 j. fin juil. Organisées par Les Amis de Jean Giono, rens sur le programme : ☎ 04-92-87-73-03. 06-37-55-73-18. • jeangiono.org •* Spectacles, lectures, films, café littéraire, expos, conférences, débats...
- Une ***fête de l'Olivier*** tourne tous les ans dans la région de Manosque, généralement le jeudi de l'Ascension.
- ***Correspondances :*** *fin sept.* Pour donner l'envie aux gens d'écrire. Ateliers d'écriture, écritoires disséminés dans la ville, lectures, rencontres, et spectacles tous les soirs. Cette manifestation connaît un grand succès.

DANS LES ENVIRONS DE MANOSQUE

L'écomusée de l'Olivier, le don de la Méditerranée : *ancienne route de Forcalquier, à **Volx** (04130). ☎ 04-92-72-66-91. • ecomusee-olivier.com • À 7,5 km au nord-est de Manosque, par la D 4096 puis la D 13. Lun-ven 10h-12h30, 14h-18h ; sam 14h-18h (en juil-août 18h30 et dim 14h-18h30). Fermé janv-fév. Tarif : 4 € ; réduc ; gratuit pour les moins de 16 ans ; 2,50 € sur présentation de ce guide. Également des visites guidées.* « Là où l'olivier renonce, finit la Méditerranée. » Quelle meilleure introduction à ce musée consacré à l'olivier que cette citation de Georges Duhamel ? Diversité des provenances et des variétés, récolte des olives, utilisation de l'huile d'olive pour soigner, nourrir, chauffer, éclairer ou encore en cosmétique, procédés de fabrication (de l'artisanat le plus simple à la mécanisation)... Rien n'est oublié dans ce beau musée installé dans un décor sobre et contemporain dont on vous laisse deviner la couleur dominante. C'est entre les murs de pierre d'un ancien four à chaud, premier site de production de sa marque l'Occitane, qu'Olivier Baussan (un prénom prédestiné !) – également fondateur d'Oliviers & Co – a décidé en 2006 d'installer cet écomusée dédié à l'arbre poussant des deux côtés de la Méditerranée. Scénographie pédagogique et ludique : panneaux thématiques, vidéos, audiophones, diffuseurs de senteurs, collection de lampes à huile, huiliers des XVIIIe et XIXe s, vieux bidons en tôle, dénoyauteur, malaxeur, presse hydraulique, etc. On y trouve même un avis émis par la mairie d'Aix en 1809 réglementant l'entrée des olives ! Ou encore une explication du caractère sacré de l'olivier dans les 3 religions monothéistes. Histoire de prendre conscience que l'enjeu et l'importance de l'oléacé ne datent pas d'hier. Animations ludiques et quiz pour les enfants. Avant de repartir, on s'arrête devant la souche d'olivier centenaire provenant de Manosque qui trône au milieu de la salle surmontée d'un lustre magistral. Conférences régulières sur l'art et l'olivier, et expo chaque année de mai à septembre sur des artistes liés de près ou de loin à l'olivier. Petite boutique avec dégustation des huiles « PPP » (première pression Provence) qui commercialise la production de près d'une quarantaine d'oléiculteurs provençaux et tout un tas de jolis objets et produits éco-responsables.

FORCALQUIER

(04300) 4 645 hab. *Carte Alpes-de-Haute-Provence, B3*

Bâtie sur le versant d'une colline, la vieille ville occupe un joli site qui fait oublier les plus discutables constructions de ses nouveaux quartiers. À la fois provençale et préalpine, Forcalquier a de la personnalité, un vrai charme brut. Point de fort ici, mais une fontaine sur un rocher calcaire, « Font Calquier ».
Au XIIe s, Forcalquier était un petit État indépendant, établi par les seigneurs du coin qui avaient profité des rivalités opposant les comtes de Toulouse, ceux de Barcelone, la république de Gênes et l'empereur germanique. Ils réussirent à maintenir leur indépendance jusqu'à la fin du XIIIe s, alors que la peste noire s'était abattue sur la Provence. Cette indépendance politique a fait des petits dans le domaine religieux, puisque l'évêque de Sisteron s'est retrouvé avec une seconde cathédrale à Forcalquier. Depuis, on tient au terme de « cocathédrale », unique en France. La ville, au fil des siècles, n'aura de cesse de cultiver cet esprit un peu rebelle. En 1789, c'est à Forcalquier que se font élire les députés aux états généraux des pays de Digne et de Sisteron. C'est à Forcalquier encore que s'amorce la révolte républicaine contre le coup d'État de Napoléon III. Et le pays de Forcalquier accueille un important maquis pendant la Seconde Guerre mondiale.

Adresses et infos utiles

ℹ ***Office de tourisme intercommunal Pays de Forcalquier-Montagne de Lure*** *(plan A1)* **:** *13, pl. du Bourguet, BP 15. ☎ 04-92-75-10-02. • forcalquier.com • Ouv lun-sam 9h-12h, 14h-18h (juil-août 9h-12h30, 14h30-18h30 et dim mat).* Très dynamique. Met en place de nombreuses animations hors saison et des visites de la ville (sur résa). Cartes gratuites des produits de pays et du « Pays de Forcalquier et montagne de Lure à vélo » pour découvrir les hautes plaines provençales. Très bien conçu, par de petites routes loin des grands axes, et quelques suggestions de haltes.

■ ***France Montgolfières :*** *☎ 02-54-32-20-48 ou à l'office de tourisme. • franceballons.com •* Propose un survol de la région *(185-229 €/pers selon formule choisie).*

– ***Marché :*** *lun mat.* 400 exposants en été ! L'un des plus vieux – et des plus gros – de Provence puisqu'il existe depuis le Moyen Âge : artisanat, produits régionaux. Franchement impressionnant (les difficultés de stationnement en saison aussi...). Parking de la Bonne-Fontaine et navette municipale pour rallier le centre-ville (gratuits).

– ***Marché :*** *jeu ap-m.* Marché paysans, à 80 % bio ou agriculture très raisonnée.

Où camper ?

⛺ ***Camping Indigo Forcalquier*** *(hors plan par B1, **5**)* **:** *route de Sigonce. ☎ 04-92-75-27-94. • forcalquier@camping-indigo.com • camping-indigo.*

FORCALQUIER

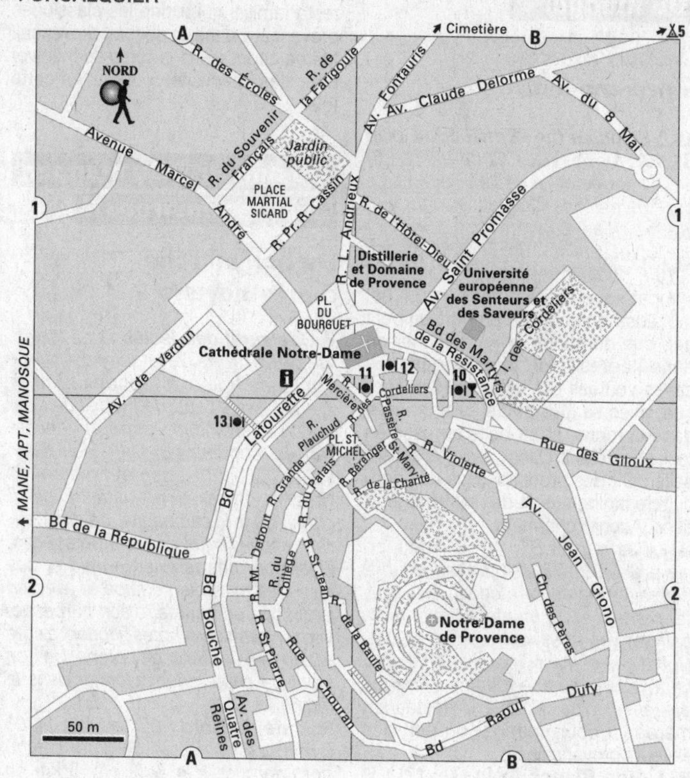

■ **Adresse utile**

🛈 Office de tourisme

⛺ **Où dormir ?**

5 Camping Indigo Forcalquier

Où manger ?

10 Salon de Thé l'EntrE dEux
11 Le Jam
12 L'Aïgo Blanco
13 La Tourette

com • À env 500 m du centre-ville. Ouv de fin avr à mi-oct. Compter 21,90 € en hte saison pour 2 avec tente et voiture. Loc de chalets, tentes en toile et mobile homes jusqu'à 6 pers, env 300-756 €/sem selon saison et confort ; réduc de 30 % à partir de 7 nuits hors juil-août. Fait partie du groupe *Indigo*, qui prône un retour aux sources de l'esprit du camping fait de simplicité et de contact direct avec la nature. 130 emplacements, la plupart spacieux et ombragés. Sanitaires bien entretenus. Bien équipé. Ambiance plutôt familiale. Ping-pong, volley, pétanque... Nombreuses animations et activités gratuites ou payantes (cours de cuisine, ateliers...). Location de vélos. Piscine chauffée.

Où manger ?

De bon marché à prix moyens

Salon de thé l'EntrE dEux (plan B1, **10**) **:** *rue des Lices. ☎ 04-92-77-06-64. À l'entrée de la vieille ville, en face du couvent des Cordeliers. Ouv lun 8h-15h, mar, jeu, ven 8h30-18h, mer 9h-15h et sam 9h-18h. Fermé dim. Env 8-15 € pour un repas.* Voilà une bien sympathique petite adresse, où il est tout aussi agréable de prendre un petit déj, que de grignoter au déjeuner ou dans l'après-midi. Installé dans les caves voûtées de l'ancienne synagogue, avec sa jolie petite salle creusée dans la roche, et sa belle terrasse en teck à l'extérieur. Dans l'assiette, essentiellement des produits issus de l'agriculture biologique et des plats végétariens. Accueil charmant.

Le Jam (plan B1, **11**) **:** *2, rue Mercière. ☎ 04-92-75-22-02. • karimkatbi@hotmail.fr • À l'entrée de la vieille ville, tte petite rue qui monte à droite de la cathédrale. Tlj sf mer ; fermé en nov. Couscous et tajine 10, 12 et 18 € env ; carte 20 €. Thé à la menthe offert sur présentation de ce guide.* Un restaurant marocain pour changer un peu des saveurs provençales.

L'Aïgo Blanco (plan B1, **12**) **:** *5, pl. Vieille. ☎ 04-92-75-27-23. Au cœur de la vieille ville. Tlj sf lun soir hors saison. Fermé en janv. Plat du jour 10,80 €, formule (entrée + plat ou plat + dessert) 17 € ; carte 25 €.* Sympathique terrasse sur une microscopique place de la vieille ville et petite salle plaisante. Une jeune table, à la cuisine pas prise de tête : salades géantes, pâtes à l'italienne en été, raclette, fondue et autres tartiflettes en hiver. Carte des cafés avec une dizaine de références. Simple mais bon, servi (jusque tard le soir) avec le sourire.

La Tourette (plan A2, **13**) **:** *20, bd Latourette. ☎ 04-92-75-14-00. • latourette04@gmail.com • Sur le bd, au pied de la vieille ville. Ouv le midi hors saison, plus le soir mar, mer, ven et sam en saison ; fermé dim. Formule (salade ou plat du jour) 11 €. Suggestion du jour 14 € le midi en sem et 19,50 €. Apéritif maison offert sur présentation de ce guide.* Petit resto familial qui aligne les classiques provençaux dans un décor... provençal. Même cadre (sans la terrasse !) l'hiver pour des spécialités... lorraines cette fois.

Où dormir ? Où manger dans les environs ?

De bon marché à prix moyens

Gîte rural des Iscles : *Les Iscles. ☎ 04-92-79-57-72. • jfqueyras@sfr.fr • jfqueyras.free.fr/gite/index.html • À env 6 km au sud de Forcalquier par la D 16 direction Dauphin. Ouv tte l'année. Compter 445-660 €/sem selon saison. Apéritif maison et bouteille de vin local, offerts sur présentation de ce guide. Dans la campagne, un gîte pouvant accueillir jusqu'à 4-5 personnes, idéal pour une famille. Simple et pas immense mais bien équipé et avec un jardin où l'on peut faire son barbecue. Vos sympathiques hôtes habitent à côté et tiennent un atelier de poterie. Un bon point de chute pour rayonner dans la région.*

Café du Nord : *pl. de Mai, 04300* **Limans.** *☎ 04-92-74-53-31. • cafedunord@orange.fr • À env 8 km au nord-ouest de Forcalquier par la D 950 direction Ongles, Banon... puis la D 313. Fermé vac scol de fév. En saison, tlj midi et soir sf mer ; hors saison ts les midi sf dim et ts les ven et sam soir. Réserver. Formules 12,50-13,80 € le midi. Carte 20-25 €. Wifi.* Sur une mignonne placette, un sympathique bistrot de pays tenu par un charmant jeune couple. Ce café a beau être du Nord, ses influences culinaires regardent vers la Provence, et même plus loin vers Nice et l'Italie ! Et pour une fois, au piano, c'est une femme ! C'est simple, frais et bon : caviar d'aubergine (en saison), gigot d'agneau (bio) aux légumes croquants... Si la salle est agréable, la terrasse est un régal en été (à réserver si on ne veut pas se retrouver sans table).

Bistrot de Pierrerue : *rue de la Ferraille, 04300* **Pierrerue.** *☎ 04-92-75-*

LA HAUTE-PROVENCE

33-00. • maryvonne.kutsch@orange.fr • À env 6 km à l'est de Forcalquier par la D 12 direction Lurs. Ouv ts les soirs mar-sam et dim midi. Menus 25-28 €. CB refusées. Un couple d'Américains a repris ce bistrot de Pays. Les produits sont bio, tant que faire se peut. On vient ici pour se régaler autant d'une pièce de charolais que d'un poisson sauvage, sans oublier de laisser une place pour les desserts maison. À l'intérieur, grande salle toute simple, mais pas de terrasse sur la rue, trop étroite.

De prix moyens à plus chic

Chambres d'hôtes Le Relais d'Elle : *route de La Brillanne, 04300* **Niozelles.** *☎ 04-92-75-06-87. • relais.d.elle@wanadoo.fr • relaisdelle.com • À env 8 km de Forcalquier par la N 100 ; après La Brillanne, continuer sur 2-3 km. Congés : 4 janv-4 fév. Réserver. Doubles 62-67 € (82 € pour 3 et 102 € pour 4). Également un gîte avec 2 chambres pour 6 pers, 1 600 €/sem en hte saison. Table d'hôtes 25 €. Apéritif et 10 % offerts sur le prix de la chambre, de fév à mars et de nov au 20 déc, sur présentation de ce guide.* Une belle bâtisse posée dans un cadre verdoyant. 5 chambres dont une suite, à la plaisante déco, aménagées avec beaucoup de goût. Très belle terrasse sur l'arrière, donnant sur la campagne et les collines environnantes, où l'on prend le dîner aux beaux jours ; pour le petit déj beaucoup trop de guêpes, alors on le prend à l'intérieur ! Piscine. Beaucoup de charme et excellent rapport qualité-prix.

Campagne Berne : *Les Cences, 04300* **Pierrerue.** *☎ 04-92-75-42-59. • info@lacampagneberne.com • lacampagneberne.com • De Forcalquier, passer Pierrerue et après un virage à droite, c'est indiqué sur la droite. Chambres doubles 80 €, petit déj compris. Gîtes 600-800 €/sem, 200-300 € w-e.* 5 chambres bien aménagées et tout confort, dans une ancienne bergerie, au calme de ce petit coin de campagne. Également 2 gîtes pour 4 ou 6 personnes. Table d'hôtes pour les résidents, le chef est un ancien des cuisines de Matignon ! Produits frais et bio tous les jours.

La Fare 1789 : *D 12, 04300* **Pierrerue.** *06-73-87-40-95. • lafare1789.com • info@lafare1789.com • En venant de Forcalquier par la D 12, c'est indiqué sur la gauche un peu avt Pierrerue. Ouv d'avr à mi-oct. Doubles 90-235 € selon confort et saison. Suite ou appartement à partir de 750 €/sem en hte saison. Table d'hôtes 25 €.* Si Olivier Baussan vous dit quelque chose, nous sommes ici dans la grande bastide familiale du XVIIIe s, qu'il a donnée à son fils. Celui-ci, avec l'aide de sa charmante épouse, a aménagé 3 grandes chambres d'hôtes, une suite et un appartement, le tout décoré avec beaucoup de goût, chic et épuré, par madame. Au calme, au milieu du joli parc. Cuisine et salon, ainsi qu'une cuisine d'été près de la piscine, sont à la disposition des hôtes. Jacuzzi (payant). Très bon accueil des jeunes propriétaires.

Auberge Charembeau : *route de Niozelles. ☎ 04-92-70-91-70. • contact@charembeau.com • charembeau.com • ♿ À 3,5 km du centre par la D 4100 (direction Niozelles-Oraison) ; c'est indiqué sur la droite. Fermé 15 nov-1er mars. Réserver l'été. Doubles avec douche ou bains et w-c 64-125 € selon saison et confort. TV satellite. Formule hôtel-résidence (chambre 2-5 pers + cuisinette) 532-945 €/sem selon taille et nombre de pers. Internet, wifi. Mise à disposition gratuite de 2 vélos pour une ½ journée de balade sur présentation de ce guide.* En pleine nature, perchée audessus d'un petit bois, face à des prés à moutons. D'une vieille ferme du XVIIIe s, cette très accueillante famille a fait l'une des plus belles adresses du pays de Forcalquier. Une vingtaine de chambres où l'on a ses aises, éminemment tranquilles, à la déco néoprovençale ; certaines avec balcon, d'autres avec une vaste terrasse, toutes équipées confortablement. Beau petit déj, servi sous les arbres du parc aux beaux jours. Piscine pour les uns, balades à vélo (loués sur place) pour les autres. On est à 800 m du tour du Luberon.

À voir. À faire

La cathédrale Notre-Dame *(plan A-B1)* **:** ancienne cathédrale des XIIe-XIVe s, assez austère, à la fois romane et gothique. Ses deux clochers s'opposent : l'un massif du XIVe s, l'autre plus léger et aérien du XVIIe s. Façade d'une extrême simplicité. À la partie originelle (nef, transept et chœur) bâtie en croix latine vinrent s'ajouter, au XVIIe s, les collatéraux nord et sud. Impressionnant grand orgue dont les parties les plus anciennes remontent au XVIIe s. Devant le portail de l'église, une plaque apposée sur une fontaine du XVIIIe s rappelle le mariage des deux filles aînées de Raymond Bérenger V, comte de Provence et de Forcalquier : Marguerite avec Louis IX (Saint Louis) et Éléonore avec Henri III, roi d'Angleterre. Les deux sœurs cadettes épousèrent également chacune un roi : Sancie se maria avec Richard de Cornouailles, roi des Romains et frère d'Henri III d'Angleterre ; Béatrice épousa un frère de Saint Louis, Charles d'Anjou, roi de Naples et de Sicile. Mais il semblerait que ces dames n'aient pas trop traîné autour de Forcalquier, même si papa était le puissant seigneur du comté.

La vieille ville : les petites rues du vieux Forcalquier et des hôtels particuliers qui les bordent sont en constante rénovation. De l'église Notre-Dame, grimper la rue Mercière, puis prendre à droite la rue Plauchud jusqu'à l'adorable place Saint-Michel. Au centre, fontaine de style gothique, œuvre d'un sculpteur qui devait être quelque peu libertin (regardez bien les sculptures, à sa base). Rue Grande, une jolie enfilade de portes anciennes du n° 10 au n° 14. Un peu plus loin à gauche, un curieux escalier (classé) permet de passer de la place du Palais (anciennement de justice, sympathique petit bâtiment du XIXe s, actuellement siège de l'association *Alpes de lumière*) à la rue Bérenger. Quelques pas encore, rue du Collège, pour voir, au no 12, l'ancien temple protestant (fin du XVIe s) et, juste à côté (au no 10), un bel hôtel particulier.

La terrasse Notre-Dame-de-Provence *(plan B2)* **:** *pour y accéder, suivre le fléchage « citadelle » dans la vieille ville.* Prenez le temps de grimper, par la calade (rue empierrée dont les pierres sont posées sur chant), au sommet de la ville. Henri IV n'a laissé que quelques pierres de la citadelle des comtes de Forcalquier et le XIXe s y a planté une chapelle très kitsch qui fait passer le Sacré-Cœur pour un chef-d'œuvre de sobriété... Pas grand-chose à voir là-haut (si ce n'est le panorama, superbe) mais tout à entendre : le dimanche 11h30-12h15, un joueur fait sonner « à coups de poings » un carillon d'église.

L'Université européenne des senteurs et des saveurs *(plan B1)* **:** *bd des Martyrs-de-la-Résistance. ☎ 04-92-72-50-68. • couventdescordeliers.com • uess.fr • Ouv tlj 8h30-12h30, 13h30-17h30 sf sam-dim. Rens, résas et paiements sur le site ou par tél.* Le couvent des Cordeliers, une des premières fondations franciscaines en Provence, du XIII°s. Bel intérieur voûté au gros dallage et aux pierres apparentes. Un réfectoire, avec expos l'été. C'est aujourd'hui le siège de l'Université européenne des senteurs et des saveurs. Les jardins ont été réhabilités et sont ouverts en permanence. Nombreux ateliers organisés toute l'année sur l'aromathérapie, le parfum, l'œnologie, etc.

Le cimetière *(hors plan par B1)* **:** *au nord de la ville ; de la pl. du Bourguet, par la rue Andrieux. Accès : 8h-19h en été, jusqu'à 17h30 en hiver.* Très original, c'est un site classé Monument historique pour son architecture de verdure (ifs taillés en arcades). Monumentaux caveaux des grandes familles de la ville, mausolées des ordres religieux et, dans un coin, de modestes croix de bois pour sir Jack Drummond, sa femme et leur fillette, les victimes de la médiatiquement et tristement célèbre affaire Dominici.

La via Domitia : longue route créée par les Romains pour rejoindre l'Espagne depuis Rome, cet axe important passait juste derrière Forcalquier et à travers sa région. Il en reste de nombreuses traces dans les environs (voir le chapitre « Le pays de Forcalquier et la montagne de Lure ») avec des sites comme Alaunium (Notre-Dame-des-Anges), le pont de Ganagobie, la borne de Tavernoure ou l'ancien relais routier de Catuiacia (aux abords de Céreste). Se renseigner auprès des offices de tourisme.

Distilleries et Domaines de Provence *(plan B1) : av. Saint Promasse. ☎ 04-92-75-15-41. ● boutique@distilleries-provence.com* ● Espace dégustation et vente. On peut goûter ici tous les apéritifs provençaux élaborés à la distillerie (pastis, rinquinquin, gentiane de Lure et autres farigoules).

Fêtes et manifestations

Une soixantaine d'artisans d'art travaillent devant le public.
– ***Fête de la Randonnée :*** *dernier w-e d'avr. Rens auprès de l'office de tourisme.* Circuits accompagnés, à pied, à cheval, à VTT, nombreuses randonnées sur le canton, tous niveaux, à thèmes, nocturnes, etc.
– ***Festival Apérilivres :*** *début juin. Rens auprès de l'office de tourisme.* Foisonnement d'événements liés au livre.
– ***Concerts d'orgue :*** *août, ts les dim, à la cathédrale Notre-Dame. Gratuit.*
– ***Semaine des senteurs & saveurs :*** *fin août ou début sept (selon années).*
– ***Journées fermières :*** *oct. ● paisalp.free.fr* ● Organisées par PaïsAlp (association des producteurs fermiers paysans de Haute-Provence). *☎ 04-92-77-14-30.* Marché, repas, débats...
– ***Biennale « Savoir-faire et Métiers d'art » :*** *ts les 2 ans, 1er w-e d'avr.*
– ***Festival du Théâtre de chambre :*** *une sem début nov.*
– ***Ronde des crèches :*** *fin déc-janv.* Itinéraire des crèches avec santons classés sur le pays de Forcalquier. Dépliant disponible à l'office de tourisme.

LE PAYS DE FORCALQUIER ET LA MONTAGNE DE LURE

Si l'on devait définir d'une formule ce coin des Alpes-de-Haute-Provence, on pourrait dire qu'on est dans le Luberon, d'ailleurs tout proche, le snobisme en moins. Le paysage est ouvert, franchement lumineux, le ciel y est plus clair qu'ailleurs, l'air y est plus pur. Une terre où l'olivier rencontre le hêtre, où les vieux villages narguent la campagne du haut de leurs pitons. « C'est évident que nous sommes là dans le contraire du commun. Il faut du caractère et un peu d'âme », disait Giono de la montagne de Lure, cette barrière montagneuse qui, sur une cinquantaine de kilomètres, borde, au nord, le pays de Forcalquier. Une terre qui hésite entre nord et sud, entre Provence et Dauphiné, où la tuile dispute la vedette à la lauze, où la gentiane bleue des crêtes fait écho à la lavande des collines.
Même en plein été, on y trouve plus facilement à se loger que dans le Luberon (dans de jolies adresses...) et à des prix sans commune mesure. L'automne apporte aux forêts de hêtres et de chênes des couleurs magnifiques que l'on ne retrouve pas dans les régions de pins et de conifères. Les traditions pastorales, l'artisanat, les gens ont conservé la simplicité de la terre. Et bien sûr, il y a encore toutes les saveurs rencontrées sur la « route des Bistrots de pays » (se procurer la carte auprès des offices de tourisme) à travers les nombreux petits villages du coin, ou encore au sein de la récente Université européenne des saveurs et senteurs. Sans oublier les produits de terroir, comme le fromage de Banon et les apéritifs à base de plantes aromatiques de Forcalquier. Pour les randonneurs, le *GR 6,* au départ de Sisteron, permet, en trois jours, de rallier Forcalquier en traversant la montagne

de Lure. Enfin, côté nourritures spirituelles, le pays accueille de nombreux acteurs culturels et économiques rassemblés par la passion du livre (éditeurs, libraires, graphistes, relieurs...). À ce titre, il est classé, depuis juin 2006, *pôle d'excellence rurale Pays du livre et de l'écriture,* et propose tout au long de l'année des activités et rencontres autour de ces thèmes.

LES BISTROTS DE PAYS

Cette charte de qualité est née au début des années 1990 dans les Alpes-de-Haute-Provence, et a depuis essaimé dans d'autres départements de l'Hexagone. Son but : contribuer au maintien des commerces et lieux de vie dans les villages de moins de 1 000 habitants. Pour prétendre à ce label, un café doit proposer 3 prestations complémentaires (restauration, épicerie, presse...), en plus de la fonction d'accueil et de point infos sur la commune et les environs ; fêtes, veillées et autres animations y sont régulièrement organisées. Une façon d'encourager une vie sociale conviviale dans les villages, qui profite autant aux habitants qu'aux curieux de passage. La désertification ne passera pas par là !

MANE (04300)

Sympathique bourg un peu perché seulement animé par une petite poignée de commerces, à côté du prieuré de Salagon. Belle balade dans les ruelles empierrées du vieux village (X^e s) pour monter vers le château (privé, ne se visite pas). On y découvre un site riche en histoire médiévale, épargné par les chantiers de restauration de maisons pour estivants.

Où dormir ?

Le Mas du Pont Roman : *chemin de Châteauneuf. ☎ 04-92-75-49-46. • info@pontroman.com • pontroman.com • ♿ À la sortie de Mane, par la N 100 direction Apt ; c'est fléché sur la droite. Tte l'année. Doubles avec douche et w-c ou bains 80-115 € ; familiale 135 €. Wifi. Apéritif offert sur présentation de ce guide.* Au milieu des champs. La route passe suffisamment au large pour qu'on goûte pleinement la tranquillité de ce charmant endroit, une vieille bastide du XVIIe s, intelligemment remaniée. Une dizaine de chambres, chacune avec sa personnalité, toutes très « déco ». 2 piscines, une dans le jardin, l'autre, avec balnéo, au cœur de la maison. Sauna.

À voir

Salagon, musée et jardins : *à 500 m au sud-ouest de Mane, par la N 100. ☎ 04-92-75-70-50. • musee-de-salagon.com • ♿ Fév-avr, tlj 10h-18h ; mai et sept, tlj 10h-19h ; juin-août, tlj 10h-20h ; oct-15 déc 10h-18h, sf mar ; fermé janv. Entrée : 7 € en été (audioguide compris), 5 € en hiver ; 5 € pour les jeunes 12-18 ans, étudiants, demandeurs d'emploi, pers handicapées ; gratuit pour les moins de 12 ans.* Connu depuis plus de 2 000 ans, ce site a vu se succéder de nombreuses constructions. Aujourd'hui, il reste le prieuré qui conserve du XIIe s son église romane, à laquelle a été accolé un logis prieural renaissance. Depuis 1981, c'est un musée-conservatoire ethnologique de la Haute-Provence, lieu de mémoire de la vie dans la région. Des expositions permanentes et temporaires sur la vie du pays sont organisées tous les ans. On aime, en plus, sillonner les très plaisants jardins ethnobotaniques (jardin médiéval, jardin des senteurs, jardin des simples, jardin des temps modernes...). Au total, 2 500 plantes sont à découvrir sur 6 ha de verdure. Ateliers de découverte pour les enfants et les non-voyants, concerts, journées à thèmes, expositions...

Le château de Sauvan : *route de Céreste. ☎ 04-92-75-05-64. • chateaudesauvan.com • À 2 km au sud-ouest de Mane par la D 4100. Fermé de mi-nov à fin* *janv. Visites fév-mars ts les dim et j. fériés 15h30 ; avr-juin et de sept à mi-nov tlj 15h30 sf mar-mer ; juil-août tlj 15h30 et 16h30. Compter 1h30 de visite commentée. Entrée : 7,50 €.* Vous voici au « petit Versailles de Provence » ! Totalement restauré depuis plus de vingt ans par les propriétaires (qui sont toujours à l'affût d'un petit peu de soutien), ce château sur deux étages surprend par sa taille et son style peu courant dans la région. Jardins à la française, lions en pierre, grande terrasse avec vue sur Mane, cheminée monumentale dessinée par Viollet-le-Duc, collection de faïences, bibliothèque, salon de musique du XVIIIe s, chapelle, bel escalier où vous noterez l'empreinte des sabots du cheval de l'une des dernières héritières, qui exigeait de lui de la monter jusqu'à sa chambre. Grandes chambres desservies par une galerie de 45 m de long. Que du beau !

Le Couvent des Minimes : *chemin des Jeux-de-Maï. ☎ 04-92-74-77-77. • reservations@couventdesminimes-hotelspa.com • couventdesminimes • hotelspa.com •* C'est pour les religieux des Minimes, un ordre mendiant institué par Saint Vincent-de-Paul, que le marquis Melchior de Forbin Janson fonde en 1613 le couvent. La culture et l'étude des plantes représentaient alors une activité importante de la vie du couvent. Louis Feuillée, botaniste de Louis XIV, y fait ses études et y écrit deux traités sur la botanique. Après la Révolution française, le couvent reste inoccupé jusqu'en 1862, date à laquelle le chanoine Terrasson, archiprêtre de Forcalquier, entreprend sa restauration et sa transformation en hospice. En 2007, les franciscaines quittent le couvent et, en association avec des professionnels de l'hôtellerie, la célèbre marque *l'Occitane* transforme le couvent en un magnifique hôtel de luxe avec spa. Pour profiter du lieu, on peut toujours aller boire un verre au bar lounge *Le Pesquier* ou au bar musical *Le Caveau des Minimes.*

DAUPHIN *(04300)*

Un des plus beaux villages de la région. Ramassé sur une butte rocheuse, encore enserré, pour partie, dans des fortifications du XIVe s. Des fontaines, des passages couverts, de vieilles maisons d'un beau calcaire sable, une croquignolette boulangerie-alimentation cachée dans une maison de village, des ruelles médiévales, en calade et fleuries qui grimpent vers l'église du XVe s. Superbe panorama, de là-haut.

Où manger ?

La Pie Margot : *rue du Barri. ☎ 04-92-79-51-94. Tlj sf mer et jeu midi (hors juil-août) ; fermé de mi-déc à mi-janv. Compter 30 € pour un repas complet. CB refusées.* Discrètement logée dans une ruelle du village, des murs de pierre, baie vitrée avec vue sur la vallée et la rivière en contrebas. Ambiance familiale et cuisine de tradition.

À voir dans les environs

Le musée de la Mémoire ouvrière, Mines et Mineurs de Haute-Provence : *au pied de Dauphin, sur la D 513, à la sortie de Saint-Maime, direction Forcalquier. ☎ 04-92-79-58-15 (mairie). Ouv pdt les vac scol de Pâques, d'été et de la Toussaint, tlj sf lun, 14h30-16h30 suivant la disponibilité de la mairie ; le reste de l'année, sur demande. Entrée : 2 € ; réduc.* Un petit musée qui retrace l'histoire des mines de lignite de la région. Photos, témoignages, objets, outils.

SAINT-MICHEL-L'OBSERVATOIRE *(04870)*

Ce village respire le charme de la Provence, mais on y vient surtout, et du monde entier, pour visiter l'observatoire et le Centre d'astronomie, ou encore pour arpenter le « chemin des étoiles », qui file à travers le village jusqu'à une table d'orientation. Il en est ainsi, depuis qu'en 1938 le CNRS a pris ici possession de ses installations astronomiques.

Adresse utile

Syndicat d'initiative : *château d'Agoult, pl. de la Fontaine. ☎ 04-92-75-69-09. • saintmichellobservatoire.com • Ouv d'avr à oct, lun-ven 9h30-12h, 13h30-17h30 (lun 14h-17h30), 20h30-21h30 (ven 19h30-21h30) ; sam 14h30-17h30, 20h30-21h30.*

Où dormir ? Où manger ?

Chambres d'hôtes Le Farnet : *chez Cathy et Pascal Depoisson, Le Farnet. ☎ 04-92-76-65-52. • le-farnet@wanadoo.fr • lefarnet.com • Sortir du village direction Revest-Banon ; à 2 km, accès par une petite route en terre indiquée sur la droite. Congés : 3 oct-17 avr. Double avec douche et w-c ou bains 61 €. Table d'hôtes le soir sf mer et w-e 18,50 €.* Une ancienne bergerie joliment restaurée, avec une belle piscine, qui surplombe les champs de lavande et les chênes verts de la vallée. Des hôtes, confiseurs entre autres, très accueillants et des chambres toutes gracieuses. Les repas se prennent sur la terrasse, dès le premier rayon de soleil.

Hôtel-restaurant L'Observatoire : *pl. de la Fontaine. ☎ 04-92-76-63-62. • hotrestobs@wanadoo.fr • hôtel-restaurant-lobservatoire.fr • Au cœur du village. Tlj sf dim soir-lun ; fermé vac de la Toussaint. Double avec douche et w-c 69 €. Menus 17 € le midi et 27-35 € le soir. Apéritif maison offert sur présentation de ce guide.* Charmant petit hôtel de campagne, qui semble avoir toujours été là. Un bout de terrasse ombragée par un tilleul bicentenaire, un vieux bistrot-journaux... 5 chambres à la fraîche déco provençale, et un appartement. Au resto, une cuisine au gré du marché (et le chef a du métier !) à déguster à l'ombre sur l'adorable petite place avec sa fontaine.

Le restaurants des Coupoles : *pl. du Serre. ☎ 04-92-76-67-01. Ouv tlj sf lun soir et mar. Plat du jour 9,50 € (café compris) et menu du jour 13 €, en sem. Menus 18-25 € et 29 € (midi et soir).* Belle carte qui change tous les 3 mois, proposant une bonne cuisine de marché, simple mais goûteuse. Grande terrasse sur la place, et salle intérieure avec une belle vue sur la vallée pour les jours plus frais.

À voir

L'Observatoire de Haute-Provence : *indiqué à la sortie du village. Rens : ☎ 04-92-70-64-00. • obs-hp.fr • 1er mer d'avr-1er mer de nov, ouv mer 14h-16h ; juil-août, tlj 14h-17h, navette gratuite obligatoire au départ du village (inscription au syndicat d'initiative ☎ 04-92-76-69-09). Entrée (achat des billets au syndicat d'initiative) : 4,50 € ; réduc.* Fondé en 1937. Comme des champignons géants sortis de nulle part, treize coupoles abritent divers instruments d'observation du ciel dit « le plus pur de France » ! La visite débute par la projection d'un film scientifique et se poursuit dans la plus grande des coupoles. Cette dernière abrite le télescope (de 193 cm !) qui a permis, en 1995, de découvrir la première planète dite « extrasolaire », une planète qui tourne autour d'une étoile qui n'est pas le Soleil et qui est située à quarante années-lumière de lui. N'oubliez pas que ce site est avant tout un lieu de recherche scientifique, qui impose parfois des règles strictes (discrétion, pas de chiens...).

Le Centre d'astronomie : *au plateau du Moulin-à-Vent. ☎ 04-92-76-69-69. • centre-astro.fr • Achat des billets au syndicat d'initiative (6,50 € le jour et 10,50 € le soir).* Propose durant toute l'année des séances d'observation du soleil, en journée ou en soirée, à destination de tout public : lecture du ciel à l'œil nu, à la jumelle ou au télescope...

– ***L'Été Astro :*** *1ᵉʳ juil-23 sept,* nombre d'animations scientifiques et ludiques sont proposées à l'observatoire, au Centre d'astronomie et dans le village de Saint-Michel : observation du soleil, soirées « découverte », nuits des perséides, conférences...

CÉRESTE (04280)

Aux portes du Luberon, voici un petit village – souvent oublié car en bordure de département – bien vivant, surtout les jours de marché, avec sa place de village et ses platanes. Une promenade s'impose dans les ruelles caladées du vieux village, encore cerné par les monumentaux vestiges de ses remparts médiévaux : jolies fontaines, fenêtres, portes, maisons anciennes. C'est à Céreste que le poète René Char a dirigé, pendant la Seconde Guerre mondiale, un réseau de résistants.

Adresse et infos utiles

ℹ ***Office de tourisme :*** *pl. de la République. ☎ 04-92-79-09-84. • cereste.fr • Lun-ven 9h30-12h30, 14h-17h30 (18h sam) ; également dim en juil-août 9h30-12h30.* Accueil souriant et dynamique. Donne des renseignements sur les randonnées pédestres, hébergements, vente de produits locaux, visites guidées...

– ***Marché :*** *jeu.*

– ***Art de mai*** *au printemps, expos d'artistes locaux, peintures, photos, etc. et* ***Journées de l'art*** *en août.*

À voir dans les environs

Le prieuré de Carluc : *le long de la piste cyclable en direction de Reillanne. Visite guidée sur résa à l'office de tourisme, uniquement en juil-août, min 10 pers.* Ancien prieuré de l'ordre de Montmajour avec sa chapelle romane, les restes de deux églises, les vestiges d'une galerie funéraire, une nécropole taillée dans la roche et la nature tout autour. Peu connu et surprenant.

REILLANNE (04110)

À l'écart de la N 100, un joli village dont les maisons semblent grimper à l'assaut d'une colline. Marché, le dimanche matin, en été, sur la place du village où se trouve une fontaine monumentale. L'imposante chapelle Saint-Denis, qui domine le village et la vallée de l'Encrème, offre un très beau panorama sur les Alpes.

Adresse utile

ℹ ***Office de tourisme :*** *cours Thierry-d'Argenlieu. ☎ 04-92-76-45-37. • reillanne-en-luberon.com • Mar-sam, 9h30-12h30, 15h30-17h30, plus dim mat juil-août 10h-12h.*

VACHÈRES (04110)

Et un joli village perché, un ! Riche d'histoire (une balade dans les ruelles suffit pour s'en persuader) et depuis longtemps, puisque du haut de cet éperon rocheux peuplé depuis la préhistoire vous contemplez cent millions d'années d'évolution.

Le résultat des découvertes sur ce site est visible au ***musée Mémoires de pierres – mémoires d'hommes :*** *tlj juil-août 15h-18h ; 1ᵉʳ avr-30 juin et sept-8 nov mer, dim et j. fériés 15h-17h30 ; sinon tél pour prendre rdv au ☎ 04-92-79-00-71 ou 04-92-75-67-21. Fermé 15 déc-31 janv. Entrée : 3,80 € ; réduc.* Pièces maîtresses : un fossile de chevrotin vieux de trente millions d'années, une statue gallo-romaine du Ier s av. J.-C., dite « du guerrier de Vachères ». Et des plaques de calcaire aux fossiles de végétaux et insectes, des silex taillés, des stèles funéraires, etc.

OPPEDETTE (04110)

De Vachères, une superbe petite route offrant de somptueuses échappées sur la montagne de Lure et le Luberon mène jusqu'à Oppedette, superbe, le plus perché des villages perchés de Haute-Provence. Site vraiment étonnant : ce village médiéval semble flotter au-dessus des frondaisons. Une rue unique, de vieilles bâtisses, discrètement mais joliment rénovées. Dans le centre du village, le *Restaurant des Gorges* permet de se poser pour boire un verre et éventuellement manger un sandwich.
Le village domine les gorges d'Oppedette, un canyon du Verdon miniature, long de 2,5 km, bordé de falaises qui atteignent 100 à 150 m de haut. Un sentier balisé permet d'approcher ces gorges creusées par le Calavon (la balade au cœur des gorges est, elle, beaucoup plus ardue).

SIMIANE-LA-ROTONDE (04150)

En haut d'une butte, on aperçoit en arrivant l'imposante rotonde, donjon de l'ancien château des seigneurs de Simiane. Une fois arrivé, on se retrouve dans un village fleuri superbement restauré, aux ruelles caladées et aux beaux hôtels particuliers évoquant la prospérité de Simiane à l'époque de la Renaissance, grâce à l'activité des maîtres verriers.
Situé au cœur des champs de lavande, le village accueille sur son territoire la plus importante coopérative agricole de France pour la production de lavande et de lavandin (lire le paragraphe « Lavande » dans « Hommes, culture et environnement »).
L'été, au son des cigales et des grillons, l'atmosphère change un peu, pas seulement à cause de la lavande et des roses trémières, mais aussi parce qu'il y a plus de monde, surtout à l'approche du Festival de musique ancienne, qui se déroule dans la mystérieuse rotonde. Simiane est une bonne halte pour sillonner les villages perchés alentour.

Adresse utile

Office de tourisme : *à l'entrée du Château. ☎ 04-92-73-11-34. • simiane-la-rotonde.fr • Mai-août, tlj 10h30-13h, 13h30-19h ; mars-avr et sept-11 nov, tlj sf mar 13h30-18h. Fermé 12 nov-fin fév.*

Où dormir ?
Où manger ?

Auberge La fontaine « Le Gîte et le couvert » : *04150* ***Simiane-la-Rotonde.*** *☎ 04-92-73-13-79. • infos@gite-la-fontaine.com • gite-la-fontaine.com • À la sortie du village direction Apt. Double 69 €. Repas en ½ pension 20 €.* Gîte équestre de 8 chambres pour 2 à 5 personnes, simples mais bien décorées et tout confort avec salle de bains commune. Très bonne table d'hôtes accessible midi et soir. Très bon accueil.

Le Chapeau Rouge : *Bas Village. ☎ 04-92-74-22-86. • catherine.lombard0841@orange.fr • À l'entrée du village. Fermé jeu tte l'année. Ouv midi et soir en été ; l'hiver tlj à midi et sam soir. Formules 14,80 €, 18 € et 20 €. Menu 25 €.* Bonne cuisine de terroir, uniquement à base de produits locaux, à déguster sur la grande et très agréable terrasse ombragée. Délicieux fromages de chèvre (production locale). Soirées jazz certains soirs. Accueil très souriant.

À voir

Le château médiéval et sa rotonde : *en haut du village (immanquable, de tte façon). ☎ 04-92-73-11-34. Mai-août, tlj 10h30-13h, 13h30-19h ; mars-avr et sept-11 nov, tlj sf mar 13h30-18h. Fermé 12 nov-fin fév. Entrée : 4,50 € ; réduc.* Un donjon de la fin du XIIe s, massif et haut de 18 m qui, vu de l'extérieur, reste un... donjon. C'est à l'intérieur que cela se passe : sous une élégante voûte en coupole s'étend une superbe salle digne d'une église, colonnes aux chapiteaux romans dont il faut prendre le temps de détailler les sculptures... Une récente restauration des salles du château permet désormais au public de profiter d'expos historiques, artistiques et botaniques, ainsi que du laboratoire d'aromathérapie.

L'abbaye de la Rose : *à* **Valsaintes.** *☎ 04-92-75-94-19. • valsaintes.org • Indiqué depuis Simiane et la D 51. Ouv tlj mai-août, 10h30-18h ; avr et sept-oct 14h-18h, sf mar. Fermé nov-mars. Entrée : 6 €, donnant accès au parc floral et à l'église abbatiale. Compter 1h30 de visite.* Loin de tout, on découvre cette belle et massive abbaye cistercienne remaniée au XVIIe s. Beau portail du XIIe s. À côté, une roseraie présentant plus de 600 variétés et un parc floral coloré et fleuri au printemps, géré de main de maître par Jean-Yves Meignen. Sur demande, visite possible de l'observatoire astronomique. Une belle formule qui allie histoire, botanique, tourisme et passion. On peut également participer à une journée complète, avec pique-nique, d'initiation au maintien d'un jardin naturel, avec le maître des lieux (50 € la journée).

Festival

– **Les Riches Heures musicales de la Rotonde :** *juil-août. Rens et résas : ☎ 04-92-75-90-14. • festival-simiane.com •* Festival de musique ancienne.

BANON *(04150)*

Joli village médiéval plein de charme, qui abrite encore de nombreux bâtiments des XIVe et XVe s. Le vieux Banon, ceint par les ruines des remparts de l'ancien château, est accessible par le beau portail à mâchicoulis, qui s'ouvre sur la rue des Arcades, magnifiquement caladée. Le reste est à l'avenant. Ce village cher à Nicolas Hulot est avant tout célèbre pour son fameux petit fromage de chèvre, enfermé par un brin de raphia dans une feuille de châtaignier qui, par le passé, l'aidait à se conserver jusqu'à l'hiver. Tout fier de son AOC (le premier de la région PACA à l'obtenir, en 2003), il a également plusieurs fois été médaillé d'or au Salon de l'agriculture.
– Pour plus de renseignements sur le fromage : ***Maison régionale de l'élevage,*** *480, route de la Durance, à* ***Manosque.*** *☎ 04-92-87-47-55.*

Adresse et info utiles

@ Point info (annexe de la mairie) : *pl. de la République. ☎ 04-92-72-19-40. • village-banon.fr • Tte l'année, lun ap-m, mar-sam 9h-12h, 14h-17h (fermé mer ap-m et ven mat de nov à avr) et juil-août dim mat.* Borne Internet.
– **Marché :** *mar mat, pl. de la République ; sam mat, pl. de la Gendarmerie.*

Où boire un verre ?
Où prendre le thé ?

Les Vins au vert : *rue Pasteur. ☎ 04-92-75-23-84 • lesvinsauvert.fr • Planche 12 €. Vins au verre 3-5 €.* Après de gros travaux, ce jeune couple a transformé cette ancienne menuiserie en un lieu dédié au vin. Très belle mutation, inventée comme une bibliothèque à bouteilles, voisinant avec la bibliothèque de livres anciens. Quelques tables en bois et grande table d'hôtes, comme à la maison. Toute petite terrasse, mais pour goûter un maximum de références accompagnées d'une planche maison (fromage, tarte salée, jambon, etc.), mieux vaut ne pas être en plein cagnard ! Les bouteilles sont également à vendre.

– Regardez en face, *L'Atelier des écritures,* cette amusante boutique, probablement un des derniers écrivains public !

Les Bons Moments : *rue Saint-Just. ☎ 04-92-73-39-94. Ouv tlj sf lun en saison, sinon sam-dim et vac scol.* Un joli salon de thé qui fait aussi brocante. Pour faire une pause ou bouquiner après être passé à la belle librairie *Le Bleuet,* juste à côté. Adorable petit jardin-terrasse sur l'arrière, en caillebotis et bambou.

Où acheter de bons produits ?

Charcuterie La Brindille Melchio : *pl. de la République. ☎ 04-92-73-23-05. Ouv non-stop 8h-19h juil-août. Sinon, 8h-12h30, 14h30-18h30.* Le nombre de fromages de chèvre et de saucisses proposés à la vente est impressionnant. Essayer la brindille, spécialité locale. Pour les amateurs de fromage, la *cacheille* (préparation en pot de chèvre macéré dans du marc de Bourgogne). Il faut s'accrocher !

À voir. À faire

L'écomusée de la Fromagerie : *route de Carniol. ☎ 04-92-73-25-03. • fromageriedebanon.com • Prendre la direction Simiane/Apt. Ouv avr-fin oct, 14h30-17h30, tlj sf mar, en général. Se faire éventuellement confirmer (tél ou voir les panneaux informatifs situés dans le village). Entrée gratuite.* Visite de la fromagerie pour découvrir les secrets de fabrication du fameux fromage AOC, des méthodes anciennes aux machines modernes utilisées aujourd'hui. Vente de fromage également.

La route de la Lavande : au printemps et au début de l'été, remonter la route entre Banon et Revest-du-Bion. C'est surprenant, toutes ces étendues violettes, avec le mont Ventoux en arrière-plan et la montagne de la Lure de l'autre côté.

La librairie Le Bleuet : *pl. Saint-Just. ☎ 04-92-73-25-85. Ouv tlj, tte l'année, 9h-20h l'été (l'hiver ferme à 19h30 et ouvre à 10h le dim).* La plus grande librairie indépendante de France. Très grand choix d'ouvrages, dont beaucoup d'auteurs régionaux, évidement. Un nombre de titres incroyable, dont certains introuvables, car épuisés, dans les FNAC et autres grandes librairies. Pour vous donner une idée, plus de 45 000 ouvrages, et plus de 450 titres de la Pléiade !

Fête

– **Fête du Fromage :** *mi-mai.* Participez au concours du meilleur banon. Une fête placée sous la trilogie pain-vin-fromage. On adore...

SAUMANE *(04150)*

Très paisible village, au pied de la montagne de Lure, quelques maisons anciennes et une belle église Saint-Pierre-aux-Liens du XVe s.

LARDIERS (04230)

Un autre de ces petits villages pleins de charme, posé à flanc de colline et dominant la montagne de Lure, où la blancheur de la pierre des maisons varie en fonction de la lumière du jour.

Où manger ?

Café de la Lavande : *pl. de la Lavande. ☎ 04-92-73-31-52. Congés : vac de fév, 15 nov-10 déc. Ouv tlj midi et soir, sf lun-mar (mar ouv en juil-août). Résa conseillée. Service 12h-13h15, 20h-21h15. Menu unique 26 €. CB refusées.* Premier « bistrot de pays », précurseur de ce mouvement apparu pour lutter contre la désertification des villages dans les années 1990 (lire l'encadré « Les bistrots de pays » plus haut). Quelques habitués passent pour le petit coup de blanc du matin ou le pastis de l'apéritif. Mais ils devraient faire comme vous et prendre le temps de déguster un bon repas (brandade de morue, légumes farcis...). Accueil parfois peut-être un peu hum... mais ça fait partie du jeu.

SAINT-ÉTIENNE-LES-ORGUES (04230)

Un bourg carrefour sur la route d'accès au sommet de la montagne de Lure. Moins de charme immédiat que quelques-uns de ses voisins, mais il fait bon se promener dans les ruelles étroites du centre ancien en observant les façades des XVIIe et XVIIIe s. Au fait, ne cherchez pas d'orgues sous le toit de lauze de l'église : Les Orgues (en provençal *Ausonica*) est le nom de l'ancien village situé sur la rive gauche de la Laye, détruit par les pillards de Raymond de Turenne à la fin du XIVe s. Le bourg, qui abrita autrefois nombre d'herboristes et de marchands droguistes (il y a encore une rue des Apothicaires), célèbre chaque année à sa façon le 14 Juillet en organisant une grande Foire de l'herboristerie et aux végétaux.

Adresse utile

Office de tourisme : *médiathèque. ☎ 04-92-73-02-57. Ouv mar-sam 9h-12h, 14h-18h ; juil-août, lun-sam 9h-12h30, 14h30-18h30, et dim mat 10h-12h.*

Où dormir ? Où manger ?

Chambres d'hôtes Les Vignaus : *☎ 04-92-73-02-43. • vignaus@wanadoo.fr • lesvignaus.com • À 1 km au sud-ouest de Saint-Étienne par la D 951, fléché sur la gauche. Tte l'année. Chambre double 58 €, ½ pens 43 €/pers demandée les w-e et pdt les vac scol. Casse-croûte (copieux) le midi 9 €. Menu 22 €, vin compris. Wifi. Apéritif maison offert sur présentation de ce guide.* Un accueil souriant et gentil dans cette ancienne bâtisse qui fut jadis entourée de vignes et daterait du XVe s. Chambres modestes, à la déco champêtre. On dîne, près de la fontaine et sous la pergola ombragée aux rosiers grimpants : cuisine et produits de région. Salle de petit déj sympa, bibliothèque au calme. Également un gîte d'étape indépendant pouvant accueillir jusqu'à 4 personnes. Location d'ânes et stages de danse.

Résidence-club Odalys Les Mas de Haute-Provence : *☎ 04-92-73-15-43. • st-etienne@odalys-vacances.com • Studio pour 2 à partir de 60 €/nuit (à partir de 175 €/sem). ½ pens possible.* Trois sympathiques petits hameaux disséminées au milieu d'espaces verts privatifs en bordure du village. Ambiance festive en été, des clubs encadrés par des animateurs accueillent gratuitement enfants et ados. Nombreuses animations gratuites également, et présence d'un animateur qui pourra vous aider à découvrir sa région. Piscine couverte chauffée, minigolf, tennis, terrain de foot, aire de jeux.

À voir dans les environs

Le signal de Lure : le point culminant de la montagne de Lure, à 1 826 m d'altitude. Paysages presque désolés, comme ceux de la Sainte-Victoire ou du Ventoux qui se dévoilent à l'horizon. Vue admirable, jusqu'à la mer par temps clair. Aux beaux jours, on y randonne, au cœur d'une faune et d'une flore semi-alpestres. D'anciennes bergeries et charbonnières sont encore visibles. En contrebas, une modeste station de ski. C'est ici (une stèle le rappelle en bord de route) que le premier observatoire français fut construit par un... Belge, l'astronome Wendelin, qui avait découvert les qualités uniques du site en terme de pureté du ciel.
De Saint-Étienne, on gagne le sommet en une quinzaine de kilomètres par la D 113, route sinueuse bordée de cèdres et de pins. En cours de route, on peut s'offrir un petit détour (chemin fléché sur la droite) jusqu'aux discrets vestiges de Notre-Dame-de-Lure, abbaye bénédictine détruite pendant les guerres de Religion. Joli site, au cœur de la forêt. Du sommet, la D 53 traverse une splendide forêt en redescendant vers la vallée du Jabron (voir « Dans les environs de Sisteron »).

CRUIS (04230)

Mignon village qui a pour cœur un monastère du XIIe s, sur lequel on a rebâti une église au XVIe s. Dans le chœur, on trouve un cloître et l'un des plus beaux retables de toute la Haute-Provence (XVIIe s). Voir aussi la crèche du XIXe s, dont les santons sont classés. *Église ouv de juin à sept, lun-sam 15h-18h (jusqu'à 19h juil-août ainsi que dim).*

Où dormir ? Où manger à Cruis et dans les environs ?

Chambres d'hôtes Le Mas Saint-Joseph : *mas Saint-Joseph, 04200* **Châteauneuf-Val-Saint-Donat.** *☎ 04-92-62-47-54. • contact@lemassaintjoseph.com • lemassaintjoseph.com • À 10 km à l'est de Cruis par la D 951 ; fléché dans un virage, avt le village. Fermé nov-avr. Résa conseillée. Doubles avec douche et w-c ou bains 57-63 €. Table d'hôtes le soir 22 €, vin compris. Également une roulotte pour 2, et un gîte pour 4 pers 395-525 €/sem selon saison. Wifi. CB refusées. Digestif maison offert à la table d'hôtes sur présentation de ce guide.* En pleine nature, une grande maison traditionnelle du XVIIIe s, surplombant la vallée, refaite et entretenue par une sympathique famille. Chambres modernes toutes différentes décorées avec goût, bien fraîches l'été. On a un petit faible pour celle qui abrite un vieux four à pain restauré. Très belle piscine. Repas à la table familiale, sur la terrasse face aux collines ou dans une ancienne grange si le temps est capricieux. Sinon, il y a aussi un coin cuisine équipée à disposition. Également un espace détente avec jacuzzi et table de massage (payant). Les proprios sont non-fumeurs, donc...

Chambres d'hôtes Le Jas de Péguier : *le Jas de Péguier, 04200* **Châteauneuf-Val-Saint-Donat.** *☎ 04-92-62-53-33. • jasdp@orange.fr • jasdepeguier.com • Indiqué dans le village de Châteauneuf-Val-Saint-Donat. Doubles avec douche et w-c ou bains 55-69 € selon confort. Également un gîte (avec 3 chambres) pour 7 pers 550-900 €/sem, selon saison. Wifi.* 2 chambres indépendantes dans un vieux jas plein de charme. « La bergerie » a conservé sa vieille mangeoire. Deux nouvelles chambres ont été aménagées dans le pigeonnier récemment restauré. « Le verger » ouvre de plain-pied sur un petit jardin, face à la montagne de Lure. Les petits et les grands seront ravis de visiter l'arboretum et le potager, imaginés par le père de la propriétaire. Des étiquettes donnent des indications aux moins érudits sur la question. Délicieuse piscine face aux vestiges du vieux village médiéval de Châteauneuf.

À disposition : jacuzzi, trampoline, ping-pong, VTT et jeux de boules. Les poules garantissent de bons œufs frais au petit déj. Accueil très sympathique.

Auberge de l'Abbaye : *au cœur du village. ☎ 04-92-77-01-93. • auberge-abbaye-cruis@wanadoo.fr • auberge-abbaye-cruis.monsite-orange.fr • Resto fermé le midi lun-jeu en juil-août, sinon mar soir, mer, et dim soir hors saison. Fermé pdt vac de la Toussaint, Noël et fév. Doubles avec douche et w-c ou bains 55-75 € selon saison. Menus 25-55 €.* Une petite maison de pierre, à l'ombre de l'église. Un hôtel aux chambres simples, mais impeccables et spacieuses, tout confort et d'une vraie tranquillité. Notre préférée est la *Lavande* avec sa petite terrasse et la vue ! Resto gastronomique de qualité tenu par un chef qui a repris l'affaire il y a déjà quelques années, et qui a fait ses preuves. Terrasse très agréable dans la cour intérieure de l'hôtel.

SISTERON (04200) 7 800 hab. *Carte Alpes-de-Haute-Provence, B2*

Un enchevêtrement de toits, un dédale de ruelles au pied d'une citadelle, face au rocher de la Baume. Classée « porte du Luberon » depuis 2008, la ville est une voie de passage, un carrefour. Située sur la route Napoléon, elle est aussi une étape sur les chemins de Saint-Jacques-de-Compostelle. Épargnées par les violents bombardements d'août 1944, la cathédrale, la vieille ville et la citadelle sont, aujourd'hui, tout l'intérêt de cette ville, au bord de la Durance. Sisteron est aussi la ville de Paul Arène, écrivain malheureusement peu connu, qui fut le nègre de Daudet.

UN PEU D'HISTOIRE

D'abord oppidum (ville fortifiée) ligure, l'ancienne Segustero des Romains, évêché du Ve s à la Révolution, a connu des périodes fastes au Moyen Âge et du XVIIe au XVIIIe s, notamment grâce à ses tanneries de peaux de mouton. Mais, vu sa position stratégique, Sisteron s'est souvent trouvé en première ligne des conflits qui ont secoué la région. À son retour de l'île d'Elbe en mars 1815, Napoléon a connu quelques instants de doute devant Sisteron. Cambronne a dû user de beaucoup de mots pour négocier le passage de l'ex-futur Empereur avec le maire, royaliste, et le gouverneur, républicain...

Adresses et info utiles

Office de tourisme : *hôtel de ville, 1, pl. de la République, BP 42. ☎ 04-92-61-12-03 ou 36-50. • sisteron.fr • Ouv tlj sf dim hors saison 9h-12h, 14h-17h.* Accueil et doc de base.

Gare SNCF : *av. de la Libération. ☎ 36-35 (0,34 €/mn).* Liaisons avec Marseille, Gap et Briançon.

Gare routière : *☎ 04-92-34-47-23.*

Location de vélos : *Vo 2 Cycles, av. de la Libération. ☎ 04-92-61-44-03.*

– **Marchés :** *mer et sam mat. Foire le 2e sam du mois.*

Où dormir ? Où manger ?

Pas grand-chose de follement réjouissant dans la ville même. Voir aussi nos adresses dans la vallée du Jabron, la haute vallée du Lançon, la vallée des Dhuyes et les Hautes-Terres-de-Provence.

Camping

Camping municipal Les Prés-Hauts : *44, chemin des Prés-Hauts (dans le quartier Basse-Chaumiane). ☎ 04-92-61-19-69. • contact@cam*

LA HAUTE-PROVENCE

ping-sisteron.com • camping-sisteron.com • À 3 km de Sisteron, sur la route de La Motte (D 951), prendre à gauche juste après La Baume. En saison, un bus assure la liaison avec le centre-ville 2 fois/j. Ouv 1er avr-30 sept. Réserver en juil-août. Emplacement pour 2 avec tente et voiture 19 € en hte saison. Loc de mobile homes 4 et 6 pers 270-560 €/sem, selon taille et saison. Dans un joli coin, sur les berges de la Durance. Un peu plus de 140 emplacements pour ce camping familial, de bon confort. Calme et ombragé. Terrains de foot et de pétanque, piscine, ping-pong. Espace pique-nique et barbecue. Bon accueil.

De prix moyens à plus chic

Chez M. et Mme Berte, chambres d'hôtes : *168, av. Jean-Moulin. ☎ 04-92-32-48-04. Env 55 € pour 2 pers.* Deux chambres chez l'habitants avec séjour, cuisine et salle de bains indépendante. Bien équipé et des hôtes adorables. Bon compromis si on veut être dans la ville.

Grand Hôtel du Cours : *pl. de l'Église. ☎ 04-92-61-04-51. • hoteldu cours@wanadoo.fr • hotel-lecours.com • Quasiment face à l'office de tourisme. Hôtel fermé début nov-début mars. Doubles 78-93 € avec douche ou bains et w-c, TV satellite. Chambre familiale 100 €. Garage payant. Wifi. Apéritif maison offert sur présentation de ce guide.* Le « Coursse », comme on appelle ici l'institution de la ville. Déco rustico-médiévale, un peu datée, un peu chargée, mais tout ça est fort bien entretenu. Chambres plus classiques, tout confort, plus spacieuses et calmes sur l'arrière. Pour info, une fête foraine s'installe juste devant, le week-end de la Pentecôte...

Au Romarin : *103, rue Saunerie. ☎ 04-92-34-88-04. Menus 22, 27 € et 32 €.* Quelques tables en terrasse sur la rue piétonne. À l'intérieur, pour les jours gris, petite salle voûtée en pierres apparentes, plutôt cosy. Dans l'assiette, une bonne cuisine régionale et traditionnelle. Que des produits provenant des petits producteurs locaux, du frais rien que du frais ! Bon accueil, agréable dans cette ville qui manque d'animations le soir, même en plein été !

À voir. À faire

La cathédrale Notre-Dame-des-Pommiers : *accès avr-fin oct, dim-lun 15h-18h, mar-sam 10h-12h, 14h-18h.* Ancienne cathédrale du XIIe s, de style roman. Beau portail, sculpté de tout un bestiaire fantasmagorique. Les fenêtres, peu nombreuses au départ, ont été bouchées au fil du temps et des transformations. On y voit quand même suffisamment clair pour remarquer les trois puissantes nefs qui en font un des plus grands édifices religieux de Provence. Remarquable retable du XVIIe s. Dans les chapelles, plusieurs toiles de l'école provençale des XVIIe et XVIIIe s : Mignard, Van Loo, Coypel... Au fait, ne cherchez pas de producteurs de cidre alentour : la cathédrale n'a pas été construite dans un verger de pommiers, mais entre les murs de la ville (*pomerium* en latin...).

Le musée Terre et Temps : *6, pl. du Général-de-Gaulle. ☎ 04-92-61-61-30. Derrière la cathédrale. Mars-sept : mar-sam 9h-12h, 14h-18h ; oct-nov mar-sam 9h-10h, 15h-18h. Fermé déc-fév. Entrée gratuite.* Créé dans l'enceinte d'une chapelle du XVIIe s, un petit mais surprenant musée qui retrace l'histoire du calcul du temps : des instruments, des documents qu'il faut prendre le temps (ben oui !) de détailler. Les procédés les plus rudimentaires avec ce réveil chinois à encens (avec des bâtons gradués, à combustion très régulière), ces horloges à eau de Malaisie (un seau et une noix de coco percée qui se remplit doucement !) ; les étonnantes clepsydres (cadrans solaires qui fonctionnaient sans soleil !) qui équipaient déjà les temples égyptiens, le célèbre pendule de Foucault, la moderne technique du quartz... Et les instruments de mesure de l'âge de la terre, des cercles concentriques des troncs d'arbre (celui exposé ici était déjà planté quand Gutenberg inventait l'imprimerie en 1434) à la datation absolue au carbone 14. Des calendriers de toutes les cultures et de toutes les religions du monde (et un écran tactile pour chercher les dates correspondantes à celle du jour). Même si quelques fiches se révèlent ici ou là un peu techniques pour le néophyte, une visite passionnante qu'on pourra compléter en suivant la « route du Temps » qui part de Sisteron vers Saint-Geniez et le col de Fontbelle (voir, plus loin, « La haute vallée du Vançon et la vallée des Duyes »).

La vieille ville : au-dessus de la Durance, un petit labyrinthe d'andrones (la version provençale de la ruelle), de placettes, d'escaliers et de passages voûtés. Départ avec circuit fléché à droite de la cathédrale. Descendre la rue de la Mission, vers la rue Deleuze, jalonnée de belles portes (aux n°s 11, 15 et 41). On dégringole ensuite la bien nommée et pittoresque rue du Glissoir, sans oublier de jeter un coup d'œil aux colonnades romanes d'une façade du XIIIe s (au n° 5). Très mignonne place de la Poterne, au bord de la rivière ; là encore, très belle porte ancienne. On remonte, tout droit, vers la rue Droite. Au n° 2, à l'angle de la rue Mercerie, s'ouvre la porte de l'hôtel d'Ornano, de la fin du XVIe s, et sûrement la plus belle de la ville. Au n° 32, boutique de coiffeur à l'ancienne.

La citadelle : ☎ *04-92-61-27-57. Fin mars-début nov, tlj 9h-17h30 (19h juin et sept, 19h30 juil-août). Entrée : 5,80 € ; réduc ; gratuit pour les moins de 6 ans. Compter 1h30 de visite fléchée et sonorisée.*
Masse impressionnante perchée sur le roc et qui tient le défilé de la Durance. Aujourd'hui classée Monument historique, cette citadelle devait exister bien avant le XIe s, mais elle fut repensée et reconstruite entièrement au XVIe s par un ingénieur militaire d'Henri IV. Et Vauban ne put qu'admirer l'ouvrage, puisqu'il n'y toucha pas. Louis-Philippe ordonna quelques travaux de renforcement au XIXe s.
De superbes panoramas se dévoilent en plusieurs endroits de la visite : la ville basse, depuis la terrasse qui couronne le rempart supérieur, le rocher de La Baume depuis la guérite du Diable. Impressionnant escalier souterrain de quelque 350 marches, évocation du passage de Napoléon et collection de voitures à cheval dans le musée, vitraux contemporains et expos de peintures dans la chapelle Notre-Dame (XVe s).

Le musée scout Baden-Powell : *6, rue de la Mission.* ☎ *04-92-62-67-90. Juin-août, mar et ven 14h30-17h30 ; tte l'année, visite possible sur rdv (selon disponibilités des bénévoles). Entrée libre.* Un petit musée qui retrace l'histoire du scoutisme et la mémoire de Robert Baden-Powell (1857-1941), son fondateur, et qui rappelle que le scoutisme, c'est aujourd'hui quelque quarante millions de jeunes, garçons et filles, à travers la planète.

Le plan d'eau : *au pied de la ville. Juin-sept. Gratuit.* Baignade surveillée l'été, sur les bords de la Durance. Jeux pour les enfants, aire de pique-nique. Souvent beaucoup de monde en été, mais de l'espace et une belle vue sur la ville.

Fêtes

- **Fête de l'Agneau :** *mi-mai. Rens à l'office de tourisme :* ☎ *04-92-61-36-50.* Transhumance dans la ville, grand repas provençal, animations...
- **Nuits de la citadelle :** *de mi-juil à début août. Rens : Art-Théâtre-Monuments,* ☎ *04-92-61-06-00.* Théâtre, danse et musique avec en toile de fond le rempart de la citadelle des comtes de Provence.
- **Rues en fête :** *une date en juil et une autre en août.*

DANS LES ENVIRONS DE SISTERON

LA VALLÉE DU JABRON

Une vraie vallée, tracée entre la montagne de Lure et les Hautes-Baronnies, par le Jabron. Le long de la trentaine de kilomètres de cet affluent de la Durance, serpente

l'agréable D 946 au sein de paysages verdoyants jalonnés de belles maisons de pierre. Un tourisme très discret (d'où quelques belles adresses de chambres d'hôtes) et un état d'esprit particulier : la vallée accueille, depuis les années 1970, pas mal de néoruraux venus « faire de la chèvre » ou du bio, comme dans certains coins de l'Ariège, des Cévennes ou de la Drôme (qui, avec le village de Montfroc, s'est d'ailleurs offert une petite enclave dans la vallée). On a beaucoup aimé.
Au-delà du col de la Pigière, on peut revenir sur Sisteron par les sauvages et superbes gorges de la Méouge (D 542 puis D 942).

Où dormir ? Où manger dans le coin ?

De prix moyens à plus chic

Chambres d'hôtes Le Mas du Figuier : *La Fontaine, 04200* **Bevons.** *☎ 04-86-49-63-91. 06-58-18-72-69. • masdufiguier@gmail.com • masdufiguier.fr • À 8 km à l'ouest de Sisteron par la D 946, puis à droite par la D 553, puis à droite un peu avant Bevons, c'est tt au bout d'une petite route. Congés : janv-fév. Résa conseillée longtemps à l'avance. Dortoirs 4-6 pers pour les randonneurs, 23 €/pers petit déj compris. Doubles avec douche et w-c 65-90 €. Insolite, une cabane dans les arbres 100 € la nuit (150 € le w-e) pour 2 ! Gîtes ruraux pour 2 ou 4 pers 400-500 €/sem selon saison. Panier repas 8 €, repas 25 €, vin et café compris. Wifi. Apéritif maison offert sur présentation de ce guide.* Il faut le vouloir pour venir jusqu'ici, mais une fois sur place, quel bonheur ! Tenu par un jeune couple de Belges adorables. À l'écart d'un tout petit village, un mas du XVIIIe s au cœur de grands espaces et avec vue plein sud sur la montagne de Lure. Des chambres décorées avec goût ou, pour les grands enfants, une cabane en bois perchée à 10 m de hauteur. Et une des chambres avec son hammam privé. Grands arbres pour se mettre au frais et lire tranquillement, vastes terrasses où prendre le (beau) petit déj ou discuter autour d'un pastis. Cuisine à base de produits bio, d'ail, de basilic et d'huile d'olive. Stages de tango, yoga, soirées musicales...

Chambres d'hôtes Le Jas de Caroline : *Chênebotte, 04200* **Noyers-sur-Jabron.** *☎ 04-92-62-03-48. • lacaroline@free.fr • lacaroline.free.fr • À 12 km à l'ouest de Sisteron par la D 946. Traverser le village, prendre à droite la route avt le cimetière et suivre le fléchage. Congés : 15 nov-15 mars. Double avec douche et w-c 60 €. Suite 77 €. Repas le soir sur résa 25 €, boissons comprises. Réduc de 10 % sur le prix de la chambre à partir de la 3e nuit sur présentation de ce guide.* Dans un hameau, une ancienne bergerie transformée en une belle maison de pierre aux volets bleu électrique, entourée d'un agréable jardin, bien entretenu. Deux chambres, simplement mignonnes, et une suite (appartement avec petit salon et coin cuisine) au rez-de-chaussée, avec accès indépendant. Repas sur la terrasse par temps clair, avec un beau panorama sur la montagne de Lure. Et, de temps en temps, soirées barbecue ou pizza autour de l'ancien four à pain. Excellent accueil.

Ferme-auberge Danse l'Ombre : *Les Remises, 04200* **Curel-sur-Jabron.** *☎ 04-92-62-05-86. • danselombre@wanadoo.fr • pagesperso-orange.fr/danselombre • À env 20 km à l'ouest de Sisteron par la D 946 ; accès fléché sur la gauche, entre Saint-Vincent-sur-Jabron et Curel. Sur résa slt. Double avec douche et w-c 50 €. Assiette 12 € ; menu 22 €. Apéritif offert sur présentation de ce guide.* À flanc de vallée, une ferme-auberge façon « néo », où on fait l'artiste autant que le paysan. Belle salle d'humeur champêtre aux murs en pierre, et terrasse sous les tilleuls. À l'étage, 4 chambres avec parquet, jolies salles de bains colorées, et un coin salon. Plats d'une certaine originalité à base, évidemment, de produits de la ferme. L'endroit accueille une fois par mois de nombreux spectacles (musique, chanson, théâtre...) et autres expositions. Ambiance décontractée et conviviale. Les enfants vont adorer rendre visite aux animaux : brebis, cochon, lapins... visite pédagogique pour eux ! Accueil simple et très sympa.

Chambres d'hôtes L'Escapade : *04200* ***Noyers-sur-Jabron.*** *☎ 04-92-62-00-04. • escapades.en.jabron@orange.fr • maison-hotes-lure.com • À 10 km à l'ouest de Sisteron par la D 946. À l'entrée du village. Congés : 1er nov-1er mai. Doubles avec douche et w-c 65-80 € selon saison. Également un gîte indépendant « le Bastidon » pour 2 pers, 400-550 €/sem selon saison. Wifi.* Une villa « italienne » raffinée, début XXe s, agréablement aménagée. Vieux meubles de famille et charme désuet pour des chambres, plutôt des suites, toutes différentes et pouvant accueillir jusqu'à 4 personnes. Immense jardin, fleurs et piscine (traitée au sel). Vos sympathiques hôtes vous conseilleront quelques balades à faire dans le coin. Barbecue.

Chambres d'hôtes Le Moulin de la Viorne : *04200* ***Les Omergues.*** *☎ 04-92-62-01-65. • moulindelaviorne@free.fr • moulindelaviorne.com • À 35 km de Sisteron par la D 946 ; fléché sur la droite, 1 km avt Les Omergues. Ouv avr-sept. Doubles avec bains 70-85 € selon saison. Wifi. Réduc de 10 % sur le prix de la chambre à partir de 2 nuits (hors juil-août) sur présentation de ce guide.* Dans un joli et tranquille coin de campagne, superbe moulin du XVIIe s, ancienne propriété d'une commanderie templière d'Avignon. Une maison d'artiste. Toiles contemporaines un peu partout, jusque dans les élégantes chambres aux meubles anciens. Normal, le propriétaire des lieux est peintre, son atelier se trouve d'ailleurs au rez-de-jardin de la maison. Accueil charmant. Bon petit déj à base de produits bio. Belle piscine. Non-fumeurs.

LA HAUTE VALLÉE DU VANÇON ET LA VALLÉE DES DUYES

Voici, sur 90 km (compter 3h), l'une des plus jolies balades routières du département qui reprend, pour moitié, l'itinéraire de la « route du Temps » (descriptif disponible à l'office de tourisme de Sisteron). Au départ de Sisteron, passez la Durance pour prendre, à La Baume, la route de Saint-Geniez (D 3). En montant, observez le *point de vue sur la vallée et la citadelle.* La route s'engage ensuite dans les gorges du défilé de Pierre-Écrite. Avant Saint-Geniez sur votre gauche, ne ratez pas, justement, la *pierre écrite* : une paroi rocheuse qui porte une curieuse inscription romaine commémorant le passage en ces lieux de C. P. Dardanus, ex-préfet des Gaules, au Ve s av. J.-C. Quelques kilomètres plus loin, une fois passée la *Vallée Sauvage* (lire plus loin) et les villages de *Saint-Geniez* et *Authon,* posés sur un vaste plateau d'alpage, très alpin, la route suit la crête au-dessus des *gorges du Vauson.* Les points de vue sont magnifiques. Au-delà du *col de Fontbelle,* on descend vers la vallée des Duyes. On apprécie le calme village de Thoard, sorti d'un autre temps, avant de redescendre par la D 17 sur la vallée de la Bléone et l'axe routier qui ramène à Sisteron. Pour les cyclistes, nous recommandons cette route de toute beauté, à condition d'avoir du temps... et des jambes. Attention, ça grimpe ! La route de Sisteron à Authon est superbe et traverse le parc géologique des Alpes-de-Haute-Provence, avec ses paysages en à-pics étonnants et superbes à la fois. Dans le sens Chardavon-Sisteron, magnifique point de vue sur Sisteron.

Où dormir ? Où manger dans le coin ?

Chambres d'hôtes Chardavon : *hameau de Chardavon, 04200* ***Saint-Geniez.*** *☎ 04-92-61-29-04. • ginodevos@wanadoo.fr • chardavon.be • À 14,5 km au nord-est de Sisteron par la D 3 ; indiqué sur la gauche avt Saint-Geniez. Tte l'année. Doubles 52-60 €, dégressif en fonction du nombre de nuits. Gîtes 6-10 pers 450-750 €/sem. Repas 22 € tt compris. Apéritif maison offert sur présentation de ce guide.* Une des rares fermes que l'on croise en empruntant la « route du Temps » depuis Sisteron. Tranquille donc. Une bergerie du XVIIIe s, doucement restaurée, en famille, par un couple de Flamands francophones. 5 chambres spacieuses, au frais, refaites à neuf et bien équipées. Vieilles pierres apparentes, salles voûtées et un vieux distillateur à lavande en cuivre qui trône à l'entrée font le charme du lieu. Piscine (hors sol).

Chambres d'hôtes Les Rayes : *domaine des Rayes, 04200* **Saint-Geniez.** ☎ *04-92-61-22-76.* • *les.rayes@wanadoo.fr* • *lesrayes.fr* • *À 16 km à l'est de Sisteron ; 1 km après Saint-Geniez, prendre à gauche à la patte d'oie, vers Chabert, puis à gauche le chemin de terre (et cailloux) qui monte sur 1,8 km. Slt sur résa. Doubles avec bains 72-79 € selon saison ; tarifs dégressifs selon durée du séjour. Gîtes 4-12 pers, 140-320 €/w-e ou 490-1 070 €/sem. Repas du soir 19 € sur résa.* On ne regrette pas les efforts fournis pour arriver jusqu'ici. Cette ancienne bergerie ressemble aujourd'hui à une page de magazine de déco : charme et calme se mêlent à l'incroyable panorama qui s'offre à vous, à perte de vue... on y verrait presque la mer Méditerranée ! Tout est soigné, des chambres à la salle boisée, jusqu'au salon de jardin en fer forgé. On y trouve même une piscine, une plaisante terrasse (où il est possible, en saison, de venir boire un verre en fin de journée), un boulodrome et une aire de jeux qui ravira les enfants. Un vrai lieu de charme, pour séduire son (sa) chéri(e).

À voir

La Vallée Sauvage – parc animalier : *à* **Saint-Geniez.** ☎ *04-92-61-52-85.* • *lavalleesauvage.com* • *À l'entrée du village, sur la droite en venant de Sisteron. Début avr-début nov 10h-19h : tlj pdt les vac scol ; mer, w-e et j. fériés hors vac scol. Entrée : 9,80 € ; 7,90 € 3-16 ans ; gratuit pour les moins de 3 ans.* À 1 100 m d'altitude, dans un parc boisé de 15 ha, un minizoo sans les cages pour venir à la rencontre des animaux de la région. Vous verrez marmottes, lapins, daims, mouflons, cerfs, sangliers et animaux de la ferme. Sans oublier les paons qui font « léon » à l'entrée ! Coin câlin pour caresser lapin et âne. Aire de pique-nique et snack. Boutique. Pédagogique et plaisant pour les petits.

La chapelle Notre-Dame-de-Dromon : *1 km après Saint-Geniez, prendre un chemin rural sur la droite en direction de Chabert.* ☎ *04-92-62-64-15 (mairie),* 📱 *06-37-16-77-56.* • *chapelle_dromon@live.fr* • *Ouv juil 10h-12h, 15h-17h ; août 10h-11h, 16h-18h.* Un petit quart d'heure à pied pour gagner cette modeste chapelle du XVIIe s qui cache une crypte semi-souterraine, typique des prémices de l'art roman. Malheureusement, on ne peut plus la visiter que de l'extérieur, par mesure de sécurité...

LES HAUTES-TERRES-DE-PROVENCE

Des plateaux qui dominent la Durance, creusés de jolies petites vallées. Encore la Provence, pas tout à fait les Alpes. Allons-y donc pour cette nouvelle appellation de « Hautes-Terres-de-Provence ». Depuis Sisteron, en partant par le nord et la D 951 et en obliquant sur la D 304, de sympathiques et bucoliques petites routes rejoignent La Motte-du-Caire via les calmes et jolis villages de Valernes (montez jusqu'à l'église pour la vue), Vaumeilh (haut lieu du vol à voile), Sigoyer, Melve. Des innombrables vergers de La Motte-du-Caire, on glisse vers Bayons au cœur de l'encore sauvage vallée du Sasse. L'incroyable route des Tourniquets gagne ensuite Turriers. Une microrégion, un peu à part, à découvrir l'été, en famille, en suivant par exemple la *Route des rochers qui parlent.*

Adresse utile

Office intercommunal de tourisme : *04250* **Le Caire.** ☎ *04-92-68-40-39.* • *hautesterresprovence.com* • *Au pied de la via ferrata de la Grande-Fistoire, env 1 km après le Caire, direction Gigors. Tlj (sf w-e 15 déc-15 mars) lun-ven 8h30-12h, 14h-17h30 tte* *l'année ; juil-août non stop.* Accueillant et dynamique.

Où dormir ? Où manger dans le coin ?

Camping

⛺ ***L'Amandier :*** *route d'Espinasses, 04250* ***Gigors.*** *☎ 04-92-55-13-10. • seredes@camping-amandier.com • camping-amandier.com • ♿ Au pied de Gigors, sur la route d'Espinasses. Ouv mai-sept (tte l'année pour le locatif, uniquement les chalets). Emplacement pour 2 avec tente et voiture 17 € en hte saison. Loc de chalets (340-560 €/sem), bungalows (240-400 €/sem) et mobile homes (310-490 €/sem). Resto fermé hors saison. Wifi. CB refusées. Apéritif maison offert sur présentation de ce guide.* Le camping au calme par excellence, en bordure de rivière, nombreuses activités, pour le plus grand bonheur des enfants (rando, baignade, VTT, via ferrata). 30 emplacements ombragés, frais la nuit car nous sommes à 850 m d'altitude. Auberge où se restaurer, soirées culinaires à thème, et piscine.

De bon marché à prix moyens

🏠 🍽 ***Gîte de séjour, chambres d'hôtes et gîte rural La Maison des Hôtes :*** *rue de la République, 04250* ***La Motte-du-Caire.*** *☎ 04-92-68-42-72. • marc.linares@wanadoo.fr • perso.wanadoo.fr/marc.linares • Au centre du bourg. Double avec lavabo, douche ou bains (w-c sur le palier) 46 €. ½ pens 35 €/pers. Pique-nique 8 €. Gîte 300-504 €/sem selon saison.* Grosse maison de village, flanquée d'un grand jardin. Un certain charme, à l'ancienne, proposant quelques chambres simples. Également un gîte pour 6 personnes. Piscine. Accueil souriant (et dépaysant), ambiance familiale. Cuisine itou, petits plats provençaux ou créoles. Adresse non-fumeurs.

🏠 🍽 ***Chambres d'hôtes La Méridienne :*** *Les Blanchets, Venterol, 05130* ***Tallard.*** *☎ 04-92-54-18-51. • soniaboyer@lameridienne.com • lameridienne.com • Administrativement dans les Hautes-Alpes mais géographiquement dans les Alpes-de-Haute-Provence, à la sortie du village de Venterol sur la droite, direction Curbans. Doubles avec douche et w-c ou bains, TV, 48-58 €. Repas sur résa à partir de 18 €.* Dans un charmant village loin de tout, dominant la Durance, une fermette fleurie avec jardin, piscine et un accueil souriant pour séjourner au grand calme et de façon décontractée. Chambres coquettes, repas copieux avec, par exemple, de la truite aux amandes et son légume du jour. Très belle vue sur les champs et la vallée sur lesquels veillent quelques poules et canards.

🏠 🍽 ***Chambres d'hôtes La Bulle :*** *les Jurans, 04250* ***Bellaffaire.*** *☎ 04-92-55-11-59. • gitelabulle.com • Après Gigors, au croisement des poubelles (!), prendre à droite direction Freyssinie, ensuite c'est indiqué. Chambre double 48 €, familiale (4 pers) 69 €. Également 2 gîtes de 5 pers 310-410 €/sem selon saison. Table d'hôtes 19 €.* Dans un hameau en pleine campagne montagnarde, des chambres d'hôtes et gîtes très simples mais bien entretenus, dans un cadre reposant. Le propriétaire est musicien et possède un studio dans la maison à faire des envieux. Il donne des cours de musique si on le souhaite (22 €/h).

À voir. À faire

Le château de Sigoyer *(04200) :* du XVe s. On n'en verra véritablement que les terrasses (vue superbe sur la Durance, la montagne de Lure...). En revanche, amusante visite virtuelle, en 3D, grâce à la borne informatique installée sur une des portes latérales de l'église. Gratuit et permanent.

L'église de Bayons *(04250) : clé à se procurer au village, chez Josette Alphand (l'adresse est indiquée sur la porte).* Immense pour un si petit village. Portail du XIVe s qui mérite qu'on s'y attarde. Ample nef, édifiée au XIIe s, d'une extrême sobriété. Somptueux maître-autel du XVIIe s et une intéressante série de toiles anciennes.

➢ ***La route des Rochers qui parlent (le sentier des Contes) :*** *rens à l'office intercommunal de tourisme, 04250* ***Le Caire.*** *☎ 04-92-68-40-39. • motteturriers@aol.com • sentierdescontes.com • hautesterresprovence.com • Une dizaine de livrets différents, 20 € chacun (ou 10 € la loc), sans date de péremption, mais non réutilisables ; disponibles dans les offices de tourisme des alentours. On peut également le commander, ajouter 1 € de frais postaux. Existe aussi en anglais et pour les personnes à mobilité réduite.* Initiative très originale : un jeu de piste interactif géant ! Un moyen à la fois ludique et instructif (qui enchante bien souvent les enfants) de découvrir l'histoire médiévale et les légendes de la région. Onze itinéraires-aventures d'une demi-journée à 1 journée, selon l'aventure (de 55 à 110 km) à suivre en voiture, muni d'un « livret magique », à la fois bouquin et B.D., doté d'une puce électronique. Il faut déchiffrer des énigmes pour dénicher, après de courtes marches, les « Rochers qui parlent », évoquant un pan d'histoire locale, une légende et livrant de nouveaux indices...
Un itinéraire s'adresse aux randonneurs émérites : trois jours sur les traces des pèlerins. Également un itinéraire aménagé pour le public à mobilité réduite.
– Également, une balade à la rencontre de contes « hautes paroles » confiés aux « Rochers qui parlent » par des conteurs et conteuses francophones participant aux Rencontres de la parole, festival organisé par la médiathèque départementale des Alpes-de-Haute-Provence. *Pass 10 € (22 contes), disponible 15 mars-15 déc. Rens à l'office intercommunal de tourisme : ☎ 04-92-68-40-39. • hauteparole.com •*

➢ ***La via ferrata de la Grande-Fistoire :*** *04250* ***Le Caire.*** *☎ 04-92-68-40-39 (office intercommunal de tourisme). • viaferrata-alpes.com • Redevance obligatoire de 5,50 € et pièce d'identité demandée ; équipement nécessaire (baudrier, casque...) louable sur place 12,50 € (3 € pour un équipement partiel). Accompagnement par un guide sur résa.* Pour les initiés, différents parcours de via ferrata sur ce pic rocheux de 250 m de haut aux multiples difficultés. Passerelle de 60 m avec un très beau panorama. Pont népalais de 32 m de long. Depuis peu : 3 tyroliennes. Bonne chance !

QUELQUES BELLES ROUTES POUR QUITTER LES HAUTES-TERRES-DE-PROVENCE

➢ ***Vers Sisteron :*** par le chemin des écoliers, en suivant depuis Turriers, la D 951, puis à gauche la D 56, avant d'emprunter la D 704, petite route en hauteur et un peu escarpée qui domine toute la région, du sud des Hautes-Alpes de Gap, Tallard, au parc des Écrins par beau jour, jusqu'à La Saulce et la vallée de la Durance qui file plein sud. On ressent parfaitement la zone charnière entre les Alpes et la Provence.

➢ ***Vers la vallée de la Blanche :*** depuis Turriers toujours, par la D 1 qui franchit le col des Garcinets dans un paysage d'origine du monde. Au-delà, la route, étroite et à pic, surplombe avec superbe les gorges de la Blanche. C'est sur ce tracé que se déroulent certaines spéciales du rallye de Monte-Carlo dont on peut encore lire, sur les parois, quelques messages d'encouragements. À vos marques !

LES VALLÉES ALPINES

LA VALLÉE DE LA BLANCHE

Peut-être bien la moins connue des vallées alpines du département. Il arrive d'ailleurs qu'on la confonde avec la vallée Blanche, glacier du pied du Mont-Blanc ! Modeste (longue d'une vingtaine de kilomètres entre Seyne et la Durance), c'est pourtant une vraie vallée de montagne, entourée de sommets qui frisent les 3 000 m d'altitude, abritant le glacier le plus au sud de France (que le réchauffement climatique menace malheureusement de disparition). C'est également, au-delà des gorges de la Blanche, une vallée ouverte, agricole et verdoyante qui, comme sa voisine l'Ubaye mais plus modestement, a participé à l'émigration vers l'Amérique : les bergers d'ici devenant cow-boys au Nevada. Une vallée à double facette : stations familiales de ski l'hiver et jolie campagne aux villages bucoliques l'été.

SEYNE-LES-ALPES

(04140) 1 460 hab. *Carte Alpes-de-Haute-Provence, C2*

Un bourg montagnard à 1 260 m d'altitude, paisible et authentique, qui a belle allure, un peu perché, encore coiffé de sa citadelle, vestige de son passé de place forte. Seyne-les-Alpes a connu son apogée de la fin du XIXe s au début du XXe s avec... l'élevage du mulet. Aujourd'hui, élevage et commerce sont en déclin, mais vous pourrez découvrir quelques beaux spécimens locaux au gré de vos promenades. Les possibilités de randonnées dans les alentours sont d'ailleurs nombreuses. Ski alpin l'hiver au Grand-Puy, petite station voisine et ski de fond au col du Fanget.

Adresses utiles

Office de tourisme de la vallée de la Blanche et du Bès : *8, Grand-Rue. ☎ 04-92-35-11-00. • info@valleedelablanche.com • valleedelablanche.com • En été, tlj (sf dim ap-m) 9h-12h, 14h30-18h30 (17h l'hiver).* Accueil serviable. Réservation d'hébergements, topoguide de randos sur les environs.

Association Fort et Patrimoine du pays de Seyne : *à la mairie. ☎ 04-92-35-31-66. • fortetpatrimoine.fr •* Propose des visites guidées en été : fort, villages, musées, etc.

Où dormir ? Où manger ?

Au Vieux Tilleul : Les Auches. *☎ 04-92-35-00-04. • hotel@vieux-tilleul.fr • vieux-tilleul.fr • Au pied du bourg, route d'Auzet. Resto uniquement pour les résidents de l'hôtel ; fermé dim soir hors saison. Congés : 26 nov-27 déc. Double avec douche et w-c ou bains 60 €, petit déj en plus. ½ pens 60 €/pers. Internet, wifi. 10 % de remise sur le prix de la chambre pour une nuit sur présentation de ce guide.* Un hôtel au vert dans une ancienne ferme de mon-

LES VALLÉES ALPINES

tagne (des lambris, de la pierre) avec un petit côté années 1950 recréé tout à fait charmant. Chambres toutes simples mais plaisantes, rénovées pour certaines, avec terrasse pour d'autres. En revanche, les salles de bains sont un peu justes, voir limites pour certaines. Cosy salon au coin de la cheminée, quelques bouquins à portée de bras, dans la vaste réception, particulièrement lumineuse et ouverte sur la campagne environnante. Cuisine de tradition qui fera l'affaire, l'appétit ouvert par une randonnée vers les sommets. Piscine et grand parc planté de vieux arbres.

Au vieux Four : *17, rue du Barri. ☎ 04-86-89-21-40. • contact@auvieuxfour.com • auvieuxfour.com • Plat du jour 9 €, menu 13 €. À la carte, 20-25 €.* Une bonne cuisine déjà montagnarde aux accents de Provence. Entre autres, de belles salades, ravioles gratinées délicieuses et très copieuses à déguster sur la terrasse l'été ou dans la grande salle quand il fait plus frais. Très bon accueil.

Où dormir dans les environs ?

Camping Lou Passavous : *04140 Le Vernet. ☎ 04-92-35-14-67. • loupassavous@orange.fr • loupassavous.com • À 10,5 km au sud-est de Seyne par la D 900. Ouv mai-sept. Emplacement pour 2 avec tente et voiture 20 € en hte saison. Loc de bungalows toilés et mobile homes (450-570 €/sem).* Dans la vallée du Bès, un joli petit camping de montagne, très au calme et à deux pas du torrent. Grands emplacements. Plan d'eau et piscine juste à côté. Petit resto à l'entrée, pizzas et menu du jour très simple. Les gérants hollandais sont très aimables, et l'ensemble est bien tenu. Les GR 5 et 6 passent dans le secteur. Joli coin pour les randonnées et le rafting.

À voir

La chapelle des Pénitents (dominicains) **:** petite chapelle fondée en 1445, remaniée dans un style baroque. Pièce maîtresse : une toile du XVIIe s, représentant la procession des Pénitents blancs. De facture un peu naïve mais étonnante. Inclus dans la visite du vieux village.

Le vieux village : *Possibilité de visite guidée en saison, départ de l'avant-fort de la citadelle. Tarif : 5 € (2h). Rens auprès de l'association Fort et Patrimoine (voir « Adresses utiles »).* Sympathique balade dans les ruelles de cette ancienne ville frontière : portes datées de solides maisons montagnardes, placettes, un lavoir, une forge, une petite école... transformés en petits musées du temps jadis.

L'église Notre-Dame-de-Nazareth : *ouv slt lorsqu'il y a une messe (dim 10h30 en été), sinon, inclus dans la visite du vieux village.* Du XIIe s, bel exemple d'art roman donc, avec les inévitables chapiteaux délicatement sculptés de monstres grimaçants.

La citadelle : *en haut du village, accès à pied ou en voiture. (partiel). Pdt les vac scol, tlj ; hors saison, visite guidée slt (programme disponible à l'office de tourisme). Entrée : 3 € ; visite guidée : 4 € (2 visites guidées/sem l'été) ; réduc ; gratuit pour les moins de 10 ans.* Du XVIIe s, elle ceinture une grande tour de guet du XIe s. Elle n'avait évidemment pas échappé à l'œil avisé de Vauban. Mais son projet d'agrandissement, un peu trop ambitieux, n'a jamais été réalisé. D'autant que le rattachement de l'Ubaye à la France avait retiré à Seyne pas mal de son intérêt stratégique... Longtemps laissée à l'abandon, la citadelle renaît doucement depuis les années 1970 grâce au travail d'une association. Parcours de découverte pour les enfants. En été, expos temporaires.

À faire dans les environs

Visite d'un élevage de rennes et de bisons d'Amérique : *GAEC ferme Beridon, L'Infernet, 04140* **Auzet.** *☎ 04-92-35-05-57. À 11 km de Seyne par la D 7. Tlj pdt les vac scol ttes zones 10h-13h, 14h-18h ; se rens le reste de l'année. Entrée : 5,50 € ; 4 € pour les 7-18 ans ; 3 € pour les moins de 7 ans.* Plus exotique que le mulet ! Marie-José vous accueillera, vous fera visiter son exploitation et vous contera son aventure, au milieu des rennes, des bisons d'Amérique et des mouflons. Les enfants en raffolent.

VAUBAN LE BÂTISSEUR

Vauban est un homme occupé : d'abord soldat (contre les armées du roi !), il passe ensuite un brevet d'ingénieur. Tirant des leçons des sièges meurtriers auxquels il a participé, il repense la stratégie militaire et signe sa première victoire en 1667 en prenant Tournai, Douai et Lille aux Pays-Bas espagnols. Il adapte ses théories au domaine des fortifications et devient le plus talentueux ingénieur militaire d'Europe. Après 53 années au service de Louis XIV, il aura construit 130 places fortes et villes fortifiées, et participé à plus de 50 sièges ! L'homme de guerre est aussi un humaniste qui veut réduire les pertes humaines.

Sports et loisirs

– ***Randonnées :*** parmi toutes celles que compte la vallée, un grand classique, les *lacs du Col-Bas* (2h30 aller-retour). Route de Saint-Pons sur les hauteurs de Seyne, direction maison forestière. Départ à la barrière du Col-Bas. Suivre le balisage jaune pour découvrir, en chemin pour ces frais petits lacs de montagne, de superbes vues sur la vallée et la région. Une curiosité en cours de balade : des tourbières, étonnantes en Provence (on en croise plus souvent dans les Vosges ou le Jura). Aucune carte vendue à l'office de tourisme ; en revanche, vous en trouverez au point presse et dans la boutique de souvenirs.
– ***Randonnée avec un âne :*** *sur les alpages de la Grande Montagne. Loc à la ½ journée (compter 35 € l'ap-m) ou à la journée (50 €) à la station du Grand-Puy (à 5 km, route de Digne) juil-août slt. ☎ 04-92-35-04-08.*
– ***Baptême de vol à voile ou de planeur :*** ***Vélivole,*** *à la plate-forme des Auches. ☎ 04-92-35-25-13. Ouv début avr-fin sept. Compter 70 € pour un baptême (30 mn).* Vol d'initiation biplace. Découvrez Seyne vue du ciel, flirtez avec les hauts sommets...

Fête

– ***Concours mulassier :*** *2e sam d'août.* Une date essentielle, vous l'avez compris, dans la vie seynoise. C'est le dernier concours en France depuis que le Poitou a abandonné cette activité. Les éleveurs présentent leurs bêtes, juments et mulets, pour la plupart descendus des alpages la veille.

SELONNET (04140) 404 hab. *Carte Alpes-de-Haute-Provence, C2*

Un petit village aux portes des gorges de la Blanche. Pas grand-chose à voir, si ce n'est cette église dont le clocher, ancien donjon d'un château médiéval, fait bande à part. Mais une belle nature dans les alentours. Et pour l'hiver, la petite station de ski de Chabanon avec quelques pistes sportives sur la Tête-Grosse et un *half-pipe* pour les *snowboarders*.

Adresse utile

Maison Communale : *pl. du Village. ☎ 04-92-32-36-47. Ouv lun, mar, jeu, ven, 8h30-12h30, 13h30-16h ; mer et sam 9h-12h.* Accueil serviable.

Où dormir ? Où manger ?

Chez le Poète : *pl. du Village. ☎ 04-92-35-06-12. • chezlepoete@orange.fr • Resto fermé dim soir hors saison. Double 57 €, petit déj compris. Formule midi en sem 10 €. Menus 13,50 € (midi en sem) puis 18 et 27 € en saison. Wifi. Digestif maison offert sur présentation de ce guide.* Le p'tit hôtel-resto de campagne où tout le village ou presque se retrouve au bar, dans une chaude ambiance. Une dizaine de chambres toutes simples mais bien tenues, qui donnent pour la plupart sur la place, TV dans les chambres, pour le dépannage surtout. On a plus été séduit par l'accueil chaleureux et la copieuse cuisine de ménage. Petite salle sans prétention, agréable terrasse.

Le Relais de la Forge : *pl. du Village. ☎ 04-92-35-16-98. • relaisdelaforge@orange.fr • relaisdelaforge.fr • ♿ (1 chambre). Tlj sf lun ; fermé de mi-nov à mi-déc. Doubles avec douche et w-c ou bains (pour les plus chères), TV, 50-64 € selon confort. Menus 15-30 €. Café offert sur présentation de ce guide.* Chambres grandes, calmes, simples et propres. Le patron, sympathique, a quitté la banlieue parisienne pour se mettre au vert dans une ancienne forge reconvertie. Cuisine traditionnelle. L'adresse se trouve sur le tracé du rallye de Monte-Carlo et reçoit tous les ans les équipes de cette compétition ; le patron livrera quelques anecdotes aux amateurs. Piscine chauffée.

Maison d'hôtes de l'Arnica : une très belle adresse dans les environs. Voir plus bas « Où dormir ? Où manger ? » dans la Basse-Ubaye.

DANS LES ENVIRONS DE SELONNET

Les gorges de la Blanche : étroit et beau défilé en aval de Selonnet, dans lequel la Blanche se glisse pour rejoindre la Durance. Sauvages et pittoresques, ces gorges méconnues à la roche assez sombre raviront les randonneurs comme les pêcheurs. Compter 30 mn pour les descendre en voiture (par la D 900C).

MONTCLAR (04140) 450 hab. *Carte Alpes-de-Haute-Provence, C2*

Sur la route, on croise d'abord Montclar et ses maisons typiquement montagnardes (d'ailleurs labellisé Village de montagne). Un village qui revient de loin. En 1970, il n'y a plus que 200 habitants, neuf élèves à l'école et la dernière épicerie a fermé trois ans plus tôt. Pour sauver Montclar, le maire lance l'idée d'une station de ski. Aucun promoteur ne pointe le bout de son chéquier. Les habitants s'embarquent alors seuls dans le projet. Un groupement d'intérêt économique est créé, entre les agriculteurs et la commune. Saint-Jean-Montclar sort de terre, station nouvelle années 1970 donc, mais dont les immeubles ne font pas trop tache dans le paysage et qui a su maîtriser son expansion. Même histoire, pour l'eau de Montclar, la plus haute source en bouteille de France, conditionnée sur place qui, avant d'être vendue à un grand groupe agroalimentaire, appartenait aux habitants de la commune. Ça vous changera du génépi !

Adresse et info utiles

Syndicat d'initiative : *station Saint-Jean-Montclar. ☎ 04-92-30-92-01. • montclar.com • Tlj (sf w-e hors saison), 9h-12h, 14h-18h (13h-17h hors saison). Une carte multi activités 80 € pour une famille de 4-5 pers donne accès à ttes les activités et des réducs sur certaines visites.*

@ **Poste :** *station Saint-Jean-Montclar, en face du syndicat d'initiative. Ouv 9h-12h, 15h-17h.*

Où dormir ? Où manger ?

Les Alisiers : *route de Seyne, col Saint-Jean. ☎ 04-92-35-30-88. • jrg.alisiers@wanadoo.fr • (1 chambre). Sur la route de Seyne (D 207), à la sortie de Saint-Jean-Montclar. Ouv tlj sf mar et mer en basse saison (hors vac scol). Congés : 1 sem en juin, d'oct à mi-déc. Pour 2, appartements 60-70 €/nuit, et 125-310 €/sem. Menus 15 €, à midi, puis 19-26 €. Café offert sur présentation de ce guide.* Dans une maison genre chalet. Une salle discrètement rustique avec cheminée, un vieux ventoir (pour séparer les grains de blé de la tige), une jolie vue pour peu qu'on dégote une table du côté des fenêtres, une grande terrasse aux beaux jours et une simple mais goûteuse cuisine de région, déjà plus montagnarde que provençale, servie avec le sourire. Une poignée de petits appartements, dans une maison mitoyenne, avec petit balcon et au calme. Une grande pelouse entoure l'hôtel. Atmosphère familiale.

Hôtel L'Espace – Restaurant Le Dormillouse : *col Saint-Jean. ☎ 04-92-35-37-00. • info@hotel-espace.com • hotel-espace.com • Au cœur de la station, sur la gauche en sortant du syndicat d'initiative, entrée dans la galerie marchande. Doubles avec bains, TV, 80-98 €. ½ pens 65-81 €/pers, souhaitée en hiver pdt les w-e et vac scol. Wifi.* Dans un des immeubles de la station. Un côté pratique certain dans cette adresse familiale, au pied des pistes. Un peu cher toutefois (notamment le petit déj). Propriétaire très aimable.

Domaine de l'Adoux : *La Miande. ☎ 04-92-32-51-42. • domainedeladoux@wanadoo.fr • domainedeladoux.fr • Doubles 76-99 €, petit déj-buffet (salé-sucré) inclus. Internet. Apéritif offert sur présentation de ce guide.* Un grand chalet de 4 étages qui ne paie pas de mine au premier abord ; on est surpris de découvrir qu'il n'abrite que 28 chambres de bonne taille, modernes et chaleureuses, d'un bon rapport qualité-prix. On sent l'attention portée par Alain et Odile Quièvre, les proprios, pour faire de ce domaine – « l'hôtel aux mille cœurs » –, une escale confortable et familiale, tant au niveau du concept que de la déco et des loisirs. Le salon-bar est chaleureux avec la grande cheminée qui fonctionne tous les jours dès 16h en hiver, devant laquelle on peut boire un bon chocolat chaud crémeux ou une tisane des montagnes au génépi, spécialité de la maison. Pin naturel et tons rouges dans les chambres, lits en 180, des chambres communicantes qui peuvent héberger jusqu'à 6 personnes. Pour se distraire, les possibilités ne manquent pas : piscine chauffée en été, tennis, badminton, ping-pong, sauna, fitness, spa, massages... Également la salle des jeux en bois dont des jeux géants d'échecs ou de dames, et une bibliothèque. Idéal pour les familles donc, d'autant que l'hôtel propose de nombreuses formules en hôtel-club. Équipe sympathique.

La Petite Bonnette : *Les Piolles – Col Saint-Jean. ☎ 04-92-31-84-95 06-89-42-36-91. • la.petite.bonnette@neuf.fr • lapetitebonnette.com • Direction Seyne, après les Alisiers prendre un chemin qui monte à droite, indiqué. Doubles 60-65 €. Table d'hôtes, 20 €. Salle bien-être massage, 50 €/h.* Dans une adorable maison tout en bois, avec vue imprenable sur la campagne et les montagnes environnantes, 5 chambres charmantes. Aux doux noms de « le coin des marmottes », « l'élan du cœur » ou encore « la dormillouse », chacune d'une couleur différente (beige, rouge, blanche ou marron), elles sont toutes décorées dans un style montagnard actuel, avec beaucoup de goût et chacune avec son genre et la salle de bains qui s'accorde avec. Excellent rapport qualité-prix-charme.

Ski et neige

Ski alpin : domaine de ***Saint-Jean-Montclar*** (1 350-2 500 m). 15 remontées mécaniques, 50 km de pistes : 4 vertes, 13 bleues, 10 rouges, 4 noires. Une station ultra familiale avec ses pistes tranquilles ou un peu plus nerveuses réparties sur 2 vallées, côté station et côté Dormillouse. Pistes orientées nord-est et nord-ouest, donc enneigement à priori assuré (canons à neige le cas échéant...).

Sports et loisirs

– ***Parapente :*** ***Fly Parapente,*** *07-60-06-32-10.* • *fly-parapente.fr* • Bureau au centre de la station, sur la place à l'opposé du syndicat d'initiative. Pour une initiation au parapente et un vol au-dessus de la région et du lac de Serre-Ponçon, spot mythique qui a accueilli les championnats du monde.
– ***Le parc des Écureuils :*** *à Saint-Jean-Montclar. 06-86-44-23-31 ou 06-87-42-92-94. À 200 m de la station de ski de Saint-Jean, sur la RD 900. En juil-août tlj 10h-19h ; également pdt les vac de Pâques. Entrée : enfants 12-15 €, adultes 15 €.* 2 ha sécurisés pour se promener d'arbre en arbre, accroché à son harnais. Sensations garanties. Tous niveaux (accessible aux écureuils à partir de 4 ans et de 1,04 m).
– Sentiers thématiques sur les chapelles et soirées « Contes sous les étoiles », entre autres, en été *(programme et info au syndicat d'initiative, au ☎ 04-92-30-92-01).*

LA VALLÉE DE L'UBAYE

Pourquoi faudrait-il à tout prix associer la haute montagne à la Savoie et à la Haute-Savoie ? Vous saurez maintenant qu'il ne faut pas oublier l'Ubaye, ce coin de paradis perdu, accessible par une route depuis le début du XXe s seulement. Portrait rapide : pas de milliers de clampins à vos basques, un ciel tellement pur qu'on s'y noie, une ribambelle de sommets dépassant allègrement les 3 000 m, qu'on atteint après avoir gambadé avec les marmottes et goûté au génépi ou à l'alcool de myrtille et à l'un de ces agneaux aux herbes qui vous changent délicieusement des sempiternelles fondues. Même s'il peut faire frais toute l'année, la vallée étant enclavée sans trop d'ouvertures sur l'extérieur, on se trouve quand même dans une région lumineuse au taux d'ensoleillement record (300 jours/an), où il ne pleut que rarement en été. En hiver, en revanche, il neige, ce qui explique l'existence de stations de ski. Mais on est tout de même encore en Provence. Il n'y a qu'à écouter chanter l'accent des gens de la vallée !
Pas étonnant que Giono en soit tombé fou d'amour, un amour lyrique : « Les terres y montent jusqu'à 3 000 m d'altitude. Les aspérités les plus hautes sont des déserts blancs, le reste des landes d'une infinie beauté, couvertes de lavandes et de forêts, d'alpages et de roc, portant le silence et la paix, sous un ciel si égal et si bleu que dans l'exaspération, il blanchit comme un visage en colère. »
Bien sûr, cette montagne se mérite, ses gîtes et ses refuges aussi. On n'y accède pas par un boulevard autoroutier ou autre TGV direct. Pour aller au plus court, du sud, il faut s'aventurer sur d'étourdissantes routes de montagne : celles du col de Restefond-la-Bonette, la plus haute d'Europe, celle du col d'Allos. Sinon, du nord, suivre, de Sisteron ou Embrun, le cours de la Durance. À partir de Barcelonnette, une petite capitale bien fière, chargée d'une histoire peu banale, en s'enfonçant dans la Haute-Ubaye, on découvre une nature sauvage, tout juste colonisée par le développement touristique.

➢ Un ***pass pour 7 sites*** permet de visiter la majorité des musées de la vallée. Vous l'achetez une fois dans l'un des sites inclus dans le *pass* et vous pourrez visiter les autres sans payer davantage. Pratique pour les musées de la Vallée à Barcelonnette, Saint-Paul-sur-Ubaye, Jausiers, Meyronnès-Saint-Ours et au Lauzet, le musée de l'École à Pontis et la Maison du bois à Méolans-Revel.

LA BASSE-UBAYE

Carte Alpes-de-Haute-Provence, C1

Une trentaine de kilomètres, du lac de Serre-Ponçon à Barcelonnette. Flore méditerranéenne sur l'adret, forêt sur l'ubac, l'Ubaye, qui traverse ces flancs sauvages et presque vierges, offre des paysages totalement inédits. En amont du village du *Lauzet-sur-l'Ubaye,* la rivière devient un formidable terrain de jeux pour les amateurs de sports d'eaux vives.

Où dormir ? Où manger ?

De bon marché à prix moyens

Gîte de séjour La Fourandève : *La Chanenche-Haute, 04340* ***Méolans-Revel.*** *☎ 04-92-81-97-94. • info@fourandeve.com • fourandeve.com • On y grimpe depuis La Fresquière (hameau sur la D 900, 2 km après Méolans, direction Barcelonnette) par une route bien fléchée. Ça se mérite ! Tte l'année. Nuitée 19-37 €/pers (plus cher en chambre double). Repas 14 €. Tarifs pour les groupes. Draps fournis et lits faits. Wifi.* Maison sans cachet particulier, hormis la petite cheminée et le monumental fourneau en faïence dans la salle à manger, mais accrochée à la pente, à 1 300 m d'altitude, face à une superbe nature. Coin télé en mezzanine, salle de jeux. Chambres de 2 à 6 personnes, simples mais confortables (toutes avec douche ou bains et w-c) et lumineuses, à choisir plein sud pour bien profiter de la vue. Terrasse et jardin où coule une petite source, la Fourandève. Panier pique-nique sur demande. Dites salut à Choupi le chien pour nous !

Gîte-auberge Les Terres Blanches : *04340* ***Méolans-Revel.*** *☎ 04-92-81-94-37. • contact@les-terres-blanches.com • les-terres-blanches.com • Dans le village ; traverser l'Ubaye au niveau de la maison du Bois. Congés : 17-28 déc. Nuit 21,80 €. Double 51,20 €. Gîtes 35-42 €/pers en ½ pension. Menu unique 14,80 € (sur résa). Wifi. Café offert sur présentation de ce guide.* Grosse maison du XVIIe s, adossée à un rocher où trône une petite chapelle. Cadre champêtre et fleuri en été et belle vue sur la vallée. Sur la façade, un joli cadran solaire de 1773 surplombé de la phrase « Donnez-moi le soleil, et je vous donnerai l'heure ». Chambres de 2 à 6 personnes avec douche ou bains et w-c, gentiment arrangées. Accueil gentil. Cuisine familiale.

Maison d'hôtes de l'Arnica : *route du col des Fillys, 04340* ***La Bréole.*** *☎ 04-92-85-54-81. • chambres-hotes-arnica.com • Prendre la D 900B vers Gap ; avt d'arriver à La Bréole, prendre à gauche (c'est fléché) direction Selonnet. Fermé de mi-nov à mi-déc. Doubles avec douche et w-c ou bains 62-75 €. Gîte 4 pers 700-800 €/sem. Wifi.* Une adresse un peu perdue, sur les hauteurs du lac de Serre-Ponçon. Ancienne bergerie fort joliment restaurée. Chambres sous les toits, chaleureuses et zen, à la déco dans l'air du temps. Meubles de famille, cérusés pour certains. Un soin du détail, jusque dans les salles de bains. Également un gîte, arrangé comme un chalet, dans l'ancienne grange à foin, charmant et bien exposé. Petit coin lecture dans la mezzanine, on adore !

Chic

Maison d'hôtes Les Méans : *Les Méans, 04340* ***Méolans-Revel.***

☎ *04-92-81-03-91. • elisabeth@les-means.com • les-means.com • Dans un hameau, à 2 km de Méolans, par la D 900 direction Barcelonnette ; accès fléché sur la gauche. Congés : janv-mars. Doubles avec bains 70-78 € selon saison (2 nuits min en hte saison), suite 4 pers 180-210 €. Gîtes 390-680 €/sem pour 2-4 pers. Apéritif maison offert sur présentation de ce guide.* Adresse de charme dans une grande et belle ferme du XVIe s, qui revient de loin : vieux four à pain dans le jardin, superbe escalier, immense salle à manger-salon voûtée pour le petit déj et la lecture au coin du feu. Cuisine ouverte très conviviale. Chambres très agréables, à la déco travaillée : de la chaux au mur, des tissus et objets de déco choisis... Également des suites et des gîtes pour ceux qui viennent en famille. Vous êtes dans une famille de sportifs : Frédéric et Élisabeth, adorables, sont moniteurs de ski et guides de haute montagne et leur fils, Vincent, faisait partie de l'équipe de France de ski. Le GR 56 passe à deux pas de la maison. Un bain nordique chauffé au bois (à 38 °C) est installé au fond du jardin. Massages sur réservation.

Achats

L'atelier du Cade : *pl. du Village, 04340* ***Méolans-Revel.*** *06-15-26-98-27. • atelierducade.com • Ouv tte l'année mar-dim 10h-12h, 15h-19h.* Fabrice Le Conte fait du tournage sur bois (le cade est une variété de genévrier). Il aime travailler le cade ou les bois fruitiers, et plus particulièrement l'écorce et la loupe. La loupe, excroissance maladive (importée par un insecte) sur le tronc, rompt le droit fil des veines, et donne à ses créations (utilitaires ou décoratives) beaucoup d'ajourements et d'irrégularités. Pour les plus motivés, des stages sont proposés.

À voir

Le lac de Serre-Ponçon : la pièce maîtresse de l'aménagement de la Durance, et la plus grande retenue d'eau artificielle d'Europe. Le site écrase de majesté : 1 270 000 000 m³ sur 20 km de long et 2 800 ha (aussi vaste que le lac d'Annecy), entouré par des sommets de 2 000 m d'altitude et fermé par un barrage de 600 m de long sur 115 m de haut. Construit en 1960, il a sorti la région de sa léthargie, permettant le développement d'une activité touristique d'été sur les berges du côté Hautes-Alpes. Côté Alpes-de-Haute-Provence, des rives arides, plus sauvages, qui cachent quelques petites criques vers La Bréole.

La Maison du bois : *La Fresquière, 04340* ***Méolans-Revel.*** ☎ *04-92-37-25-40. • maisondubois.fr • Sept-juin, ouv mer-sam 14h30-18h ; juil-août, tlj 15h-18h30. Entrée : 4 € ; 2,50 € pour les moins de 15 ans. Compris dans le Pass 7 sites à 7 €.* Le bâtiment en mélèze (imputrescible) est déjà une réussite en lui-même, à l'image de ce qu'on trouve à l'intérieur d'ailleurs. Une expo permanente structurée en plusieurs thèmes : comment le bois a changé le monde (si, si !), la filière bois et ses différents métiers, reconnaître un arbre à son fruit, à son bois (il existe d'ailleurs une xylothèque, sorte de bibliothèque du bois ; voyez l'étonnante couleur de l'amarante), le bois utilisé comme énergie... Pédagogique et vraiment intéressant, pour tous. En sortant, on fait la différence entre aubier et bois de cœur, entre les cernes de printemps et les cernes d'hiver et on admire sur le parking le gypaète barbu sculpté dans du mélèze et de l'épicéa. Plus d'une tonne et 10 m d'envergure, réalisé par des bénévoles. Chapeau ! Démonstrations régulières du travail du bois dans l'atelier attenant. Possibilité de visiter une scierie hydraulique (sur réservation, payant), toute proche.

Le musée de l'École : *05160* ***Pontis.*** ☎ *04-92-81-00-22. Dans un petit village, au-dessus du lac de Serre-Ponçon. Ouv juil-août, tlj 10h-12h30 et 14h30-19h, avr-mai et sept mar-sam 14h30-18h30 ; sur rdv le reste de l'année. Entrée : 2 € ; 1 € pour les 10-15 ans. Compris dans le Pass 7 sites à 7 €.* C'est un des sept musées éclatés (chacun sur un thème) que l'on peut découvrir durant son séjour en Ubaye (le plus important étant à Barcelonnette). Toute la vie de la vallée et de ses habitants est retracée dans ces musées attachants. Ici, l'ancienne école à classe unique est devenue à la fois le lieu et le thème du petit musée.

Les Demoiselles coiffées : *05160* ***Pontis.*** Une curiosité géologique : des blocs de rochers (en réalité un mélange de bois, sable, cailloux et rochers laissés par les glaciers) sculptés par l'érosion. On les appelle aussi, avec poésie, les cheminées des fées. On les aperçoit de la route entre Pontis et Sauze-du-Lac, mais, plus sympa, un sentier permet de s'en approcher. Un phénomène similaire et peut-être plus surprenant encore aux Mées, avec les fameux « Pénitents des Mées » (voir plus haut).

Le Lauzet-sur-l'Ubaye *(04340)* **:** village-étape de la Basse-Ubaye qui s'est agrandi lorsque, en 1958, on a détruit le village d'Ubaye en raison de la construction du barrage de Serre-Ponçon. En contrebas du village (c'est fléché), pittoresque pont roman (XIIe s) jeté en travers d'un petit défilé rocheux. C'est le plus vieux pont de la vallée.

Le musée du Lauzet : *04340* ***Le Lauzet-sur-l'Ubaye.*** *☎ 04-92-81-00-22. En juil-août, tlj 10h-12h30 et 14h30-19h, avr-mai et sept mar-sam 14h30-18h30 ; visite sur résa le reste de l'année. Entrée : 2 € ; 1 € pour les 10-15 ans. Compris dans le Pass 7 sites à 7 €.* Un autre « musée de la Vallée », consacré aux rapports de l'homme avec son territoire, avec la nature et aux activités qui en découlent (cueillette, chasse, etc.).

Sports et loisirs

– ***Rafting, canoë-kayak... :*** l'Ubaye est devenue une rivière de référence pour les amateurs de sports d'eaux vives. Et entre Méolans et Barcelonnette, ses berges se sont littéralement couvertes de structures qui proposent des descentes de la rivière de toutes les façons – ou presque... – possibles, enfin surtout en rafting. Quelques adresses pour ceux que ça tente :

■ ***Eau Vive passion :*** *pont du Martinet, Le Four-à-Chaux, à* ***Méolans.*** *☎ 04-92-85-53-99. • sudrafting.fr •* Pour découvrir les joies du *hot dog, hydrospeed, baby raft,* canyoning, parcours d'aventure... dans une ambiance jeune, décontractée et professionnelle. Autre adresse : ***Rock N'Raft,*** *Les Thuiles. ☎ 04-92-81-92-81. • rafting-ubaye.com •*

– ***Baignade :*** *dans le lac du Lauzet (au Lauzet-sur-l'Ubaye). Petit plan d'eau plus que vrai lac, buvette, loc d'embarcations à pédales. Rens : ☎ 04-92-85-51-27 (mairie).* Dans le *lac de Serre-Ponçon.* Plage aménagée à Saint-Vincent-des-Forts. Attention, ne pas suivre les indications qui mènent au village (qui est perché !), mais direction Gap-La Bréole ; lac indiqué à droite en face du village de Lautaret.

BARCELONNETTE

(04400) 2 793 hab. *Carte Alpes-de-Haute-Provence, C2*

Avec ses 2 800 habitants, Barcelonnette, au cœur de l'Ubaye, représente à elle seule la moitié de la population de toute la vallée. Autant le dire tout de suite, nous, on aime bien Barcelo (comme on dit dans le coin). Pour son côté alpin qui ne se la joue pas (la ville est à 1 135 m d'altitude), pour cette

simplicité et cette gentillesse des gens du coin qui savent recevoir. Mais aussi pour cette ambiance feutrée, sans faux-semblants, ses petits concerts de rue en été, et les villas impressionnantes dites « barcelonnettes », construites à leur retour par des immigrants du Mexique, entre 1900 et 1950. Oui, du Mexique ! Des villas qui racontent une histoire d'un autre temps. Une histoire que l'on vous contera au musée de la Vallée et qui continue de faire rêver nombre d'habitants et de visiteurs...

POURQUOI BARCELONNETTE ?

Quel rapport avec la ville espagnole de Barcelone ? Au Moyen Âge, Faucon et Saint-Pons, situés dans les environs de Barcelonnette, étaient deux villes puissantes, qui s'affrontaient sans cesse pour étendre leur suprématie l'une sur l'autre. Pour stopper les querelles de clocher, il fut décidé de créer une ville entre les deux. Ce sera Barcelonnette, créée en 1231 par le comte Béranger IV, qui était aussi gouverneur de Catalogne et de Provence et comte de... Barcelone !

LA BELLE HISTOIRE DES BARCELONNETTES

Au début du XIXe s, le Mexique, après trois siècles de domination espagnole, proclame son indépendance et chasse les Ibères. La place est donc libre. De l'autre côté de l'Atlantique, dans la région de Barcelonnette, l'économie était encore largement axée sur l'agriculture, l'élevage et l'exploitation de la forêt, le tout dans un contexte d'isolement et de conditions de travail et de vie très dures. Or, il était une tradition qui s'est perpétuée des siècles durant, celle du colportage. Dans chaque famille de la vallée, il y avait un métier à tisser et, durant les périodes hivernales, les habitants passaient leur temps à transformer la laine des moutons pour en faire des draps. Cette production était vendue à l'extérieur durant l'hiver et permettait d'améliorer l'ordinaire. Et ces déplacements hivernaux menaient les gens dans toutes les régions de France, à travers l'Europe, et principalement l'Italie.

Les frères Arnaud, originaires de Jausiers, ne furent pas les seuls à s'enrichir. On estime à plusieurs milliers ceux qui sont partis en quête de richesse et de gloire. Quelques-uns réussirent, environ 300, créant un véritable empire « Barcelonnette » au Mexique. Des fortunes qui se firent essentiellement dans l'industrie textile et le commerce de nouveautés : fondateurs des premiers grands magasins au cœur des principales métropoles du Mexique. Ils ont fondé de vastes empires commerciaux cotés en bourse. L'émigration connut son véritable essor lorsque deux employés de la maison Arnaud, eux aussi émigrés, regagnèrent la vallée après quinze ans d'absence avec 250 000 francs-or. Ce retour, en 1845, déclencha une hémorragie des « barcelonnettes ». Tout le monde se passait le mot et... en avant pour l'aventure ! Si la vallée de l'Ubaye offrit le plus fort contingent à l'émigration au Mexique, le reste du département des Alpes-de-Haute-Provence fut aussi concerné (Seyne-les-Alpes, Digne...). En un siècle, ce sont quelque 2 500 habitants de la vallée qui émigreront.

À L'OUEST, DU NOUVEAU

Le colportage s'est peu à peu étendu au XIXe s, à la recherche de nouveaux marchés et de nouvelles terres. Ainsi, dès 1805, Jacques Arnaud, le premier, s'expatrie en Amérique et choisit d'abord la Louisiane française avant de s'implanter au Mexique vers 1820, où il installe un modeste négoce (cajone de ropa) *ouvrant la voie à ses compatriotes. Ce phénomène se perpétuera jusqu'en 1955. Le succès fut tel qu'ils firent fortune et appelèrent auprès d'eux leur famille et leurs anciens employés d'Ubaye.*

Et puis, si l'on peut arracher un homme à sa terre, jamais on n'arrachera la terre au cœur des hommes. Certains d'entre eux revinrent, jusque dans les années 1950, du côté de Barcelonnette pour finir leurs jours, tandis que 90 % restaient au Mexique et devenaient mexicains. Du coup, ceux qui sont rentrés firent construire des villas absolument somptueuses (on en dénombre environ 65 entre Barcelonnette et Jausiers) et de surprenants caveaux de famille, témoins de leur puissance, laissant ainsi à la ville le témoignage tangible d'une aventure humaine sans précédent. Toute légende a son revers. En effet, l'histoire a gommé les années de privations, de luttes, d'humiliations rencontrées là-bas pour finalement s'imposer et réussir. Quand il y avait réussite. Car ils sont nombreux ceux qui, après dix, quinze ans de travail et de souffrances, n'ont trouvé que l'échec et parfois la mort au bout d'un chemin, à des milliers de kilomètres de leur famille. Mais, sans drame, point de légende.

Adresses et infos utiles

Office de tourisme : *pl. Frédéric-Mistral. ☎ 04-92-81-04-71. • info@barcelonnette.com • Ouv tlj sf dim hors saison.* Nombreux documents à disposition.

Service tourisme de la CCVU : *4, av. des Trois-Frères-Arnaud. ☎ 04-92-81-03-68. • ubaye.com •* Très compétents, les responsables du tourisme au sein de la CCVU, la Communauté de communes de la vallée de l'Ubaye, vous donneront tous les renseignements dont vous avez besoin.

– **Marché :** *mer et sam.*

– **Marché fermier :** *pl. de la Mairie, juil-août, lun mat.*

Où dormir ?

Campings

La ville dénombre plusieurs campings avec tous les niveaux d'équipement. Pour des renseignements plus précis, nous vous recommandons de vous adresser à l'office de tourisme. Attention, taux de remplissage important en été. S'y prendre à l'avance. Voici l'un de nos préférés, une référence dans le secteur :

Tampico : *70, av. Emila-Aubert. ☎ 04-92-81-02-55. • letampico.fr • Situé à 1 km de Barcelonnette, direction Pra-Loup. Emplacement tente, 2 pers et véhicule 16,50 €. Loc de chalet, mobile home, caravane et bungalow 200-600 €/sem 2-6 pers.* Un bel emplacement, pas trop près de la route. Proprios sympa et présents, très accueillants. Sanitaires bien entretenus, excellent rapport qualité-prix. D'autant que les hébergements locatifs sont récents. Pizzeria, grill, terrain de pétanque. Bien ombragé. Navettes juste devant pour le centre et les stations alentour. Fait aussi caravaneige, et sanitaires chauffés en hiver !

De prix moyens à plus chic

Grand Hôtel : *6, pl. Manuel. ☎ 04-92-81-03-14. • grandhotelbarcelonnette@hotmail.com • grandhotel-barcelonnette.fr • Tte l'année. Doubles avec douche et w-c, TV, 53-80 €. Petit déj 7 €. Wifi. Génépi offert sur présentation de ce guide.* Une haute façade, plutôt provençale. L'hôtel est au 1er étage. Grande pièce qui fait office de réception-bar-salle de petit déj-salon (ouf !) très réussie : à la fois spacieuse et cosy, avec un parquet ancien qui lui donne un petit air du temps jadis, et des fenêtres à la pelle. Également un billard, une cheminée, des magazines, ce qui ne gâche rien. Un espace aussi polyvalent que convivial donc ! Tout ça a pignon sur LA place de la ville. Chambres d'un honorable confort. Préférer, pour le même prix, celles qui ont 2 fenêtres. Double vitrage pour celles qui donnent sur la place. Garage pour vélos et motos (et pour ranger ses skis l'hiver).

Azteca Hôtel : *3, rue François-Arnaud. ☎ 04-92-81-46-36. • hotelazteca@barcelonnette.fr • azteca-hotel.fr • ♿ Congés : 11 nov-5 déc. Doubles avec douche et w-c ou bains, TV satellite, 61-110 € selon confort et saison. Wifi.* Un bel hôtel, d'aspect récent, mais construit autour d'une ancienne « villa mexicaine » du XIXe s. Chambres joliment décorées, dont les moins coûteuses offrent le plus joli rapport qualité-prix de la ville. Les plus spacieuses, les plus belles aussi (et logiquement les plus chères), sont, comme les parties communes, dans un réjouissant style mexicain. Très confortables et pas kitsch pour deux pesos. Quoiqu'en centre-ville, l'hôtel reste très calme, entouré d'un petit jardin. Idéal l'été pour prendre le petit déj. Accueil sympa et convivial. Navettes pour les stations de ski.

Où manger ?

Bon marché à prix moyens

🍽 **Boccacino :** *3, rue Cardinalis. ☎ 04-92-81-34-64. Tlj tte l'année sf nov et mai. Plats 12-20 € ; formules 19,90-26,50 €.* Trois ambiances pour ce resto : la terrasse, sa petite salle sous voûte de pierre ou son jardin intérieur très coloré. À vous de choisir ! Côté cuisine, spécialités de viandes flambées (terrible potence au cognac, une viande à partager, délicieuse et pleine de saveurs) et pâtes artisanales (tagliatelles aux morilles extra). Les plus gourmand(e)s ne résisteront pas à la croustiflette (on vous laisse découvrir), l'idéal pour reprendre des forces ! Service impeccable. La bonne adresse conviviale de Barcelonnette. Notre coup de cœur.

🍽 **L'inattendu :** *4, pl. Saint-Pierre. ☎ 04-92-31-30-95. Tlj sf dim-lun hors saison. Formule 18 €. Plats 15-20 €.* C'est vrai qu'elle est plutôt inattendue cette petite adresse de poche, bien mise, avec ses jolies tables. Elle vaut surtout pour sa délicieuse terrasse, installée sur le parvis de l'église Saint-Pierre, baignée par le soleil à la tombée du jour. Là, sous l'œil divin, on goûte à une cuisine traditionnelle qui pioche du côté sud-américain : magret de canard à la mexicaine, cabillaud au chorizo, gaspacho maison, etc. Malgré un service encore hésitant – mais souriant –, une belle adresse pour une soirée d'été.

🍽 **Restaurant Le Gaudissart :** *pl. Aimé-Gassier. ☎ 04-92-81-00-45. • legaudissart@orange.fr • Tlj sf lun soir, mar soir et dim soir en basse saison. Congés : 3-17 janv. Menus 16,50-26 €.* Il y a dans cet ancien relais à chevaux quelque chose de l'ambiance d'un bar d'habitués (c'en est d'ailleurs un) : l'accueil bonhomme au comptoir, le service sans chichis, mais efficace et souriant. La salle, conventionnelle mais agréable, est pourtant celle d'un vrai resto. De ceux qui rassurent les familles endimanchées. Cuisine dans le même esprit, traditionnelle et pleine de saveurs, soignée comme on dit : pieds et paquets, cuisses de grenouille, tourte aux herbes... Grande terrasse côté rue. Excellent rapport qualité-prix au bout du compte.

🍽 **Beija Flor :** *19, rue Jules-Béraud. ☎ 04-92-81-51-26. ♿ Ouv tlj sf dim-lun en basse saison. Formules 12-14 € ; menus 17-30 €. Apéritif offert sur présentation de ce guide.* Un resto où l'on déguste un doux mélange de cuisine locale et d'échappées exotiques, régulièrement renouvelées : encornets farcis à la sétoise, pavé d'autruche au chutney de mangue... Un vrai dépaysement et un serveur sympa, qui n'est pas avare de détails et de bons conseils. Ambiance détendue, et cuisine très réussie, qu'espérer de mieux ? Assurément une bonne escale.

Où dormir ? Où manger dans les environs ?

Prix moyens

🏠 🍽 **Chambres d'hôtes L'Establoun :** *les Allemands. ☎ 04-92-81-13-57. 📱 06-08-49-49-30. • establoun@wanadoo.fr • establoun.fr • En arrivant à Barcelonnette par l'ouest, au 1er rond-point (il y a une station Total), suivre « centre-ville » puis tourner tt de suite à gauche direction « Les Allemands », et rouler 4 km. Congés : oct-22 déc. Doubles 55-66 € selon confort et saison. Compter 21 € pour la table d'hôtes. Apéritif maison sur présentation de ce guide.* Claude et Marguerite Cugnet accueillent des hôtes depuis 30 ans dans leur ferme, où ils élèvent des vaches laitières. Ils ont également des porcs, des veaux et des bœufs, qu'on retrouve le soir dans notre assiette, avec des pâtes fraîches, un gratin... Claude prépare aussi lui-même terrines et charcuterie. On est tout de suite à l'aise avec eux et, autour de la longue table rustique installée dans l'ancienne bergerie, devant la cheminée, les conversations vont bon train. 5 chambres à l'étage, simples et très bien tenues. Mais ce serait dommage de n'y venir que pour dormir, et de se priver d'une rencontre avec Claude et Marguerite. Une étape simple et conviviale.

Chambres d'hôtes La Bergerie du Loup : *chez Gérard et Augustine Doras, 04400* **Enchastrayes.** *À la sortie du hameau, à 6,5 km au sud-est de Barcelonnette par la D 209 en direction du Sauze, juste après la station. ☎ 04-92-81-32-46. • contact@labergerieduloup.com • labergerieduloup.com • ♿ Doubles 55-70 €/pers en ½ pens. Sur résa, dîner 26 €.* Vous voilà dans la plus haute exploitation maraîchère d'Europe (si, si !), où la famille Doras pratique une agriculture raisonnée. La grande majorité des produits qui arrivent cuisinés – par Augustine – sur la table proviennent de l'exploitation. Faites un tour dans la serre du proprio à l'arrière de la maison pour vous en rendre compte. Les 5 chambres, dont 2 familiales avec entrée indépendante, aménagées dans l'ancien fenier, sont chaleureuses, tout de bois vêtues, et surtout entièrement construites par Gérard et Augustine. Également deux chevaux, des canes et des oies (dont les œufs sont, paraît-il, très adaptés à la pâtisserie), des chiens, un chat... Et demandez-leur l'origine de ce nom, *Bergerie du Loup*, chargé de sens. Une escale conviviale et reposante dans la famille Doras, où « prendre le temps de vivre » n'est pas un vain mot. Membre du réseau « Bienvenue à la ferme ».

Maison d'hôtes du Vivier : *Le Vivier, 04400* **Enchastrayes.** *☎ 04-92-81-19-65. • contact@maisondhoteduvivier.com • maisondhoteduvivier.com • À 4,5 km au sud de Barcelonnette ; passer l'Ubaye, direction cols de la Cayolle et d'Allos puis prendre la route de La Conchette à gauche et suivre le fléchage. Resto fermé dim. Congés : 15 mai-15 juin et Toussaint-fin déc. Repas et chambres sur résa (la veille au moins, surtout en saison). Double avec douche et w-c 62 €. ½ pension (préférable vu le chemin d'accès !) 57 €/pers ou repas 32 € tt compris. Wifi.* Grande et belle ferme rénovée, perdue en pleine montagne, avec son jardin, splendide. Chambres dans l'esprit de la maison, aux murs habillés de mélèze. Bonne cuisine régionale préparée sous vos yeux par Jojo, propriétaire et bon vivant de son état et son épouse Nicole. Goûter leurs spécialités aux blettes, les viandes de pays cuites au four à bois et les pâtisseries maison, à déguster sur la grande table centrale. Accueil très sympathique et sincère.

Maison d'hôtes Le Rozet : *route du col d'Allos, 04400* **Uvernet-Fours.** *☎ 04-92-81-10-64. • lerozet@club-internet.fr • guideweb.com/provence/bb/rozet • À 6 km au sud-ouest de Barcelonnette par la D 908, fléché sur la droite ; à 6 km de Pra-Loup. Congés : 20-31 sept. Chambre avec douche et w-c ou bains 63 €. Repas 23 €, boissons comprises. Réduc de 5 % sur le prix de la chambre sur présentation de ce guide.* Jolie maison, joli coin de nature où ne filtre, à travers la forêt, que le diffus grondement du torrent. Après avoir habité en Afrique pendant 16 ans, Marie-Claire et son mari ont posé leurs valises dans cette ancienne ferme-bergerie surplombant les gorges du Bachelard. 5 chambres simples et gaies pour 2 ou 3 personnes, un spacieux salon-salle à manger où trône une cheminée, et un bain scandinave pour finir de se détendre. Accueil naturel et chaleureux de Marie-Claire. Pour les motards, un garage peut abriter leur monture. Pas de resto alentour, mais ça tombe bien, puisque vos hôtes seront contents de partager un repas avec vous.

Gîte l'Eterlou : *Villevieille, 04400* **Faucon-de-Barcelonnette.** *☎ 04-92-36-15-78. • serge.bardini@free.fr • Tout de suite à la sortie de Barcelonnette, en direction de Jausiers. Double 54 €. ½ pension 43 €/pers.* Idéalement placé, au calme, face au Chapeau de gendarme et à la station du Sauze. Dans un ancien corps de ferme avec le petit lavoir dans le jardin et son parquet d'origine à l'intérieur, bien patiné par le temps. Chambres simples, au mobilier en bois brut, confortables pour 2 à 6 personnes, avec salle de bains privée dans les chambres. Petit déj avec confitures maison. Excellent accueil des proprios qui sauront vous conseiller sur les balades alentour. Possibilité de ½ pension, et même de panier pique-nique pour vos randos. Au fait, un éterlou est un chamois qui n'a pas plus d'un an ou deux...

Le Passe-Montagne : *route du col de la Cayolle, 04400* **Uvernet-Fours.** *☎ 04-92-81-08-58. À 3 km au sud-ouest de Barcelonnette par la D 902 (direction col de la Cayolle). Tlj pdt les vac scol, sf lun-mar le reste de l'année. Congés : juin et 11 nov-15 déc. Menus 22-32 €. Café offert sur présentation de ce guide.* La bonne table du coin, dans un gros chalet de bois, récent, à la mode montagnarde. De la terrasse, qui donne dans les pins, on peut admirer les pics du Pain de Sucre et du Chapeau de gendarme. L'hiver, une immense cheminée réchauffe l'atmosphère paisible. Le chef a redécouvert la cuisine mi-provençale, mi-alpine de sa grand-mère en l'adaptant à sa patte : estouffade d'épaule d'agneau aux olives, filet de bœuf de Simenthal aux morilles... Mais ce qu'il aime particulièrement cuisiner, ce sont les escargots de Digne, qu'il accommode de plein de façons, selon l'humeur. Le chef travaille avec une dame qui ramasse morilles, sanguins, mâche sauvage, pissenlits...

Chic

Chambres d'hôtes Domaine de Lara : *04400* **Saint-Pons.** *☎ 04-92-81-52-81. 06-62-05-01-32. • arlette.signoret@wanadoo.fr • domainedelara.com • À 4 km à l'ouest de Barcelonnette par la D 900 ; c'est (très bien) fléché sur la droite. Fermé nov-fin mars. Doubles avec douche et w-c ou bains 84-92 €.* Paisible, au cœur d'un paysage de carte postale : une petite forêt de pins, un discret torrent, les sommets à l'horizon... Grande et belle ferme, superbement rénovée : pierres apparentes, impressionnantes poutres de bois dans le salon, mobilier ancien, objets de famille. Chambres un peu sombres, au charme ancien. Ambiance un peu chic, mais sans rien de pesant. Très bon accueil.

Où boire un verre ?

Le Choucas Bar : *4, pl. Manuel. ☎ 04-92-81-15-20. • choucas-bar@wanadoo.fr • Ouv en saison 7h-2h. Wifi.* Petit bar sympathique, un peu branché ou en tout cas animé. Salle intime ou petite terrasse, pour finir la soirée sur cette charmante petite place où défile toute la ville. Et le soleil y brille quasiment toute la journée ! Billard. Quelques chambres également.

Achats

Pâtisserie Génot : *47, rue Manuel. ☎ 04-92-81-01-46. Fermé dim ap-m et lun hors vac scol.* La « feuilletine » (gâteau praliné aux amandes croustillantes...) est excellente, foi(e) d'amateurs.

Le Pain de Sucre : *13, rue Manuel. ☎ 04-92-81-01-59. Tlj sf mer hors saison ; fermé 3 sem en juin et 2 sem en sept.* Une bonne pâtisserie à la fois sandwicherie, proposant des pains maison bien spéciaux ainsi qu'une excellente glace au génépi.

La Baïta : *pl. Manuel.* Boutique de produits mexicains (à Barcelonnette, cela s'imposait) et tex-mex : bibelots, bijoux, vêtements...

Plusieurs jolies boutiques (chères !) de déco sur la place et dans les rues adjacentes.

À voir

La place Manuel : le cœur de la cité, avec la tour Cardinalis du XIVe s, qui donne l'heure à toute la ville. C'est le seul et unique vestige d'un couvent de dominicains qui se trouvait là. Fréquents concerts en saison, autour ou sur le petit kiosque à musique.

Les villas « mexicaines » : petite balade architecturale à travers des rues et avenues tracées en damier (à l'américaine !), à la recherche de ces opulentes bâtisses fin XIXe-début XXe s, qui n'ont en fait rien de... mexicain ! Elles témoignent plutôt de cet éclectisme architectural caractéristique des villes d'eau et autres stations balnéaires, édifiées à la même époque. Quelques jolis spécimens à l'est du centre, avenue des Trois-Frères-Arnaud par exemple, où on distinguera, notamment au no 6, la belle villa de La Fontaine, précédée d'une... fontaine, où trône un griffon. À l'ouest, grosse concentration dans l'avenue de la Libération. Immanquable villa La Sapinière, actuel musée de la Vallée (lire ci-dessous), la seule dont on pourra découvrir l'intérieur : superbe parquet en marqueterie, non moins superbes faïences du cabinet de toilette. Un peu plus loin, autre témoin de la première génération de ces villas mexicaines, Le Verger (qui abrite aujourd'hui l'ONF). Encore un bel alignement, avenue Porfirio-Diaz (au passage, on ne connaît pas beaucoup d'autres villes à avoir baptisé une avenue du nom d'un dictateur mexicain...). Au no 1, imposante et sobre villa Bleue, une des dernières à avoir été construites (en 1931). Le splendide vitrail Art déco de la façade évoque d'ailleurs la saga mexicaine. Au no 3, Le Chastel, très italianisant, au cœur d'un jardin superbement entretenu. Avenue Émile-Grasset, voir aussi La Roseraie, puis au no 16, allée des Dames, L'Ubayette (actuelle sous-préfecture) néogothique avec quelques intentions tyroliennes (eh oui !).

Le musée de la Vallée et la Maison du parc du Mercantour : *villa La Sapinière. ☎ 04-92-81-27-15. De début juil à fin août, tlj 10h-12h30, 14h30-19h ; avr-mai, sept et hors saison, pdt les vac scol mar-sam 14h30-18h30 ; fermé certains j. fériés. Congés : 15 nov-15 déc. Entrée : 3,30 € ; réduc. À la Maison du parc (☎ 04-92-81-21-31), ttes les infos sur le Mercantour et belle expo de photos de montagne.* Installé dans l'une de ces fameuses villas dites mexicaines, il ne pouvait que raconter l'épopée incroyable des « barcelonnettes ». Pourquoi les comtes de Provence, fondateurs de la ville, ont-ils baptisé cette nouvelle ville « Barcelonnette » ? Quel fut le déclencheur de cette émigration ? Une épopée qui nécessitait, à la fin du XIXe s, 25 jours de traversée au départ de Nantes... via Paris !

Le cimetière : un petit cimetière, aux tombes parfois étonnantes de variété et d'opulence (marbre de Carrare, serpentine du Queyras...). Il fallait bien que la réussite des émigrés se vît au-delà de la mort... D'impressionnants mausolées, comme celui de la famille Signoret ; l'immanquable dôme qui domine celui de la famille Tron ; la porte sculptée de la tombe de la famille Antoine Signoret de Tournoux...

Sports et loisirs

➢ **Randonnées :** comme toute l'Ubaye, les environs proches regorgent de superbes balades. 2 petits guides payants sont en vente à l'office : un sur les balades à faire autour de Pra-Loup, et un autre détaille celles de la vallée de l'Ubaye. À partir de la vallée, plus de 80 ***lacs*** sont accessibles. Vous les découvrirez, blottis modestement au creux d'une vallée perdue, majestueusement perchés sur un col ou encore au détour d'un verrou glaciaire. En chemin, selon la saison, vos promenades se feront cueillettes : champignons, framboises, fraises sauvages... Quelques suggestions : les *lacs de la Cayolle* (4h pour faire une boucle depuis le col de la Cayolle) ou les *Eaux tortes*, curieux marais d'altitude, au pied du glacier de l'Estrop (6h). Pour des randonnées accompagnées, s'adresser à ***Rando Passion :*** *31, rue J.-Béraud. ☎ 04-92-81-43-34. • rando-passion.com •* Sorties « marmottes », faune et flore, VTT, randonnées aquatiques ; en hiver, ski de fond, raquettes... Et ***Montagnes d'Ubaye « L'école d'aventure » :*** *37, rue Manuel. ☎ 04-92-81-29-97. • ecole-aventure.com •* Randos des deux côtés de la frontière, sorties spécial enfants...

➢ ***VTT :*** site labellisé. Vingt parcours pour 340 km dans la vallée de l'Ubaye, de la balade en famille au raid sur plusieurs jours. Pour les amateurs de sensations fortes, la descente du col de Restefond (40 km, à faire avec un guide) ou la Transubayenne (106 km). Une petite carte permet de localiser les différents itinéraires, et de visualiser leur degré de difficulté. Location : ***Granphi'Sport,*** ☎ *04-92-81-23-69.* Loue également des vélos de route.

➢ ***Cyclisme :*** si vous avez un peu d'entraînement, offrez-vous la grande classique du coin, la « randonnée des 7 cols ». De bons mollets, du souffle, une carte à composter au sommet de chaque col (en vente dans les offices de tourisme), et un diplôme au bout de l'effort ! Pour les amateurs, possibilité d'acheter un tee-shirt cyclo « Ubaye » à l'office de tourisme !

➢ ***Parapente : Ubaye Parapente,*** *Le Pont-Long.* ☎ *04-92-81-34-93. Ouv tte l'année.* Baptêmes et stages. Encadrement vraiment compétent.

– ***Parcours d'aventure : Jungle Parc,*** *Les Terres-Neuves, à Saint-Pons. Route de Gap.* *06-20-45-29-13.* Parcours dans les arbres. Câbles, tyroliennes, pont de singe, lianes et passerelles vous permettent de jouer les Tarzan. Trois parcours de niveaux différents ; compter 2-3h pour 2 parcours.

– L'hiver, navettes gratuites pour les stations du Sauze, de Pra-Loup et Sainte-Anne-de-Condamine.

Festivals

– ***Les Enfants du jazz :*** *2de quinzaine de juil. Rens à l'office de tourisme.* ● *enfantsdujazz.com* ● Il faut savoir que les trois frères Arnaud, précurseurs de l'émigration au Mexique, partirent tout d'abord pour la Louisiane, berceau du jazz. Voilà pour l'historique. L'idée, c'est de regrouper autour de jazzmen réputés (Dee Dee Bridgewater, André Ceccarelli, Didier Lockwood, Sébastien Texier, Ravi Coltrane, Michel Legrand, Al Jarreau...) de jeunes musiciens âgés de 10 à 20 ans. Des expositions et des concerts sont organisés.

– ***Fêtes latino-mexicaines :*** *autour du 15 août. Rens à l'office de tourisme.* Barcelonnette ressuscite son prestigieux passé historique avec des expositions et des animations.

– ***Biennale de musique classique de Barcelonnette :*** *6 j. à partir du 15 août (années paires).* Concerts (payants) interprétés par l'orchestre symphonique de Nancy.

PRA-LOUP – LES MOLANÈS

(04400) 614 hab. *Carte Alpes-de-Haute-Provence, C2*

Perchée sur un replat du flanc nord de la vallée de l'Ubaye, Pra-Loup 1 600 est née dans les années 1960, ce qui n'est pas un très bon millésime dans le domaine architectural. Avouons-le, pour l'heure, en été, la station n'est pas des plus esthétique. Ça s'arrange, évidemment, l'hiver. Le cœur de la station est composé d'un grand centre commercial en arc de cercle, dont les étages abritent de nombreux logements locatifs. La plupart des restaurants et des boîtes s'y trouvent. Au centre, une patinoire naturelle et une aire de jeux contribuent, avec le « reboisement » des façades dans un style montagnard, à donner à Pra-Loup un aspect assez chaleureux. La station s'est aussi développée aux Molanès, 1,5 km plus bas, où hôtels, gîtes et chalets privés au charme certain vous feront craquer. Et sachez que depuis quelques années, son plus bel ambassadeur est curieusement un joueur de tennis et non un skieur. Effectivement, Sébastien Grosjean, vainqueur de la Coupe Davis 2001, a grandi et débuté sa carrière ici. Dans tous les cas, il règne un bon esprit dans cette station.

Adresse utile

Office de tourisme : *à Pra-Loup 1600. ☎ 04-92-84-10-04. • praloup.com • En hiver et en juil-août tlj ; en intersaison lun-ven. Wifi.*

Où dormir ? Où manger ?

À Pra-Loup 1600 – Les Molanès

De prix moyens à plus chic

Hôtel Les Blancs : *☎ 04-92-84-04-21. • hotellesblancs@orange.fr • hotel.lesblancs.free.fr • Resto midi et soir en été et soir en hiver (sf j. fériés). Congés : de mi-avr à mi-juin et de mi-sept à mi-déc. Doubles 84-110 € selon saison, petit déj-buffet 8 €. ½ pens demandée les w-e, vac de fév et de Noël. Menus 20-25 €. Wifi. Réduc fréquentes sur le site internet. Digestif offert sur présentation de ce guide.* Une trentaine de chambres orientées nord ou sud, dont une partie en duplex, simples et bien tenues ; également des chambres familiales (jusqu'à 5 personnes). Toutes les salles de bains sont rénovées de façons différentes, spacieuses, et joliment aménagées. Le resto et la terrasse, tout en bois, donnent sur une belle piscine couverte et chauffée, un jacuzzi, un sauna ainsi qu'une petite salle de fitness, et le télécabine qui mène au sommet. Bien pratique ! Hervé a remonté le four à pain, autrefois utilisé par les villageois ; l'occasion de proposer des animations conviviales à ses clients comme aux habitants. Atmosphère sympathique et accueil charmant des propriétaires.

Le Prieuré : *☎ 04-92-84-11-43. • info@prieure-praloup.com • prieure-praloup.com • Resto fermé le midi lun-ven hors saison. Congés : mai, et de mi-sept à mi-déc. Doubles avec douche et w-c ou bains, TV satellite, 61-97 € selon saison. Au resto menus 13,85 € (le midi en été)-30 €. Wifi. Café offert sur présentation de ce guide.* Un ancien prieuré du XVIIIe s qui a été transformé en hôtel rustique, chaleureux et bien tenu, plein sud face au Pain de Sucre et au Chapeau de Gendarme. Une vue, comme on dit, imprenable et des prix qu'on prend, nous, plutôt bien. La piscine en été est bien agréable ; dommage toutefois qu'elle soit côté route.

Chambres d'hôtes La Ferme du Couvent : *☎ 04-92-84-05-05. 📱 06-10-19-01-61. • info@ferme-du-couvent.com • la-ferme-du-couvent.com • Résa obligatoire. Double avec douche et w-c 80 € (les mêmes prix toute l'année !). Familale ½ pens 60 €/pers. Repas sur résa 25 €. Remise de 10 % sur le prix de la chambre, ou, pour plus de 4 pers en ½ pension, repas du soir offert.* Chambres rénovées dans l'esprit du lieu où il fait bon séjourner, été comme hiver (mais surtout l'hiver !) dans une ferme 6 fois centenaire. Admirez l'entrée en rondins de bois, qui date du XIVe s ! Ambiance chaleureuse, simple et conviviale, au coin du feu. Cuisine traditionnelle concoctée avec les produits du pays. Avec un peu de chance, quelques morilles seront tombées dans le plat le soir de votre passage ! Mais n'espérez pas en savoir plus : Jean-Pierre et Nathalie sont de grands amateurs-ramasseurs de champignons, et gardent leurs coins secrets ! Superbes petits déj proposés par l'énergique maîtresse de maison. Petit jardin de curé, avec sa balançoire et ses jolies roses en été.

Ski et neige

Ski alpin : domaine Espace Lumière (1 500-2 600 m), relié à celui de Val d'Allos-La Foux. 48 remontées mécaniques et 180 km de pistes « ski au pied » : 13 pistes vertes (8 sur Pra-Loup et 5 sur La Foux), 31 pistes bleues (16 sur Pra-Loup et 15 sur La Foux), 32 pistes rouges (16 sur Pra-Loup et 16 sur La Foux), 5 pistes noires (1 sur Pra-Loup et 4 sur La Foux). Le domaine skiable le plus important des

Alpes du Sud et la station préférée des Marseillais de tous âges. Cependant, les champs de neige de La Foux sont assez éloignés et il faut prévoir une bonne matinée pour les rallier. Les pistes, variées et agréables, séduiront surtout les skieurs moyens, mais n'ennuieront pas pour autant les bons. Et en fin d'après-midi, quand le soleil cerne les sommets de l'Ubaye encore enneigés, la vue devient grandiose. La neige est bonne, abritée du vent mais aussi du soleil. Et des canons à neige en nombre assurent les descentes jusqu'en bas de la station. Après une télécabine 10 places, inaugurée en janvier 2010, un nouveau télésiège débrayable a été mis en service en 2011.

– ***Snowboard :*** une station qui a tout, ou presque, prévu pour les snowboarders et autres adeptes des nouvelles glisses avec un *rider space* de 40 ha. Un superbe *rider park* sonorisé, un *big air,* un *rider cross,* 2 zones de *rider rocks,* un *rider snow* et, en bordure des pistes, 6 zones de *free ride,* où la neige reste à l'état brut mais sans risque d'avalanche.

Sports et loisirs

➢ ***Randonnées :*** quelques belles balades au départ de la station en été, bien que le choix soit plus important vers la haute vallée de l'Ubaye. Un grand classique toutefois : la *Grande Séolane.* Compter la journée aller-retour, avec accompagnateur de préférence. On y découvre un univers minéral très riche, car on grimpe sur une klippe (gros caillou arraché lors de la naissance des montagnes et qui semble posé là comme par hasard, à l'envers sur la montagne). On pique-nique au sommet, d'où l'on embrasse un panorama grandiose sur toutes les Alpes.

– Du ***rafting*** au ***parapente,*** en passant par le ***canyoning,*** l'***hydrospeed,*** les ***parcours d'aventure,*** un ***bike park,*** et des pistes VTT dont une adaptée aux enfants, il n'est guère d'activité qui ne puisse être pratiquée ici et dans la vallée. Renseignements à l'office de tourisme.

LE SAUZE (04400) 504 hab. *Carte Alpes-de-Haute-Provence, C2*

Station de sports d'hiver qui, contrairement à d'autres, n'a jamais cessé d'être un village. Située entre 1 400 et 2 400 m d'altitude, c'est l'une des plus anciennes de France, qui a su garder un caractère montagnard et bon enfant, entre alpages et mélèzes. La station de ski familiale par excellence, qui mériterait bien toutefois quelques aménagements. La première pierre a été posée en 1934. Depuis, elle a grandi en souplesse, sans heurts. Les gens prennent le temps de se regarder skier ou de parler du temps et des randos. On y trouve des pistes de ski évidemment, puisque c'est la station d'origine de Carole Merle (la championne olympique de ski, pour les routards qui n'y connaissent rien). Mais attention, ici on skie tranquille et les pistes sont modestes. La station est divisée en deux parties : Le Sauze (qui mêle petite station et village ancien) et Super-Sauze (immeubles taillés avec complaisance dans le béton). Entre les deux, le vrai vieux village d'Enchastrayes. On devient vite un habitué du Sauze, sans s'en rendre compte. La fermeture du col d'Allos, l'hiver, décourage les Méridionaux (du moins les Niçois, les Marseillais venant par l'autoroute). Mais en été, lorsque c'est un paradis pour la randonnée, ils en font leur villégiature.

Adresse utile

ℹ ***Office de tourisme du Sauze-Super-Sauze :*** *04400 Le Sauze-***Super-Sauze.** ☎ *04-92-81-05-61.* • *info@sauze.com* • *sauze.com* • *Tlj en* *saison ; lun-sam mat hors saison.* Des navettes gratuites desservent villages et stations des alentours.

Où dormir ? Où manger ?

🏠 🍴 ***Hôtel Soleil des Neiges :*** *Le Sauze.* ☎ *04-92-81-05-01.* • *soleilneiges@wanadoo.fr* • *soleildesneiges.fr* • *Fermé de mi-sept à mi-déc et de mi-avr à mi-juin. Doubles avec douche et w-c ou bains, TV, 60-88 € selon saison. ½ pens 65-80 €/pers, souhaitée pdt les vac et les w-e d'hiver. Menus 18-27 €.* Face aux pistes et au départ des remontées mécaniques. Une adresse d'allure un peu mastoc l'été, plus sympa en hiver, avec décor en mélèze, accueil convivial et spécialités ubayennes à base de produits frais : tourte aux herbes, poulet fermier aux morilles... Côté déco, le charme des années 1970 opère toujours. Choisissez une chambre plein sud, face à la montagne (et aux pistes) ; certaines disposent même de balcons. Bon accueil.

🏠 ***Le Pyjama :*** *Le Sauze-Super-Sauze.* ☎ *04-92-81-12-00.* • *hotellepyjama@orange.fr* • ♿ *Congés : 15 juin-20 sept. Doubles avec bains, TV satellite, 67-98 € selon saison. Petit déj 10 €. Également des studios avec cuisine 108-139 €, avec balnéo 139-175 €. Wifi. Digestif offert sur présentation de ce guide.* Un drôle de beau *Pyjama* pour 2 ! L'architecture des bâtiments voisins n'est pas particulièrement réjouissante, mais les chambres orientées au sud décorées avec des meubles et des objets anciens, ouvrant sur une vision apaisante de magnifiques mélèzes. Terrasses, mezzanines pour certaines, jolies salles de bains. Sympa petit coin salon-bibliothèque, avec une cheminée.

🍴 ***Restaurant d'altitude La Cabane à Jo :*** *Le Sauze,* **Enchastrayes.** ☎ *04-92-81-02-86.* • *appino.dany@hotmail.fr* • *Ouv tlj le midi slt, 14 juil-25 août et 15 déc-15 avr. Menu 19,50 € ; carte 23 €. CB refusées. Apéritif offert sur présentation de ce guide.* Voilà un charmant chalet, très convivial, où il fait bon s'attarder un moment, soit l'hiver après quelques chutes à skis, soit l'été après quelques coups de chaleur en rando.

Ski et neige

Ski alpin : domaine (1 400-2 450 m) de 23 remontées mécaniques, 65 km de pistes : 10 vertes, 10 bleues, 12 rouges, 3 noires. Pas mal de chemin parcouru depuis le premier « téléluge » installé en 1934. Et un domaine qui, pour être celui d'une station familiale (il y a même une garderie l'hiver), offre quand même de quoi se fatiguer les jambes. Pour les débutants, la verte de la Savonette où Carole Merle fit ses premiers pas sur les planches (avant de gagner 6 fois la Coupe du monde de super-géant !). Les bons skieurs grimperont, eux, vers les rouges du Brec. Également un stade de slalom.

- ***Snowboard :*** un *snowpark* et de beaux espaces pour le *free ride.* La station accueille une épreuve de coupe d'Europe de skicross (discipline olympique).
- ***Raquettes :*** 4 sentiers balisés avec des haltes bienvenues dans les restos d'altitude.
- ***Village d'igloos :*** il fait son apparition tous les hivers et on peut passer la nuit au sommet des pistes. Montagne d'Ubaye, « l'école d'aventure » : ☎ 04-92-81-29-97.

Sports et loisirs

➢ ***Randonnées :*** quelques idées de balades parmi toutes celles que compte ce petit coin de montagne. Le *Chapeau-de-Gendarme* (compter 6h30) au départ de Super-Sauze. On chemine entre les cabanes de bergers et les fermes. Ou la *Croix-de-l'Alpe* (compter 5h15 aller-retour à partir de La Rente). Pour découvrir la forêt de mélèzes, les alpages et le minéral.

- Un sentier sur le loup, un sentier de découverte de la faune et, l'hiver, un jeu de piste à skis pour la famille (carnets de route à retirer à l'office de tourisme).

JAUSIERS (04850) 892 hab. *Carte Alpes-de-Haute-Provence, D1*

Surplombant le bourg, un mignon clocher posé sur un haut rocher. Tout près, en contrebas, *Lou Filadour,* maison d'enfance des trois frères Arnaud (voir l'introduction de Barcelonnette, plus haut). À ce propos, le village est jumelé avec... Arnaudville, en Louisiane, en souvenir des frangins. Ce n'est pas le seul intérêt de ce typique bourg de montagne, qui mérite un détour sinon un arrêt. Été comme hiver, c'est un bon point de départ pour des randonnées ou d'autres activités de pleine nature.

Adresse et infos utiles

Office de tourisme : *rue Principale. ☎ 04-92-81-21-45. ● jausiers.com ● Tte l'année. En juil-août, tlj sf dim ap-m. Se renseigner le reste de l'année.*
– ***Marché :*** *ts les dim mat juil-août.*
– ***Navettes :*** *gratuites entre Jausiers, Barcelonnette et Super-Sauze.*

Où dormir ? Où manger ?

Gîte de séjour Les Bartavelles : *au centre du bourg. ☎ 04-92-84-69-86. 06-75-84-71-17. ● damamme.pierre@wanadoo.fr ● gite-des-bartavelles.fr ● Double 63 €. Table d'hôtes 23 €. Wifi. Apéritif, café ou digestif offert sur présentation de ce guide.* Caroline aime nous accueillir dans sa vaste maison de village, et ça se sent. Elle est déroutante de spontanéité et de sympathie. Mais rassurez-vous, on s'habitue très vite ! Une atmosphère de joyeuse tribu, puisque Caroline et Pierre sont entourés de leurs 3 filles Agathe, Clara et Joséphine (on vous laisse découvrir leurs surnoms...). Une dizaine de chambres simples et gaies, réparties sur 2 étages, à la déco originale et soignée. Une escale revigorante à tous points de vue, puisque la cuisine est copieuse. Dans les assiettes, quiches et tourtes, sauté de porc sauce épicée, coquelet au vin blanc et poivrons... Petit jardin de poche. Coup de cœur !

Bar-restaurant Les Arcades : *rue Principale. ☎ 04-92-81-06-37. ● lesarcades04@orange.fr ● Été tlj (dernière commande vers 21h30) ; hiver tlj sf lun (hors vac scol). Formule 13 €. Carte 15 €. Apéritif offert sur présentation de ce guide.* Une escale toute simple et sympathique, où prendre le pouls de la région. À l'origine, *Les Arcades* est un bar auquel est venue s'ajouter la restauration. D'où un sympathique mélange d'habitués et de touristes de passage. Carte simple à des prix très raisonnables. Les pâtes sont artisanales et, côté viandes (accompagnées de frites ou de pâtes), l'andouillette n'est pas mal du tout. Une faisselle au coulis de fruits de la coopérative ubayenne pour conclure, et le tour est joué ! Également une terrasse. Patronne aimable et accueillante.

Le château des Magnans : *route de Nice. ☎ 04-42-38-47-30. Situé au pied du col le plus haut d'Europe, La Bonnette Restefond. Double 68 €. Compter 345-1 390 €/sem pour 2 à 8 pers.* Comprend 66 appartements dont 15 dans le château. Préférez ceux-là ! Et surtout le n° 203 avec une belle vue sur la vallée. Cela dit, la déco est identique dans chaque appartement, très fonctionnel, avec cuisine équipée, canapé clic-clac et grandes salles de bains. Pour ne rien gâcher : sauna, hammam, bain bouillonnant et piscine couverte à disposition. Resto sur place.

Achats

Maison des produits de pays : *à l'entrée du village quand on arrive de Barcelonnette. ☎ 04-92-84-63-88. Tlj 10h-12h, 14h30-18h30 ; en été 10h-19h30.* Artisanat et produits locaux de la vallée de l'Ubaye (bonbons, miel, charcuterie, fromages, confitures, savons, tisanes, céramique, vêtements en mohair...) sur plus de 400 m^2. Une vitrine qui tient ses promesses, au succès mérité. D'autant plus intéressant que les prix sont les mêmes que chez les producteurs.

À voir. À faire

Le musée de la Vallée : *Grande-Rue. ☎ 04-92-81-00-22. Tlj juil-août 10h-12h30, 14h30-19h ; avr-mai et sept mar-sam 14h30-18h30 (15h-18h vac Toussaint) ; hors vac scol mer et sam 15h-18h. Fermeture annuelle de nov à mi-déc. Entrée : 2 € ; réduc ; gratuit pour les moins de 10 ans. Compris dans le Pass 7 sites à 7 €. Compter 1h de visite. Visites guidées en été ts les mer à 17h.* C'est un des « musées de la Vallée ». Celui-ci aborde les relations de l'homme à son environnement. Une salle géologique (l'ancienne écurie du bâtiment) qui rappelle qu'à une époque la mer était dans les parages. C'est à l'explosion de volcans sous-marins qu'on doit la remontée à la surface de roches vertes, qui, conjuguée au phénomène de tectonique des plaques, constitue aujourd'hui... la crête des Alpes dans la région ! Voyez d'ailleurs les étonnantes ridules laissées sur une roche par le courant et les vagues. Belle collection de fossiles et minéraux. Mais surtout des explications pédagogiques sur le phénomène de creusement d'une vallée ou d'un goulet et de l'installation de l'homme, ou l'importance de l'eau dans notre environnement, comment l'utiliser sans la gâcher, son utilité et les dangers de ne pas la préserver. Quelques maquettes pédagogiques, notamment une consacrée au chemin de l'eau. Impressionnantes photos de l'inondation qui a eu lieu à Jausiers en 1957. Sur certaines, on distingue l'épaisseur de la boue qui s'est répandue... Également une salle consacrée à l'archéologie.

L'église : typique de ces vallées aux portes de l'Italie, un peu austère à l'extérieur, intérieur d'un baroque presque exagéré. Sur la droite, curieux autel des âmes du purgatoire, garni de crânes et autres os humains dont on dit qu'ils sont véritables...

Le moulin d'Abriès : *☎ 04-92-81-11-42 ou 06-30-34-93-55. Sortir de Jausiers et prendre la direction de Nice, puis tourner à droite après 500 m ; c'est fléché. Tél pour les horaires de visite. En juil-août démonstration, mar et ven à 16h ; tél le reste de l'année. Entrée : 6 € ; réduc enfants ; gratuit pour les moins de 7 ans. Compter 1h de visite.* Dans un vieux moulin du XVIIe s restauré – pas mal de pièces sont d'ailleurs d'époque – un meunier vous attend pour moudre le blé, le transformer en farine avant de la mettre en sac. Vente de la production, évidemment. Une visite qui donne l'occasion d'apprendre que toutes les variétés de blé ne peuvent pas être transformées en farine, que la farine « type 55 » contient 0,55 g de cendre (si, si !) par kilo... bref beaucoup de questions à poser, et autant de réponses à attendre avec curiosité. Si le moulin est dans la même famille depuis 1895, on doit son actuelle activité à Robert, meunier passionné (et pas comme les autres puisqu'il fut des années moniteur de ski en hiver !). Mais quid de la relève ? Savoir-faire en péril à découvrir d'urgence.

Le château des Magnans : *situé à flanc de colline, au-dessus du bourg.* La plus extraordinaire des demeures dites « mexicaines » de la vallée. Édifié de 1903 à 1913, ce « château » est une construction de style médiéval fantaisiste qui fait penser aux folies architecturales de Louis II de Bavière. S'il ne se visite pas, on peut en revanche y dormir (lire plus haut).

Le plan d'eau de Siguret : *Le Chalet-du-Lac. ☎ 04-92-34-86-55. Entrée payante en juil-août (compter 2,50 €) ; tarif familles. Également des carnets de 10 entrées.* En saison, baignade surveillée de 10h à 18h, tennis, mur d'escalade, terrain de volley, bar-restaurant.

DANS LES ENVIRONS DE JAUSIERS

Le col de Restefond, la Bonette : liaison directe Barcelonnette-Nice (149 km). La plus haute route de France et la plus haute route d'Europe, depuis qu'un notable niçois a eu la riche idée de dévier la route de quelques kilomètres pour la faire passer, à 2 802 m d'altitude, au pied de la cime de la Bonette. Une route de montagne, d'ailleurs attention, elle est fermée à la circulation l'hiver, renseignez-vous... Paysages encore très sauvages, sublimes. Superbe panorama depuis la Bonette (un p'tit quart d'heure de marche).

LA HAUTE-UBAYE

Carte Alpes-de-Haute-Provence, D1

En amont de Jausiers, un bassin verdoyant jusqu'à Saint-Paul, des gorges étroites ensuite, puis les paysages presque désolés de la haute montagne autour de hameaux qui figurent parmi les habitats permanents les plus hauts d'Europe. Plusieurs petites vallées adjacentes comme celle de l'Ubayette, qui, via le col de Larche, emmène vers l'Italie. Une vallée préservée qui recèle donc bien des trésors ! L'été, on y effectue de fabuleuses randonnées qui peuvent durer plusieurs jours, grâce aux nombreux refuges aussi bien en France qu'en Italie. L'hiver, cette vallée privilégiée en bordure du parc national du Mercantour offre de nombreuses possibilités de skis de fond (notamment à Larche ou à Saint-Paul), de randonnées à skis et à raquettes. On part à la découverte d'univers vierges de toute trace et insoupçonnés des lève-tard. Pour les fous d'escalade, de nombreuses voies de haute montagne vers la vallée de Maurin.

Où dormir ? Où manger ?

De bon marché à prix moyens

Gîte-auberge de La Cure : *04530* **Maljasset.** *04-92-84-31-15. • maljasset.gite@yahoo.fr • site.voila.fr/maljassetgite • Au cœur du hameau. Ouv fév-15 avr et de mi-juin à mi-sept et sur résa ts les grands w-e et vac scol. ½ pens env 35 €/pers. Formule déj 13 € ; menu 16 €. Apéritif offert sur présentation de ce guide.* Dans l'ancien presbytère de ce superbe hameau de montagne, tenu depuis 1969 par la même famille Longeron, et rénové dans le respect du patrimoine de la région. 4 dortoirs tout équipés d'une capacité totale de 26 places. Petite salle d'auberge accueillante et voûtée. On peut venir manger sans y dormir. Cuisine familiale. Panorama unique sur les montagnes environnantes. En été, c'est le paradis des randonneurs, l'hiver, c'est ski de randonnée, ski de fond ou raquettes. Accueil extra, franco-australien de surcroît !

Gîte-auberge du Lauzanier : *04530* **Larche.** *et fax : 04-92-84-35-93. (resto). À la sortie de Larche, sur la D 900, direction col de Larche. Congés : 20 oct-1er déc. Double 52 €. Dortoir 28 € avec petit déj. 48 €/pers en ½ pens. Plat du jour 12 € ; menu 18 €. CB refusées. Digestif offert sur présentation de ce guide.* Petit bâtiment récent, au départ des pistes de ski de fond. Chambres de 2 à 10 personnes au look un peu collectivité mais confortables (avec douche et w-c). Au resto (ouvert aux extérieurs), petite terrasse ensoleillée face à la montagne. Cuisine familiale, toute simple et nourrissante.

Auberge Le Chamois Bleu : *pl. de l'Église, 04530* **Saint-Paul-sur-Ubaye.** *04-92-84-31-20. • lechamoisbleu@aliceadsl.fr • http://lechamoisbleu.wordpress. com • Ouv mai-fin sept. Chambres avec lavabo et bidet*

48 €, avec douche et w-c ou bains 74-82 €. ½ pension 42-59 €/pers. Formules salade 10-14 €, plat 15-20 €. Formule déjeuner 19,50 €. Wifi. Café offert sur présentation de ce guide. Un ancien presbytère du XVIe s devenu une auberge familiale, toute simple mais pas dénuée de charme, loin de là. La fille de la proprio a mis la main à la pâte, en décorant joliment les volets de la noble demeure. Une poignée de chambres à l'ancienne et une copieuse cuisine de ménage. Tentez la « boîte à coucou », un fromage de chèvre cuit au four avec des herbes et de l'huile d'olive, servi avec quelques pommes de terre et différents accompagnements. Un régal revigorant ! Adorable jardin de curé où se laisser bercer par les cloches de l'église, mais pas de panique, ces dernières laissent la place au chant des grillons de 22h à 7h...

À voir. À faire

L'Ubayette : petite vallée perpendiculaire à la Haute-Ubaye qu'on suit en prenant la route de Larche (D 900). Les villages, détruits par l'armée allemande en 1944, sont de cette architecture utilitaire de l'après-guerre, qui n'a pas plus de charme à la montagne qu'ailleurs... Mais la vallée, aux pentes verdoyantes, mérite un petit détour. On rejoint, à 1 991 m d'altitude, le col au paysage lunaire. En haut, un ancien poste frontière à l'abandon (« Pour l'Europe », affirme une grande inscription en façade...). Si vous faites quelques tours de roues direction l'Italie, amis vélocyclistes, vous découvrirez immédiatement sur votre gauche une discrète stèle qui rappelle au souvenir du plus grand des cyclistes italiens, Fausto Coppi, qui passa certainement par ici. En contrebas, le mignon petit lac italien de La Madeleine et sa buvette, prisée des motards.

Les forteresses de l'Ubaye : *visites guidées des sites de Tournoux, Roche-la-Croix et Saint-Ours (Meyronnès) de mi-juin à mi-sept. Inscriptions auprès des offices de tourisme de Barcelonnette et Jausiers, mais début des visites au pied des forts.* Du milieu à la fin du XIXe s, de grands chantiers ont échelonné sur 35 km des défenses successives avec, comme nœud du dispositif, l'énorme montagne fortifiée de Tournoux, mais aussi tout un système de vigies et sémaphores, routes stratégiques... Si Tournoux a abrité des munitions jusqu'en 1987, Roche-la-Croix dispose toujours de son armement et de sa centrale électrique. Offrez-vous la visite guidée, c'est passionnant, car le guide est un... passionné !

L'église Saint-Pierre-et-Saint-Paul : **Saint-Paul-sur-Ubaye.** *Visite guidée mar-mer 15h-18h juil-août. ☎ 04-92-32-00-37.* Une belle illustration de cette tradition romane qui a perduré dans les vallées alpines : portail sculpté, clocher carré flanqué de petites pyramides où trônent des gargouilles.

Le musée de la Vallée Albert-Manuel : **Saint-Paul-sur-Ubaye.** *☎ 04-92-84-36-23. ♿ (pour les deux tiers). Tlj juil-août 10h-12h30, 14h30-19h. Avr-mai et sept mar-sam 14h30-18h30. Visite guidée sur résa (compter 1h) début juil-fin août, 17h. Sur rdv le reste de l'année. Entrée : env 2 € ; réduc ; gratuit pour les moins de 10 ans ; 1 € sur présentation de ce guide. Compris dans le Pass 7 sites à 7 €.* Installé dans la vaste grange d'une vieille maison, ce musée vous propose de découvrir la vie rurale traditionnelle d'autrefois à travers une collection d'outils et de machines agricoles anciens. Des maquettes animées construites par Albert Manuel (au nom prédestiné), le dernier forgeron à avoir exercé dans la vallée, aujourd'hui décédé, font revivre les activités traditionnelles : le transport du bois, le tissage de la laine... Reconstitution d'un intérieur, petites collections de vêtements anciens et cache en peau de mouton des gardiens qui traquaient les passeurs de sel italiens. Le dimanche suivant le 15 août : journée du musée vivant, pour voir « en vrai » les gestes d'autrefois, dans le pré juste en face (rempailleur, scieur de long, etc.).

Le pont du Châtelet : un magnifique pont classé sur la route de Fouillouse. Une seule arche de pierre audacieusement construite, en 1880, à une centaine de mètres au-dessus d'une étroite gorge creusée par l'Ubaye. Superbe site qu'on peut franchir, et prendre en photo en prenant la route pour Maljasset. Assez surréaliste !

Fouillouse *(04530)* **:** adorable hameau à 1 900 m d'altitude, bien solitaire au milieu de sa cour de sommets. Notre chouchou (avec Maljasset) dans la Haute-Ubaye. Multiples et superbes randonnées dans le coin, à commencer par celle qui mène au *lac des Neuf-Couleurs* (6h aller-retour, possibilité de passer la nuit dans un refuge). Avant ou après, passer impérativement boire un verre ou manger une tarte aux myrtilles maison chez *Bourillon* (☎ 04-92-84-31-16, gîte d'étape également, 14 € la nuit en dortoir), petit bistrot qu'on a l'impression d'avoir toujours vu là.

Maljasset *(04530)* **:** dans la solitude alpine, quelques belles maisons traditionnelles, avec leurs toits de lauzes piqués de hautes cheminées. Un hameau où il ne reste à l'année qu'une poignée d'habitants (voir « Où dormir ? Où manger ? » plus haut). À 1 903 m d'altitude, un des plus hauts habitats permanents d'Europe. Pourtant, la gaieté règne : c'est vrai qu'avec l'Italie toute proche et la beauté des versants français, il y a des compensations.

L'église de Maurin : juste après Maljasset, une des dernières traces de civilisation de la vallée avec deux bergeries plus haut dans la montagne. Une toiture de lauzes, une petite tour carrée, un bout de cimetière pour cette église du XVIe s (l'édifice du XIIe s ayant été emporté par une avalanche, ce que rappelle ici une petite plaque). À 15 mn à pied par le chemin du col Mary, les restes d'anciennes et impressionnantes carrières de marbre de Maurin, dit « serpentine ». Ce marbre vert veiné de blanc a été exporté dans le monde entier (les escaliers de l'Opéra Garnier à Paris sont, par exemple, en serpentine, ainsi que le tombeau de Napoléon aux Invalides).

➢ ***La boîte aux lettres la plus haute d'Europe :*** au col Mary. Belle randonnée jusqu'au col à travers les alpages à moutons, avec retour par les lacs d'altitude du Marinet (5h, descriptif dans le topoguide D 004, *Les Alpes-de-Haute-Provence à pied*). Pour passer de Barcelonnette en Italie, une lettre mettait plusieurs jours. Nos braves guides français et italiens en décidèrent un jour autrement en faisant croire aux autorités qu'il existait, au col Mary, à 2 637 m, une boîte aux lettres relevée régulièrement par le facteur de Maljasset. Ainsi, le courrier circulait plus vite entre la France et l'Italie. Pour bluffer les autorités qui avaient des doutes (et il y a de quoi !), la boîte aux lettres fut inaugurée officiellement par tout un tralala de vrais et faux guides italiens et français, vraies et fausses personnalités sous la bénédiction du curé. Discours officiels sous les yeux ébahis des randonneurs, timbres commémoratifs, et vin à volonté : le facteur a cru mourir. Deux heures et demie tous les jours à pied pour relever une boîte presque toujours vide. C'est rare d'écrire à mémé à 2 600 m d'altitude !
Gag ou pas, la boîte existe encore (un peu mal en point quand même !) et, aujourd'hui, ce sont les guides qui relèvent une fois par semaine les rares lettres laissées de temps en temps par les randonneurs. Si cela vous tente... mais il ne faut pas être pressé !

➢ ***La Transubayenne :*** la vallée de l'Ubaye est traversée d'ouest en est par une piste VTT longue de 106 km, la Transubayenne. Cette piste, qui propose des tronçons de différents niveaux, est ainsi accessible au plus grand nombre et permet de découvrir les villages de la vallée. *Rens sur le site internet • ubaye.com • et dans les offices de tourisme de Larche, Jausiers et Barcelonnette (☎ 04-92-84-33-58), avec plan des pistes disponibles et topoguides VTT.*

Ski et neige

Ski alpin : *à* ***Sainte-Anne-la-Condamine.*** *Rens : ☎ 04-92-84-33-01.* Une station de ski familiale et économique, à taille vraiment humaine. Aux rares chalets construits en bois dans le respect de la tradition sont venues s'ajouter, dans les années 1960-1970, quelques bâtisses moins élégantes mais tout de même respectueuses de l'environnement. Tout petit domaine skiable (30 km de pistes : 5 vertes, 5 bleues, 3 rouges et 2 noires ; forfait journée adulte 17 €). En revanche, l'enneigement est très bon et le cadre superbe.

Ski de fond : *plusieurs circuits damés (30 km au total) au départ de Larche.* Pour les enfants, un espace ludique de 4 000 m². Belles balades dans le vallon du Lauzanier, au cœur du parc du Mercantour. Petit domaine (17 km) également à Saint-Paul.

Nordic walking : *à* ***Saint-Paul-sur-Ubaye.*** Itinérance douce en ski de fond, en raquettes ou à pied. La balade permet de découvrir le village, les hameaux et le magnifique point de vue sur le pont du Châtelet.

LE VAL D'ALLOS

Puisque nous avons précédemment usé nos semelles dans l'Ubaye, nous vous proposons de gagner le val d'Allos par la D 908 et le col d'Allos ; route que ceux qui ont le pied alpin trouveront tout simplement sublime mais que tous les autres auront le droit de trouver terriblement étroite sinon, ici ou là, un peu vertigineuse. Ceux-là aborderont le val d'Allos en s'offrant un long détour via Digne et Castellane.
Mais il faut bien avouer qu'on est restés émus face aux paysages majestueux que l'on découvre juste après le passage du col d'Allos. Un caractère alpin marqué (il y a même des stations de ski) en altitude qui va s'atténuant en descendant la vallée. On passe du monde frais de la montagne à l'univers langoureux et insouciant de la Provence.

LE PARC NATIONAL DU MERCANTOUR

Jumelé avec celui de l'Argentera en Italie, le parc du Mercantour est une espèce de bastion qui résiste au béton, aux sirènes de l'or blanc, aux appels des résidences secondaires. Forcément, puisque le site est protégé. Mais cette identité farouche ne date pas d'hier. Lors du plébiscite de 1860 consacrant le rattachement du comté de Nice à la France, Napoléon III laissa courtoisement au roi Victor-Emmanuel la jouissance de son territoire de chasse préféré. Il faudra attendre 1947 pour que tout le Mercantour soit officiellement rattaché à la France. Mais qu'importe, puisque la région demeure italienne dans l'âme.
Entre les Alpes-de-Haute-Provence et les Alpes-Maritimes, le Mercantour reste un paradis pour la randonnée en été et un monde à part, de 70 000 ha, fait de haute montagne, de cirques, de lacs et de vallées glaciaires. Un monde où les gens de cet arrière-pays, dur et âpre, se sont habitués à des conditions de vie difficiles. On y trouve une flore extrêmement riche, unique en Europe : 1 500 espèces dont 200 rares, et la célèbre saxifrage. Les trois grands ongulés, chamois, bouquetins et mouflons, y cohabitent avec bonheur. Et puis maintenant il y a les randonneurs ! Et les loups...

Parc national du Mercantour : *☎ 04-92-83-04-18. • mercantour.eu • Permanence aux offices de tourisme de Colmars et de Val-d'Allos. Infos et docs. Sans oublier à Laus (point de départ du lac d'Allos, voir plus loin). 06-32-90-80-24.*

VAL-D'ALLOS (LA FOUX, ALLOS, LE SEIGNUS)

(04260) *Carte Alpes-de-Haute-Provence, C2*

Trois sites pour une même station qui a pris le nom de la vallée. Nichée au fin fond de la vallée du Verdon où la rivière du même nom prend sa source, il y a d'abord Val d'Allos - *La Foux (Val-d'Allos 1 800),* station nouvelle, dont les petits immeubles bardés de bois ne choquent pas trop dans ce somptueux cirque montagneux. Huit kilomètres et quelques plus bas, s'étend *Val d'Allos-Le Village (Val-d'Allos 1 400),* encore vrai village de montagne au charmant centre ancien. Quant au Val d'Allos-Le *Seignus* (*Val-d'Allos 1 500,* surplombant Allos auquel il est relié par téléphérique), c'est une véritable station-village : pas de gros ensembles immobiliers, mais de petites résidences et un grand nombre de chalets. Station familiale par excellence, d'ailleurs labellisée *Famille Plus Montagne,* elle offre une véritable rencontre entre les traditions de la montagne et les activités nouvelles.

Adresse et info utiles

Office de tourisme : *BP 5, 04260* ***Allos.*** *☎ 04-92-83-02-81. • valdallos.com • En été, ouv tlj ; hors saison, fermé dim.* Office compétent, qui vend une très bonne carte avec les tracés des randos à faire dans les environs (payant). Propose également 2 fois par semaine des sorties thématiques autour de la découverte du patrimoine religieux, du patrimoine bâti et de l'histoire de la vallée. Nombreuses animations proposées autant en hiver qu'en été.

Également un ***office de tourisme*** *à* ***Val d'Allos-La Foux*** *: ouv tlj déc-avr et juil-août.*

Où dormir ? Où manger ?

À Val d'Allos – Le village

Le Bercail : *Grand-Rue. ☎ 04-92-83-07-53. Tlj sf lun soir, mar soir, mer (et jeu soir hors saison). Menus 15 € (le midi)-23 €.* Belles voûtes en pierre. Ici, c'est ce qu'il y a dans l'assiette qui est important. Le chef, roi de la fondue, fait dans l'efficace et le copieux.

L'Attrapeur de rêves : *rue de la Citadelle, derrière la boutique* La Grange d'Emma. *☎ 04-92-83-30-16 ou 06-86-99-41-11. • blain.jean-francois@orange.fr • attrapeurdereves.com • Double 80 €. Gîte 5 pers 500-600 €/sem selon saison.* En plein cœur du village, faites un voyage en terre amérindienne, chez Jean-François, d'origine québécoise. Deux superbes chambres d'hôtes, sur le thème rétro du ski et de la randonnée à travers le temps. Déco montagnarde réussie, avec mélèze, pierres, petits cœurs et tissus épais à carreaux. On adore aussi les salles de bains et les mezzanines (idéales pour les enfants). Accueil chaleureux, autour du poêle et du comptoir de la cuisine. Propose aussi un gîte tout confort, dans le même style. Dur de décoller pour aller sur les pistes dans ces conditions !

À Val d'Allos – Le Seignus

Hôtel L'Ours Blanc : *Le Seignus,* ***Allos.*** *☎ 04-92-83-01-07 • pascale@hotel-loursblanc.com • hotel-loursblanc.com • Ouv de juin à mi-sept et de mi-déc à fin mars. Doubles avec douche et w-c (sf 3, w-c sur le palier) 74-78 € selon confort et saison ; ½ pens 62-68 €/pers selon saison. Formule buffet midi et soir en hte saison 19,80 €, ainsi que menu 28 € et carte le soir. Wifi. Digestif offert sur présentation de ce guide.* Un petit hôtel, qui contraste agréablement avec les grosses structures que l'on peut voir dans le coin. Une quinzaine de chambres au pied des remontées mécaniques, d'où l'on a une belle vue sur la vallée. Les chambres, toutes équipées de double vitrage, sont simples, lumineuses (il y en a une qui a même une double exposition), et décorées avec du mobilier en pin et de jolis tissus. On y accède par une chaleureuse entrée aménagée pour qu'on puisse y faire une halte dans le canapé, après avoir choisi un bouquin ou un jeu de société dans les rayonnages. Un établissement personnalisé, très adapté pour les familles. Terrasse exposée plein sud, le long de la route (pas passante du tout en été).

Au col d'Allos

Le Refuge du Col d'Allos : *à 2 250 m, en direction de Barcelonnette. ☎ 04-92-83-85-14. Ouv juil-sept.* Sophie et Pierre vous accueillent dans leur refuge, après une bonne grimpette en voiture ou à pied. Ils ont de sérieux arguments pour vous motiver. Petits plats maison, soit au coin de la cheminée, soit sur la terrasse aux beaux jours. Et quelle vue ! Ils proposent même un dîner aux chandelles sur réservation. Spécialités de gnocchis, ravioles, bouillabaisse de poulet et autres pâtisseries. Le plat du jour saura toujours vous contenter. Sans oublier la jovialité de Pierre. Notre coup de cœur dans la vallée.

Ski et neige

Ski alpin :

➢ ***À Val-d'Allos-La Foux :*** domaine de l'Espace Lumière (relié à Pra-Loup). Avec ses 230 km de pistes, c'est le domaine skiable relié le plus vaste des Alpes du Sud. Pour ceux qui voudraient rester côté Verdon, Val d'Allos-La Foux possède l'avantage d'être située dans un cirque montagneux. Avec 5 versants, tous exposés différemment, il suffit de suivre le soleil en passant d'un site à un autre. Bon enneigement (la chance des Alpes du Sud depuis quelques saisons) et ensoleillement presque garanti.

➢ ***À Val-d'Allos-Le Seignus :*** domaine (1 500-2 400 m), 12 remontées mécaniques, 50 km de pistes : 2 vertes, 4 bleues, 5 rouges, 4 noires. Liaison par téléphérique pour ceux qui voudraient séjourner au cœur du village. Une station pionnière : c'est ici qu'a été installée, en 1936, la première remontée mécanique du Haut-Verdon. Val d'Allos-Le Seignus offre aujourd'hui un domaine de taille moyenne mais varié. Quelques pistes plutôt sportives pour les amateurs, comme la rouge de Valcibière.

Domaine nordique : à Val-d'Allos-Le Village, 20 km de pistes de ski de fond ainsi que de nouveaux itinéraires de promenades pédestres sur neige damée accessibles gratuitement.

– Les attractions d'après (ou d'avant !) ski sont nombreuses : patinoire artificielle, randonnées à raquettes avec un accompagnateur ou sur des itinéraires balisés, école de conduite sur glace, scooters des neiges, parapente, circuit trappeur, maison des petits montagnards, cinéma...

Sports et loisirs

➢ ***Randonnées :*** il y en a plein ! Il n'y a pas foule (sauf pour le lac d'Allos) et on peut profiter largement de ces paysages grandioses facilement accessibles, de ces nombreuses forêts dans lesquelles il fait bon se perdre. Enfin, pas trop longtemps quand même ! Quelques suggestions :

➢ ***Le lac des Grenouilles par le sentier nature :*** au départ de La Foux-d'Allos, à l'entrée de la station, derrière les terrains de tennis. Promenade tranquille d'une demi-journée sur un sentier balisé, en boucle. Des panneaux informatifs concernant la faune et la flore vous donnent plein d'explications.

➢ ***Balade du col de l'Auriac :*** petit sentier de 3h30 en montée A/R. On suit le même itinéraire que le précédent pendant 45 mn, puis on bifurque à droite en montant. Balisage jaune et rouge. On se dirige vers le *refuge de l'Estrop (ouv juin-sept et w-e mai et oct. 📱 06-32-06-05-65).* Seuls les 200 derniers mètres présentent une petite difficulté. On peut pique-niquer en haut du col. Après la sieste, les plus courageux s'attaqueront au sommet : 1h30 de plus.

➢ ***Le lac d'Allos :*** facilement accessible au départ du parking du Laus à 13 km par la D 226 (sauf en juillet-août où c'est réglementé) en une petite heure de marche. Autant dire qu'il y a un peu foule en été à suivre le sentier de découverte, jalonné de panneaux qui permettent de « lire » ce paysage de montagne. Par le GR 56 au départ d'Allos pour les bons randonneurs uniquement. Compter une journée avec une nuit au refuge du lac, si vous êtes parti d'Allos à pied et que vous voulez en profiter. Renseignements à l'office de tourisme. **Attention, chiens interdits, même en laisse.** Le lac d'Allos est à 2 225 m. D'origine glaciaire, long de 1 km et large de 600 m, il atteint 42 m de profondeur. C'est le plus grand lac naturel d'altitude d'Europe. La limpidité des eaux et la lumière ambiante confèrent à l'endroit des couleurs magnifiques, douces et profondes à la fois. Ceci est dû au fait que les micro-organismes et autres plantes ne pouvant y vivre, à cause du manque d'oxygène, le bleu du ciel s'y reflète sans aucun obstacle. Magique !

➢ ***VTT :*** pas mal d'itinéraires balisés. Mais le Val-d'Allos-Le Seignus a fait l'objet de nombreux investissements en 2010 afin de parfaire des itinéraires descendants accessibles grâce aux remontées mécaniques. Carte précise gratuite à l'office de tourisme.

– **Parc de loisirs Jungle Parc :** *📱 06-85-57-95-09. ● julien.matheron@wanadoo.fr ● Prix d'entrée variable (renseignez-vous) ; gratuit jusqu'à 5 ans et après 75 ans !* Pour qui aime côtoyer de près ses voisins, pour les jeunes et moins jeunes, un grand plan d'eau artificiel situé dans un cadre magnifique, au pied du village d'Allos. Une foule d'activités : baignade, toboggan aquatique, embarcations à pédales, kayak, minigolf, terrains de jeux de ballon...

COURÉ MI VERAS, PLOURERAS

Au fond du lac d'Allos, un rocher gravé (probablement dans les années 1920) en patois : « Couré mi veras, ploureras » (« Quand tu me verras, tu pleureras »). Le jour où les habitants du coin la voient, c'est qu'ils manquent cruellement d'eau ; et c'est d'ailleurs arrivé au cours de la dernière décennie.

COLMARS-LES-ALPES

(04370) 385 hab. *Carte Alpes-de-Haute-Provence, C2*

Au creux de la vallée, au milieu des forêts et des prairies, surprenante rencontre avec une petite bourgade fortifiée, au caractère médiéval encore marqué. À l'époque, la ville était réputée pour sa production de draps de laine. Levez les yeux, vous verrez d'ailleurs quelques greniers ouverts, où séchaient les draps. Au nord vous accueille le fort de Savoie, construit en 1693. L'enceinte est due à l'inévitable Vauban, qui vint la construire sur ordre de Louis XIV. Il faut dire que ça guerroyait ferme à l'époque, les Savoyards débarquant régulièrement dans cette zone frontière. Le problème est que, contrairement à nous, ils ne venaient pas y faire du tourisme.

Adresse et info utiles

Office de tourisme : *à l'ancienne Auberge Fleurie. ☎ 04-92-83-41-92. • accueil@colmars-les-alpes.fr • colmars-les-alpes.fr • En juil-août tlj ; sept-juin mar-sam (lun-dim midi pdt les vac scol).* Dans les mêmes locaux, la Maison du parc national du Mercantour en été.

@ Accès Internet : *à la bibliothèque (☎ 04-92-83-62-50). Tél pour connaître les horaires d'ouverture.*

Où dormir ?

Où manger ?

Aire naturelle de camping « Les Pommiers » : *chez Mme Palmieri, à 500 m du centre. ☎ 04-92-83-41-56. • contact@camping-pommier.com • camping-pommier.com • Ouv de mi-avr à fin sept. Pour 2, prévoir 12 €.* Un petit camping (25 emplacements) idéalement placé, avec son herbe bien verte, au calme, au milieu des montagnes. Stop camping-cars et caravanes. Propre. Boulanger tous les matins. Barbecues à disposition. Accueil familial, estampillé « Bienvenue à la ferme ».

Pizzeria Le Gaulois : *pl. Saint-Jean, à l'intérieur de la citadelle. ☎ 04-92-83-41-16. Ouv tte l'année. Compter 12 € la pizza « extravagante ».* Une petite salle montagnarde ou des grandes tablées en terrasse, à l'ombre des remparts. Bonnes pizzas ou spécialités de montagne à la tomme de Savoie ou au reblochon. Mais aussi avec quelques piments d'Espelette ! Service sans chichis et cordial.

À voir

La maison-musée : *rens au ☎ 04-92-83-41-92. Ouv de mi-juin à fin sept, tlj sf mar et ven mat 10h-12h, 15h-18h30. Entrée : 3 € ; gratuit pour les moins de 12 ans.* L'entrée au musée permet d'accéder au chemin de ronde et à 3 tours Vauban. Musée d'arts et de traditions populaires sur trois étages d'une vieille maison du village ayant appartenu à une famille de notaires. Tous les objets ont été collectés dans le Haut-Verdon et sont antérieurs à 1920. Reconstitution d'un salon bourgeois, d'une cuisine paysanne, d'un atelier de cordonnier, costumes anciens, etc. Également des photos noir et blanc retouchées au fusain (demandez ce qui est écrit au dos de l'une d'elles). Étonnant, voyez comment les propriétaires ont tout simplement annexé l'ancien chemin de ronde. Un fait courant à Colmars. Dans les tours, on découvre ce qu'est la bravade (on voit même, sur une photo des années 1950, le maire et le curé qui jouent à saute-mouton !), la salle consacrée à l'agriculture (saluez pour nous le mulet Pépito !), et la collection de papillons de Dany Lartigue. Petit jardin de poche ombragé par un érable.

Le fort de Savoie : *☎ 04-92-83-41-92. Juil-août : tlj 14h30-19h, et visite guidée lun, mer, sam 10h (départ devant l'office de tourisme). Entrée : 2 € ; réduc.* Il a, comme le village, un charmant air moyenâgeux. Dans la grosse tour ronde, impressionnantes charpentes en bois de mélèze. Quatre salles voûtées, où logeait autrefois la garnison, abritent désormais des expositions.

Fêtes

– **Fête patronale de la Saint-Jean-Baptiste :** *3 j. fin juin.* Célébrations religieuses, défilés militaires, animations diverses (bals, banquets, jeux pour enfants...).
– **Fête médiévale :** *2e w-e d'août.* Pendant ces 2 jours, la ville se transforme pour ne plus vivre qu'à la mode Moyen Âge. Concerts, marchés, ateliers, repas, animations...
– **Journée pastorale :** *mi-oct.* Passage des troupeaux transhumants dans le village au moment de leur redescente dans la plaine.
– **Les escapades d'antan :** *1er w-e des vac de la Toussaint.* Vieux métiers, marché à l'ancienne, groupes folkloriques, veillée aux châtaignes...

BEAUVEZER (04370) 226 hab. *Carte Alpes-de-Haute-Provence, C2*

Charmant et authentique petit village, juché à 1 170 m d'altitude au-dessus de la vallée. De rustiques maisons montagnardes, qui ont poussé en hauteur pour chercher le soleil, bordent d'obscures et pentues ruelles aux noms pittoresques : rue Rompe-Cul, rue des Chats... De vieilles boutiques aux enseignes de bois que les années ont écaillées et quelques hôtels à la mode du début du XXe s, abandonnés ou reconvertis en appartements ; souvenirs de l'époque où la bonne société niçoise ou marseillaise venait ici faire des cures « d'air et de lait ». Beauvezer fut aussi le siège de la dernière manufacture de draps de la région, fermée en 1962.

Où dormir ? Où manger à Beauvezer et dans les environs ?

Camping

Les Relarguiers : *route de Colmars. ☎ 04-92-83-47-73. • contact@relarguiers.com • relarguiers.com • ♿ À la sortie du village, sur la gauche de la D 908, direction Thorame. Fermé nov-déc. Emplacement pour 2 avec tente et voiture 23,50 € en saison. Loc de mobile homes 50-80 €/nuit, 320-650 €/sem (à la sem en été, à la nuitée le reste de l'année). Fait aussi resto (slt juil-août).* Au pied du village, pris dans les pins, bien au frais, un camping tout confort avec piscine, lave-linge, barbecue, des aires de jeux pour les plus jeunes. Jolie déco dans les parties communes. La végétation qui sépare les emplacements donne à chacun un peu d'intimité. Accueil familial et aimable.

Prix moyens

Hôtel Le Bellevue : *pl. du Village. ☎ 04-92-83-51-60. • info@lebellevue.eu • lebellevue.eu • Double avec douche et w-c ou bains à partir de 53 €. Wifi.* Un petit hôtel (une dizaine de chambres) qui était déjà là, au début du XXe s, pour accueillir la belle société de la Côte d'Azur venue respirer le grand air de la montagne. Aujourd'hui tenu par un sympathique couple hollandais, il a conservé un petit côté rétro, pas du tout désagréable. Chambres rénovées, plaisantes (la n° 3 a un agréable petit balcon, côté place) et spacieuses. Bar-resto avec terrasse verdoyante sur la place (parfait pour le petit déj également). Atmosphère conviviale et cosmopolite.

Achats

Maison des produits de la vallée du Haut-Verdon : *à l'entrée de Beauvezer. ☎ 04-92-83-58-57. Horaires variables, téléphoner ; fermé de mi-nov à mi-déc.* Un lieu qui regroupe des artisans et producteurs locaux que vous auriez parfois du mal à dénicher. Il y en a pour tous les goûts : confitures, poteries, laine mohair, miel de lavande et de montagne, génépi... Idéal pour le pique-nique, avec la charcuterie et les fromages de montagne. Il y a même de l'hydromel et d'énormes yaourts fermiers.

DANS LES ENVIRONS DE BEAUVEZER

LA VALLÉE DE L'ISSOLE

Petite vallée encore sauvage, pas du tout touristique, qui, de Beauvezer par la D 52 puis la D 2, permet de rejoindre Saint-André-les-Alpes. On traverse d'abord Tho-

LES VALLÉES ALPINES

rame-Haute, typique village de ces Alpes du Sud au vieux centre un peu éteint, pour poursuivre au travers de paysages qu'on pourrait croire canadiens : vastes étangs, prairies festonnées de forêts. Nombreux départs de sentiers de randonnée, différentes aires de pique-nique, un vrai petit paradis pour les pêcheurs. Juste avant La Batie, jetez un coup d'œil aux fresques du XIIe s de la toute petite chapelle Saint-Thomas (clé à prendre en route, au gîte de Château-Garnier ou à la Miellerie). On descend ensuite sur Saint-André par une route à travers bois, qui suit le cours de l'Issole.

Où dormir ? Où manger ?

Camping, gîtes ruraux et chambres d'hôtes La Ferme du Villard : *04170* **Thorame-Basse.** ☎ *04-92-83-92-53.* • *camping@thorame-basse.com* • *thorame-basse.com* • *Quand on arrive de Thorame-Haute, chambres d'hôtes et gîtes ruraux sur la droite, à l'entrée du village ; camping en face sur la gauche après le village (c'est fléché). Camping ouv début juin-fin sept ; gîtes et chambres tte l'année. Emplacement pour 2 avec tente et voiture 11,50 € ; double avec douche et w-c ou bains 50 € ; gîtes à la sem env 310-360 € selon saison. Repas sur résa le soir (hors juil-août) 16-20 €. Réduc de 10 % sur le camping, hors juil-août, sur présentation de ce guide.* À 1 200 m d'altitude, un paisible village parfait pour la randonnée. Vaste camping, pas loin d'un petit étang, presque perdu dans une très belle nature. Gîtes-appartements, avec jardinet et barbecue, pas très gais toutefois. Chambres d'hôtes toutes simples. Tout ça est très bien tenu. La famille Pougnet accueille chaleureusement, des fils aux parents.

LA VALLÉE DE LA VAÏRE

Via le col de La Colle-Saint-Michel (D 908 depuis Beauvezer), on rejoint la jolie route qui descend la petite et verdoyante vallée de la Vaïre jusqu'à Annot. Elle traverse *La Colle-Saint-Michel,* tranquille village l'été, petite station de ski de fond l'hiver. Si vous avez le temps, poussez « la chansonnette » jusqu'au petit village de *Peyresq* à 4 km, isolé, pris dans les montagnes à 1 528 m et restauré depuis vingt ans par des familles belges qui animent le village l'été. La route dégringole ensuite vers le fond de la vallée, offrant une vue superbe sur le village de *Méailles,* ses vieilles maisons de pierre, comme accrochées à la paroi. On traverse enfin *Le Fugeret* (voir son vieux pont du XVIIIe s et sa fontaine) et un chaos de blocs rocheux qui annonce ceux d'Annot.

Où dormir ? Où manger ?

Auberge L'Oustalet : *04170* **La Colle-Saint-Michel.** ☎ *04-92-83-23-80.* • *louisette.ricaud@orange.fr* • *gite-auberge-colle-st-michel.com* • *Au village. Tlj midi et soir ; hors saison sur résa. Doubles avec lavabo 35-45 €, avec douche 50 €. Menus 16-20 €. Gîte de séjour (pour 16 pers) également 16-25 €/nuit. Wifi. Digestif offert sur présentation de ce guide.* Ambiance très campagne, sans chichis pour cette ancienne ferme réhabilitée. Chambres d'un honnête confort et tranquilles. À table, dans l'ancienne étable, la cuisine du pays est simple mais copieuse, avec plantes et herbes du coin (épinards sauvages renommés !). Familiale et naturellement sympathique.

ANNOT (04240) 1 000 hab. *Carte Alpes-de-Haute-Provence, C-D3*

Annot (prononcez « Annote ») connut son heure de gloire à la fin du XIVe s, lorsque le comté de Nice ne fit plus partie de la Provence. Comme la ville était proche de la frontière, une garnison s'y établit. Annot devint alors un centre d'échanges entre la Provence, le comté de Nice et le Piémont. Un marché hebdomadaire et une foire franche furent institués.
Au XVIIIe s, l'industrie lainière se développa, mais Annot possédait aussi des fabriques de tuiles, de chapeaux et des distilleries d'essence de lavande. Trois moulins à huile dans la région produisaient quelque 30 000 l d'huile de noix. Le déclin du noyer commença dans les années 1870, et en 1890 la fabrication d'huile avait cessé.
Aujourd'hui, Annot offre à ses familiers l'aspect plaisant d'une tranquille station verte de vacances, avec son joli petit centre doté de vieilles ruelles et ses plaques de rues qui racontent cette belle histoire. Ce village mi-provençal, mi-alpin, empreint de fraîcheur, à 705 m, offre de nombreuses possibilités de randonnées dans un très beau cadre de montagnes. L'été, la vallée fleure bon la lavande ou le tilleul.

Adresse utile

ℹ ***Office de tourisme :*** *pl. du Germe. ☎ 04-92-83-23-03. • tourisme@annot.com • En été, ouv tlj ; fermé dim hors saison. Visite guidée de la ville tlj en hte saison. Accès Internet.* Accueil compétent et d'une grande gentillesse.

Où dormir ? Où manger à Annot et dans les environs ?

De bon marché à chic

🏠 |●| ***Gîte de Roncharel :*** *route de Colle-Basse. ☎ 04-92-83-35-35. • contact@gite-annot.com • gite-annot.com • À 8 km au nord-ouest d'Annot, en direction de Barcelonnette. Ouv avr-7 nov. Différentes formules (draps fournis ou non) : ½ pens 34-38 €, ½ pens avec pique-nique du midi 40-44 €, pens complète 46-50 €. Résa indispensable au resto pour les non-résidents. Menu 16 €. Digestif offert sur présentation de ce guide.* Un bâtiment type chalet, entièrement rénové, perché à 1 200 m d'altitude, d'où l'on bénéficie d'une vue plongeante sur le village au creux de la vallée et sur les montagnes alentour. Agréables chambres de 4 à 6 lits, avec douche et w-c et même mezzanine. Belle salle de resto à l'atmosphère montagnarde avec panorama, évidemment. Terrasse aux beaux jours. Location de vélos. Liliane et Patrick donnent plein de bons conseils sur les balades à faire dans le coin et vous concoctent de délicieux raviolis et gnocchis maison.

🏠 |●| ***Hôtel de l'Avenue :*** *av. de la Gare. ☎ 04-92-83-22-07. • hot.avenue@wanadoo.fr • hotel-avenue.com • Sur l'axe principal du bourg, sur la gauche après la grande place direction Entrevaux. Resto ouv slt le soir. Congés : fin oct-début avr. Doubles avec douche et w-c ou bains, TV satellite, 67-85 € selon saison. Menus 26 € (en sem)-36 €.* La bonne adresse du coin. Derrière une façade pimpante, une dizaine de jolies chambres, agréables et modernes, avec des petites attentions disposées çà et là. Côté resto, la Provence est également au rendez-vous avec une cuisine revisitée pleine d'allant. Salle joliment contemporaine, beaux bouquets de fleurs fraîches. Déco personnelle et soignée dans l'ensemble de l'hôtel. Remarquable petit déj, et pas plus cher qu'ailleurs en plus (8,50 €). Accueil énergique et souriant de la patronne. Une bonne escale.

|●| ***Pizzeria Le César :*** *route du Fugeret. ☎ 04-92-83-31-50. Ouv tlj sf dim soir et lun ; fermé fin nov-courant mars*

(suivant le temps). Pizzas autour de 9 €. On a beau être en Provence, on ne dédaigne pas pour autant une grande pizza, à la pâte fine et croustillante. Également quelques plats de viande pour les humeurs carnassières, des salades et des pâtes (maison). Quelques desserts plutôt réussis (sauf peut-être le moelleux au chocolat, malheureusement pas cuit « minute »). Un décor qui fleure le pastis et les calanques, qui ne sont finalement pas loin, surtout en terrasse, à l'ombre. Si vous préférez la formule à emporter, c'est possible aussi.

À voir. À faire

Le vieux village : il a beaucoup de caractère ; rues tortueuses, passages voûtés, pierres disjointes, maisons des XVIe et XVIIe s... Même les corbeilles à papier ont de l'allure ! Montez la Grand-Rue, qui s'ouvre sous une porte fortifiée. Les trottoirs, piliers et dallages sont en... grès d'Annot. De superbes portes sculptées des siècles passés s'ouvrent çà et là. Un bel hôtel particulier du XVIIe s, la maison des Arcades, abrite le *musée Regain* : *☎ 04-92-83-23-03 (office de tourisme). Ouv en été tlj sf mer. Gratuit.* Un petit musée d'histoire et de géologie pas du tout poussiéreux : collection de fossiles et de minéraux, évocation des fameux grès d'Annot. Rue Notre-Dame, belles portes encore, surmontées de nombreux linteaux armoriés dont le plus ancien remonte à 1484 ; remarquez le pichet sculpté qui signalait sûrement une taverne. En haut du village, l'église romane, flanquée de bas-côtés du XVe s, a une abside surélevée en tour de défense crénelée et un joli clocher Renaissance. Étonnant graffiti révolutionnaire, tracé à la peinture rouge (évidemment) sur le mur extérieur.

➢ ***La Chambre du Roi (ou chaos de grès d'Annot) :*** Annot est célèbre pour les rochers qui l'entourent, qualifiés de *grès d'Annot,* aux formes curieuses dues à l'érosion. Un véritable chaos, intéressant à découvrir au cours d'une promenade. À l'entrée du village, remarquez les maisons construites dans le rocher. Prendre le sentier balisé derrière la gare, qui grimpe jusqu'à 1 000 m. On atteint un défilé à l'entrée duquel se creuse à droite la caverne dite « Chambre du Roi ». On peut soit revenir directement, soit continuer ; on arrive en corniche au bord de la montagne : vue splendide à 360° ! Puis on atteint les *Portettes,* arcs naturels de grès, les sous-bois pleins de fraîcheur des *Espaluns* et la chapelle *Notre-Dame-de-Vers-la-Ville* (compter de 2h30 à 3h). Promenade superbe.

LE SEIGNEUR DE L'ANNOT

Ce chaos de rochers fait référence à la légende née au XIe s. Un seigneur chrétien vint alors demander refuge au seigneur de Sigummana (nom d'Annot autrefois) pour abriter sa belle et sa cour. Ils se refugièrent dans cette caverne avant d'être découverts et tous tués. Une énorme bagarre ! D'où cet énorme chaos de pierres.

➢ ***Les bords de la Vaïre :*** traverser la rivière à partir de la place des Platanes, et suivre à droite la rivière par un chemin qui mène à la jolie *chapelle de Verimande,* construite par les Templiers.

– ***Rafting, canyoning, etc. : Eau Vive Évasion,*** *base de Guillaumes, petit bureau à côté de la* Pizzeria Le César *(voir plus haut). ☎ 04-92-83-38-09 ou 📱 06-86-18-08-32. ● eau-vive-evasion.com ● Slt sur résa.* Plus de 30 ans d'expérience, la garantie de découvrir les joies du rafting, de la nage en eaux vives, du canyoning et de la rando aquatique en bonne compagnie.

– ***Balades à cheval et poney : centre équestre de Vérimande,*** *quartier Vérimande. ☎ 04-92-83-21-60 ou 📱 06-17-75-54-33. ● centreequestreannot.free.fr ● Ouv tte l'année.* Très sérieux.

Fêtes

– ***Saint-Fortunat :*** *du sam au mar de la Pentecôte.* Avec bravade en costumes Empire et fanfare.
– ***Festival de Folklore national :*** *mi-juil.* Groupes venant de toutes les régions de France.
– ***Songes d'été :*** *dernier w-e de juillet-1er w-e d'août. Infos et programme sur • annot-festival.com •* Théâtre, danse, musique ouverts sur le monde.

ENTREVAUX (04320) 740 hab. *Carte Alpes-de-Haute-Provence, D3*

Entre de sévères falaises qui semblent s'être entrebâillées pour lui laisser de la place, une surprenante place forte militaire, dominée par une citadelle haut perchée, intacte depuis le XVIIIe s et pas encore tuée par le tourisme. La ville occupa longtemps un lieu stratégique, puisqu'elle était située à la frontière des États de la maison de Savoie. Vauban améliora ses fortifications de 1692 à 1706. La ville, peut-être trop éloignée des grands centres touristiques de la côte, n'a pas subi de restauration trop agressive ; au contraire, les façades fissurées et un certain laisser-aller font mieux sentir l'effritement du passé... Mais un programme de rénovation vient d'être lancé... Côté papilles, ne manquez pas l'occasion de goûter à la spécialité locale : la *secca*, une délicieuse salaison de rond de gîte de bœuf.

Adresse utile

Bureau d'accueil : *à l'entrée de la vieille ville (tour de gauche du pont-levis). ☎ 04-93-05-46-73. En été, tlj. Horaires restreints le reste de l'année. Visites guidées payantes (sur résa).*

À voir

La vieille ville : vaut vraiment le détour. On y pénètre par un pont-levis et on se laisse dériver dans les rues sombres aux hautes maisons pittoresques. Belle esplanade de la place de la Mairie.

L'église : l'ancienne cathédrale, curieusement intégrée dans les fortifications, est l'œuvre de Vauban. Un de ses côtés fait office de rempart. L'intérieur est un chef-d'œuvre de décoration baroque et gothique. Le maître-autel, somptueux, traité à la feuille d'or, est un des plus beaux de la région. Superbes stalles (une bonne cinquantaine), en noyer sculpté.

Le musée de la Moto : *rue Sergente. ☎ 04-93-79-12-70. 06-81-11-46-48. Dans la vieille ville ; accès très bien fléché. Tlj mai-sept 10h-12h, 14h-18h. Entrée libre.* Quelque 75 modèles de mobylettes, de motos, de scooters... accrochés jusqu'aux plafonds, sur deux étages d'une ancienne remise. Le résultat de 40 ans de « collectionnite » aiguë de tout ce qui a deux roues et un moteur. Des pièces rares, étonnantes (un scooter de parachutiste, des motos pliables, une mobylette à deux moteurs), des mythes (le Solex), et l'accueil d'un passionné qui ne se fera pas prier pour vous raconter sa collection personnelle.

La citadelle : *accès tte l'année. Entrée : 3 €.* Une dizaine de rampes en zigzag mènent au vieux château. La construction de cet étonnant chemin, commandé par Vauban, nécessita cinquante années de travaux. Il la voulait imprenable, elle le resta. Par un chemin fortifié, splendide, on monte en 30 mn à la *citadelle.* De loin, et d'en bas, la citadelle a des airs de minimuraille de Chine. Le bâtiment en lui-même comprend trois casernes, une boulangerie et la maison du commandant. La vue de là-haut est tout bonnement sensationnelle. Situé à 150 m au-dessus du Var, on jouit d'un très beau panorama sur la ville, les Alpes-de-Haute-Provence, la vallée du Var...

Fête

– ***Journées médiévales :*** *en principe le 1er w-e d'août.* Pour l'occasion, les villageois revêtent les costumes d'autrefois et font revivre leurs ancêtres. Animation des rues, théâtre, troubadours... Le cadre s'y prête à merveille.

DANS LES ENVIRONS D'ENTREVAUX

Les gorges de Daluis et du Cians : parmi les plus grandioses paysages de la région. Dans le département voisin des Alpes-Maritimes, mais l'accès aux gorges de Daluis se fait par la N 202, à mi-chemin entre Entrevaux et Annot. Après le charmant village de Guillaumes, la D 28 redescend à travers les gorges du Cians. Une jolie façon d'aborder la Côte d'Azur, par l'arrière-pays niçois.

Le pont de la Reine-Jeanne : ce très beau pont classé se situe sur la N 202, juste après le tunnel sur la droite, à 5 km d'Entrevaux, en remontant vers Annot. Attention, il est surtout visible en descendant d'Annot vers Entrevaux.

➢ On peut gagner le Verdon par la N 202 et le ***col de Toutes-Aures.*** Belle route, tranquille pour une nationale, succession de clues vertigineuses comme la région en a le secret et de vallées plus aimables.

LE VERDON

SAINT-ANDRÉ-LES-ALPES ET LE LAC DE CASTILLON

(04170) 900 hab. *Carte Alpes-de-Haute-Provence, C3*

À 900 m d'altitude, au confluent de l'Issole et du Verdon, un petit bourg commerçant. En aval de Saint-André, 500 ha de la vallée ont été noyés en 1947 sous les eaux du lac de Castillon, après la construction du premier des cinq barrages qui, aujourd'hui, jalonnent le cours du Verdon.

Adresse et info utiles

Office de tourisme : *pl. Marcel-Pastorelli, à côté de la mairie. ☎ 04-92-89-02-39. • ot-st-andre-les-alpes.fr • Ouv lun-sam, plus dim en hte saison.*

– ***Marché :*** *sam et mer.*

Où dormir ? Où manger à Saint-André-les-Alpes et dans les environs ?

Campings

Camping municipal Les Iscles : *route de Nice. ☎ 04-92-89-02-29. • ac* *cueil@camping-les-iscles.com • camping-les-iscles.com • ♿ À 1 km au sud-est de Saint-André par la N 202 (fléché). Ouv mai-sept. Emplacement pour 2 avec voiture et tente env 11,90 € en hte saison. Mobile homes 2-6 pers en loc 210-630 €/sem.* Tout près du Verdon et pas loin non plus du lac de Castillon. Bien situé donc, au calme. Ombragé. Lave-linge, coin repassage. Barbecue, tennis et minigolf à proximité. Souvent complet en été.

Camping Les steppes du Khaan : *04170* ***Angles.*** *À l'entrée du village, chemin de droite sous les arbres, tt droit, le campement se trouve sur la gauche. ☎ 04-92-83-50-62 ou 06-86-90-65-33. • les.steppes-du-khaan@hotmail.fr • amivac.com/site17704 • Compter 45 €/nuit pour 2 pers (10 €/pers supplémentaire). Loc d'une yourte : 250 €/sem pour 2 pers hte saison. Prévoir les draps.* Direction la Mongolie pour une ou plusieurs nuits dans cet habitat traditionnel mongol. Capacité maximale de 4 personnes par yourte. Décoration traditionnelle très réussie, chaleureuse et haute en couleur. Douche et sanitaires communs. La maîtresse de maison saura même vous faire découvrir quelques coutumes de son pays, comme la cérémonie de thé. Dépaysant !

De bon marché à prix moyens

Hôtel Lac et Forêt : *route de Nice. ☎ 04-92-89-07-38. • info@lacforet.com • lacforet.com • ♿ Sur la N 202, à la sortie du bourg, sur la droite. Tte l'année. Doubles avec lavabo et w-c 32 € ; avec douche et w-c ou bains 46-61 € selon saison. Menus 17-24 € pour les pensionnaires. Wifi.* Hôtel installé, face au lac, dans une grosse bâtisse d'un autre siècle aux faux airs de manoir. De beaux espaces et le charme de l'ancien, même si certains trouveront la déco très kitsch, des papiers peints « fleuris » des chambres pas des plus modernes (c'est, de fait, un peu voulu) à la moquette élimée des salles de bains. Chambres néanmoins d'un honorable confort et spacieuses. L'ensemble est bien tenu. Calme la nuit, même si c'est au bord d'une nationale.

La Chamatte : *04170* ***Vergons,*** *sur la N 202, entre Castellane et Saint-Julien-du-Verdon. ☎ 04-92-89-10-83. Tlj sf mer. Formule 18 €. Plat du jour 10 €.* Sur la placette du village. Un petit bistrot de pays caché sous son tilleul, avec sa terrasse croquignolette, sa fontaine qui glougloute et son clocher qui marque les heures. Au menu, produits de saison et de pays. Salade du berger, avec fromages locaux et assiette de charcuterie, pas mauvaise du tout. Mais aussi de bons petits plats, servis avec le sourire. Au fait, la « Chamatte » est le nom de la montagne de 1 878 m, en forme de poire, juste derrière. Alors gardez un peu de place en dessert pour la « poire chamatte » (crème de marron, chocolat chaud et sirop).

À voir autour du lac de Castillon

Saint-Julien-du-Verdon : joli village autrefois perché qui s'est retrouvé les pieds dans l'eau. Joli site, vue sympa sur le lac, deux églises, et un cimetière de poche terriblement romantique. Sans oublier le four communal, toujours en place (pas loin de la seule cabine téléphonique du village). *Plage et activités nautiques en contrebas (Biké Beach, plage du Touron, • bike-beach.com •, tlj de mi-juin à mi-sept, ☎ 04-92-75-16-47 ou 06-76-48-79-71).*

Le barrage de Castillon : *sur la D 956, direction Castellane.* Le barrage sert, d'ailleurs, également de pont sur le Verdon. Ne se visite pas. Pas grave, il n'a rien de franchement spectaculaire. Une curiosité quand même dans le coin : l'insolite présence (en pleine montagne !) de la Marine nationale, qui a installé un centre de recherches sur le lac (ces plates-formes que l'on aperçoit depuis la route qui mène au barrage).

Le site du Mont-Chalvet : petit sentier de découverte. Avec sa table d'orientation, on fait une pause pour admirer le paysage.

Réseau miniature : *chemin des Vertus, à* ***Saint-André-les Alpes.*** *☎ 04-92-89-08-61. • house.collet@free.fr • Gratuit.* M. Coullet est un fou de chemins de fer. Il ouvre au public son incroyable réseau miniature, terriblement réaliste (regardez les feux tricolores en action...).

Sports et loisirs

– **Plages :** *plage du plan à* ***Saint-André-les-Alpes.*** *Baignade surveillée juil-août.* Activités : embarcations à pédales, canoë et même du « paddle board » (du kayak... debout).
– **Parapente :** Saint-André étant une des capitales françaises (européennes et même mondiales !) du vol libre, c'est l'occasion de découvrir les sensations du delta et du parapente dans un cadre ensoleillé de montagnes. *Rens :* ***Aérogliss,*** *☎ 04-92-89-11-30. • aerogliss.com •*
– **Rafting, canoë-kayak, canyoning, etc. :** la vallée du Verdon s'y prête remarquablement bien. ***Pro-Verdon Activités,*** *06-88-25-16-52. • canyoning-verdon.net • Spécialistes des randonnées terrestres et aquatiques et du canyoning ou* ***Aqua-Bond,*** *06-61-99-13-79 ou • facebook.com/aquabondrafting •* Propose quasiment les mêmes activités, et du canoë raft.

CASTELLANE

(04120) 1 630 hab. *Carte Alpes-de-Haute-Provence, C4*

Porte des gorges du Verdon, à l'est, Castellane est une charmante bourgade posée au milieu de montagnes et qui semble protégée par un à-pic de 184 m sur lequel on aperçoit une chapelle. Les habitants du coin avaient l'habitude d'aller s'y réfugier lors des incursions barbares. Napoléon est aussi passé par Castellane pour y déjeuner le 3 mars 1815, avant d'amorcer sa célèbre remontée à travers les Alpes.
Aujourd'hui, la cité a des allures de « capitale du camping » en été, avec pas moins de 18 terrains sur sa commune, et vit donc du tourisme généré par les amateurs de randonnées, de beaux paysages et de sports en eaux vives. Attention à la foule en été. La ville multiplie sa population par dix et prend une tout autre configuration en juillet-août, au point que certains locaux n'osent même plus aller faire leurs courses chez leurs commerçants habituels. On vous aura prévenu.

Adresse et info utiles

Office de tourisme : *rue Nationale. ☎ 04-92-83-61-14. • castellane.org • Tte l'année lun-sam, et dim juil-août. Propose une visite de la ville : 15 juin-15 sept le jeu à 10h. Tarif : 4 € ; réduc. Durée : env 1h30. Sinon il existe un itinéraire « le circuit des silhouettes », avec un dépliant.*
– **Marché :** *mer et sam mat, sur la place du village.* Plus important le samedi avec produits régionaux, poterie, coutellerie...

Où dormir ?

Où manger ?

Campings

On vous l'a dit, Castellane est une ville aux multiples campings, donc difficile de faire réellement un choix. La plupart se trouvent sur la route menant aux gorges du Verdon. Renseignez-vous sur leurs équipements auprès de l'office de tourisme. Il est préférable de réserver plusieurs semaines à l'avance.

De bon marché à prix moyens

■ |●| ***Hôtel du Roc :*** *3, pl. de l'Église. ☎ 04-92-83-62-65. • hotelduroc04@aol.com • hotelduroc04.com • Tlj sf lun hors saison. Congés : de mi-nov à mi-déc. Doubles avec douche et w-c, TV, à partir de 52 € selon saison. Menus 15-19 €. Wifi. Café offert sur présentation de ce guide.* Gentil hôtel familial. Petites chambres simples mais confortables, à la déco qui date un peu (moquette murale dans certaines) mais progressivement rénovées. Sympathique chambre n° 104, rénovée justement et avec un petit balcon. Accueil simple et sympa. Cuisine très classique au resto. Bon rapport qualité-prix.

|●| ***La Main à la Pâte :*** *rue de la Fontaine. ☎ 04-92-83-61-16. Près de la pl. de la République. Fermé mar-mer hors saison. Congés : de mi-déc à fin janv. Carte 16 €. Wifi. Digestif offert sur présentation de ce guide.* Un petit resto tout simple, avec sa salle aux murs jaunes et poutres apparentes, et sa terrasse dans la petite rue piétonne. Ambiance plutôt bon enfant pour manger des salades, des pâtes ou des pizzas. Et c'est plutôt bon.

Chic

■ |●| Ne pas oublier l'Auberge du Teillon, à 6 km de Castellane (voir « Où dormir ? Où manger dans les environs ? »).

■ |●| ***Nouvel Hôtel du Commerce :*** *pl. Centrale. ☎ 04-92-83-61-00. • accueil@hotel-fradet.com • hotel-fradet.com • ♿ Tlj sf midi lun-mer en saison, mar et mer midi hors saison ; fermé oct-mars. Doubles avec douche et w-c ou bains, TV, 65-100 € selon confort et saison. Menus 27-38 €. Wifi. Café offert sur présentation de ce guide.* L'adresse bourgeoise de la ville. Accoudée à la poste, cette grande maison à la déco familio-provençale est un rendez-vous apprécié des touristes de passage. Ses chambres fraîches, spacieuses et confortables ont vue sur la place du village ou sur le roc. D'autres chambres, dans l'annexe toute proche, encore plus récentes, avec écran plat, parquet et jolies salles de bains. Certaines ont même un balcon qui donne sur la place centrale (un peu bruyante les jours de marché). Cuisine soignée à base de produits du cru. Agréable terrasse.

Où dormir ? Où manger dans les environs ?

De bon marché à prix moyens

■ |●| ***Gîte d'étape et chambres d'hôtes de la Baume :*** *La Baume. ☎ 04-92-83-70-82. • accueil@gite-de-la-baume.com • gite-de-la-baume.com • À 9 km au sud-ouest par la D 955 sur 4 km, puis à gauche par la D 402. Resto ouv slt le soir Pâques-Toussaint. Nuit en gîte 22,50 €, petit déj compris. Double avec douche et w-c 61 €, sans petit déj. ½ pens 37 € en gîte et 46 € en chambre. Menu 22,50 €. CB refusées. Wifi. Digestif offert sur présentation de ce guide.* Dans un hameau perché, à 1 150 m d'altitude, au-dessus du lac de Castillon. Jolis site et panorama. Dans une maison accolée à une chapelle, un gîte de 3 chambres de 4 à 6 lits pouvant accueillir jusqu'à 14 personnes, avec sanitaires communs. Sinon, dans une petite maison indépendante, en pierre du pays, 3 mignonnes chambres d'hôtes pour 2, 3 ou 4 personnes avec salle de bains privative. Accueil jeune et décontracté. Cuisine familiale, d'inspiration régionale. Le lac de Castillon est à 4 km.

■ ***Gîte d'étape des Bayles :*** *Les Bayles, 04120* ***Soleilhas.*** *☎ 04-93-60-40-17. • http://gitedesbayles.perso.sfr.fr • bjm.gourette@gmail.com • À 16 km à l'ouest de Castellane, par la N 85 puis la D 102 ; en contrebas du village. Congés : 15 nov-26 déc. Nuit 14 € (possible à la semaine). CB refusées.* À 1 100 m d'altitude, au cœur d'une tranquille vallée, hors circuits touristiques, à l'orée des Alpes-Maritimes. Dans une maison traditionnelle, un petit gîte d'étape de 15 places réparties en

4 chambres de 4 ou 3 lits. Cuisine équipée et grandes tables à disposition. Accueil jeune et décontracté. Aire de jeux pour les enfants au bout de la rue. Pour les routards randonneurs, le GR 4 passe à proximité.

Hôtel-restaurant Lou Jas : *110, rue des Bayles, 04120* **Soleilhas.** *☎ 04-93-60-43-54. • dominique-mandine@gmail.com • hotel-restaurant-loujas.com • À 16 km à l'ouest de Castellane, par la N 85 puis la D 102 ; en contrebas du village. Tlj sf jeu en basse saison, hors vac scol. Congés : déc. Doubles avec douche et w-c ou bains et TV, 47-52 € selon confort et saison. Appartements 75-85 €/2 pers. ½ pens, souhaitée en été, 48-49 €/pers. Menus 19-30 €. Wifi. Digestif maison offert (pour 2 pers) et réduc de 10 % sur le prix de la chambre janv-mars, hors vac scol, sur présentation de ce guide.* C'est simple, voici la seule adresse pour se restaurer dans ce village aux portes des Alpes-Maritimes (et pas loin des superbes clues de Saint-Auban). Une petite auberge de montagne aux chambres bien entretenues. L'ambiance est familiale, l'accueil chaleureux. Dans un cadre chargé de bibelots, on vous servira une bonne cuisine traditionnelle, avec du gibier ou des cuisses de grenouille en saison, des raviolis au chèvre, aux noix...

De prix moyens à plus chic

Auberge du Teillon : *route Napoléon, 04120* **La Garde.** *☎ 04-92-83-60-88. • contact@auberge-teillon.com • auberge-teillon.com • À 6 km au sud-est de Castellane par la N 85 (direction Grasse). Fermé dim soir et lun hors saison ; en juil-août fermé le midi lun-mar. Congés : de mi-nov à mi-mars. Doubles 60-65 € selon saison avec douche et w-c. Menus 26-52 €, juin-sept menu « lavande » 30 €. Apéritif maison offert sur présentation de ce guide.* Les habitants de la côte viennent se rassasier ici durant le week-end. Il est vrai qu'on se sent comme dans un cocon dans cette salle impeccable à l'ambiance un peu auberge de campagne où l'on se régale de cuisine du terroir. Certainement la meilleure adresse gastronomique du coin. Originalité et produits de terroir sont à la fête ! Certains en pincent d'ailleurs pas mal pour le menu lavande. Pour prolonger le plaisir, quelques chambres agréables, rénovées, et surtout nickel ; mais celles sur la nationale peuvent être bruyantes pour les amateurs de grasses matinées. Terrasse au bord de la route. Accueil simple et cordial.

Chambres d'hôtes de Chasteuil : *hameau de* **Chasteuil.** *☎ 04-92-83-72-45. • info@gitedechasteuil.com • gitedechasteuil.com • À 8 km au sud-ouest par la D 952, fléché sur la droite. Congés : janv-fév. Doubles avec douche et w-c 69-75 €. Repas le soir sur résa ven-sam juil-début sept 24 €, boissons comprises (hors saison, petit souper 16 €). Wifi. Savonnette artisanale fabriquée sur place offerte sur présentation de ce guide.* À l'orée des gorges du Verdon, au sommet d'un joli hameau perché à 900 m d'altitude (ne vous effrayez pas du chemin d'accès jalonné de voitures abandonnées, c'est joli au sommet !), repaire de nombreux artisans. Un lieu d'une vraie tranquillité (d'autant qu'on laisse sa voiture au parking en contrebas). Les accueillants propriétaires ont transformé ce qui était autrefois une école en une belle bâtisse en pierre, entourée de fleurs à la belle saison. Les 5 chambres indépendantes sont claires et joliment décorées. L'une d'elles dispose d'un coin cuisine (petit supplément). Au premier, agréable salle à manger avec grande baie vitrée d'où l'on jouit d'un très beau panorama sur les montagnes alentour. C'est là qu'on goûte la bonne soupe au pistou en été. Savonnerie artisanale, eau chauffée par panneaux solaires... Beaucoup de charme.

À voir. À faire à Castellane et dans les proches environs

L'église Saint-Victor : construite au XIIe s dans un style entre le roman et le gothique, mais considérablement modifiée par la suite. Clocher d'inspiration lombarde qui a utilisé quelques éléments des anciens remparts. À l'intérieur (visible lors des visites guidées), éclairé par de remarquables baies, quelques toiles du XVIIIe s et de curieux bustes-reliquaires en bois peint.

La vieille ville : au bout de la rue Saint-Victor, on passe par la tour de l'Horloge, surmontée d'un campanile, près de l'office de tourisme. C'était l'une des portes de l'ancienne enceinte. Charmante rue du Mitan, un peu gâchée par les boutiques à touristes. Placette ornée d'une fontaine aux lions.

La Maison nature et patrimoines : *pl. Marcel-Sauvaire, BP 8. ☎ 04-92-83-19-23 ou 60-07. Regroupe le musée Sirènes et Fossiles, le musée du Moyen-Verdon et le Relais du Parc naturel. Mai-juin et sept, ouv mer, w-e et j. fériés, 10h-13h, 15h-18h30 ; juil-août tlj, mêmes horaires. Entrée : 4 € ; réduc ; gratuit pour les moins de 6 ans.* Musée géologique joliment aménagé en hommage aux siréniens, ancêtres des lamantins. Les siréniens sont de paisibles mammifères marins, que l'on appelle également vaches marines. En effet, ils vivent près des côtes dans les régions chaudes et se nourrissent de plantes aquatiques. Leur nom vient du mythe des sirènes. Grâce à des panneaux illustrés, des sculptures animalières, photos, etc., on est invité à traverser le temps depuis l'Antiquité jusqu'à aujourd'hui. À compléter par la visite, au-dessus de Castellane, du site protégé où fut découvert ce gisement de mammifères fossilisés vieux de quarante millions d'années. Il se situe au col des Léques, à 6 km de Castellane. Animations pour les enfants le jeudi matin (4 €). Expositions temporaires à thèmes sur l'histoire de la ville et de son canton.

La chapelle Notre-Dame-du-Roc : sentier facilement accessible, qui se fait en 45 mn. Départ boulevard Saint-Michel, face à la station-service. C'est le chemin officiel de procession de pèlerinage, avec des haltes et des paliers successifs. La chapelle est surmontée d'une grande statue de la Vierge. Vue superbe sur Castellane et les environs.

Ruchers Apijouvence : Le Cheiron. *☎ 04-92-83-61-43. • apijouvence-miel-provence.com • À 4 km au nord de Castellane sur la route du lac de Castillon. Boutique ouv tlj tte l'année ; tél avt. En juil-août, visite tlj (sf dim) à 15h30 ; compter 2h30 d'explications passionnantes ; gratuit.* Ceux qui jusque-là n'ont pas développé un intérêt particulier pour les abeilles en ressortiront conquis. Ici, on est apiculteurs de père en fils, par passion. Il faut entendre Jean-Claude parler toujours avec autant d'émerveillement des abeilles, de leur surprenante organisation, et de tout ce qu'elles produisent comme « substances bénéfiques ». Miel, gelée royale (une sécrétion des glandes cervicales de l'abeille ouvrière, exclusivement destinée à l'alimentation de la reine ou des futures reines), propolis, pollen... autant de produits issus de la ruche bourrés de vertus. Pour prolonger cette virée en milieu apicole, lire le petit bouquin écrit par Jacques, père de Jean-Claude, aussi touchant qu'instructif.

– ***Sorties découverte autour du vautour du Verdon :*** *15 juin-15 sept. 06-26-47-50-00. • voirlepiaf.fr •* L'occasion de fêter le retour du vautour fauve et du vautour moine, de géants rapaces (plus de 2,5 m d'envergure !) inoffensifs. Ils avaient disparu depuis près d'un siècle, et ont été réintroduits dans le coin. Un guide naturaliste vous mène sur leurs traces à la jumelle.

Sports et loisirs

– On trouve, à Castellane, plusieurs agences (aux prix assez proches) qui organisent des sorties dans les gorges du Verdon en ***rafting, canyoning, hydrospeed...*** Renseignements à l'office de tourisme.

Fêtes

– ***Fête du Pétardier :*** *dernier w-e de janv (ou le sam le plus proche du 31 janv).* Une fête qui célèbre la fin du siège de la ville par les protestants en 1586. Chaque année,

on rend hommage à Judith Andrau, qui réussit à avertir les habitants de la présence d'explosifs (pétards, d'où cette fête du Pétardier) posés par les huguenots contre une porte de la ville. Du coup, l'attaque fut un échec, Judith Andrau se paya même le luxe d'ébouillanter le capitaine ennemi, et les huguenots prirent la fuite. Fête très colorée et chantante.
– ***Fête de la Transhumance :*** *mi-juin (le w-e).* Passage du troupeau dans le village, grand marché paysan, concerts de musique traditionnelle et occitane...

DANS LES ENVIRONS DE CASTELLANE

LA CATHÉDRALE DE SENEZ

À 19 km au nord-ouest de Castellane par la N 85, la fameuse route Napoléon, très belle route au demeurant, offrant d'abord une vue panoramique sur Castellane et son rocher, grimpant ensuite à travers la forêt vers le site géologique des Sirènes Fossiles, puis, à travers les superbes clues de Taulane, se glissant dans la haute vallée de l'Asse jusqu'au minuscule village de Senez. On imagine d'ailleurs mal qu'un aussi petit village puisse cacher une cathédrale aussi imposante. Et pourtant, Senez fut bien le siège d'un évêché du VIe au XVIIIe s.
Cette cathédrale du XIIe s, aux proportions majestueuses, est un bel exemple de ce dépouillement caractéristique de l'architecture romane (même si elle a été sérieusement rénovée au cours du XVIIe s). À l'intérieur, on trouve des tapisseries d'Aubusson datant de la fin du XVIIe s et illustrant des scènes de l'Ancien Testament. Elles ont fait l'admiration de Napoléon Ier de passage dans le coin le 3 mars 1815. À voir également, un retable de 1679 et des stalles en bois sculpté de la même époque.
Visite (2 €) de la cathédrale sur demande auprès de Mme Gaube. 06-25-40-20-89.

Où dormir ? Où manger dans les environs ?

Domaine d'Aiguines : *04330* ***Saint-Jacques.*** *☎ 04-92-34-25-72. • alix.chaillan@wanadoo.fr • À une dizaine de km au nord-est de Senez par la N 82 ; 800 m après Barrême, prendre à droite la N 202 direction Saint-André, puis suivre les panneaux « Domaine d'Aiguines ». Fermé lun et dim soir. Slt sur résa. Gîte 2 pers 147-551 €/sem. Menus 22-34 €. Digestif maison offert sur présentation de ce guide.* Si vous êtes tombé dans le panneau, pour une fois, ne pestez pas, vous devriez vous régaler. Frédéric et Alix Chaillan ont fait de leur ferme du XVIIe s un temple du foie gras et une conserverie artisanale. Pour ceux qui en sont saturés, il y a plein d'autres choses. Du canard, par exemple, servi avec de délicieuses pommes de terre, dans une belle véranda. Un petit lac sur place et des animaux, ce qui ravit toujours les enfants. Le gîte pour 2 personnes, tout confort, poutre et pierre, avec une vue délicieuse, au calme, finira de vous combler. L'idéal pour recharger les batteries ! Accueil adorable.

LES GORGES DU VERDON

Sans prétendre concurrencer le Grand Canyon du Colorado, les gorges du Verdon apparaissent cependant comme les plus impressionnantes d'Europe. Tel un grand coup de hache entre les Alpes-de-Haute-Provence et le Var, elles forment une sorte de frontière naturelle qui a laissé une profonde entaille de 21 km de long dans la terre. Là, le Verdon débite jusqu'à 800 m^3 d'eau à la seconde au moment des plus fortes crues !
Aujourd'hui, deux barrages permettent aux randonneurs d'accéder au fond du canyon (se renseigner au préalable). Falaises vertigineuses qui vous écra-

sent de leurs 300 à 600 m de hauteur, chaos rocheux, rives sauvages, etc. C'est le paradis des randonneurs et des grimpeurs. Paradoxalement, les gorges du Verdon sont une découverte récente, puisqu'elles ne furent explorées qu'au début du XXe s.
En 1997, ce site exceptionnel, qui a pour « capitale » La Palud-sur-Verdon, a été intégré à un *parc naturel régional,* créé afin de « concilier développement économique et protection de l'environnement ». Couvrant 180 000 ha, il concerne quelque 45 communes, dont 25 dans les Alpes-de-Haute-Provence (et 20 dans le Var). Il s'étend du plateau de Valensole au haut pays varois et du pays d'Artuby aux massifs préalpins de Mondenier de Canjuers. Voilà une découpe qui ne tient pas compte des réalités administratives dans la gestion du patrimoine culturel et écologique, qui demande donc une concertation entre les communes concernées. On ne peut que s'en réjouir.
Le parc du Verdon s'est placé sous le feu des projecteurs en s'engageant pour préserver ses paysages des lignes à très haute tension. Par ailleurs, depuis 1995, le parc, la Ligue pour la protection des oiseaux (LPO), l'association « Vautours en Haute-Provence » et l'Office national des forêts (ONF) mènent un programme de réintroduction du vautour fauve, espèce décimée en Provence au XIXe s, soit par tir, soit par empoisonnement à la strychnine. Les ornithologues en herbe pourront lever les yeux au ciel pour repérer ces vautours fauves, des aigles royaux (une dizaine d'espèces recensées), voire de plus modestes hirondelles. Pour la flore, des panneaux sur les sentiers de découverte comme celui du Lézard indiquent arbres, arbustes et plantes aromatiques (sauge, fenouil, marjolaine...). Pour en savoir plus, rendez-vous à l'espace muséographique de la Maison des gorges du Verdon de La Palud.
Les gorges du Verdon font également partie de la Réserve géologique de Haute-Provence. L'extraction de minéraux et de fossiles y est donc interdite (plus d'infos au musée *Sirènes et Fossiles* de Castellane). En revanche, la pêche y est ouverte à tous... dans les limites légales, bien sûr ! On trouve d'ailleurs dans le Verdon et ses affluents, truites, brochets, carpes et bien d'autres espèces encore. Le *Touring-Club de France* y a créé de nombreux sentiers, sur une grande partie du parcours. Les routes longeant les gorges livrent d'époustouflants paysages. Mais le Verdon, c'est aussi la découverte des villages perchés, de ruines gallo-romaines, d'églises et du patrimoine local. Escapade imprégnée d'histoire, de couleurs et de coutumes parfois plusieurs fois centenaires.
Par ailleurs, les gorges ont souvent été utilisées comme décor dans le septième art. Elles sont visibles dans des films comme *Les Spécialistes* avec Gérard Lanvin et Bernard Giraudeau, *Une chance sur deux* avec Vanessa Paradis, Alain Delon et Jean-Paul Belmondo, ou *Le Salaire de la peur* avec Yves Montand, censé se dérouler en Amérique du Sud mais réalisé en fait ici faute de moyens.

Adresses et infos utiles

i *Maison des gorges du Verdon :* *château, 04120* **La Palud-sur-Verdon.** *☎ 04-92-77-32-02. • lapalud surverdon.com • Au 1er étage. De mi-mars à mi-nov, tlj sf mar 10h-12h, 16h-18h (de mi-juin à mi-sept 10h-13h, 16h-19h) ; juil-août, nocturnes les soirs de conférence.* Super accueil, jeune et dévoué. Et si vous êtes grimpeur ou randonneur, n'hésitez pas à poser des questions, l'équipe connaît bien le terrain. Écomusée du Grand Canyon à l'étage. Accès Internet, sorties accompagnées, conférences...

■ ***Parc naturel régional du Verdon :*** *domaine de Valx, 04360* **Moustiers-Sainte-Marie.** *☎ 04-92-74-68-00. • parcduverdon.fr • Maison du parc au rond-point à 3 km en entrant dans Moustiers-Sainte-Marie, quand on arrive des gorges.* Nombreuses brochures, conseils et cartes pour la rando à la Maison du parc.

■ ***Bureau des guides :*** *rue Grande, 04120* ***La Palud-sur-Verdon.*** *☎ 04-92-77-30-50. • escalade-verdon.fr • Au cœur du village.* Moniteurs pour parcours découvertes et sportifs.

■ ***Aventures & Nature :*** *04120* ***La Palud-sur-Verdon.*** *☎ 04-92-77-30-43. • aventuresetnature.com •* Pour découvrir les joies du canyoning, de l'escalade, de l'aquarando, des activités nature en plein air, encadrées par des professionnels.

➢ ***Bus pour Moustiers, Aix-en-Provence et Marseille :*** de La Palud-sur-Verdon. Circulent 1er juil-31 août tlj sf dim et j. fériés ; avr-juin et sept-oct lun et sam à 13h ; le reste de l'année, slt sam, sur demande de Riez à La Palud ☎ 04-42-54-72-82.

Où dormir ? Où manger dans le coin ?

À Rougon *(04120)*, dans les gorges

De bon marché à prix moyens

🏠 |●| ***Auberge du Point-Sublime :*** *Le Point-Sublime. ☎ 04-92-83-60-35. • pointsublime@nordnet.fr • À l'entrée des gorges, sur la D 952, juste au-dessus du Point-Sublime (logique...). Tlj sf mer (et jeu midi hors saison). Congés : fin oct-fin avr. En saison, résa conseillée. Double avec douche et w-c ou bains 67,50 €. ½ pens demandée les w-e, j. fériés et pdt les vac scol : 65 €/pers. Formule déjeuner 15 €. Menus 18-32,50 €. Wifi. Réduc de 10 % sur le prix de la chambre (sf les w-e, j. fériés et vac scol) sur présentation de ce guide.* Une institution locale, dans la même famille depuis 1946. Le grand-père de l'actuelle propriétaire a d'ailleurs établi la première carte de rando du coin ! Chambres habituelles d'une auberge de campagne, à la déco certes un peu vieillotte mais bien tenues et d'un bon confort. Certaines donnent sur une petite terrasse d'où l'on a une belle vue sur les montagnes alentour. Terrasse sous une tonnelle où est servie une classique cuisine de terroir. Accueil adorable.

|●| ***Crêperie Le Mur d'Abeilles :*** *04120* ***Rougon.*** *☎ 04-92-83-76-33 ou 📱 06-87-77-38-30. • murabeille@yahoo.fr • ♿ Au bout du village (c'est fléché). Ouv début avr-Toussaint. Crêpes 4-12 €. Une dégustation d'hydromel ou un café offert(e) sur présentation de ce guide.* Dans un village en nid d'aigle, qui domine les gorges. Un étonnant mur d'abeilles (une enfilade de ruches dans un muret en pierre sèche), une adorable terrasse posée sur un jardinet et 4 ou 5 tables sous une véranda. Et une vue, une vue, une vue ! On y est accueilli comme chez de la famille éloignée, les crêpes sont bien bonnes, le miel est maison, les autres produits viennent de chez les copains paysans. On vous recommande la crêpe au miel, fromage de chèvre et pignons. Propose aussi quelques chambres. Un vrai coup de cœur !

À La Palud-sur-Verdon *(04120)* et dans les environs

« Petite capitale » du Verdon, gentiment animée en saison, qui concentre la plupart des adresses du secteur. Il se dit que c'est dans ce village que nicherait la légende vivante de l'escalade, Patrick Edlinger.
Sachez qu'en saison il y a des embouteillages à l'entrée de La Palud quand on vient de la route des Crêtes.

De bon marché à prix moyens

🏠 ***Auberge de jeunesse :*** *route de la Maline. ☎ 04-92-77-38-72. • lapalud@fuaj.org • fuaj.org • ♿ À 500 m sur une colline face au village, un peu avt l'Hôtel des Gorges du Verdon. Fermé oct-mars. Réserver. Accueil 8h-10h, 17h30-21h. Carte FUAJ obligatoire, vendue sur place. Nuit 18,15 €/pers, petit déj compris. Wifi.* En bordure d'un joli coin de campagne tranquille. Petite AJ récemment rénovée et très bien tenue à l'ambiance familiale et conviviale. 54 lits répartis dans des chambres pour 2, 3, 4, 5 ou 6 personnes, la plupart avec lavabo. Cuisine sympa à disposition.

LES GORGES DU VERDON

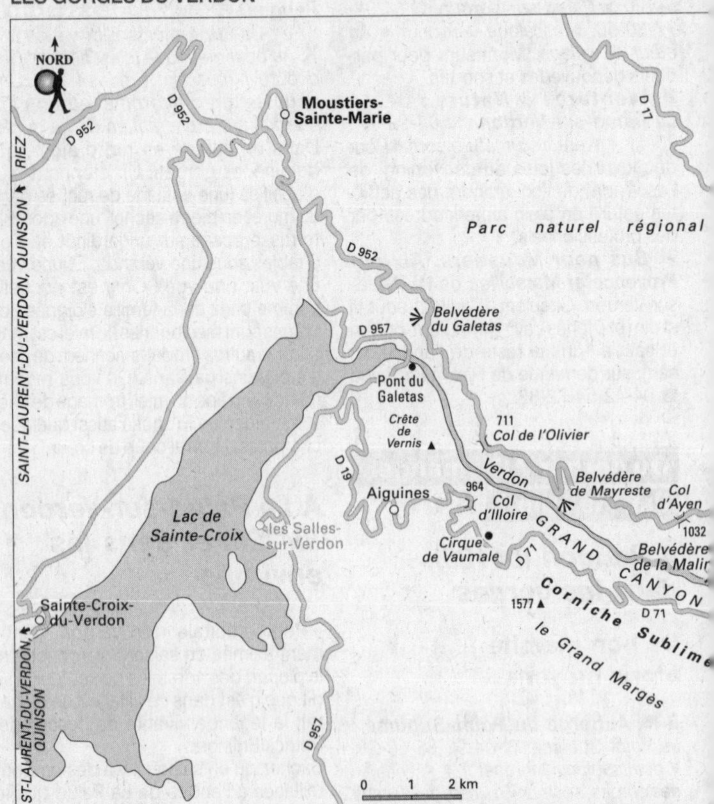

Terrasse dehors pour prendre son petit déj ou son repas face à la montagne et au village.

🏠 🍴 ***Hôtel-restaurant Le Provence :*** *route de la Maline.* ☎ *04-92-77-38-88.* • *hotelleprovence@aol.com* • *verdonprovence.com* • ♿ *Congés : nov-Pâques. Doubles avec bains (la plupart) ou douche et w-c, TV satellite, 54-70 € selon saison. Menus 22-28 €. Internet et wifi. Apéro maison offert sur présentation de ce guide.* À peine en contrebas du village, un petit hôtel familial derrière une façade provençale mangée par la vigne vierge. Chambres rénovées et bien tenues, à la déco simple et colorée. Demander plutôt celles avec un petit balcon, pour une jolie vue sur la route des crêtes. Cuisine de tradition. Grand buffet provençal. Une curiosité : la grande fresque, style graffiti urbain, de la réception. Accueil tout en gentillesse.

🏠 🍴 ***Gîte d'étape L'Arc-en-Ciel :*** *pl. de l'Église.* ☎ *04-92-77-32-28.* • *o.dobelober@free.fr* • *verdon-arcenciel-gite.com* • *Congés : vac de Noël. Nuit en dortoir 10,65 €/pers ; petit déj (copieux et délicieux) 6 €. Menus 9,50-15,50 €. ½ pens 25,15-30,15 €/pers. Café offert sur présentation de ce guide.* Au calme sur la place du village, un gîte d'une capacité de 12 personnes. Espace salon de thé mais pas de cuisine. Ambiance jeune, très décontractée. Location de VTT.

🏠 🍴 ***Gîte d'étape Chalet Le Refuge :*** *Les Bondils.* ☎ *04-92-83-68-45.* • *cha*

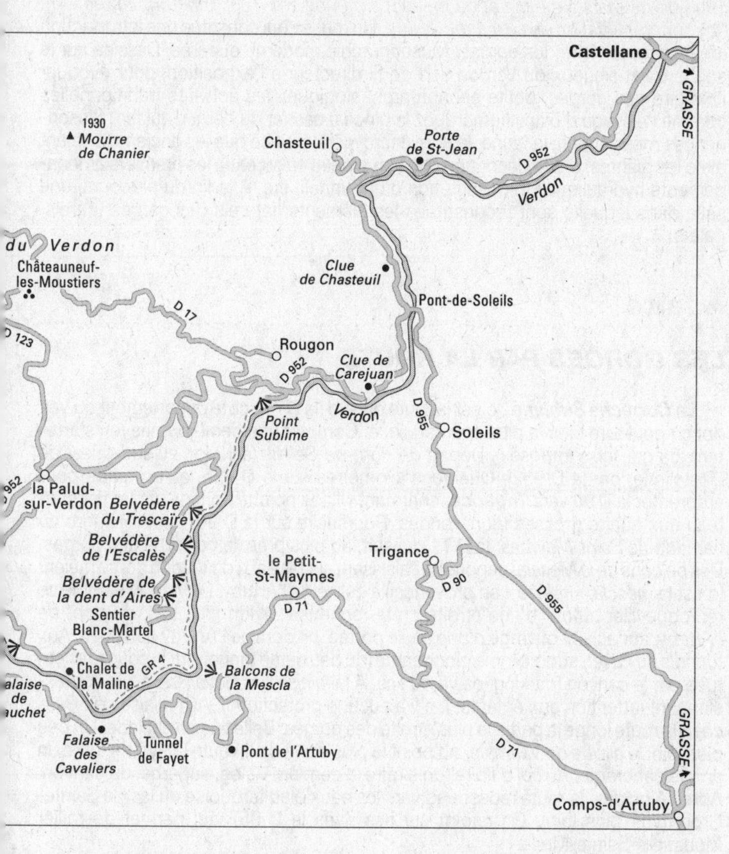

let-le-refuge@wanadoo.fr • verdon-chalet.com • Au nord par la D 123 (direction Châteauneuf-les-Moustiers) ; à 7 km, indiqué sur la droite vers Les Chauvets ; montez, montez, c'est sur la petite route à votre gauche au hameau des Bondils. Congés : 1er nov-1er avr. Nuitée en ½ pens (repas du soir + petit déj) 52-66 €/pers. Menu-carte 25 €. Sur résa, possibilité de venir slt dîner. Apéritif maison offert sur présentation de ce guide. Au cœur du parc régional, à 1 300 m d'altitude, sur une exploitation agricole, une charmante dame à l'accent belge, installée en France depuis plus de trente ans, vous attend pour vous servir une cuisine 100 % naturelle, simple et pleine de saveurs. Elle vous proposera également de dormir dans de petits chalets (pour 5 personnes), des studios pour 2 personnes, dans une yourte pour 4 personnes décorée par ses soins (et avec goût) ou dans l'un des tipis pour 4-6 personnes dressés sur place (confort un peu plus spartiate). Vue superbe sur la vallée.

LE VERDON

À voir

La Maison des gorges du Verdon : *☎ 04-92-77-32-02. • lapaludsurverdon.com • Au 1er étage du château. Tlj sf mar. De mi-juin à mi-sept 10h-13h, 16h-*

19h ; de mi-mars à mi-juin et de mi-sept à mi-nov 10h-12h, 16h-18h. Entrée : 4 € (2 € sur présentation de ce guide) ; réduc. Un musée qui constitue une introduction idéale à toute visite des gorges. Muséographie moderne et aérée. Dessiné sur le sol, le trajet sinueux du Verdon sert de fil directeur à l'exposition, pour évoquer l'histoire des gorges (petite section archéologique), les activités traditionnelles comme l'élevage d'ovins (remarquez la pince à castrer du berger, qui fera frissonner ces messieurs !), la faune, la flore (incroyable, tout ce que les anciens faisaient avec les plantes, d'une décoction d'if à un pipeau en sureau), les premiers aménagements hydrauliques (reconstitution d'un tunnel), etc. À la fin du parcours, une salle dans laquelle sont reconstitués les éléments naturels des gorges (parois, galets...).

À faire

LES GORGES PAR LA ROUTE

➢ ***La Corniche Sublime :*** c'est la route du sud (la D 71), côté département du Var, donc ; peut être bien la plus spectaculaire. Compter une demi-journée (en s'arrêtant, ce qui, ici, s'impose !). Départ de *Pont-de-Soleils* (à 12 km au sud-ouest de Castellane, par la D 952). Quelques kilomètres sur la D 955, qu'on quitte pour emprunter la D 90 vers ***Trigance,*** charmant village perché dominé par un fier château aux quatre grosses tours rondes. Poursuivre sur la D 90, pour rejoindre au hameau de *Saint-Maymes,* la D 71 qui suit, au plus près, la corniche des gorges. Des *balcons de la Mescla,* panorama saisissant sur les eaux du Verdon qui se mêlent (c'est la *mescla,* « mêlée » en provençal) à celles de l'Artuby. Le Verdon semble se recroqueviller autour d'une étroite crête rocheuse ; 2 km plus loin, du *pont de l'Artuby,* audacieux ouvrage d'une seule portée, on domine l'Artuby de 180 m. Aux *tunnels du Fayet,* superbe vue plongeante (du deuxième tunnel) sur la courbe effectuée par le canyon (parking, ça va de soi). À la *falaise des Cavaliers,* à-pic impressionnant (attention aux enfants, il n'y a aucune protection !). Aux *falaises de Bauchet,* la route longe la partie la plus étroite des gorges. Belle vue en enfilade. Un peu plus loin, le *cirque de Vaumale,* au point le plus élevé de la route (1 200 m), offre un ample panorama. Au *col d'Illoire,* on s'offre la dernière vision, superbe, du canyon. Après Aiguines, la route redescend vers les eaux bleu turquoise du lac de Sainte-Croix (voir plus loin). On rejoint sur ses rives la D 957 qui permet de rallier Moustiers-Sainte-Marie.

➢ ***La route du Nord :*** compter une demi-journée. Puisque vous avez, bien sûr, suivi nos conseils et la route de la Corniche Sublime, départ de Moustiers-Sainte-Marie. La D 952, jusqu'à La Palud-sur-Verdon, offre une belle succession de belvédères : celui de *Galetas* sur le lac de Sainte-Croix et l'étroit débouché des gorges, le belvédère de *Mayreste* (une petite grimpette pour s'offrir une première vision des gorges)... Peu après La Palud (800 m) vers Castellane, tourner à droite sur la D 23 dite *route des Crêtes* (en sens unique). Une quinzaine de belvédères offrant de magnifiques panoramas, surtout les trois premiers. Du premier, celui de *Trescaïre,* impression la plus saisissante. On est complètement à pic de la paroi. Du deuxième, le belvédère de l'*Escalès,* la vue porte plus loin. Du troisième, la *dent d'Aires,* vue la plus panoramique sur le canyon et l'arrière-pays. Le seul permettant de suivre complètement le tracé du Verdon. Tout en bas, le refuge de la Maline. Rejoindre la D 952. Aimable diversion par la D 123 et la D 17 jusqu'au village nid d'aigle de *Rougon.* Gros rocher dominé par les ruines d'un château féodal. Paysage d'une réelle splendeur. Panorama exceptionnel. Ouvrez l'œil pour saisir en vol les vautours fauves, réintroduits dans les falaises (interdites du coup aux grimpeurs). Redescendre vers l'*auberge du Point-Sublime,* sur la D 952. Un petit quart d'heure à pied pour rejoindre le *Point-Sublime,* un promontoire d'où l'on a une vue superbe sur l'entrée du grand canyon. Quelques centaines de mètres après le Point-

Sublime, s'amorce, sur la droite, la descente vers l'impasse du *couloir Samson,* qui mène à la rivière (parking très limité). C'est là que débouche le célèbre *sentier Blanc-Martel* (qui part du refuge de la Maline). Départ également du sentier du Lézard. Pour plus d'infos, voir ci-dessous « Les gorges à pied ». Sinon, la départementale en virages continue vers *Carejuan* (baignades), *Pont de Soleil* (direction Trigance) et Castellane.

LES GORGES À PIED

Quelques conseils

Bien que dépourvues de difficultés majeures, les balades au fond du canyon nécessitent tout de même un certain matériel et quelques précautions :
– d'abord, prévoir de *bonnes chaussures,* une *réserve d'eau potable,* un *anorak* léger, un *pull* pour les passages un peu frais, une *lampe torche,* une petite *trousse de secours* ;
– utile d'acheter la *carte IGN* au 1/25 000 *Moustiers-Sainte-Marie* ou la « TOP 25 » n° 3442, ainsi que le *topoguide* des sentiers de grande randonnée GR 4 *De Grasse à Pont-Saint-Esprit par le canyon du Verdon* ;
– NE JAMAIS QUITTER LES SENTIERS, ne pas tenter de prendre des raccourcis (qui peuvent se terminer dans le vide) ;
– NE PAS TRAVERSER LE VERDON, sauf nécessité absolue. Le délestage des barrages peut amener de brutales variations du niveau de l'eau. Remous éventuels ou tout simplement impossibilité de repasser le gué ;
– TENIR SÉRIEUSEMENT COMPTE DE LA MÉTÉO. Les orages peuvent être soudains et violents, comme en haute montagne ;
– NE PAS CUEILLIR LES FLEURS, NE PAS FAIRE DE FEU ET NE LAISSER AUCUNE ORDURE. Avec 700 000 visiteurs par an, les gorges crèveraient du moindre manque de civisme.

➢ ***Le sentier Blanc-Martel (ou du TCF) :*** la « grande classique » des gorges, toutefois réservée aux randonneurs expérimentés. Le départ s'effectue à 8 km de La Palud, au *refuge de la Maline,* rive nord, sur la ***D 23.*** Arrivée au *Point-Sublime.* Emprunter la navette (horaires pas très fiables et souvent bondée) ou les taxis locaux qui, depuis La Palud ou Rougon, vous déposent à la Maline et vous reprennent au Point-Sublime (renseignements à la maison des Gorges). Lorsque la navette ou les taxis locaux ne fonctionnent pas, il faut prévoir deux véhicules. Compter environ 6h de marche. Œuvre du *Touring-Club de France* dans les années 1930. Ce fut un rude labeur. Il porte le nom du premier explorateur des gorges, Isidore Blanc, instituteur du coin ; celui-ci accompagna le spéléologue Édouard-Alfred Martel qui, quelques jours après s'y être aventuré pour la première fois, voyait déjà l'avenir : « Cela restera le privilège des enragés qui ne craindront point de se mouiller jusqu'au ventre au moins deux jours de suite. » Une vue un peu courte : le sentier accueille jusqu'à plusieurs centaines de marcheurs chaque jour, l'été. Mieux vaut donc le parcourir au printemps et à l'automne (moins de monde, météo plus stable, fraîcheur)... voire dans le sens inverse du flot de marcheurs, en commençant au départ du Point-Sublime. Pour la description de cet itinéraire extrêmement varié, se reporter aux brochures spécialisées. N'oubliez pas en tout cas votre lampe de poche (on traverse deux tunnels creusés dans la roche). Ceux qui souffrent du vertige affronteront quelques passages délicats, notamment une brèche à franchir à l'aide d'escaliers métalliques avec main courante (quelque 252 marches fort bien scellées pour 100 m de dénivelée). Sentier néanmoins sûr, car hors de portée des sautes d'humeur du Verdon, et qui suit le balisage rouge et blanc du GR 4.

➢ ***Les sentiers de découverte du Lézard :*** pour de courtes balades en famille. Parcours balisés de 30 mn à 4h. Petit livret disponible à la Maison des gorges de La Palud et à celle du parc à Moustiers-Sainte-Marie. Départ du Point-Sublime (panneau d'infos) et du couloir Samson. Petits circuits pédagogiques qui descendent à la rivière et entrent dans le Grand Canyon par les tunnels du Blanc-Martel (prévoir des lampes) permettant de mieux comprendre cet étonnant paysage et son histoire. Idéal avec des enfants.

➢ ***Le sentier des Pêcheurs :*** départ de La Colle-de-l'Olivier (à 8 km de La Palud par la D 952, direction Moustiers). Balisage jaune. Très sympathique circuit (compter 3h30), avec quelques passages un peu acrobatiques, pour voir le Verdon de loin (superbes panoramas) et de près (le sentier descend jusqu'à la rivière). À conseiller aux amateurs de géologie (cascades de tuf classées en Réserve naturelle régionale). Baignades possibles.

➢ ***Le sentier de l'Imbut :*** de 4 à 6h. Départ de l'*auberge des Cavaliers,* sur la rive gauche (D 71) ou du *Chalet de la Maline* rive droite, par la passerelle de l'Estellié. Belle mais difficile (sinon très difficile) rando au cœur de la partie la plus sauvage des gorges, réservée à ceux qui ont déjà quelques kilomètres dans les chaussures et qui n'ont pas le vertige (étroit sentier en corniche, ici ou là, impressionnant). Relire trois fois les « Quelques conseils » énumérés ci-dessus, surtout en ce qui concerne la météo. Prudence, prudence, toujours se renseigner avec d'y aller... Itinéraire en cul-de-sac, que l'on vous conseille de faire avec l'aide d'un accompagnateur, pour en apprécier toutes les richesses.

MOUSTIERS-SAINTE-MARIE

(04360) 740 hab. *Carte Alpes-de-Haute-Provence, C4*

L'un des plus jolis sites de la région, l'un des plus originaux devrions-nous préciser, brillamment mis en lumière les nuits d'été. Accroché à la montagne, le village a souvent été comparé à une crèche grandeur nature. Il fut fondé en 433 par des moines venus des îles de Lérins via Riez. Toutes les maisons s'étagent de part et d'autre de l'Adou franchi par de pittoresques ponts en dos d'âne.

L'ÉTOILE DU CROISÉ

Levez la tête et vous apercevrez une chaîne en fer forgé (au milieu de laquelle est suspendue une étoile, ex-voto devenu le symbole de la ville) qui relie sur 227 m les deux bords de la falaise, entaillée par le torrent. Elle aurait été tendue par un ancien croisé au XIIIe s, en remerciement pour sa libération et son retour au pays.

Moustiers doit surtout sa réputation au XIIe s à l'église Notre-Dame-de-Beauvoir, sujette aux pèlerinages, puis à l'eau et aux commerces qu'elle développe autour de la tannerie, la papeterie, la poterie ou la fabrique de draps. Ce n'est qu'à la fin du XVIIe s qu'apparaît la célèbre faïence, réputée être « la plus belle, la plus fine du Royaume », connue dans le monde entier et qui vaut aujourd'hui à Moustiers de porter le label « Ville et Métiers d'art ». Aux XVIIe et XVIIIe s, cette faïence connut une période de prospérité impressionnante : on comptait jusqu'à 700 fours et plus de trente ateliers employant 400 personnes. Richelieu, la Pompadour étaient même clients ici. Mais comme pour tous les phénomènes de mode, le succès grandissant de la blanche porcelaine de Limoges aura raison des faïenciers de Moustiers. À tel point que le dernier mettra la clé sous la porte en 1874.

On croyait la tradition perdue à jamais. C'était compter sans quelques passionnés qui, dès 1927, remettent les fours en activité. Depuis, la faïence a repris ses droits dans le village.

Un site naturel exceptionnel, un artisanat séculaire, un village de charme... tous les ingrédients sont réunis pour que Moustiers soit, aujourd'hui, un peu victime de son succès : il y a souvent foule dans les petites rues le week-end et en été (très conseillé d'utiliser les parkings à l'entrée de la ville).

Adresse et info utiles

ℹ @ ***Office de tourisme*** *(plan B1) : pl. de l'Église. ☎ 04-92-74-67-84. • moustiers.fr • Ouv tlj tte l'année. Visite de la ville en saison mar 10h, jeu 17h30 et ven 10h (3 €), et visites thématiques.* Équipe dynamique et sympa. Nombreuses brochures. Internet et wifi.

– ***Marché provençal :*** *ven mat.*

Où dormir ?

Campings

⛺ ***Le Vieux Colombier*** *(plan A2, **10**) : quartier Saint-Michel. ☎ 04-92-74-61-89. • contact@lvcm.fr • lvcm.fr • ♿ À 600 m en contrebas du village, par la route d'Aiguines. Ouv avr-sept. Emplacement pour 2 avec tente et voiture 16,50 € en hte saison. Loc de mobile homes 300-569 €/sem. Wifi.* Un petit camping ombragé, familial et tranquille. Jeux pour les enfants. Bonne base possible pour découvrir les gorges du Verdon. Le GR 4 passe dans le coin.

⛺ ***Camping Manaysse*** *(plan A2, **11**) : quartier Saint-Michel, rue Frédéric Mistral. ☎ 04-92-74-66-71. • camping-manaysse.com • Situé à 900 m de Moustiers. Ouv avr-fin oct. Prévoir 13,50 €. Loc de caravanes 245 €/sem.* Très bon accueil, bon rapport qualité-prix, sanitaires propres. Aire de jeux, pas de camping-cars. Terrain herbeux et caillouteux. Jolie vue sur Moustiers en contrebas. Calme.

De prix moyens à chic

🏠 ***La maison de Melen*** *(hors plan par A3, **12**) : chemin Embourgues, au pied du village, route de Sainte-Croix-du-Verdon. ☎ 04-92-74-44-93 ou 📱 06-87-04-14-80. • maisondemelen@wanadoo.fr • maison-de-melen.fr • Ouv début avr-début nov. Double 69 €.* Trois jolies chambres, sobrement décorées, très fraîches, dans une ferme réhabilitée de fort belle manière. Salles de bains en faïence de Salernes (terre cuite de fabrication familiale). Accueil adorable et très attentif de la propriétaire. Chaque chambre donne sur une petite terrasse et le beau jardin. Dîner possible (sur résa). Très calme. L'idéal pour se ressourcer !

🏠 ***Le Clos des Iris*** *(plan A-B2, **13**) : chemin de Quinson. ☎ 04-92-74-63-46. • closdesiris@wanadoo.fr • closdesiris.fr • Au pied du village, à 50 m de La Bastide de Moustiers. Fermé déc-janv. Résa indispensable. Doubles avec douche et w-c ou bains 66-125 € selon saison. Wifi. 2 petits déj offerts pour 3 nuits consécutives (15 oct-1er avr) sur présentation de ce guide.* Un mas provençal rose aux volets violets, mignon et très fleuri, caché sous les marronniers, les cerisiers et les figuiers, magistralement entretenu par une souriante maîtresse de maison. Chambres très coquettes (boutis, joli mobilier en bois), personnalisées et décorées avec grand soin. Un vrai bonheur de tranquillité et de paix. Une adresse hybride, entre l'hôtel et la chambre d'hôtes, idéale pour un week-end romantique.

🏠 🍽 ***La Bonne Auberge*** *(plan B2, **14**) : quartier Saint-Michel. ☎ 04-92-74-66-18. • contact@labonne-auberge-moustiers.com • bonne-auberge-moustiers.com • 🐕 ♿ En contrebas du village, à 3 mn à pied du centre historique. Tlj sf dim soir et lun hors saison ; mar midi, jeu midi et sam midi en saison. Congés : nov-mars. Petit parking privé payant. Doubles avec douche et w-c ou bains, TV, 57-81 € selon saison. Au resto, menu 20 € ; carte env 39 €. Apéro offert sur présentation de ce guide.* Un hôtel de tradition, dans un bâtiment relativement récent. Chambres confortables, à la déco un peu désuète, qui ont vu le passage de Bebel et de l'ancien Premier ministre israélien M. Barak. Côté resto, bonne cuisine, dans la tradition toujours. Vaste salle d'une certaine élégance, service aussi diligent que courtois et rapport qualité-prix beaucoup plus évident que chez beaucoup d'autres au village. Une bonne auberge, effectivement. Grande piscine, terrasse, brasserie pour dépannage de dernière minute. Charmant accueil.

Chambres d'hôtes Les Oliviers *(hors plan par B3, **15**) : quartier Saint-Michel. ☎ 04-92-74-67-34. 📱 06-86-82-07-37. • lesoliviersmoustiers@gmail.com • chambres.moustiers.fr • À 800 m en contrebas du village, sur la route des Gorges-du-Verdon, indiqué sur la gauche. Tte l'année. Double 65 € selon saison. Internet et wifi. Apéro offert sur présentation de ce guide.* Une petite maison provençale, derrière un jardin odoriférant. Chambres pas immenses (mais elles sont de plain-pied sur de petites terrasses), simplement mais joliment décorées. Accueil souriant de Martine et Gérard. Route de passage, mais le soir, ça se calme sacrément. Pas d'inquiétude !

Hôtel Le Colombier *(plan B3, **16**) : quartier Saint-Michel. ☎ 04-92-74-66-02. • infos@le-colombier.com • le-colombier.com • ♿ À 600 m en contrebas du village, par la route des Gorges-du-Verdon. Congés : 1er nov-19 mars. Doubles avec douche et w-c ou bains, TV satellite, 75-100 € selon emplacement et saison. Également 2 jolies suites très lumineuses dans une maison à côté 110-130 €. Internet et wifi.* Un bâtiment récent façon motel, bien entretenu. Chambres conventionnelles mais d'un vrai confort et tranquilles. Préférez celles avec terrasse ou balcon, côté vallée. Terrasse pour le petit déj, aux beaux jours. Spa et jacuzzi en plein air, tennis. Accueil très aimable. Parking privé gratuit (c'est parfois intéressant à Moustiers...).

De chic à beaucoup plus chic

Hôtel La Ferme Rose *(hors plan par A3, **17**) : chemin Embourgues. ☎ 04-92-75-75-75. • contact@lafermerose.com • lafermerose.com • ♿ Au pied du village, route de Sainte-Croix-du-Verdon. Fermé de mi-nov à mi-mars. Doubles avec douche et w-c, TV et clim, 80-120 € selon saison, avec bains 135-150 €. Petit déj 10 €. Une boisson de bienvenue offerte sur présentation de ce guide. Wifi.* Plantée dans un petit morceau de campagne, cette ancienne ferme provençale plaira aux amateurs de déco très personnelle. Tables et chaises d'une vieille brasserie marseillaise, juke-box années 1950, collections de projecteurs de ciné, de ventilos, de jouets anciens... L'ensemble pourrait vite tomber dans le mauvais goût, mais il n'en est rien. Chambres personnalisées, au charme plus classique et calmes, dotées de belles salles de bains en faïence de Salernes (fabrication familiale). Terrasse privée pour la chambre « amande » (la plus chère aussi...). Une adresse originale pour amoureux en mal d'intimité douillette, aux prix en conséquence, mais le confort est là. Beaux petits déj. Piscine.

Adresse utile

Office de tourisme

Où dormir ?

10 Le Vieux Colombier
11 Camping Manaysse
12 La maison de Melen
13 Le Clos des Iris
14 La Bonne Auberge
15 Chambres d'hôtes Les Oliviers
16 Hôtel Le Colombier
17 Hôtel La Ferme Rose
24 Ferme de séjour Le Petit Ségriès

Où manger ?

14 La Bonne Auberge
18 La Bastide de Moustiers
20 Clerissy
21 Jadis
22 La Ferme Sainte-Cécile
23 La Treille Muscate
24 Ferme de séjour Le Petit Ségriès

Où boire un verre ?

30 Saveurs et Nature

MOUSTIERS-SAINTE-MARIE

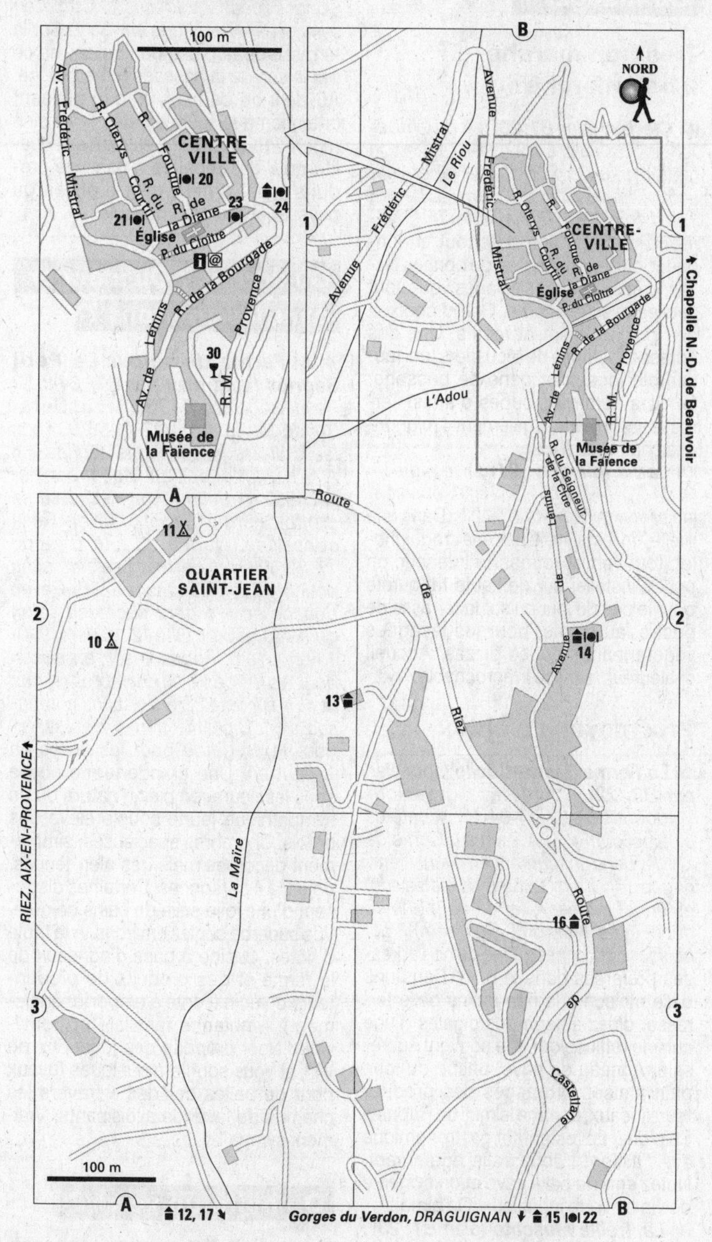

Où manger ?

Très bon marché à bon marché

Clerissy (plan B1, **20**) : *pl. du Chevalier-de-Blacas. ☎ 04-92-74-62-67. • contact@clerissy.fr • Tlj sf mer (tlj en juil-août). Congés : 15 nov-15 mars. Service 12h-14h30, 19h-22h. Carte 15 €. CB refusées.* Dans une salle tout en longueur, claire et moderne, de bonnes pizzas, crêpes et autres salades vous sont servies avec le sourire. Grand choix, à des prix vraiment attractifs. Une des adresses sympas de Moustiers, qui rassemble locaux et gens de passage, familles comme groupes d'amis. Terrasse sur la place. Également 4 mignonnes chambres à louer.

Jadis *(plan B1,* ***21****) : rue Courtil. ☎ 04-92-74-63-01. Ouv midi et soir sf jeu et ven midi. Plats 10-12 €.* Dans une ruelle, un restaurant-pizzeria croquignolet, tout vert et rouge. À l'intérieur, on peut s'installer sur de hauts tabourets pour le plat du jour ou sur la terrasse de poche, au calme, pour les lasagnes végétariennes ou les pizzas. Accueil chaleureux, service irréprochable.

Prix moyens à chic

La Ferme Sainte-Cécile (hors plan par B3, **22**) : *route des Gorges-du-Verdon. ☎ 04-92-74-64-18. • patcrespin@aol.com • ♿ À 2 km à la sortie de la ville, dans un tournant en pleine campagne. Tlj sf dim soir (en basse saison) et lun (sf j. fériés) ; fermé de mi-nov à début mars. Menus 26 € (en sem)-35 €, boissons comprises.* Une de nos adresses préférées dans le coin. Dans une belle maison à la non moins belle terrasse, dînez au son des cigales d'une cuisine raffinée qui allie souvent sucré-salé. Agneau de pays, pêche du jour, pain maison, fromages des producteurs locaux, comme le miel de Raphaël Scipion... Le restaurant gastronomique *avé l'assent* ! Jolie salle également. Notez enfin la belle cave et un système de vin au verre ingénieux. On aime !

La Treille Muscate (plan B1, **23**) : *pl. de l'Église. ☎ 04-92-74-64-31. • la.treille.muscate@wanadoo.fr • Tlj sf mer soir et jeu hors saison, mer en saison. Congés : déc-janv. Menus 20 € (midi en sem) et 29-47 € ; carte env 55 €.* Sur la terrasse de la place de l'Église, bercé par le son de la cascade toute proche. Au-delà du cadre plus que plaisant (attention à la foule en été), la cuisine réconforte : créativité, élégance et qualité pour des recettes à base de produits frais, d'herbes et d'olives du pays... Service irréprochable.

Où dormir ? Où manger dans les environs ?

Ferme de séjour Le Petit Ségriès (hors plan par B1, **24**) : *Le Petit-Ségriès, 04360* ***Moustiers-Sainte-Marie.*** *☎ 04-92-74-68-83 • contact@gite-segries.fr • gite-segries.fr • À 5 km à l'ouest de Moustiers par la D 952 (direction Riez, fléché sur la droite). Fermé 2 mois l'hiver. Résa conseillée. Nuitée en gîte d'étape 17-20,50 € en dortoir. Doubles avec douche et w-c communs 62-79 € avec douche et w-c (tarif dégressif selon durée du séjour). Gîte 12-16 pers, 990-1 490 €/sem. Repas le soir en saison pour les résidents en chambres (sf mer et dim) sur résa 22 €, boissons comprises. Wifi. Digestif offert sur présentation de ce guide pour les hôtes en ½ pension.* Une grande ferme noyée sous les fleurs, en pleine nature où un sympathique jeune couple élève des brebis. Chambres spacieuses, simplement décorées mais très bien tenues, pour 2 à 4 personnes. Certaines disposent d'une jolie salle de bains colorée. Vue superbe sur les environs. À la table d'hôtes, cuisine à base d'agneaux de la ferme et des produits de producteurs du coin (vente à emporter également). Ambiance familiale et conviviale. Noël propose des locations de VTT et vous soufflera quelques tuyaux pour de belles balades à travers les champs de lavande avoisinants. Vraiment sympa !

Où boire un verre ?

Saveurs et Nature (plan B1, **30**) : *chemin Sainte-Anne. ☎ 04-92-74-64-*

48. 06-72-73-77-88. • apiscipion@gmail.com • En haut du village. Fermé le mar hors saison et les jours de pluie. Congés : oct-Pâques. Le sympathique Raphaël Scipion vous fait découvrir sa bière artisanale au miel et ses autres produits régionaux, notamment différents miels que l'on peut goûter sur place, fabriqués dans le respect de la nature. Également des jus de fruits frais préparés devant vous. Trois ou quatre tables dehors pour siroter ces bons breuvages, et une boutique pour prolonger le plaisir en se baladant dans les ruelles sinueuses ou de retour chez soi.

À voir

Le vieux village *(plan B1)* **:** s'y promener tôt le matin est un vrai plaisir. On écoute le son des cascades d'eau, on franchit les petits ponts, on se rafraîchit près des lavoirs, on se balade de petite place en ruelle pavée et on découvre même quelques oliviers cachés dans son enceinte.

L'église *(plan B1)* **:** on remarque d'abord son vigoureux clocher, typiquement lombard. C'était un clocher « branlant », qui oscillait quand sonnaient les cloches. Rassurez-vous, il ne bouge plus depuis le XVIIe s. À l'intérieur, nef romane (de la première moitié du XIIe s) qui forme un angle bizarre avec le chœur, gothique et du XIVe s. Belles voûtes (il vous en coûtera 1 €, carrément, pour l'éclairage...). Intéressant mobilier, dont un sarcophage du Ve s servant d'autel. Quelques vitrines d'art religieux, ex-voto et faïences anciennes (et encore 1 € pour les éclairer...).

Le musée de la Faïence *(plan B1-2)* **:** *hôtel de ville. ☎ 04-92-74-61-64. Avr-oct, tlj sf mar, 10h-12h30, 14h-18h (19h juil-août et ouv tlj). Nov-déc et fév-mars, slt w-e et vac scol 14h-17h ; fermé janv. Entrée : 3 € ; gratuit pour les moins de 16 ans et mar en juil-août.* On y retrace l'histoire de la faïence des origines de cette tradition artisanale vers les XVIIe et XVIIIe s aux pièces contemporaines. On y découvre les œuvres des grands faïenciers de Moustiers d'ailleurs. Et l'on apprend que la faïence est faite à base d'argile tamisée, foulée, conservée en cave humide. Ensuite, les pièces sont tournées, moulées puis cuites pendant 36h, et décorées. Sachez que les vraies faïences de Moustiers doivent être fabriquées entièrement à Moustiers, suivant des techniques traditionnelles, peintes à la main...

La chapelle Notre-Dame-de-Beauvoir *(hors plan par B1)* **:** c'est la petite église haut perchée que l'on aperçoit au milieu des cyprès en levant la tête. La grimpette est sévère (compter 30 mn), mais le bonheur est grand en arrivant en haut. Pour la vue incroyable, d'abord ; pour le lieu ensuite. Cette chapelle de pèlerinage aurait été établie ici au Ve s, mais le bâtiment actuel date du XIIe s. Jusqu'au XVIIe s, ce fut un lieu vénéré par les parents ayant eu un enfant mort-né. Pas très réjouissant ! Or ces enfants ne pouvaient être enterrés par l'Église, et l'on venait chercher ici des signes de suscitation : frémissement de peau, stigmates... des signes de vie tangibles. Dès qu'ils étaient prouvés, il pouvait donc y avoir baptême et, par la suite, enterrement. Les petits pitchouns évitaient ainsi les limbes de l'enfer éternel.

À faire

➢ **Randonnées au départ de la ville :** 12 sentiers balisés et variés partent du village. Un panneau près de la poste les mentionne. Très bon topo de randos en vente à l'office de tourisme. À vos chaussures !

LA BASSE VALLÉE DU VERDON

LE LAC DE SAINTE-CROIX (04800)

Une mer à la montagne ! Le plus vaste des lacs du Verdon (peu ou prou, la superficie du lac d'Annecy, pour situer). Des eaux d'un bleu éblouissant, au cœur d'une nature restée encore sauvage, côté Alpes-de-Haute-Provence ; l'activité touristique s'étant surtout développée sur les rives varoises. Un seul village, Sainte-Croix-du-Verdon, joliment perché au-dessus du lac.
– ***Feu d'artifice :*** *le 1er w-e d'août pour la fête Saint-Sauveur sur le lac.*

Où dormir dans le coin ?

Chambre d'hôtes la Maison du Bois doré : *sur la D111, entre Riez et Sainte-Croix-du-Verdon ; Plan de Croix, 04500* ***Montagnac-Montpezat.*** *☎ 04-92-77-43-76. 06-86-97-01-86. • lamaisonduboisdore@orange.fr • provenceguesthouse.com • Double 87 €. Table d'hôtes 28 €.* Au milieu des champs de lavande et des fleurs de lotus, des pins et des chênes, au calme absolu, dans une ancienne miellerie. Ambiance d'inspiration asiatique épurée bienvenue dans cette superbe demeure redécorée par des brocanteurs aux goûts sûrs. Quatre chambres spacieuses, toutes avec leur petite terrasse et transats. Dans chacune domine une couleur : vert anis, rouge coing, jaune amande ou blanc cassis. Salles de bains avec douche et baignoire, grands lits. Accueil aux petits soins. Une des très belles adresses des environs.

Ferme Para Loù : *route de Moustiers, 04500* ***Sainte-Croix-du-Verdon.*** *☎ 04-92-77-73-63. • rippert2@wanadoo.fr • fermeparalou.com • À 1,5 km au-dessus de Sainte-Croix-du-Verdon, c'est indiqué. Réserver en janv pour le chauffage. Doubles 65-75 €. Gîtes 4-10 pers 450-1 520 €/sem. Wifi. Nuitée à 59 € en basse saison, sur la base de 2 nuits.* Sur le plateau surplombant le lac de Sainte-Croix, plusieurs maisons constituent ce corps de ferme moderne planté sur un terrain de 2 ha. Des chambres d'hôtes colorées et des gîtes tout équipés. Le tout très bien tenu. Beaucoup d'espace : grande terrasse avec barbecue, jeux pour enfants, piscine hors-sol (mais pas vilaine) avec vue sur le lac en contrebas. On peut d'ailleurs rejoindre celui-ci par un chemin pédestre au départ de la ferme. Accueil simple et sympa de Laetitia et Richard qui feront tout pour vous mettre à l'aise.

Où manger dans le coin ?

L'Olivier : *04500* ***Sainte-Croix du Verdon.*** *☎ 04-92-77-87-95. Dans le village, en descendant vers le lac. Fermé lun. Formule déjeuner 19 €. Menus 29-47 €.* Vue splendide depuis ce resto panoramique, et de sa salle à la déco contemporaine. Dans l'assiette, des découvertes gastronomiques originales et soignées du chef Claude Terrier où souffle un petit vent méditerranéen. Les associations de saveurs sont parfaites et justement dosées. Spécialités de foie gras et de truffe en saison. Parfait pour un tête-à-tête en amoureux ou une soirée entre amis. Excellent accueil de Sylvie, la propriétaire des lieux.

À faire

– ***Association Voile et Nautisme :*** *route du Lac, 04500* ***Sainte-Croix-du-Verdon.*** *☎ 04-92-77-76-51. • asso.ffv.fr/AVN04 • Au sud-ouest du lac.* Une petite équipe qui se démène pour vous assurer des activités de ce côté du lac un peu moins fréquenté (et c'est tant mieux, profitez-en !) : optimist, planche à voile, catamaran (hobie cat), aviron, bateau collectif... Cours particuliers, stages tous niveaux, location de matériel.

➢ ***Balade nautique sur le Verdon :*** *au Pont-du-Galetas, à l'extrémité nord-ouest du lac (accès par la D 957 entre Moustiers-Sainte-Marie et Les-Salles-sur-Verdon).* Possibilité de louer une barque, un bateau à moteur, un kayak ou un canoë, et de s'engouffrer dans le canyon du Verdon pour une balade de 30 mn ou 1h. Cadre franchement fantastique.

QUINSON (04800)

Du lac de Sainte-Croix, on gagne ce village par de sympathiques petites routes départementales. Au barrage, prendre d'abord la direction Montpezat, village charmant s'il en est. La route sinue ensuite, en pleine nature, offrant un joli point de vue sur Montpezat, longeant une petite retenue d'eau avant d'arriver tranquillement à Quinson, niché en fond de vallée. Encore un village plein de charme aux allures provençales, avec ses ruelles, vieilles pierres, anciennes portes et petites fontaines, curieusement toutes construites la même année, en 1877. Mais ici, on découvre en plus l'un des plus impressionnants musées d'Europe sur la préhistoire. Le village s'est offert une nouvelle jeunesse depuis son ouverture.

Adresse utile

ℹ ***Office de tourisme :*** *chapelle de la rue Saint-Esprit. ☎ 04-92-74-01-12. • otquinson@gmail.com • quinson.fr/ot • Tte l'année. Tlj sf lun mat et dim (tlj en juil-août).* Infos sur Quinson et les basses et moyennes gorges du Verdon. Visites guidées du village l'été.

Où dormir ? Où manger à Quinson et dans les environs ?

Prix moyens à chic

🍽 ***L'Origan :*** *route de Riez. ☎ 04-92-74-02-81. ♿ À 200 m du musée de la Préhistoire en allant vers Riez. Tlj sf mar et le soir lun-jeu hors saison. Congés : mi-déc à fin janv. Carte compter 20 €. Café offert sur présentation de ce guide.* De l'extérieur, la bâtisse a des allures de pavillon, et pourtant c'est un restaurant convivial et familial. Salle à la déco minimaliste, égayée par quelques plantes vertes, terrasse aux beaux jours. Cuisine de tradition, franche et généreuse. Bon nombre de routards se damneraient pour leur faux-filet aux morilles. Avis aux amateurs !

🏠 🍽 ***Relais Notre-Dame :*** *D 13. ☎ 04-92-74-40-01. • relaisnotredame@orange.fr • relaisnotredame-04.com • ♿ Près du musée de la Préhistoire. Tlj sf lun soir-mar en saison, ts les soirs hors saison. Congés : 15 déc-15 fév. Doubles avec douche et w-c ou bains, 70-82 € selon confort et saison, ½ pens 68-72 €/pers. Menus 16,70-40 €. Wifi. Café offert sur présentation de ce guide.* L'adresse familiale du village. Chambres rénovées, coquettes et bien tenues, certaines côté jardin. Celles côté rue disposent du double-vitrage. À table, honnête cuisine régionale servie en salle ou en terrasse sous les platanes. Piscine, balançoire, petit jardin.

Chic à plus chic

🏠 🍽 ***Le Moulin du Château :*** *04500* ***Saint-Laurent-du-Verdon.*** *☎ 04-92-74-02-47. • info@moulin-du-chateau.com • moulin-du-chateau.com • ♿ (1 chambre). À 5 km au nord-ouest de Quinson par la D 11, puis à droite la D 311 ; fléché au village. Resto ouv le soir slt sf lun et jeu et réservé aux clients de l'hôtel. Congés : de début nov à mi-mars. Résa conseillée, et à l'avance. Doubles avec douche et w-c ou bains, TV satellite, 90-124 € selon confort et saison. Menu unique 30 € (slt pour les résidents).* Une vraie adresse de charme dans une belle maison ancienne, hier moulin du château de Saint-Laurent (l'enseigne est explicite !), au milieu des oliviers. Incroyable salle de lecture avec la meule « géante » d'origine, terrasse face au grand et élégant jardin, quelques chambres, raffinées, où l'on découvre vraiment ce que peut être la douceur de vivre... Mais une adresse de charme avec une conscience environnementale. D'ailleurs classée « Hôtel au naturel ». Chauffage au gaz, produits d'entretien écolos et refuge de la LPO dans le grand jardin. Douce cuisine à base de produits frais et de saison, souvent bio (évidemment). Épatant accueil, teinté d'un charmant accent suisse. Très calme.

À voir. À faire

Le musée de la Préhistoire des gorges du Verdon : *☎ 04-92-74-09-59. • museeprehistoire.com • À la sortie du village par la route de Nice (D 13). Juil-août, tlj 10h-20h ; le reste de l'année, tlj sf mar, 10h-18h (19h avr, mai, juin et sept) ; fermé de mi-déc à fin janv. Entrée : 7 € (audioguide compris) ; 5 € pour les 6-17 ans.* Le plus grand musée de Préhistoire d'Europe, rien que ça ! Une longue barre aux murs en pierre de la région (signée lord Norman Foster, le concepteur du nouveau Reichstag à Berlin et du viaduc de Millau), de prime abord un peu massive et austère, mais qui se révèle très agréable une fois à l'intérieur. Sur 4 200 m², en commençant par le 1er étage, on découvre les premiers pas de l'humanité en Provence et son évolution, sur près d'un million d'années, soit jusqu'à l'Antiquité. Approche logiquement chronologique. Un troupeau préhistorique composé entre autres d'un mammouth, d'un mégacéros, d'un rhinocéros laineux, d'un tigre aux dents de sabre (z'ont pas l'air bien aimables !), de vastes espaces et des vitrines très bien conçues (supervisées par le professeur Henry de Lumley, expert en la matière) accueillent des milliers d'objets trouvés dans la région du Verdon, dont certains remontent aux origines de l'homme (du moins, aussi loin que les spécialistes ont pu remonter), comme ces petites pointes de l'époque du Paléolithique archaïque (- 400 000 ans), d'ailleurs appelées « pointes de Quinson ». Très bons dioramas et plusieurs vidéos en 3D, dont une sur la grotte de la Baume-Bonne, le site historique qui a inspiré le musée et sur lequel des historiens ont travaillé pendant plus de cinquante ans. Expositions temporaires au rez-de-chaussée, animations pour les enfants et visites guidées possibles sur réservation de la grotte de la Baume-Bonne (à 2h30 de marche aller-retour). Un musée intelligent, pédagogique, qui réconciliera les plus réfractaires de cette période de l'histoire, et dont on pourra compléter la visite par celle du village préhistorique avec son jardin néolithique (à la sortie du village, vers le parking du musée).

➢ ***Remonter le cours du Verdon en bateau électrique :***

– **Verdon Electronautic,** *à la sortie de Quinson, sur les bords du Verdon, face au parking du musée de la Préhistoire. ☎ 04-92-74-08-37. • verdon-electronautic.com • Avr-oct, 10h-18h. Compter 20-30 €/h selon taille du bateau (les plus gros contiennent jusqu'à 7 passagers et sont plus puissants) ; tarifs dégressifs.* Compter 5h de visite (aller-retour) pour parcourir toutes les gorges du Verdon entre Quinson et Esparron. La base se trouve presque à l'entrée des gorges. En 3h de balade, on a déjà un bel aperçu du paysage.

– ***Yannick Bernier-Canoë kayak découverte :*** *☎ 04-92-74-02-30 📱 06-08-54-50-02. • yannickbernier@free.fr • canoeverdon.free.fr • Propose des visites en canoë ou en bateau électrique. Plusieurs formules.* Ses visites « préhistoriques », dans les gorges du Verdon sont très prisées. D'ailleurs Yann Arthus-Bertrand y a vu une autre version du Paradis !

Fête

– ***Fête de la Préhistoire :*** *3e w-e de juil.* Quinson fête la préhistoire à travers différentes manifestations.

ESPARRON-DE-VERDON *(04800)*

Village « caché mais point sauvage », qu'ils disaient... Un village perché au-dessus d'un petit lac, surpeuplé en été, bien tranquille sinon. Pittoresque château, flanqué d'un donjon médiéval, où l'on peut même (si on casse sa tirelire) dormir.

Adresse utile

Office de tourisme : *hameau du port. ☎ 04-92-77-15-97. • esparrondeverdon.com • Tlj sf sam mat en été.* Équipe compétente et serviable.

Où dormir ?

Chambres d'hôtes du château d'Esparron : *☎ 04-92-77-12-05. 📱 06-64-65-17-00. • chateau@esparron.com • esparron.com • Ouv avr-oct. Doubles avec bains 130-260 €. Wifi.* Eh oui, le prix fait comme un choc, surtout quand on arrive sans savoir ce qui vous attend, après une balade estivale sur les berges du lac. L'agitation s'arrête au pied de ce très beau château, qui appartient à la même famille depuis le XIIIe s. L'héritier et sa charmante épouse ont eu la bonne idée de transformer ces lieux vénérables en chambres d'hôtes de luxe, avec beaucoup de goût, d'esprit et de respect pour ces vieux murs (ni téléphone ni TV, évidemment). Splendides salles de bains. Petit déj servi dans l'ancienne cuisine joliment aménagée. Pour un coup de folie.

À voir. À faire

L'écomusée « La Vie d'Antan » : *rue des Fontaines. ☎ 04-92-77-13-70. • esparrondeverdon.com/ecomusee • ♿ (rez-de-chaussée). Près de la mairie, au cœur du village. Avr-oct tlj sf mar, 14h30-18h30 (juil-août 10h-12h, 15h-19h). Entrée : 2,50 € ; gratuit pour les moins de 10 ans ; réduc.* Un musée de poche. Costumes et objets provençaux authentiques. Parmi les curiosités, machine à laver le linge du XIXe s qui fonctionnait à la cendre de bois, entièrement en planches, robe de mariée XIXe s noire, chemise conjugale (avec l'inscription « Dieu le veut ! »), collier de chien antiloups, etc. Une salle à l'étage présentant des scènes de cordonnier, de culture du chanvre (pour faire du tissu ! On vous voit venir...), une partie de l'apothicairerie (les proprios possèdent plus de 300 pots !), une machine à faire des suppositoires, reconstitution d'une chambre d'accouchement du XIXe s. Au sous-sol, une pièce mettant en scène les lavandières et illustrant la culture du blé. Visite guidée par Marie-Thérèse ou Roger, les propriétaires, toujours prêts à fournir des explications et à raconter des anecdotes savoureuses aux enfants comme aux parents.

– ***Poterie de la forge :*** *rue des Fontaines. ☎ 04-92-77-18-61. Dans le village, à deux pas de l'écomusée. Ouv tlj.* Propose des démonstrations. Pour les futurs amateurs !

– ***Club nautique d'Esparron :*** *☎ 04-92-77-15-25. • cnev@orange.fr • cnev.online.fr •* Pour s'initier à la voile, au catamaran ou à la planche à voile. Stages, cours particuliers, baptêmes, locations. Propose aussi des formules de randos de découverte en canoë avec des accès uniquement par petite embarcation (tunnel). Encadrement jeune et sympa.

GRÉOUX-LES-BAINS *(04800)*

Au pied des champs de lavande du plateau de Valensole, vrai village provençal comme on les imagine. Un campanile qui fanfaronne, de vieilles maisons qui font cercle autour d'une colline, des rues piétonnes ombragées en été (mais attention à la foule), des coursives, escaliers et autres petits passages qui mènent au château surplombant le village. En contrebas de ce vieux village, Gréoux devient « les Bains », modeste station thermale avec beaucoup des attributs du genre : de paisibles curistes qui font des mots croisés entre deux séances aux thermes, de grands hôtels à l'ancienne mode, trois parcs et un casino. Les Romains avaient, évidemment, découvert dès le Ier s les vertus bienfaisantes des eaux de Gréoux. Ils s'y remettaient, paraît-il, de leurs orgies... Les indications thérapeutiques d'aujourd'hui : rhumatologie et voies respiratoires, traumatologie, pneumologie... Village très animé dès les premiers beaux jours ; il est donc conseillé d'utiliser les parkings extérieurs à 2 mn du centre.

Adresse et info utiles

Office de tourisme : *7, pl. de l'Hôtel-de-Ville. ☎ 04-92-78-01-08. • greoux-les-bains.com • Ouv lun-sam, plus dim en saison.* Organise de mars à décembre des randos (sur réservation) de 2h à une journée sur des sentiers pédestres thématiques ; compter de 5 € (pour une balade de 2h) à 20 €. Également, des randos VTT (carte gratuite des circuits balisés) et location de « VAE ». Késaco ? Des vélos à assistance électrique. Pratiques pour vos balades dans les champs de lavande ! À partir de 14 € la ½ journée.

– **Marché :** *mar mat, pl. de la Mairie, et jeu mat, parking des Marronniers. En juil-août, nocturnes le ven.*

Où dormir ? Où manger ?

Campings

La Pinède : *route de Saint-Pierre, BP 34. ☎ 04-92-78-05-47. • lapinede@wanadoo.fr • camping-lapinede-cazin.com • ♿ À 1,5 km à la sortie de la ville, direction Saint-Pierre. Ouv mars-nov. Emplacement pour 2 avec voiture et tente 21,50 € en hte saison. Loc de mobile homes pour 2 à 4 pers 300-610 €/sem. Wifi. Apéritif maison offert sur présentation de ce guide.* Un site qui porte bien son nom, ombragé, avec piscine, tennis, jeux pour les enfants, terrain de boules, snack. Sanitaires propres. Activités nautiques au lac d'Esparron.

Camping Le Verseau : *route de Saint-Pierre. ☎ 04-92-77-67-10. • info@camping-le-verseau.com • camping-le-verseau.com • ♿ Fléché depuis le centre. Ouv avr-oct. Emplacement pour 2 avec tente et voiture 17 € en hte saison. Loc de chalets, mobile homes et autres bungalows, 258-660 €/sem selon confort et saison.* Au bord du Verdon, avec une jolie vue sur le village. Emplacements pas bien vastes, mais cadre charmant. Piscine et aire de jeux.

Bon marché

La Terrasse des Marronniers : *av. des Marronniers. ☎ 04-92-74-23-24. • laterrassedesmarronniers@cegetel.net • ♿ Tlj 8h30-1h30. Congés : de mi-déc à mi-fév. Plats 12-15 €. Sur présentation de ce guide, apéritif maison offert à nos lecteurs qui s'y restaurent.* Bel espace à l'ambiance d'autrefois et à l'architecture métallique très Baltard (mais c'est une réalisation récente). Idéal à la nuit tombante, en terrasse sous les... marronniers, pardi, pour boire une bière, un cocktail détonant ou pour grignoter un bout. Jolie salle plus au calme sur l'arrière du resto. Fait aussi café littéraire.

L'Ardoise : *Le Grisélis, av. des Marronniers. ☎ 04-92-73-76-58. • lardoise-greoux.fr • Tlj sf dim. Table d'hôtes ts les midis et le ven soir. Plats 13-15 €.* Un endroit original, à la fois épicerie fine, boutique de déco et table d'hôtes. Et surtout une ardoise, une terrasse colorée et une grande tablée à l'intérieur pour partager des petits plats locaux bien ficelés (carbonara de calamars, marmite de poisson à l'aïoli, soupe au pistou, etc.). Thé organique pour faire passer le tout. Accueil souriant.

Fleur de Thym : *17, Grand-Rue. ☎ 04-92-78-07-75. Dans la rue piétonne centrale. Tlj sf lun-mar midi. Fermé de mi-nov à mi-mars. Menu rôtisserie 21,50 €. Café ou digestif maison offert sur présentation de ce guide.* Une petite adresse dont, malgré l'enseigne, les spécialités s'éloignent des classiques provençaux : moules-frites, tarte Tatin et strudel à la cannelle ! Également des viandes à la broche (cochon et agneau de lait) ou grillées au feu de bois. La clientèle d'habitués qui vient lire *Le Provençal* du jour au frais trouvera tout de même de la tapenade pour accompagner le pastis. Agréable terrasse sur la rue piétonne (à éviter les jours de foule) et épicerie provençale juste en face (même maison) pour faire le plein de produits locaux et de pâtes maison.

Le Jardin des Lilas : *7, rue des Lilas. ☎ 04-92-78-11-45. • olive.lef@orange.fr • Dans une petite rue piétonne parallèle à l'av. des Marronniers, entre le centre-ville et le casino. Tlj sf mar soir en basse saison et mer tte l'année. Congés : de mi-déc à mi-fév. Carte 20 €. Apéritif maison offert sur présentation de ce guide.* Petite adresse un peu cachée, dans un quartier résidentiel tranquille. À deux pas de l'agitation estivale, une maison toute rose et son petit bout de jardin bien agréable pour grignoter au calme une cuisine aux saveurs méditerranéennes : salades composées, crêpes, poulet au miel... Gardez un peu de place pour les desserts pas mauvais du tout, comme la salade d'oranges au miel et à l'huile d'olive.

De prix moyens à chic

Hôtel-restaurant Les Colonnes : *8, av. des Marronniers. ☎ 04-92-70-46-46. • hoteldescolonnes.fr • grandhoteldescolonnes@wanadoo.fr • Wifi. Doubles 60-80 € selon saison et situation. ½ pension 81-147 €/pers selon saison et situation. Plats env 17 € ; menus 22-32 €, menu gastronomique 50 €.* L'ancien logis a fait peau neuve. La trentaine de chambres a été rénovée de façon moderne. Les salles de bains sont rutilantes. TV écran plat. Au resto, cuisine de terroir tendance gastronomique. Piscine, et même spa pour prendre soin de soi. Côté village, les chambres sont un peu plus bruyantes, préférez côté piscine. Pas de clim, mais des ventilos à dispo. Accueil sympa.

Résidence-club Odalys Côté Provence : *av. des Thermes. ☎ 0825-562-562 (0,15 €/mn) • odalys-vacances.com • Compter 780 €/sem hte saison pour 4. À 200 m de l'établissement thermal. Internet.* Les appartements offrent tout le confort désiré (kitchenette, connexion internet payante, balcon ou terrasse). Hiver comme été, piscine semi-découverte chauffée avec buses massantes, et de juin à septembre piscine extérieure chauffée. Et pour préparer vos randonnées pédestres et sorties en VTT dans la région, espace remise en forme à disposition sur place.

Où acheter de bons produits ?

Calissons Durandeu : *D 82 vers Manosque. ☎ 04-92-74-20-64. Fermé de mi-déc à fin mars.* Une belle et bonne confiserie provençale à Gréoux depuis 1851, la seule à faire des calissons dans la région. Et des bons !

Fromages de chèvre du Domaine de la Fare : *D 82 vers Manosque. ☎ 04-92-74-20-64. Fermé de mi-déc à fin mars.* Venir vers 17h à l'heure de la traite. Une bonne adresse pour les banons. Présent également en ville les jours de marché.

À voir. À faire

Le château des Templiers : il domine le village et sa cour abrite aujourd'hui des spectacles en été et un cinéma en plein air. Expositions temporaires sous les belles voûtes de l'ancienne salle des gardes. Ouvert un jeudi sur deux dans le cadre de la visite guidée du village organisée par l'office de tourisme (tarif : 4 €). Pendant l'été, 3 ou 4 fois durant la saison, des troupes du Festival d'Avignon animent avec des saynètes l'histoire du château, du plus ancien propriétaire à nos jours.

L'église Notre-Dame-des-Ormeaux : *dans le vieux village, face à la mairie.* Du XIIe s, son nom tient au fait que la place était autrefois plantée d'ormes. La nef est romane, le bas-côté et les chapelles ont été ajoutées aux XVe et XVIe s. Elle possède une abside carrée et un retable en bois doré du XVIIe s. Une plaque indique qu'un certain « Antoine Blanc, qui cacha saint Sébastien pendant la Terreur, racheta l'église en 1796 au profit du village ».

Le Petit Monde d'Émilie : *16, av. des Alpes. ☎ 04-92-78-16-52. 06-84-62-71-23. À la sortie du village, prendre direction Vinon-sur-Verdon. Ouv fin mars-fin nov, lun, mer et ven sf j. fériés 16h-19h. Prévoir 2h de visite. Entrée : adulte 7,50 € ; 4-12 ans 6 €.* Mme Portugal collectionne les poupées depuis qu'elle a 8 ans et a une petite-fille qui s'appelle Émilie... À la retraite, l'idée lui est venue de créer ce surprenant musée qui a le mérite, en plus, de réhabiliter une maison du village et d'avoir créé deux emplois. Réparti sur douze pièces, c'est la caverne d'Ali Baba de la miniature, de la poupée et de bien d'autres jeux et jouets, avec plus de 20 000 pièces et plus de 140 mises en scène. La charmante – et bavarde – Mme Portugal vous racontera toutes les anecdotes concernant les différentes scènes en vitrine : les clowns, Paris, les personnages de B.D., les chevaliers, la maternité (poupée préférée de madame), la haute couture, l'école, le Petit Prince, les poupées russes, etc., et la ferme, notre mise en scène préférée. Grande bibliothèque consacrée aux sujets, vidéo, salle de jeux, et stages individuels ou en groupes possibles toute l'année sauf en juillet et août. Alors, garçon ou fille, petit ou grand, bienvenue au paradis de l'enfance retrouvée !

La chapelle Notre-Dame-des-Œufs : *à l'extérieur du village, route de la plage de Saint-Julien. Depuis le parking, compter 1h30 à pied, A/R.* Cette petite chapelle, blottie dans les monts, est célèbre pour ses pèlerinages, censés guérir la stérilité féminine. La tradition veut que le lundi de Pâques, les femmes qui désirent, sans succès, une grossesse, montent jusqu'à la chapelle, un œuf dans chaque main : un pour le gober, l'autre à enterrer sur place. Si l'œuf enfoui est retrouvé intact à la date du deuxième pèlerinage (le 8 septembre), le vœu devrait être exaucé... À part ça, très joli point de vue sur le vieux village.

– **Le casino :** *villa Les Jarres, av. des Thermes. ☎ 04-92-78-00-00. Tlj 10h-3h (4h le w-e et d'avr à oct).* Pour les amateurs ou les routards joueurs et fortunés, une salle de jeux traditionnels et une salle de machines à sous. Thé dansant tous les mercredis à 16h et 19h (payant).

– **Les thermes :** *av. du Verdon. Derrière le casino. Ouv mars-Noël. Ne se visitent pas (de tte façon, le bâtiment n'est pas très emballant), mais pour tt rens : ☎ 0826-468-185 (0,15 €/mn). • chainethermale.fr •* Thermes troglodytiques, célèbres depuis les Romains ; on y traite les rhumatismes et les problèmes de voies respiratoires, entre autres, mais on y pratique aussi des séances de remise en forme sur deux jours. Les eaux thermales de Gréoux, pour info, sont sulfurées, calciques, sodiques, sulfatées et magnésiennes (rien que ça !) et sortent de terre à 42 °C.

– **Canyon Parc :** *dans le parc du domaine du château de Laval, route de Valensole. 06-08-61-60-30. Ouv de mi-avr à mi-nov. Entrée 19 €, réduc.* Un parc d'attractions (ponts de singes, tyroliennes, sauts de Tarzan, etc.). Cinq parcours différents, 6 ateliers.

Fête et manifestation

– **Foire aux santons :** *pdt les vac de la Toussaint.* Avec les santonniers de la région ; ateliers pour enfants.
– **Dimanches musicaux :** *les dim mai-oct.* Concerts gratuits dans le parc Morelon (jazz, chanson populaire, classique...).

LE PLATEAU DE VALENSOLE

Entre les vallées du Verdon, de la Bléone et de la Durance, découvrez ce vaste plateau quand la lavande est en fleur fin juin, début juillet. Un vrai moment de bonheur. Venez tôt le matin ou à la fraîche, pour profiter pleinement des senteurs et des couleurs de la terre et du ciel. Sur la route, de village en village, de nombreuses fontaines, lavoirs et chapelles témoignent d'un riche patrimoine régional, hérité du Moyen Âge, et même de l'Antiquité (notamment à Riez).

SAINT-MARTIN-DE-BRÔMES (04800)

À 6 km au nord-est de Gréoux par la D 952. Un village discret, typiquement provençal, offrant une vue impressionnante quelle que soit la route par laquelle on y arrive. Une jolie église romane et de vieilles maisons des XVe et XVIe s, encore placées sous la protection d'une costaude tour templière.

Où dormir ? Où manger ?

Hôtel-restaurant La Fontaine : *5, pl. de la Fontaine. ☎ 04-92-78-02-05. • hotel-rest-lafontaine@orange.fr • verdon-tourisme.com/lafontaine • Sur la D 952, à l'entrée du village quand on arrive de Gréoux. Congés : de mi-nov à fév. Résa conseillée en hte saison. Doubles avec lavabo 41 €, avec douche et w-c ou bains, TV, 46-48 € selon confort. Menus 19-28,50 €. Wifi.* La seule adresse dans ce village plein de charme. Chambres simples et bien tenues. Deux jeunes couples vous accueillent tout sourire, avec une tapenade et ses croûtons, pour vous proposer de bons plats du coin au gré du marché et de bonnes pâtisseries. L'apéro maison au citron, à la vanille et à la cannelle, n'est pas mal non plus et en plus, les prix sont gentils. Petite terrasse par l'entrée côté village près d'une fraîche fontaine.

ALLEMAGNE-EN-PROVENCE (04500)

À mi-chemin entre Gréoux et Riez, un petit village pittoresque avec ses vieilles maisons en galets roulés. Un village attachant, avec quelques restaurants, cafés, épicerie, boulangerie et cirque itinérant en été. Il y a un imposant château des XIVe et XVIe s à visiter. Promenez-vous dans le haut du village pour retrouver les traces de la vie d'autrefois, avec les petites places où il faisait bon tailler une bavette, et surtout un étonnant système d'irrigation au départ du vieux lavoir.

POURQUOI « ALLEMAGNE » ?

Parce qu'autrefois, une troupe de Barbares, les Alamans sont passés dans les parages. Le nom est resté. On précisa « en Provence » après la Seconde Guerre mondiale, pour l'image du village mais aussi d'un point de vue pratique : pas mal de courriers finissaient outre-Rhin ! Au fait, les habitants d'Allemagne ne sont pas des Allemands mais des Allemagniens.

Adresse utile

Syndicat d'initiative : *pl. de Verdun. ☎ 04-92-77-40-24. • tourisme.allemagne-en-provence@hotmail.fr • En face du château. Ouv l'ap-m en saison.* Quelques docs sur les intérêts touristiques des environs.

Où dormir ?

Prix moyens à chic

Chambres d'hôtes L'Oustaou Angelvin : *rue Antoine-Calvi. ☎ 04-92-77-42-76 ou 06-83-10-88-44. • verdon-tourisme.com/loustaou • angelvin-gerard@orange.fr • Tte l'année. Double avec douche et w-c ou bains, TV, 55 € ; 4 pers 90 €. Également 3 gîtes de 2-3 pers 260-450 €/sem et un accueillant jusqu'à 6 pers 680-800 €/sem (à louer au w-e hors saison). CB refusées. Produit local offert sur présentation de ce guide.* Dans une belle maison de caractère du XVIe s, face au château, 2 chambres bien sympathiques, modulables en petits appartements avec coin cuisine. Beaucoup d'espace, déco un peu vieillotte mais l'ensemble est bien tenu. Adresse sans chichis, à l'image des hôtes, qui vous offrent volontiers le verre de l'amitié (préparé par monsieur) dans leur agréable jardin. L'été, accès à une cuisine d'extérieur. Animaux bienvenus (on trouve d'ailleurs chien, tortue, tourterelle, dans cette sympathique Arche de Noé !). Gîtes avec accès direct au jardin. Barbecue. Piscine.

Chambres d'hôtes Aux Deux Lacs : *route de Gréoux. ☎ 04-92-74-51-44. • auxdeuxlacs@hotmail.fr • verdon-chambres-vacances-hebergement.com • Fermé Toussaint-fin mars. Doubles avec douche et w-c 55-80 € selon confort.* Dans une mignonne maison aux volets bleu lavande, 4 petites chambres dont une suite familiale aux couleurs de la Provence. Petit déj avec confitures maison (du type melon au pastis !), servi sur la terrasse ombragée. Également, une belle salle empierrée (avec frigo à disposition), dédiée à la lecture ou à divers jeux. Mais ce qui fait avant tout le charme des lieux c'est l'accueil adorable de vos hôtes, qui ont quitté la région parisienne pour s'installer ici. Piscine. Un bon point de chute pour rayonner entre les lacs d'Esparron (8 km) et de Sainte-Croix (15 km).

Le Domaine de Bertrandy : *chemin de Saint-Véran. ☎ 04-92-77-83-58 ou 06-76-09-13-15. • info@bertrandy.com • bertrandy.com • À Allemagne-en-Provence, prendre la route à gauche du château (bien indiqué), et c'est parti pour 5 km d'un chemin caillouteux. Ouv tte l'année. Doubles 65-79 € selon saison, suite 4-6 pers 120-170 €/nuit. Gîtes 2-9 pers 390-850 €/sem selon saison. Table d'hôtes avr-sept tlj sf mar sur résa 28 € apéritif, vin et café compris. Internet et wifi. Digestif offert sur présentation de ce guide.* Au milieu des champs, un beau mas du XIXe s abritant 5 chambres fraîches toutes différentes décorées avec goût dans le style provençal. Belle terrasse face à la nature environnante, grand salon commun avec poutres et vieux carrelage, spacieuse piscine, terrain de pétanque... Un havre de paix d'un charme indéniable, en plein cœur du pays des lavandes. Propose aussi 5 gîtes pas désagréables. Accueil chaleureux de Sylvie et Pierre, qui sauront vous faire sentir chez eux comme chez vous. Et Pierre cuisine particulièrement bien ; paëlla et agneau à la broche chaque semaine (demandez le programme !). Une bonne adresse.

Plus chic

La Maison des Collines : *chemin Saint-Véran. ☎ 04-92-72-07-38. • lamaisondescollines.com • Du château d'Allemagne, prendre le chemin sur la gauche (fléché). Environ 4 km d'un chemin caillouteux, avant le Domaine de Bertrandy. Doubles 127-147 €.* Bordée d'oliviers et de chênes blancs et verts, de romarin, voici une des adresses les plus élégantes des environs, avec vue magnifique sur les collines avoisinantes. Chambres vastes, à la déco design, aux teintes chaleureuses et modernes. Rideaux de lin, objets chinés, savons artisanaux, vasques de pierre plate : tous les petits détails donnent un charme fou à l'endroit. Les propriétaires adorables, Françoise et Frédéric, y sont aussi pour beaucoup. Piscine superbe, d'où l'on a l'impression de nager dans les arbres ! Petit déj inclus, et très copieux, sur la terrasse avec crêpes maison. Un vrai coup de cœur et l'idéal pour une halte sereine.

Achats

Maison des produits du Pays du Verdon : *route de Riez. ☎ 04-92-77-40-24. À 3 km au nord-ouest par la D 952. Tlj ; fermé janv.* Une étape agréable dans cette maison née de la volonté d'une trentaine d'agriculteurs, artisans ou artisans d'art du pays du Bas-Verdon d'avoir une vitrine de leurs activités. On trouve de tout, évidemment, pour tous les goûts. Bons produits pour un pique-nique ou pour rapporter à la maison : plats cuisinés provençaux, terrines et pâtés, fromages de chèvre, vin, jus de pomme, miel, confiture d'amande au pastis, savons et bien sûr lavande et lavandin...

À voir

Le château d'Allemagne-en-Provence : *☎ 04-92-77-46-78. • chateau-allemagne-en-provence.com • Visites guidées (1h) : de juil à mi-sept, tlj sf lun à 16h et 17h ; Pâques, juin, sept, Toussaint, les w-e et j. fériés aux mêmes horaires ; fermé l'hiver. Entrée : 7 € ; réduc.* Jolie demeure prise dans la végétation d'où émerge une tour carrée crénelée, du XIIe s. Les façades, superbes, sont, elles, typiquement Renaissance avec leurs fenêtres à meneaux. À l'intérieur, plafonds à la française, monumentale cheminée en gypseries du pays d'Aix. Bel escalier à vis. Parc avec arbres séculaires rares et jardin médiéval.

Jolies chambres d'hôtes et gîte *(pour 10 pers)* pour qui voudrait s'éterniser après la visite.

VALENSOLE (04210)

Une des communes les plus étendues de France. Le village en lui-même, typiquement provençal avec ses vieilles rues et portes, son église du XIIIe s, sa fontaine datant de 1734, ses vieux bistrots et ses chapelles, vous retiendra moins que son plateau avec ses distilleries, visitables en été, et son musée de l'Abeille, sur la route menant à Manosque. Le miel de lavande qui est produit là classe le plateau parmi les Sites remarquables du goût.

Adresse utile

Office de tourisme : *pl. des Héros-de-la-Résistance. ☎ 04-92-74-90-02. • valensole.fr • Dans le centre. Tte l'année. En saison, lun ap-m puis mar-sam ; juil-août, également dim mat. Hors saison, mar-ven et sam mat.* Excellent accueil et renseignements sur les visites de distilleries.

Où dormir ?

Maison d'hôtes l'Atelier Jardin : *4, faubourg du Ratonneau. ☎ 04-92-74-98-41 ou 06-62-30-48-45. • atelier.jardin@orange.fr • atelier-jardin.com • De la fontaine du village, prendre la route de Manosque. Après la station-service, prendre la petite route qui grimpe à droite, suivre panneau « Poterie ». La maison est sur la gauche 50 m plus haut, après l'atelier. Ouv avr-nov. Double 60 €. Table d'hôtes possible.* Bienvenue dans la demeure du potier, son atelier est un peu plus bas dans la rue. Sur les murs, de beaux tableaux de styles différents. Au 1er étage, une suite familiale de 2 chambres avec poutres en mélèze. Sanitaires privés avec douche transformable en hammam. Le carrelage a été réalisé par Jean-Nicolas lui-même. On aime beaucoup la tête de lit aux petits chevaux de céramique et le grand jardin (pour le petit déj, quand le temps s'y prête). Visite de l'atelier à ne pas manquer (on a craqué pour les « amis de jardin » !). *Propose aussi un gîte pour 2 pers (275-360 €).*

Fête

– ***Fête de la Lavande :*** *3e dim de juil.* Diaporama, visites des distilleries, vente de produits, survols en hélicoptère des champs en fleur, groupes folkloriques...

RIEZ *(04500)*

Ancienne colonie de droit latin sous Auguste, c'est la plus antique des cités des Alpes-de-Haute-Provence qui se fait aujourd'hui appeler Riez-la-Romaine, même si de cette époque ne subsistent que quelques colonnes de granit, vestiges d'un temple. Évêché du Ve s à la Révolution française, Riez garde quelques traces de ce passé, dont un baptistère qui demeure l'un des rares exemples de l'architecture provençale de l'Antiquité tardive. Sinon, on ne peut qu'être touché par le vieux village, magnifique même s'il est usé par les siècles, ensemble urbain avec ses maisons médiévales côtoyant des bâtiments Renaissance.

GYPSERIES

Si vous poussez les portes de certains immeubles, vous pourrez découvrir des gypseries de toute beauté. La gypserie est à Riez ce que la faïence est à Moustiers. Inutile de chercher dans le dico, ce mot n'existe pas. C'est une pure création provençale à partir de « gypse », de la pierre à plâtre. Ce fut une industrie importante. Les gypsiers effectuaient un travail « d'enrichissements » en fabriquant des décors surajoutés aux cheminées, aux plafonds, aux rampes d'escalier...

Adresse et info utiles

Bureau de tourisme : *pl. de la Mairie. ☎ 04-92-77-99-09. • ville-riez.fr • Près de la pl. du Marché. Hors saison ouv lun-sam ; juin-sept, également dim mat.* Accueil charmant, importante documentation (Circuit des fontaines) et expositions de peinture. Sur demande en saison, visite de la ville (5 € ; environ 2h30), incluant le baptistère et l'hôtel de Mazan (XVIe s) aux décors de gypseries.

– ***Marché :*** *mer.*

Où dormir ?
Où manger ?

Camping

Camping Rose de Provence : *rue Édouard-Dauphin. ☎ 04-92-77-75-45. • info@rose-de-provence.com • rose-de-provence.com • À 500 m à la sortie du bourg. Ouv avr-début oct. Emplacement pour 2 avec tente et voiture 20,10 € en hte saison. Loc de bungalows toilés, de chalets et de mobile homes pour 2-4 pers 206-560 €/sem selon confort et saison. Réduc de 5 % sur présentation de ce guide.* Un joli camping familial de 80 emplacements assez spacieux et ombragés (et où l'on plante encore des arbres, divers et variés) doté de bons équipements récents. Jeux pour les enfants. Barbecue collectif. Également, un jacuzzi avec un solarium. Aire de pique-nique. Bon accueil. Très bon rapport qualité-prix.

De prix moyens à chic

Loc'Alp : *18, allée Louis-Gardiol. 06-98-36-29-00. • localp@orange.fr • verdon.com • Congés : déc-mars. À partir de 50 €/nuit selon saison.* Au cœur du vieux village, de sympathiques, simples et modernes studios et appartements pour 1 à 6 personnes. Prix intéressants.

Le Rempart : *17, rue du Marché. ☎ 04-92-77-89-54. • christophe.joriot@wanadoo.fr • À l'orée du vieux village, au pied du clocher de l'église. Tlj sf mar. Congés : 15 j. en janv. Formule (plat et dessert) 15 € ; menus 15-49 €. Digestif* *offert sur présentation de ce guide.* Petit resto tenu par une jeune équipe. Déco du Sud, un peu mode, pour les petites salles, grande terrasse ensoleillée et quelques tables encore dans la rue piétonne. Cuisine italo-provençale qui s'exprime notamment au travers de grandes assiettes-repas. Intéressante carte des vins (on pourra également acheter quelques bouteilles sur place).

🏠 ***Hôtel des Colonnes :*** *rue René-Cassin. ☎ 04-92-72-29-24. • contact@hoteldescolonnes-riez.fr • hoteldescolonnes-riez.fr • Dans un ancien hôtel particulier du XVIIe s. Doubles 60-90 €, suite 140-150 € pour 4 pers selon saison.* Trois chambres dont une suite pour 3-4 personnes (parfait pour les familles). Toutes ont une atmosphère différente, des teintes grises au grège, en passant par le gris patiné, les tommettes et le vieux carrelage. Un doux mélange entre le charme de l'ancien, avec de multiples objets chinés mais aussi le confort moderne. Possibilité de table d'hôtes sous la tonnelle. Excellent accueil.

Où manger dans les environs ?

|●| ***Le Tracteur :*** *route de Digne, 04410* ***Puimoisson.*** *☎ 04-92-71-18-63. • letracteur@gmail.com • Ouv tlj sf lun juil-août ; le reste de l'année, fermé lun et jeu. Petit déj et goûter 7 €. Formules déj 18-22 €. Wifi.* Café-restaurant original : un tracteur David Brown 990 vous accueille dans la salle de bar. Déco insolite et amusante, très colorée, avec de bien belles tables. Côté assiette, plats de terroir généreux, spécialités de pâtes artisanales et d'aïoli maison. Propose aussi des locations de vélo (dont un drôle de tandem VTT !) et des soirées musicales très festives. Un vrai lieu de vie en somme.

À voir

La vieille ville : un étonnant patrimoine pour un bourg de cette importance. On pénètre dans la vieille ville par la porte Aiguière (du XIVe s), à deux pas de l'office de tourisme. Monter jusqu'à la Grande-Rue jalonnée de maisons Renaissance. Au no 1, l'hôtel de Ferrier est, avec sa façade en encorbellement et sa fenêtre à meneaux, un de ceux qui ont le plus souffert du passage des siècles (aujourd'hui rénové). Au no 12, l'hôtel de Mazan (XVIe s), qui cache de superbes décors de gypseries (pour les visites, se renseigner au bureau de tourisme). Gypseries encore pour les frises de la maison bourgeoise du no 27 ; à laquelle, à l'instar de sa voisine du no 25 (fenêtres gothiques), les années n'ont pas fait de cadeau. Revenir sur ses pas, Grande-Rue, jusqu'à la place Saint-Antoine : gypseries toujours pour la belle façade Renaissance (superbe porte également) du no 7. Place de la Mairie, l'hôtel de ville s'est installé dans l'ancien palais épiscopal (XVe s). On arrive à la porte Saint-Sols (XIVe s). Juste avant, sur la droite, des escaliers conduisent à la cathédrale. De sa construction au XVe s n'ont résisté que le clocher et quelques chapelles. Elle date, pour l'essentiel, du XIXe s.

Les colonnes romaines : *de la cathédrale, descendre l'av. Frédéric-Mistral, on les aperçoit, sur la droite, au milieu d'un champ.* Quatre sobres colonnes en granit gris de l'Esterel surmontées de chapiteaux corinthiens en marbre blanc. Uniques vestiges d'un temple vraisemblablement dédié à Apollon.

Le baptistère : *juste après les colonnes romaines. Visite à 18h de mi-juin à mi-sept les mar, ven et sam. Entrée : compter 2,50 €.* Ce petit bâtiment est un des derniers édifices du Ve s encore visibles en France. Bien que sérieusement restauré au XIXe s, l'intérieur conserve huit belles colonnes romaines de granit qui supportent une intéressante coupole du XIIe s. Quelques vestiges gallo-romains y sont exposés : autels, sarcophages... De l'autre côté de la route, quelques discrets vestiges de la ville gallo-romaine et d'une cathédrale paléochrétienne.

La chapelle Saint-Maxime : *à 2 km au nord-est.* Petite chapelle du XVIIe s mais qui, comme souvent à Riez, s'est approprié quelques anciennes colonnes romaines. On y monte surtout pour le panorama sur la vallée et le village.

Fêtes et manifestations

- **_Fête de la Transhumance :_** *3e w-e de juin.*
- **_Festival des 4 colonnes (musiques du monde) :_** *en août.*
- **_Fête du Blé :_** *2e dim d'août.*
- **_Fête du Patrimoine local :_** *4e dim d'oct.*

SAINT-JURS (04410)

Monter jusqu'à cet adorable petit village, le plus haut perché du plateau. Découvrez d'abord une première chapelle isolée, qui fait face aux montagnes (superbes lumières en fin de journée). Plus haut, le délicieux village et son église. Vue imprenable : en saison, champs – et odeur – de lavande à perte de vue. Si ça, c'est pas la Provence !

Où dormir ? Où manger ?

Camping et gîte d'étape et de séjour de la ferme de Vauvenières : Vauvenières. ☎ *04-92-74-44-18. • contact@ferme-de-vauvenieres.fr • ferme-de-vauvenieres.fr • À 2 km en contrebas du village, sur la D 108, en pleine nature. Résa obligatoire. Camping ouv 1er avr-1er oct. Tte l'année pour les gîtes. Emplacement pour 2 avec tente et voiture env 11 € en hte saison. Double en gîte, avec douche et w-c 50 €. Gîtes 312-985 € selon saison pour 2-10 pers. Repas le soir slt et sur résa 24 €, boissons comprises. Apéritif offert sur présentation de ce guide.* Au cœur des champs de lavande. Un petit camping, simple mais confortable, avec jeu de boules, terrain de volley et jeu d'échecs géant... Dans une maison traditionnelle à côté de la ferme, un gîte qui peut accueillir 10-12 personnes dans des chambres pour 2 ou 4. Également 2 autres gîtes pour 2 à 5 personnes loués à la semaine. Location de vélos.

LES GUIDES DU ROUTARD 2012-2013

(dates de parution sur **routard.com**)

France

Nationaux

- Les grands chefs du routard
- Nos meilleures chambres d'hôtes en France
- Nos meilleurs campings en France
- Nos meilleurs hôtels et restos en France
- Nos meilleurs produits du terroir en France
- Tourisme responsable

Villes françaises

- Lyon
- Marseille
- Nantes et ses environs
- Nice

Paris

- Environs de Paris
- Junior à Paris et ses environs
- Paris
- Paris à vélo
- Paris balades
- Paris la nuit
- Paris, ouvert le dimanche
- Paris zen
- Restos et bistrots de Paris
- Le Routard des amoureux à Paris
- Week-ends autour de Paris

Régions françaises

- Alsace (Vosges)
- Ardèche, Drôme
- Auvergne
- Berry
- Bordelais, Landes, Lot-et-Garonne
- Bourgogne
- Bretagne Nord
- Bretagne Sud
- La Bretagne et ses peintres
- Champagne-Ardenne
- Châteaux de la Loire
- Corse
- Côte d'Azur
- Dordogne-Périgord
- Franche-Comté
- Guadeloupe, Saint-Martin, Saint-Barth
- **Isère, Hautes-Alpes et stations des Alpes-Maritimes (mai 2012)**
- Languedoc-Roussillon
- Limousin
- Lorraine
- Lot, Aveyron, Tarn
- Martinique
- Nord-Pas-de-Calais
- Normandie
- La Normandie des impressionnistes
- Pays basque (France, Espagne), Béarn
- Pays de la Loire
- Picardie
- Poitou-Charentes
- Provence
- Pyrénées, Gascogne et Pays toulousain
- Réunion
- **Savoie Mont Blanc (avril 2012)**

Europe

Pays européens

- Allemagne
- Andalousie
- Angleterre, Pays de Galles
- Autriche
- Baléares
- Belgique
- **Budapest, Hongrie (mars 2012)**
- Catalogne (+ Valence et Andorre)
- Crète
- Croatie
- Danemark, Suède
- Écosse
- Espagne du Nord-Ouest (Galice, Asturies, Cantabrie)
- Finlande
- Grèce continentale
- Îles grecques et Athènes
- Irlande
- Islande
- Italie du Nord
- Italie du Sud
- Lacs italiens
- Madrid, Castille (Aragon et Estrémadure)
- Malte
- Norvège
- Pologne
- Portugal
- **République tchèque, Slovaquie (mars 2012)**
- Roumanie, Bulgarie
- Sardaigne
- Sicile
- Suisse
- Toscane, Ombrie

LES GUIDES DU ROUTARD 2012-2013 (suite)

(dates de parution sur **routard.com**)

Villes européennes

- Amsterdam et ses environs
- Barcelone
- Berlin
- Bruxelles
- Florence
- Lisbonne
- Londres
- Moscou, Saint-Pétersbourg
- Prague
- Rome
- Venise

Amériques

- Argentine
- Brésil
- Californie
- Canada Ouest
- Chili et île de Pâques
- Équateur et les îles Galápagos
- États-Unis Nord-Est
- Floride
- Guatemala, Yucatán et Chiapas
- Louisiane et les villes du Sud
- Mexique
- New York
- Parcs nationaux de l'Ouest américain et Las Vegas
- Pérou, Bolivie
- Québec, Ontario et Provinces maritimes

Asie

- Bali, Lombok
- Birmanie (Myanmar)
- Cambodge, Laos
- Chine
- Inde du Nord
- Inde du Sud
- Istanbul
- **Israël, Palestine (mai 2012)**
- Jordanie, Syrie
- Malaisie, Singapour
- Népal, Tibet
- **Sri Lanka (Ceylan ; mai 2012)**
- Thaïlande
- Tokyo, Kyoto et environs
- Turquie
- Vietnam

Afrique

- Afrique de l'Ouest
- Afrique du Sud
- Égypte
- Kenya, Tanzanie et Zanzibar
- Maroc
- Marrakech
- Sénégal, Gambie
- Tunisie

Îles Caraïbes et océan Indien

- Cuba
- Guadeloupe, Saint-Martin, Saint-Barth
- Île Maurice, Rodrigues
- Madagascar
- Martinique
- République dominicaine (Saint-Domingue)
- Réunion

Guides de conversation

- Allemand
- Anglais
- Arabe du Maghreb
- Arabe du Proche-Orient
- Chinois
- Croate
- Espagnol
- Grec
- Italien
- Japonais
- Portugais
- Russe

Et aussi...

- G'palémo (conversation par l'image)

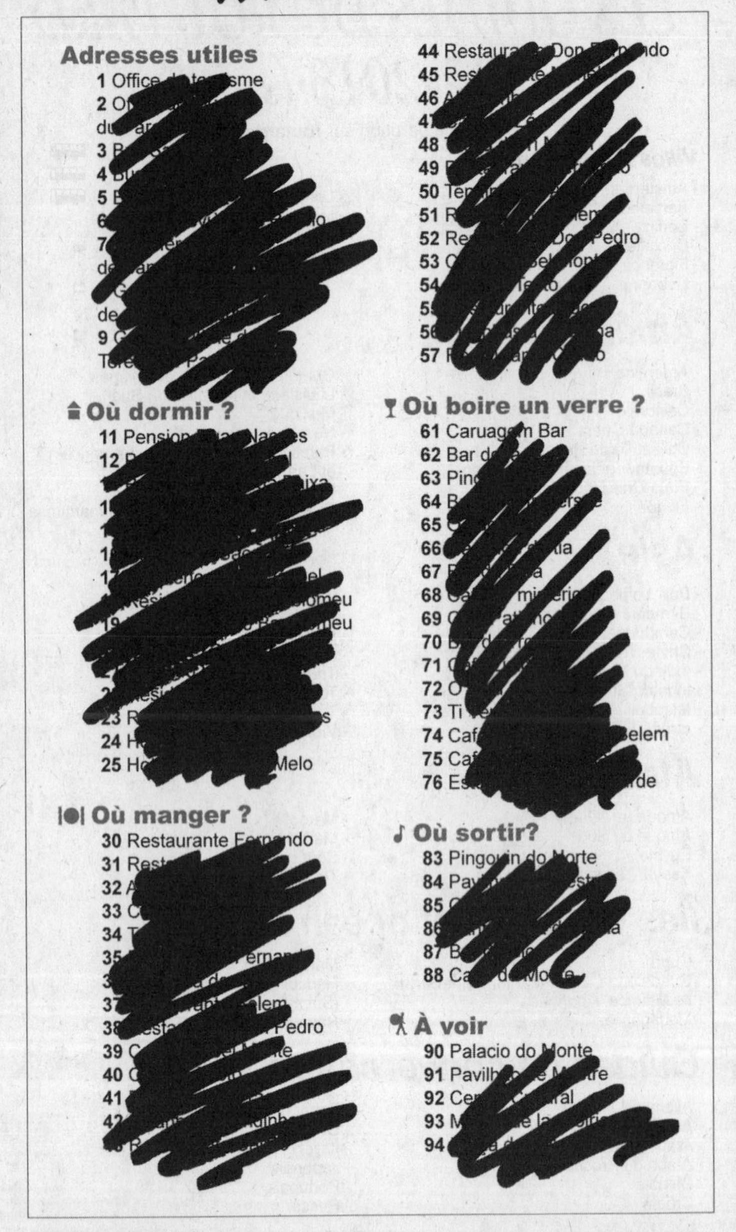

Adresses utiles

Où dormir ?

Où manger ?

30 Restaurante Fernando

Où boire un verre ?

61 Caruagem Bar

Où sortir?

83 Pingouin do Norte

À voir

90 Palacio do Monte

"Qui sauve
un enfant,
sauve le
monde"
Espace offert par le Guide du Routard

SPÉCIAL DÉFENSE DU CONSOMMATEUR

Un routard informé en vaut dix ! Pour éviter les arnaques en tout genre, il est bon de les connaître. Voici un petit vade-mecum destiné à parer aux coûts et aux coups les plus redoutables.

Affichage des prix : les hôtels et les restos sont tenus d'informer les clients de leurs prix, à l'aide d'une affichette, d'un panneau extérieur ou de tout autre moyen. Vous ne pouvez donc contester des prix exorbitants que s'ils ne sont pas clairement affichés.

HÔTELS

1 - Arrhes ou acompte ? : au moment de réserver votre chambre par téléphone – par précaution, toujours confirmer par écrit – ou directement par écrit, il n'est pas rare que l'hôtelier vous demande de verser à l'avance une certaine somme, celle-ci faisant office de garantie. Il est d'usage de parler d'arrhes et non d'acompte (en fait, la loi dispose que « sauf stipulation contraire du contrat, les sommes versées d'avance sont des arrhes »). Légalement, aucune règle n'en précise le montant. Toutefois, ne versez que des arrhes raisonnables : 25 à 30 % du prix total, sachant qu'il s'agit d'un engagement définitif sur la réservation de la chambre. Cette somme ne pourra donc être remboursée en cas d'annulation de la réservation, sauf cas de force majeure (maladie ou accident) ou en accord avec l'hôtelier si l'annulation est faite dans des délais raisonnables. Si, au contraire, l'annulation est le fait de l'hôtelier, il doit vous rembourser le double des arrhes versées. À l'inverse, l'acompte engage définitivement client et hôtelier.

2 - Subordination de vente : comme les restaurateurs, les hôteliers ont interdiction de pratiquer la subordination de vente. C'est-à-dire qu'ils ne peuvent pas vous obliger à réserver plusieurs nuits d'hôtel si vous n'en souhaitez qu'une. Dans le même ordre d'idée, on ne peut vous obliger à prendre votre petit déjeuner ou vos repas dans l'hôtel ; ce principe, illégal, est néanmoins répandu dans la profession, toléré en pratique... Bien se renseigner avant de prendre la chambre dans les hôtels-restaurants. Si vous dormez en compagnie de votre enfant, il peut vous être demandé un supplément.

3 - Responsabilité en cas de vol : un hôtelier ne peut en aucun cas dégager sa responsabilité pour des objets qui auraient été volés dans la chambre d'un de ses clients, même si ces objets n'ont pas été mis au coffre. En d'autres termes, les éventuels panonceaux dégageant la responsabilité de l'hôtelier n'ont aucun fondement juridique.

RESTOS

1 - Menus : très souvent, les premiers menus (les moins chers) ne sont servis qu'en semaine et avant certaines heures (12h30 et 20h30 généralement). Cela doit être clairement indiqué sur le panneau extérieur : à vous de vérifier.

2 - Commande insuffisante : il arrive que certains restos refusent de servir une commande jugée insuffisante. Sachez, toutefois, qu'il est illégal de pousser le client à la consommation.

3 - Eau : une banale carafe d'eau du robinet est gratuite – à condition qu'elle accompagne un repas – sauf si son prix est affiché. La bouteille d'eau minérale quant à elle doit, comme le vin, être ouverte devant vous.

4 - Vins : les cartes des vins ne sont pas toujours très claires. Exemple : vous commandez un bourgogne à 16 € la bouteille. On vous la facture 32 €. En vérifiant sur la carte, vous découvrez que 16 € correspondent au prix d'une demi-bouteille. Mais c'était écrit en petits caractères illisibles.

Par ailleurs, la bouteille doit être obligatoirement débouchée devant le client.

5 - Couvert enfant : le restaurateur peut tout à fait compter un couvert par enfant, même s'il ne consomme pas, à condition que ce soit spécifié sur la carte.

6 - Repas pour une personne seule : le restaurateur ne peut vous refuser l'accès à son établissement, même si celui-ci est bondé ; vous devrez en revanche vous satisfaire de la table qui vous est proposée.

7 - Sous-marin : après le coup de bambou et le coup de fusil, celui du sous-marin. Le procédé consiste à rendre la monnaie en plaçant dans la soucoupe (de bas en haut) : les pièces, l'addition puis les billets. Si l'on est pressé, on récupère les billets en oubliant les pièces cachées sous l'addition.

INDEX GÉNÉRAL

➧ **Attention, le département des Hautes-Alpes est traité dans *Le Guide du routard Alpes*.**

A

ACCATES (LES) 113
AIX (pays d') 169
AIX-EN-PROVENCE 172
ALBERTAS (jardins d') 188
ALLAUCH 114
ALLEMAGNE-EN-PROVENCE 505
ALLOS 470
ALLOS (val d') 469
ALPES-DE-HAUTE-PROVENCE (les) 395
ALPILLES (les) 235
ALPINES (vallées) 445
ANGLES 480
ANNOT 476
ANSOUIS 308
ANTIQUES (plateau des) 252
APT 324
APT (pays d') 324
ARLES 206
ARLES (vieux chemin d') 256
ASSE (vallée de l') 408
AUBAGNE 161
AUBIGNOSC 410
AUREILLE 237
AUREL 365
AURONS 194
AUZET (élevage de rennes et bisons d'Amérique) 447
AVIGNON 270
AVIGNON (château d') 228

B

BAC DU SAUVAGE (Le) 229
BANON 433
BARBEGAL (aqueduc et moulin de) 241
BARBEN (La) 193
BARBENTANE 263
BARCELONNETTE 453
BARLES 408
BARLES (clues de) 407
BARRÊME (clue de Chabrières) 409
BARROUX (Le) 368
BASSE-UBAYE (la) 451
BASTIDES (circuit des) 189
BASTIDONNE (La) 311
BAUX (vallée des) 236

BAUX-DE-PROVENCE (Les) 242
BAYONS (église de) 444
BEAUCAIRE 260
BEAUDUC (pointe de) 226
BEAUMES-DE-VENISE 371
BEAUMETTES (Les) 322
BEAURECUEIL 169, 170
BEAUVEZER 474
BEDOIN 367
BELLAFFAIRE 443
BERRE (étang de) 192
BÈS (vallée du) 406
BEVONS 440
BEYNES 408, 409
BIBÉMUS (carrières de) 171
BLANC-MARTEL (sentier) 491
BLANCHE (gorges de la) 448
BLANCHE (vallée de la) .. 444, 445
BOLLÈNE 384
BONETTE (la) 466
BONNIEUX 314
BOUCHES-DU-RHÔNE (les) 56
BOULBON 261
BRANTES 366
BRAS-D'ASSE 409
BRAS-D'ASSE (vieux) 409
BRÉOLE (La) 451
BRUOUX (mines d'ocres) 329
BUOUX 331
BUZINE (château de La) 114

C

CADENET 305
CAIRE (Le ; la via ferrata de la Grande-Fistoire) 444
CALANQUES (les) 141
CALLELONGUE (calanque de) 145
CAMARGUE (la) 206
CAMARGUE (parc naturel régional de) 221
CANAILLE (cap) 157
CARLUC (prieuré de) 431
CAROMB 368
CARPENTRAS 356
CARRIÈRES DE LUMIÈRES 245
CARRO 140, 205
CARRY-LE-ROUET 139
CASENEUVE 328
CASSIS 151
CASTELLANE 481
CASTILLON (barrage de) 480
CASTILLON (lac de) 479
CAUMONT-SUR-DURANCE 302
CAVAILLON 294
CÉRESTE 431
CHABRIÈRES 409
CHASTEUIL (hameau de) 483
CHÂTEAU NOIR 170
CHÂTEAU-ARNOUX-SAINT-AUBAN 410
CHÂTEAUNEUF-DU-PAPE 392
CHÂTEAUNEUF-VAL-SAINT-DONAT 436
CHEIRON (Le) 484
CHÊNE (Le) 328
CHEVAL-BLANC 303
CIANS (gorges du) 479
CIOTAT (La) 157
CLAPARÈDES (plateau des) 332
COLLE-SAINT-MICHEL (La) 475
COLMARS-LES-ALPES 472
COLORADO PROVENÇAL (le) 332
COMTAT VENAISSIN (le) 352
CORNICHE SUBLIME (la) 490
CORNILLON-CONFOUX 201
COSQUER (grotte) 148
COSTES (massif des) 192
CÔTE BLEUE (la) 137, 205
COURTHÉZON 394
COUSTELLET 321
CRAU (plaine de la) 234
CRESTET 380
CRÊTES (route des) 157
CROISETTE (cap) 145
CRUIS 436
CUCURON 306
CUGES-LES-PINS (OK Corral) 168
CUREL-SUR-JABRON 440

D

DABISSE 412
DALUIS (gorges de) 479
DAUPHIN 429
DESTROUSSE (La) 164
DEVENSON (calanque du) 148
DIGNE-LES-BAINS 398
DURANCE (vallée
de la Moyenne) 410
DUYES (vallée des) 441

E

EN-VAU (calanque d') 148
ENCHASTRAYES 457
ENCLAVES DES PAPES (l') ... 381
ENFER (val d') 245
ENSUÈS-LA-
REDONNE 138, 139
ENTREVAUX 478
ÉOURES 113
ESCALETTE (calanque
de L') 144
ESPARRON-DE-VERDON 501
ESTOUBLON 408
EYGALIÈRES 254
EYRAGUES 251

F

FAUCON-DE-
BARCELONNETTE 457
FERRASSIÈRES 365
FONTAINE-DE-VAUCLUSE 342
FONTVIEILLE 239
FORCALQUIER 422
FORCALQUIER (pays de) 427
FOUILLOUSE 468
FOUX (La) 470
FUVEAU (musée
des Papillons) 168

G

GANAGOBIE (prieuré de) 413
GARDANNE (écomusée de
la Forêt méditerranéenne) ... 188
GARDE (La) 483
GARGAS 327
GARLABAN (massif du) 167
GÉMENOS 164
GIGONDAS 373
GIGORS 443
GORDES 338
GOUDES (Les) 144
GOULT 322
GRAMBOIS 312
GRANS 200
GRAVESON 264
GRÉASQUE (puits Hely
d'Oissel, pôle historique
minier) 188
GRÉOUX-LES-BAINS 501
GRILLON 382

H-I-J

HAUTE-PROVENCE
(la) 398
HAUTE-UBAYE (la) 466
HAUTES-TERRES-
DE-PROVENCE (les) 442
IMBUT (sentier de l') 492
ISLE-SUR-LA-SORGUE
(L') 346
ISSOLE (vallée de l') 474
ISTRES 201
JABRON (vallée du) 439
JAUSIERS 464

K-L

LA BARBEN 193
LA BASTIDONNE 311
LA BRÉOLE 451
LA BUZINE (château de) 114
LA CIOTAT 157
LA COLLE-SAINT-MICHEL 475
LA DESTROUSSE 164
LA FOUX 470
LA GARDE 483
LA MOTTE-DU-CAIRE 443
LA PALUD-SUR-VERDON 486, 487
LA ROBINE-SUR-GALABRE 407
LA ROQUE-D'ANTHÉRON 190
LA SAINTE-BAUME 168
LA TOUR-D'AIGUES 311
LA VALENTINE 114
LACOSTE 317
LAFARE 375
LAGARDE-D'APT 333
LAGNES 349
LAMBERTÂNE 407
LAMBESC 192
LARCHE 466
LARDIERS 435
LAURIS 304
LAUZET-SUR-L'UBAYE (Le) 453
LE BARROUX 368
LE CAIRE (via ferrata de la Grande-Fistoire) 444
LE CHEIRON 484
LE CHÊNE 328
LE LAUZET-SUR-L'UBAYE 459
LE PARADOU 239
LE POINT SUBLIME 487
LE PONTET 273
LE ROVE 138
LE SAMBUC (musée du Riz) 228
LE SAUZE 462
LE SAUZE-SUPER-SAUZE 462
LE SEIGNUS 470
LE THOR 349
LE VACCARÈS 223
LE VERNET 446
LES ACCATES 113
LES BAUX-DE-PROVENCE 242
LES BEAUMETTES 322
LES GOUDES 144
LES MÉES 411
LES MILLES 188
LES MOLANÈS 460
LES OMERGUES 441
L'ESCALETTE (calanque de) 144
L'ISLE-SUR-LA-SORGUE 346
LÉZARD (sentier de découverte du) 491
LIMANS 424
LIOUX 335
LOURMARIN 312
LOURMARIN (combe de) 312
LUBERON (le) 292
LURE (montagne de) 427
LURE (signal de) 436
LURS 413

M-N

MAILLANE 264
MAÏRE (île) 145
MAJASTRES 409
MALAUCÈNE 369
MALIJAI 410
MALJASSET 466, 468
MANE 428
MANOSQUE 414
MARCOUX 408
MARONAISE (anse de la) 145
MARSEILLE 56

MARSEILLE

ACCOULES (montée des) 101
AIX (rue d') 106
AIX (porte d') 106
ALCAZAR (bibliothèque del l') 106
ALHAMBRA (cinéma L' ; Saint-Henri) 137
ANCIEN GRAND HÔTEL DU LOUVRE ET DE LA PAIX 105
ARAX (épicerie arménienne) 107
ARCENAULX (porche des) 99
AUBAGNE (rue d') 107
AUFFES (vallon des) 119

MARSEILLE

AUGUSTINES (place des) 101
AYGALADES (quartier des) 136
BAINS DES DAMES (plage) 123
BELLE-DE-MAI (LA ; quartier de) .. 110
BELSUNCE (quartier de) 106
BLAIZE (herboristerie du Père) 107
BOMPARD (quartier de) 119
BONNE BRISE (plage de) 123
BONNEVEINE (plage) 122
BORD DE MER (le) 119
BORÉLY (parc et château) 117
BORÉLY (plage) 122
BOURSE (la) 105
CABRE (hôtel de) 98
CADENAT (place ; Belle-de-Mai) ... 111
CALLELONGUE 123
CAMPAGNE PASTRÉ 116
CANEBIÈRE (La) 105
CANTINI (fontaine) 108
CANTINI (musée) 108
CASTELLANE (place) 108
CATALANS (plage des) 122
CÉSAR (maison natale du sculpteur ; Belle-de-Mai) 111
CHÂTEAU-BOVIS (L'Estaque) 133
CHÂTEAU-FALLET (L'Estaque) 133
CHÂTEAU-GOMBERT (village de) 112
CHAVE (boulevard) 107
CITÉ RADIEUSE DE LE CORBUSIER 116
CONSIGNE SANITAIRE 98
CORBIÈRES (les plages de) 134
CORNICHE (La) 122
CORNICHE (les villas de la) 119
DAVIEL (place) 101
DOCKS ROMAINS (musée des) 98
ENDOUME 119
ESTAQUE (L' ; quartier de) 127
ESTIENNE-D'ORVES (cours d') 99
ÉVÊCHÉ (rue de l') 101
FAÏENCE (musée de la) 118
FAÏENCERIES FIGUÈRES ET FILS 118
FORTIN (plage du) 123
FRICHE DE LA BELLE-DE-MAI (Belle-de-Mai) 110, 111
FRIOUL (îles du) 123
GASTON-DEFERRE (plage) 122
GOUDES (les) 123
GRAND PORT MARITIME 104
GROBET-LABADIÉ (musée) .. 109
GYPTIS (théâtre ; Belle-de-Mai) 110
HISTOIRE (musée d') 96
HÔTEL DE VILLE 98
HUVEAUNE (plage de l') 122
IF (château d') 123

JEAN-JAURÈS (place) 107
JOLIETTE (docks de la) 104
JOLIETTE (place de la) 104
JULIEN (cours) 107
KENNEDY (corniche) 119
LENCHE (place de) 102
LONGCHAMP (palais) 109
LORETTE (passage de) ... 101, 104
MAC (musée d'Art contemporain) 118
MAISON DIAMANTÉE 98
MAJOR (cathédrale de la) 103
MALLETERRE (place ; L'Estaque) 133
MALMOUSQUE (crique) 122
MARCHÉ AUX POISSONS (le) 96
MARINE ET DE L'ÉCONOMIE (musée de la) 97
MARINIER (vallon du ; L'Estaque) 133
MEILHAN (allées de) 105
MÉMORIAL DES CAMPS DE LA MORT 98
MÉMORIAL DE LA MARSEILLAISE 106
MISTRAL (parc de l'espace ; L'Estaque) 123
MISTRAL (traverse ; L'Estaque) 123
MONTICELLI (musée ; L'Estaque) 134
MOULINS (rue et place des) 101
MOUREPIANE 134
MuCEM (musée des Civilisations de l'Europe et de la Méditerranée) 97
MUSÉUM D'HISTOIRE NATURELLE 109
MUY (caserne de ; Belle-de-Mai) 111
NOAILLES (quartier de) 107
NOTRE-DAME-DE-LA-GARDE 99
NOTRE-DAME-DE-LA-NERTHE ... 134
OPÉRA 99
PAGNOL (pays de Marcel) 113
PANIER (quartier du) 101
PANIER (rue du) 101
PARADIS (rue) 108
PHARO (jardin et palais du) 100
PHOCÉEN (plage des) 123
PIERRE-PUGET (cours) 108
PISTOLES (rue des) 101
PLAGE (promenade de la) 122
PLAGES (Les) 122
PLAINE (quartier de la) 107
POINTE-ROUGE (plage de la) 123
POMÈGUES (île de) 124
PORT ANTIQUE 96
PRADO (plages du) 122
PRÉFECTURE (quartier de la) 108

PROPHETE (plage du) 122
QUAIS (les) 96
RATONNEAU (île) 124
REFUGE (couvent du) 101
RÉPUBLIQUE (rue de la) 104
RIAUX EN BAS (vallon des ; L'Estaque) 134
RIAUX EN HAUT (vallon des ; L'Estaque) 133
RIO TINTO (usines de ; L'Estaque) 134
ROME (rue de) 108
ROUCAS-BLANC (quartier du) 119
SADI-CARNOT (place) 104
SAINT-FERRÉOL (église) 96
SAINT-FERRÉOL (rue) 108
SAINT-JEAN (fort) 97
SAINT-NICOLAS (fort) 100
SAINT-NICOLAS-DE-MYRE (église) 109
SAINT-PIERRE (cimetière) 108
SAINT-VICTOR (abbaye) 100
SAVON (route du ; Les Aygalades) 136
STADE-VÉLODROME (quartier du) 116
STADE-VÉLODROME 116
SYLVABELLE (rue) 108
TABACS (ancienne manufacture des ; Belle-de-Mai) 111
TAOUMÉ (socle du) 116
TERROIR MARSEILLAIS (musée du ; Château-Gombert) 112
THIARS (place) 99
THUBANEAU (rue) 106
TOURETTE (esplanade de la) 102
TREILLE (LA ; village de) 113, 114
VIEILLE CHAPELLE (plage de l'anse de la) 123
VIEILLE-CHARITÉ (centre et musées de la) 101, 102
VIEILLE-MAJOR 103
VIEUX-PORT (quartier du) 95
VIEUX-PORT (le) 95

MARSEILLEVEYRE (calanque de) 146
MARTEL (sentier BLANC-) 491
MARTIGUES 203
MAS-BLANC-DES-ALPILLES 251
MAUBEC 320
MAURIN (église de) 468
MAUSSANE-LES-ALPILLES 237
MAZAN 362
MÉES (Les) 411
MÉNERBES 318
MÉOLANS-REVEL 451, 452
MERCANTOUR (parc national du) 469
MÉRINDOL 303
MEYRARGUES 190
MÉZEL 408, 409
MILLES (Les) 188
MILLES (mémorial des) 188
MIMET 178
MOLANÈS (Les) 460
MOLLÉGÈS 255
MONIEUX 363
MONT-CHALVET (site du) 481
MONTAGNAC-MONTPEZAT 498
MONTAGNETTE (chemins de la) 261
MONTCLAR 448
MONTEUX 361
MONTFORT 411
MONTMAJOUR (abbaye de) 241
MONTMIRAIL (Dentelles de) 370
MONTREDON (madrague de) 143
MORGIOU (calanque de) 147
MORNAS 385
MOTTE-DU-CAIRE (La) 443
MOURIÈS 236
MOUSTIERS-SAINTE-MARIE 486, 492, 496
MURS 342
NESQUE (gorges de la) 363
NIOLON 137
NIOZELLES 425
NORD (route du) 490
NOYERS-SUR-JABRON 440, 441

O

OMERGUES (Les) 441
OPPÈDE 319
OPPEDETTE 432
ORAISON 414
ORANGE 385
OULE (calanque de l') 148

P

PAGNOL (circuits) 115, 167
PAGNOL (pays de Marcel) 113
PALISSADE (domaine de la) 226
PALUD-SUR-VERDON (La) 486, 487
PAPES (cité des) 270
PAPES (enclave des) 381
PARADOU (Le) 239
PÊCHEURS (sentier des) 492
PÉLISSANNE 194
PERNES-LES-FONTAINES 353
PERTUIS 309
PETIT LUBERON (Le) 312
PEYROLLES-EN-PROVENCE 190
PEYRUIS 412
PIÉMANSON (plage de) 226
PIERRERUE 424, 425
PIOCH-BADET 231
PIOLENC 391
PLAN-DE-SAUMANE 343
PLANIER (île de) 126
POINT SUBLIME (Le) 487
POMÈGUES (île de) 124
PONT-DE-GAU (parc ornithologique du) 229
PONT-DE-L'ÉTOILE (Maison de celle qui peint) ... 168
PONT-DE-ROUSTY (mas du ; musée de la Camargue) 228
PONTET (Le) 273
PONTIS 452, 453
PORT-MIOU (calanque de) 149
PORT-MIOU (presqu'île de) 150
PORT-PIN (calanque de) 149
PRA-LOUP 460
PUIMOISSON 509
PUYLOUBIER 170, 171

Q-R

QUINSON 499
REDONNE (calanques de la) 138
RÉGALON (gorges de) 303
REILLANNE 431
REINE-JEANNE (pont de la) 479
RESTEFOND (col de) 466
RHÔNE (vallée du) 384
RICHERENCHES 382
RIEZ 508
RIOU (île) 146
ROBINE-SUR-GALABRE (La) 407
ROBION 320
ROCHERS QUI PARLENT (route des) 444
ROGNES 190
ROQUE-D'ANTHÉRON (La) 190
ROQUEFAVOUR (aqueduc de) 189
ROUGON 487
ROUSSILLON 336
ROUTE NAPOLÉON 405
ROVE (Le) 138
RUSTREL 332

S

SABLET 374
SAIGNON 330
SAINT-ANDRÉ-LES-ALPES 479, 481
SAINT-ANTONIN-DU-BAYON 169
SAINT-BLAISE (site archéologique de) 202
SAINT-CHAMAS 201
SAINT-CHRISTOL-D'ALBION 365
SAINT-DIDIER 355
SAINT-DONAT (église) 411
SAINT-ÉTIENNE-DU-GRÈS ... 256
SAINT-ÉTIENNE-LES-ORGUES 435

SAINT-GENIEZ 441, 442
SAINT-GENIEZ (la Vallée Sauvage) 442
SAINT-JACQUES 485
SAINT-JEAN-MONTCLAR (domaine de) 450
SAINT-JULIEN-DU-VERDON ... 480
SAINT-JURS 510
SAINT-LAURENT-DU-VERDON 499
SAINT-MARTIN-DE-BRÔMES 505
SAINT-MARTIN-DE-CRAU 234
SAINT-MICHEL-DE-FRIGOLET (abbaye) 262
SAINT-MICHEL-L'OBSERVATOIRE 429
SAINT-MITRE-LES-REMPARTS 202
SAINT-PAUL-SUR-UBAYE 466, 467
SAINT-PIERRE-LÈS-AUBAGNE 164
SAINT-PONS 458
SAINT-PONS (vallée de) 168
SAINT-RÉMY-DE-PROVENCE 246
SAINT-SATURNIN-LÈS-APT ... 334
SAINT-TRINIT 365
SAINTE-ANNE-LA-CONDAMINE 468
SAINTE-BAUME (La) 168
SAINTE-CROIX (lac de) 498
SAINTE-CROIX-DU-VERDON 498
SAINTE-VICTOIRE (montagne) 169
SAINTES-MARIES-DE-LA-MER 229
SAINTES-MARIES-DE-LA-MER (route des) 228
SALAGON (prieuré de) 428
SALIN-DE-BADON 225
SALIN-DE-GIRAUD 225
SALINES (les) 226
SALON (pays de) 192
SALON-DE-PROVENCE 195
SAMBUC (Le ; musée du Riz) 228
SAMÉNA (calanque de) 144
SARRIANS 372
SAULT 363
SAULT (pays de) 363
SAUMANE 434
SAUMANE-DE-VAUCLUSE 346
SAUSSET-LES-PINS 139
SAUVAN (château de) 428
SAUZE (Le) 462
SAUZE-SUPER-SAUZE (Le) 462
SAVONNERIES (circuit des) 199
SÉGURET 374
SEIGNUS (Le) 470
SELONNET 447
SÉNANQUE (abbaye de) 341
SENEZ (cathédrale de) 485
SÉRIGNAN-DU-COMTAT 391
SERRE-PONÇON (lac de) 452
SEYNE-LES-ALPES 445
SIGONCE 414
SIGOYER (château de) 443
SILVACANE (abbaye de) 191
SIMIANE-LA-ROTONDE 432
SINGES (baie des) 145
SISTERON 437
SIVERGUES 330
SOLEILHAS 482, 483
SORGUES (pays des) 342
SORMIOU (calanque de) 146
SUD-LUBERON (le) 304
SUGITON (calanque de) 148
SUZETTE 375

T

TALLARD 443
TARASCON 257
THOLONET (route du) 170
THOR (Le) 349
THORAME-BASSE 475
THOUZON (grotte de) 352
TOULOURENC (vallée du) 366
TOUR-D'AIGUES (La) 311
TOUTES-AURES (col de) 479
TRETS 168
TRIGANCE 490
TROIS-SAUTETS (pont des) 170

U-V

UBAYE (les forteresses de l') ... 467
UBAYE (vallée de l') ... 450
UBAYETTE (l') ... 467
UVERNET-FOURS ... 457, 458
VACCARÈS (le) ... 223
VACHÈRES ... 431
VACQUEYRAS ... 372
VAÏRE (vallée de la) ... 475
VAISON-LA-ROMAINE ... 376
VAL D'ALLOS ... 470
VALENSOLE ... 415, 507
VALENSOLE (plateau de) ... 505
VALENTINE (LA) ... 114
VALRÉAS ... 381
VALSAINTES (abbaye de la Rose) ... 433
VANÇON (haute vallée du) ... 441
VAUCLUSE (haut) ... 370
VAUCLUSE (le) ... 267
VAUCLUSE (monts du) ... 324
VAUGINES ... 306
VAUVENARGUES ... 171
VAUVENIÈRES ... 510
VEDÈNE ... 273
VELLERON ... 349
VENAISSIN (le Comtat) ... 352
VENASQUE ... 355
VENELLES (liquoristerie de Provence) ... 190
VENTABREN ... 178, 189
VENTOUX (mont) ... 363, 366
VERDACHES ... 407
VERDON (basse vallée du) ... 498
VERDON (gorges du) ... 485
VERDON (le) ... 479
VERGONS ... 480
VERNÈGUES ... 193
VERNET (Le) ... 446
VÉRONCLE (gorges de la) ... 341
VIENS ... 332
VIGUEIRAT (marais du) ... 227
VILLARS ... 328
VILLEDIEU ... 379
VILLENEUVE-CAMARGUE ... 224
VILLENEUVE-GAGERON ... 224
VILLENEUVE-LEZ-AVIGNON ... 288
VIOLÈS ... 372
VISAN ... 383
VOLONNE ... 411
VOLX (écomusée de l'Olivier) ... 421